필기구술 대비 총서

건강운동관리사 기출 바이블

연도별 기출 / 해설 수록

박승화 강종철 박찬호 권태혁 윤진호
김명숙 김사만 정영택 박치훈 백인서 공저

필기 8과목

운동생리학

건강·체력평가 / 운동처방론

운동부하검사 / 운동상해

기능해부학 (운동역학 포함)

병태생리학

스포츠심리학

건강운동관리사 기출 바이블

건강운동관리사
기출 바이블

첫째판 1쇄 발행 | 2019년 01월 03일
둘째판 1쇄 인쇄 | 2023년 02월 08일
둘째판 1쇄 발행 | 2023년 03월 02일

지 은 이 박승화, 강종철, 박찬호, 권태혁, 윤진호, 김명숙, 김사만, 정영택, 박치훈, 백인서
발 행 인 장주연
출 판 기 획 최준호
책 임 편 집 이다영
편집디자인 주은미
표지디자인 김재욱
일 러 스 트 김경렬, 유학영, 이다솜
제 작 담 당 이순호
발 행 처 군자출판사(주)
　　　　　등록 제4-139호(1991. 6. 24)
　　　　　본사 (10881) **파주출판단지** 경기도 파주시 회동길 338(서패동 474-1)
　　　　　전화 (031) 943-1888　　팩스 (031) 955-9545
　　　　　홈페이지 | www.koonja.co.kr

ISBN 979-11-5955-964-8

가격 60,000원

박승화
朴勝和

(理學 博士,
慶熙大學校 25年 講義)

- 건강운동관리사/스포츠지도사(1, 2급) 국내 최초 (2013년) 인터넷 및 현장강의 개설
- 건강운동관리사/스포츠지도사 자격증 취득한 수강생 전국에 취업 알선 및 추천
- 국가자격증 취득: 건강운동관리사/전문스포츠지도사(1, 2급)/생활스포츠지도사(1, 2급)/국제심판자격증직업훈련교사/평생교육사(문체부, 고용노동부, 교육부, 대한체육회 등), 수영, 테니스, 보디빌딩, 배구·농구(심판자격증), 태권도(4段), 유도(4段) 등 국가체육 및 스포츠자격증 10여종 보유
- 국제심판 자격증, 서울올림픽('88) 경기진행위원 및 심판, 서울올림픽('88) 성화봉송부주자
- 前) 대한체육회 맞춤형 은퇴선수 강의(현장 및 인터넷 강의)
- 대한민국 국가대표 감독 및 선수들이 가장 선호하는 강의 진행 및 프로그램 구성
- 취업 멘토[수강생 합격 후 관련 업계 추천 및 취업 연계] 및 컬설팅(체육관 개업, 창업)
  – 전국의 국민체력 100 체력인증센터, 17개 시·군·구에서 생활체육지도사 양성배출, 종합병원, 대학병원 운동처방실, 재활운동센터, 전국 보건소/국민건강보험공단(건강증진센터), 중소병원 운동처방 및 재활운동센터, 삼성그룹의 근·골격센터, 힐리언스, 네이버 등, 대학 및 프로스포츠팀 AT사, 전국장애인체력인증센터, 피트니스센터 자영업 창업 컨설팅 및 등 최다 합격생 배출 후 취업으로 연결

- 전국대학(대학원, 4년제, 전문대, 디지털대, 사이버대, 학점은행제, 스포츠조직 및 단체, 대한체육회, 국민체육진흥공단, 시·도별 체육회) 특강 및 학기강의/출장강의 진행 및 제휴
- 대학교 및 기관 및 단체 출강(대한체육회, 한국체대, 경희대, 아주대, 용인대, 광운대, 중원대, 충북장애인체육회, 중소기업청, 국방부전직교육원, 오산대학, 대한민국합기도총협회 등)
- 강의 제휴, 체육관련 서적 출간문의 및 강의자료 제휴, 학술용역, 스포츠정보업, 교육서비스 및 제휴
- 現) 朴勝和 體育·스포츠[체육 국가자격증 인터넷 강의, 전국대학/스포츠조직 및 단체 현장 특강 전문 강의] 代表[www.peteacher.co.kr, 사이트 운영]
- 現) 한국체육대학교(전교생 대상) 건강운동관리사·스포츠지도사 자격증과목 擔當 敎授(特講)
- 現) 국민체육진흥공단 체육지도자연수원 1급 전문 스포츠지도사 연수강의 擔當 講師
- 現) 장애인스포츠강좌이용권[현장 강의 및 인터넷 강의(재활트레이닝 및 체력증진교실, 건운사·스포츠지도사 자격증과목)] 운영 중
- 現) 한국열린사이버대학교(뷰티건강디자인학과) 敎授(兼任)

강종철

(체육학박사,
운동역학 기여 저자)

- 용인대학교 체육과학대학 골프학과 졸업(골프학)
- 용인대학교 체육과학대학원 석사 졸업(골프학)
- 용인대학교 일반대학원 박사 졸업(체육학)
- KPGA Class A Pro (한국프로골프협회)
- 골프 1급전문스포츠지도사(문화체육관광부)
- 골프 1급생활스포츠지도사(문화체육관광부)
- 골프 유소년스포츠지도사(문화체육관광부)
- 골프 노인 스포츠지도사(문화체육관광부)
- 골프 바이오메카니스트
- M O S Master (Microsoft)
- 피팅기술사(한국골프피팅협회)

- 스윙분석기술사(한국골프피팅협회)
- 스포츠심리상담사(한국스포츠심리학회)
- 석사학위 논문: 골프 드라이버 임팩트 순간의 생체역학적 변인 분석(KCI 등재)
- 박사학위 논문: 골프 드라이버 스윙 유형에 따른 임팩트 순간의 생체역학적 변인 분석(SCI 등재 준비 중)
- 현) 용인대학교 골프학과 객원교수(기능해부학 운동역학 강의)
- 현) 박승화 체육·스포츠교육원[스포츠지도사·건강운동관리사] 운동역학 및 기능해부학 강의 교수

박 찬 호

- 경희대학교 체육대학 체육학과
- 경희대학교 대학원 체육학(석 · 박사) 졸업
- 전) 부산광역시 체육회 경기력향상위원회 위원
- 전) 부산광역시 체육회 이사
- 전) 동의대학교 예술체육대학 부학장
- 전) 한국체육학회 부회장
- 현) 부산광역시 체육회 임원심의위원회 위원
- 현) 동의대학교 예술체육대학 레저스포츠학과 학과장
- 현) 동의대학교 예술체육대학 레저스포츠학과 교수

권 태 혁

- 상명대학교 졸업(체육학)
- 상명대학교 대학원 졸업(체육학)
- 우정공무원교육원 근 · 골격계 질환관리 교육 강사
- 전국 공공기관 및 대학교 강의
- 대한피트니스지도협회 정회원
- 전문스포츠지도사 2급(보디빌딩) 자격증
- 노인스포츠지도사 자격증
- 생활스포츠지도사 2급(보디빌딩) 자격증
- 현) 천안 핏라이프피트니스 & 스튜디오 대표

- 현) 천안 핏라이프피트니스 헬스센터: 박승화 체육스포츠(건강운동관리사 · 스포츠지도사) 실기 및 이론 현장특강 협력 교육장
- 현) 박승화 체육스포츠(건강운동관리사 · 스포츠지도사) 이론 및 실기전문 교수
- 현) 박승화 체육스포츠, 국가자격증(건강운동관리사 · 스포츠지도사) 교재 및 강의 공동기획 연구교수
- 현) 부천대학교 재활스포츠과 겸임교수

윤 진 호

- 한국열린사이버대학교(뷰티건강디자인학과) 졸업
- 어깨질환, 허리질환, 고관절 질환자에 맞는 운동재활 직접 강의(수기코어센터)
- Chiropractic Master Course(한세영 의학박사)
- Sugi Balance Therapy Master Course(초 · 중 · 고급과정) 수료
- 15th AFIC CONFERENCE 킨텍스 뇌척수의 흐름 조정을 통한 척추 & 골반교정(ASSIST Instructor) 수료
- 국제휴먼 올림픽대회 체형관리 대상수상(88체육관)
- 경혈지압 임상이론 수료
- Personal Training & rehabilitation Course Level 1, 2(KTA)
- Weight Training Corrective Exercise Specialist

Level1, 2(KTA)
- M · C 딩동(전담 트레이너)
- 17대 장다사로 총무기획관(전담 트레이너)
- 전) 별내 푸르지오 UZ센터 매니저
- 전) 서경스포렉스 Instructor(서경대학교)
- 전) 세란의원(건강운동지도사)
- 전) 삼창스포츠센터(트레이너)
- 현) 미사 e편한세상 피트니스 총괄 매니저
- 현) 박승화 체육스포츠, 국가자격증(건강운동관리사 · 스포츠지도사) 교재 및 강의 공동기획 연구교수
- 현) 박승화 체육스포츠(건강운동관리사 · 스포츠지도사) 실기전문 교수

김 명 숙

- 서울교육대학교 졸업
- 서울교육대학교 대학원졸업
- 동국대학교 졸업(체육학과)
- 생활체육지도자 자격증
- 건강운동관리사 자격증 운동생리학 강의, 1급스포츠지도사 트레이닝론 강의

김 사 만

- 경기대학교 레저스포츠학과 학사
- 한국체육대학교 사회체육대학원 체육학 석사
- 대한적십자사 심폐소생술 강사
- 전) 경기도산악연맹 대외협력 이사
- 현) 한국스포츠학회 부회장
- 현) 경기대학교 스포츠클라이밍 강사
- 현) 경기레포츠클럽 대표
- 현) 경기레포츠클라이밍 센터 대표
- 현) 킹 · 콩클라이밍 대표

정 영 택

- 한국열린사이버대학교(뷰티건강디자인학과) 졸업
- 전) 최혜영 골프프로 골프 재활 전담 트레이너
- 전) 운동 재활 협회연구소 실장
- 전) 케틀벨 협회 기획이사
- 전) 스포츠인재 개발원 지정 체육대학 특강(강의 과목: 스포츠 테이핑/스포츠 마사지/트레이닝 방법론/운동처방)
- 전) 스포츠인재 개발원 전임 강사
- 전) 마이유 휘트니스 대표 역임
- 전) 뉴강서성심병원 재활운동 치료실 실장
- 전) 연세메디컬의원 재활운동센터 실장
- 전) 세명병원 도수 재활센터 재활운동 실장
- 전) 공주 경희 양 · 한방병원 재활운동 실장
- 현) 세계자연요법협회 교육이사
- 현) 빅드림베이스볼 아카데미 재활트레이너(청주 소재)
- 현) 박승화 체육스포츠(건강운동관리사 · 스포츠지 도사) 실기전문 교수

박 치 훈

- 관동대학교 사범대학 체육교육과 졸업
- 건강운동관리사
- 체형관리사
- 노인건강운동사
- 중등 교원 체육교사(2급)
- 전) 중등 체육 교사
- 전) 국민체력 100 체력인증센터 건강운동관리사(운동처방사)
- 전) 박승화 체육스포츠(건강운동관리사) 실기 교수
- 현) 원주시 보건소 건강운동관리사

백 인 서

- 청주대학교(레저스포츠 학과) 졸업
- 건강운동관리사 자격증
- 스포츠지도사(보디빌딩) 자격증
- 전) 하늘병원 운동처방사
- 현) 박승화 체육스포츠, 국가자격증(건강운동관리사 · 스포츠지도사) 이론강의(전문 팀원)
- 현) 박승화 체육스포츠(건강운동관리사 · 스포츠지도사) 실기지도 교수

공부하고 싶은 책, 갖고 싶은 책!
바로 그 책 건강운동관리사 기출바이블

본 교재를 출간하는데 있어 공동저자로 참여한 칠순이 넘었음에도 불구하고 학문에 대한 열정을 품고 운동역학과 골프를 사랑하는 강종철 용인대학교 교수님, 그리고 부산동의대학교 예술대 부학장을 역임하고 현역 학과장을 맡고 계신 박찬호 교수님, 예의가 바르고, 인품이 참한 부천대 재활스포츠과 권태혁 교수님, 학교에서 열심히 학생들을 지도하고 운동생리학과 트레이닝론에 강한 김명숙 선생님, 사업차 늦깎이 공부로 대학과 대학원을 졸업하고, 등산 전문가이며 체육학에 재미를 붙인 김사만 대표님, 책임감이 강하며, 정이 많고 성실성이 넘치는 아들 같은 윤진호 매니저, 항상 필자 곁에 맴돌면서 자신의 인생을 꿋꿋하게 개척하면서 미래를 꾸려가는 정영택 트레이너, 원주보건소에서 운동처방사로 보람과 긍지를 느끼면서 근무하고 있는 제자 박치훈 현역 건강운동관리사, 지난 3년 동안 함께 기출문제들을 분석하고, 향후 과학적이고 체계적인 운동처방센터를 운영하고자 하는 백인서 트레이너 모두의 공통점은 자신의 삶에서 최선을 다하고 열심히 세상을 산다는 것과 또 하나는 筆者(朴勝和)의 弟子 혹은 講義를 수강함으로써 맺어진 因緣이다. 모든 분들에게 축복이 있기를 빌고 또 성원에 대한 감사의 말씀을 지면을 통해서 드린다.

전국에서 건강운동관리사 자격증을 취득하고자 하는 수험생 여러분!
건강운동관리사 필기시험은 8과목으로 결코 접근이 쉬운 자격증 시험은 아니다.
건강운동관리사 수험공부를 하면서 어디서부터 시작해야 하고, 어떤 수험서를 구입해야 할까 많은 고민을 하게 된다. 이제 그럴 필요가 없다. 묻지도, 따지지도 말고 무조건 본 교재로 공부하면 후회하지 않을 것이다.
시험공부를 할 때 궁금하고, 의문투성이의 문제를 해결할 수 있도록 바로 여러분이 찾는 내용들을 10여 년간의 기출문제와 기타 근·골격계, 신경계, 심전도, 프로토콜들을 모은 한 권의 如意寶珠같은 성경 같은 수험서를 출간하게 되었다.
4도 칼라판으로 구성되어 수험생들이 필요로 하는 교재, 사랑받는 수험서, 절로 손이 가는 책이 될 것으로 확신한다.

본 교재는 건강운동관리사 공부를 하고 있는 많은 수험생들이 애타게 찾는 제대로 된 성경 같은 수험서로서의 역할을 다하게 될 것이다.

본 교재를 처음 시작하면서 누군가는 동안 출제된 난해하고, 까다롭고, 어려운 문제들을 해결해서 궁금증을 풀어줘야 한다는 소명과 사명감을 갖고 작업을 시작했다.

통합된 기출문제들을 하나로 묶은 속 시원한 교재에 갈증을 느끼는 수험생들을 생각하면서 오랜 시간과 노력을 쏟아 부은 끝에 8과목(운동생리학, 건강체력평가, 운동처방론, 운동부하검사, 운동상해, 기능해부학, 병태생리학, 스포츠심리학)에 대한 10여년 1500여 문제를 해결하는 데는 산 너머 산을 넘는 난제를 극복해야 하는 어려움의 연속이었다.

때로는 포기하고도 싶었던 방대한 작업이었다. 출제된 문제를 뒤 쫓아가면서 그 범위와 깊이에 대해서 또 한 번 놀라지 않을 수 없었으며, 그에 걸맞는 수많은 참고서적 및 관련 학술지들과 최신교재와 원서들을 접해야만 겨우 해결할 수 있었다.

또 하나의 변수는 ACSM의 빠른 변화에 맞춰 출간해야 하는 어려움이었다.

마땅한 교재가 없어 세계 각국에서 차용할 수밖에 없는 ACSM의 가이드라인은 세상의 변화처럼 그 위험수치나 기준이 變化無雙하여 참으로 따라가기 힘든 여정이기도 하다.

본 교재를 참고삼아 공부할 수험생들을 생각하면서 자료를 분석하고 엄선하여 가능한 한 최근의 자료로 이해가 쉽게 그림과 사진을 넣었고, 강의하듯이 해설을 싣는데 주력했다.

필자는 자신 있게 말할 수 있다. 이 책이야 말로 건강운동관리사 시험공부에 많은 도움을 주리라고 확신한다. 많은 수험생들이 愛之重之하는 수험서의 寵兒가 될 것으로 기대한다.

본 교재에서 부족한 내용이나 미해결된 문제는 본원의 카페와 홈페이지에서 보충을 할 것이다.

강좌를 수강하고 있는 전국의 많은 대학특강 수험생, 그리고 일반인 수험생들의 기대에 어긋나지 않게 욕구를 충족하려고 노력했다. 또한 시험과목에 대한 8과목이 한 권으로 출간되기까지 뼈를 말리는 작업의 연속이었다. 많은 관련 사진과 그림들을 넣기 위해 일러스트레이션 작업을 하게 되었고, 상상조차 하기 힘든 문제의 범위와 들쭉날쭉한 난이도, 가늠할 수 없는 문제들의 오답에 대한 명쾌한 해석과 정답에 대한 주변지식들을 곁들여 향후 출제될 문제에 대비를 하도록 구성하였다.

시험을 주관하는 국민체육진흥공단의 체육지도자연수원에서 제시한 시험출제 범위와 기존 출제된 기출문제를 접해 봄으로써 새로운 문제를 유추하고, 그 문제들을 해결할 수 있는 능력을 신장시키는 근육을 키우는데 중점을 두었다.

창의력을 신장시켜 문제를 해결하는 판단력과 토마호크 미사일처럼 답을 빨리 찾아가도록 본 교재가 보약 같은 존재로 여러분 곁에서 스승 같이 그 임무를 다하리라고 본다.

미래의 건강운동관리사 시험문제는 점점 세분화, 전문화되어 그래프나 틀 및 그림을 분석하고 응용하는 문제와 더러는 계산문제들이 지속적으로 출제될 것이다. 심전도 역시 우리 영역이 아니라고 생각하면 큰 오류이다. 왜냐하면 ACSM의 지문에 지속적으로 언급되기 때문이다.

이러한 요소들에 초점을 맞추고, 강조하면서 문제에 해설을 붙였으며 또한 "박승화 체육스포츠" 강좌에서도 이러한 추세와 흐름에 부합되게 강의를 진행하고 있다.

더불어 앞으로의 출제문제들은 ACSM에서 제시한 가이드라인과 함께 심전도에 관련된 문제는 여전히 출제될 것이며, 많은 <보기>를 제시한 후 실제 상황을 예로 들고 적용 가능한 실제성(수행평가)있는 문제들이 출제될 것으로 사료된다.

수험생들은 반드시 근·골격계를 비롯해 신경이나 호르몬 분비기관 등의 시각적 자료(그림)가 동반된 공부를 해야 기억력과 이해력을 증진시킬 수 있다는 것을 잊어서는 안 된다. 미완의 교재 제 2권(운동상해, 운동부하검사, 건강체력평가, 병태생리학)의 교재도 제 1권처럼 출간할 것을 기대하면서 본 교재가 출간되기까지 ㈜군자출판사 사장님, 최준호 과장, 이다영 편집자를 비롯한 그 외 편집진, 또한 일러스트레이션 작업을 맡아주신 여러분에게 진심으로 감사를 드린다.

문제를 푸는 근육을 키워 근력을 향상시켜주고, 스마트한 창의력을 신장시키는 강의!
카페[cafe.naver.com/healthtrainer] 수험 및 취업정보
인터넷 강의[박승화 체육·스포츠(www.peteacher.co.kr)]

執筆陣 代表 朴勝和

CONTENTS

건강운동관리사 기출 바이블

I
건강운동관리사 8과목 출제 범위

운동심리학

생체역학

운동생리학

운동영양학

기능해부학

체력 및 건강검사

Bible 건강운동관리사

운동생리학

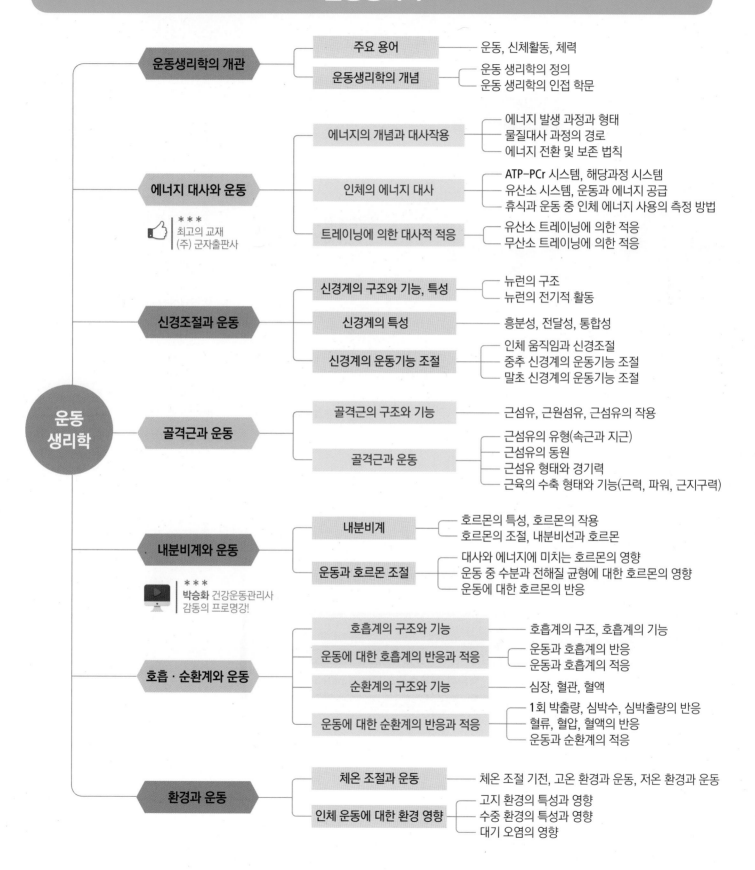

운동생리학의 개관
- 주요 용어 — 운동, 신체활동, 체력
- 운동생리학의 개념 — 운동 생리학의 정의 / 운동 생리학의 인접 학문

에너지 대사와 운동
- 에너지의 개념과 대사작용 — 에너지 발생 과정과 형태 / 물질대사 과정의 경로 / 에너지 전환 및 보존 법칙
- 인체의 에너지 대사 — ATP-PCr 시스템, 해당과정 시스템 / 유산소 시스템, 운동과 에너지 공급 / 휴식과 운동 중 인체 에너지 사용의 측정 방법
- 트레이닝에 의한 대사적 적응 — 유산소 트레이닝에 의한 적응 / 무산소 트레이닝에 의한 적응

***
최고의 교재
(주) 군자출판사

신경조절과 운동
- 신경계의 구조와 기능, 특성 — 뉴런의 구조 / 뉴런의 전기적 활동
- 신경계의 특성 — 흥분성, 전달성, 통합성
- 신경계의 운동기능 조절 — 인체 움직임과 신경조절 / 중추 신경계의 운동기능 조절 / 말초 신경계의 운동기능 조절

골격근과 운동
- 골격근의 구조와 기능 — 근섬유, 근원섬유, 근섬유의 작용
- 골격근과 운동 — 근섬유의 유형(속근과 지근) / 근섬유의 동원 / 근섬유 형태와 경기력 / 근육의 수축 형태와 기능(근력, 파워, 근지구력)

내분비계와 운동
- 내분비계 — 호르몬의 특성, 호르몬의 작용 / 호르몬의 조절, 내분비선과 호르몬
- 운동과 호르몬 조절 — 대사와 에너지에 미치는 호르몬의 영향 / 운동 중 수분과 전해질 균형에 대한 호르몬의 영향 / 운동에 대한 호르몬의 반응

***
박승화 건강운동관리사
감동의 프로명강!

호흡·순환계와 운동
- 호흡계의 구조와 기능 — 호흡계의 구조, 호흡계의 기능
- 운동에 대한 호흡계의 반응과 적응 — 운동과 호흡계의 반응 / 운동과 호흡계의 적응
- 순환계의 구조와 기능 — 심장, 혈관, 혈액
- 운동에 대한 순환계의 반응과 적응 — 1회 박출량, 심박수, 심박출량의 반응 / 혈류, 혈압, 혈액의 반응 / 운동과 순환계의 적응

환경과 운동
- 체온 조절과 운동 — 체온 조절 기전, 고온 환경과 운동, 저온 환경과 운동
- 인체 운동에 대한 환경 영향 — 고지 환경의 특성과 영향 / 수중 환경의 특성과 영향 / 대기 오염의 영향

건강체력평가

건강
체력
평가

신체활동과 건강
- 신체활동의 이점과 위험요인
  - 규칙적인 신체활동과 운동의 이점
  - 운동 관련 위험요인
- 신체활동과 만성질환
  - 신체활동 상태와 만성질환
  - 신체활동과 건강의 관계

운동참여 전 평가
- 운동참여 전 건강검진과 위험분류
  - 운동참여 전 사전검사
  - 운동참여자의 위험분류
- 운동참여 전 평가
  - 이학적 검사
  - 의학적 검사
  - 운동검사의 금기사항

체력검사와 평가
- 건강 관련 체력검사
  - 체력검사의 목적
  - 체력검사 방법 및 지침
  - 신체구성(조성)
  - 심폐체력
  - 근력과 근지구력
  - 유연성
- 건강 관련 체력검사 평가
  - 신체구성 평가
  - 심폐체력 평가
  - 근력 및 근지구력 평가
  - 종합적인 건강체력 평가

운동처방론

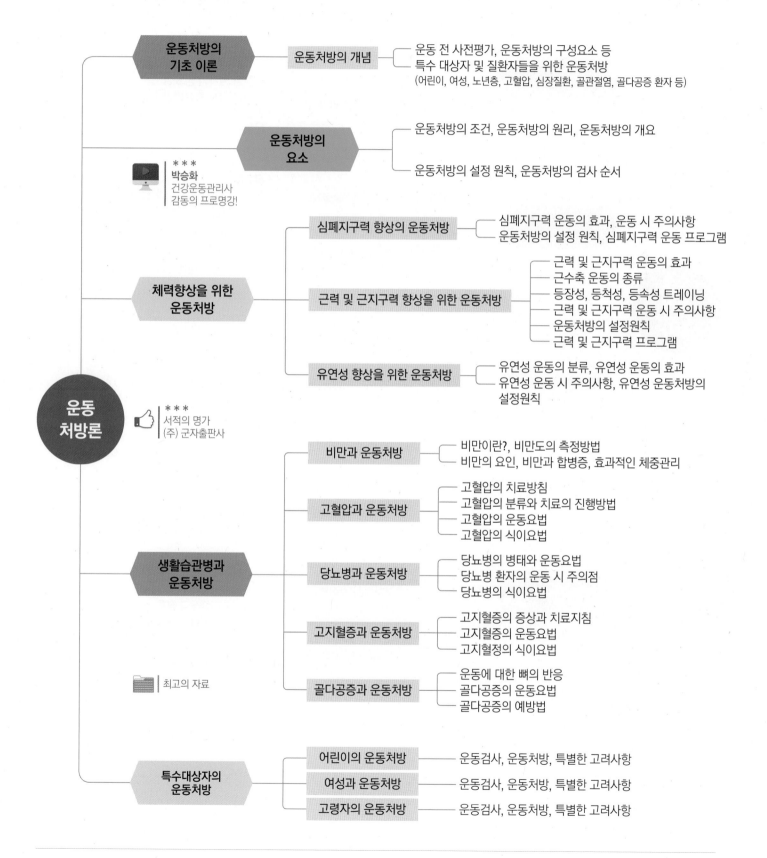

운동처방론

- **운동처방의 기초 이론**
  - 운동처방의 개념
    - 운동 전 사전평가, 운동처방의 구성요소 등
    - 특수 대상자 및 질환자들을 위한 운동처방 (어린이, 여성, 노년층, 고혈압, 심장질환, 골관절염, 골다공증 환자 등)

- **운동처방의 요소**
  - 운동처방의 조건, 운동처방의 원리, 운동처방의 개요
  - 운동처방의 설정 원칙, 운동처방의 검사 순서

★★★
박승화
건강운동관리사
감동의 프로명강!

- **체력향상을 위한 운동처방**
  - 심폐지구력 향상의 운동처방
    - 심폐지구력 운동의 효과, 운동 시 주의사항
    - 운동처방의 설정 원칙, 심폐지구력 운동 프로그램
  - 근력 및 근지구력 향상을 위한 운동처방
    - 근력 및 근지구력 운동의 효과
    - 근수축 운동의 종류
    - 등장성, 등척성, 등속성 트레이닝
    - 근력 및 근지구력 운동 시 주의사항
    - 운동처방의 설정원칙
    - 근력 및 근지구력 프로그램
  - 유연성 향상을 위한 운동처방
    - 유연성 운동의 분류, 유연성 운동의 효과
    - 유연성 운동 시 주의사항, 유연성 운동처방의 설정원칙

★★★
서적의 명가
(주) 군자출판사

- **생활습관병과 운동처방**
  - 비만과 운동처방
    - 비만이란?, 비만도의 측정방법
    - 비만의 요인, 비만과 합병증, 효과적인 체중관리
  - 고혈압과 운동처방
    - 고혈압의 치료방침
    - 고혈압의 분류와 치료의 진행방법
    - 고혈압의 운동요법
    - 고혈압의 식이요법
  - 당뇨병과 운동처방
    - 당뇨병의 병태와 운동요법
    - 당뇨병 환자의 운동 시 주의점
    - 당뇨병의 식이요법
  - 고지혈증과 운동처방
    - 고지혈증의 증상과 치료지침
    - 고지혈증의 운동요법
    - 고지혈정의 식이요법
  - 골다공증과 운동처방
    - 운동에 대한 뼈의 반응
    - 골다공증의 운동요법
    - 골다공증의 예방법

📁 최고의 자료

- **특수대상자의 운동처방**
  - 어린이의 운동처방 — 운동검사, 운동처방, 특별한 고려사항
  - 여성과 운동처방 — 운동검사, 운동처방, 특별한 고려사항
  - 고령자의 운동처방 — 운동검사, 운동처방, 특별한 고려사항

운동부하검사

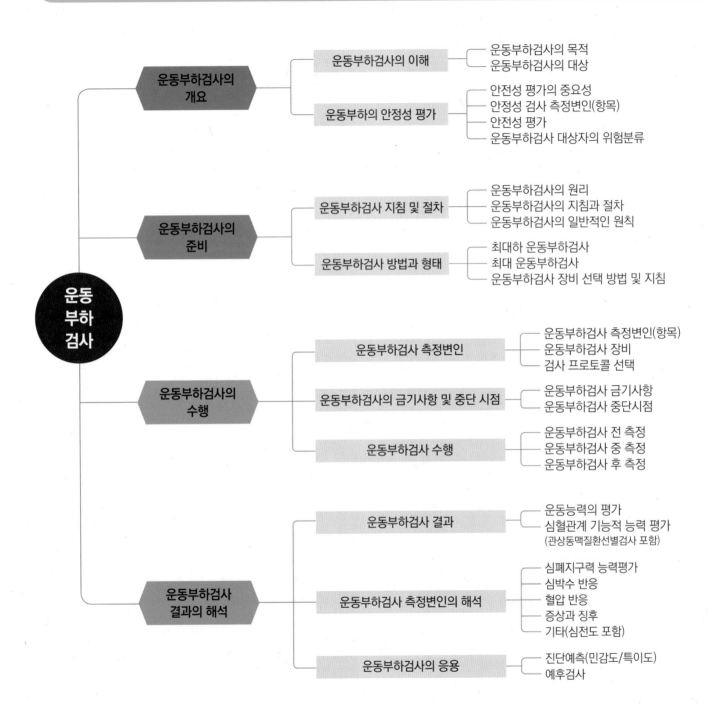

운동부하검사

- 운동부하검사의 개요
  - 운동부하검사의 이해
    - 운동부하검사의 목적
    - 운동부하검사의 대상
  - 운동부하의 안정성 평가
    - 안전성 평가의 중요성
    - 안정성 검사 측정변인(항목)
    - 안전성 평가
    - 운동부하검사 대상자의 위험분류
- 운동부하검사의 준비
  - 운동부하검사 지침 및 절차
    - 운동부하검사의 원리
    - 운동부하검사의 지침과 절차
    - 운동부하검사의 일반적인 원칙
  - 운동부하검사 방법과 형태
    - 최대하 운동부하검사
    - 최대 운동부하검사
    - 운동부하검사 장비 선택 방법 및 지침
- 운동부하검사의 수행
  - 운동부하검사 측정변인
    - 운동부하검사 측정변인(항목)
    - 운동부하검사 장비
    - 검사 프로토콜 선택
  - 운동부하검사의 금기사항 및 중단 시점
    - 운동부하검사 금기사항
    - 운동부하검사 중단시점
  - 운동부하검사 수행
    - 운동부하검사 전 측정
    - 운동부하검사 중 측정
    - 운동부하검사 후 측정
- 운동부하검사 결과의 해석
  - 운동부하검사 결과
    - 운동능력의 평가
    - 심혈관계 기능적 능력 평가 (관상동맥질환선별검사 포함)
  - 운동부하검사 측정변인의 해석
    - 심폐지구력 능력평가
    - 심박수 반응
    - 혈압 반응
    - 증상과 징후
    - 기타(심전도 포함)
  - 운동부하검사의 응용
    - 진단예측(민감도/특이도)
    - 예후검사

★ ★ ★
최고의 적중률과 재미있는 스토리!
(주) 군자출판사

운동상해

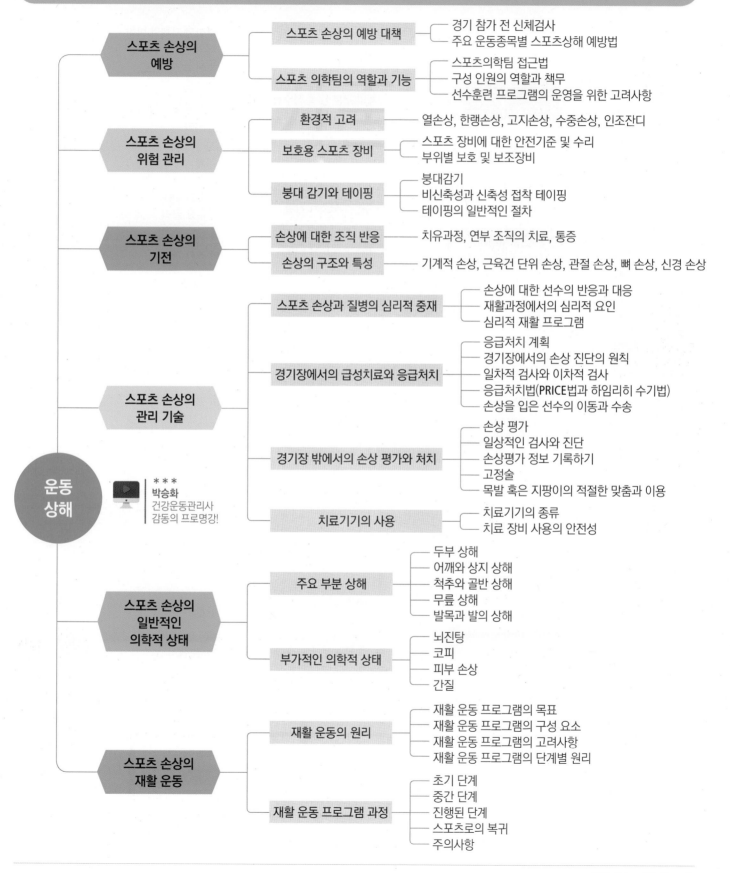

스포츠 손상의 예방
- 스포츠 손상의 예방 대책
  - 경기 참가 전 신체검사
  - 주요 운동종목별 스포츠상해 예방법
- 스포츠 의학팀의 역할과 기능
  - 스포츠의학팀 접근법
  - 구성 인원의 역할과 책무
  - 선수훈련 프로그램의 운영을 위한 고려사항

스포츠 손상의 위험 관리
- 환경적 고려
  - 열손상, 한랭손상, 고지손상, 수중손상, 인조잔디
- 보호용 스포츠 장비
  - 스포츠 장비에 대한 안전기준 및 수리
  - 부위별 보호 및 보조장비
- 붕대 감기와 테이핑
  - 붕대감기
  - 비신축성과 신축성 접착 테이핑
  - 테이핑의 일반적인 절차

스포츠 손상의 기전
- 손상에 대한 조직 반응
  - 치유과정, 연부 조직의 치료, 통증
- 손상의 구조와 특성
  - 기계적 손상, 근육건 단위 손상, 관절 손상, 뼈 손상, 신경 손상

운동상해

★★★
박승화
건강운동관리사
감동의 프로명강!

스포츠 손상의 관리 기술
- 스포츠 손상과 질병의 심리적 중재
  - 손상에 대한 선수의 반응과 대응
  - 재활과정에서의 심리적 요인
  - 심리적 재활 프로그램
- 경기장에서의 급성치료와 응급처치
  - 응급처치 계획
  - 경기장에서의 손상 진단의 원칙
  - 일차적 검사와 이차적 검사
  - 응급처치법(PRICE법과 하임리히 수기법)
  - 손상을 입은 선수의 이동과 수송
- 경기장 밖에서의 손상 평가와 처치
  - 손상 평가
  - 일상적인 검사와 진단
  - 손상평가 정보 기록하기
  - 고정술
  - 목발 혹은 지팡이의 적절한 맞춤과 이용
- 치료기기의 사용
  - 치료기기의 종류
  - 치료 장비 사용의 안전성

스포츠 손상의 일반적인 의학적 상태
- 주요 부분 상해
  - 두부 상해
  - 어깨와 상지 상해
  - 척추와 골반 상해
  - 무릎 상해
  - 발목과 발의 상해
- 부가적인 의학적 상태
  - 뇌진탕
  - 코피
  - 피부 손상
  - 간질

스포츠 손상의 재활 운동
- 재활 운동의 원리
  - 재활 운동 프로그램의 목표
  - 재활 운동 프로그램의 구성 요소
  - 재활 운동 프로그램의 고려사항
  - 재활 운동 프로그램의 단계별 원리
- 재활 운동 프로그램 과정
  - 초기 단계
  - 중간 단계
  - 진행된 단계
  - 스포츠로의 복귀
  - 주의사항

기능해부학

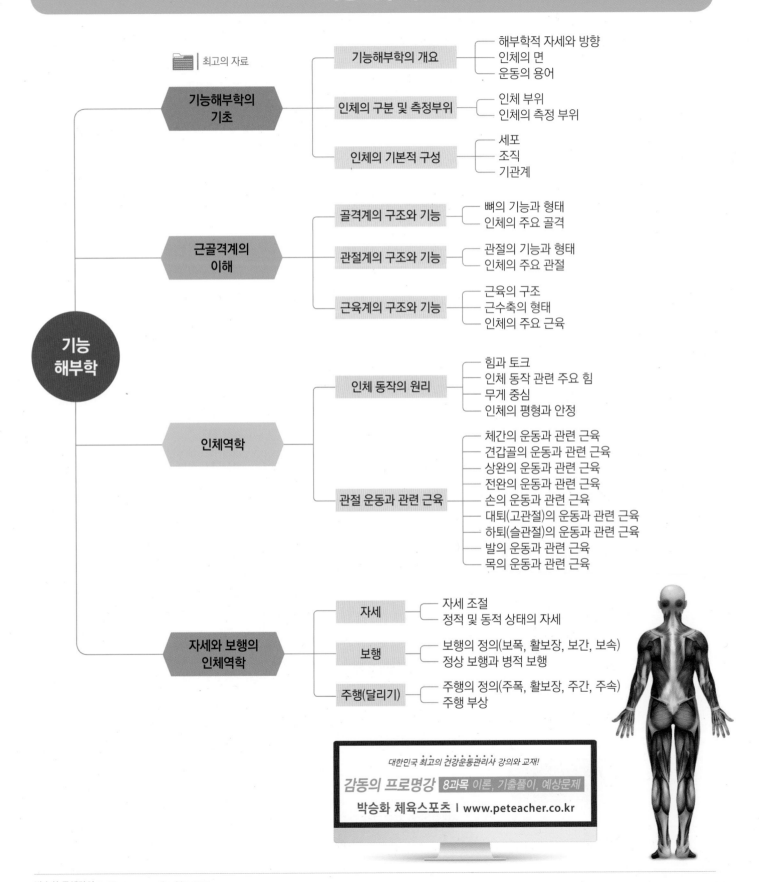

최고의 자료

기능해부학의 기초
- 기능해부학의 개요
  - 해부학적 자세와 방향
  - 인체의 면
  - 운동의 용어
- 인체의 구분 및 측정부위
  - 인체 부위
  - 인체의 측정 부위
- 인체의 기본적 구성
  - 세포
  - 조직
  - 기관계

근골격계의 이해
- 골격계의 구조와 기능
  - 뼈의 기능과 형태
  - 인체의 주요 골격
- 관절계의 구조와 기능
  - 관절의 기능과 형태
  - 인체의 주요 관절
- 근육계의 구조와 기능
  - 근육의 구조
  - 근수축의 형태
  - 인체의 주요 근육

인체역학
- 인체 동작의 원리
  - 힘과 토크
  - 인체 동작 관련 주요 힘
  - 무게 중심
  - 인체의 평형과 안정
- 관절 운동과 관련 근육
  - 체간의 운동과 관련 근육
  - 견갑골의 운동과 관련 근육
  - 상완의 운동과 관련 근육
  - 전완의 운동과 관련 근육
  - 손의 운동과 관련 근육
  - 대퇴(고관절)의 운동과 관련 근육
  - 하퇴(슬관절)의 운동과 관련 근육
  - 발의 운동과 관련 근육
  - 목의 운동과 관련 근육

자세와 보행의 인체역학
- 자세
  - 자세 조절
  - 정적 및 동적 상태의 자세
- 보행
  - 보행의 정의(보폭, 활보장, 보간, 보속)
  - 정상 보행과 병적 보행
- 주행(달리기)
  - 주행의 정의(주폭, 활보장, 주간, 주속)
  - 주행 부상

기능 해부학

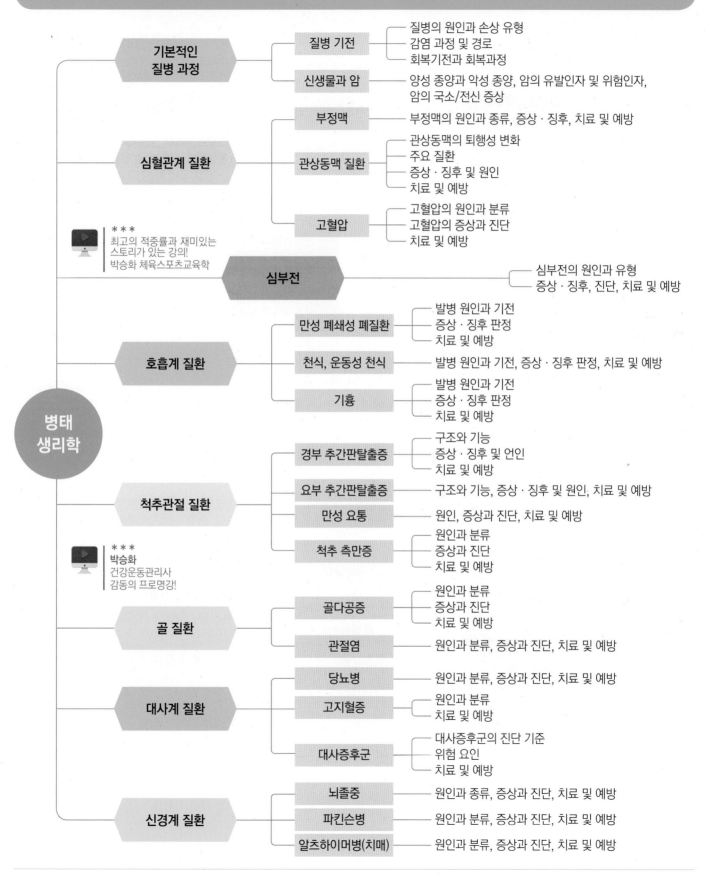

병태생리학

기본적인 질병 과정
- 질병 기전
  - 질병의 원인과 손상 유형
  - 감염 과정 및 경로
  - 회복기전과 회복과정
- 신생물과 암
  - 양성 종양과 악성 종양, 암의 유발인자 및 위험인자, 암의 국소/전신 증상

심혈관계 질환
- 부정맥
  - 부정맥의 원인과 종류, 증상·징후, 치료 및 예방
- 관상동맥 질환
  - 관상동맥의 퇴행성 변화
  - 주요 질환
  - 증상·징후 및 원인
  - 치료 및 예방
- 고혈압
  - 고혈압의 원인과 분류
  - 고혈압의 증상과 진단
  - 치료 및 예방

***
최고의 적중률과 재미있는 스토리가 있는 강의!
박승화 체육스포츠교육학

심부전
- 심부전의 원인과 유형
- 증상·징후, 진단, 치료 및 예방

호흡계 질환
- 만성 폐쇄성 폐질환
  - 발병 원인과 기전
  - 증상·징후 판정
  - 치료 및 예방
- 천식, 운동성 천식
  - 발병 원인과 기전, 증상·징후 판정, 치료 및 예방
- 기흉
  - 발병 원인과 기전
  - 증상·징후 판정
  - 치료 및 예방

병태생리학

척추관절 질환
- 경부 추간판탈출증
  - 구조와 기능
  - 증상·징후 및 언인
  - 치료 및 예방
- 요부 추간판탈출증
  - 구조와 기능, 증상·징후 및 원인, 치료 및 예방
- 만성 요통
  - 원인, 증상과 진단, 치료 및 예방
- 척추 측만증
  - 원인과 분류
  - 증상과 진단
  - 치료 및 예방

***
박승화
건강운동관리사
감동의 프로명강!

골 질환
- 골다공증
  - 원인과 분류
  - 증상과 진단
  - 치료 및 예방
- 관절염
  - 원인과 분류, 증상과 진단, 치료 및 예방

대사계 질환
- 당뇨병
  - 원인과 분류, 증상과 진단, 치료 및 예방
- 고지혈증
  - 원인과 분류
  - 치료 및 예방
- 대사증후군
  - 대사증후군의 진단 기준
  - 위험 요인
  - 치료 및 예방

신경계 질환
- 뇌졸중
  - 원인과 종류, 증상과 진단, 치료 및 예방
- 파킨슨병
  - 원인과 분류, 증상과 진단, 치료 및 예방
- 알츠하이머병(치매)
  - 원인과 분류, 증상과 진단, 치료 및 예방

스포츠심리학(1)

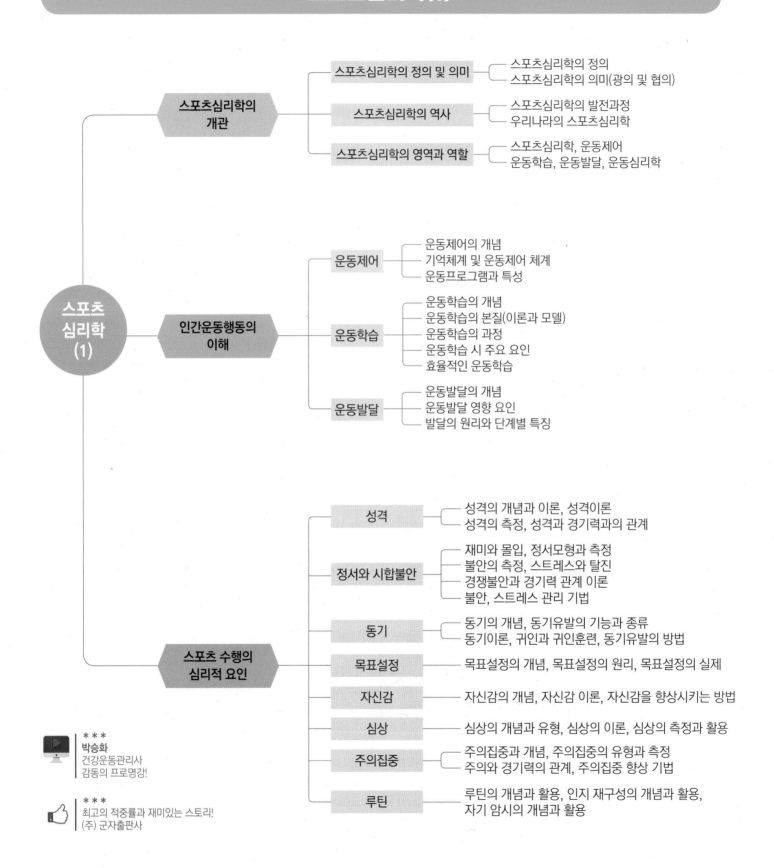

스포츠심리학의 개관
- 스포츠심리학의 정의 및 의미
  - 스포츠심리학의 정의
  - 스포츠심리학의 의미(광의 및 협의)
- 스포츠심리학의 역사
  - 스포츠심리학의 발전과정
  - 우리나라의 스포츠심리학
- 스포츠심리학의 영역과 역할
  - 스포츠심리학, 운동제어
  - 운동학습, 운동발달, 운동심리학

인간운동행동의 이해
- 운동제어
  - 운동제어의 개념
  - 기억체계 및 운동제어 체계
  - 운동프로그램과 특성
- 운동학습
  - 운동학습의 개념
  - 운동학습의 본질(이론과 모델)
  - 운동학습의 과정
  - 운동학습 시 주요 요인
  - 효율적인 운동학습
- 운동발달
  - 운동발달의 개념
  - 운동발달 영향 요인
  - 발달의 원리와 단계별 특징

스포츠 수행의 심리적 요인
- 성격
  - 성격의 개념과 이론, 성격이론
  - 성격의 측정, 성격과 경기력과의 관계
- 정서와 시합불안
  - 재미와 몰입, 정서모형과 측정
  - 불안의 측정, 스트레스와 탈진
  - 경쟁불안과 경기력 관계 이론
  - 불안, 스트레스 관리 기법
- 동기
  - 동기의 개념, 동기유발의 기능과 종류
  - 동기이론, 귀인과 귀인훈련, 동기유발의 방법
- 목표설정
  - 목표설정의 개념, 목표설정의 원리, 목표설정의 실제
- 자신감
  - 자신감의 개념, 자신감 이론, 자신감을 향상시키는 방법
- 심상
  - 심상의 개념과 유형, 심상의 이론, 심상의 측정과 활용
- 주의집중
  - 주의집중과 개념, 주의집중의 유형과 측정
  - 주의와 경기력의 관계, 주의집중 향상 기법
- 루틴
  - 루틴의 개념과 활용, 인지 재구성의 개념과 활용, 자기 암시의 개념과 활용

★★★
박승화
건강운동관리사
감동의 프로명강!

★★★
최고의 적중률과 재미있는 스토리!
(주) 군자출판사

스포츠심리학(2)

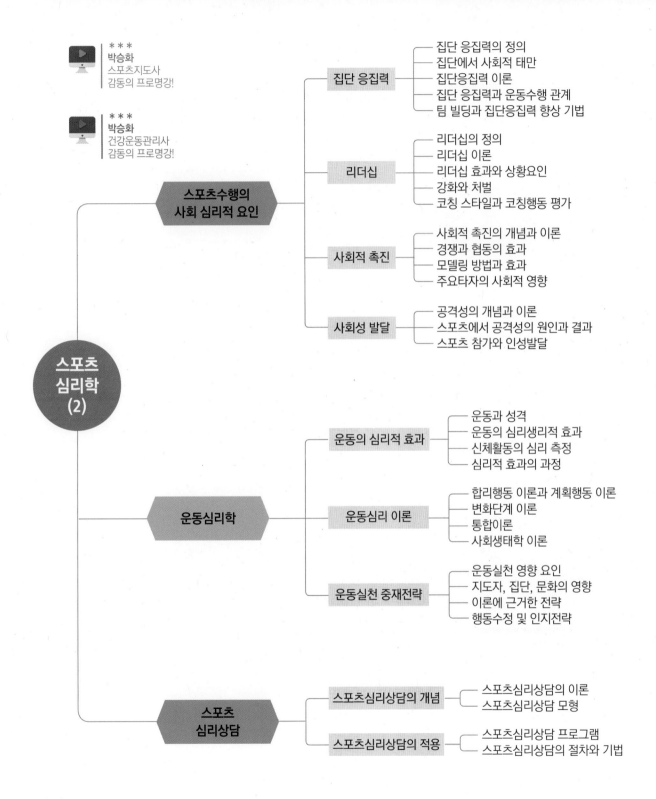

★★★
박승화
스포츠지도사
감동의 프로명강!

★★★
박승화
건강운동관리사
감동의 프로명강!

스포츠심리학(2)

스포츠수행의 사회 심리적 요인

- **집단 응집력**
  - 집단 응집력의 정의
  - 집단에서 사회적 태만
  - 집단응집력 이론
  - 집단 응집력과 운동수행 관계
  - 팀 빌딩과 집단응집력 향상 기법

- **리더십**
  - 리더십의 정의
  - 리더십 이론
  - 리더십 효과와 상황요인
  - 강화와 처벌
  - 코칭 스타일과 코칭행동 평가

- **사회적 촉진**
  - 사회적 촉진의 개념과 이론
  - 경쟁과 협동의 효과
  - 모델링 방법과 효과
  - 주요타자의 사회적 영향

- **사회성 발달**
  - 공격성의 개념과 이론
  - 스포츠에서 공격성의 원인과 결과
  - 스포츠 참가와 인성발달

운동심리학

- **운동의 심리적 효과**
  - 운동과 성격
  - 운동의 심리생리적 효과
  - 신체활동의 심리 측정
  - 심리적 효과의 과정

- **운동심리 이론**
  - 합리행동 이론과 계획행동 이론
  - 변화단계 이론
  - 통합이론
  - 사회생태학 이론

- **운동실천 중재전략**
  - 운동실천 영향 요인
  - 지도자, 집단, 문화의 영향
  - 이론에 근거한 전략
  - 행동수정 및 인지전략

스포츠 심리상담

- **스포츠심리상담의 개념**
  - 스포츠심리상담의 이론
  - 스포츠심리상담 모형

- **스포츠심리상담의 적용**
  - 스포츠심리상담 프로그램
  - 스포츠심리상담의 절차와 기법

II
건강운동관리사 시험을 위한 인체의 구조

1. 인체의 계통

1) 인체의 계통

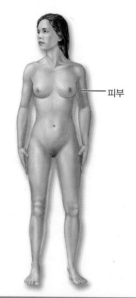

피부

(a) 외피계통

몸의 바깥 덮개 형성 : 깊은 조직을 손상으로부터 보호 : 비타민 D를 합성 피부수용체(통증, 압력 등) 및 땀샘과 기름샘의 장소

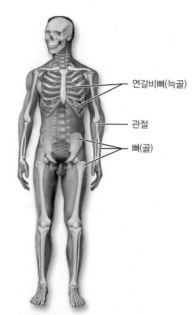

연갈비뼈(늑골)
관절
뼈(골)

(b) 골격계통

장기를 보호 및 지지 : 운동을 일으키는 근육의 골격 제공 : 골수에서 혈구형성 : 무기질 저장몸의 바깥 덮개 형성 : 깊은 조직을 손상으로부터 보호 : 비타민 D를 합성 : 피부수용체(통증, 압력 등) 및 땀샘과 기름샘의 장소

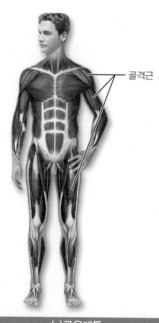

골격근

(c)근육계통

운동과 얼굴표정 담당 : 자세유지 : 열 생산

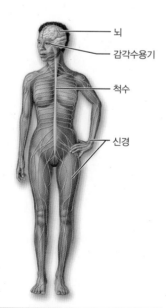

뇌
감각수용기
척수
신경

(d) 신경계통

몸의 빠른 운동 조절 : 근육과 샘을 활성화시켜서 안과 밖의 변화에 반응

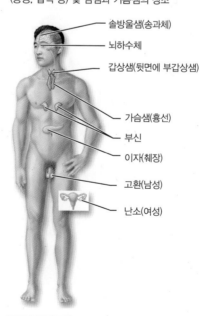

솔방울샘(송과체)
뇌하수체
갑상샘(뒷면에 부갑상샘)
가슴샘(흉선)
부신
이자(췌장)
고환(남성)
난소(여성)

(e) 내분비계통

샘은 성장, 생식 및 영양과 같은 과정을 조절하는 호르몬을 분비

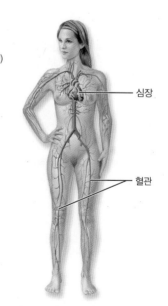

심장
혈관

(f) 심장혈관계통

혈관은 산소, 이산화탄소, 영양분 대사물 등을 수송하는 혈액을 전달하고, 심장은 혈액을 박출

2) 해부학적 자세(방향의 용어)

용어	해석	그림	예
위쪽(상, superior, cranial, cephalad)	머리끝쪽 또는 구조나 몸의 위쪽		이마(전두, forehead)는 코(비, nose)보다 위에 있다.
아래쪽(하, inferior, caudal)*	머리끝으로부터 먼쪽 또는 구조나 몸의 아래쪽		배꼽(navel)은 복장뼈(breastbone, sternum) 보다 아래에 있다.
배쪽(복, 전, ventral, +anterior)	몸의 앞쪽		복장뼈는 등뼈(척추, spine)보다 배쪽에 있다.
등쪽(후, 배, dorsal, +posterior)	몸의 뒤쪽		심장(heart)은 복장뼈보다 뒤쪽에 있다.
안쪽(내, medial)	몸의 정중선쪽		심장은 위팔(전완, arm)보다 안쪽에 있다.
가쪽(외, lateral)	몸의 정중선에서 멀리		팔은 가슴(흉곽, chest)보다 가쪽에 있다.
중간의(intermediate)	더 안쪽과 더 가쪽 구조의 사이		빗장뼈(쇄골, collarbone)은 복장뼈와 어깨(견갑, shoulder)의 사이에 있다.
가까운쪽(근위, proximal)	몸의 구조나 팔이 몸통에 부착하는 부분에 가까운		팔꿈치(elbow)는 손목(wrist)보다 몸통에 가까이 있다.
먼쪽(원위, distal)	몸의 구조나 팔이 몸통에 부착하는 부분에서 먼		무릎(슬, knee)은 넙다리(대퇴, thigh)보다 몸통에서 먼쪽에 있다.
얕은(천, 외, superficial, external)	몸의 표면쪽		피부는 뼈대(골격, skeleton)보다 표면에 있다.
깊은(심, 내, deep, internal)	몸의 표면에서 먼쪽		허파는 가슴우리(흉곽, rib cage)보다 깊이 있다.

*꼬리쪽을 의미하는 caudal은 척추의 아래끝을 의미하는 inferior와 동의어이다. +사람에서 ventral과 anterior는 동의어이다. Ventral은 동물의 배(belly)를 의미하므로 네발을 가진 동물의 아래면을 의미한다. 사람에서 dorsal과 posterior는 동의어이지만, 동물의 등(back)을 의미한다. 그러므로 동물의 등쪽면(dorsal surface)은 윗면(superior surface)이다.

3) 세포와 조직

(1) 세포의 구조

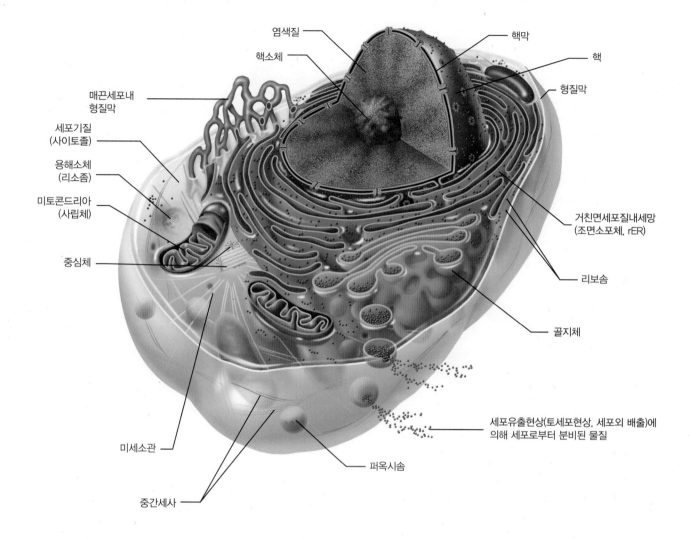

염색질

핵소체

핵막

핵

매끈세포내
형질막

형질막

세포기질
(사이토졸)

용해소체
(리소좀)

미토콘드리아
(사립체)

중심체

거친면세포질내세망
(조면소포체, rER)

리보솜

골지체

미세소관

세포유출현상(토세포현상, 세포외 배출)에
의해 세포로부터 분비된 물질

퍼옥시솜

중간세사

(2) 세포의 다양성

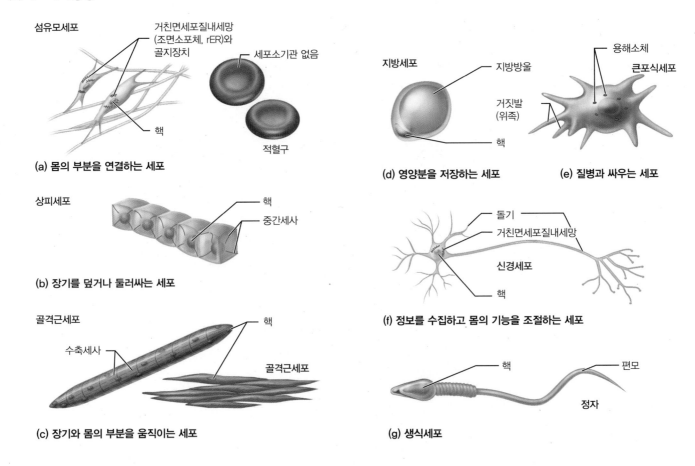

섬유모세포

거친면세포질내세망
(조면소포체, rER)와
골지장치

세포소기관 없음

핵

적혈구

(a) 몸의 부분을 연결하는 세포

상피세포

핵

중간세사

(b) 장기를 덮거나 둘러싸는 세포

골격근세포

핵

수축세사

골격근세포

(c) 장기와 몸의 부분을 움직이는 세포

지방세포

지방방울

거짓발
(위족)

핵

용해소체

큰포식세포

(d) 영양분을 저장하는 세포   **(e) 질병과 싸우는 세포**

돌기

거친면세포질내세망

신경세포

핵

(f) 정보를 수집하고 몸의 기능을 조절하는 세포

핵

편모

정자

(g) 생식세포

(3) 몸을 구성하는 4대 기본 조직-1

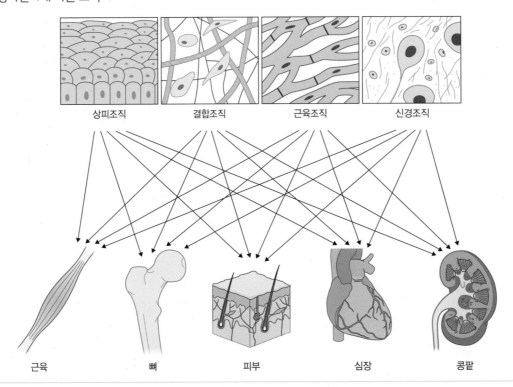

상피조직   결합조직   근육조직   신경조직

근육   뼈   피부   심장   콩팥

(3) 몸을 구성하는 4대 기본 조직-2

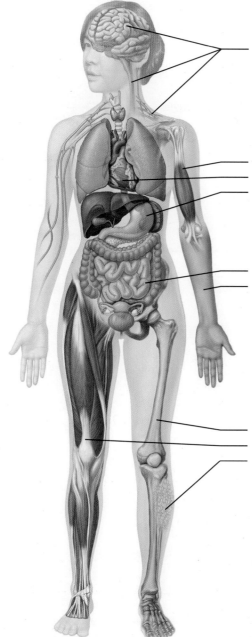

신경조직 : 내부 교통
· 뇌, 척수 및 신경

근육조직 : 운동을 일으키는 수축
· 뼈에 붙는 근육(골격근)
· 심장근육
· 속이 빈 장기의 벽을 이루는 근육(평활근)

상피조직 : 다른 구조와 경계 형성, 보 호, 분비, 흡수, 여과
· 소화기 장기와 속이 빈 장기를 덮음
· 피부표면(상피)

결합조직 : 지지, 보호, 다른 조직을 서로 결합
· 뼈
· 힘줄(건)
· 지방과 기타 부드러운 조직

2. 인체의 뼈

1) 뼈되기 단계

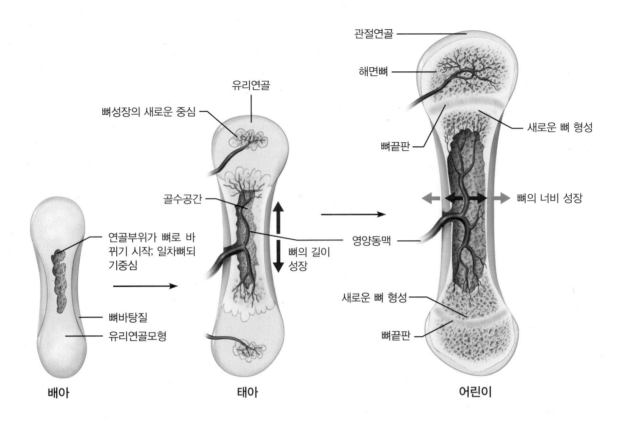

유리연골

뼈성장의 새로운 중심

관절연골

해면뼈

새로운 뼈 형성

뼈끝판

골수공간

뼈의 너비 성장

연골부위가 뼈로 바
뀌기 시작; 일차뼈되
기중심

영양동맥

뼈의 길이
성장

새로운 뼈 형성

뼈바탕질

뼈끝판

유리연골모형

배아

태아

어린이

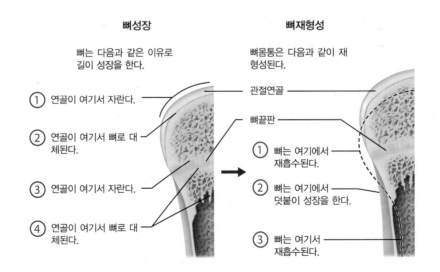

뼈성장

뼈는 다음과 같은 이유로
길이 성장을 한다.

① 연골이 여기서 자란다.

② 연골이 여기서 뼈로 대
체된다.

③ 연골이 여기서 자란다.

④ 연골이 여기서 뼈로 대
체된다.

뼈재형성

뼈몸통은 다음과 같이 재
형성된다.

관절연골

뼈끝판

① 뼈는 여기에서
재흡수된다.

② 뼈는 여기에서
덧붙이 성장을 한다.

③ 뼈는 여기서
재흡수된다.

2) 연골뼈 발생의 순서

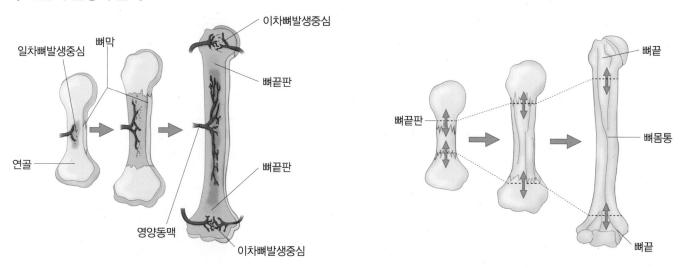

3) 사람 몸의 뼈(앞, 뒤)

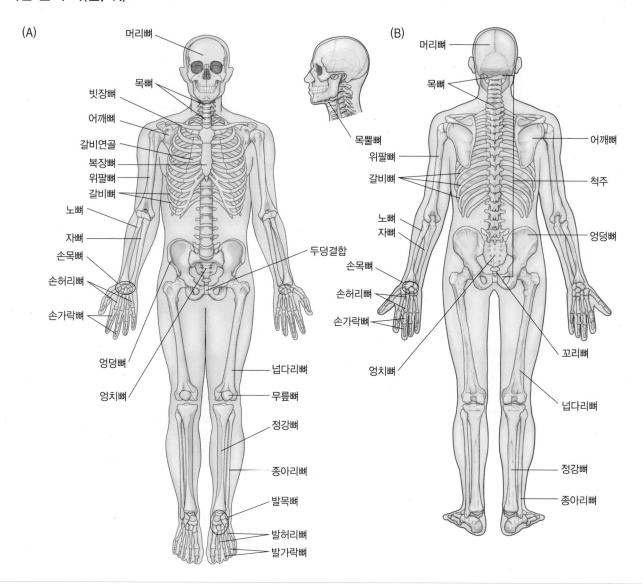

(1) 척추뼈

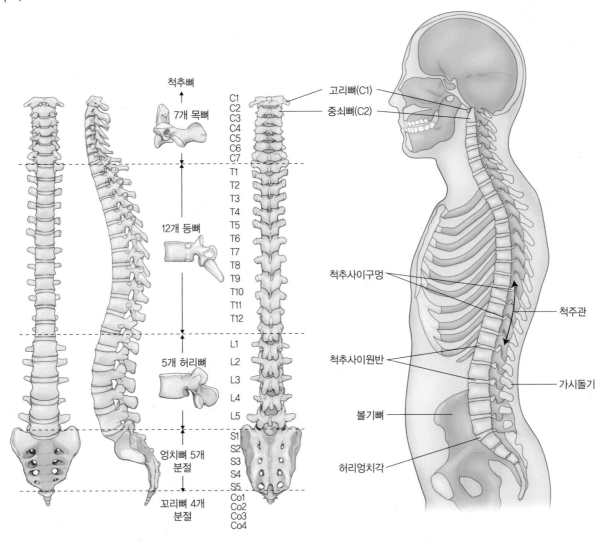

(2) 척추와 목뼈-1

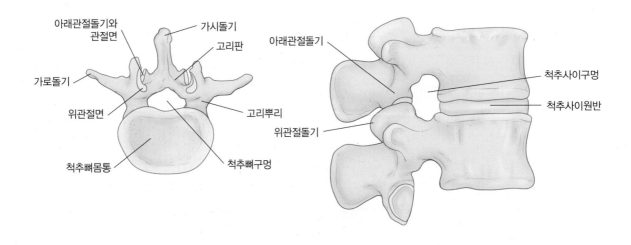

(2) 척추와 목뼈-2

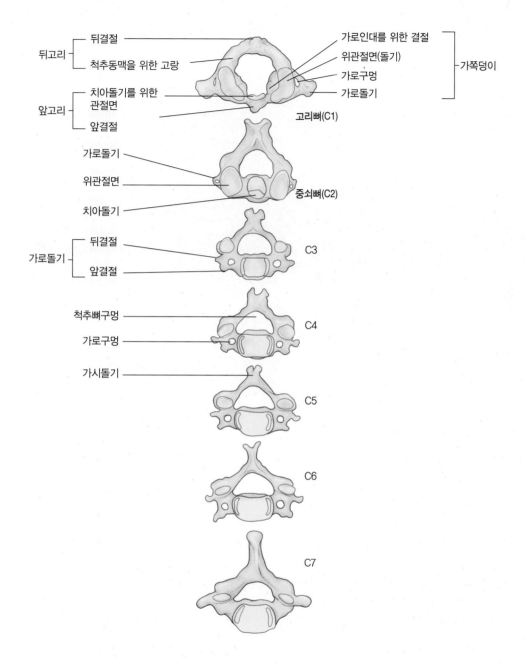

뒤고리
  - 뒤결절
  - 척추동맥을 위한 고랑

앞고리
  - 치아돌기를 위한 관절면
  - 앞결절

가로인대를 위한 결절
위관절면(돌기)
가로구멍
가로돌기
가쪽덩이

고리뼈(C1)

가로돌기
위관절면
치아돌기

중쇠뼈(C2)

가로돌기
  - 뒤결절
  - 앞결절

C3

척추뼈구멍
가로구멍

C4

가시돌기

C5

C6

C7

(4) 가슴우리

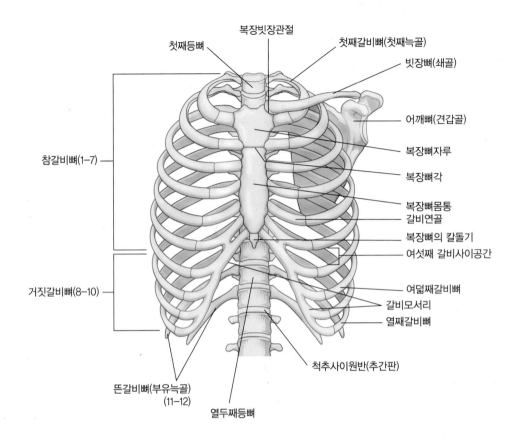

첫째등뼈
복장빗장관절
첫째갈비뼈(첫째늑골)
빗장뼈(쇄골)
어깨뼈(견갑골)
복장뼈자루
복장뼈각
복장뼈몸통
갈비연골
복장뼈의 칼돌기
여섯째 갈비사이공간
여덟째갈비뼈
갈비모서리
열째갈비뼈
척추사이원반(추간판)
참갈비뼈(1-7)
거짓갈비뼈(8-10)
뜬갈비뼈(부유늑골)(11-12)
열두째등뼈

(5) 팔이음뼈와 어깨뼈-1

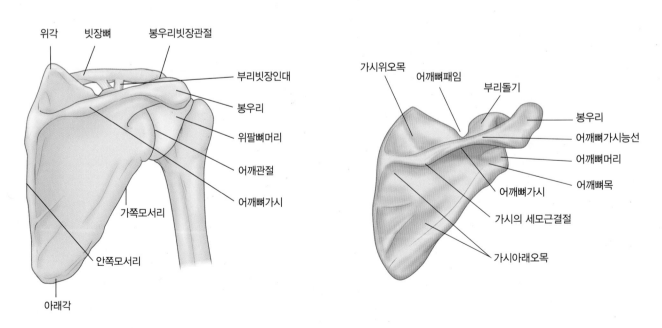

위각
빗장뼈
봉우리빗장관절
부리빗장인대
봉우리
위팔뼈머리
어깨관절
어깨뼈가시
가쪽모서리
안쪽모서리
아래각

가시위오목
어깨뼈패임
부리돌기
봉우리
어깨뼈가시능선
어깨뼈머리
어깨뼈목
가시의 세모근결절
어깨뼈가시
가시아래오목

(5) 팔이음뼈와 어깨뼈-2

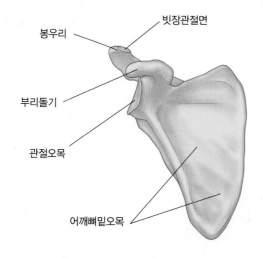

봉우리
빗장관절면
부리돌기
관절오목
어깨뼈밑오목

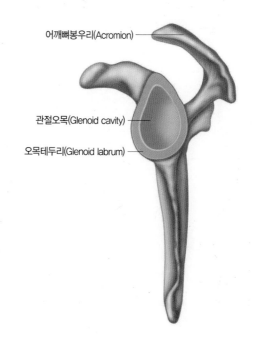

어깨뼈봉우리(Acromion)
관절오목(Glenoid cavity)
오목테두리(Glenoid labrum)

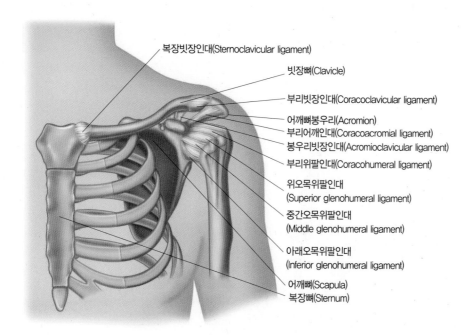

복장빗장인대(Sternoclavicular ligament)
빗장뼈(Clavicle)
부리빗장인대(Coracoclavicular ligament)
어깨뼈봉우리(Acromion)
부리어깨인대(Coracoacromial ligament)
봉우리빗장인대(Acromioclavicular ligament)
부리위팔인대(Coracohumeral ligament)
위오목위팔인대
(Superior glenohumeral ligament)
중간오목위팔인대
(Middle glenohumeral ligament)
아래오목위팔인대
(Inferior glenohumeral ligament)
어깨뼈(Scapula)
복장뼈(Sternum)

(6) 위팔뼈

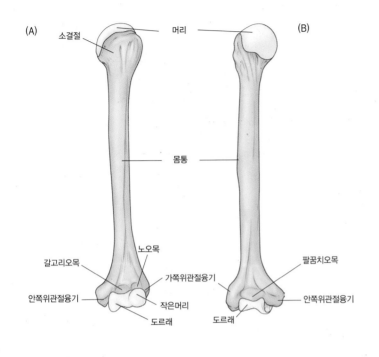

(A)
소결절
머리
몸통
갈고리오목
안쪽위관절융기
노오목
가쪽위관절융기
작은머리
도르래

(B)
머리
팔꿈치오목
안쪽위관절융기
도르래

(7) 자뼈와 노뼈

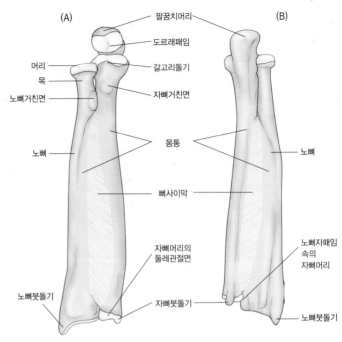

(A)
팔꿈치머리
도르래패임
머리
목
노뼈거친면
갈고리돌기
자뼈거친면
노뼈
몸통
뼈사이막
자뼈머리의
둘레관절면
노뼈붓돌기
자뼈붓돌기

(B)
노뼈
노뼈자패임
속의
자뼈머리
노뼈붓돌기

(8) 손목, 손허리, 손가락뼈

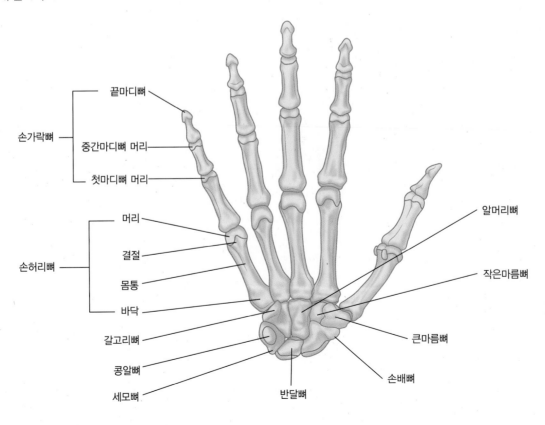

손가락뼈
끝마디뼈
중간마디뼈 머리
첫마디뼈 머리

손허리뼈
머리
결절
몸통
바닥
갈고리뼈
콩알뼈
세모뼈
반달뼈
손배뼈
큰마름뼈
작은마름뼈
알머리뼈

(9) 볼기뼈, 골반

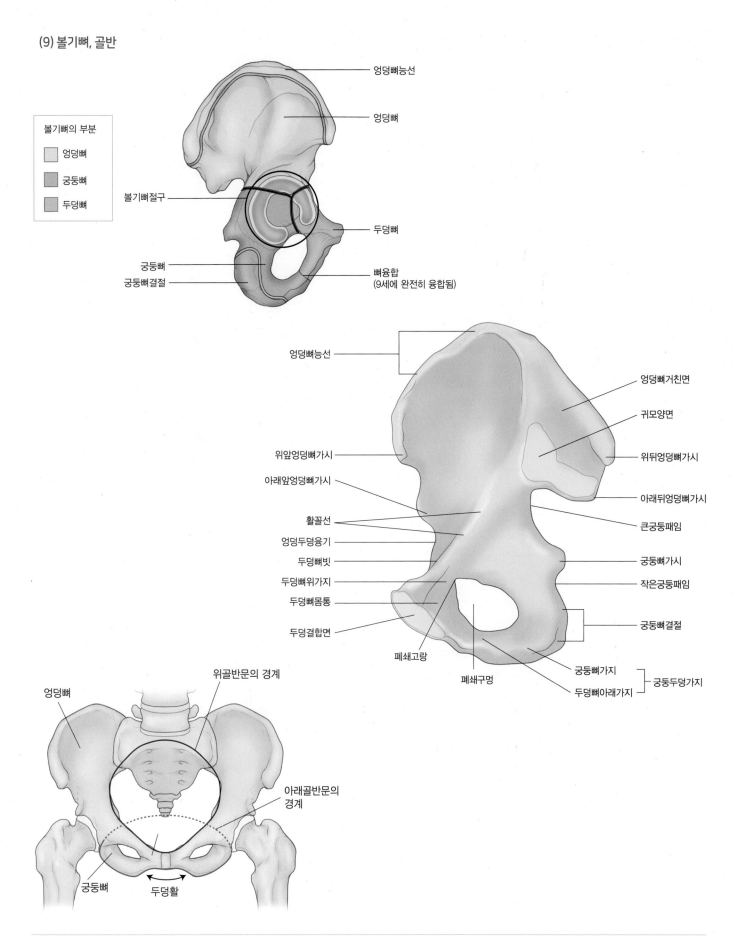

볼기뼈의 부분
- 엉덩뼈
- 궁둥뼈
- 두덩뼈

엉덩뼈능선
엉덩뼈
볼기뼈절구
두덩뼈
궁둥뼈
궁둥뼈결절
뼈융합
(9세에 완전히 융합됨)

엉덩뼈능선
엉덩뼈거친면
귀모양면
위앞엉덩뼈가시
위뒤엉덩뼈가시
아래앞엉덩뼈가시
아래뒤엉덩뼈가시
활꼴선
큰궁둥패임
엉덩두덩융기
두덩뼈빗
궁둥뼈가시
두덩뼈위가지
작은궁둥패임
두덩뼈몸통
궁둥뼈결절
두덩결합면
폐쇄고랑
궁둥뼈가지
폐쇄구멍
두덩뼈아래가지
궁둥두덩가지

엉덩뼈
위골반문의 경계
아래골반문의 경계
궁둥뼈
두덩활

(10) 넙다리뼈

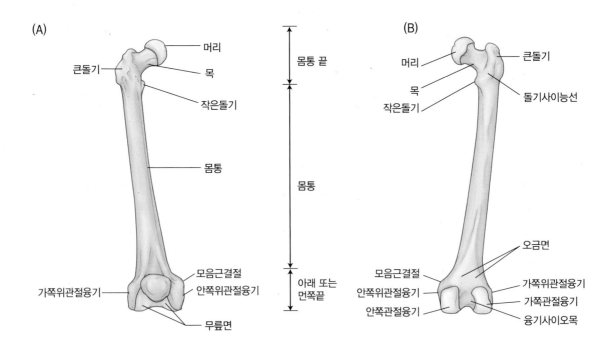

(A)

머리
큰돌기
목
작은돌기
몸통
모음근결절
가쪽위관절융기
안쪽위관절융기
무릎면
몸통 끝
몸통
아래 또는 먼쪽끝

(B)

머리
큰돌기
목
작은돌기
돌기사이능선
오금면
모음근결절
안쪽위관절융기
안쪽관절융기
가쪽위관절융기
가쪽관절융기
융기사이오목

(11) 정강뼈와 종아리뼈

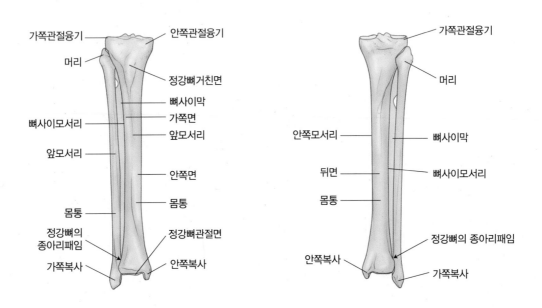

가쪽관절융기
머리
뼈사이모서리
앞모서리
몸통
정강뼈의 종아리패임
가쪽복사
안쪽관절융기
정강뼈거친면
뼈사이막
가쪽면
앞모서리
안쪽면
몸통
정강뼈관절면
안쪽복사

가쪽관절융기
머리
뼈사이막
뼈사이모서리
안쪽모서리
뒤면
몸통
안쪽복사
정강뼈의 종아리패임
가쪽복사

(12) 발뼈

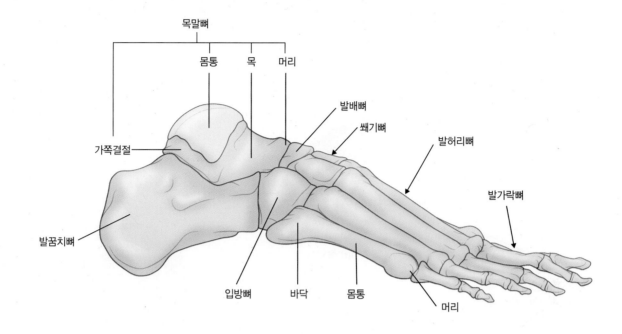

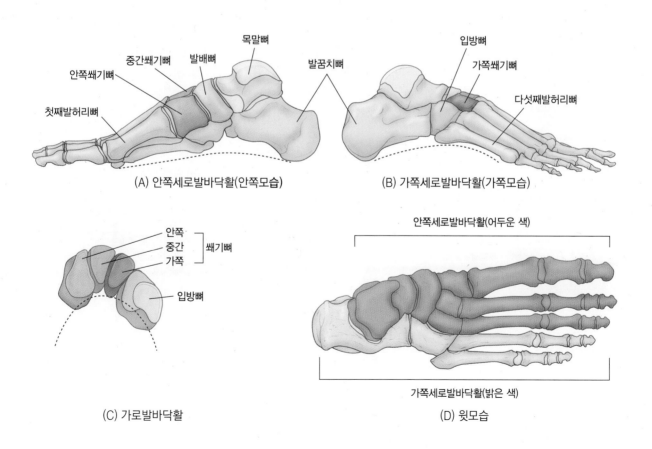

(A) 안쪽세로발바닥활(안쪽모습)

(B) 가쪽세로발바닥활(가쪽모습)

(C) 가로발바닥활

(D) 윗모습

3. 인체 관절

1) 관절의 유형

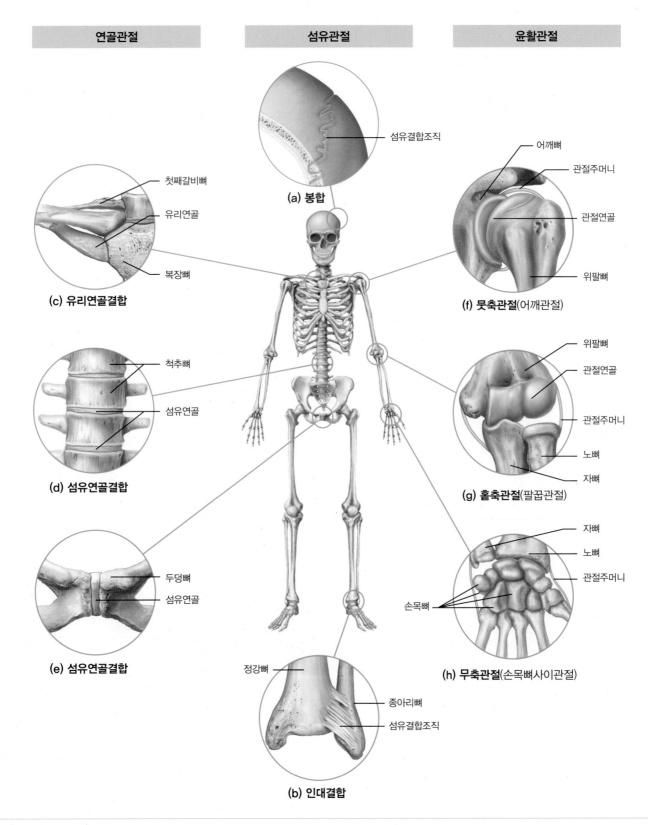

연골관절

섬유관절

윤활관절

섬유결합조직

(a) 봉합

첫째갈비뼈
유리연골
복장뼈

(c) 유리연골결합

어깨뼈
관절주머니
관절연골
위팔뼈

(f) 뭇축관절(어깨관절)

척추뼈
섬유연골

(d) 섬유연골결합

위팔뼈
관절연골
관절주머니
노뼈
자뼈

(g) 홀축관절(팔꿉관절)

두덩뼈
섬유연골

(e) 섬유연골결합

자뼈
노뼈
관절주머니
손목뼈

(h) 무축관절(손목뼈사이관절)

정강뼈
종아리뼈
섬유결합조직

(b) 인대결합

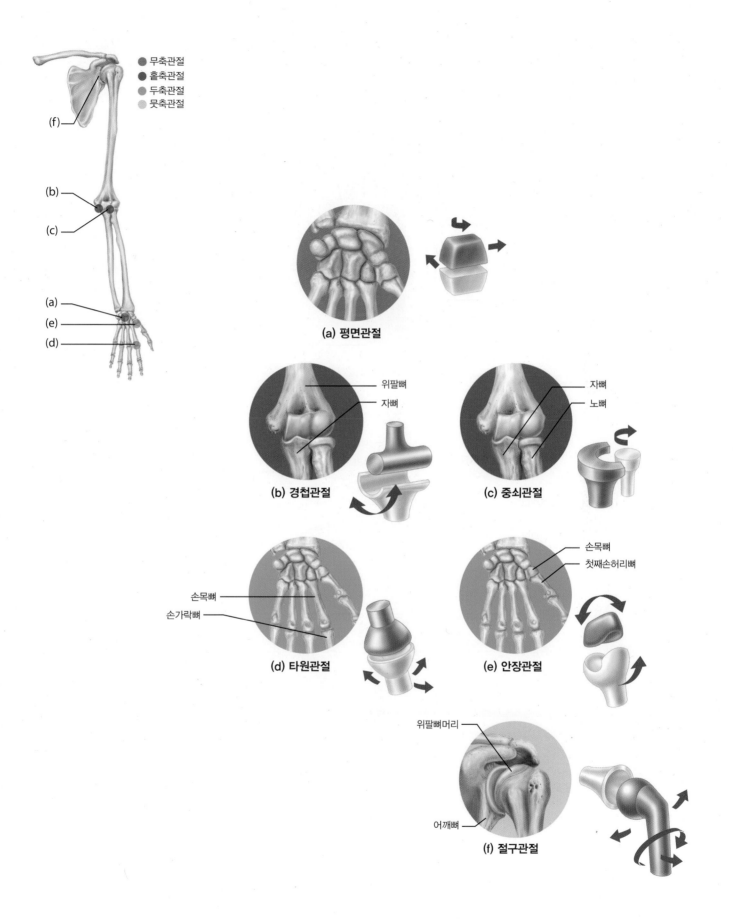

● 무축관절
● 홑축관절
● 두축관절
● 뭇축관절

(f)

(b)

(c)

(a)

(e)

(d)

(a) 평면관절

위팔뼈
자뼈

(b) 경첩관절

자뼈
노뼈

(c) 중쇠관절

손목뼈
손가락뼈

(d) 타원관절

손목뼈
첫째손허리뼈

(e) 안장관절

위팔뼈머리

어깨뼈

(f) 절구관절

2) 어깨 관절

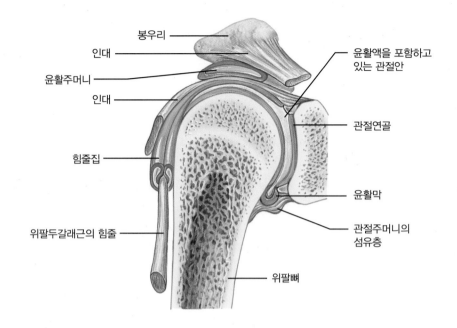

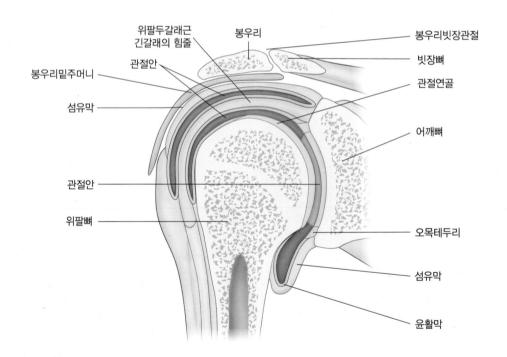

3) 손목 관절

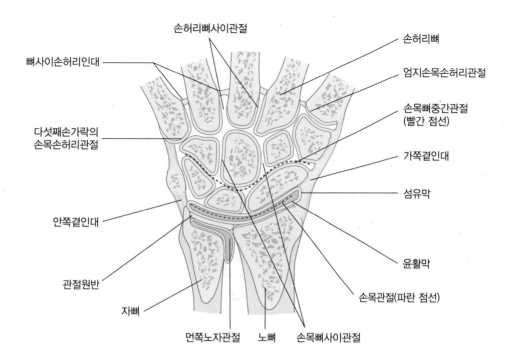

손허리뼈사이관절
손허리뼈
뼈사이손허리인대
엄지손목손허리관절
손목뼈중간관절
(빨간 점선)
다섯째손가락의
손목손허리관절
가쪽곁인대
섬유막
안쪽곁인대
윤활막
관절원반
손목관절(파란 점선)
자뼈
면쪽노자관절　노뼈　손목뼈사이관절

4) 골반 관절

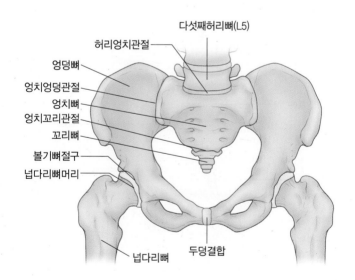

다섯째허리뼈(L5)
허리엉치관절
엉덩뼈
엉치엉덩관절
엉치뼈
엉치꼬리관절
꼬리뼈
볼기뼈절구
넙다리뼈머리
넙다리뼈　두덩결합

5) 무릎 관절

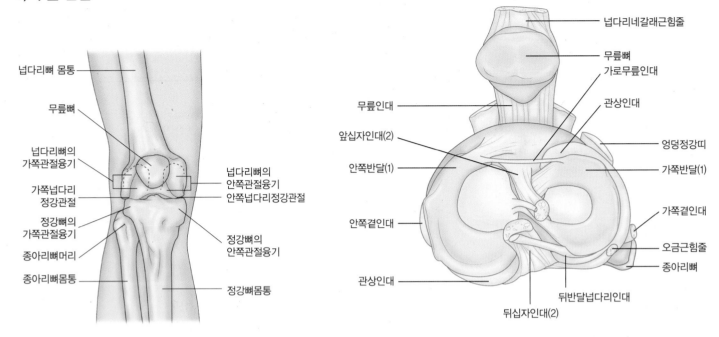

넙다리뼈 몸통

무릎뼈

넙다리뼈의
가쪽관절융기

가쪽넙다리
정강관절

정강뼈의
가쪽관절융기

종아리뼈머리

종아리뼈몸통

넙다리뼈의
안쪽관절융기

안쪽넙다리정강관절

정강뼈의
안쪽관절융기

정강뼈몸통

넙다리네갈래근힘줄

무릎뼈

가로무릎인대

관상인대

무릎인대

앞십자인대(2)

안쪽반달(1)

안쪽곁인대

엉덩정강띠

가쪽반달(1)

가쪽곁인대

오금근힘줄

종아리뼈

관상인대

뒤반달넙다리인대

뒤십자인대(2)

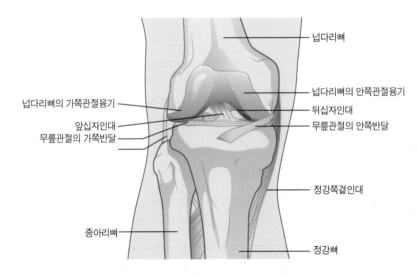

넙다리뼈

넙다리뼈의 가쪽관절융기

앞십자인대

무릎관절의 가쪽반달

종아리뼈

넙다리뼈의 안쪽관절융기

뒤십자인대

무릎관절의 안쪽반달

정강쪽곁인대

정강뼈

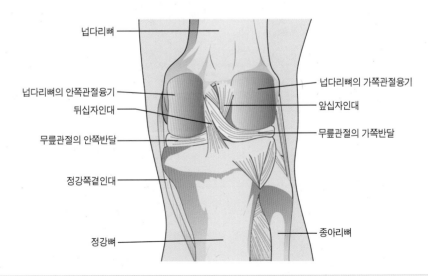

넙다리뼈

넙다리뼈의 안쪽관절융기

뒤십자인대

무릎관절의 안쪽반달

정강쪽곁인대

정강뼈

넙다리뼈의 가쪽관절융기

앞십자인대

무릎관절의 가쪽반달

종아리뼈

6) 발목 관절 -1

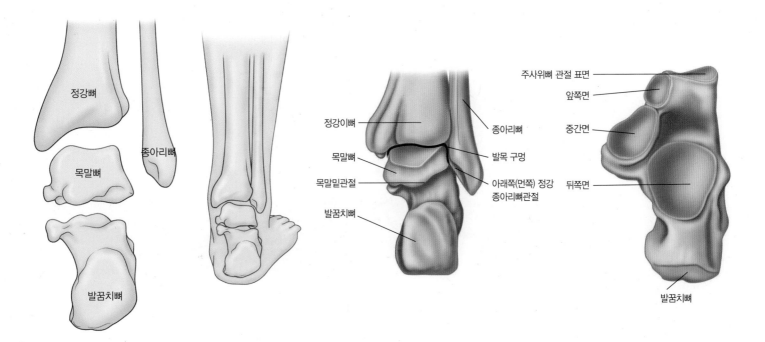

정강뼈
종아리뼈
목말뼈
발꿈치뼈

주사위뼈 관절 표면
앞쪽면
중간면
뒤쪽면

정강이뼈
목말뼈
목말밑관절
발꿈치뼈

종아리뼈
발목 구멍
아래쪽(먼쪽) 정강
종아리뼈관절

발꿈치뼈

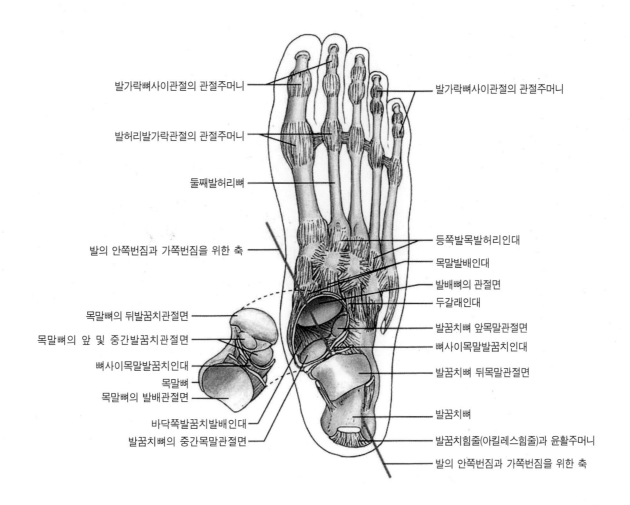

발가락뼈사이관절의 관절주머니

발가락뼈사이관절의 관절주머니

발허리발가락관절의 관절주머니

둘째발허리뼈

발의 안쪽번짐과 가쪽번짐을 위한 축

등쪽발목발허리인대
목말발배인대
발배뼈의 관절면
두갈래인대

목말뼈의 뒤발꿈치관절면

목말뼈의 앞 및 중간발꿈치관절면

뼈사이목말발꿈치인대
목말뼈
목말뼈의 발배관절면

바닥쪽발꿈치발배인대

발꿈치뼈의 중간목말관절면

발꿈치뼈 앞목말관절면
뼈사이목말발꿈치인대
발꿈치뼈 뒤목말관절면

발꿈치뼈

발꿈치힘줄(아킬레스힘줄)과 윤활주머니

발의 안쪽번짐과 가쪽번짐을 위한 축

6) 발목 관절 -2

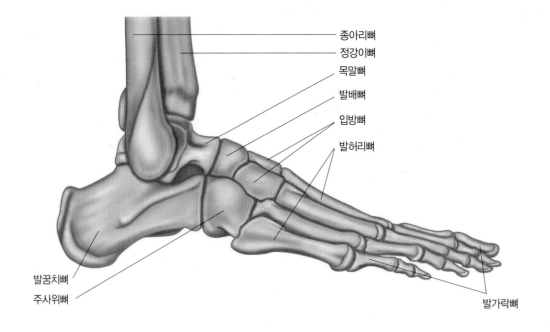

종아리뼈
정강이뼈
목말뼈
발배뼈
입방뼈
발허리뼈
발꿈치뼈
주사위뼈
발가락뼈

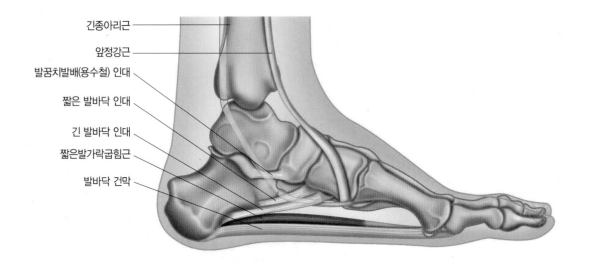

긴종아리근
앞정강근
발꿈치발배(용수철) 인대
짧은 발바닥 인대
긴 발바닥 인대
짧은발가락굽힘근
발바닥 건막

4. 인체 근육

1) 근섬유 종류

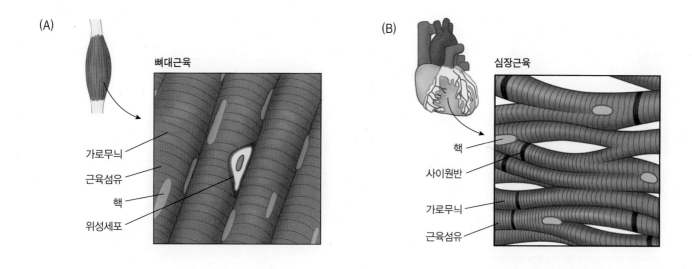

(A)

뼈대근육

가로무늬
근육섬유
핵
위성세포

(B)

심장근육

핵
사이원반
가로무늬
근육섬유

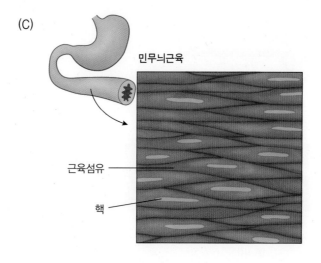

(C)

민무늬근육

근육섬유

핵

2) 가로무늬근 미세구조

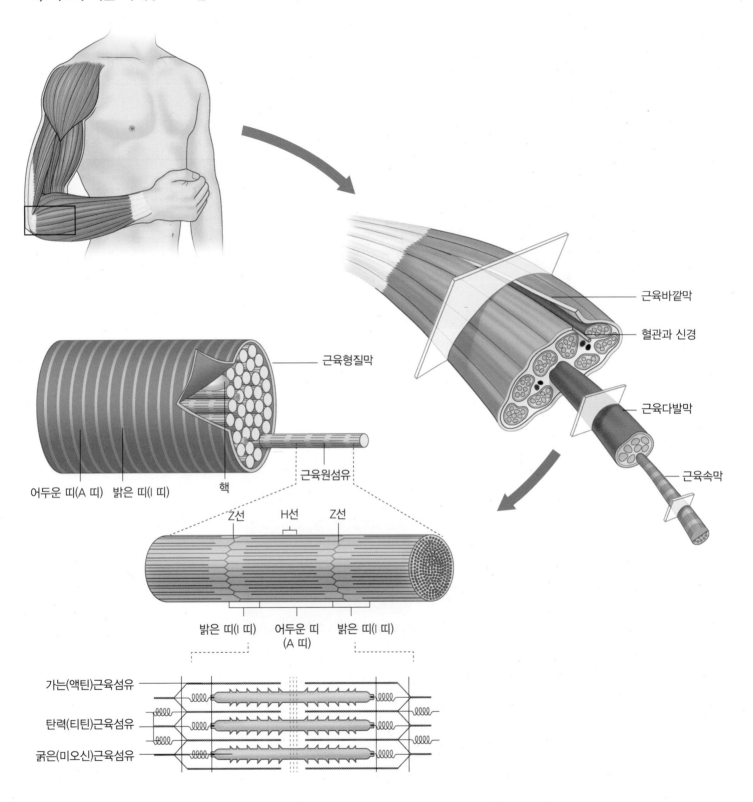

근육바깥막

혈관과 신경

근육다발막

근육속막

근육형질막

어두운 띠(A 띠) 밝은 띠(I 띠) 핵 근육원섬유

Z선 H선 Z선

밝은 띠(I 띠) 어두운 띠 (A 띠) 밝은 띠(I 띠)

가는(액틴)근육섬유

탄력(티틴)근육섬유

굵은(미오신)근육섬유

3) 근섬유다발의 배열과 근육의 구조

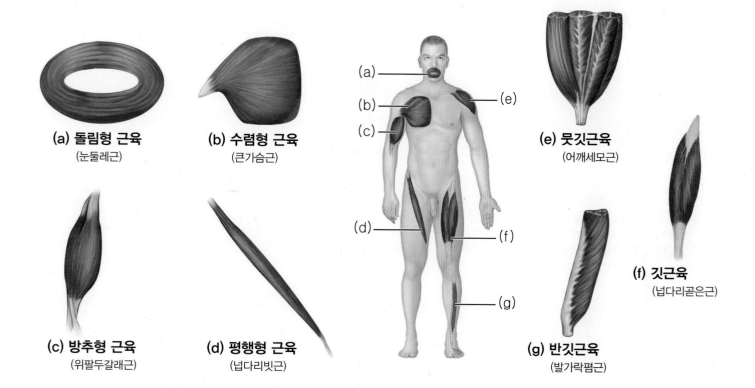

(a) 돌림형 근육
(눈둘레근)

(b) 수렴형 근육
(큰가슴근)

(c) 방추형 근육
(위팔두갈래근)

(d) 평행형 근육
(넙다리빗근)

(e) 뭇깃근육
(어깨세모근)

(f) 깃근육
(넙다리곧은근)

(g) 반깃근육
(발가락폄근)

4) 근육의 작용

(a) 굽힘운동을 하는 관절의 앞면을 지나는 근육*

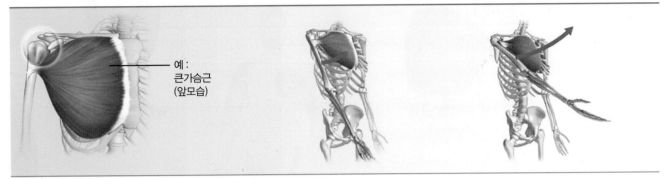

예 :
큰가슴근
(앞모습)

(b) 폄운동을 하는 관절의 뒤면을 지나는 근육*

예 :
넓은등근(뒤모습)
넓은등근은 큰가슴
근의 대항근이다.

(c) 벌림운동을 하는 관절의 가쪽 면을 지나는 근육

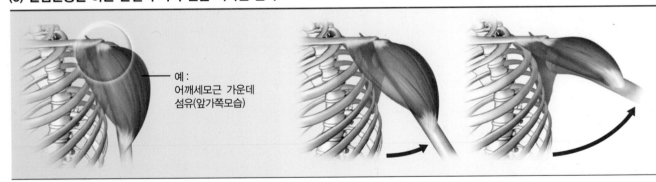

예 :
어깨세모근 가운데
섬유(앞가쪽모습)

(d) 모음운동을 하는 관절의 안쪽면을 지나는 근육

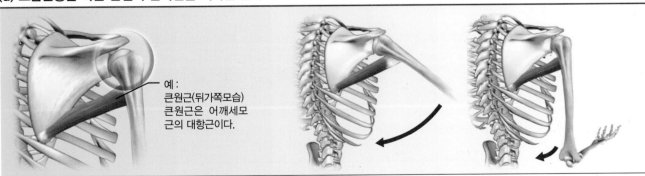

예 :
큰원근(뒤가쪽모습)
큰원근은 어깨세모
근의 대항근이다.

*다리의 경우는 발달과정을 거치면서 회전하기 때문에, 무릎과 발목에 대해서는 일반화 시키지 않도록 한다. 어떤 근육이 이러한 관절들의 뒤로 지나면서 굽
힘운동을 할 수 있다면 그 앞쪽으로 지나는 근육들은 폄 운동을 할 수 있다

5) 앞면과 뒷면의 표피층 근육 −1

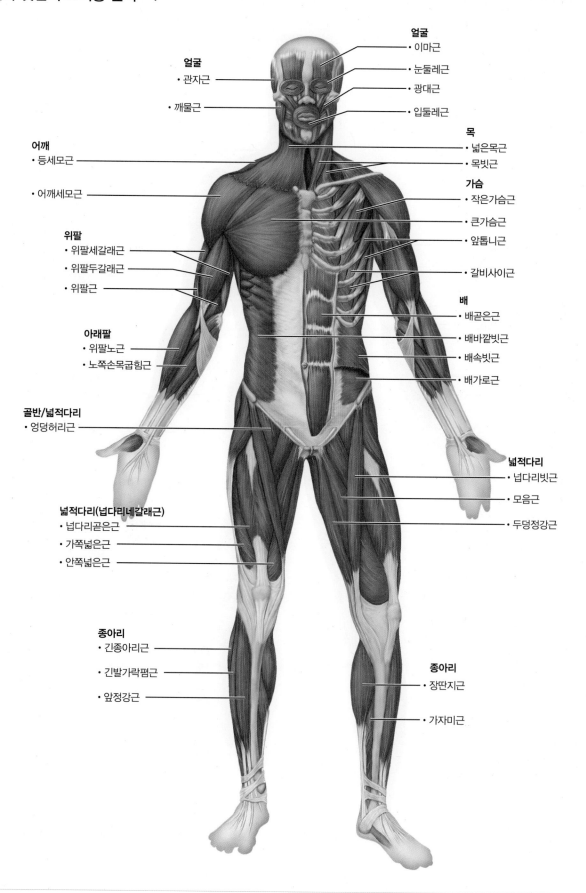

얼굴
- 이마근
- 눈둘레근
- 광대근
- 입둘레근

얼굴
- 관자근
- 깨물근

목
- 넓은목근
- 목빗근

가슴
- 작은가슴근
- 큰가슴근
- 앞톱니근
- 갈비사이근

어깨
- 등세모근
- 어깨세모근

위팔
- 위팔세갈래근
- 위팔두갈래근
- 위팔근

배
- 배곧은근
- 배바깥빗근
- 배속빗근
- 배가로근

아래팔
- 위팔노근
- 노쪽손목굽힘근

골반/넓적다리
- 엉덩허리근

넓적다리
- 넙다리빗근
- 모음근
- 두덩정강근

넓적다리(넙다리네갈래근)
- 넙다리곧은근
- 가쪽넓은근
- 안쪽넓은근

종아리
- 긴종아리근
- 긴발가락폄근
- 앞정강근

종아리
- 장딴지근
- 가자미근

5) 앞면과 뒷면의 표피층 근육 −2

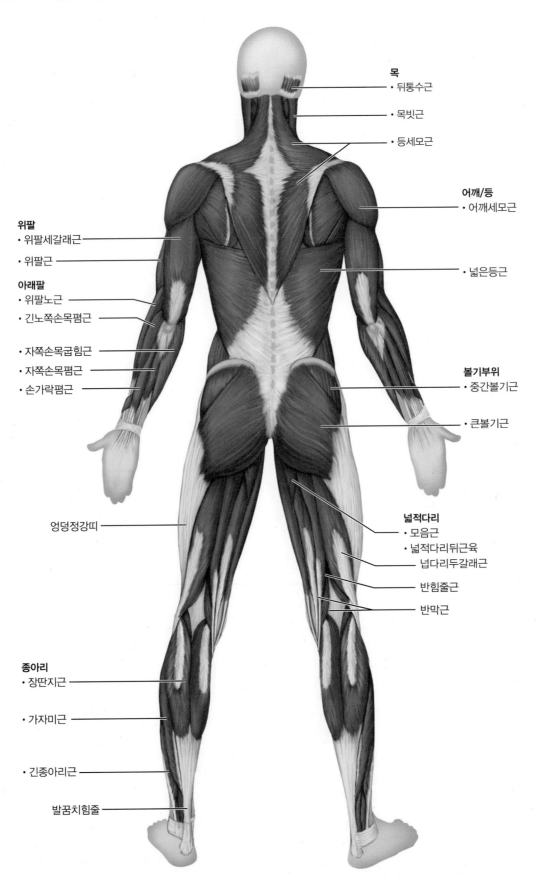

목
- 뒤통수근
- 목빗근
- 등세모근

어깨/등
- 어깨세모근
- 넓은등근

위팔
- 위팔세갈래근
- 위팔근

아래팔
- 위팔노근
- 긴노쪽손목폄근
- 자쪽손목굽힘근
- 자쪽손목폄근
- 손가락폄근

볼기부위
- 중간볼기근
- 큰볼기근

엉덩정강띠

넓적다리
- 모음근
- 넓적다리뒤근육
- 넙다리두갈래근
- 반힘줄근
- 반막근

종아리
- 장딴지근
- 가자미근
- 긴종아리근
- 발꿈치힘줄

6) 신체의 자세근

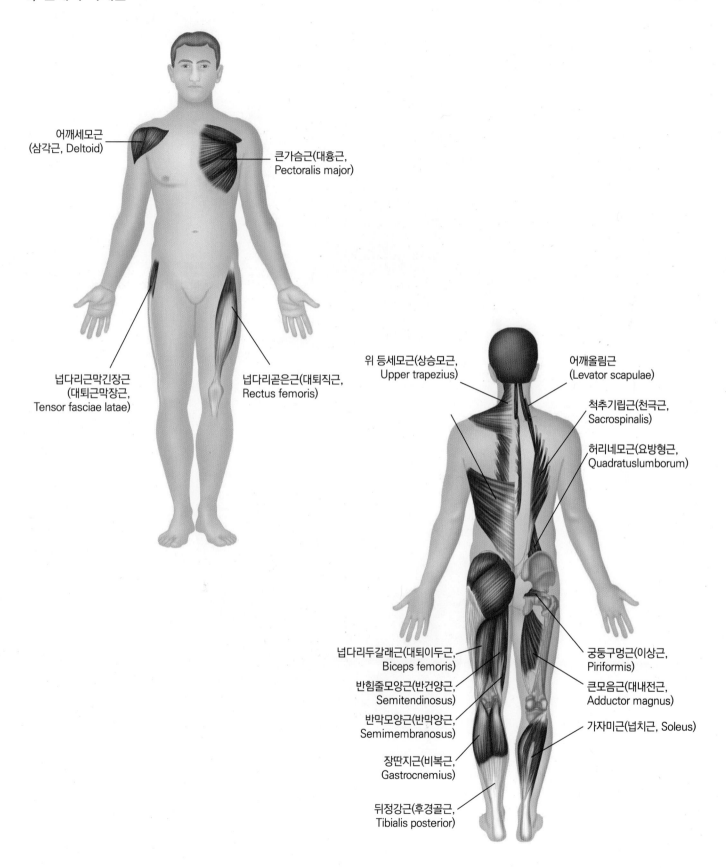

어깨세모근
(삼각근, Deltoid)

큰가슴근(대흉근,
Pectoralis major)

넙다리근막긴장근
(대퇴근막장근,
Tensor fasciae latae)

넙다리곧은근(대퇴직근,
Rectus femoris)

위 등세모근(상승모근,
Upper trapezius)

어깨올림근
(Levator scapulae)

척추기립근(천극근,
Sacrospinalis)

허리네모근(요방형근,
Quadratuslumborum)

넙다리두갈래근(대퇴이두근,
Biceps femoris)

반힘줄모양근(반건양근,
Semitendinosus)

반막모양근(반막양근,
Semimembranosus)

장딴지근(비복근,
Gastrocnemius)

뒤정강근(후경골근,
Tibialis posterior)

궁둥구멍근(이상근,
Piriformis)

큰모음근(대내전근,
Adductor magnus)

가자미근(넙치근, Soleus)

7) 목 근육

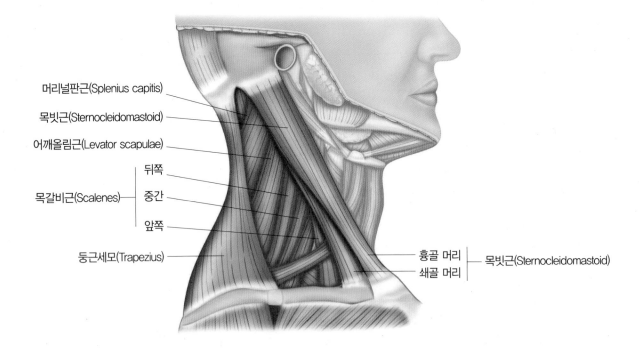

머리널판근(Splenius capitis)
목빗근(Sternocleidomastoid)
어깨올림근(Levator scapulae)
뒤쪽
목갈비근(Scalenes) — 중간
앞쪽
등근세모(Trapezius)
흉골 머리
쇄골 머리 ┤ 목빗근(Sternocleidomastoid)

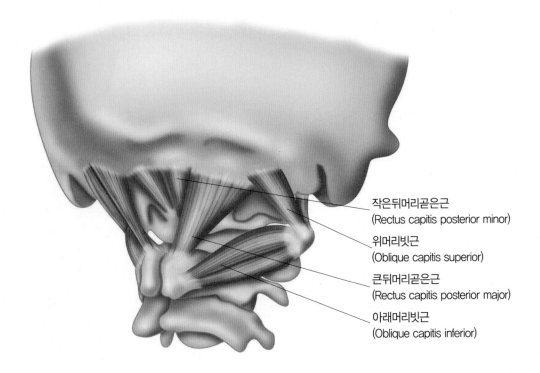

작은뒤머리곧은근
(Rectus capitis posterior minor)

위머리빗근
(Oblique capitis superior)

큰뒤머리곧은근
(Rectus capitis posterior major)

아래머리빗근
(Oblique capitis inferior)

8) 척추 근육 −1

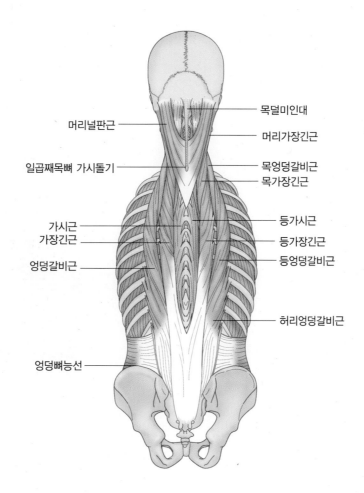

머리널판근
목덜미인대
머리가장긴근
일곱째목뼈 가시돌기
목엉덩갈비근
목가장긴근
가시근
등가시근
가장긴근
등가장긴근
엉덩갈비근
등엉덩갈비근
허리엉덩갈비근
엉덩뼈능선

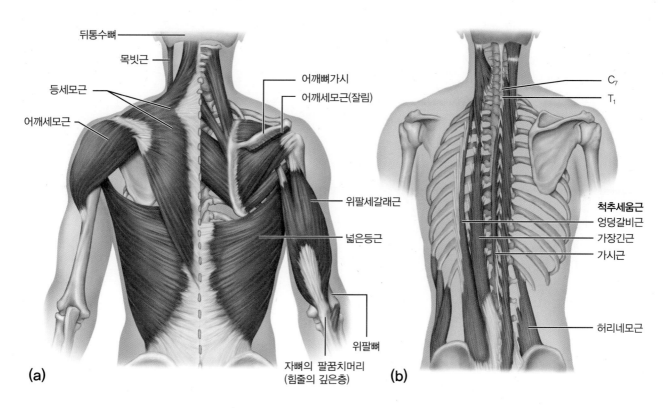

뒤통수뼈
목빗근
등세모근
어깨세모근
어깨뼈가시
어깨세모근(잘림)
위팔세갈래근
넓은등근
위팔뼈
자뼈의 팔꿈치머리
(힘줄의 깊은층)

(a)

C₇
T₁
척추세움근
엉덩갈비근
가장긴근
가시근
허리네모근

(b)

8) 척추 근육 −2

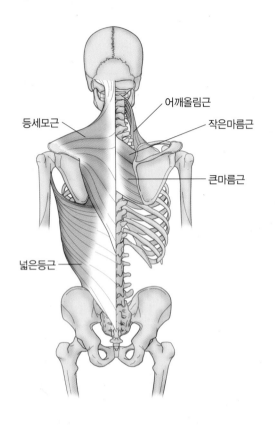

어깨올림근
등세모근
작은마름근
큰마름근
넓은등근

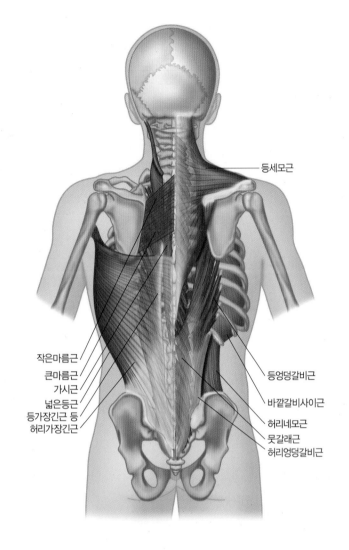

등세모근
작은마름근
큰마름근
가시근
넓은등근
등가장긴근 등
허리가장긴근
등엉덩갈비근
바깥갈비사이근
허리네모근
뭇갈래근
허리엉덩갈비근

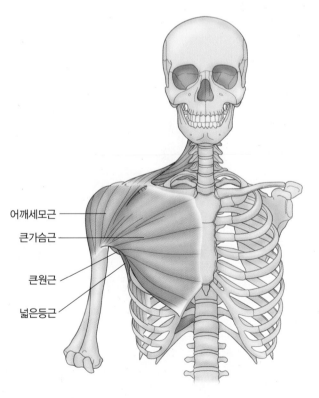

어깨세모근
큰가슴근
큰원근
넓은등근

9) 몸통과 어깨, 배벽 근육

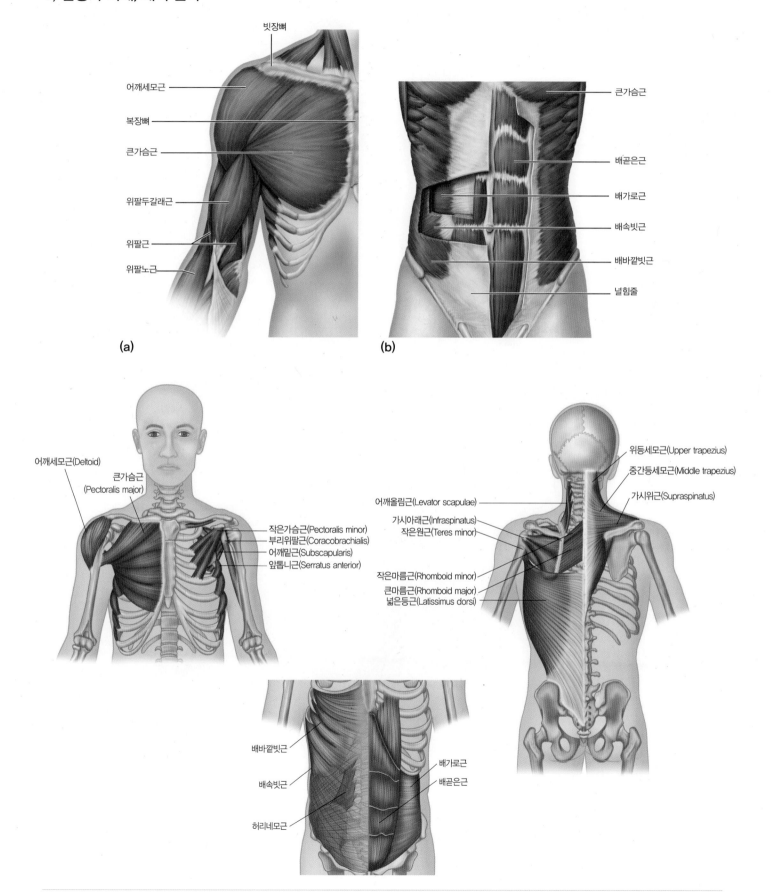

(a)

빗장뼈
어깨세모근
복장뼈
큰가슴근
위팔두갈래근
위팔근
위팔노근

(b)

큰가슴근
배곧은근
배가로근
배속빗근
배바깥빗근
널힘줄

어깨세모근(Deltoid)
큰가슴근
(Pectoralis major)

작은가슴근(Pectoralis minor)
부리위팔근(Coracobrachialis)
어깨밑근(Subscapularis)
앞톱니근(Serratus anterior)

위등세모근(Upper trapezius)
중간등세모근(Middle trapezius)
가시위근(Supraspinatus)
어깨올림근(Levator scapulae)
가시아래근(Infraspinatus)
작은원근(Teres minor)
작은마름근(Rhomboid minor)
큰마름근(Rhomboid major)
넓은등근(Latissimus dorsi)

배바깥빗근
배속빗근
허리네모근
배가로근
배곧은근

10) 겨드랑이 및 위팔 근육

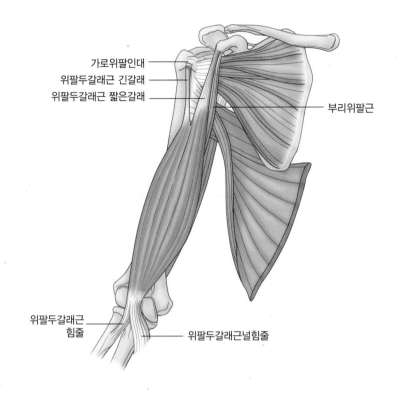

가로위팔인대
위팔두갈래근 긴갈래
위팔두갈래근 짧은갈래
부리위팔근
위팔두갈래근 힘줄
위팔두갈래근널힘줄

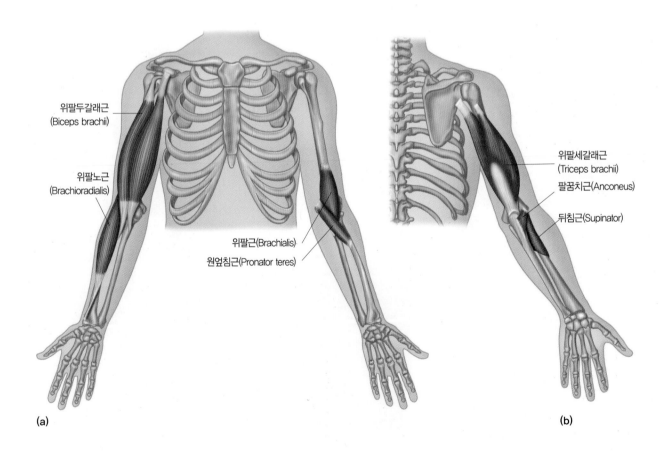

위팔두갈래근 (Biceps brachii)
위팔노근 (Brachioradialis)
위팔근(Brachialis)
원엎침근(Pronator teres)
위팔세갈래근 (Triceps brachii)
팔꿈치근(Anconeus)
뒤침근(Supinator)

(a)　　　　　　　　　　　　　　　　　　　(b)

11) 아래팔, 손의 근육 −1

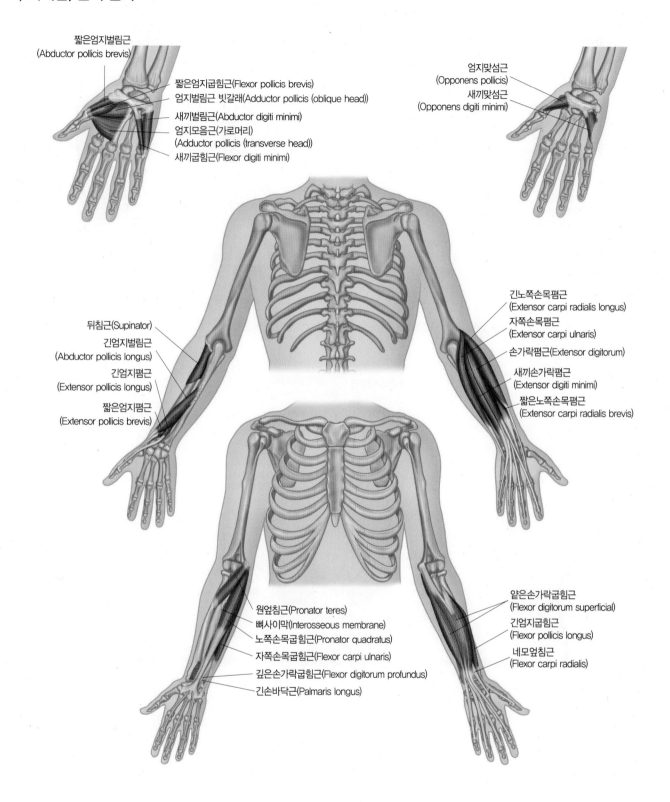

짧은엄지벌림근
(Abductor pollicis brevis)

짧은엄지굽힘근(Flexor pollicis brevis)
엄지벌림근 빗갈래(Adductor pollicis (oblique head))
새끼벌림근(Abductor digiti minimi)
엄지모음근(가로머리)
(Adductor pollicis (transverse head))
새끼굽힘근(Flexor digiti minimi)

엄지맞섬근
(Opponens pollicis)
새끼맞섬근
(Opponens digiti minimi)

긴노쪽손목폄근
(Extensor carpi radialis longus)
자쪽손목폄근
(Extensor carpi ulnaris)
손가락폄근(Extensor digitorum)
새끼손가락폄근
(Extensor digiti minimi)
짧은노쪽손목폄근
(Extensor carpi radialis brevis)

뒤침근(Supinator)
긴엄지벌림근
(Abductor pollicis longus)
긴엄지폄근
(Extensor pollicis longus)
짧은엄지폄근
(Extensor pollicis brevis)

원엎침근(Pronator teres)
뼈사이막(Interosseous membrane)
노쪽손목굽힘근(Pronator quadratus)
자쪽손목굽힘근(Flexor carpi ulnaris)
깊은손가락굽힘근(Flexor digitorum profundus)
긴손바닥근(Palmaris longus)

얕은손가락굽힘근
(Flexor digitorum superficial)
긴엄지굽힘근
(Flexor pollicis longus)
네모엎침근
(Flexor carpi radialis)

11) 아래팔, 손의 근육 −2

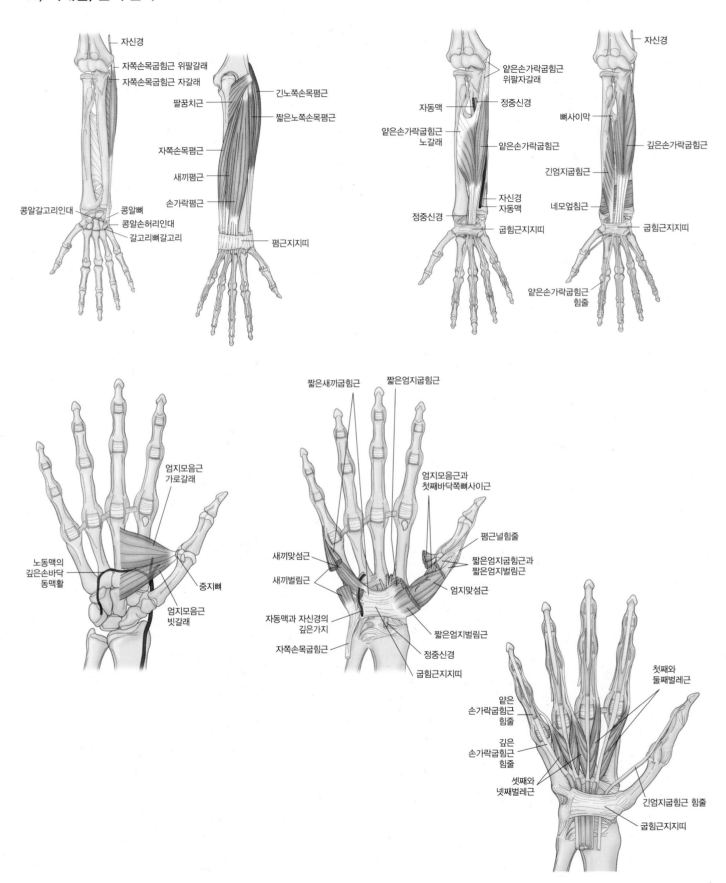

자신경
자쪽손목굽힘근 위팔갈래
자쪽손목굽힘근 자갈래
팔꿈치근
긴노쪽손목폄근
짧은노쪽손목폄근
자쪽손목폄근
새끼폄근
손가락폄근
콩알갈고리인대
콩알뼈
콩알손허리인대
갈고리뼈갈고리
펌근지지띠

자신경
얕은손가락굽힘근 위팔자갈래
자동맥
정중신경
얕은손가락굽힘근 노갈래
얕은손가락굽힘근
긴엄지굽힘근
자신경
자동맥
정중신경
굽힘근지지띠
뼈사이막
깊은손가락굽힘근
네모엎침근
굽힘근지지띠
얕은손가락굽힘근 힘줄

엄지모음근 가로갈래
노동맥의 깊은손바닥 동맥활
중지뼈
엄지모음근 빗갈래

짧은새끼굽힘근
짧은엄지굽힘근
엄지모음근과 첫째바닥쪽뼈사이근
펌근널힘줄
짧은엄지굽힘근과 짧은엄지벌림근
엄지맞섬근
짧은엄지벌림근
정중신경
굽힘근지지띠
새끼맞섬근
새끼벌림근
자동맥과 자신경의 깊은가지
자쪽손목굽힘근

첫째와 둘째벌레근
얕은 손가락굽힘근 힘줄
깊은 손가락굽힘근 힘줄
셋째와 넷째벌레근
긴엄지굽힘근 힘줄
굽힘근지지띠

12) 엉덩관절 근육

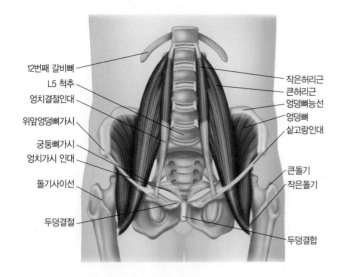

12번째 갈비뼈
L5 척추
엉치결절인대
위앞엉덩뼈가시
궁둥뼈가시
엉치가시 인대
돌기사이선
두덩결절

작은허리근
큰허리근
엉덩뼈능선
엉덩뼈
샅고랑인대
큰돌기
작은돌기
두덩결합

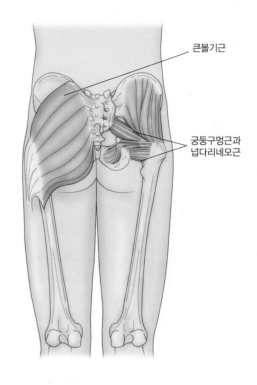

큰볼기근
궁둥구멍근과
넙다리네모근

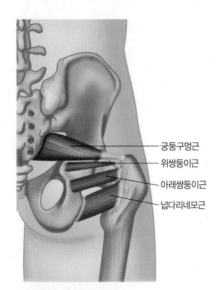

궁둥구멍근
위쌍둥이근
아래쌍둥이근
넙다리네모근

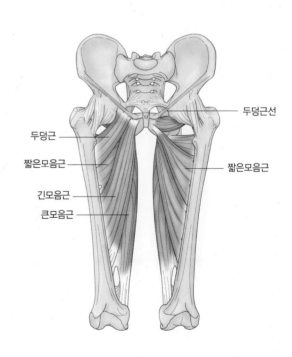

두덩근선
두덩근
짧은모음근
긴모음근
큰모음근
짧은모음근

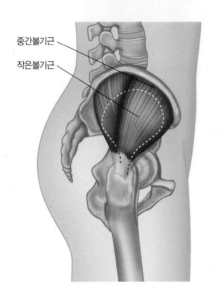

중간볼기근
작은볼기근

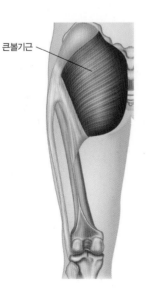

큰볼기근

13) 넙다리 근육

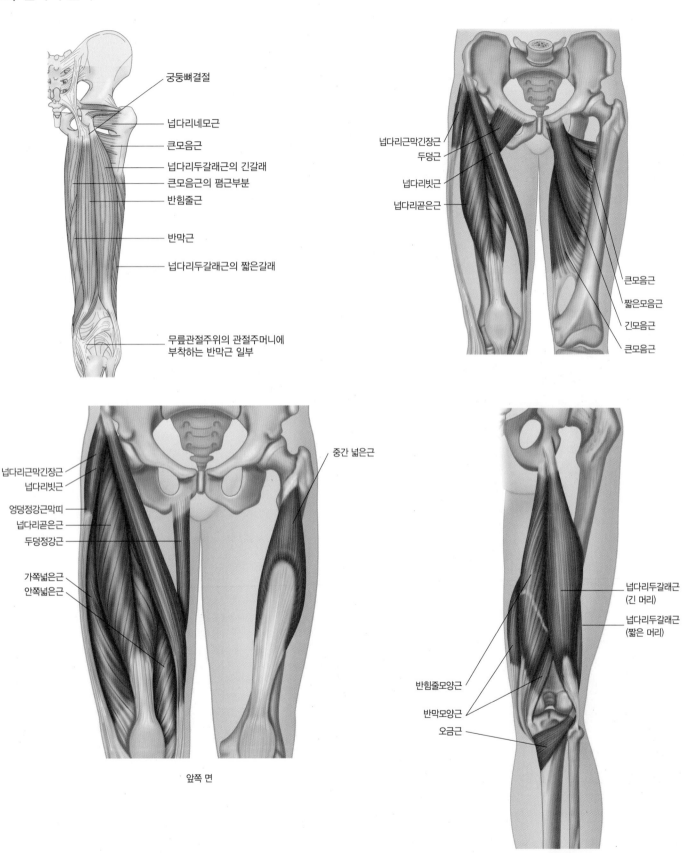

궁둥뼈결절

넙다리네모근

큰모음근

넙다리두갈래근의 긴갈래

큰모음근의 폄근부분

반힘줄근

반막근

넙다리두갈래근의 짧은갈래

무릎관절주위의 관절주머니에
부착하는 반막근 일부

넙다리근막긴장근

두덩근

넙다리빗근

넙다리곧은근

큰모음근

짧은모음근

긴모음근

큰모음근

넙다리근막긴장근

넙다리빗근

엉덩정강근막띠

넙다리곧은근

두덩정강근

가쪽넓은근

안쪽넓은근

중간 넓은근

앞쪽 면

넙다리두갈래근
(긴 머리)

넙다리두갈래근
(짧은 머리)

반힘줄모양근

반막모양근

오금근

뒤쪽 면

14) 종아리 근육 −1

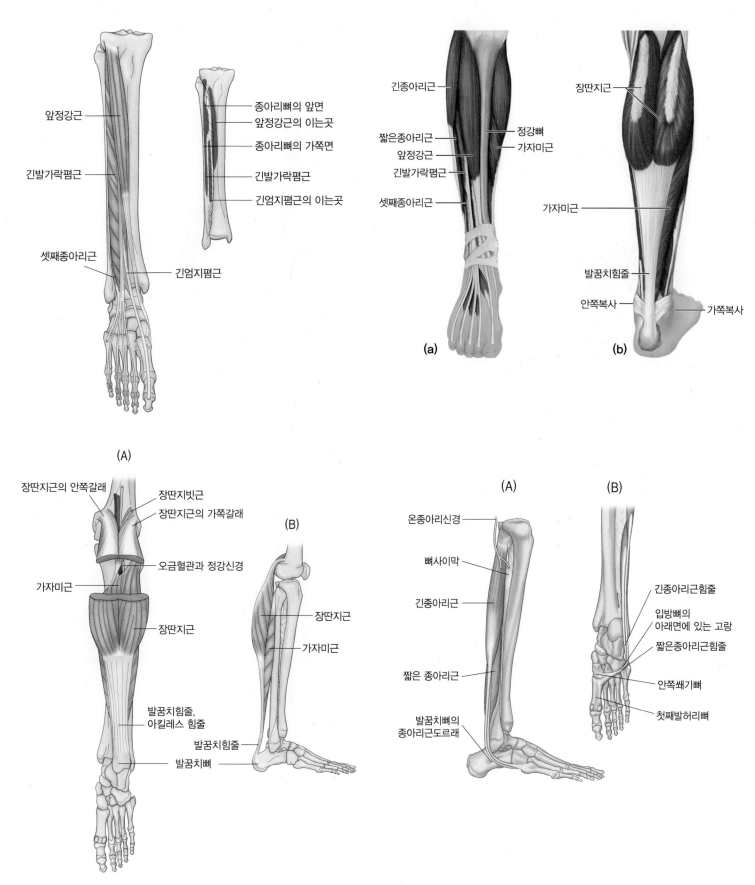

앞정강근

긴발가락폄근

셋째종아리근

긴엄지폄근

종아리뼈의 앞면
앞정강근의 이는곳
종아리뼈의 가쪽면
긴발가락폄근
긴엄지폄근의 이는곳

(A)

긴종아리근
짧은종아리근
앞정강근
긴발가락폄근
셋째종아리근

정강뼈
가자미근

(a)

장딴지근

가자미근

발꿈치힘줄
안쪽복사
가쪽복사

(b)

장딴지근의 안쪽갈래
가자미근

장딴지빗근
장딴지근의 가쪽갈래
오금혈관과 정강신경

장딴지근

발꿈치힘줄,
아킬레스 힘줄
발꿈치뼈

(B)

장딴지근
가자미근

발꿈치힘줄
발꿈치뼈

(A)

온종아리신경

뼈사이막

긴종아리근

짧은 종아리근

발꿈치뼈의
종아리근도르래

(B)

긴종아리근힘줄
입방뼈의
아래면에 있는 고랑
짧은종아리근힘줄
안쪽쐐기뼈
첫째발허리뼈

14) 종아리 근육 −2

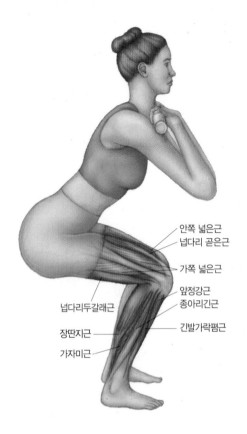

안쪽 넓은근
넙다리 곧은근

가쪽 넓은근

앞정강근
종아리긴근

넙다리두갈래근

긴발가락폄근

장딴지근

가자미근

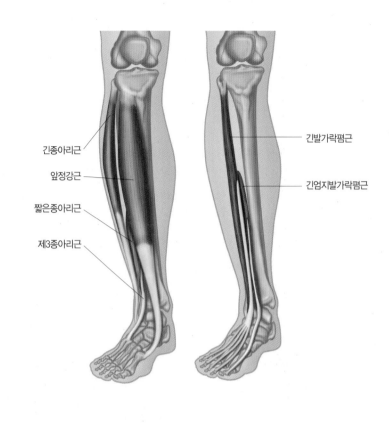

긴종아리근

앞정강근

짧은종아리근

제3종아리근

긴발가락폄근

긴엄지발가락폄근

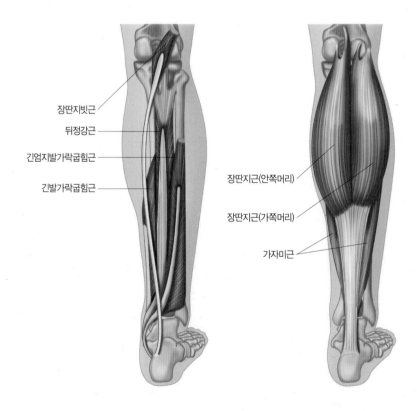

장딴지빗근

뒤정강근

긴엄지발가락굽힘근

긴발가락굽힘근

장딴지근(안쪽머리)

장딴지근(가쪽머리)

가자미근

15) 발 근육

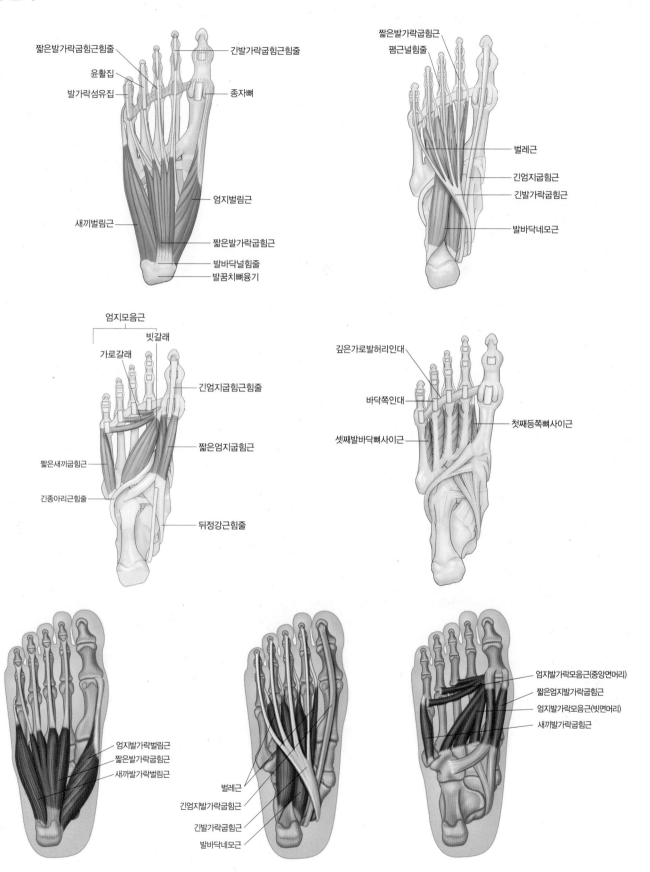

짧은발가락굽힘근힘줄
윤활집
발가락섬유집
긴발가락굽힘근힘줄
종자뼈
엄지벌림근
새끼벌림근
짧은발가락굽힘근
발바닥널힘줄
발꿈치뼈융기

짧은발가락굽힘근
폄근널힘줄
벌레근
긴엄지굽힘근
긴발가락굽힘근
발바닥네모근

엄지모음근
빗갈래
가로갈래
긴엄지굽힘근힘줄
짧은엄지굽힘근
짧은새끼굽힘근
긴종아리근힘줄
뒤정강근힘줄

깊은가로발허리인대
바닥쪽인대
셋째발바닥뼈사이근
첫째등쪽뼈사이근

엄지발가락벌림근
짧은발가락굽힘근
새끼발가락벌림근

벌레근
긴엄지발가락굽힘근
긴발가락굽힘근
발바닥네모근

엄지발가락모음근(중앙면머리)
짧은엄지발가락굽힘근
엄지발가락모음근(빗면머리)
새끼발가락굽힘근

5. 신경

1) 신경세포의 종류

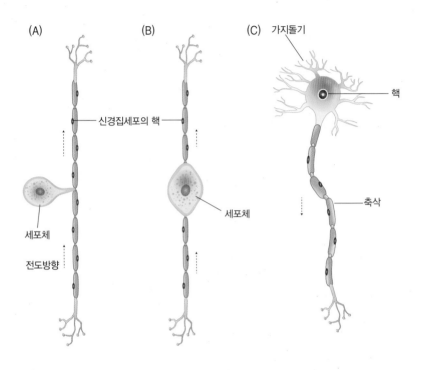

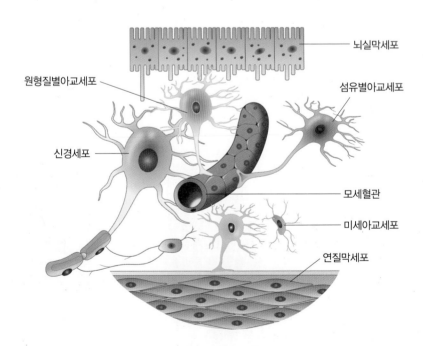

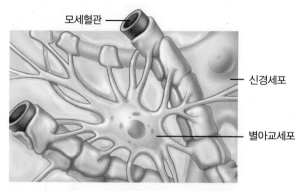

(a) 별아교세포는 수도 많고 기능도 많은 신경아
교세포이다.

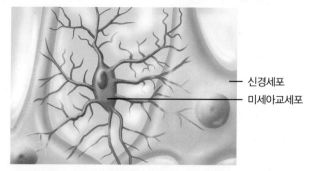

(b) 미세아교세포는 중추신경계통의 세포를 보
호하는 포식세포이다.

(c) 뇌실막세포는 뇌척수액이 들어있는 공간을
둘러싼다.

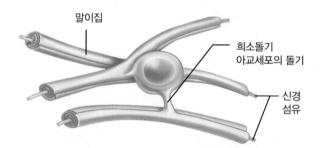

(d) 희소돌기아교세포는 중추신경계통의 신경섬
유를 둘러싸는 말이집을 형성한다.

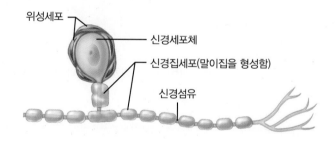

(e) 위성세포와 말이집을 형성하는 신경집세포
는 말초신경계통의 신경세포를 둘러싼다.

2) 신경세포의 기능

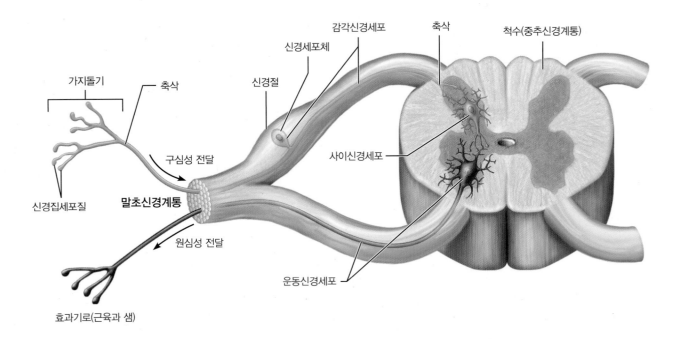

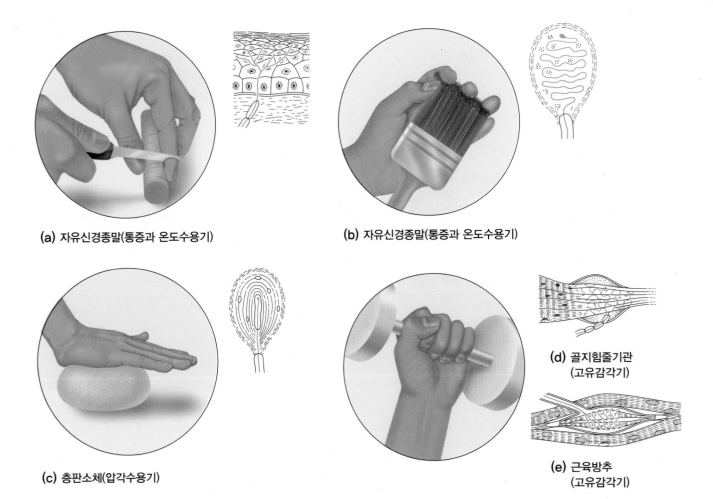

(a) 자유신경종말(통증과 온도수용기)

(b) 자유신경종말(통증과 온도수용기)

(c) 층판소체(압각수용기)

(d) 골지힘줄기관
(고유감각기)

(e) 근육방추
(고유감각기)

3) 신경 경로 및 가지

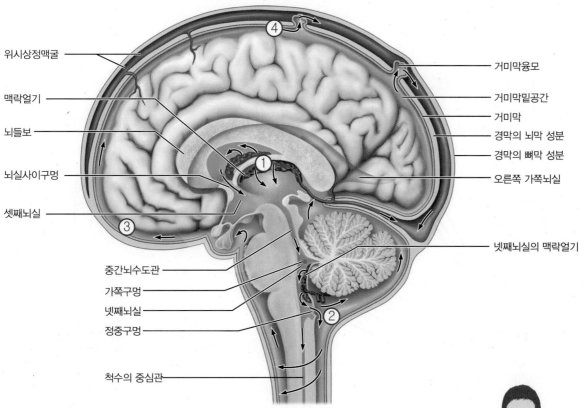

위시상정맥굴

맥락얼기

뇌들보

뇌실사이구멍

셋째뇌실

거미막융모

거미막밑공간

거미막

경막의 뇌막 성분

경막의 뼈막 성분

오른쪽 가쪽뇌실

넷째뇌실의 맥락얼기

중간뇌수도관

가쪽구멍

넷째뇌실

정중구멍

척수의 중심관

① 각 뇌실의 맥락얼기에서 뇌척수액이 생성됨

② 뇌실을 거친 뇌척수액은 가쪽구멍과 정중구멍
을 통해 거미막밑공간으로 흐름. 뇌척수액의
일부는 척수의 중심관으로 들어감

③ 거미막밑공간을 흐르는 뇌척수액

④ 뇌척수액은 거미막융모를 통해 경막정맥굴로
흡수됨

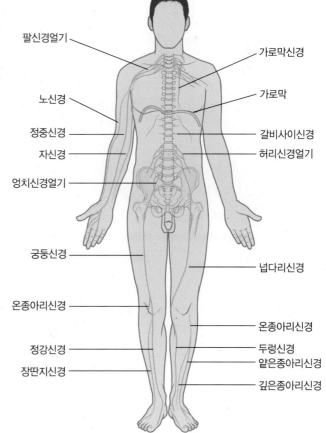

팔신경얼기

노신경

정중신경

자신경

엉치신경얼기

궁둥신경

온종아리신경

정강신경

장딴지신경

가로막신경

가로막

갈비사이신경

허리신경얼기

넙다리신경

온종아리신경

두렁신경

얕은종아리신경

깊은종아리신경

4) 뇌신경

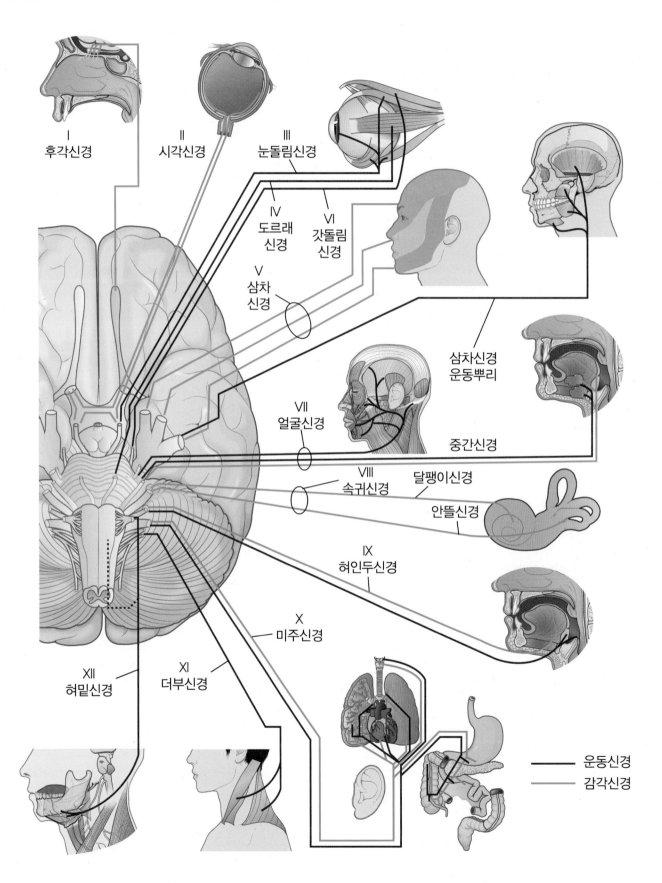

I 후각신경
II 시각신경
III 눈돌림신경
IV 도르래 신경
VI 갓돌림 신경
V 삼차 신경
삼차신경 운동뿌리
VII 얼굴신경
중간신경
VIII 속귀신경
달팽이신경
안뜰신경
IX 혀인두신경
X 미주신경
XII 혀밑신경
XI 더부신경
운동신경
감각신경

5) 척수신경 -1

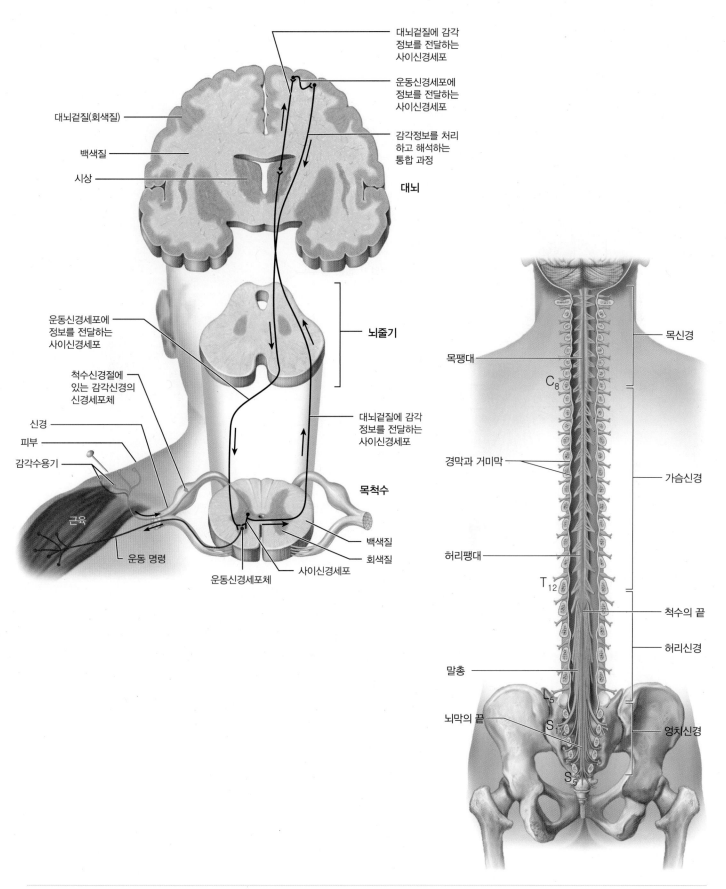

대뇌겉질에 감각 정보를 전달하는 사이신경세포

운동신경세포에 정보를 전달하는 사이신경세포

감각정보를 처리하고 해석하는 통합 과정

대뇌

대뇌겉질(회색질)

백색질

시상

운동신경세포에 정보를 전달하는 사이신경세포

뇌줄기

척수신경절에 있는 감각신경의 신경세포체

신경

피부

감각수용기

대뇌겉질에 감각 정보를 전달하는 사이신경세포

목척수

근육

백색질

회색질

운동 명령

운동신경세포체

사이신경세포

목팽대

C_8

목신경

경막과 거미막

가슴신경

허리팽대

T_{12}

척수의 끝

허리신경

말총

L_5

뇌막의 끝

S_1

엉치신경

S_5

5) 척수신경 −2

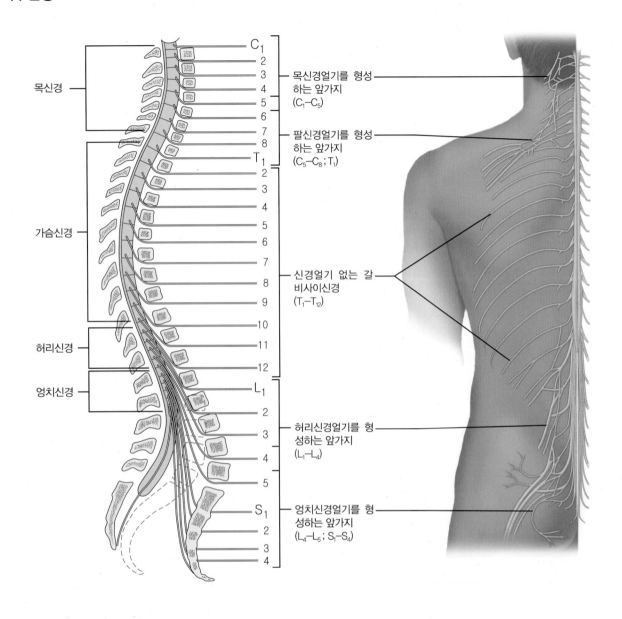

목신경

목신경얼기를 형성
하는 앞가지
(C_1 – C_5)

팔신경얼기를 형성
하는 앞가지
(C_5 – C_8 ; T_1)

가슴신경

신경얼기 없는 갈
비사이신경
(T_1 – T_{12})

허리신경

엉치신경

허리신경얼기를 형
성하는 앞가지
(L_1 – L_4)

엉치신경얼기를 형
성하는 앞가지
(L_4 – L_5 ; S_1 – S_4)

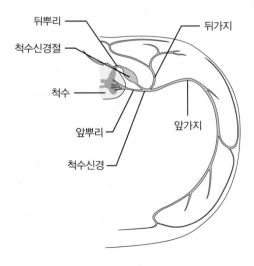

뒤뿌리

뒤가지

척수신경절

척수

앞뿌리

앞가지

척수신경

6) 팔과 다리의 주요 말초신경 −1

(1) 근육피부신경

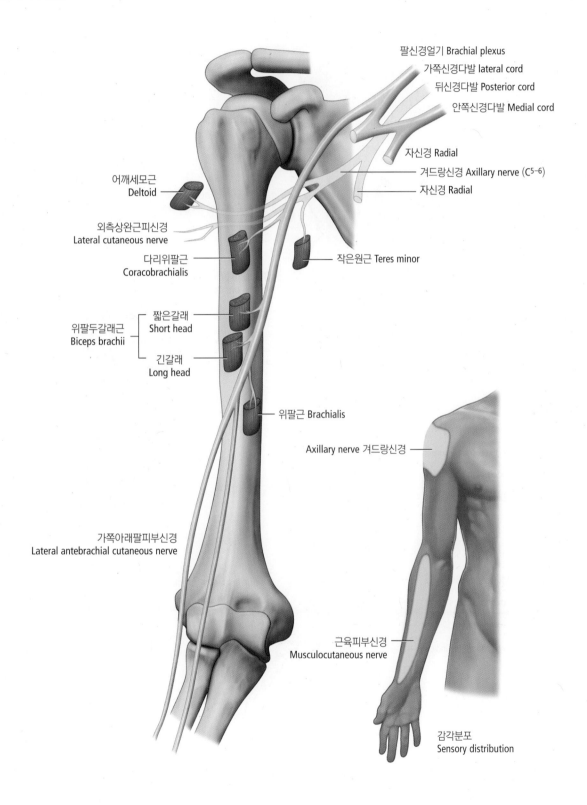

팔신경얼기 Brachial plexus
가쪽신경다발 lateral cord
뒤신경다발 Posterior cord
안쪽신경다발 Medial cord

자신경 Radial
겨드랑신경 Axillary nerve (C5−6)
자신경 Radial

어깨세모근
Deltoid

외측상완근피신경
Lateral cutaneous nerve

다리위팔근
Coracobrachialis

작은원근 Teres minor

위팔두갈래근
Biceps brachii

짧은갈래
Short head

긴갈래
Long head

위팔근 Brachialis

Axillary nerve 겨드랑신경

가쪽아래팔피부신경
Lateral antebrachial cutaneous nerve

근육피부신경
Musculocutaneous nerve

감각분포
Sensory distribution

(2) 노신경

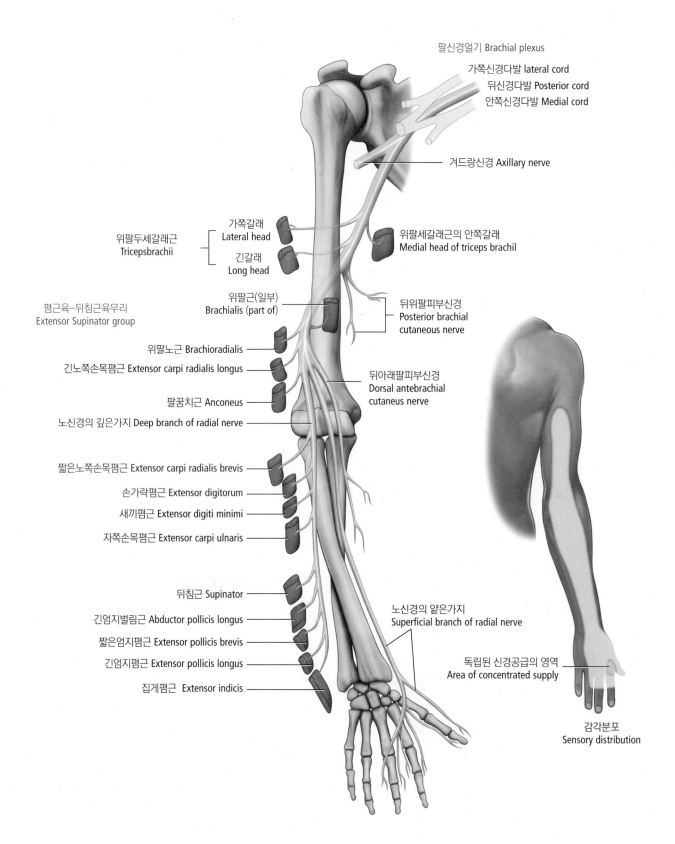

팔신경얼기 Brachial plexus

가쪽신경다발 lateral cord
뒤신경다발 Posterior cord
안쪽신경다발 Medial cord

겨드랑신경 Axillary nerve

위팔두세갈래근
Tricepsbrachii

가쪽갈래
Lateral head

긴갈래
Long head

위팔세갈래근의 안쪽갈래
Medial head of triceps brachil

폄근육-뒤침근육무리
Extensor Supinator group

위팔근(일부)
Brachialis (part of)

뒤위팔피부신경
Posterior brachial
cutaneous nerve

위팔노근 Brachioradialis

긴노쪽손목폄근 Extensor carpi radialis longus

뒤아래팔피부신경
Dorsal antebrachial
cutaneus nerve

팔꿈치근 Anconeus

노신경의 깊은가지 Deep branch of radial nerve

짧은노쪽손목폄근 Extensor carpi radialis brevis

손가락폄근 Extensor digitorum

새끼폄근 Extensor digiti minimi

자쪽손목폄근 Extensor carpi ulnaris

뒤침근 Supinator

긴엄지벌림근 Abductor pollicis longus

짧은엄지폄근 Extensor pollicis brevis

긴엄지폄근 Extensor pollicis longus

집게폄근 Extensor indicis

노신경의 얕은가지
Superficial branch of radial nerve

독립된 신경공급의 영역
Area of concentrated supply

감각분포
Sensory distribution

(3) 정중신경

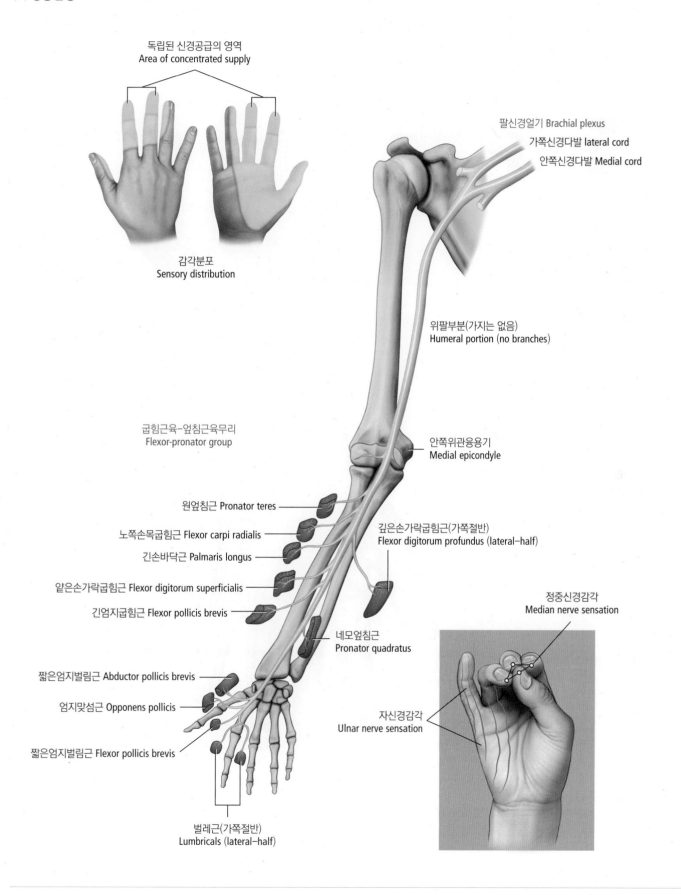

독립된 신경공급의 영역
Area of concentrated supply

감각분포
Sensory distribution

팔신경얼기 Brachial plexus
가쪽신경다발 lateral cord
안쪽신경다발 Medial cord

위팔부분(가지는 없음)
Humeral portion (no branches)

굽힘근육-엎침근육무리
Flexor-pronator group

안쪽위관융용기
Medial epicondyle

원엎침근 Pronator teres

노쪽손목굽힘근 Flexor carpi radialis

긴손바닥근 Palmaris longus

얕은손가락굽힘근 Flexor digitorum superficialis

긴엄지굽힘근 Flexor pollicis brevis

깊은손가락굽힘근(가쪽절반)
Flexor digitorum profundus (lateral-half)

네모엎침근
Pronator quadratus

짧은엄지벌림근 Abductor pollicis brevis

엄지맞섬근 Opponens pollicis

짧은엄지벌림근 Flexor pollicis brevis

벌레근(가쪽절반)
Lumbricals (lateral-half)

정중신경감각
Median nerve sensation

자신경감각
Ulnar nerve sensation

(4) 자신경

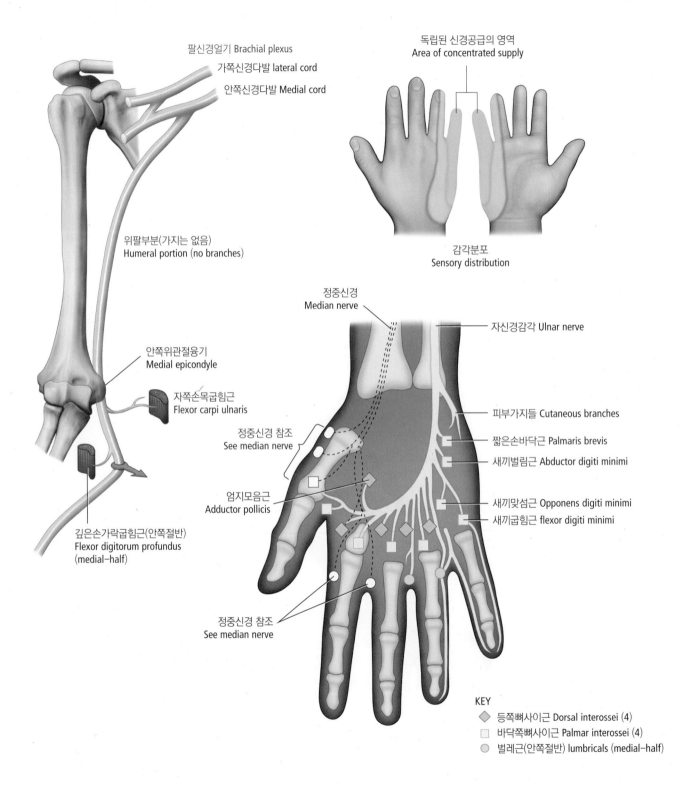

팔신경얼기 Brachial plexus
가쪽신경다발 lateral cord
안쪽신경다발 Medial cord

독립된 신경공급의 영역
Area of concentrated supply

위팔부분(가지는 없음)
Humeral portion (no branches)

감각분포
Sensory distribution

정중신경
Median nerve

자신경감각 Ulnar nerve

안쪽위관절융기
Medial epicondyle

자쪽손목굽힘근
Flexor carpi ulnaris

피부가지들 Cutaneous branches
짧은손바닥근 Palmaris brevis
새끼벌림근 Abductor digiti minimi

정중신경 참조
See median nerve

새끼맞섬근 Opponens digiti minimi
새끼굽힘근 flexor digiti minimi

엄지모음근
Adductor pollicis

깊은손가락굽힘근(안쪽절반)
Flexor digitorum profundus
(medial-half)

정중신경 참조
See median nerve

KEY
◆ 등쪽뼈사이근 Dorsal interossei (4)
□ 바닥쪽뼈사이근 Palmar interossei (4)
● 벌레근(안쪽절반) lumbricals (medial-half)

(5) 팔의 운동신경 지배

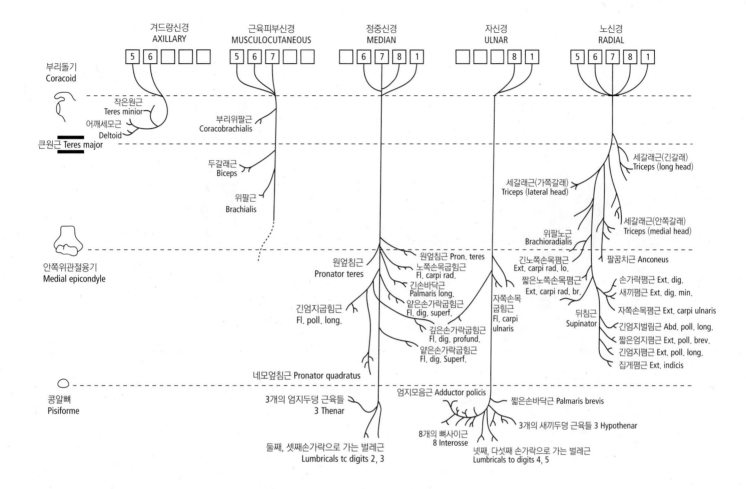

부리돌기
Coracoid

큰원근 Teres major

안쪽위관절융기
Medial epicondyle

콩알뼈
Pisiforme

겨드랑신경
AXILLARY
5 6

근육피부신경
MUSCULOCUTANEOUS
5 6 7

정중신경
MEDIAN
6 7 8 1

자신경
ULNAR
8 1

노신경
RADIAL
5 6 7 8 1

작은원근
Teres minior
어깨세모근
Deltoid

부리위팔근
Coracobrachialis

두갈래근
Biceps

위팔근
Brachialis

세갈래근(긴갈래)
Triceps (long head)

세갈래근(가쪽갈래)
Triceps (lateral head)

세갈래근(안쪽갈래)
Triceps (medial head)

위팔노근
Brachioradialis

팔꿈치근 Anconeus

원엎침근
Pronator teres

원엎침근 Pron. teres
노쪽손목굽힘근
Fl. carpi rad.
긴손바닥근
Palmaris long.
얕은손가락굽힘근
Fl. dig. superf.

긴노쪽손목폄근
Ext. carpi rad. lo.
짧은노쪽손목폄근
Ext. carpi rad. br.

손가락폄근 Ext. dig.
새끼폄근 Ext. dig. min.
자쪽손목폄근 Ext. carpi ulnaris
긴엄지벌림근 Abd. poll. long.
짧은엄지폄근 Ext. poll. brev.
긴엄지폄근 Ext. poll. long.
집게폄근 Ext. indicis

긴엄지굽힘근
Fl. poll. long.

깊은손가락굽힘근
Fl. dig. profund.
얕은손가락굽힘근
Fl. dig. Superf.

자쪽손목
굽힘근
Fl. carpi
ulnaris

뒤침근
Supinator

네모엎침근 Pronator quadratus

3개의 엄지두덩 근육들
3 Thenar

엄지모음근 Adductor policis

짧은손바닥근 Palmaris brevis
3개의 새끼두덩 근육들 3 Hypothenar

8개의 뼈사이근
8 Interosse

둘째, 셋째손가락으로 가는 벌레근
Lumbricals tc digits 2, 3

넷째, 다섯째 손가락으로 가는 벌레근
Lumbricals to digits 4, 5

(6) 넙다리신경과 폐쇄신경

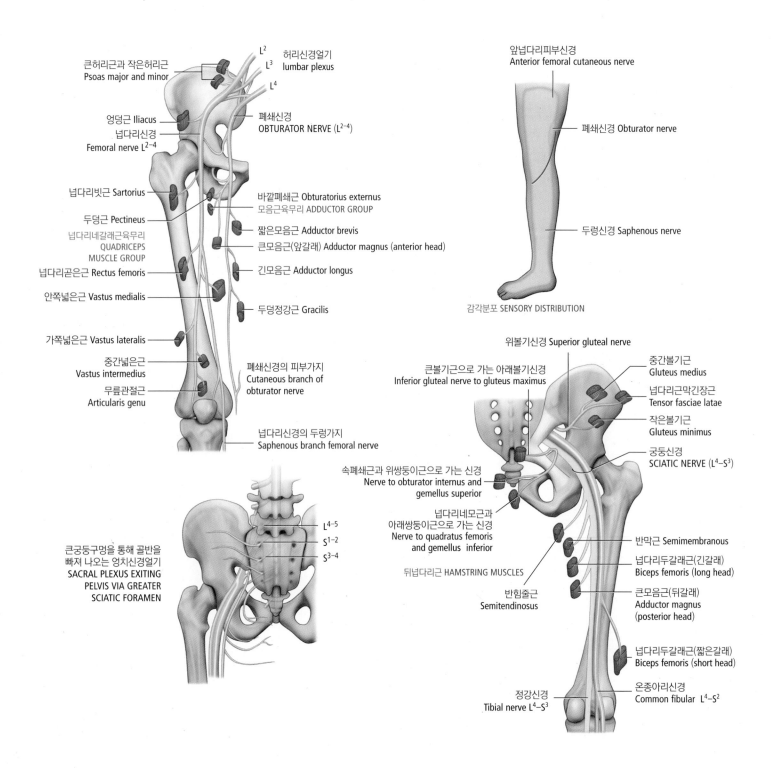

큰허리근과 작은허리근
Psoas major and minor

L^2
L^3 허리신경얼기
lumbar plexus
L^4

엉덩근 Iliacus

폐쇄신경
OBTURATOR NERVE (L^{2-4})

넙다리신경
Femoral nerve L^{2-4}

넙다리빗근 Sartorius

두덩근 Pectineus

바깥폐쇄근 Obturatorius externus
모음근육무리 ADDUCTOR GROUP

넙다리네갈래근육무리
QUADRICEPS
MUSCLE GROUP

짧은모음근 Adductor brevis
큰모음근(앞갈래) Adductor magnus (anterior head)

넙다리곧은근 Rectus femoris

긴모음근 Adductor longus

안쪽넓은근 Vastus medialis

두덩정강근 Gracilis

가쪽넓은근 Vastus lateralis

중간넓은근
Vastus intermedius

무릎관절근
Articularis genu

폐쇄신경의 피부가지
Cutaneous branch of
obturator nerve

넙다리신경의 두렁가지
Saphenous branch femoral nerve

앞넙다리피부신경
Anterior femoral cutaneous nerve

폐쇄신경 Obturator nerve

두렁신경 Saphenous nerve

감각분포 SENSORY DISTRIBUTION

큰궁둥구멍을 통해 골반을
빠져 나오는 엉치신경얼기
SACRAL PLEXUS EXITING
PELVIS VIA GREATER
SCIATIC FORAMEN

L^{4-5}
S^{1-2}
S^{3-4}

위볼기신경 Superior gluteal nerve

큰볼기근으로 가는 아래볼기신경
Inferior gluteal nerve to gluteus maximus

중간볼기근
Gluteus medius

넙다리근막긴장근
Tensor fasciae latae

작은볼기근
Gluteus minimus

궁둥신경
SCIATIC NERVE (L^4–S^3)

속폐쇄근과 위쌍둥이근으로 가는 신경
Nerve to obturator internus and
gemellus superior

넙다리네모근과
아래쌍둥이근으로 가는 신경
Nerve to quadratus femoris
and gemellus inferior

뒤넙다리근 HAMSTRING MUSCLES

반힘줄근
Semitendinosus

반막근 Semimembranous

넙다리두갈래근(긴갈래)
Biceps femoris (long head)

큰모음근(뒤갈래)
Adductor magnus
(posterior head)

넙다리두갈래근(짧은갈래)
Biceps femoris (short head)

온종아리신경
Common fibular L^4–S^2

정강신경
Tibial nerve L^4–S^3

(7) 정강신경과 그 가지가 지배하는 근육

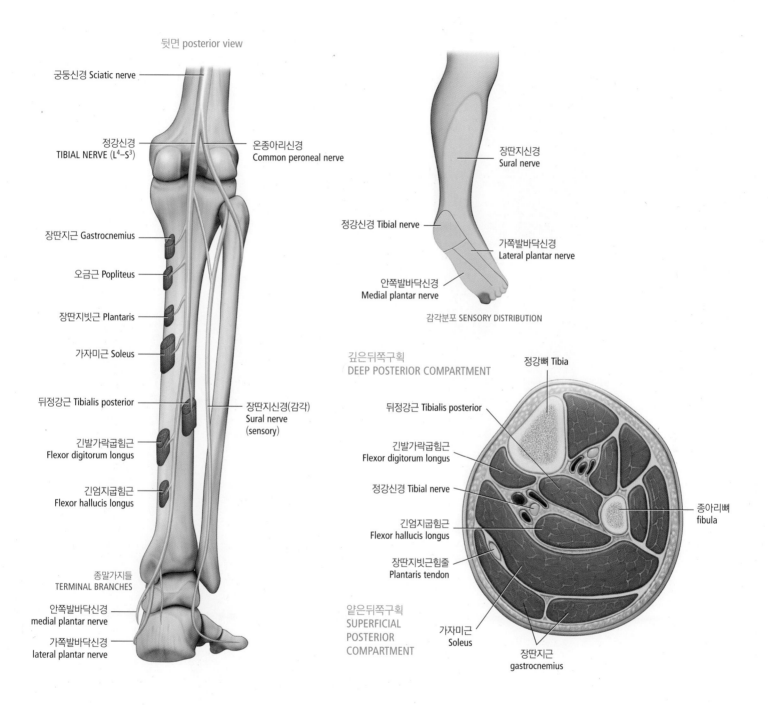

뒷면 posterior view

궁둥신경 Sciatic nerve

정강신경 TIBIAL NERVE (L⁴–S³)

온종아리신경 Common peroneal nerve

장딴지근 Gastrocnemius

오금근 Popliteus

장딴지빗근 Plantaris

가자미근 Soleus

뒤정강근 Tibialis posterior

긴발가락굽힘근 Flexor digitorum longus

긴엄지굽힘근 Flexor hallucis longus

장딴지신경(감각) Sural nerve (sensory)

종말가지들 TERMINAL BRANCHES

안쪽발바닥신경 medial plantar nerve

가쪽발바닥신경 lateral plantar nerve

장딴지신경 Sural nerve

정강신경 Tibial nerve

가쪽발바닥신경 Lateral plantar nerve

안쪽발바닥신경 Medial plantar nerve

감각분포 SENSORY DISTRIBUTION

깊은뒤쪽구획 DEEP POSTERIOR COMPARTMENT

정강뼈 Tibia

뒤정강근 Tibialis posterior

긴발가락굽힘근 Flexor digitorum longus

정강신경 Tibial nerve

긴엄지굽힘근 Flexor hallucis longus

장딴지빗근힘줄 Plantaris tendon

얕은뒤쪽구획 SUPERFICIAL POSTERIOR COMPARTMENT

가자미근 Soleus

장딴지근 gastrocnemius

종아리뼈 fibula

6) 팔과 다리의 주요 말초신경 −2

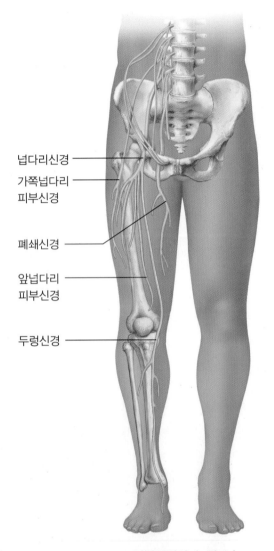

넙다리신경

가쪽넙다리
피부신경

폐쇄신경

앞넙다리
피부신경

두렁신경

허리신경얼기, 앞모습

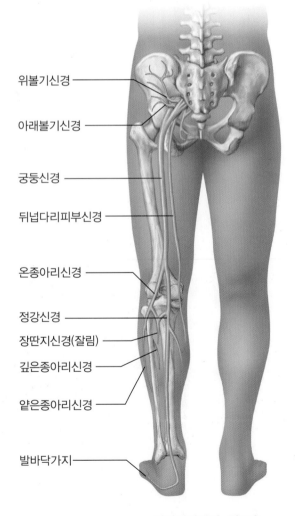

위볼기신경

아래볼기신경

궁둥신경

뒤넙다리피부신경

온종아리신경

정강신경

장딴지신경(잘림)

깊은종아리신경

얕은종아리신경

발바닥가지

엉치신경얼기, 뒷모습

7) 체성신경과 자율신경

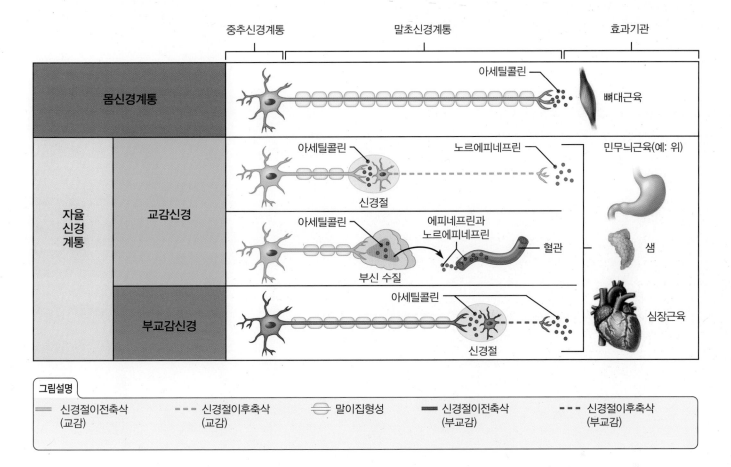

그림설명

── 신경절이전축삭 (교감)	- - - 신경절이후축삭 (교감)	⊖ 말이집형성	── 신경절이전축삭 (부교감)	- - - 신경절이후축삭 (부교감)

Ⅲ
심전도

Bible 저 응 동 료 리 사

심전도 기록

1) 심전도 용지, 심박수

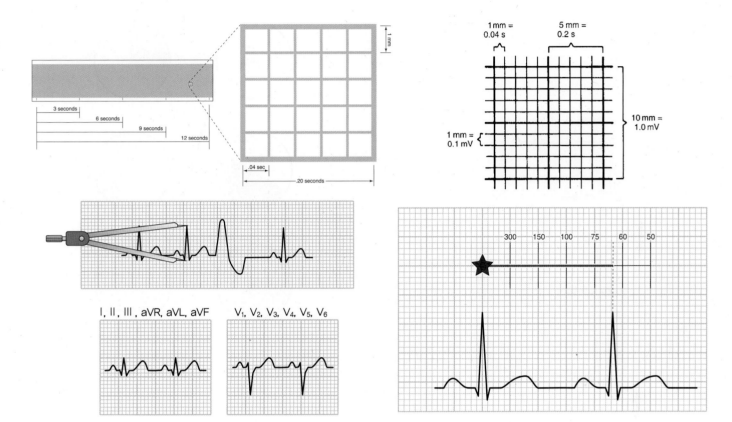

2) 기본적 심전도(파형, 간격, 분절), 6개의 축

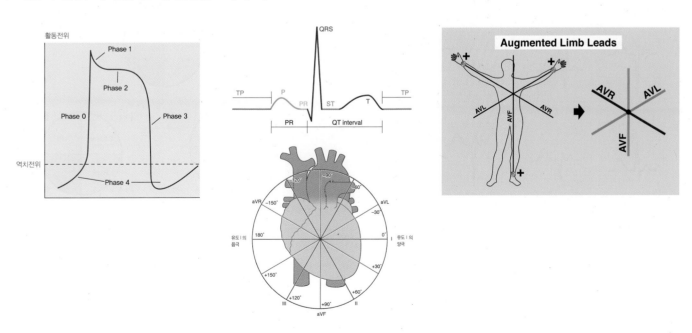

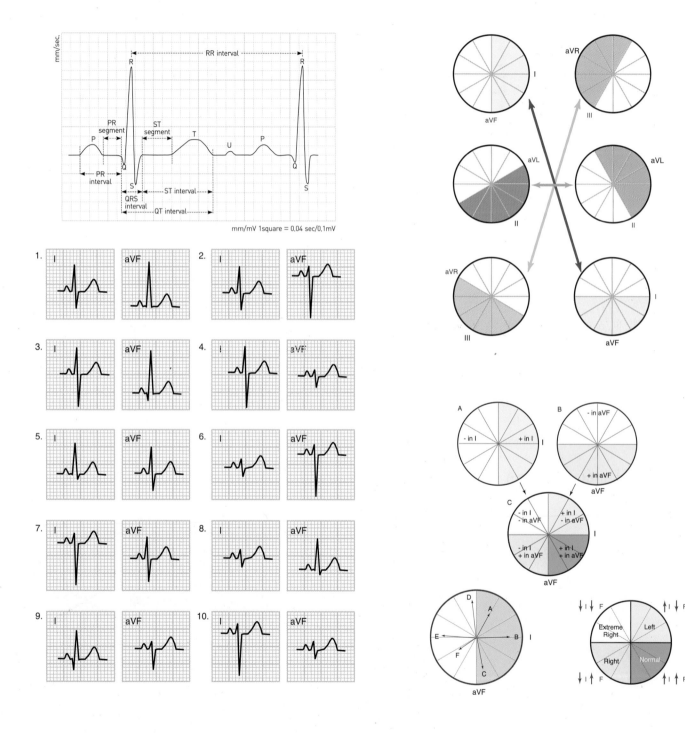

3) 심전도 유도

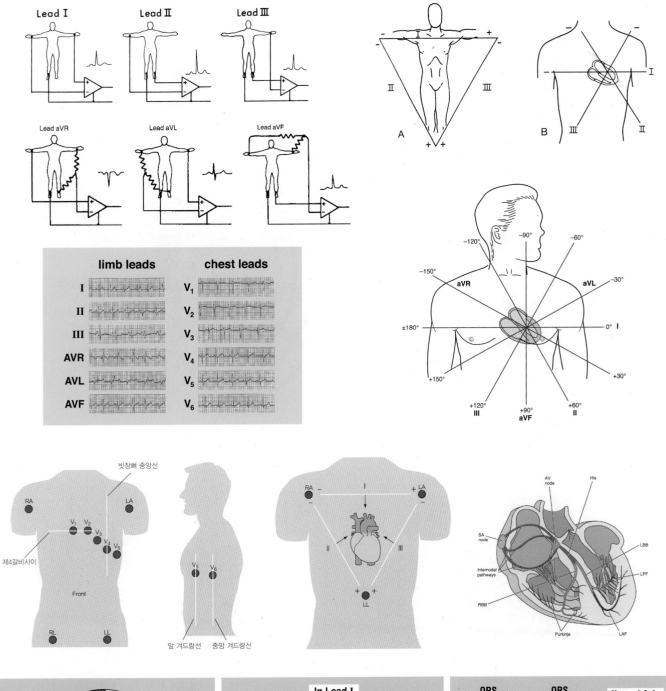

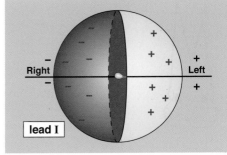

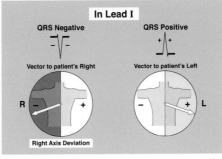

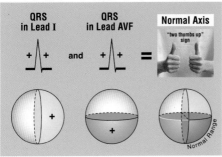

4) 심장과 전기전도, 각차단

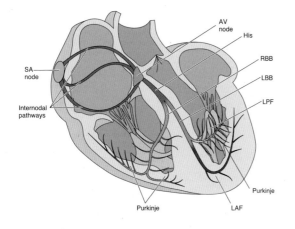

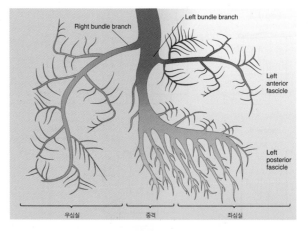

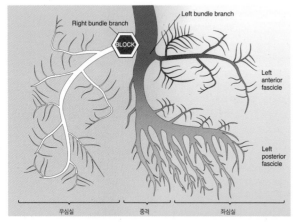

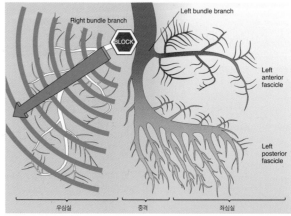

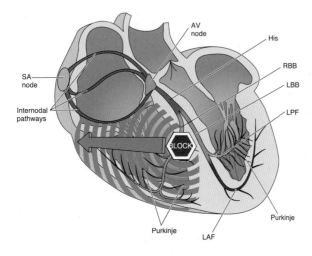

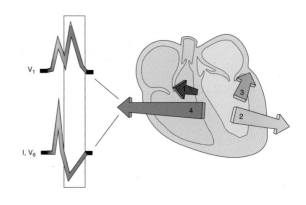

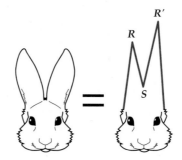

5) 부정맥, ST분절의 변화

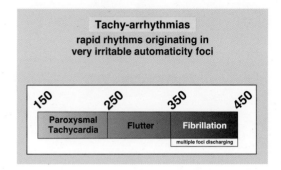

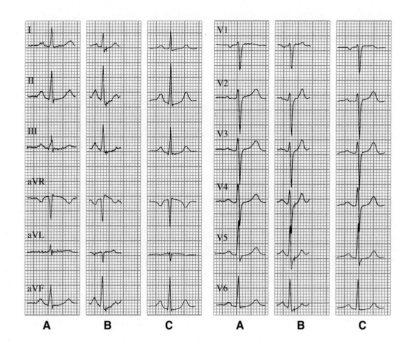

6) 급성 심근경색

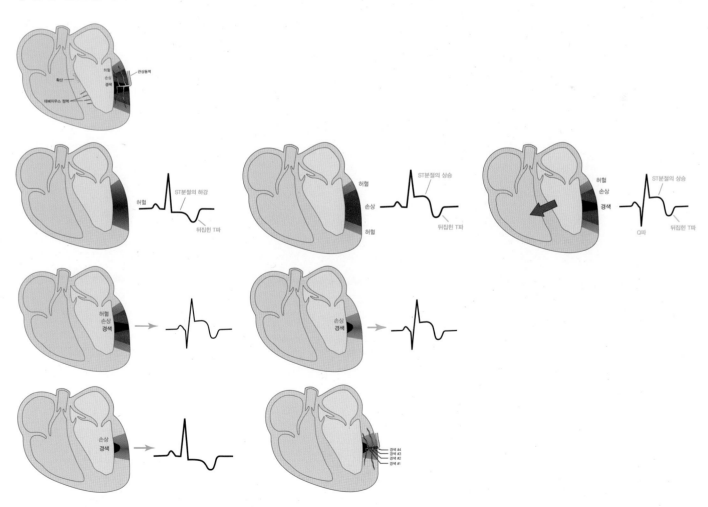

IV
프로토콜

Bible 저가웃동화리사

프로토콜

1) 운동부하법의 유형

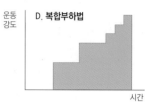

2) Tread mill 운동부하검사

① Bruce protocol

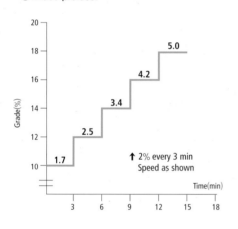

② Modified Bruce protocol

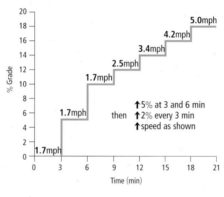

③ Balke & Ware protocol

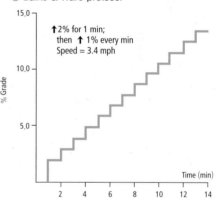

④ Naugton protocol

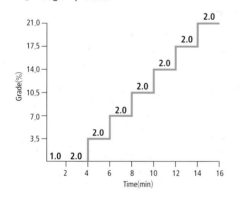

⑤ Kattus protocol

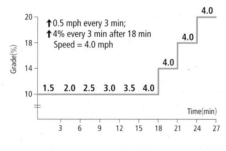

⑦ Maksud & Coutts protocol

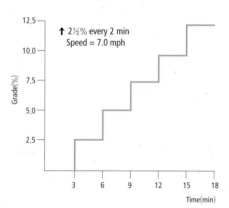

⑥ Taylor protocol

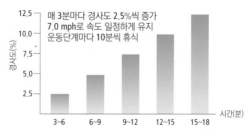

⑧ Modified Astrand protocol

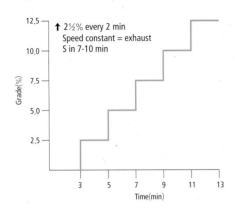

⑨ Wilson protocol

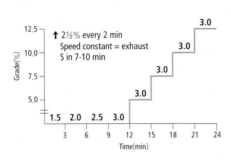

⑩ Costill & Fox protocol

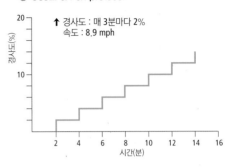

⑪ Ellestad protocol

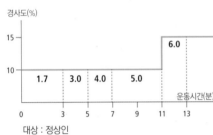

대상 : 정상인
최초부하 : 1.7 mph, 10%, 지속시간 3분
부하증가 - 경사도 : 0~11분 10%, 11분 이후 15%
　　　　 - 속도 : 1.7~8.0 mph

⑫ KSSI protocol

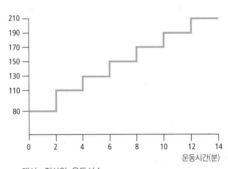

대상 : 정상인, 운동선수
최초부하 : 분당 80m의 속도, 경사도 3%(정상인)
　　　　　 분당 80m의 속도, 경사도 5~6%(운동선수)
부하증가 : 110m/min부터 매 2분마다 20m/min씩 증가

⑬ Harbor protocol

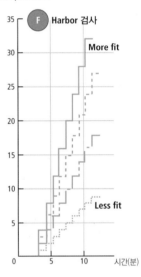

3) Ergometer 운동부하검사

① Astrand protocol

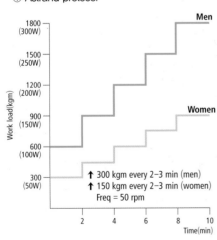

② McAdle protocol

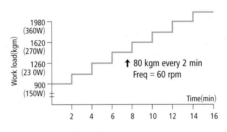

③ YMCA protocol

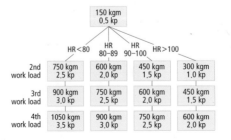

④ Modified Astrand-Ryhming nomogram

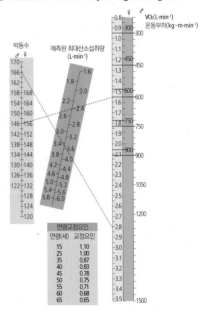

⑤ Astrand protocol

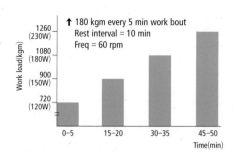

⑥ Fox protocol

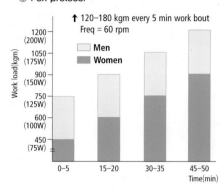

4) Arm Ergometer 운동부하검사

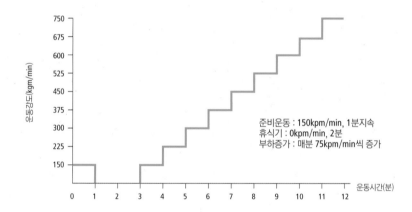

준비운동 : 150kpm/min, 1분지속
휴식기 : 0kpm/min, 2분
부하증가 : 매분 75kpm/min씩 증가

건강운동관리사 기출 바이블

전과목 수록

PART 02

2 0 1 4 년
건강운동관리사
필 기 시 험

건강운동관리사 필기시험 1교시

2014 건강운동관리사

운동심리학

01. 운동상담이 추구하는 관점으로 올바른 것은?

가. 정상인 뿐만 아니라 심한 비정상인에게도 관심을 둔다.
나. 심리기술 및 경기력 향상에 주목한다.
다. 개인적 성장보다는 운동기술향상에 관심을 둔다.
라. 인간과 환경과의 상호작용에 주목한다.

정답 라

"가~다"는 다음과 같이 수정한다.

가. 심리상담은 초점이 일반참가자에게 맞춰져 있지만 장애인스포츠 참가자에게도 주목할 수 있다.
나. 심리기술 및 경기력 향상보다는 심상과 같은 불안요인이나 운동지속 시간 및 운동 만족도 향상에 주목한다.
다. 운동을 통한 개인적 성장에 초점을 둔다.

스포츠 심리상담

02. 운동행동에 관한 하위 연구 분야를 적절하게 묶은 것은?

가. 운동학습, 운동심리, 운동발달
나. 운동발달, 운동심리, 운동검사
다. 운동학습, 운동발달, 운동제어
라. 운동제어, 운동학습, 운동심리

정답 다

"다"의 세 분야에 스포츠심리학을 추가하여 "광의의 스포츠심리학"이라고도 한다.

03. 전이검사를 적절하게 설명한 것은?

가. 과제 내 또는 과제 간 검사로 구분된다.
나. 기초단계-기본움직임-스포츠기술 단계로 구분한다.
다. 수행에 필요한 역량을 영속적 관점에서 측정하는 검사이다.
라. 운동수행력의 기억과 지속성으로 검사한다.

정답 가

나. 발달에 관련된 내용이다.
다. 수행과 영속적 관계는 적절한 표현이 아니다.
라. 수행력과 지속성은 역시 적절한 표현이 아니다.

전이란 과거의 수행 또는 학습 경험이 새로운 운동기술의 수행과 학습에 영향을 미치는 것을 운동학습의 전이라고 한다.

전이의 측정

① 과제 간 전이(intertask transfer)
과제 간 전이 실험 설계는 이전에 배운 운동기술의 경험이 새로운 기술의 수행에 미치는 영향을 규명하기 위해 사용된다.

② 과제 내 전이(intratask transfer)
과제 내 전이 실험 설계는 서로 다른 연습조건에서 수행한 후 같은 과제에 대한 수행치를 비교하는 것이다.

$$전이율 = \frac{실험집단점수 - 통제집단점수}{실험집단점수 + 통제집단점수} \times 100$$

전이검사

04. 운동중독에 대한 설명으로 옳은 것은?

가. 운동중독의 금단증세에는 불안, 긴장, 죄의식, 분노, 성급함 등이 있다.

나. 부정적 운동중독은 건강에 많은 도움을 주고 생활의 활력을 가져온다.

다. 운동중독의 측정도구는 아직 개발되지 않았다.

라. 운동중독에서 예방보다 중요한 것은 치료이다.

정답 **가**

나. 부정적 운동중독 → 긍정적 운동중독
다. 7개 항목 중 3개 이상이면 운동중독에 해당된다.
라. 치료보다 예방이다.

운동중독이란 통제하기 어려운 정도의 과도한 운동을 하는 것으로 운동의 욕구가 충족되지 않았을 때 신체적, 심리적 금단 증상이 나타나는 것을 말한다(김병준). 운동중독이 건강을 해치는 수준이라면 부정적 중독이라고 할 수 있다.

인클라인 바벨프레스

금단증상은 신체적, 인지적, 정서적 증상이 있는데 "가" 항에 제시된 증상은 주로 정서적 증상을 제시한 것이다.

운동중독증

면역력 저하
면역세포 줄어들고 스트레스 호르몬 증가

부정맥 위험
자율신경 불균형, 심장 비대해짐

횡문근융해증
근육세포에 산소 공급안되면서 세포 파괴

스포츠탈장
복벽이 약해지면서 장이 밀려나옴

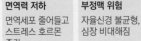
고강도 운동을 지속할 경우 부작용

05. 사람들의 운동 미참여 이유에 대한 설명으로 옳지 않은 것은?

가. 시간부족의 이유 때문에 참여하지 못한다.

나. 육체적 피로와 정신적 피로 때문에 참여하지 못한다.

다. 신체활동능력에 대한 지식의 부족으로 참여하지 못한다.

라. 시설의 다양화로 인해 선택의 폭이 넓어져서 참여하지 못한다.

정답 **라**

저자촌평
비교적 쉬운 문제이다.

선택의 폭이 넓어지면 운동의 참여가 증가하게 된다.

운동 상담

06. 운동상담에서 어떠한 상담기술과 관련된 내용인가?

〈보기〉

• 내담자를 바로 바라본다.
• 개방적인 자세를 취한다.
• 상대방 쪽으로 가끔 몸을 기울인다.
• 부드러운 시선접촉을 유지한다.
• 편안하고 자연스러운 자세를 취한다.

가. 신뢰형성   나. 성실한 응대
다. 공감적 이해   라. 해석

정답 **나**

운동상담의 기법을 묻는 문제이다.

운동상담의 기법에는 관심집중(성실한 응대), 경청, 공감적 이해로써 유능한 상담자의 태도인 동시에 기법이라고 할 수 있다. 성실한 응대는 관심집중이라고도 한다.

공감적 이해
① 생각할 시간을 갖는다.
② 반응시간을 짧게 한다.
③ 내담자에게 맞게 자신을 지켜야 한다.

07. 운동기술 학습 중 모델링을 적절하게 설명한 것은?

가. 숙련된 자의 기능을 최우선으로 가정한다.
나. 학습자의 자발적 참여와 역할에 의미를 둔다.
다. 운동학습 중 맥락가설의 효과를 설명한다.
라. 연습상황에서 과제 배열에 대한 가변성에 의미를 둔다.

정답 **가**

모델링은 관찰자들이 다른 사람이 표현하는 행동을 보고 그 것을 재생하는 과정이다. 이것은 다양한 태도, 기술행동, 가치를 습득하려는 사람을 위한 가장 효율적인 학습방식 중의 하나이다.

나. 모델링(시범)을 보이는 것이기 때문에 자발적 참여는 바람직하지 않으며,

다. 맥락간섭을 맥락가설로 잘 못 표현한 것이며 이론보다는 실연을 강조해야 한다.

라. 가변성 역시 현실과 이상의 차이라고 할 수 있다.

♪ **저자촌평** 기술수준이 뛰어난 모델이 가장 인지적 표상을 제공할 수 있기 때문에 가장 좋은 모델이라고 생각할 수 있지만 연구결과는 일치하지 않고 있는 실정이다. 기술을 배우고 있는 다른 사람을 보고 배우는 학습형 모델과 교정적 피드백을 지속적으로 제공받는 학습자의 경우 운동수행을 향상시킬 수 있는 효과적인 학습과정이다. 이 문제에서 "나~라"는 거리가 멀기 때문에 정답을 "가"로 선택한다.

운동기술 모델

생체역학

08. 다음에 대한 설명으로 바른 것으로 모두 묶어 놓은 것은?

〈보기〉

A. 생체역학은 살아있는 생물체를 의미하는 bio와 역학을 뜻하는 mechanics의 합성어다.
B. 생체역학은 체육 분야에서만 다루는 분야이다.
C. 운동역학 연구의 목적은 경기력 극대화, 운동 동작의 효율성, 안정성에 있다.
D. 생체역학은 크게 운동학(kinematics)과 운동역학(kinetics)으로 구분할 수 있다.
E. 운동역학(sport biomechanics)은 스포츠 생체역학과 전혀 다른 학문이다.
F. 스포츠 시설, 장비 등은 스포츠 생체역학 연구 대상에 포함되지 않는다.

가. A, B, C
나. B, C, E
다. A, C, D
라. D, E, F

정답 **다**

나머지 항목은 다음과 같이 수정한다.

B. 생체역학은 체육 분야뿐만 아니라 의학분야, 공학의학 분야, 응용공학 등에서도 연구를 수행하는 분야이다.
E. 운동역학(sport biomechanics)은 스포츠 생체역학과 관련이 깊은 학문이다.
F. 스포츠 시설, 장비 등은 스포츠 생체역학 연구 대상에 포함된다.

다양한 분야에 적용되는 생체역학

09. 평형과 안정에 대한 설명으로 옳은 것은?

가. 평형 상태를 유지하기 위해서는 외력의 합이 0(zero)이 되어서는 안 된다.
나. 무게중심의 중력 방향 수직선이 기저면 내에 있으면 이 물체는 안정 상태에 있게 된다.
다. 안정성을 높이려면 기저면을 넓히고, 무게중심의 높이를 높여야 한다.
라. 물체의 질량은 안정성에 영향을 주는 요소로서, 가벼울 수록 안정성이 높다.

정답 **나**

가. 평형 상태를 유지하기 위해서는 외력의 합이 0(zero)이 되어야 한다.
다. 안정성을 높이려면 기저면을 넓히고, 무게중심의 높이를 낮춰야 한다.
라. 물체의 질량은 안정성(정적)에 영향을 주는 요소로서, 무거울 수록 안정성이 높다.

10. 관절과 손상에 대한 설명으로 옳지 않은 것은?

가. 부동관절은 윤활관절이라 부르기도 한다.
나. 관절의 운동 여부에 따라 부동관절, 부전동관절 및 가동관절로 분류할 수 있다.
다. 가동관절은 운동 형태에 따라 단축, 이축, 삼축관절로 분류할 수 있다.
라. 과부하가 걸리면 근육이 이를 모두 소화하기 어렵기 때문에 관절의 손상을 입기 쉽다.

정답 **가**

활동관절은 윤활관절이라 부르기도 한다.

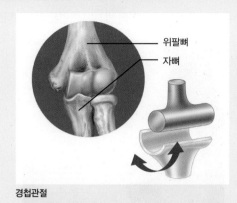

경첩관절

11. 파워에 대한 설명으로 옳은 것은?

가. 야구경기에서 배트 스윙속도를 높이는 것은 파워를 증가시키는 것과 무관하다.
나. 파워는 단위시간당 수행한 일량으로써, 단위는 뉴튼(N)을 사용한다.
다. 파워는 일정 시간 동안 물체에 가해진 힘의 총량을 의미한다.
라. 파워는 일량을 시간으로 나눈 값으로써, 힘과 속도의 곱으로 구한다.

정답 **라**

가. 야구경기에서 배트 스윙속도를 높이는 것은 파워를 증가시키는 것이다.
나. 파워는 단위시간당 수행한 일량으로써, 단위는 와트(W)를 사용한다.
다. 파워는 일정 시간 동안 물체에 가해진 힘의 총운동량을 시간으로 나눈 값을 의미한다.

12. 자세와 손상에 대한 설명으로 옳은 것은?

가. 척주의 만곡이나 측굴은 곧은 자세에 비해 저항 모멘트가 작다.
나. 인체 활동 중에 내·외부로부터 받는 부하는 자세와 관련이 없다.
다. 동적 상태에서는 관성에 순응하는 방향으로 자세를 유지하는 것이 좋다.
라. 하중에 의해 발생되는 모멘트가 클수록 좋은 자세라 할 수 있다.

정답 **다**

가. 척주의 만곡이나 측굴은 곧은 자세에 비해 저항 모멘트가 크다.
나. 인체 활동 중에 내·외부로부터 받는 부하는 자세와 관련이 크다.
라. 하중에 의해 발생되는 모멘트가 작을수록 좋은 자세라 할 수 있다.

올바른 자세

13. 등장성 훈련장비에 대한 설명으로 옳지 <u>않은</u> 것은?

가. 자유 부하(free weight)는 가장 단순한 형태의 등장성 훈련 장비라 할 수 있다.
나. 저항의 크기가 같으면 등장성 훈련장비의 형태에 관계 없이 부하의 특성도 같다.
다. 회전형 등장성 훈련장비는 양방향으로 훈련 할 수 있는 장점이 있다.
라. 자유부하는 상황에 따라 인체에 부가되는 저항의 크기가 달라진다.

저항의 크기가 같아도 등장성 훈련장비의 형태에 따라 부하의 특성이 다를 수 있다.

등장성 운동

"가, 다, 라"는 뉴톤의 운동법칙과 무관한 내용이다.

"나"는 뉴튼의 제 2법칙(가속도)의 법칙에 관련된 내용이다.

뉴튼의 사과

14. 뉴톤의 운동 법칙을 설명한 것은?

가. 일은 에너지가 변하여 생긴 결과로써, 일과 에너지는 같은 물리량이다.

나. 외력이 가해져 생긴 속도 변화량은 힘의 크기에 비례하고 질량에 반비례한다.

다. 시스템 내의 운동량이나 에너지는 항상 보존된다.

라. 운동하는 물체의 역학적 에너지(위치에너지와 운동에너지)는 항상 같다.

운동생리학

2014

15. 다음에서 설명하는 호르몬은 무엇인가?

─〈보기〉─

췌장 랑게르한스섬의 α세포에서 분비되며, 간에 저장된 글리코겐으로부터 혈중으로 글루코스 방출을 촉진하는 작용을 한다. 또한 지방조직에 저장된 중성지방을 분해하여 지방산을 방출시키도록 하는 효소인 리파제를 활성화시키는데, 이러한 작용으로 지질분해 호르몬이라고도 불려진다.

가. 인슐린　　　　　　　　나. 글루카곤
다. 코티졸　　　　　　　　라. 알도스테론

정답 나

나. 글루카곤은 글리코겐을 글루코스로 전환시켜 주는 호르몬이다.

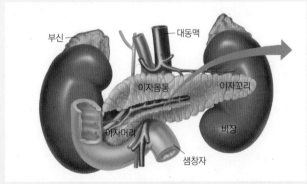

이자의 구조

16. 골격근 지근섬유의 특성으로 옳지 <u>않은</u> 것은?

가. 미오신 ATPase의 활성이 높다.
나. 근 수축 속도가 느리다.
다. 피로내성이 높다.
라. 근형질세망의 발달이 낮다.

정답 가

미오신 ATPase의 활성이 낮다.

근섬유의 기능적 특징

특성	적근섬유	백근섬유
ATPase	낮다	높다

아래 표를 참고하면 지근과 속근에 대한 문제를 잘 해결할 수 있으리라 사료된다.

근섬유의 특성

특성	적근섬유	백근섬유
수축속도	느림	빠름
피로에 대한 내성	강함	약함
적합성	자세 유지 등 지속적 수축에 적합	빠르고 섬세한 운동에 적합
모세혈관 밀도	많음	적음
사립체	많음	적음
미오글로빈	많음	적음
인원질(크레아틴)	적음	많음
글리코겐	적음	많음
ATP 분해효소 (myosin-ATPase)	적음	많음
근형질세망(Ca++ 저장)	빈약	발달됨
분포된 운동신경 크기	가늘다	굵다
신경지배(比)	적다	크다
효율성	높다	낮다
ATPase	낮다	높다
장력	약하다	강하다
운동단위	많다	적다
탄성도	낮다	높다
피로도	낮다 (젖산이 덜 쌓여서)	높다
신경섬유의 굵기	가늘다	굵다
산화능력	미토콘드리아 수와 크기 많다	ATP-PC 저장 능력 높다
모세혈관망수	많다	적다
마이오글로빈	많다	적다
신경전달속도	느리다	빠르다

17. 저탄수화물 다이어트를 실시할 경우에 발생하는 부정적 특성이 <u>아닌</u> 것은?

가. 저혈당증
나. 혈청 콜레스테롤과 트리글리세리드의 증가
다. 케톤체 과다 생성
라. 근육의 단백질 분해를 촉진시켜 근육조직의 양 감소

정답 **나**

"나"는 다음과 같이 수정한다.

혈청 콜레스테롤과 트리글리세리드의 감소

18. 호흡상에 대한 설명으로 옳지 <u>않은</u> 것은?

가. 에너지 대사에서 이산화탄소량에 대한 산소소비량의 비율을 호흡상이라고 한다.
나. 탄수화물의 호흡상은 1.0이며, 지방의 호흡상은 약 0.70이다.
다. 산소 1리터당 에너지 생산량은 탄수화물이 5.05kcal, 지방이 4.74kcal이다.
라. 단백질은 일반적인 에너지 대사과정에서는 미량만이 사용된다.

정답 **가**

"가"는 다음과 같이 수정한다.

에너지 대사에서 산소소비량에 대한 이산화탄소 생성량의 비율을 호흡상이라고 한다.

19. 인체의 혈액에 대한 설명으로 옳은 것은?

가. 혈액은 체중의 약 5%를 차지한다.
나. 혈액은 세포성분이 55%, 혈장성분이 45%를 차지한다.
다. 혈액세포는 백혈구가 99%를 차지한다.
라. 혈장의 90%는 수분으로 구성된다.

정답 **라**

"가~다"는 다음과 같이 수정한다.

가. 혈액은 체중의 약 8%를 차지한다.
나. 혈액은 세포성분이 45%, 혈장성분이 55%를 차지한다.
다. 혈액세포는 적혈구가 99%를 차지한다.

혈액의 구성

채혈

원심분리

혈장(총혈액의 55%)
백혈구와 혈소판 (총혈액의 1% 미만)
적혈구(총혈액의 45%)

20. 에너지시스템의 최대용량이 상대적으로 가장 많은 시스템은?

가. ATP-PC시스템 　　　 나. 젖산시스템
다. 무산소 해당과정 시스템 　　 라. 유산소시스템

정답 **라**

산소가 공급되는 유산소시스템은 크렙스회로와 전자전달계를 거치면서 많은 ATP를 생성한다.

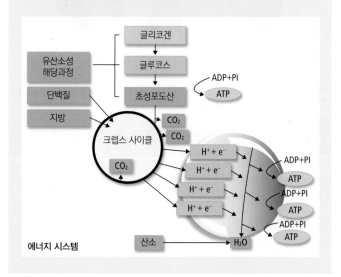

에너지 시스템

21. 트레이닝 중단으로 인해 발생하는 영향에 대한 설명으로 옳은 것은?

가. 트레이닝 중단 후 초기 12일까지는 최대산소섭취량이 유지된다.

나. 트레이닝 중단 후 21~84일 사이의 최대산소섭취량의 감소는 최대동정맥산소차의 감소에 기인한다.

다. 트레이닝 중단 후 효소의 활성도는 변화가 없다.

라. 트레이닝 중단 후 모세혈관의 밀도는 증가한다.

정답 나

"가~라"는 다음과 같이 수정한다.

가. 트레이닝 중단 후 초기 12일까지는 최대산소섭취량이 급격한 감소를 나타낸다.

다. 트레이닝 중단 후 효소의 활성도는 빠르게 감소한다.

라. 트레이닝 중단 후 모세혈관의 밀도는 변화하지 않는다.

📖 보충학습

☞2016년 운동생리학 10번 참고

22. 혈중 칼슘과 인 수준을 조절하는 호르몬으로 바르게 짝지어진 것은?

가. 칼시토닌 – 부갑상선 호르몬

나. 항이뇨 호르몬 – 옥시토신

다. 스테로이드 – 에피네프린

라. 부신피질 자극 호르몬 – 성장 호르몬

정답 가

골다공증과 관련된 호르몬을 묻는 문제이다.

① 칼시토닌
파골세포와 뼈 재흡수를 억제시킨다. 갑상선은 또한 칼시토닌(calcitonin)을 분비하며, 혈장 칼슘농도가 증가함에 따라 칼시토닌 분비는 증가한다. 칼시토닌은 뼈의 칼슘 이온의 방출을 막고, 신장에서의 칼슘 이온의 분비를 증가시켜 혈장칼슘 이온 농도를 낮춘다. 칼슘농도가 감소하면 칼시토닌 분비율도 감소한다.

② 부갑상선
조골세포와 뼈 형성을 촉진한다. 부갑상선호르몬은 혈장 칼슘 칼슘조절에 관련된 주요 호르몬이다. 부갑상선은 낮은 혈장

칼슘농도에 반응하여 부갑상선호르몬을 분비한다. 이 호르몬은 뼈를 자극하여 혈장으로 칼슘을 분비하도록 자극하고, 동시에 신장의 칼슘흡수를 증가시킨다. 부갑상선호르몬은 또한 신장을 자극하여 비타민 D의 한종류를 호르몬으로 전환하여 위장으로부터 칼슘흡수를 증가시킨다. 운동은 혈장에서 부갑상선 호르몬의 농도를 증가시킨다.

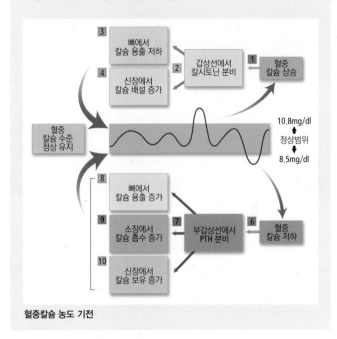

혈중칼슘 농도 기전

23. 노화와 운동에 대한 설명으로 옳지 않은 것은?

가. 운동은 골다공증의 예방과 치료에 큰 효과를 나타낸다.

나. 노령기에는 관절가동범위를 넓혀 주는 유연성 운동과 관절에 가해지는 충격이 적은 운동형태를 선택해야 한다.

다. 노화에 따른 근감소 중 속근섬유가 지근섬유에 비해 상대적으로 손실이 늦게 나타난다.

라. 노화에 따른 체중변화는 제지방체중의 감소보다 체지방량의 증가가 크기 때문이다.

정답 다

"다"는 다음과 같이 수정한다.

노화에 따른 근감소 중 속근섬유가 지근섬유에 비해 상대적으로 손실이 크게(빠르게) 나타난다.

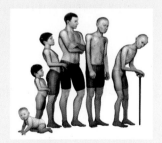

노화

근육에서도 노화에 따라 근섬유의 수와 크기의 감소에 의한 근량(muscle mass)의 현저한 감소, 근육세포의 호흡능력 감퇴, 결체조직과 지방의 증가 등이 필연적으로 수반된다. 따라서 등장성 근력은 물론 등척성 근력과 근수축 운동의 속도가 급속히 저하된다. 이것은 운동단위에서 속근섬유가 주로 손실되기 때문에 나타나는 현상이다. 지근섬유는 상대적으로 손실이 늦게 나타나므로 노화과정에서 근력이나 파워에 비해 지구력의 감퇴현상은 늦게 나타나며 감퇴율도 급증하지 않는 경향을 보이게 된다.

인체의 노화

24. 수분과 전해질의 보충에 대한 설명으로 옳지 않은 것은?

가. 물은 250㎖ 정도를 10~15분 간격으로 섭취한다.
나. 더운 계절에 운동을 할 경우에는 갈증을 느끼지 않더라도 의도적으로 수분을 보충하여야 한다.
다. 고온환경에서 장시간 운동을 할 때 1ℓ의 물에 티스푼 1/3 정도의 식염을 타서 마시는 것이 좋다.
라. 고온 환경에서 운동을 할 때 전해질을 보충하면 운동능력이 향상되거나 근경련과 같은 생리적 긴장이 감소된다.

정답 **라**

"라"는 다음과 같이 수정한다. 고온 환경에서 운동을 할 때 전해질을 보충하면 운동능력이 향상되거나 근경련과 같은 생리적 긴장이 감소된다는 연구결과나 보고는 없다.

📖 보충학습

고온 환경에서 운동 중 손실된 체액을 적절히 보충함으로써 체온조절 기능과 순환기능의 저하를 어느 정도 예방할 수 있다. 2.5kg 이하의 체액손실이 있을 때 식사 시 소량의 염분을 추가로 섭취하면 전해질은 쉽게 보충될 수 있다.

25. 미터계의 접두어로 'pico'는 무엇을 의미하는가?

가. 천분의 1
나. 백만분의 1
다. 십억분의 1
라. 일조분의 1

정답 **라**

🔎 저자촌평 단위를 묻는 문제이다.

건강운동관리사를 선발하는데 타당도가 높은 문제는 아니라고 사료된다. 10^{-12}을 나타내는 보조단위이다. 마이크로마이크로(μμ)라고도 한다. 기호 p. 1조(兆)분의 1에 해당한다. $1μμ=10^{-6}×10^{-6}=10^{-12}$ 이다.

26. 운동 중에 형성된 젖산은 어느 정도가 글루코스로 전환되는가?

가. 10%   나. 20%   다. 50%   라. 70%

정답 **나**

젖산은 약 70%가 초성포도산으로 전환되어 심장근이나 골격근에서 산화되며, 20%정도만 글루코스로 전환되고 10% 정도는 아미노산으로 전환되는 것으로 보인다.

27. ( ) 안에 들어갈 말로 바르게 짝지어진 것은?

─〈보기〉─

남자의 경우 하한체중인 제지방체중에는 3~4%의 필수지방이 포함되지만 여자의 경우에는 (**A**)%의 필수지방이 포함된다. 이러한 여성체중의 이론적 하한기준을 (**B**)이라 한다.

가. A: 12~14, B: 이상체중
나. A: 10~15, B: 제지방체중
다. A: 12~14, B: 최소체중
라. A: 14~15, B: 제지방체중

정답 **다**

① 남자의 경우 하한체중인 제지방체중에는 3~4%의 필수지방이 포함되지만 여자의 경우에는 12~14%의 필수지방이 포함된다. 이러한 여성체중의 이론적 하한기준을 최소체중(minimal body mass : MBM)이라 한다.
② 남자는 체중의 15% 정도, 여자는 25% 정도의 체지방량을 유지

하고 있을 때 가장 적정하다고 볼 수 있다. 이 때의 체중을 이상체중(desirable body mass)이라고 한다.

③ 일반적으로 이상체중일 때의 체지방량보다 5% 이상 초과될 때를 비만 또는 과다체중이라 하며, 5% 이상 적을 때를 과소체중이라 한다. 그리고 ±5% 범위내에 있을 때 정상체중이라 한다.

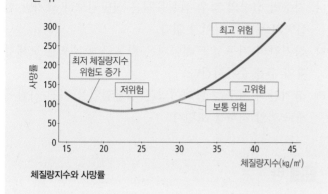

체질량지수와 사망률

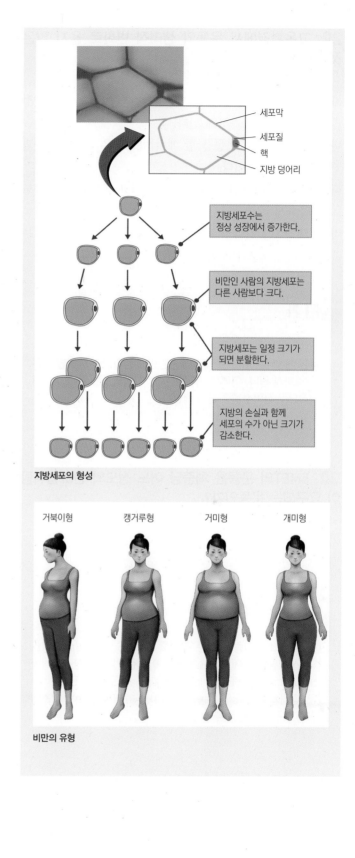

지방세포의 형성

비만의 유형

28. 비만의 유형과 특성으로 옳지 <u>않은</u> 것은?

가. 지방세포의 수가 증가하는 것을 증식형 비만이라 한다.

나. 비만에 대한 잠재성은 청소년기 후반까지 거의 결정된다.

다. 성년기에 발생되는 비만은 주로 혼합형 비만이다.

라. 다이어트와 운동으로 성인들의 지방세포 크기를 축소시킬 수 있다.

정답 **다**

"다"는 다음과 같이 수정한다.

소아기에 발생되는 비만은 주로 혼합형 비만이다.

비만의 분류	지방 조직 형태에 의한 분류	① 지방 세포 수 증식형 : 지방 세포의 크기는 정상이지만 지방 세포 수가 증가하는 비만 – 비만이거나 비만이 될 가능성이 항상 잠재
		② 지방 세포 비대형 : 지방 세포 수는 거의 정상에 가깝지만, 지방 세포의 크기가 커져서 생기는 비만 – 성인이 된 후에 시작되며 중년 이후에 뚱뚱해짐
		③ 혼합형 : 지방 세포 수도 많고 저장되는 열량으로 세포의 크기도 큰 증식형과 비대형의 혼합 형태 – 체중이 줄더라도 다시 비만으로 이행되는 경우가 많음
	지방 조직의 체내 분포에 의한 분류	① 복부형 비만 : 배와 허리에 지방이 축적된 형태 – 주로 남자에게 많음 – 당뇨병, 고지혈증, 심질환 등의 발병 가능성이 높음 – 복부 둘레 ÷ 엉덩이 둘레 : 남자는 0.95, 여자는 0.86 이상이면 비만 – 60~69세의 경우 남성 1.03, 여성 0.90일 때 위험요인
		② 둔부형 비만 : 엉덩이와 허벅지에 지방이 축적된 형태 – 주로 여자에게 많음

29. 고온환경에서 운동의 생리적 변화로 옳지 <u>않은</u> 것은?

가. 고온환경에서 운동을 할 때 피부순환량이 증가 되어 정맥혈 환류가 증가하게 된다.

나. 동일한 강도로 운동을 할 때 심박출량은 산소섭취량과 비례하기 때문이다.

다. 근육의 글리코겐 이용률이 증가되고 젖산의 생성량도 증가하게 된다.

라. 최대산소섭취량의 50% 강도로 운동하면 심부 온도는 37.3℃ 정도로 유지하게 된다.

정답 가

"가"는 다음과 같이 수정한다.

고온환경에서 운동을 할 때 피부순환량이 증가되어 정맥혈 환류가 감소하게 된다. 이러한 이유로 1회박출량의 감소를 초래하며 결과적으로 심박수 증가를 초래한다.

30. 5MET의 운동은 체중당 어느 정도의 산소섭취량이 요구되는 운동인가?

가. 10㎖/min   나. 12.5㎖/min

다. 15.5㎖/min   라. 17.5㎖/min

정답 라

안정 시 산소섭취량의 기준은 체중 1㎏당 3.5㎖/kg/min 정도이다. 신체활동의 에너지 소비율을 이러한 안정 시 산소섭취량(3.5㎖/kg/min)을 1MET(metabolic Equivalent)로 하여 표현 할 수 있다. 따라서 2METs의 운동은 체중 1㎏당 7㎖/kg/min의 산소섭취량이 요구되는 운동이다.

31. 트레이닝에 대한 호흡순환계에 대한 설명으로 옳지 <u>않은</u> 것은?

가. 장기간의 지구력 트레이닝은 최대심박출량과 산소이용능력을 증가시켜 산소운반능력의 향상을 초래한다.

나. 지구력 선수의 경우 심실용적은 일반인보다 크지만 심실벽의 두께는 차이가 없다.

다. 장기간의 지구성 트레이닝은 활동근에 분포된 모세혈관의 수를 증가시킨다.

라. 장기간의 지구성 트레이닝은 정상혈압을 가진 사람에게도 혈압 저하를 보인다.

정답 라

정상혈압을 가진 사람의 경우 트레이닝에 의해 혈압이 저하하지 않는데, 이는 총 혈액량의 증가 등 순환계의 다른 변화가 수반되기 때문인 것으로 보인다.

32. 다음에서 설명하고 있는 성장과정의 특성은?

〈보기〉

발달은 머리부터 이루어지면서 아래로 다른 부위의 발육이 나타나고, 중추로부터 말초 또는 외측의 순서로 성장이 이루어지는 현상

가. 점진성   나. 방향성

다. 분화성   라. 환경과의 상호관련성

정답 나

성장은 특정시기에 비약적으로 이루어지는 것이 아니라 성장기 내내 연속적이며 점진적으로 이루어지는 특성을 나타내는데, 이를 점진성이라 한다. 방향성이란, 일정한 순서 또는 순차적 진행과정을 따라 성장이 이루어지는 특성을 말한다. 중심에서 외관으로의 성장은 방향성을 가지고 이루어진다.

발달의 법칙
① 두미의 법칙 : 머리에서 발끝으로 발달
② 근말식의 법칙 : 중심에서 외관으로 발달

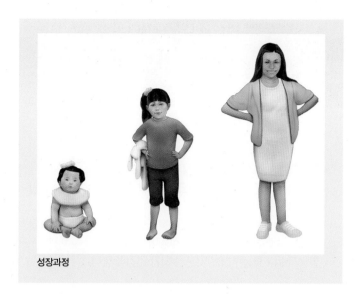

성장과정

33. 운동으로 인하여 급속히 글루코스가 소모되었을 때의 혈당조절에 대한 설명으로 옳지 <u>않은</u> 것은?

가. 간글리코겐으로부터 글루코스의 동원

나. 혈중 글루코스를 절약하기 위한 지방 조직으로부터의 유리지방산 동원

다. 아미노산, 젖산, 글리세롤로부터 간에서의 글루코스 합성

라. 유리지방산의 연료 대체 효과를 증가시키기 위한 글루코스의 세포내 유입 촉진

정답 라

"라"는 다음과 같이 수정한다.

유리지방산의 연료 대체 효과를 증가시키기 위한 글루코스의 세포내 유입 차단

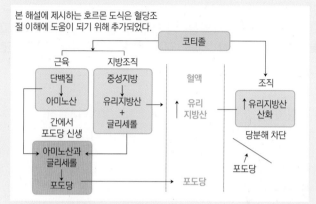

혈장 포도당의 유지에 있어서 코티졸의 역할

"다"는 당신생과정이며, 이 네 가지 과정의 목적은 혈장 포도당 농도를 유지하면서 활동을 위한 연료를 제공하기 위한 것이다. 이것은 간(肝)이 운동을 시작하기 전에 포도당 80g만을 가지고 있으며, 혈액 포도당 산화율이 격렬한 운동에서 1g/min에 근접할 때나 3시간 이상 지속되는 중강도 운동에서 중요하게 고려된다.

호르몬이 개별적으로 존재하더라도 각각의 네 가지 과정은 한 가지 이상의 호르몬에 의해 조절되고, 네 가지 모든 과정은 운동에 대한 적응에 포함된다.

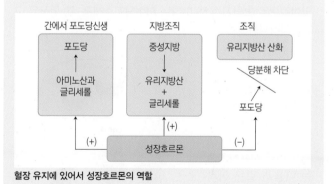

혈장 유지에 있어서 성장호르몬의 역할

운동영양학

34. 당뇨병 환자들은 당지수가 높은 식품을 피하고 복합당을 섭취할 것을 권장한다. 고당지수 식품들로 나열된 것은?

가. 정백미, 통밀빵   나. 정백미, 감자

다. 보리, 고구마   라. 보리, 감자

정답 다

고당지수는 혈당지수를 의미하며, 혈당지수(glycemic index : GI)란 포도당 또는 흰빵 기준(100)으로 어떤 식품이 혈당을 얼마나 빨리, 많이 올리느냐를 나타내는 수치다. 예를 들어 혈당지수가 85인 감자는 혈당지수가 40인 사과보다 혈당을 더 빨리 더 많이 올린다.

혈당부하란 혈당지수에 평소 해당 식품을 얼마나 많이 먹느냐를 반영한 값이다. 혈당지수(68이면 0.68로 환산)에 해당 식품을 1회에 얼마나 먹는지 그 양(g)을 곱해 산출한다.

혈당부하(GL) =
식품의 1회 분량에 함유된 당질 함량(g) × 혈당지수(GI)/100

일반적으로 혈당지수 55 이하는 저혈당지수식품, 70 이상은 고혈당지수식품으로 분류한다.

혈당지수, 혹은 혈당부하를 당뇨나 비만 조절에 이용하려는 시도들이 많으나 혈당지수가 갖는 여러 가지 제한점으로 인해 실생활에 바로 적용하기에는 다음과 같은 어려움이 있다.

– 동일한 음식에 대해 개인별 차이가 크며, 동일한 식품이어도 조리방법, 형태, 숙성도, 전분의 노화정도 등에 따라 혈당지수가 다르다.

지속 가능한 계획으로 세우는 당뇨병의 식사요법

– 혈당지수가 측정된 식품이 많지 않다.
– 혈당지수의 범위가 크지 않고 많은 식품들이 중간 값의 혈당지수를 갖는다.
– 함께 먹는 식품의 종류, 형태, 산정도 등에 따라 혈당지수가 달라지므로 혼합식을 하는 경우 적용이 어렵다.
– 혈당지수나 혈당부하는 낮은 수치가 건강에 좋다.

35. 단백질에 대한 설명으로 옳지 **않은** 것은?

가. 탄소(C), 산소(O), 수소(H), 질소(N)가 포함되는 유기물이다.
나. 약 20종의 아미노산으로 분류할 수 있다.
다. 알라닌은 필수아미노산이다.
라. 효소, 호르몬, 항체 등 주요 대사 조절 물질의 성분이다.

정답 다

알라닌은 필수아미노산이 아니며, 인체 생합성이 가능하다. 알라닌은 해당과정(세포 내에서 포도당이 피루브산으로 분해되는 대사과정), TCA 사이클 등에서 젖산 등과 함께 쉽게 대사될 수 있고, 알라닌 회로를 통해 단백질로부터 포도당을 생성하는 데 관여하기도 한다. 단백질을 구성하는 기본 단위인 아미노산의 한 종류로서, α-알라닌(L-알라닌)과 β-알라닌(D-알라닌)으로 구성되어 있다.

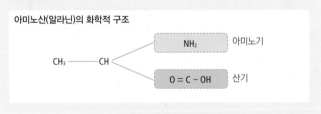

아미노산(알라닌)의 화학적 구조

단백질은 수많은 아미노산이 펩티드 결합(peptide bond)을 통해서 길게 연결되면서 독특한 3차원적 구조를 형성하여 각각의 기능을 나타내게 된다. 유전부호에 따른 단백질의 구성에는 20가지 이상의 아미노산이 필요한데 그 중 체내에서 합성되지 못하기 때문에 음식물 섭취를 통해서 공급되어야 하는 아미노산을 필수 아미노산이라 부른다.

36. 운동과 에너지 대사에 대한 설명으로 옳지 않은 것은?

가. ATP란 아데노신과 3개의 무기인산이 결합된 형태로 인산끼리는 높은 결합 에너지를 갖고 있다.

나. ATP 1mol당 7.3kcal의 고에너지를 발생시킨다.

다. ATP 합성과정에서 산소이용 여부에 따라 크게 '무산소성 과정'과 '유산소성 과정'의 2가지 과정으로 나뉜다.

라. ATP는 생명유지의 근원이 되는 직접적인 화학 에너지원으로 체내에 저장할 수 있는 양이 무한대이다.

정답 라

"라"는 다음과 같이 수정한다.

ATP는 생명유지의 근원이 되는 직접적인 화학 에너지원으로 근육이 저장할 수 있는 ATP의 양은 극히 제한되어 있으므로, 계속 운동을 하기 위해서는 끊임없이 ATP를 재합성해야 한다.

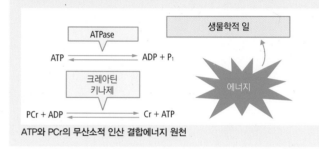

ATP와 PCr의 무산소적 인산 결합에너지 원천

37. 훈련 중의 영양섭취 지침에 대한 설명으로 옳지 않은 것은?

가. 훈련 시에는 훈련하지 않을 때와 비교하여 약 500~1000kcal의 추가 에너지섭취가 필요하다.

나. 지구력을 요하는 선수들은 지방섭취가 특히 중요한데, 이는 근육 내 글리코겐 함유량을 증대시켜 포도당 절약 효과를 극대화하기 위함이다.

다. 훈련 중 면역력을 높일 수 있도록 비타민과 무기질, 수분을 충분히 섭취해 주도록 해야 한다.

라. 장거리훈련을 하는 선수들은 철분이 함유된 식사 구성이 중요한데, 이는 적혈구를 증가시키기 위한 헤모글로빈의 재료가 된다.

정답 나

"나"는 다음과 같이 수정한다.

지구력을 요하는 선수들은 탄수화물섭취가 특히 중요한데, 이는 근육 내 글리코겐 함유량을 증대시켜 포도당 절약효과를 극대화하기 위함이다.

기존의 탄수화물 축적방법

1일차	2일차	3일차	4일차	5일차	6일차	7일차
고지방/고단백 ↑		운동강도	고지방/고단백 ↓		운동강도	시합당일
15% 미만 탄수화물섭취			70~80% 미만 탄수화물섭취			

수정된 탄수화물 축적방법

1일차	2일차	3일차	4일차	5일차	6일차	7일차
적당한 운동강도			고탄수화물 섭취/적당한 운동강도			시합당일
50% 탄수화물/혼합식이			70% 탄수화물섭취			

38. 근육 단백질 합성과 관련하는 아미노산에 대한 설명으로 바르게 짝지어진 것은?

가. 글루타민 – 신경세포를 보호하며 적혈구와 백혈구 생성에 필요하다.

나. 발린 – 과다복용은 저혈당증을 야기한다.

다. 이소류신 – 에너지생성 및 헤모글로빈 생성에 관여하고, 혈당을 조절한다.

라. 류신 – 음식 조리를 통해 쉽게 파괴되기 때문에 날로 먹는 것이 흡수율이 더 높다.

정답 다

↳ 저자촌평 공부를 하지 않으면 풀 수 없는 어려운 문제이다.

〈글루타민〉
• 근육 단백질 합성의 중요 인자이다.
• 운동 회복 능력이 있다.
• 단백성 노폐물 해독작용(질소셔틀작용)을 한다.
• 장점막이 수막작용을 한다.
• 면역 기능강화 효과가 있다.
• 지방간 치료 효과가 있다.
• 신경정신질환 교정에 도움이 된다.
• 비만해소에 도움이 된다.
• 정신의 밸런스 유지가 된다

근육은 자연에 존재하는 모든 아미노산을 포함하고 있다 따라서 육류의 유제품 모두 중요한 단백질원이다. 근육에서 가장 풍부한 아미노산은 BCAA이며, 류신, 발린, 아이소류신 등은 근단백질에 포함된 총아미노산의 20%를 차지한다. 고기와 유제품은 다량의 BCAA를 함유한다. 발린은 필수 아미노산의 하나로서 결정성 물질로, 물에는 잘 녹으나 에틸알코올에는 잘 녹지 않는다. L형은 거의 모든 단백질, 특히 식물성 단백질에 많이 들어 있다. 화학식은 $(CH_3)_2CHCH(NH_2)COOH$.

39. 탄수화물의 소화 및 흡수에 대한 설명으로 옳지 않은 것은?

가. 포도당으로 분해되어 흡수되는 속도는 빨라서 1시간 내에 혈당 수치를 증가시킨다.

나. 지방조직으로 유입된 포도당은 저장지방이 된다.

다. 혈당의 증가는 췌장으로부터 글루카곤의 분비를 촉진한다.

라. 인슐린은 근육 및 기타 다양한 조직에서 포도당의 흡수와 이용을 촉진시킨다.

정답 다

↻ 저자촌평 쉬운 문제이다. "다"는 다음과 같이 수정한다.

혈당의 증가는 췌장으로부터 인슐린의 분비를 촉진한다.

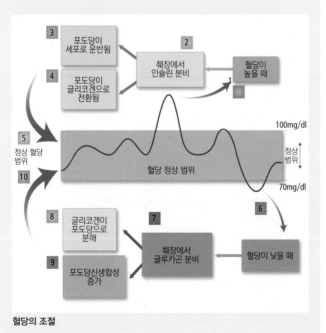

혈당의 조절

40. 탄수화물에 대한 설명으로 옳지 않은 것은?

가. 에너지 대사시 1g이 약 4kcal의 열량을 발생시킨다.

나. 식이섬유는 소화되지 않는 탄수화물의 총칭이다.

다. 다당류에는 글리코겐, 전분 등이 있다.

라. 갈락토스는 이당류에 속한다.

정답 라

"가"는 다음과 같이 수정한다.

갈락토스는 단당류에 속한다.

① 단당류 : 당류 1개로 구성되고, 소화 중에 더 이상 분해되지 않는다. 포도당, 과당, 당알콜, 5탄당

② 이당류 : 단당류가 2개 결합된 당류이다. 맥아당 설탕, 유당

③ 다당류 : 포도당 10~1000 이상으로 구성된 복합 탄수화물이다. 전분, 글리코겐, 섬유소

기능해부학

41. 아킬레스건 파열에 대한 설명으로 맞는 것으로 짝지어진 것은?

〈보기〉

A. 보통 종골의 2~6㎝ 상방에서 일어난다.
B. 점핑, 가속달리기 등 갑자기 족저굴곡한 후에 나타난다.
C. Thomson 검사에서 양성이 나온다.
D. 손상 시 하퇴 뒷부분을 강하게 얻어맞은 느낌이 든다.

가. A, B, C   나. A, B, D
다. B, C, D   라. A, B, C, D

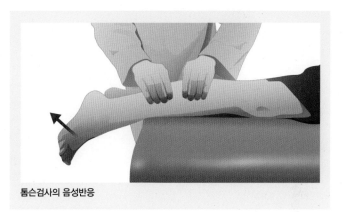

톰슨검사의 음성반응

정답 라

아킬레스힘줄
미세한 파열
발꿈치뼈
가쪽   안쪽

아킬레스힘줄 파열

아킬레스건 파열에 대한 톰슨검사는 엎드려서 하는 경우와 무릎 꿇은 자세에서 시행할 수 있다. 그림은 전자이다. 발이 발다닥쪽으로 굽힘 되면 검사결과는 음성이다.

42. 족저 근막염에 대한 설명으로 올바른 것으로 짝지어진 것은?

〈보기〉

A. 병인에는 뒤꿈치 골극, 족저근막의 자극, 활액낭염 등이 있다.
B. 족저근막의 기능은 발의 안정성 유지를 도와주는 것이다.
C. 처음 디딜 때 주로 일어난다.
D. 댄싱, 농구, 배구와 같은 운동 후 생길 수 있다.

가. A, B, C   나. A, B, D
다. A, C, D   라. B, C, D

정답 가

족저근막은 종골(calcaneus)이라 불리는 발뒤꿈치뼈에서 시작하여 발바닥 앞쪽으로 5개의 가지를 내어 발가락 기저 부위에 붙은 두껍고 강한 섬유띠를 말한다. 발의 아치를 유지하고 충격을 흡수하며 체중이 실린 상태에서 발을 들어 올리는 데 도움을 주어 보행 시 발의 역학에 중요한 역할을 한다. 이러한 족저근막이 반복적인 미세 손상을 입어 근막을 구성하는 콜라겐의 변성이 유발되고 염증이 발생한 것을 족저근막염이라 한다. 성인의 발뒤꿈치 통증의 대표적 원인 질환으로 알려져 있다.

평소 운동을 하지 않던 사람이 갑자기 많은 양의 운동을 하거나, 장거리의 마라톤 또는 조깅을 한 경우, 바닥이 딱딱한 장소에서 발바닥에 충격을 줄 수 있는 운동(배구, 에어로빅 등)을 한 경우, 과체중, 장시간 서 있기, 너무 딱딱하거나 쿠션이 없는 구두의 사용, 하이힐의 착용 등 족저근막에 비정상적인 부하가 가해지는 조건에서 염증이 발생하는 경우가 흔하다. 그밖에 당뇨, 관절염 환자에서 동반되는 경우가 있다.

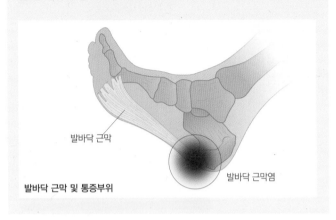

발바닥 근막 및 통증부위

발바닥 근막

발바닥 근막염

근육의 길이를 신장시키는 재활운동

43. 스포츠 재활프로그램 중 근력, 근지구력과 힘의 회복에 대한 설명으로 바르게 짝지어진 것은?

〈보기〉

A. 등척성 운동(isometric exercise)은 재활 초기 저항운동이 손상부위 악화 우려 시 사용한다.
B. 스포츠 현장의 복귀의 결정은 등장성 운동(isotonic exercise)으로 평가하는데, 손상 전 근력의 80~90%까지 향상되면 현장의 복귀를 꾀한다.
C. 플라이오메트릭 운동(plyometric exercise)은 매우 빠르게 힘을 생성하는 능력의 향상에 사용한다.
D. 플라이오메트릭 운동(plyometric exercise)은 재활 초기에 빠른 회복을 돕기위해 시행한다.

가. A, B   나. A, C
다. B, D   라. C, D

정답 나

"B, D"는 다음과 같이 수정하면 바람직하리라 사료된다.

B. 스포츠 현장의 복귀의 결정은 등속성 운동(isokinetic exercise)으로 평가하는데, 손상 전 근력의 80~90%까지 향상되면 현장의 복귀를 꾀한다.
D. 플라이오메트릭 운동(plyometric exercise)은 재활 후기에 빠른 회복을 돕기 위해 시행한다.

44. 회전근개 근육 중 견관절 충돌의 반복적인 압박에 의하여 염증이 일어나고, 섬유화에 의한 손상이 가장 잘 일어나는 근육은?

가. 극하근   나. 극상근
다. 견갑하근   라. 소원근

정답 나

저자촌평 근육의 명칭과 역할을 묻는 문제로서 건강운동관리사 시험을 위해서는 인체의 640여 개의 근육 중 150여 개 이상, 200여 개의 크고 작은 관절에서는 약 100여 개, 206개의 뼈를 숙지하게 되면 무난하게 시험을 치르지 않을까 하는 필자의 생각이다.

회전근개 근육은 "가~라"에 제시한 4가지 근육이다. 이 문제에서는 "가장"이라는 경중을 묻는 문제이다.

회전근개 근육의 손상은 견관절 불안정성을 초래하므로 어깨관절에서 소리가 흔하게 나기도 하며, 팔을 위로 올릴 때 지레역할과 상완골을 고정시켜서 어깨의 안정성을 제공하는 외전을 담당한다. 돌림근띠 근육들은 이마면에서 어깨세모근과 함께 작용하고, 수평면에서는 서로 상호적으로 움직인다. 이 근육들은 동작의 시범과 팔 벌림 시 관절의 안정성을 제공한다.

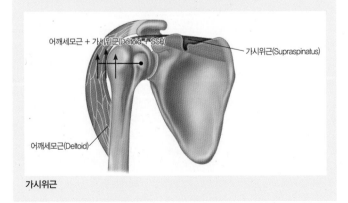

어깨세모근 + 가시위근(Deltoid + SSP)

가시위근(Supraspinatus)

어깨세모근(Deltoid)

가시위근

45. 보행 동작에 사용되는 근육의 활동에 대한 기술이다. 근육의 작용에 대한 분류로 보았을 때, 어떤 근육에 관한 것인가?

〈보기〉
- 체중이 이동할 때, 몸통이 중립 위치를 유지 할 수 있도록 해준다.
- 척추기립근이 작용하여 상체의 균형을 잡아준다.
- 중둔근, 소둔근, 대퇴근막장근 등이 이에 속한다.

가. 충격을 흡수하는 근육　　　나. 안정을 유지하는 근육
다. 가속을 위한 근육　　　　　라. 감속을 위한 근육

정답 **나**

운동을 수행하는 많은 사람들에게 명품 복근은 완벽한 신체의 심볼이다. 복근은 특히 골반과 허리의 중립적인 자세와 정렬을 유지하는 가장 중요한 안정화 근육이다. 인체 및 어떤 운동의 주어진 목적을 담당하는 이러한 안정화 근육은 효과적인 활동이 안정화 근육을 통해서 발휘될 수 있도록 안정성과 정렬의 기능을 담당하고 있다.
중둔근(중간볼기근), 소둔근(작은 볼기근), 대퇴근막장근(넙다리근막 긴장근) 등은 걸을 때 주로 동원되는 근육이다.

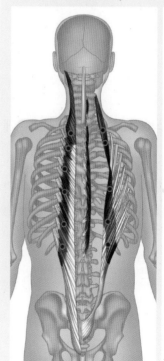

척추기립근

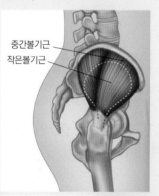

중간볼기근
작은볼기근

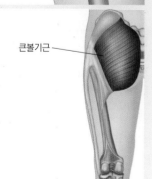

큰볼기근

소둔근 및 대둔근

46. 인체를 구성하는 조직의 분류 중, 결합조직(connective tissue)에 속하는 구조물의 조합은?

〈보기〉
A. 근막(fascia)　　　B. 인대(ligament)
C. 건(tendon)　　　D. 신경(nerve)

가. A, B, C　　　　　나. A, C, D
다. B, C, D　　　　　라. A, B, C, D

정답 **가**

인체의 4가지 기본조직은 독립단위로 존재하는 것이 아니라 서로 다른 비율로 결합하여 몸의 장기와 계통을 구성한다.

① 상피조직 : 보호, 감각, 흡수, 분비기능(피부, 감각상피)
② 결합조직 : 조직연결, 지지기능(뼈, 지방조직)
③ 근육조직 : 근세포로 구성, 운동담당(골격근, 내장근)
④ 신경조직 : 뉴런으로 구성, 자극전달 및 판단(뇌, 신경)

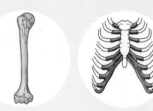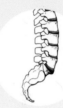

인체의 결합조직

47. 스포츠 손상의 재활 원리와 원칙에 대한 설명으로 맞는 것으로 짝지어진 것은?

〈보기〉
A. 가능한 한 빠르고 안전하게 운동 현장에 복귀 하는 것을 목표로 한다.
B. 손상 시 초기 운동 재활은 하루에 주어진 운동을 수회 반복하는 최대하(submaximal) 운동이다.
C. 손상 시, 선수들은 다양한 감정적 반응이 있으므로 스포츠 심리학이 도움을 줄 수 있다.
D. 회복될 때까지 충분히 쉬거나 기다리는 것이 필요하다.

가. A, B, C　　　　　나. A, B, D
다. B, C, D　　　　　라. A, B, C, D

"D"는 다음과 같이 수정한다.

회복상태를 고려한 적극적인 재활운동 프로그램에 참여하여 회복을 촉진시키도록 한다.

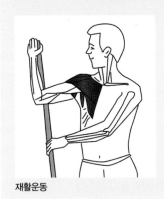

재활운동　　　　　스포츠 손상 재활

48. 견관절의 운동 손상 중, 상완와관절의 탈구/불안 증상에 대한 설명으로 옳은 것은?

가. 대부분이 외상성으로 나타나며, 재발은 잘 일어 나지 않는다.

나. 상완와탈구는 모든 탈구의 50%를 차지하며, 대부분이 전방탈구이다.

다. 탈구 시 방사선 검사로 쉽게 구분되지 않아 반드시 MRI 검사를 필요로 한다.

라. 비외상성 탈구가 외상성 탈구에 비해 재발률이 높다.

"가~다"는 다음과 같이 수정한다.

가. 대부분이 외상성으로 나타나며, 재발이 잘 일어난다.

다. 탈구시 방사선 검사로 쉽게 구분된다.

라. 외상성 탈구가 비외상성 탈구에 비해 재발률이 높다.

불안정한 상완와관절(Glenohumeral instability)

① 원인

재발성 탈구(recurrent dislocation)나 재발성 아탈구(recurrent subluxation)가 이 범주에 속하며, 대부분 외상 후의 불충분한 치료에 의하나 때에 따라서는 외상의 기왕력 없이도 상완골두나 견갑와의 선천성 기형에 의하거나 Ehlers-Danlos 증후군, Marfan 증후군 등과 같이 결체조직이 이완되는 질환에서 관절낭의 이완에 의해 발병한다.

② 증상 및 임상소견

재발성 탈구는 임상소견상 탈구를 분명히 알 수 있어 진단이 용이하나 재발성 아탈구는 진단에 어려움이 따른다. 환자는 평상시 정상적으로 활동하다가 어떤 일정한 자세에서 갑자기 관절이 빠진 듯 느끼고 동통이 있으나 곧 정상으로 돌아가고 이러한 일 이 반복하여 일어난다. 이학적 소견상 관절의 운동은 정상이나 인위적으로 힘을 가하여 관절을 아탈구 되는 방향으로 전위시키려 하면 환자는 갑자기 불안해한다(apprehension test).

③ 구조적인 특징

어깨관절은 협응된 움직임을 만들어 내기 위해 근육이 팀형식으로 작용한다. 따라서 어깨에 있는 근육 중 어느 한 근육이 안 좋아지면 어깨의 움직임에 협응능력이 떨어지고 본래의 움직임에 연속성을 방해하게 된다. 어깨탈구는 대부분 앞쪽 방향에서 발생한다. 넘어지거나 강한 충격을 받았을 때도 일어나는데 병리역학은 팔이 벌려있고, 외회전된 상태에서 많이 일어난다. 이 자세는 어깨에 취약한 자세로 상완골두가 관절의 앞쪽면을 이탈하게 된다.

이때 어깨의 회전근개와 관절주머니인대들의 과신장과 미세 손상이 발생한다. 예방적 스트레칭을 실시하고 견갑골과 회전근개의 근력과 지구력에 초점을 맞춰 운동을 진행한다.

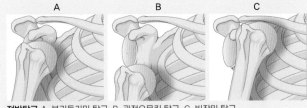

전방탈구 A. 부리돌기밑 탈구, B. 관절오목킨 탈구, C. 빗장밑 탈구

49. 운동 손상 중, 인대 손상에 대한 설명으로 바르게 짝지어진 것은?

〈보기〉

A. 관절의 불안정성은 2°~3° 인대 손상에서 나타난다.
B. 활발한 혈관증식에 의한 섬유소 덩어리의 형성에 의해 치료가 이루어진다.
C. 신경섬유 파열 시 통증이 없을 수 있다.
D. 관절의 안정성 회복을 위해 주변근육과 건도 강화해야 한다.

가. A, B, C　　　　　나. B, C, D
다. A, C, D　　　　　라. A, B, C, D

정답 **라**

하나의 예로 발목인대의 조직이 늘어나거나 찢어지는 것을 염좌라고 하는데, 1도 염좌의 경우라도 방치하게 두면 잦은 발목 삐임으로 인대손상이 지속되며, 2~3도 염좌의 경우 인대손상뿐만 아니라 연골손상으로까지 이어지게 된다.

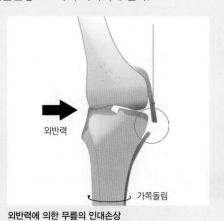

外반력

가쪽돌림

외반력에 의한 무릎의 인대손상

---

50. 근육과 근육의 작용이 바르게 연결된 것은?

가. 복직근 – 체간의 굴곡
나. 외복사근 – 체간의 측굴
다. 상완이두근 – 상완의 신전
라. 견갑거근 – 견갑의 내전

정답 **가**

"나~라"는 다음과 같이 수정한다.

나. 외복사근 – 체간의 돌림(크런치)
다. 상완이두근 – 상완의 굴곡(아래팔 굽힘)
라. 견갑거근 – 견갑의 거상(덤벨 숄더 슈러그)

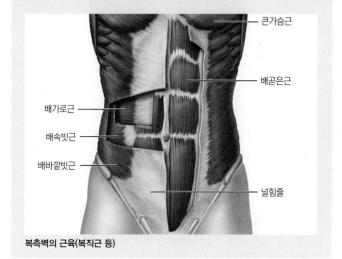

큰가슴근

배곧은근

배가로근

배속빗근

배바깥빗근

널힘줄

복측벽의 근육(복직근 등)

체력 및 건강검사

51. 스포츠 손상 시 신체의 여러 부위가 동시에 손상 받기 때문에 평가는 생명과 직접적인 관계가 있는 손상부터 신속하게 단계적으로 이루어진다. 경기장 내에서 생명과 직결된 손상을 진단하여 소생술을 시행하는 1차 평가의 순서가 바르게 연결된 것은?

가. 기도와 경추 손상의 평가 → 순환 기능의 평가 → 의식 상태 판정 → 호흡의 평가
나. 기도와 경추 손상의 평가 → 호흡의 평가 → 순환 기능의 평가 → 의식상태 판정
다. 호흡의 평가 → 기도와 경추 손상의 평가 → 순환 기능의 평가 → 의식상태 판정
라. 의식상태 판정 → 기도와 경추 손상의 판정 → 호흡의 평가 → 순환 기능의 평가

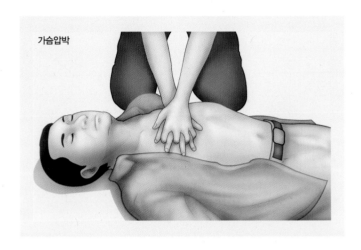

가슴압박

정답 **나**

① 기도와 경추 손상의 평가(산소가 뇌에 도달하기 위해서 몸으로 산소가 들어가야 한다) →
② 호흡의 평가(기도가 개방되어야 하고 산소가 폐의 혈액속으로 들어가기 위해 호흡이 유지되어야 한다) → 순환 기능의 평가(그 혈액을 온몸으로 보내기 위해 혈액순환이 고르게 이루어져야 한다) →
③ 의식상태 판정(의식확인은 양쪽 어깨를 가볍게 두드리며 "여보세요?", "눈을 떠 보세요", "내 말이 들리세요?" 등의 말로 큰 소리로 불러 의식이 있는지 살펴본다.

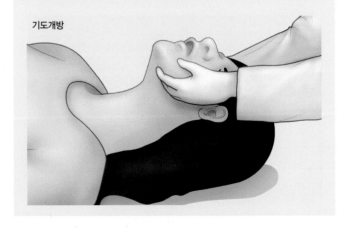

기도개방

52. 안전하고 효과적인 운동프로그램에 참여하기 전에 실시하는 운동검사 전 병력검사 요소와 그 내용이 옳지 <u>않은</u> 것은?

가. 최근의 질병 – 입원이나 새로운 의학적 진단 및 외과적 수술
나. 사전 이학적 검사 결과 – 약물 종류, 신체활동 수준, 직업력
다. 증상의 병력 – 흉부, 턱 주변의 불편감(통증, 마비감, 압박감 등)
라. 가족력 – 심장, 호흡기, 대사질환, 뇌졸중, 돌연사 등

정답 **나**

사전 이학적 검사 결과 - 신체구성, 키, 체중, 혈압, 치아, 귀, 맥박, 기관지, 심장과 폐기능, 임파선, 혈액 검사 등의 평가가 포함되어야 한다.

사전건강 검사
① 병력
② 이학적 검사
③ 성숙도 평가
④ 정형외과적 검사
⑤ 건강검진

53. 동맥 혈압에 영향을 미치는 인자들에 대한 일반적인 사실을 설명한 것으로 옳은 것은?

가. 혈액의 점도가 높아지면 혈압은 낮아진다.
나. 심박수가 증가하면 혈압은 낮아진다.
다. 말초 저항이 감소하면 혈압은 높아진다.
라. 혈장량이 많아지면 혈압은 높아진다.

정답 라

저자촌평 쉬운 문제이다.

"가~다"는 다음과 같이 수정한다.

가. 혈액의 점도가 높아지면 혈압은 높아진다.
나. 심박수가 증가하면 혈압은 높아진다.
다. 말초 저항이 감소하면 혈압은 낮아진다.

54. 피검자의 최대 운동수준에 도달하기 전에 운동을 종료시키고, 그 시점에서 신체반응을 이용하여 최대 수준의 상태를 추정하는 방법은?

가. 최소운동부하검사
나. 최대운동부하검사
다. 최소하운동부하검사
라. 최대하운동부하검사

정답 라

"라"의 방법은 최대운동부하검사에서 요구되는 고가의 실험장비, 검사에 소요되는 상당한 시간, 피검자의 동기부여 수준을 요구하는 수준의 대안으로 최대하운동부하검사를 사용하여 개인의 최대산소섭취량을 예측 또는 추정할 수 있다.

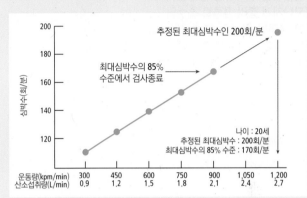

자전거 에르고미터를 이용한 최대하운동 시 심박수 예측

최대검사는 자의적인 피로 상태가 될 때까지 운동을 해야 하고, 최대하 운동검사의 기본적인 목적은 한 개 이상의 최대하 운동량에 대한 반응을 결정하고 최대산소섭취량을 예측하기 위한 결과들을 이용하는 것이다.

55. 응급상황과 관련하여 당뇨병 환자가 알아야 할 사항들에 대한 설명으로 옳지 않은 것은?

가. 혈당에 영향을 미치는 여러 가지 환경, 운동의 형태 등에 대해서 알고 있어야 한다.
나. 운동 전, 중, 후 충분한 수분섭취를 하여야 한다.
다. 운동이 간헐적이면 쉬는 시간 동안 적절한 탄수화물을 섭취하는 것이 좋다.
라. 운동 시 사용하는 근육에 인슐린을 주사하는 것이 효과적이다.

정답 라

"라"는 다음과 같이 수정한다.

운동 시 인슐린 주사부위를 선택할 때는 비활동부위를 선택해야 한다. 사용하는 근육에 인슐린을 주사하면 인슐린이 지나치게 빨리 혈류로 흡수되어 저혈당 현상이 초래된다. 복근운동을 하는 경우가 아닐 경우 배 부위에 놓는 것이 효과적이다.

주입버튼

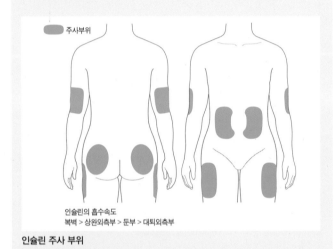

주사부위

인슐린의 흡수속도
복벽 > 상완외측부 > 둔부 > 대퇴외측부

인슐린 주사 부위

---

56. ACSM은 외관상 건강한 사람과 위험성이 증가된 사람을 주요 관상동맥질환 위험요인의 존재로 판단한다. 관상동맥질환 위험에 해당되지 않는 것은?

가. 가족력　　　　　　나. 음주
다. 비만　　　　　　　라. 고혈압

정답 나

제시된 항목 중 음주는 관상동맥질환 위험요인의 직접적인 존재로 보기 어렵다.

---

57. 운동기능 체력 요소로 바르게 짝지어진 것은?

가. 유연성, 민첩성
나. 민첩성, 신체구성
다. 평형성, 협응력
라. 근력, 반응시간

정답 다

건강관련 체력요소와 운동관련 체력요소를 구별할 수 있으면 쉽게 풀 수 있는 문제이다.

유연성 운동

---

58. 신체조성 검사로 바르게 짝지어진 것은?

가. 피하지방검사 – 체질량지수
나. 수중체중법 – 최대운동부하검사
다. 피하지방검사 – 최대운동부하검사
라. 수중체중법 – 사이드스텝테스트

정답 가

신체조성은 체지방량을 의미한다. 체지방률은 정확하지만 복잡한 장비를 사용해야만 측정 가능하다.

① 체지방량 : 인체 내에 존재하는 지방질의 양
② 체지방률 : 체중에 대한 체지방량의 비율을 백분율로 나타낸 것
③ 체지방률이 남자는 25%, 여자는 30% 이상일 때 비만
④ 체지방률 측정 부위
　- 남자 : 가슴, 복부, 대퇴 전면
　- 여자 : 삼두박근, 상장골, 대퇴 전면
⑤ 측정 방법
　-엄지손가락과 집게손가락으로 측정 부위의 피하지방을 견고하게 잡고 서서히 들어 올린다.
　-집게(skinfold caliper)를 손가락으로 잡은 부위의 위나 아래쪽 1㎝ 부위에 댄다.
　-피하지방을 견고하게 잡은 후 집게의 손잡이를 서서히 놓는다.

59. 연령이 40세이며 신장이 200㎝이고, 체중이 100kg인 남성의 신체질량지수(body mass index : BMI)는 얼마인가?

가. 20 나. 25
다. 30 라. 35

정답 **나**

체질량지수 = 체중(kg)/신장(m)× 신장(m)
18.5 미만 : 저체중,
18.5~24.9 : 정상,
25~29.9 : 과다 체중,
30 이상 : 비만

최근 ACSM 비만의 위험 기준은 다음과 같다.

비만	체질량지수 ≥ 30kg·㎡, 허리둘레 남자 > 102(40in), 여자 > 88(35in)

60. 신체조성의 평가 방법 중 가장 표준적인 방법은?

가. 수중체중법
나. 전기저항법
다. 신체질량지수
라. 피하지방검사

정답 **가**

가장이라는 표현에 주의하라.

수중체중법은 아르키메데스의 원리에 기초한 것이며, 높은 체지방률을 가진 사람이 낮은 신체밀도를 보인다. 다른 측정방법에 비해 정확성이 높다.

신체조성 평가

건강운동관리사
필기시험
2교시

2014 건강운동관리사

심폐소생법

01. 부상자의 상태로 볼 때, 적절한 처치는 무엇인가?

〈보기〉

- 가슴에 통증을 느끼는 경우가 가장 많고, 통증이 왼팔, 어깨, 턱, 치아, 귓불까지 펴져 나간다.
- 시간이 지날수록 증상이 심해지고 호흡이 어렵고 얼굴색이 푸르스름해진다.

가. 상체를 올려준다.
나. 심장발작을 의심해보고 심리적으로 안정시킨다.
다. 음료수를 조금씩 공급한다.
라. 쇼크 처치를 한다.

정답 **나**

심근경색의 초기증상이라고 할 수 있다.

심근경색은 관상동맥에서 혈액의 불충분한 관류 또는 관상 혈관계의 일부 폐색으로 인한 심장근의 산소요구량과 공급량의 급격한 불균형이 원인이다.

심근경색 환자 처치

일반적인 조합 :
가슴 중앙, 목, 턱

가슴 중앙과 팔 안쪽,
오른쪽에 비해 왼팔과 어깨에서
빈번히 나타난다.

심근경색 초기증상 부위

02. 의식이 있는 18세 남자가 목에 이물질이 걸려 호흡을 하지 못한다. 시행하여야 할 응급처치 방법은?

가. 인공호흡을 실시한다.
나. 등을 두드려 본다.
다. 복부 밀어내기법을 실시한다.
라. 가슴압박을 30회 실시한다.

정답 **다**

성인에서 기도이물폐쇄의 원인은 대부분 음식물이다. 주로 음식을 먹다가 갑자기 호흡곤란과 괴로움을 호소하는데. 양 손으로 목을 감싸 쥐면서 괴로워하는 것이 특징적인 징후이다. 성인에서는 주로 고령의 노인에게 흔하다.

식사 등의 활동을 하면서 생기는 경우가 많기 때문에 다른 사람에 의하여 목격 되는 경우가 흔하다. 기도폐쇄 환자에게는 빠른 응급처치가 환자의 생명을 살리는 데 가장 중요한 역할을 하기 때문에 평소 기도이물폐쇄에 대한 응급처치법에 대하여 숙지할 필요가 있다.

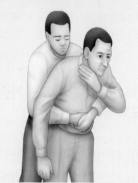

하임리히법

03. 자동제세동기(AED)에 대한 설명으로 옳지 않은 것은?

가. 심장리듬을 자동으로 분석하여 필요한 경우 제세동을 시행 할 수 있도록 유도하는 장비이다.
나. 소아의 경우 소아 제세동 용량으로 에너지를 감쇄하거나 소아용 전극을 부착하여 자동제세동기를 사용할 수 있다.
다. 심실 세동이 발생한 환자의 심장에 강한 전류를 일시적으로 통과시켜 정상적인 박동을 하도록 한다.
라. "제세동이 필요하지 않습니다."라는 메시지가 나오면 더 이상의 가슴압박은 중단한다.

정답 라

"제세동이 필요하지 않습니다."라는 메시지가 나오면 지체없이 가슴 압박을 시작으로 기본 소생술을 시작한다. 제세동기의 적용은 기본 소생술의 시행과 함께 응급의료진이 현장에 도착할 때까지 지속되어야 한다.

기본 소생술은 장비 없이 시행하는 기도열기, 인공호흡, 가슴압박, 자동제세동기에 의한 제세동을 의미한다.

자동 제세동기 사용방법

전원을 켠다.

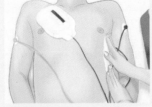
전극을 부착한 후 심전도를 분석한다.

심실세동이 감지되면 쇼크스위치를 누른다.

04. 성인 환자에게 가슴압박을 할 때, 올바른 압박 속도와 깊이는?

가. 1분당 80~100회 속도, 5~6㎝ 깊이
나. 1분당 100~120회 속도, 5~6㎝ 깊이
다. 1분당 80~100회 속도, 3~4㎝ 깊이
라. 1분당 100~120회 속도, 3~4㎝ 깊이

정답 나

압박된 가슴의 불충분한 이완은 흉강 내부의 압력을 상승시켜 심장으로의 혈액 관류량을 감소시키기 때문에 구조자는 압박된 가슴이 완전히 올라오도록 노력해야 한다. 그러나 이때 올바른 압박의 위치를 유지하기 위하여 구조자의 손이 부상자의 가슴에서 완전히 떨어지지 않도록 한다.

소아의 경우에도 가슴압박의 속도는 같고, 소아심정지 부상자의 가슴압박 깊이는 가슴 두께의 1/2정도이다.

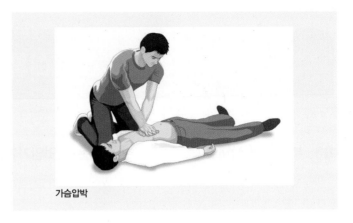
가슴압박

05. 위급한 상황에서의 행동요령에 대한 설명으로 옳은 것은?

가. 위급상황에서 행하는 기본적인 단계는 현장조사, 119신고, 처치 및 도움이다.
나. 현장조사에서 중요한 것은 환자의 상태와 연락처, 인적사항을 상세히 확인하는 것이다.
다. 위급상황에서 환자를 돕기 위한 유일한 방법은 응급의료기관에 연락하는 것이다.
라. 응급처치 환자가 의식이 없을 경우에는 동의하지 않았기 때문에 응급처치를 할 수 없다.

정답 가

"나~라"는 다음과 같이 수정할 수 있다.

나. 현장조사에서 중요한 것은 짧은 시간에 많은 정보를 얻어야 하므로 신속하게 상황을 파악하고 이에 대처한다.
다. 위급상황에서 환자를 돕기 위한 방법은 응급의료기관에 연락하는 것 외 응급처치를 실시한다.
라. 응급처치 환자가 의식이 없을 경우에는 119에 신고하고, 출혈 등 다른 위험한 상황이 있는지 확인하고 심한 출혈이 없다면 가슴압박 → 기도개방 → 호흡확인을 한다.

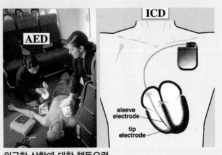
위급한 상황에 대한 행동요령

병태생리학

2014

06. 인슐린이 심하게 모자라는 인슐린 의존성 당뇨병 환자가 병이 있는 것을 모르고 지내거나 임의로 인슐린 치료를 중단할 때 나타나는 합병증은?

가. 저혈당증　　　　　　나. 당뇨병성 케톤산증
다. 단백뇨　　　　　　　라. 뇨독증

정답 나

인슐린이 심하게 모자라는 인슐린 의존성 당뇨병 환자가 병이 있는 것을 모르고 지내거나, 임의로 인슐린 치료를 중단할 때 혹은 나이든 환자가 중풍이나 기타 급성질환을 심하게 앓게 될 때 나타나며 몸에서 포도당이 이용되지 않아 혈당은 아주 높고 대신 지질이 많이 소모되어 케톤산이 많이 만들어져 심한 구역질과 구토, 탈수, 복통 등의 증상을 보이며 심하면 혼수상태에 빠지므로 즉시 병원에 후송해서 응급치료를 해야만 생명을 유지할 수 있다.

07. 만성 기관지염의 발병 기전으로 옳지 <u>않은</u> 것은?

가. 세기관지의 염증　　　나. 섬유성 염증반응
다. 폐성심　　　　　　　라. 약물 알레르기

정답 라

만성 기관지염이란 세기관지의 염증이 일어나 기관지 점막이 붓고 섬유성 염증반응로 좁아지게 되며, 기도점막 내 점액선과 분비세포의 숫자 및 크기가 증가하여 비후됨으로 인해 기도폐쇄가 발생하나 혈관계에는 영향이 없어 환기-관류 장애가 심해져 혈중에 이산화탄소의 분압이 증가하게 되고 폐성심에 빠지게 된다.
2년 연속, 1년에 3개월 이상 가래가 있고 기침이 지속되는 질환이다. 그러나 만성 기관지염 외의 다른 폐질환 또는 기도 질환에서도 가래가 있는 기침이 장기간 지속될 수 있기 때문에 만성 기관지염을 진단하기 위해서는 먼저 다른 폐질환 또는 기도 질환

이 없는지 검사해 보아야 한다. 만성 기관지염은 폐기종과 질병의 발생 기전 및 질병의 경과가 유사하여 이 두 질환을 한데 묶어 만성 폐쇄성 폐질환이라는 질환군으로 분류한다.
폐성심(pulmonary heart disease, 肺性心)이란 폐질환 때문에 폐동맥의 혈관저항이 증대하여 혈액의 흐름이 나빠져 우심실의 기능부전을 일으킨 상태를 말한다.

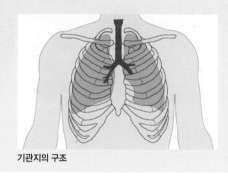

기관지의 구조

08. 관상동맥경화증의 위험인자가 <u>아닌</u> 것은?

가. 고혈압　　　　　　　나. 폐기종
다. 고밀도 지단백 35mg/dℓ 이하　　라. 고인슐린혈증

정답 나

폐기종(Emphysema)은 호흡기 질환과 관련이 있는 요소이다. 폐포(허파 꽈리) 사이의 벽이 파괴되어 탄성을 잃은 결과로, 영구적으로 폐포가 확장되는 질환을 말한다.

09. 만성폐쇄성 폐질환의 치료 요법에 해당되지 <u>않는</u> 것은?

가. 금연, 안정, 호흡기 감염 예방
나. 면역요법과 산소요법
다. 복식호흡 운동
라. 체위거담과 충분한 수분섭취

정답 나

만성폐쇄성폐질환(chronic obstructive pulmonary disease, COPD)은 공기흐름의 감소에 기인하고 일상활동에 극적인 결과를 가져올 수 있다. 이러한 질병에는 만성 기관지염, 폐기종, 기관지 천식이 포함되거나 동반될 수 있다. 이러한 질병은 전에 언급했던 계속적인 약물에도 불구하고 기도폐쇄가 남아 있는 운동에 의해 유발되는 천식과는 구별된다. 만성 기관지염은 과도한 객담(가래)의 분비로 기관지 벽이 두꺼워져 계속적인 객담(가래)이 생성된다는 점이 특징이다. 폐기종에서는 폐포와 세기관지의 탄력적 반동이 감소되고 이러한 폐 구조는 확장된다. 만성 폐쇄성 폐질환 환자는 호흡곤란 없이 정상적인 활동을 수행할 수 없지만 이 시기에는 안타깝게도 질병이 이미 꽤 진행된 것이다. 만성 폐쇄성 폐질환은 호기능력의 감소가 특징적이며 좁아진 기도로 인해 '천명'이 발생한다. 만성 폐쇄성 폐질환자는 작업능력의 감소를 경험하는데, 그것은 고용에 영향을 줄 수 있으며 불안이나 우울증 같은 심리적인 문제가 증가될 수 있다.

COPD의 폐

10. 생리적 노화가 시작되는 평균 나이는?

가. 20대   나. 30대   다. 40대   라. 50대

정답 다

저자촌평 개인차가 있지만 평균나이를 묻는 문제이다.

11. 암환자의 운동을 실시 할 때, 특별한 고려 사항에 해당되지 않는 것은?

가. 구토와 설사가 심한 경우 운동은 연기되어야 한다.
나. 발열이 있을 경우 운동 강도를 낮추어 실시한다.
다. 낙상을 방지하고 혈압과 뇌압의 상승을 막아야 한다.
라. 관상동맥질환이 있는 암환자가 빈혈인 경우에는 운동 강도를 낮추어 실시한다.

정답 나

열이 있거나 특별히 피곤한 경우에는 운동을 쉬도록 한다.

12. 류마티스성 관절염에 대한 증상을 설명한 것으로 옳지 <u>않은</u> 것은?

가. 초기에는 대개 단일 관절통으로 시작한다.
나. 아침에 일어나면 관절운동이 유연하지 못하고 뻣뻣해진다.
다. 관절통이 대칭적으로 나타난다.
라. 혈관염과 순환장애로 사지말단이 차다.

정답 가

"가"는 다음과 같이 수정한다.
초기에는 대개 다발성 관절통으로 시작한다.

📖 보충학습

초기에는 대개 다발성 관절통으로 특히 손가락의 여러 마디가 방추형으로 부어올라 통증이 생기는데 주먹 쥐는 힘이 약해져 조그만 물건을 드는데도 불편을 느끼며 물건을 자주 떨어뜨리게 된다. 통증이 이곳저곳으로 옮겨 다니며 아침에 일어나면 관절운동이 유연하지 못하고 뻣뻣해지며 쉽게 피로감을 느끼고 전신무력감과 의욕감소현상을 보인다. 관절통이나 종창이 대칭으로 나타나는 특징이 있다. 시간이 지나면 관절주의의 근위축이 일어나고 인대의 수축 및 강직성 변화로 인해 운동이 제한된다. 사지말단은 혈관염이나 순환장애로 인해 수족이 찬 느낌과 청색증이 나타나며 피멍이 잘 생기기도 한다. 만성적으로 진행되면 변형과 종창, 심한 근위축, 관절파괴를 일으킨다.

13. 훈련받은 운동선수에게 나타나는 부정맥으로 병리적인 상태가 <u>아닌</u> 것은?

가. 동결절 기능부전 증후군   나. 동성 서맥
다. 방실차단   라. 동성 빈맥

정답 나

부정맥이란 동율동 이외의 모든 심율동을 말하는데 전기자극의 형성장애나 전도장애 또는 두 가지 기전의 복합으로 발생하기도 하다.

동성서맥(동서맥, Sinus bradycardia): 여러 형태의 질환이나 외적 요인이 심장의 오른쪽에 위치한 심방 내의 동방 결절에 병변을 일으키거나 영향을 주어 동방결절의 전기자극 발생이 느려져 심박동수가 분당 60회 미만이 되는 경우를 말한다.

2014

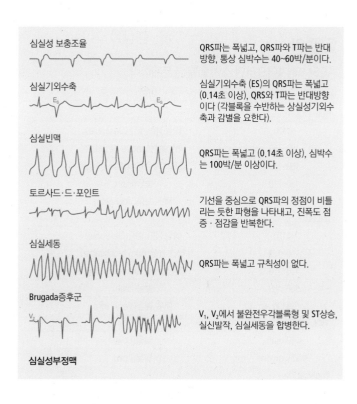

심실성부정맥

심실성 보충조율	QRS파는 폭넓고, QRS파와 T파는 반대 방향, 통상 심박수는 40~60박/분이다.
심실기외수축	심실기외수축 (ES)의 QRS파는 폭넓고 (0.14초 이상), QRS와 T파는 반대방향 이다 (각블록을 수반하는 상실성기외수축과 감별을 요한다).
심실빈맥	QRS파는 폭넓고 (0.14초 이상), 심박수는 100박/분 이상이다.
토르사드·드·포인트	기선을 중심으로 QRS파의 정점이 비틀리는 듯한 파형을 나타내고, 진폭도 점증·점감을 반복한다.
심실세동	QRS파는 폭넓고 규칙성이 없다.
Brugada증후군	V_1, V_2에서 불완전우각블록형 및 ST상승, 실신발작, 심실세동을 합병한다.

14. 암 발병의 특정 위험 요소에 해당하지 <u>않는</u> 것은?

가. 성별
나. 고단백 고탄수화물 식단
다. 장기간 햇빛의 노출
라. 정신적 스트레스

정답 나

"나"는 비만의 위험 요소에 해당된다.

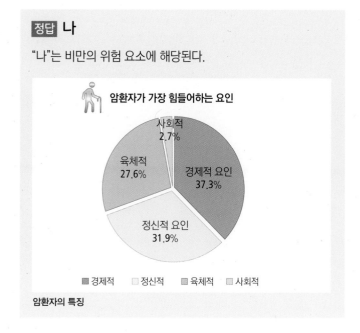

암환자가 가장 힘들어하는 요인

- 사회적 2.7%
- 육체적 27.6%
- 경제적 요인 37.3%
- 정신적 요인 31.9%

■ 경제적　□ 정신적　■ 육체적　□ 사회적

암환자의 특징

15. 고혈압의 위험인자에 해당하지 <u>않는</u> 것은?

가. 확장기 혈압이 계속 95㎜Hg 이상
나. 하루 10g 이상의 식염섭취
다. 혈당 120㎎/㎗ 이상
라. 콜레스테롤 220㎎/㎗ 이상

정답 가

"가"는 다음과 같이 수정한다.

확장기 혈압이 계속 115mmHg 이상
계속이라는 표현보다는 "지속적"으로가 더 적절할 것이다.
일반적으로 고혈압 위험인자로 흑인, 젊은 사람, 남자, 확장기압이 계속 115mmHg 이상일 때, 하루에 10mg 이상의 식염섭취, 하루 10개피 이상의 흡연, 혈당 120㎎/㎗ 이상, 콜레스테롤 220㎎/㎗ 이상의 고지혈증, 표준체중의 120% 이상의 비만증 및 심비대, 심전도이상, 심근경색, 심부전 등의 심장이상이 있거나 출혈이 있을 때, 신부전이나 요독증, 뇌졸중 등을 들 수 있으며 이런 경우 고혈압이 발병하기 쉽고 발병하면 악화되기 쉽다.

16. 운동이 면역기능에 미치는 영향으로 옳지 <u>않은</u> 것은?

가. 운동의 강도와 기간에 따라 면역반응이 달라진다.
나. 중등도의 운동은 면역기능을 강화시킨 뒤 면역세포들의 활동을 억제시킨다.
다. 중등도 운동은 NK세포의 수와 활성을 증가시킨다.
라. 중증도 운동은 호중구의 수와 활성을 증가시킨다.

정답 나

"나"는 다음과 같이 수정하는 것이 바람직하다.

중등도의 운동은 면역기능을 강화시키고, 면역세포들의 활동을 강화시킨다.
심한 운동은 면역기능을 강화시킨 뒤 면역세포들의 활동을 억제시킬 수 있기 때문에 강도 높은 운동은 오히려 면역기능을 약화시킨다.

17. 고콜레스테롤혈증에 해당하는 총 콜레스테롤 수치는?

가. 180mg/dℓ 나. 200mg/dℓ

다. 220mg/dℓ 라. 240mg/dℓ

정답 **라**

ACSM의 가이드라인 수치를 묻는 문제이다.

cholesterol과 Triglyceride 수준의 분류(mg · dl-1)	
Non-HDL-C	
<130	바람직한 수준(Desirable)
130~159	약간 높음(Above desirable)
160~189	경계선 수준(Borderline high)
190~219	높음(High)
≥220	매우 높음(Very high)
LDL-C	
<100	바람직한 수준(Desirable)
100~129	약간 높음(Above desirable)
130~159	경계선 수준(Borderline high)
160~189	높음(High)
≥190	매우 높음(Very high)
HDL-C	
<40(men)	낮음(Low)
<50(women)	낮음(Low)
Triglyceride	
<150	정상(Normal)
150~199	경계선 수준(Borderline high)
200~499	높음(High)
≥500	매우 높음(Very high)

ACSM 기준

심전도원리

18. 어떤 검사에 대한 설명인가?

〈보기〉

환자가 일상생활을 하면서 24시간 심전도를 기록하는 방법(Holter recording)으로, 그 동안 발견되지 않은 간헐성 부정맥 진단, 부정맥과 일상생활과의 관계, 치료 과정의 판정, 인공 심박조율기의 기능 판정, 급성 심근경색증의 예후 등을 알 수 있다.

가. 활동 중 심전도 검사　　나. 운동부하심전도
다. 임상 전기생리학적 검사　　라. 안정 시 심전도

정답 가

부정맥의 진단에는 ① 병력 및 이학적 검사 ② 안정 시 심전도 ③ 활동 중 심전도 검사 ④ 운동부하 심전도 ⑤ 임상전기 생리학적 검사 등이 있는데 이 가운데 "활동 중 심전도 검사"에 해한 문제이다.

심장질환의 검진을 위해 심전도기계를 사용하여 심장근육에서 발생하는 전기적 편차를 기록한다. 환자의 일정한 신체부위에 전극을 부착하고 심전도기계의 스위치를 조작하여 심장근육의 각 부위에서 발생하는 심전도의 편차를 기록한다. 심장기 운동 및 산소결핍 등으로 심장에 부담을 가하면서 심전도를 기록한다. 검사결과를 정리하여 내과의사에게 회송한다. 검사방법에 따라 활동 중 심전도 감시기구인 홀터기록기(holter recording)를 환자에게 부착하거나 기립경사검사(수평상태의 기립경사 테이블에 환자를 눕히고 혈압과 심박동수를 측정한 후 검사 테이블을 세운

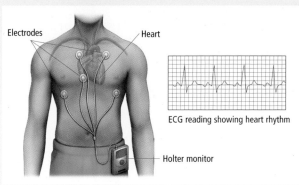

Holter monitor with ECG reading

상태에서 혈압과 심박동수를 관찰), 운동부하심전도검사(러닝머신의 경사와 속도를 높임으로써 운동량을 증가시키면서 검사)를 하기도 한다.

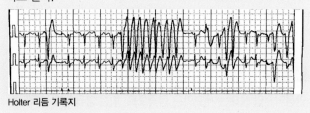

Holter 리듬 기록지

19. 운동부하 심전도검사 결과의 해석에서 위음성에 미치는 요인으로 적절하지 <u>않은</u> 것은?

가. 허혈성 역치에 도달하지 못한 경우
나. 심전도 변화를 관찰하기에 불충분한 수의 유도를 사용한 경우
다. 비정상적인 심장 반응 이전의 운동강도에서 근골격계 질환
라. 빈혈

정답 라

운동 부하검사만으로 관상동맥질환을 진단하는 데는 한계가 있다. 무증상인 사람 중 무작위로 선택하여 운동부하결과 양성을 보인 사람 중 60%가 허위로 알려졌다. 이는 심근의 허혈반응이 단순하지 않으며 심전도상의 변화에 관여하는 심장 외의 여러 가지 요인이 있기 때문이다. 그러므로 올바른 운동 부하검사를 판정하는 데는 다음 설명할 위음성과 위양성의 경우를 숙지하여야 한다.

위음성에 미치는 요인
① 저혈압과 같은 질병과 연관되어 있는 비심전도 징후와 증상의 판별 실패
② 심전도 변화를 찾기 위해 관찰하는 유도의 부족
③ 허혈 역치도달의 실패
④ 부차적인 순환에 의해 보상되는 혈관조영상의 중요한 질병
⑤ 심장 비정상이전의 운동에서 점성 골격의 제한
⑥ 기술적 또는 조사자의 실수

20. ( ) 안에 들어갈 알맞은 이온의 조합은?

<보기>

안정막전압 상태에서 (A)는 세포 내에는 많이 존재하고 세포 바깥에는 매우 낮은 농도로 존재한다. 반면에 (B)는 세포 바깥에는 매우 높은 농도로 존재하나 세포 내에는 낮은 농도로 존재한다.

가. A: K^+, B: Cl^-

나. A: K^+, B: Na^+

다. A: Na^+, B: K^+

라. A: Na^+, B: Cl^-

정답 나

안정막전압 상태는 세포안은 음극으로, 밖은 양극으로 분극되는 현상으로서 −70~(−90)mV로 기록되며, 안정막 전위라고 한다.

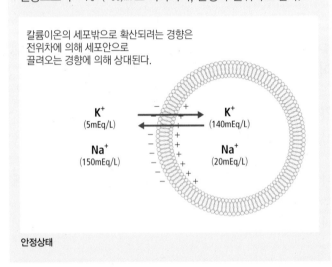

칼륨이온의 세포밖으로 확산되려는 경향은 전위차에 의해 세포안으로 끌려오는 경향에 의해 상대된다.

K^+ (5mEq/L) → ← K^+ (140mEq/L)

Na^+ (150mEq/L) Na^+ (20mEq/L)

안정상태

정답 가

저자촌평 세포막의 물질 이동을 숙지하고 있는 수험생은 쉽게 해결할 수 있는 문제이다.

"나~라"는 다음과 같이 수정한다.

나. 능동적 운반은 ATP를 소모하는 운반이다.
다. 능동적 운반은 운반체를 필요로 한다.
라. 촉진 확산은 수동적 운반의 한 종류이다.

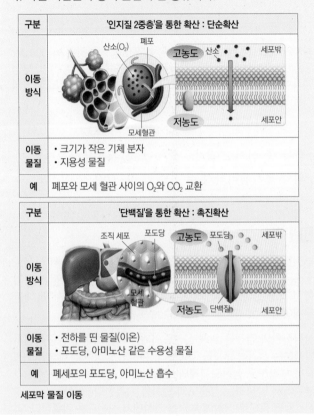

구분	'인지질 2중층'을 통한 확산 : 단순확산
이동 방식	산소(O_2) 폐포 / 고농도 산소 세포밖 / 저농도 세포안 / 모세혈관
이동 물질	• 크기가 작은 기체 분자 • 지용성 물질
예	폐포와 모세 혈관 사이의 O_2와 CO_2 교환

구분	'단백질'을 통한 확산 : 촉진확산
이동 방식	조직 세포 포도당 / 고농도 포도당 세포밖 / 저농도 단백질 세포안 / 모세혈관
이동 물질	• 전하를 띤 물질(이온) • 포도당, 아미노산 같은 수용성 물질
예	폐세포의 포도당, 아미노산 흡수

세포막 물질 이동

21. 세포막의 물질 이동에 관한 설명으로 옳은 것은?

가. 수동적 운반은 전기−화학적인 에너지의 경사도에 따라 이루어진다.
나. 수동적 운반은 ATP를 소모하는 운반이다.
다. 능동적 운반은 운반체를 필요로 하지 않는다.
라. 촉진 확산은 능동적 운반의 한 종류이다.

22. 운동부하 심전도검사 중단의 절대적 징후가 <u>아닌</u> 것은?

가. 운동부하가 증가함에도 수축기혈압이 기저혈압보다 10mmHg 이상 감소되며 허혈성 심장질환의 징후가 동반될 때
나. 어지러움 또는 거의 실신 상태를 보일 때
다. 피검자가 중단을 요구할 때
라. 허혈성 심장질환의 징후를 동반하지 않을 때

2014

정답 **라**

"라"는 상대적 징후로서 다음과 같이 수정한다.

라. 허혈성 증상은 없지만 운동강도가 증가함에도 불구하고 수축기혈압이 10mmHg 이상 저하 될 때(상대적 적응증)

이 문제에 제시된 "운동부하 심전도검사 중단의 절대적 징후"를 추가로 살펴보면 다음과 같다(ACSM 기준).
① 중등도의 심한 협심증
② 신경계 증상이 증가(현지증, 운동실조, 실신에 가까울 때)
③ 심전도 혹은 수축기혈압 모니터링이 어려움
④ 관류부족 징후(창백 또는 청색증상)
⑤ 연속적인 심실성빈맥

23. 부정맥에 대한 설명으로 옳지 <u>않은</u> 것은?

가. 부정맥이란 정상 동율동 이외의 모든 심율동을 말한다.
나. 부정맥은 전기자극의 형성장애나 전도장애 또는 두 가지 기전의 복합으로 발생한다.
다. 동발결절 이외에서 발생한 박동을 이소성 박동(ectopic beat)이라 한다.
라. 회귀기전은 대부분 후탈분극에 발생한다.

정답 **라**

회귀기전(re-entry mechanism)
정상적인 심근에는 불응기가 다른 심근이 없으나 조기수축이 발생되면 불응기가 생긴다. 따라서 대부분 회귀성 빈맥은 조기박동에 의한다. 회귀기전은 대부분의 빈맥성 부정맥의 발생기전이다. 회귀가 생기려면 3가지 조건이 있어야 한다.

① 회로 ② 전도 속도지연 ③ 일방전도 차단

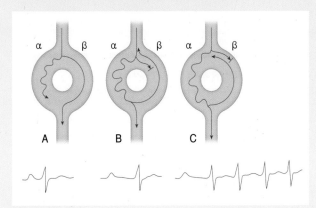

방실결절회귀 기전

24. (　) 안에 들어갈 용어로 적절한 것은?

〈보기〉

살아 있는 세포의 안쪽과 표면에 전극을 대면 일정한 전압차를 측정할 수 있는데 이를 안정막전압이라 한다.
(　)이란 자극을 받으면 막전압이 계속 감소되어서 0전압이 되었다가 이번에는 막안이 (＋)로 하전되어 지나치기가 일어나서 정점에 도달하고 다시 막전압이 증가하여 자극받기 전의 전압으로 돌아오는 것을 말한다.

가. 확산전압　　　　　　　나. 활동·전압
다. 평형전압　　　　　　　라. 휴지전위

정답 **나**

신경계의 흥분의 전도와 전달에 관련된 문제로서

활동전위란 신경섬유에 자극이 주어지면 자극을 받은 부위의 섬유막에서 이온 투과성의 변화가 생겨 Na⁺이 막의 밖에서 안으로 순간적으로 확산되어 안쪽이 ＋, 바깥쪽이 −로 바뀌게 되는데 이를 탈분극이라 하고 이렇게 전위가 역전된 것을 활동전위라고 한다. 따라서 순간적으로 탈분극이 되는 것이고, 활동전위가 곧 신경의 흥분(fire) 현상이다.

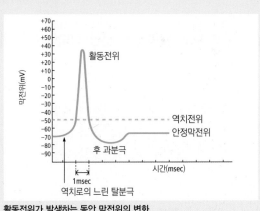

활동전위가 발생하는 동안 막전위의 변화

25. 심전도 흉부유도에 관한 설명으로 옳지 <u>않은</u> 것은?

가. 흉부유도는 심장의 전기활동을 수평면에서 기록한다.
나. 일반적으로 6개의 유도가 상용된다.
다. Lead V1은 제3늑간의 좌측 흉골연에 위치한다.
라. Lead V6는 V4의 수준에서 액와의 중앙점에서 내린 수직선과의 교차점에 위치한다.

정답 다

"다"는 다음과 같이 수정한다. Lead V₁은 제4늑간의 우측 흉골연에 위치한다.

♪ **저자촌평** 이 문제는 심전도 흉부유도에 관련된 흉부유도에 대해서 상세하게 알고 있어야 해결할 수 있는 문제이다.

심전도를 기록하기 위한 전극의 설치방법을 심전도 유도(ECG lead)라 하며, 양측 전위차의 절대 값을 기록하는 양극유도(bipolar lead)와 전극을 붙인 곳의 전위를 기록하는 단극유도(unipolar lead)로 분류할 수 있으며 12가지 유도의 종류가 상용되고 있다.

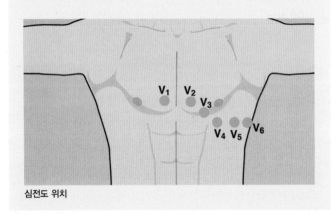
심전도 위치

26. 심전도를 보고 대략적인 분당 심박동수를 계산한 것은?

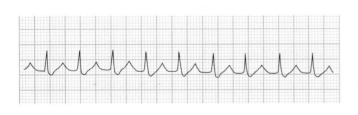

가. 300   나. 150   다. 100   라. 75

정답 나

표준 ECG 추적을 통해 3가지 방법으로 심박수를 결정할 수 있다. 이 문제는 표준 R-R방법으로서 연속적인 R파 사이의 시간을 나타낸다. 분당 박동(beat/min)의 대략적인 심박수는 인접하는 R파 사이 mm 수만큼으로 1500을 나누면 결정될 수 있다.

27. 심전도의 정상 파형 및 간격에 대한 설명으로 옳은 것은?

가. 정상 심전도에는 P파, QRS군, T파가 기본형이다.
나. P파는 심방의 재분극에 의하여 형성된다.
다. S파는 R파 다음에 오는 음성파로 마지막 좌심실의 재분극 부분이다.
라. P-R간격은 P파의 시작에서 QRS군 시작까지의 간격으로 0.12초 이내이다.

정답 가

"나~라"는 다음과 같이 수정한다.

나. P파는 심방의 탈분극에 의하여 형성된다.
다. S파는 R파 다음에 오는 음성파로 마지막 좌심실의 수축 부분이다.
라. P-R간격은 P파의 시작에서 QRS군 시작까지의 간격으로 0.12~0.20초이다.

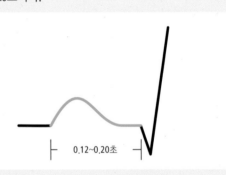
정상 PR 간격

♪ **저자촌평** 본 문제는 심전도 정상 파형 및 간격에 대해 상세하게 숙지하고 있어야 풀 수 있는 문제이다.

28. 상심실성 부정맥에 대한 설명으로 옳지 <u>않은</u> 것은?

가. 동서맥은 P파는 동성이며, 정상이나 심박동수만이 분당 60회 미만인 경우이다.

나. 동빈맥은 동성 P파이며, 분당 100회 이상의 심박동수를 보인다.

다. 심방성 부정맥은 동방결절이 아닌 심실에서 전기자극이 일어나는 부정맥을 말한다.

라. 조기박동이란 정상적인 수축이 일어날 시간 전에 수축하는 것으로 기외수축이라고도한다.

정답 다

심박동이 심방에서 시작되는 것을 심방부정맥이라고 한다. 즉 심방에서 전기자극이 일어나는 부정맥을 말한다. 심방성 부정맥은 심방 조기박동, 심방빈맥, 심방조동, 심방세동 등이 있다.

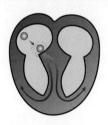 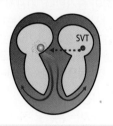

상심실성 빈맥
좌측은 정상적인 심전도 전기전도 경로이며, 우측은 상심실성빈맥의 전기전도 경로이다.

29. 정상 심전도 파형 모식도에서 (A)와 (B) 파형의 조합으로 옳은 것은?

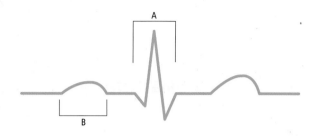

가. A – P파, B – QRS군

나. A – T파, B – QRS군

다. A – P파, B – T파

라. A – QRS군, B – P파

정답 라

저자촌평 정상 심전도 파형 모식도를 알고 있는 수험생이면 누구나 쉽게 해결할 수 있는 문제이다.

운동부하검사

30. ( ) 안에 들어갈 단어로 적절한 것은?

〈보기〉

( )은/는 최대수의적 환기량에 대한 최대환기량의 비율(VEmax/MVV)로 정의한다.

가. 환기역치　　　　　　나. 호흡교환율

다. 노력성 폐활량　　　　라. 예비환기량

정답 라

환기능력의 다른 동적인 테스트는 15초간의 빠르고 깊은 호흡능력의 측정이다. 이 15초간의 용적은 1분간의 수치로 환산되어 최대수의환기량(maximum volutary ventilation; MVV)을 나타낸다. MVV는 최대로 환기할 수 있는 능력을 말하며, 이것은 최대 운동 중의 환기량보다 훨씬 더 크다.

31. 22세의 여자(키 168cm, 몸무게 59kg)가 체중감소를 위하여 스피닝 교실에 참여하고자 한다. 주요 질환을 나타내는 증상이나 징후는 없다. 천식 진단을 받고 약물을 복용 중이다. 운동검사의 필요성과 운동검사 시 의사의 감독 필요성에 관하여 바르게 설명한 것은?

가. 최대검사 필요 – 의사 감독 필요

나. 최대검사 필요 – 의사 감독 불필요

다. 최대검사 불필요 – 의사 감독 불필요

라. 최대하검사 불필요 – 의사 감독 불필요

정답 가

이 문제는 당시 정답이 "가"로 되어있지만 ACSM 기준으로 재검토를 해야 할 필요성이 요구된다.

📖 보충학습

① 권장되는 운동의 유형

일반적으로 달리기나 자전거 타기는 가장 심하게 천식을 유발시키는 운동으로 분류할 수 있으며, 일상생활과 관련된 걷기와 같은 가벼운 운동으로부터 시작하는 것이 가장 우선이며 수영이 적절하다고 알려져 있다. 수영은 기도의 열 상실, 수분상실이 가장 적기 때문에 운동 유발성 천식에 가장 적합한 운동이라고 할 수 있다.

② 운동량

기도반응의 증가는 약 6~8분의 고원상태(plateaus) 동안에 증가한다. 또한 운동 강도가 최대산소섭취량의 약 65~75%, 또는 예측최대심박수의 약 75~85% 이상으로 높아지면서 기도저항이 증가한다. 기관지 천식환자는 운동 중 호흡수를 너무 증가시키지 않도록 하는데, 즉 입 호흡이 되지 않을 정도로 하는 것이 좋다. 초기에는 운동과 휴식을 반복하는 간헐적 운동을 필수적으로 실시하고 점차로 운동시간을 늘려 1회 운동시간의 목표를 최소한 20~30분 지속하도록 한다.

③ 운동시간대 및 장소

천식환자는 운동을 하는 동안 가능한 한 운동이외의 다른 유발요인을 피하는 것이 현명하다. 예를 들면 차고 건조한 공기 중에서 호흡하는 것은 천식을 자극하기 때문에 하루 중 가장 추운 시간대에 운동하는 것은 피해야 한다. 또한 저녁이후 시간은 기도수축의 역치가 한낮보다 높기 때문에 피해야하며 낮 시간의 운동을 권장한다.

의료 감독

32. 최대산소섭취량에 대한 설명으로 옳지 <u>않은</u> 것은?

가. 최대산소섭취량 테스트 목적은 유산소성 신체적성 측정이다.

나. 최대산소섭취량의 측정에는 피험자의 최대노력이 중요하다.

다. 허약자나 고령자는 최대산소섭취량 측정이 어려울 수 있다.

라. 질환인의 최고산소섭취량은 최대산소섭취량보다 수치가 높다.

정답 라

"라"는 다음과 같이 수정한다.

라. 질환인의 최고산소섭취량은 최대산소섭취량보다 수치가 낮다.

최고산소섭취량(VO₂peak) : 생리적 수준이 분명하게 도달하지 않았을 때 측정된 최대산소섭취량을 말하는 것으로써 즉, 최대 상지 운동 중 얻어진 유산소 대사치가 실제 생리적 최대치에 도달하지 못하는 운동일 경우 대사 변인을 기술할 때 "max"대신 "peak" 사용한다고 하였고, 최고산소섭취량(VO₂peak)은 특정 상황이나 조건 설정 아래 도달할 수 있는 최고의 가치를 설명하는데 최고산소섭취량(VO₂peak)을 사용한다고 하였다(Howley, Bassett & Welch, 1995).

최대산소섭취량은 산소를 운반하고 활용하는 전반적인 신체능력을 평가하는 방법이다. 최대산소섭취량은 최대유산소성 파워라고도 하며, ℓ/min이나 ㎖/kg/min을 단위로 사용한다. 최대산소섭취량은 심박수, 1회박출량, 동정맥산소차의 곱으로 계산할 수 있으며 일반적으로 유산소성 운동능력을 판단하는 기준으로 많이 사용하고 있다.

> 최대산소섭취량 = 심박수 × 1회박출량 × 동정맥산소차

33. 여성들에게 적합한 프로토콜로 최초 운동시작의 부하를 경사도 0%에서 3.4mph로 1분 동안 실시하며, 이후 속도는 유지하고 경사도만 증가하는 프로토콜은?

가. Bruce 프로토콜   나. Ramp 프로토콜

다. Ellestad 프로토콜   라. Balke 프로토콜

정답 라

Balke는 0% 경사에서 1분 후 2% 경사에서 1분을 하고, 분당 1%씩 올라간다. 이 프로토콜은 여성들에게 적합한 프로토콜로 최초 운동시작의 부하를 경사도 0%에서 3.4mph로 1분 동안 실시하며 이때의 에너지소비량은 4Mets이다. 이후 단계별 증가 폭은 속도를 고정한 상태로 경사도를 2%씩 1분마다 증가하는데 이때의 에너지소비량은 1METs씩 증가하는 것이 된다.

📖 **보충학습**

가. Bruce 프로토콜

정상인이나 약간의 위험요인이 있는 사람에게 적합한 프로토콜로서 경사, 속도 또는 2가지가 동시에 매 3분마다 바뀐다. 건강한 수행자는 0%나 5%에서 수행하지 않는다.

나. Ramp 프로토콜

balke-ware와 같은 프로토콜이 단계 간 부하 증가가 적기 때문에 노인들에게 적당하다. Ramp 프로토콜은 작지만 일정한 운동량 증가를 가진 또 다른 옵션이다.

다. Ellestad 프로토콜

정상인들의 검사에 적합하도록 구성하였으며 최초 부하는 Bruce 프로토콜의 방법과 동일하게 경사도 10%에서 1.7mph로 3분간 실시한다.

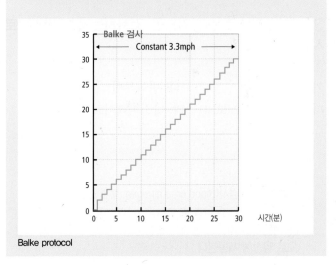

Balke protocol

34. 특별한 폐질환이 없는 48세 여자의 운동부하검사 중 관찰하는 변인으로 적절하지 <u>않은</u> 것은?

가. 혈압   나. 심박수

다. 산소포화도   라. 증상과 징후

정답 다

"다"는 혈액에서 산소를 운반하는 것과 관련이 있다. 그 예로 산소헤모글로빈곡선을 들 수 있다.

---

35. 운동부하검사 종료의 절대적 지침에 해당되지 않는 것은?

가. 현기증
나. 청색증
다. 상심실성 빈맥
라. 피검사자의 중단요청

정답 다

☞ 2014년 심전도원리 22번 참고
"다"는 운동부하검사 종료의 상대적 지침에 해당된다.
ACSM 기준

---

36. 일반적으로 신장기능을 검사하는 혈액변인으로 사용되는 것은?

가. 혈색소
나. 빌리루빈
다. 혈중요소질소(BUN)
라. 아스파테이트 전이효소(AST)

정답 다

혈중 요소 질소 검사(Blood urea nitrogen, 要素窒素檢査)
① 일반 화학 검사로 혈액 중 혈청을 채취한 후 자동 화학 분석기를 이용하여 빠르고 정확하게 성분을 검사한 후 결과를 전산으로 임상에 제공한다.
② 정상인의 경우 음식을 통해 섭취한 단백질이 체내에서 대사된 후 대부분 신장을 통해 요소로 배설되는데 이때 요소에 함유된 질소를 요소 질소라고 한다. 요소 질소는 신장의 사구체로 여과되어 소변으로 배설된다. 신장의 기능이 저하되면 배설이 원활하게 이루어지지 않아 혈중 요소 질소의 농도가 높아진다. 따라서 혈중 요소 농도는 신기능을 측정하는 지표가 되며, 소화기나 간의 질병을 예방하는 데 중요한 지표가 되기도 한다.

③ 요소 질소의 정상 범위는 4~30mg/dℓ로 이상치를 보이는 주요 질환은 아래와 같다.
 - 신전성 : 탈수증, 고열, 울혈성 심부전, 쇼크, 광범위한 화상
 - 신성 : 급성 신장염, 만성 신장염, 요독증, 네프로시스 증후군(신 증후군), 신우신염, 신장 결석, 신경색, 신종양
 - 신후성 : 요로 결석, 요로 종양, 전립샘 비대증
 - 고농도를 보이는 경우 : 요소 질소의 합성이 항진되거나 배설에 장애가 생긴 경우로 나뉜다. 전자의 경우 고단백식이 섭취, 감염증, 암, 당뇨병, 갑상샘(갑상선) 항진증, 수술, 소화관 출혈 등이 원인이 될 수 있고, 후자의 경우 신부전, 탈수, 부종, 폐색성 요로 질환 등이 원인이 될 수 있다.
 - 저농도를 보이는 경우 : 요소 질소의 합성이 저하되거나 과도하게 배설되는 경우로 나뉜다. 전자의 경우 간부전(肝不全), 저단백질 식이 섭취, 임신 등이 원인이 될 수 있으며, 후자의 경우 만니톨 등의 이뇨제 과다 사용, 요붕증에 의한 다뇨 등이 원인이 될 수 있다.

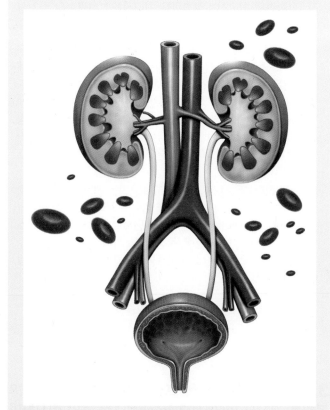

신장의 기능

체력육성지도법

37. 웨이트트레이닝 방법 중 초보자에는 적합하지 않지만 몸이 기계에 고정되지 않고 신체의 움직임을 자유롭게 할 수 있어 운동효과를 극대화 시킬 수 있는 트레이닝은?

가. 머신 웨이트 트레이닝　　나. 프리 웨이트 트레이닝
다. 밴드 웨이트 트레이닝　　라. 자기체중 웨이트 트레이닝

정답 나

프리 웨이트의 장·단점

장점	단점
· 역동적인 움직임 가능	· 불안정성
· 다양한 운동 가능	· 균형을 잡는 동작에서 위험성 크다.
· 최소한의 공간 요구	· 중량교환 시 시간소모
· 폭넓게 활용	· 물집이나 굳은살 형성 가능성
· 근력을 일상생활로 전이	· 스파터를 요구할 수 있다.
· 저렴하다.	· 근육이 지치면 탄력을 이용한 정확한 구사 불가
· 성과를 알 수 있다.	
· 대부분 전문적 운동선수들의 방법	· 중량이 분산되면 끼울 수 있다.

프리웨이트

---

38. 유연성 운동의 기본 지침에 대한 설명으로 옳지 <u>않은</u> 것은?

가. 처음부터 너무 무리하게 실시하지 않는다.
나. 동작에 익숙해지면 관절의 가동범위를 점차적으로 넓혀간다.
다. 스트레칭을 실시하는 부위에 집중하여 실시한다.
라. 부상위험이 있으므로 주 3회 정도 실시한다.

정답 라

스트레칭의 빈도는 주당 3~5회이다. 그러나 더욱 효과적인 증진을 위해서는 가능하면 매일 실시하도록 한다.
유연성이란 관절의 가동 범위를 의미하는 것으로, 유연성을 향상시키며 기술의 활용 범위를 넓혀 줄 뿐만 아니라 동작도 빠르게 할 수 있다. 유연성이 부족한 선수는 다음과 같은 결점을 갖게 된다.

• 다양한 동작을 취할 수 없다.
• 상해를 입을 가능성이 매우 높다.
• 근력, 스피드, 협응력 등의 발달에 제한을 받는다.
• 높은 수준의 기술을 수행할 수 없다.

스트레칭 효과
① 신체의 가동범위 향상
② 신체의 협응력 향상
③ 스포츠 상해 예방
④ 에너지 대사 촉진
⑤ 혈액순환 촉진
⑥ 심리적 정정 증대
⑦ 신체의 감각 기능 향상

유연성 운동

---

39. 바를 잡은 양손의 형태가 서로 반대방향으로 잡는 방법으로 양손의 마찰력이 증가하여 무거운 중량을 들어올리기에 적합한 그립 형태는?

가. 오버 그립(over grip)
나. 언더 그립(under grip)
다. 섬리스 그립(thumbless grip)
라. 리버스 그립(reverse grip)

정답 라

리버스 그립은 얼티네이트 그립이라고도 하는데 한 손은 오버핸드 그립으로 잡고, 한 손은 언더핸드 그립으로 잡는다. 서로 교차해서 잡는 모양으로 무거운 웨이트를 할 때 사용하며, 주로 바를 보조할 때 사용한다.

섬리스 그립은 엄지손가락을 제외한 4손가락으로 잡는 형태이다. 잡은 형태에서 엄지를 손가락과 같은 방향으로 잡는 방법으로 엄지를 빼서 잡는 것을 말한다. 섬리스 그립은 운동을 쉽게 하기 위해서 사용하는 방법이지만 안전이나 바른 자세라고 보기는 어렵기 때문에 운동을 갓 시작하시는 사람은 자제하는 것이 좋다.

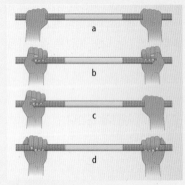

a. 닫힌 회내그립 또는 오버 핸드그립(over hand grip) : 손등이 몸 쪽을 향한다.

b. 닫힌 회외그립 또는 언더 핸드그립(under hand grip) : 손바닥이 몸 쪽을 향한다.

c. 리버스 그립(reverse grip) 또는 얼티네이트 그립

d. 열린 회외그립 또는 섬리스그립(thumbless grip)

40. 준비운동의 효과에 대한 설명으로 옳은 것은?

가. 준비운동은 체온과 근육의 온도를 상승시켜 골격근의 대사를 증가시킨다.

나. 심박수와 혈액순환을 안정 상태로 잘 유지시키는데 있다.

다. 정맥혈환류를 정상적으로 유도시켜 운동효과를 극대화 시키는데 있다.

라. 젖산 생성 속도를 빠르게 하여 운동효과를 돕는데 있다.

정답 가

"나"는 정리운동에 해당하며, "다"는 운동 중 근육의 펌핑 등을 말하며, "라"는 젖산생성 속도를 느리게 하는 것이 운동효과를 돕는다.

41. 근육을 최대한 신전시킨 상태에서 정지한 후 일정 시간 동안 자세를 유지하여 근육의 신장력을 향상시키는 방법으로 가장 많이 이용되고 있는 스트레칭 방법은?

가. 정적 스트레칭

나. 동적 스트레칭

다. 고유감각성 신경근 촉진 스트레칭

라. 근막 스트레칭

정답 가

에너지소비가 가장 적은 스트레칭이다.

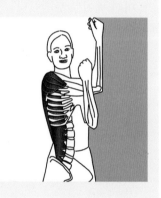

안정상태

42. 유연성 운동 시 주의 사항으로 옳은 것은?

가. 손상된 근육이지만 유연성 운동은 필수적이다.

나. 심장 가까운 곳에서 실시하여 먼 곳 순으로 실시한다.

다. 약간 당기는 느낌이 있는 지점까지 실시한다.

라. 스트레칭 시간은 길면 길수록 효과적이다.

정답 다

약간 당기는 느낌이 있는 지점을 "스트레칭 포인트"라고 한다.

"가~라"는 다음과 같이 수정한다.

가. 손상된 근육은 회복 후 유연성 운동을 점증적으로 실시해야 하며, 무리한 유연성 운동은 자제해야 한다.

나. 심장 먼 곳에서 실시하여 가까운 곳 순으로 실시한다.

라. 스트레칭 시간은 15~30초 동안의 스트레칭이 ROM 증가를 위해 가장 적합한 운동시간이다.

"다"의 고유감각성 신경근 촉진 스트레칭은 신축성 증대를 위해서 근육의 역신장 반사를 유도해 근육을 이완시키는 행위를 포함한다.

유연성 운동

43. 준비운동의 기본지침의 설명으로 옳지 <u>않은</u> 것은?

가. 운동시간은 최소 15~20분 실시한다.
나. 순환계와 근육계 작용을 점차적으로 증가시키는 운동을 포함시킨다.
다. 근육 경직과 정맥혈 환류의 정상유지를 목적으로 실시한다.
라. 본 운동보다 낮은 운동강도로 실시한다.

정답 **다**

"다"는 준비운동과 거리가 먼 내용이다.

♪ 저자촌평 변별력이 없는 쉬운 문제이다.

2014

운동처방론

44. A씨가 임의의 중량(80kg)을 선택하여 스쿼트 운동을 최대로 8회 반복했다면 A씨의 스쿼트 운동의 1RM 추정값은?

가. 105kg 　　나. 96kg 　　다. 88kg 　　라. 71kg

정답 나

RM(repetition maximum)은 특정 근육 혹은 근육군을 대상으로 웨이트 트레이닝을 실시할 때 특정 무게에서 근육이 피로를 감당할 수 없을 때까지의 횟수를 뜻하며, 이를 최대 반복 횟수라고 번역하여 사용하고 있기도 하다. 이는 웨이트 트레이닝의 실시 목적에 따라 부하 강도를 정할 때 사용되는 중요한 개념이다.

RM 산출법 : $W_0 + W_1$

W_0 : 약간 무겁다고 생각되는 중량(7~10회 반복 운동이 가능한 무게)

W_1 : $W_0 \times 0.025 \times R$

R : 반복 횟수

중량 40kg을 선택하여 최대 10회 반복하였다면 1RM은?

$W_1 = 40 \times 0.025 \times 10 = 10$

$1RM = 40 + 10 = 50kg$

위 공식에 중량과 횟수를 대입하면 쉽게 해결할 수 있다.

중량운동(스쿼트)

45. 근기능 운동의 변동성 원리에 대한 설명으로 옳지 <u>않은</u> 것은?

가. 운동량과 강도를 잘 조절하여 효과를 높이기 위해 도입되었으며 주기화라고도 한다.

나. 대주기, 중주기, 소주기가 있는데, 주기 내 혹은 간에 운동강도는 운동량에 따라 변한다.

다. 중주기(12주)는 3개의 소주기(4주)로 나뉘는데 주기가 진행되면서 일관되게 12RM으로 진행해도 무방하다.

라. 무게는 가볍게 시작하고 운동량은 많게 시작하고 운동량은 줄여가고 무게는 점차 늘려가는 원리이다.

정답 다

변동성의 원리란 트레이닝의 강도와 양을 변화시키는 것을 말하며, 중기 주기 : 중기 주기는 3~6주 주기의 프로그램으로서 월간 프로그램이 이에 속한다. 주기가 진행되면서 운동량을 낮게 하고, 강도는 높이는 것이 바람직하다. 주기가 진행되면서 일관되게 12RM으로 진행하는 것은 최대 수행력을 발휘하기에 적절한 방법이 아니다.

📖 **보충학습**

연간 트레이닝 프로그램은 종목의 특성에 따라 차이는 있으나 대개 준비 단계, 경기 단계, 전이 단계로 구성되며, 그 종류는 프로그램에 포함된 주경기 단계의 횟수로 결정한다. 1년에 한 번의 주요 시합을 위해 1회의 주경기 단계를 갖는 프로그램을 단일 주기, 2회와 3회의 경기 단계를 각각 이중, 삼중주기 프로그램이라고 한다.

주기화 : 프로그램 운영을 보다 편리하게 하고, 중요 경기 일정에 맞추어 경기력을 최고수준으로 높이기 위하여 일정 기간 계획을 트레이닝단계에 따라 세분화하는 것을 말한다.

지구력을 많이 요구하는 종목은 주경기 단계에서도 준비 단계와 마찬가지로 운동량이 많아야 하며, 스피드나 협응력, 파워 등이 요구되는 종목은 준비 단계의 50~70% 수준으로 감소시키는 것이 바람직하다.

46. 심장질환자의 운동검사에 따른 분류기준을 제시한 것으로 옳은 것은?

가. 운동 중 또는 회복기에 심실 부정맥이 발생하지 않는 경우 고위험군으로 분류된다.

나. 기능적 능력이 7METs 이상인 경우 중등도위험군으로 분류된다.

다. 운동 중 또는 회복기에 심실 부정맥이 관찰되는 경우 중등도 위험군으로 분류된다.

라. 운동 중 또는 회복기에 협심증이 발생하지 않는 경우 저위험군으로 분류된다.

정답 라

"가~다"는 다음과 같이 수정한다.

가. 운동 중 또는 회복기에 심실 부정맥이 발생하지 않는 경우 저위험군으로 분류된다.

나. 기능적 능력이 8METs 이상인 경우 중등도위험군으로 분류된다.

다. 운동 중 또는 회복기에 심실 부정맥이 관찰되는 경우 고위험군으로 분류된다.

📖 **보충학습**

위험순위별 심장질환자의 구분

① 낮은 위험도 환자군
- 계속되는 간단한 심근경색 혹은 바이패스 수술
- 기능적 능력이 3주 운동 후 측정 시>8METs

② 중간 위험도 환자군
- 기능적 능력이 3주간 운동 후 측정 시<8METs
- 최근 심근경색 쇼크(<6개월)
- 심박수 자기관찰 불능

③ 높은 위험도 환자군
- 심각한 좌심실 기능장애(EF<30%)
- 안정 시 복합적 심실부정맥
- 운동 시 PVC의 출현 혹은 증가
- 활동성 저혈압(수축기 혈압의 감소>15mmHg)

47. 임산부의 안전을 위한 운동지침에 대한 설명으로 옳은 것은?

가. 체중조절을 위해 운동 중에는 수분섭취를 최소화한다.

나. 유연성 증대를 위해 반동 동작이 포함된 운동프로그램을 구성한다.

다. 저항성운동을 가능한 많이 포함시킨다.

라. 임신 4개월 이후에는 똑바로 누워서하는 운동을 피하도록 한다.

정답 라

"라"의 자세는 대부분 심박출량 감소와 관련이 있기 때문이다.

"가~다" 항목은 모두 부적절하다.

임산부 운동

48. 심장질환자를 위한 운동처방의 방법과 지침에 대한 설명으로 옳은 것은?

가. 유산소운동, 저항성운동, 유연성운동 등 다양한 형태의 운동이 권장된다.

나. 운동 중 혈압이 증가하지 않거나 감소하는 수준의 강도에서 운동이 권장된다.

다. 운동 중 심실 부정맥이 발생하는 것은 일반적이다.

라. 운동 강도는 심박수를 이용하여 설정될 수 없다.

정답 가

"나~라"는 다음과 같이 수정하면 된다.

나. 심장재활 입원환자가 퇴원하여 가정에서 가벼운 활동시 안전성이 유지되려면 기능적 능력이 5METs 이상이 되어야 한다.

다. 운동 중 악화된 심실 부정맥이 있는 자는 금기사항이다.

라. 심박수는 심장질환자의 운동 강도를 파악하는 데 좋은 지표가 된다.

49. 50~85 % O₂R의 의미에 대한 설명으로 옳은 것은?

가. 정상인의 최대산소섭취량의 달성범위

나. 정상인의 안정시 산소섭취량의 변화범위

다. 정상인의 무산소 운동의 강도범위

라. 정상인의 심폐지구력 운동의 강도범위

정답 라

운동처방에 관한 최근의 ACSM 설명서에서는 운동강도를 처방하는데 있어 약간 다른 접근법이 제의 되었는데 % O₂R라는 이름이 붙여진 방법에 따라 처방된다. 즉 % O₂max 예비량으로 생각될 수 있다.

50. 운동처방의 개념에 대한 설명으로 옳지 않은 것은?

가. 현대인의 비활동성 생활패턴 때문에 각종질병이 조기에 발생되기 때문에 운동처방의 필요성이 감소되었다.

나. 운동은 생활의 일부분이 아니어서 행하기 어려우므로 체계적으로 관리해야 한다.

다. 일단 처방된 프로그램도 목표, 반응 등에 따라 언제든지 변경할 수 있다.

라. 운동처방에 의해 체력을 증강시키고 질환 위험인자를 줄임과 동시에 안전에 유의하면 효과적으로 건강을 증진시킬 수 있다.

정답 가

"가"는 다음과 같이 수정한다.

현대인의 비활동성 생활패턴 성향과 각종질병이 조기에 발생되기 때문에 운동처방의 필요성이 증대되었다.

51. 당뇨병 환자를 위한 운동처방의 방법과 지침에 대한 설명으로 옳지 않은 것은?

가. 가능한 대근육군을 사용하는 전신 운동이 권장된다.

나. 유산소운동과 저항성운동을 함께 수행할 수 있다.

다. 유산소성운동의 강도는 대략 개인 최대유산소 능력의 50~80%로 설정한다.

라. 운동 전 혈당이 $100mg \cdot dl^{-1}$ 이하로 떨어지면 운동을 삼간다.

정답 라

"라"는 다음과 같이 수정하면 바람직하리라고 사료된다.

운동 전 혈당이 $100mg \cdot dl^{-1}$ 이하로 떨어지면 20~30g의 탄수화물의 섭취가 고려되어야 한다.

저혈당 사고를 예방하기 위하여 운동 중 쉽게 흡수되는 탄수화물 섭취가 필요할 수 있다.

📖 보충학습

당뇨조절이 비교적 양호한 경우인 공복 시 혈당 160mg/dℓ 이하, 식후 혈당 250mg/dℓ 이하 인 대상에서 운동이 효과적이며 또한 운동은 식사조절을 완전하게 실시하는 것이 전제되어야 한다.

52. 안정 시 심박수가 65회/분이고, 최대운동 시 심박수가 180회/분인 55세 B씨의 60~70% HRR 범위에 해당되는 것은?

가. 140~155 회/분

나. 138~150 회/분

다. 134~146 회/분

라. 130~140 회/분

정답 다

카보넨 공식을 활용하면 쉽게 구할 수 있는 문제이다.

---

53. 운동유발성 천식 환자를 위한 운동처방의 방법과 지침에 대한 설명으로 옳지 <u>않은</u> 것은?

가. 가벼운 운동부터 시작하는 것이 권장된다.
나. 기도를 통한 열손실과 수분손실을 최소화 하도록 한다.
다. 준비운동 후 간헐적 운동보다 지속적인 운동이 권장된다.
라. 진단을 받은 환자의 경우 운동 전 처방에 의한 기관지 확장제를 사용하는 것이 권장된다.

정답 다

초기에는 운동과 휴식을 반복하는 간헐적 운동을 필수적으로 실시하고 점차로 운동시간을 늘려 1회 운동시간의 목표를 최소한 20~30분 지속토록 한다. 천식환자에서 준비운동은 매우 중요하므로 길게 실시하도록 한다.

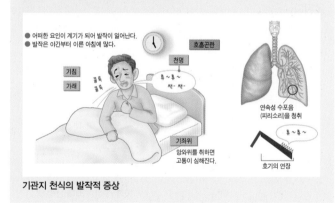

기관지 천식의 발작적 증상

---

54. 류마티스 관절염환자와 관계한 운동처방 방법과 지침에 대한 설명으로 옳은 것은?

가. 운동이 질환 상태를 악화시킬 수 있으므로 운동이 권장되지 않는다.
나. 유산소운동과 유연성운동이 권장되며 저항성운동은 삼간다.
다. 통증이 발생할 수 있으며 이때 통증을 견디며 운동하는 것이 권장된다.
라. 관절염 재발증상이 있는 경우 운동을 삼간다.

정답 라

"가~다"는 다음과 같이 수정한다.

가. 환자의 증상별로 적정 운동프로그램을 적용시켜야 하며 지나치게 높게 운동 목표를 설정하지 않도록 한다.
나. 유산소운동과 유연성운동이 권장되며, 단계적으로 근력을 강화시키는 것이 필요하다.
다. 운동은 관절의 동통이 일어나지 않는 범위에서 실시한다.

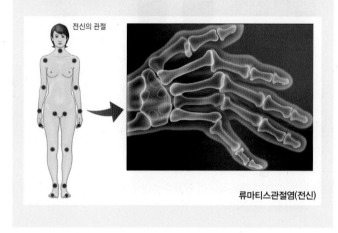

류마티스관절염(전신)

---

55. 여성과 남성의 운동반응에 대한 설명으로 옳은 것은?

가. 절대강도에서 운동 시 여성이 남성에 비해 낮은 심박수를 보인다.
나. 절대강도에서 운동 시 여성이 남성에 비해 낮은 일회심박출량을 보인다.
다. 지구성 트레이닝을 통한 심폐기능의 변화는 남성이 여성보다 효과적이다.
라. 저항성 운동을 위한 운동처방에서 남녀 간의 차이가 존재한다.

정답 나

"나"를 제외한 나머지 항목들은 반대의 개념이 되어야 한다.

여성(나이 20~30세)
지방량   27%
체지방 무게   49kg
[헤모글로빈] 120~140g/L
적혈구 용적   40~44%
혈액량   4.5~5L
최대산소섭취량 3~3.5L/min
폐활량   4~5L
잔기량   1.2~1.6L
[에스트라디올] 30~200pg/mL
[프로제스테론] 0.5~15ng/mL
[테스토스테론] 500pg/mL

남성(나이 20~30세)
지방량   15%
체지방 무게   61kg
[헤모글로빈] 140~160g/L
적혈구 용적   42~46%
혈액량   5~6L
최대산소섭취량 3.5~4L/min
폐활량   5~6L
잔기량   1.6~2L
[에스트라디올] 5pg/mL
[프로제스테론] 0.5ng/mL
[테스토스테론] 500~10,000pg/mL

남성과 여성의 차이

운동수행에 대해 남성의 1회 박출량이 큰 이유
① 체격이 크면서 심장 및 좌심실이 크다.
② 체격이 크면서 혈액량이 많다.
③ 남성은 보다 활동적이며 신체훈련과 관련된 전형적인 변화를 나타내기 때문이다.

56. 고령자를 위한 운동처방 방법과 지침에 대한 설명으로 옳은 것은?

가. 고령자의 운동 목적은 근력 향상에 있으며 이를 위해 저항성운동이 권장된다.
나. 근력을 향상시키기 위해 가능한 강한 운동강도를 설정한다.
다. 고령자들은 집중적 운동보다 운동빈도를 높여 운동량을 조정하는 것이 권장된다.
라. 심박수는 고령자의 운동강도를 설정하는데 유일하게 사용될 수 있는 변인이다.

정답 다

"가~라"는 다음과 같이 수정할 수 있다.
가. 고령자의 운동 목적은 심폐지구력, 근력, 유연성 등의 개선을 통해 신체활동능력을 높이는 것이 중요하다.
나. 체력수준이 낮은 고령자의 경우에는 모든 신체활동을 한 번에 집중적으로 실시하는 것보다 하루의 활동량을 적절히 배분하는 것을 권장한다.
라. 심박수를 기준으로 운동 강도를 설정할 때 중·고령자의 최대심박수는 개인차가 크며, 심박수와 운동 강도와의 관계에서도 개인차가 크게 나타나기 때문에 심박수를 절대적 기준으로 간주하는 것은 위험하다.

57. 파워를 기르기 위한 근기능 운동 프로그램 기준으로 적당한 것은?

가. 40~50%1RM   나. 50~60%1RM
다. 60~70%1RM   라. 85~100%1RM

정답 라

파워는 순발력이라고도 한다. 순발력 향상을 위한 방법으로는 역기와 같은 기구를 이용한 트레이닝, 체중을 이용한 덤블링 및 유연성 운동 등이 있다. 등장성 트레이닝의 경우, 무게는 최대 반복 횟수를 6회 정도로 하여 들어 올리는 속도를 증가시키고 12회까지 점진적으로 늘려 나간다. 12회에 도달하면 다시 최대 반복 횟수 6회의 무게로 조절한다. 무게가 85% 이하인 경우, 휴식 시간은 2~3분이 좋으며 그 이상은 3~5분이 적당하다. 12회를 반복하는 트레이닝인 경우 한 운동 당 3회씩 4종목으로 나누어 실시하는 것이 좋다. 예를 들면, 처음에는 역기 등의 기구를 이용하고, 그 다음에는 덤블링이나 유연성 운동을 행하는 것이 바람직하다.

이러한 트레이닝의 방법은 도약, 투척이 포함된 스포츠 경기 종목, 알파인 스키, 각종 팀 경기, 권투, 레슬링 등과 같이 복합적인 운동 능력 또는 힘을 필요로 하는 스포츠 종목에 효과적으로 이용된다.

순발력 트레이닝의 진행 형태

최대 근력의 퍼센트(%)	세트 당 반복 횟수(회)	수행 주기	휴식 시간 (분)	세트 수	방법	적용
50~30%	최대 스피드	강하게	2~5	4~6	10회(30%) 10회(40%) 10회(50%) 10회(40%)	최대 근력이 요구되는 순발력의 강화
75%	6~10	매우 빠르게	2~5	4~6	10회(75%) 10회(75%) 10회(75%) 10회(75%)	최대 근력 및 순발력 강화

58. 비만자를 위한 운동처방 방법과 지침에 대한 설명으로 옳은 것은?

가. 체중관리를 위해서는 운동을 장기적으로 수행할 수 있도록 해야 한다.

나. 비만자를 위한 운동의 주목적은 과다한 근육량의 감소에 있다.

다. 운동프로그램은 가능한 1주 간격으로 변화를 주어야 한다.

라. 체중조절을 위해 강한 운동을 간헐적으로 수행하는 것이 권장된다.

정답 **가**

"나~라"는 다음과 같이 수정할 수 있으리라고 사료된다.

나. 비만자를 위한 운동의 주목적은 3~6개월 동안 5~10%의 체지방량의 감소에 있다.

다. 운동프로그램은 가능한 8~12주 간격으로 변화를 주어야 한다.

라. 체중조절을 위해 중·저강도의 운동을 지속적으로 수행하는 것이 권장된다.

59. 심폐지구력 운동은 첫 달에 매주 약 3%, 두 번째 달은 매주 2%, 그 이후에는 매주 약 1%씩 그 능력이 증가되는 추세를 보인다. 이러한 추세에 맞게 강도를 높일 필요가 있다(progression). 아래 설명과 단계를 옳게 연결한 것은?

〈보기〉

A. 시간 증가는 중간-힘든 강도의 유산소 운동을 20~30분 동안 지속할 수 있을 때까지 약 20% 정도 늘린다. 빈도는 주 3회 혹은 4~5회로 높인다.

B. 주간 빈도는 2~3회 줄이고, 다른 재미있는 활동도 주 2~3회 참여하도록 하고 형태는 Ⅱ형 운동과 Ⅲ형 운동이 권장된다.

C. 중간 강도의 유산소 운동을 최소 주 3~4회 실천 할 수 있도록 하고, 최소 15~20분에서 30분까지 늘려가도록 한다. 이 단계의 목표는 60%HRR 강도로 30분 지속하는 것이다.

가. C – 초기적응단계, A – 향상단계, B – 유지단계

나. B – 초기적응단계, A – 향상단계, C – 유지단계

다. A – 초기적응단계, B – 향상단계, C – 유지단계

라. A – 초기적응단계, C – 향상단계, B – 유지단계

정답 **가**

1) 심폐지구력 맞춤 운동처방

　(가) 시작단계

　　Ⓐ 운동종목 : 예) 걷기

　　Ⓑ 운동강도 : 천천히

　　Ⓒ 운동빈도 : 3~4일/주

　　Ⓓ 운동시간 : 15~30분

　(나) 향상단계

　(다)향상단계 초기

　　Ⓐ 운동종목 : 예) 걷기

　　Ⓑ 운동강도 : 천천히

　　Ⓒ 운동빈도 : 3~4일/주

　　Ⓓ 운동시간 : 25~35분

　(라) 향상단계 후기

　　Ⓐ 운동종목 : 예) 걷기

　　Ⓑ 운동강도 : 빠르게

　　Ⓒ 운동빈도 : 3~5일/주

　　Ⓓ 운동시간 : 30~40분

　(마) 유지단계

　　Ⓐ 운동종목 : 예) 걷기

　　Ⓑ 운동강도 : 빠르게

　　Ⓒ 운동빈도 : 3~5일/주

　　Ⓓ 운동시간 : 35~45분

2) 운동부하량은 운동강도, 운동빈도, 운동시간이 증가할수록 늘어난다.

3) 체력운동의 강도(예시)

　① 저강도 : 40~50%

　② 중강도 : 60~70%

　③ 고강도 : 80% 이상

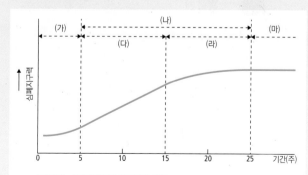

가 단계 : 초기단계로서 운동유형 결정
나 단계 : 향상단계로서 심폐지구력 향상이 빠르게 일어남
다 단계 : 유지단계로서 고원현상이 나타나는 단계

심폐지구력 프로그램 단계

60. 고혈압 환자를 위한 운동처방의 방법과 지침에 대한 설명으로 옳은 것은?

가. 대근육군을 이용하는 저항성운동이 권장된다.
나. 고강도보다는 중·저강도의 운동이 권장된다.
다. 혈압강하 효과를 위해 새벽에 운동하는 것이 권장된다.
라. 운동 중 상승하는 혈압은 약물을 이용하여 낮추는 것이
  권장된다.

정답 **나**

"가~라"는 다음과 같이 수정할 수 있다.

가. 대근육군을 이용하는 저항성운동은 운동 중의 확장기 혈압
  이 상당히 상승하기 때문에 오히려 혈압을 상승시키는 결과
  를 초래할 수 있다.
다. 혈압강하 효과를 위해 대개 오후에 운동하는 것이 권장된다.
라. 약물요법과 운동요법을 병행하는 고혈압 환자의 경우 강압
  제는 운동 중의 생리적 순환반응을 저해할 가능성이 있으므
  로 병용 시는 전문의 감독 하에 운동 부하검사를 통해 안전
  성을 확인한다.

이러한 운동을 통해서 혈압을 정상화될 수 있다면, 비용도 많이
들고 평생 약을 복용해야 하며 약물의 부작용에 대한 위험성이
있는 약물요법을 뛰어넘는 강압요법의 주류가 될 것이다.

운동은 혈압을 낮춘다

고혈압환자 운동처방

건강운동관리사 기출 바이블

전과목 수록

PART 02

2 0 1 5 년
건강운동관리사
필 기 시 험

건강운동관리사
필기시험
1교시

2015 건강운동관리사

운동생리학

01. 산화적 인산화과정인 크렙스 회로(Krebs cycle)에서 옥살로아세테이트(oxaloacetate)와 아세틸 조효소 A(Acetyl-CoA)가 결합하여 생성되는 물질은?

가. 피루브산(pyruvate)
나. 시트레이트(citrate)
다. 말레이트(malate)
라. 숙시네이트(succinate)

정답 나

아래 그림은 크렙스회로에 관련된 순환적인 자연반응을 보여준다. 3탄소 분자인 피루빅염은 2탄소 분자인 아세틸CoA로 분해되고 1개 남은 탄소는 이산화탄소로 방출된다. 그다음 아세틸CoA는 4탄소 분자인 옥살로아세트산(oxaloacetate)과 결합하여, 6탄소 분자인 시트르산염(citrate)을 형성하며 계속적으로 옥살로아세트산(oxaloacetate)과 2개의 이산화탄소 분자를 생성하여 이러한 과정을 반복하게 한다.
시트레이트(citrate)산은 크렙사이클에서 처음 만들어지는 산이며, 구연산염이라고도 한다.

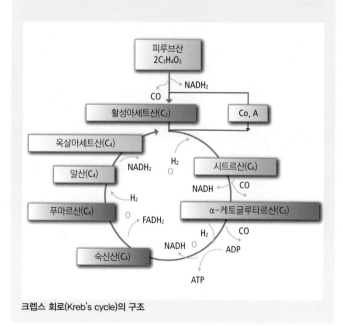

크렙스 회로(Kreb's cycle)의 구조

02. 유산소 운동 시 체내의 중성지방은 유리지방산과 글리세롤로 분해된다. 유리지방산은 어떤 과정을 거쳐서 아세틸 조효소A(Acetyl-CoA)로 전환되는가?

가. 간-근육에서의 코리 회로(Cori cycle)
나. 세포질에서의 해당작용
다. 근육에서의 당원분해
라. 미토콘드리아에서의 베타 산화

정답 라

베타 산화작용은 미토콘드리아에서 일어나며 지방산을 아세틸-CoA로 전환하는 과정이다. 이 과정은 활성화된 지방산이 미토콘드리아로 이동하면서 시작된다. 활성화된 지방산은 분해되어 2탄소 분자인 아세틸-CoA를 형성하며 이는 크렙스 회로로 들어가서 전자전달체계 내의 ATP 생산을 위한 에너지로 사용된다. 베타 산화작용을 "가공과정을 한 번 거친다"라고도 한다.

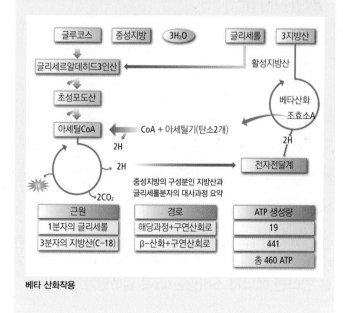

베타 산화작용

03. 호흡교환율(respiratory exchange ratio, RER)과 관련이 <u>없는</u> 설명은?

가. 산소 섭취량과 이산화탄소 생성량의 비율이다.

나. 지방을 100% 사용했을 때의 호흡교환율(RER)은 1.00이다.

다. 운동 시 탄수화물과 지방의 연료 이용(fuel utilization)을 확인할 수 있다.

라. 호흡지수(respiratory quotient, RQ) 혹은 비단백질 호흡율 (nonprotein R)이라고도 한다.

정답 나

"나"는 다음과 같이 수정해야 한다.

탄수화물을 100% 사용했을 때의 호흡교환율(RER)은 1.00이다. 항정 상태 조건에서 VCO_2/VO_2 비율은 종종 호흡지수(respiratory quotieant, RQ)라고도 한다. 여기서는 VCO_2/VO_2 비율을 간단히 호흡교환율이라 한다. 지방이나 탄수화물이 연료로 이용되는지 평가하는 데 어떻게 R이 이용되는지에 대한 값이다.

운동하는 동안 이용되는 연료를 예측하는 것으로 R을 사용할 때 운동 시 ATP 생성에 기여하는 단백질의 역할은 무시된다. 신체 활동 시 기질로써 단백질의 역할은 일반적으로 매우 적기 때문에 이 원칙은 합리적이다. 따라서 운동 중 R을 종종 '비단백성R'이라 부른다. 지방은 산화될 때 O_2는 탄소와 결합하여 CO_2를 형성하고 수소와 결합하여 물을 형성한다.

화학반응식은 다음과 같다.

① 지방 $C_{16}H_{32}O_2$

지방 $C_{16}H_{32}O_2$

산화 : $C_{16}H_{32}O_2 + 23O_2 \rightarrow 16CO_2 + 16H_2O$

그러므로, $R = VCO_2 / VO_2 = 16CO_2 / 23O_2 = 0.70$

② 탄수화물

포도당 = $C_6H_{12}O_6$

산화 : $C_6H_{12}O_6 + 6O_2 \rightarrow 6CO_2 + 6H_2O$

$R = VCO_2 / VO_2 = 6CO_2 / 6O_2 = 1$

04. 체중이 60kg인 사람이 산소 1L당 5Kcal를 소비한다고 가정할 때, 10METs의 운동강도로 10분간 달리기를 한다면 에너지 소비량은 대략 얼마인가?

가. 85Kcal

나. 105Kcal

다. 125Kcal

라. 145Kcal

정답 나

이 문제는 단위를 바꾸고, 산소 1L/5kcal을 환산하면 쉽게 계산이 가능하다.

- 운동강도 = 10METs
  METs = 대사당량(metabolic equivalent)
  1MET = 3.5mℓ/kg/min
- 운동지속시간 = 10분
- 산소 1ℓ의 에너지 당량 = 5kcal

05. 뉴런에서 정보의 전달은 활동전위에 의하여 발생한다. 활동전위와 관련된 설명 중 바르지 <u>못한</u> 것은?

가. 탈분극(depolarization)과 재분극(repolarizat ion)이 일어나는 과정에서 발생하는 전위를 말하며, 매우 짧은 시간 동안만 지속된다.

나. 뉴런의 안정막전위(resting membrane potential, RMP)는 약 $-40mV \sim -75mV$ 정도이다.

다. 탈분극의 정점에 도달하면, Na^+ 통로는 비활성화된다.

라. 재분극을 위해서 Na^+-K^+ 펌프는 Na^+을 세포 안으로 들어오게 하고, K^+을 세포 밖으로 보낸다.

정답 라

"라"는 다음과 같이 수정한다.

라. 탈분극을 위해서 Na^+-K^+ 펌프는 Na^+을 세포 안으로 들어오게 하고, K^+을 세포 밖으로 보낸다.

① 극화 : 세포막을 중심으로 +, -극이 서로 대치하고 있는 상태 (-70mV)

② 탈분극 : 세포막 전위가 안정막 전위 수보다 감소된 상태 (-55~30mV)

③ 과분극 : 전위가 안정 시보다 더 커진 상태(-극이 더 많은 상태) (-70mV 이상)

④ 재분극 : 탈분극 된 후 다시 안정 시 전위 수준으로 돌아온 상태(-70mV)

06. (㉠)은 신호를 궁극적으로 중추신경계로 전달한다. (㉡)은 중추신경계에서 말초신경계로 신호를 전달하는 역할을 한다. 또한 (㉢)는 척수 내에서 신경자극을 척수 아래로 전달하는 신경통로이며, 골격근 수축과 이완을 1차적으로 조절하는 신경세포를 활성화시킨다. ( ) 안에 알맞은 단어를 순서대로 나열한 것은?

가. ㉠ 감각신경, ㉡ 운동신경, ㉢ 추체로(pyramidal tract)
나. ㉠ 운동신경, ㉡ 감각신경, ㉢ 추체로(pyramidal tract)
다. ㉠ 감각신경, ㉡ 운동신경, ㉢ 추체외로(extrapyramidal tract)
라. ㉠ 운동신경, ㉡ 감각신경, ㉢ 추체외로(extrapyramidal tract)

정답 가

신경세포의 핵심지대 중 하나인 추체로는 신경자극을 척수 아래 방향으로 전달한다. 직접적인 통로와 척수 신경세포의 내부 연결을 통해 신경은 결국 골격근을 조절하는 운동신경세포를 흥분시킨다. 추체외로는 뇌줄기에서 시작하여 모든 수준의 척수와 연결된다. 이러한 신경세포는 자세를 조절하고 추체로의 자극으로 구분된 움직임과는 대조적으로 지속적인 신경근 톤(tone)의 배경을 제공하다.

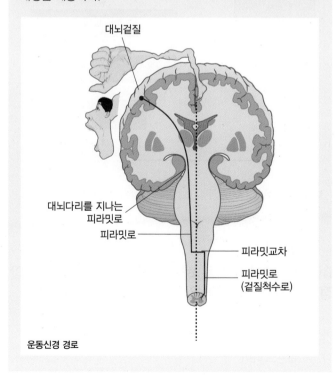

운동신경 경로

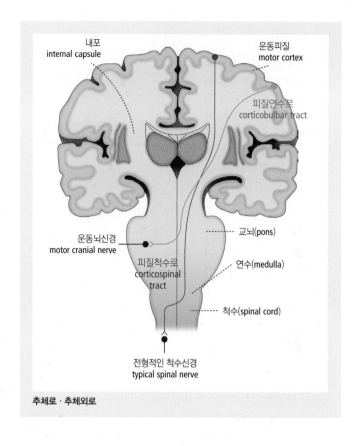

추체로 · 추체외로

07. 규칙적인 운동은 중추신경계의 건강을 유지하기 위한 효과적인 방법이다. 운동이 뇌의 기능을 향상시킨다는 개념을 설명하는 내용이 <u>아닌</u> 것은?

가. 운동은 뇌의 혈관기능을 강화시켜서 중추신경계의 건강을 유지시킨다.
나. 운동은 뇌신경세포 생성(neurogenesis)을 증가시켜 기억력과 학습능력을 증가시킨다.
다. 운동은 뇌의 해마에서 뇌유래신경영양인자(BDNF: brain-derived neurotrophic factor)를 증가시켜 신경세포생성을 증가시킨다.
라. 운동은 뇌신경 시냅스의 가소성(plasticity)을 감소시킨다.

정답 라

"라"는 다음과 같이 수정한다.

운동은 뇌신경 시냅스의 가소성(plasticity)을 증가시킨다. 뇌신경을 더 건강하고, 활성화 시킨다는 의미이다.

보충학습

뇌가소성(plasticity, 可塑性)은 소성(塑性)이라고도 한다. 여기서 뇌가소성은 정신수련으로 신경회로가 재구성되는 뇌, 인지전략으로 활동패턴이 바뀌는 뇌, 공간학습으로 변화되는 뇌, 상상훈련으로 변화되는 뇌, 훈련을 하면 할수록 향상시키는 뇌, 손상된 두뇌영역을 타영역에 재배치하는 뇌, 사용하지 않는 두뇌영역을 재조직화하는 뇌를 의미한다.

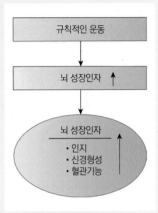

규칙적인 운동 → 뇌 성장인자 ↑ → 뇌 성장인자
• 인지
• 신경형성
• 혈관기능

운동에 의한 두뇌건강 향상

규칙적인 운동과 뇌건강의 향상

운동은 학습의 기억을 향상시키고, 신경자극을 발생시켜 새로운 신경원을 형성하며, 뇌혈관 기능과 혈류를 향상시키고, 우울과 같은 생리적 기전을 감소시킨다. 또한 염증, 고혈압 및 인슐린 저항성을 포함한 인지적 감소에 대한 말초적 위험요소를 줄여준다. 따라서 운동은 신체적 건강향상 뿐만 아니라, 전반적인 퇴행성 뇌질환 예방과 인지기능의 향상 등의 뇌기능을 증진시킨다.

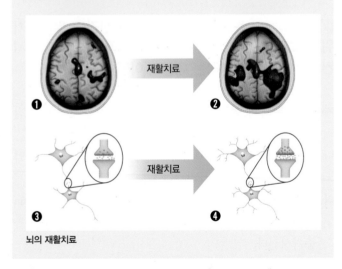

뇌의 재활치료

"라"는 양성피드백에 해당한다.

양성피드백은 어떠한 변화가 증가하거나 증폭되어 조절 가능한 변수가 처음 변화된 방향으로 계속해서 변화가 진행된다. 이러한 작용은 난로에서 발생된 열이 온도조절장치를 더욱 자극시켜 더욱더 많은 열을 발생시키고, 이로 인해 실온이 계속 올라가는 것과 같은 이치이다. 음성피드백과 반대의 개념을 양성피드백이라고 한다. 효과기의 작용은 오히려 효과기를 자극했던 변화를 오히려 증폭시킨다. 궁극적으로 항상성은 양성피드백 기전보다 음성피드백 기전에 의해 유지되어야 한다. 그러나 어떤 음성피드백 고리의 효과는 음성피드백 반응의 작용을 증폭시키는 양성피드백 기전에 의해 증가한다. 예컨대 혈액응고는 응고인자의연쇄적 활성화가 반응의 결과로 나타나는데 한 응고인자의 활성화가 많은 반응을 다단계 양성피드백((positive feedback casade)으로 활성화한다. 이처럼 하나의 변화가 증폭하여 혈액응고를 일으킨다.

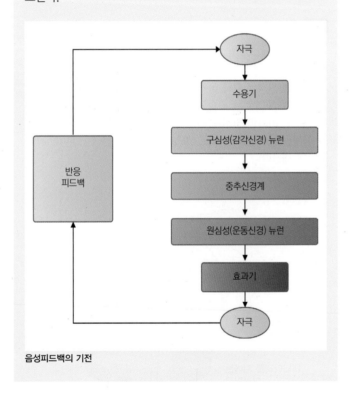

음성피드백의 기전

---

08. 항상성 조절을 위한 부적 피드백(negative feedback)의 예가 아닌 것은?

가. 식사 후 혈당 증가에 대한 인슐린의 분비
나. 고온 환경에 노출 시 체온 증가에 대한 땀의 분비
다. 저온 환경에 노출 시 체온 감소에 대한 혈관의 수축
라. 출산 시 자궁경부(cervix) 내 압력 증가에 대한 옥시토신(oxytocin)의 분비

09. 근섬유가 수축을 하기 위하여 필요한 칼슘이 안정 상태에서 저장되어 있는 근육 내의 저장 장소는?

가. 근형질세망(sarcoplasmic reticulum)
나. 미토콘드리아
다. 액틴
라. 가로세관(transverse tubule)

정답 가

♪ **저자촌평** 이 문제는 골격근의 구조를 묻는 문제로서 가로세관은 근섬유막에서 내부로 연결되어 있는 통로를 말한다.

📖 **보충학습**

근육의 근형질 내에는 각 근섬유를 둘러싸고 그것과 평행하게 뻗어 있는 막 채널 연결망이 있다. 이 채널은 근형질세망(sarcoplasmic reticulum)이라 부르는데 칼슘의 저장장소로 근육수축에 중요한 역할을 한다.
또 다른 종류의 막 채널은 근섬유막에서 내부로 연결되어 있는데, 이를 가로세관(transverse tulule)이라 부르며 근섬유의 근형질을 완전히 관통하고 있다. 이 가로세관은 종조(terminal cisternae)라 불리는 두 근형질세망 사이를 관통하고 있다.

10. 근수축을 위한 에너지는 ATPase에 의하여 ATP가 분해되면서 생기는 에너지를 이용한다. 이러한 반응이 발생하는 근원섬유(myofibrils) 내의 장소는?

가. 트로포닌(troponin)

나. 트로포마이오신(tropomyosin)

다. 액틴(actin)

라. 마이오신 머리(myosin head)

정답 라

강한 십자형 가교는 미오신 분자 내에서 저장된 에너지를 방출시키는데 이는 십자형 가교의 각 운동을 일으켜, 결국 근육이 짧아지게 한다. 미오신의 십자형 가교에 새로운 ATP 부착은 액틴과 미오신의 십자형 가교의 결합력을 약화시킨다. 효소 ATPase는 다시 미오신 십자형 가교에 부착되어 있는 ATP를 분해하여 액틴 분자의 결합 부위에 재부착을 위해서 미오신 십자형 가교에 필요한 에너지를 공급한다. 이러한 수축현상은 칼슘이 트로포닌에 자유롭게 결합하고 APT가 산화되어 필요한 에너지를 공급하는 한 반복될 수 있다.

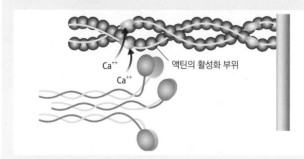

Ca⁺⁺, Ca⁺⁺ — 액틴의 활성화 부위

근세사활주설의 흥분·결합의 기전

11. 근섬유 유형과 생리적 특성에 대한 설명으로 옳지 **않은** 것은?

가. Type I 섬유의 수축속도는 Type II 섬유보다 느리다.

나. Type II 섬유의 ATPase 활성도는 Type I 섬유보다 낮다.

다. Type I 섬유의 모세혈관 밀도는 Type II 섬유보다 높다.

라. Type II 섬유의 마이오글로빈 함량은 Type I 섬유보다 적다.

2015

정답 나

"나"는 다음과 같이 수정한다.
Type II 섬유의 ATPase 활성도는 Type I 섬유보다 높다.

☞2014년 운동생리학 16번 참고

12. ( ) 안에 들어갈 용어를 순서대로 알맞게 연결한 것은?

〈보기〉

코티졸(cortisol)의 분비는 HPA축이라 하는(㉠)-(㉡)-(㉢)의 경로를 통하여 조절된다. 코티졸(cortisol)은 당신생과 지방산 동원을 촉진하는 역할을 하며, 부신속질(adrenal medulla)에서 분비되는 에피네프린, 노르에피네프린 등과 함께 심한 운동과 같은 스트레스 상황에 대응하는 데 필수적인 역할을 한다.

가. ㉠ 시상하부 - ㉡ 부신겉질 - ㉢ 뇌하수체

나. ㉠ 부신겉질 - ㉡ 뇌하수체 - ㉢ 시상하부

다. ㉠ 시상하부 - ㉡ 뇌하수체 - ㉢ 부신겉질

라. ㉠ 부신겉질 - ㉡ 시상하부 - ㉢ 뇌하수체

정답 다

시상하부(hypothalamus)-뇌하수체(pituitary)-부신(adrenal) 축(HPA axis) 즉, HPA axis는 인체의 호르몬 분비의 가장 기본이 되는 연결고리로 시상하부에서 CRH가 분비되어 하수체에서 CRH는 POMC가 ACTH, beta-endorphin 및 다른 펩타이드로 나눠지는 반응을 유도하여 ACTH의 유리를 촉진한다. ACTH는 혈액으로 이동하여 부신피질에서 glucocorticoids(주로 사람은 cortisol, rats는 corticosterone)의 분비를 시작하여 각종 스트레스에 반응한다. 또한 CRH, ACTH 및 cortisol은 일주기 리듬에도 민감하게 반응한다. HPA axis의 기능부전은 각종 정신질환을 포함하여 심혈관계, 위장관계 등 광범위하게 영향을 주고 있음이 알려져 있다.

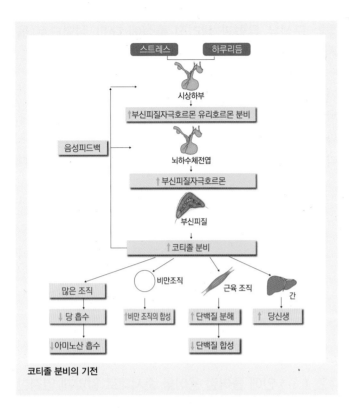

코티졸 분비의 기전

13. 운동 시 레닌-안지오텐신-알도스테론 시스템의 역할에 대한 설명으로 가장 바른 것은?

가. 골격근의 운동 에너지 제공
나. 혈장량 조절 및 혈압 유지
다. 골격근의 칼슘 항상성 유지
라. 지방조직의 지방 에너지 동원

정답 나

알도스테론 분비는 또한 다른 복잡한 기전에 의해 조절된다. 혈장량의 감소, 즉 신장에서의 혈압 감소 또는 신장에 대한 교감신경계의 증가된 활성화는 신장의 특수 세포들을 자극하여 레닌(renin)이라는 효소를 분비한다. 레닌은 혈장으로 들어가서 레닌의 기질(안지오텐시노겐, angiotensinogen)을 안지오텐신 I (angiotensin I)로 전환시킨다. 안지오텐신 I 은 다시 폐에서 '안지오텐신 전환효소(angiotensin-converting enzyme, ACE)'에 의해 안지오텐신 II (angiotensin II)로 전환된다. 안지오텐신 II 는 강한 혈관수축 인자이며, 고혈압 환자에게 처방되는 ACE 억제제는 혈압을 낮춰준다. 안지오텐신 II 는 알도스테론 분비를 자극하여 Na^+의 재흡수를 증가시킨다. 알도스테론과 ADH 분비를 위한 자극은 또한 체내 수분량을 재보충하는 필수 요소인 갈증을 자극하는 신호이다.

14. 폐포(alveoli)에서 산소와 이산화탄소의 가스교환은 어떠한 물질운반 형태인가?

가. 확산작용(diffusion)
나. 여과작용(filtration)
다. 전도작용(conducting)
라. 삼투작용(osmosis)

정답 가

세포막을 통해 세포 내외로 물질이 이동되는 방법으로 수동적 운반과 능동적 운반이 있다. 수동적 운반이란, 세포막에서 에너지의 소모 없이 물질분자가 운반되는 현상으로 확산, 삼투, 여과가 있다. 능동적 운반이란, 에너지를 소비하면서 물질을 이동시키는 방법이다.

① 확산 : 물질분자의 농도 등이 높은 곳에서 낮은 곳으로 물질분자의 이동이 일어나는 현상으로서 체내에서 폐포와 폐포모세혈관 사이의 가스 이동이나 조직모세혈관과 조직세포간의 가스이동을 대표적으로 들 수 있다. 확산은 두 구획의 농도를 동일하게 함으로써 농도의 차이를 없애려는 경향이 있으며, 두 구획의 농도가 같을 경우 확산이 일어나지 않는다.

② 삼투 : 반투과막을 경계로 양쪽의 물질분자의 농도가 다른 용액이 있을 때, 양쪽의 물질분자 농도가 같아질 때까지 농도가 낮은 곳에서 높은 곳으로 물분자의 이동이 일어나게 되는 현상을 말한다. 인체세포와 삼투압이 높은 용액은 고장성 용액이라고 한다.

③ 여과 : 막을 경계로 막 내외의 압력차가 있을 때, 압력이 높은 곳에서 낮은 곳으로 액체가 이동하는 물리적 현상을 뜻한다.

능동적 운반은 확산, 삼투, 여과와 같은 물리적 법칙에 지배되지 않고 세포막이 에너지를 소비하면서 필요한 물질을 받아들이거나 불필요한 물질을 내보내는 방법이다.

15. 폐용량(lung volume) 및 폐용적(lung capacity)에 대한 설명으로 바르지 <u>않은</u> 것은?

가. 1회 호흡량(tidal volume)은 1회 호흡하는 동안 들이마시거나 내쉬는 공기의 양을 의미한다.
나. 분당 환기량은 분당 호흡수와 1회 호흡량에 의해서 결정된다.
다. 잔기량(residual volume)은 정상적인 날숨(normal expiration) 후 폐에 남아 있는 공기량을 의미한다.
라. 총 폐용적(total lung capacity)은 폐활량(vital capacity)과 잔기량의 합으로 결정된다.

정답 **다**

"다"는 다음과 같이 수정해야 한다.

잔기량은 가능한 한 모두 배출한 상태에서 폐에 남아 있는 양을 말한다.

폐용적과 폐용량

특성	1회 호흡량	TV	1회 호흡 시 들이마시거나 내쉰 공기량
	흡기 예비 용적	IRV	TV에서 최대한 더 들여 마실 수 있는 양
	호기 예비 용적	ERV	TV에서 최대한 배출시킬 수 있는 양
	잔기 용적	RV	가능한 한 모두 배출한 상태에서 폐에 남아 있는 양
용량	흡기 용량	IC	IC=TV+IRV, 정상 호흡에서 최대한 흡입할 수 있는 양
	기능적 잔기 용량	FRC	FRC=ERV+RV, 정상 호흡에서 TV를 배출하고 남아있는 양
	폐활량	VC	VC=IRV+TV+ERV, 최대한 공기를 들여 마신 후 최대한 배출시킬 수 있는 공기의 양
	총폐용량	TLC	TLC=VC+RV

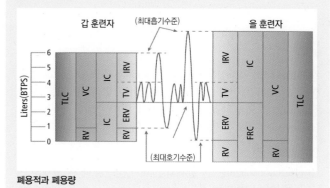

폐용적과 폐용량

16. 운동 중 체온 상승이 산소헤모글로빈 해리곡선에 미치는 영향을 바르게 설명하고 있는 것은?

가. 산소헤모글로빈 해리곡선이 왼쪽 방향으로 이동하고, 골격근에서 헤모글로빈과 산소의 결합력이 감소한다.
나. 산소헤모글로빈 해리곡선이 오른쪽 방향으로 이동하고, 골격근에서 헤모글로빈과 산소의 결합력이 증가한다.
다. 산소헤모글로빈 해리곡선이 오른쪽 방향으로 이동하고, 골격근에서 헤모글로빈과 산소의 결합력이 감소한다.
라. 산소헤모글로빈 해리곡선이 왼쪽 방향으로 이동하고, 골격근에서 헤모글로빈과 산소의 결합력이 증가한다.

정답 **다**

보어 효과 : CO_2의 분압이 높아지면 산소해리도가 증가하여 CO_2가 많이 생성된 곳에 산소를 우선적으로 공급하게 된다.

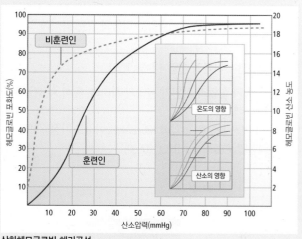

산화헤모글로빈 해리곡선

보어 효과의 존재는 격한 운동 시에 중요하다. 활성화된 조직의 증가된 대사열과 산도가 산소방출을 촉진하기 때문이다. 예를 들어 20mmHg의 PO_2와 정상체온(37도)에서 Hb의 산소 포화율은 35%이지만 체온이 43도(마라톤을 끝낸 후 종종 기록되는 온도)까지 증가되는 경우 Hb의 산소 포화율은 23%까지 감소된다.

17. 평균동맥혈압(mean arterial pressure, MAP)에 대한 설명으로 바른 것은?

가. 심장주기(cardiac cycle) 동안의 수축기와 이완기혈압의 평균 압력
나. 수축기 동안 심장에서 분출되는 혈액이 대동맥(aorta)에 작용하는 평균 압력
다. 이완기 동안 심장에서 분출되는 혈액이 대동맥에 작용하는 평균 압력
라. 수축기와 이완기 혈압의 차이

정답 **가**

"라"는 맥압을 의미한다.

📖 **보충학습**

심실의 이완기 동안에 동맥혈압은 낮아지는데 이를 이완기 혈압(diastolic blood pressure)이라 한다. 수축기 혈압과 이완기 혈압의 차이를 맥압(pulse pressure)이라고 부른다.

심장주기 동안 평균혈압은 평균동맥혈압을 의미한다. 평균동맥혈압이 중요한 이유는 체순환을 통한 혈류의 비율을 결정하기 때문이다. 평균동맥혈압을 결정하는 것은 쉬운 일이 아니다. 평균 동맥혈압은 수축기 혈압과 이완기 혈압의 단순한 평균이 아니다. 왜냐하면 이완기는 일반적으로 수축기보다 오래 지속되기 때문이다. 하지만 평균 동맥혈압은 다음과 같은 공식에 의해 측정될 수 있다.

평균동맥혈압 = 이완기 혈압 + 0.33(맥압)

맥압은 수축기 혈압과 이완기 혈압의 차이다. 휴식 시 평균동맥혈압을 계산해보자.

예를 들어 어떤 사람의 혈압이 120/80mmHg이라고 가정해보자.

평균동맥혈압 = 80mmHg + 0.33(120~80)
= 80mmHg + 13
= 93mmHg

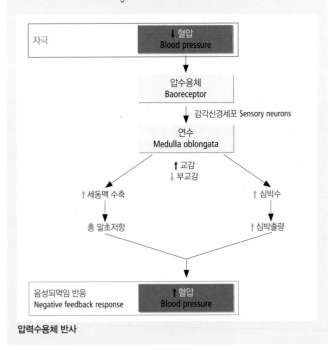

압력수용체 반사

18. 다양한 운동 상황에 따른 순환계의 반응에 대한 설명으로 바른 것은?

가. 같은 강도의 운동에서 남녀 훈련자 간의 심박출량 차이는 신체 크기와 관계가 없다.

나. 훈련자는 비훈련자 보다 같은 운동강도에서 1회 박출량이 낮게 나타난다.

다. 훈련자는 비훈련자 보다 최대심박출량이 높게 나타난다.

라. 훈련자는 비훈련자 보다 안정시 심박수가 높게 나타난다.

정답 다

👉 **저자촌평** 쉬운 문제로서 변별력이 크지 않은 문제이다.

"가~라"는 다음과 같이 수정한다.

가. 같은 강도의 운동에서 남녀 훈련자 간의 심박출량 차이는 신체 크기와 관계가 있다.

나. 훈련자는 비훈련자 보다 같은 운동강도에서 1회 박출량이 크게 나타난다.

라. 훈련자는 비훈련자 보다 안정 시 심박수가 낮게 나타난다.

19. 장시간의 운동 시 인체에서 생성되는 체열을 발산시키는 가장 효과적인 방법은?

가. 복사(radiation) 나. 대류(convection)

다. 증발(evaporation) 라. 전도(conduction)

정답 다

신체로부터의 열손실은 다음과 같은 네 가지 과정에 의해 발생한다. ① 복사 ② 전도 ③ 대류 ④ 증발이다. 열손실의 처음 세 과정은 피부와 외부환경 간의 온도차에 의한 것이다. 반면 복사(radiation)는 적외선 형태의 열손실이다.

열손실의 기전

① 전도(conduction)는 찬 물체와 인체가 접촉할 때 찬 물체의 분자로 열이 이동하는 것

② 대류(convection)는 열이 인체와 접촉한 공기나 물분자에 전달되는 전도적 열손실의 형태

③ 증발(evaporation)은 열손실의 마지막 방법이다. 증발은 안정 시 약 25%의 열을 손실하지만 최적환경 이하의 조건에서 운동 중 열손실의 가장 중요한 방법

피부의 땀 증발은 세 가지 인자에 의해 결정된다.

㉠ 온도와 상대습도

㉡ 신체주의의 대류

㉢ 환경에 노출된 피부표면의 양

④ 복사(radiation)는 신체는 대개 주변환경보다 따뜻하기 때문에 복사열 에너지의 순 교환은 공기를 통해서 신체로부터 주변 환경의 냉각기 물체들 쪽으로 발생한다.

20. 덥고 습한 환경에서 장시간 최대하 운동을 위한 안전지침으로 바르지 <u>않은</u> 것은?

가. 운동 중 일반 성인의 시간당 평균 수분 손실량은 외부 온도와 운동강도에 반비례한다.

나. 운동시작 전 3시간 이내에 충분한 수분섭취와 운동 중 매 15~20분 마다 수분섭취를 해야 한다.

다. 하루 중 가장 시원한 시간에 운동하며, 운동강도와 운동시간을 줄인다.

라. 운동 중 휴식시간에는 태양에서 직접적으로 받는 복사열을 피한다.

정답 가

"가"는 다음과 같이 수정한다.

운동 중 일반 성인의 시간당 평균 수분 손실량은 외부 온도와 운동강도에 비례한다.

① 수분의 역할

　기온이 높은 환경에서 운동 시 나타날 수 있는 운동 수행력 감소와 열전환의 위험을 최소화시키기 위한 수분 섭취 방법

• 운동 시작 20~30분 전 약 8~10㎖의 수분을 400~500㎖ 정도 미리 섭취한다.

• 섭취 음료는 나트륨, 칼륨 등의 전해질과 포도당 등의 저장성 또는 등장성 음료가 바람직하다.

• 운동 중에는 약 15분마다 100~200㎖의 전해질 포도당 혼합액을 섭취하도록 한다.

• 체중의 3% 이상 손실되는 탈수 시에는 그날 중 재차 운동하는 것을 금지하는 것이 바람직하다.

② 수분 손실

　인체에 대한 수분 손실의 영향은 매우 크다. 혈액량을 감소시키고 혈액의 점도를 높임으로써 근육과 피부로의 혈류량을 감소시킨다. 혈류량의 감소는 열 분산을 더욱 어렵게 하여 체온 상승을 유발한다.

　매일 강한 트레이닝을 하는 운동선수들은 트레이닝 기간은 물론, 시합 전·후에도 충분한 양의 수분을 섭취해야 하며, 운동 중에도 규칙적으로 공급해 주어야 한다.

③ 운동 중의 수분 섭취

　운동 중의 수분 섭취는 경기력과 선수의 안전을 위하여 반드시 필요 하다. 이때 음료수의 온도는 4~10℃ 정도의 차가운 것이 가장 흡수가 빠르며, 15~20분 간격으로 매 10~210㎖ 정도의 양을 섭취하는 것이 좋다. 운동 중의 수분 보충에는 차가운 물도 좋다.

④ 운동 후의 수분 섭취

　운동 중에 수분 보충을 아무리 잘 해도 손실되는 인체 수분의 양이 보충되는 양보다 훨씬 많기 때문에 운동이 끝난 후에는 반드시 수분을 채워주어야 한다.

건강 · 체력평가

01. 규칙적인 신체활동을 통한 질환의 예방 효과에 해당되지 <u>않는</u> 것은?

가. 고혈압
나. 뇌졸중
다. 제1형 당뇨병
라. 대장암

정답 다

"다"는 신체활동을 통한 질환의 예방보다는 선천성과 관계가 있는 질환이다.

Ⅰ형, 즉 인슐린 의존형 당뇨병은 1차적으로 젊은 사람에서 발병하고 바이러스(감기 같은) 감염과 관계가 있다. Ⅰ형 당뇨병은 적절히 인슐린을 생성하지 못하기 때문에 정상한계치하에서 혈당의 농도유지를 위해 외부 인슐린에 의존해야 한다.

대장암의 위험 인자로는 나이(고연령), 가족력, 선천적 요인, 높은 포화 지방과 낮은 섬유 섭취 등의 식생활 습관, 과음 또는 염증성 장 질환의 병력 등이 있다. 발생 빈도는 나라에 따라 10배 정도 차이가 있다. 이렇게 차이가 크게 나는 것은 나라마다 식생활 등 환경적인 요인이 다르기 때문이다. 식품의 종류로는 육류나 우유 소비량이 많을수록 발병률이 높다.

02. 장기간 운동부족으로 발생하는 현상이 <u>아닌</u> 것은?

가. 1회 박출량과 최대심박출량의 감소
나. 안정 시 수축기혈압의 상승
다. 혈장 인슐린 농도의 감소
라. 최대산소섭취량의 감소

정답 다

"다"는 혈장 인슐린 농도의 증가이다.

03. 신체활동수준과 관상동맥질환 위험률 간의 관계를 잘 설명한 것은?

가. 활동적인 사람은 비활동적인 사람에 비해 관상동맥질환에 걸릴 위험성이 높다.
나. 좌식생활을 하는 사람도 신체활동을 하면 관상동맥 심장질환의 위험이 감소될 수 있다.
다. 신체활동의 참여는 일시적 허혈성 발작과 뇌졸중의 발생위험을 증가시킨다.
라. 신체활동 수준과 심폐체력은 무관하다.

정답 나

관상동맥질환에는 협심증과 심근경색이 대표적인 질환이다.

가. 활동적인 사람은 비활동적인 사람에 비해 관상동맥질환에 걸릴 위험성이 낮다.
다. 신체활동의 참여는 일시적 허혈성 발작과 뇌졸중의 발생위험을 감소시킨다.
라. 신체활동 수준과 심폐체력은 관련이 깊다.

Right Ventricular Hypertrophy

V₁   V₂   V₃   V₄

심근경색

04. 운동 참여 전 사전검사에 포함되는 항목이 <u>아닌</u> 것은?

가. 신체활동 준비 설문지(PAR-Q)
나. 질병의 징후와 증상파악
다. 모세혈관의 위험상태 분석
라. 질병 위험성 분류

정답 **다**

"다"는 질병 발생 후 검사하는 요인에 해당된다.

신체활동 준비 질문지
(PAR-Q & YOU, The Physical Activity Readiness Questionnaire)
이 설문지는 15~69세를 위한 것으로 브리티시 콜롬비아 건강상태에서 개발하였으며 캐나다 체력 및 운동생리학회에서 개정되었다.
ACSM 가이드라인에 따르면 "PAR-Q+" SMS 총 7개의 질문으로 "예, 아니오" 표시한 후 모든 질문에 대해 하나 또는 그 이상의 "예"라고 대답했다면 2, 3페이지의 설문지를 작성하는 것으로 되어있다.

05. <보기>를 읽고 미국스포츠의학회(ACSM)에서 제시한 위험분류 기준에 근거하여 적절한 것을 고르시오.

〈보기〉

- 42세 남성
- 키 180cm, 몸무게 102kg (BMI = 약 31.4kg/㎡)
- 비흡연자
- 주당 2~3회 그룹운동에 참가 중
- 안정 시 심박수 76회/분
- 수축기 혈압/이완기혈압 142/78mmHg
- 총콜레스테롤 220mg/㎗
- 저밀도 지단백콜레스테롤(LDL-C) 140mg/㎗
- 고밀도 지단백콜레스테롤(HDL-C) 50mg/㎗
- 공복 시 혈당(FBG) = 89mg/㎗
- 기타 복용하고 있는 약물 없음, 증상 없음
- 아버지는 78세에 심장마비로, 어머니는 83세에 위암으로 사망

가. 저위험
나. 중위험
다. 고위험
라. 해당없음

정답 **나**

ACSM 최신 가이드라인을 기준으로 판단해야 한다.

① 현재 규칙적으로 운동에 참여하는가?
② 기저 심장혈관, 대사 또는 신장질환?
③ 질병을 암시하는 징후 또는 증상?
④ 원하는 운동강도?
⑤ 의료적 허가가 필요한가?

06. 다음 중 이학적 검사요소가 <u>아닌</u> 것은?

가. 심박수 및 리듬
나. 최대하 운동 시 혈압
다. 체중
라. 건 황색종의 유무

정답 **나**

"나"는 운동부하검사라고 할 수 있다.
이학적 검사란 대개 시진, 촉진, 문진, 등의 진찰소견을 말하는 것이다.

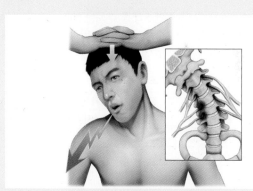

이학적 검사

07. 다음 중 혈액검사의 평가로 바르지 <u>않은</u> 것은?

가. 공복 시 정상 혈당수치는 70~99mg/㎗이다.
나. 고밀도 지단백콜레스테롤(HDL-C) 60mg/㎗ 이상은 관상동맥질환의 음성위험인자(negative risk factor)이다.
다. 총콜레스테롤(TC)의 적정범위는 250mg/㎗ 이하이다.
라. 중성지방(TG) 200mg/㎗ 이상은 위험수치이다.

정답 다

↪ **저자촌평** ACSM 최신 가이드라인을 기준으로 익혀야 할 것이다.

LDL, TC, HDL	
LDL	
<100	정상
100~129	거의 정상/정상 이상
130~159	높은 경계
160~189	높음
≥190	매우 높음
TC	
<200	바람직함
200~239	높은 경계
≥240	높음
HDL	
<40	낮음
≥60	높음
TG	
<150	정상
150~199	높은 경계
200~499	높음
≥500	매우 높음

① 성인에서 바람직한 총 콜레스테롤 수치는 200mg/dℓ 미만이며, 200~239mg/dℓ는 경계수준, 240mg/dℓ 이상은 고콜레스테롤혈증이라고 정의한다.

혈중 지질의 일반적인 고지혈증 조절 목표

혈중 농도(mg/dℓ)	1차 예방	2차 예방
총 콜레스테롤	200	저밀도 지단백 수치를 기준으로 적용
저밀도 지단백	130	100
고밀도 지단백	40	40
중성지방	150	150

② 혈당은 식사의 영향을 크게 받는데 이른 아침 공복 시의 혈당치가 1dℓ 중 140mg 이상이거나, 또는 식후 2시간의 채혈에서 200mg 이상일 때는 당뇨병이라고 진단한다. 정상범위와 이 수치 사이의 경우에 당뇨병인지 아닌지를 판정할 때에는 다시 포도당 75g 부하시험에 의하여 판정한다.
반대로 혈당치가 1dℓ 중 50mg 이하로 나타나면 저혈당이라고 하며, 무력감, 식은땀, 안면 창백, 구역질 등의 증세에서 의식장애나 경련을 일으키는 등 생명까지 위협받는 수가 있다.

08. 다음 중 운동검사의 절대적 금기사항이 <u>아닌</u> 것은?

가. 불안정한 협심증
나. 조절되지 않는 심실 부정맥
다. 조절되지 않는 대사성 질환(예 : 갑상선기능 항진증)
라. 급성 전신감염

정답 다

↪ **저자촌평** ACSM 최신 가이드라인을 기준으로 익혀야 할 것이다.

📖 **보충학습**

절대적 금기사항을 가진 한자는 상황이 안정되기 전까지는 운동검사를 수행해서는 안 된다. 반면에, 상대적 금기사항을 가진 환자는 잠복하고 있는 합병증에 대한 주의 깊은 평가가 있은 후에 검사를 시행해야 한다.

① 최근 안정 시 심전도상 심근경색이나 다른 급성심장발작 소견이 있는 경우
② 최근 복잡한 심근경색이 발생한 경우
③ 혈전성 정맥염증이나 심장내 색전증이 있는 경우
④ 활동성 혹은 잠재성의 심막염이나 심근염이 있는 경우
⑤ 조절되지 않는 심방 부정맥이 있는 경우
⑥ 인공박동기 없이 3도의 방실차단이 있는 경우
⑦ 급성 울혈성 심부전증(heart failure)이 있는 경우
⑧ 극심한 동맥판 협착증이 있는 경우
⑨ 동맥류(동맥벽이 확장되어 그 속에 혈액이 충만 상태) 환자이거나 의심되는 경우
⑩ 최근의 전신색전 또는 폐색전(폐동맥혈전증)이 있는 경우

09. 건강체력 검사의 목적으로 바르지 <u>않은</u> 것은?

가. 기준치와 비교하여 참가자의 체력상태 평가
나. 달성 가능한 체력목표 설정
다. 운동 전 상태와 향후 체력의 변화 비교
라. 객관적인 평가를 통한 질환의 진단

정답 라

"라"는 건강체력 검사의 목적과는 거리가 멀다.

10. 체력검사의 순서로 가장 적절한 것은?

가. 안정 시 혈압–신체조성–심폐 체력–근력–유연성
나. 신체조성–심폐체력–민첩성–안정 시 혈압
다. 심폐 체력–근력–유연성–근력–안정 시 혈압
라. 안정 시 혈압–신체조성–유연성–근력–심폐 체력

정답 **가**

ACSM 최신 가이드라인에 따르면,

① 초기 건강검사 후 선택한 기본 측정은 운동검사를 시작하기 전에 수행해야 한다.
② 최소한 운동검사 중에 혈압, 심박수, 운동자각도, 혈압을 측정해야 한다.

모든 검사 항목을 하루에 끝낸다면, 체지방 측정이 가장 우선되어야 하고, 이어서 전신지구력, 근력, 유연성의 순서로 측정하는 것이 바람직하다. 신체구성 성분은 체력검사로 인한 탈수현상에 의해 영향을 받을 수도 있기 때문이다. 근력측정은 심박수를 증가시키기 때문에 근력을 측정한 후에 전신지구력을 측정하게 되면, 특히 최대하 검사방법을 이용하는 경우에는 더욱 더 전신지구력 능력이 부정확하게 평가될 우려가 있다. 그리고 체력검사로 인해 심리적, 생리적으로 영향을 미칠 수 있는 검사항목 즉, 안정 시에 측정해야 하는 항목(예 : 심박수, 혈압, 안정 시 심전도, 체지방량)은 체력검사 시작 전에 하는 것이 좋다.

11. 신체조성 검사에 대한 설명으로 적절하지 <u>않은</u> 것은?

가. 생체전기저항법으로 검사하기 30분 전에 소변을 보도록 권유한다.
나. 배(복부), 넙다리(대퇴) 앞면은 남성의 피하지방두께측정 부위에 포함된다.
다. 컴퓨터단층촬영법(CT)으로 내장지방의 면적을 계산할 수 있다.
라. 허리둘레의 반복 측정 시 측정 오차는 10㎜ 이내가 되어야 한다.

정답 **라**

"라"는 다음과 같이 수정한다.
허리둘레의 반복 측정 시 측정 오차는 5mm 이내가 되어야 한다.

12. 최대하 심폐체력검사를 위한 일반적인 방법에 대한 설명 중 옳지 <u>않은</u> 것은?

가. 검사 전에 안정 시 심박수와 혈압을 측정한다.
나. 피검사자는 검사장비에 친숙해져 있어야 한다.
다. 프로토콜은 운동량이 충분히 증가할 수 있도록 각 단계에서 5분 이상으로 구성한다.
라. 피측정자의 모습과 증상을 규칙적으로 관찰하고 기록한다.

정답 **다**

프로토콜은 운동량이 충분히 증가할 수 있도록 각 단계에서 2~3분마다 증가하여 구성한다.

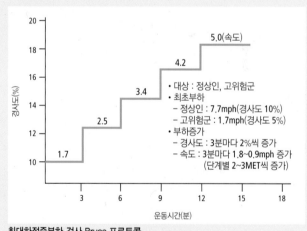

최대하점증부하 검사 Bruce 프로토콜

13. 다음 중 근력과 근지구력 검사에 대한 설명으로 옳지 <u>않은</u> 것은?

가. 팔굽혀펴기 검사는 휴식 없이 연속적으로 수행한 최대 횟수를 점수로 계산한다.

나. 슬관절 등속성 근력검사의 속도부하는 $30 \sim 60°/sec$로 설정한다.

다. 적절한 검사절차를 준수 한다면 어린이나 노인에게도 최대근력 검사를 실시할 수 있다.

라. 근력평가는 검사 사이에 휴식 없이 실시하는 것을 원칙으로 한다.

정답 라

"라"는 근력이 아니라 근지구력을 말한다.

근지구력 트레이닝(팔굽혀펴기)

14. 다음 중 유연성 검사방법으로 옳지 <u>않은</u> 것은?

가. 검사 전 가능한 관절운동범위(ROM)를 넘어선 강한 스트레칭을 통해 유연성 측정을 준비한다.

나. 전신유연성은 특수성을 고려하여 다양한 검사항목을 선택하는 것이 좋다.

다. 앉아 윗몸 앞으로 굽히기 검사는 2~3회 실시한다.

라. 정적 유연성은 관절운동범위(ROM)로 측정할 수 있다.

정답 가

"가"는 다음과 같이 수정하면 바람직하다.

검사 전 준비운동 후 가능한 관절운동범위(ROM)를 넘어서지 않는 스트레칭을 통해 유연성 측정을 준비한다.

유연성의 의료적 측정법
① 각도측정법
② 육안 측정법
③ 방사선 촬영법
④ 사진 촬영법
⑤ 길이 측정법
⑥ 삼각법

유연성 검사

15. 다음의 신체조성 측정결과 중 비만과 관련된 건강상의 문제가 발생할 가능성이 가장 낮은 것은?

가. 20대 남성의 체지방률이 25%이면서 허리둘레가 100㎝인 경우

나. 30대 여성의 체질량지수(BMI)가 25kg/㎡이면서 허리－엉덩이 둘레비율(WHR)은 0.90인 경우

다. 40대 남성의 체질량지수(BMI)가 22kg/㎡이면서 허리둘레가 80㎝인 경우

라. 50대 여성의 허리－엉덩이 둘레비율(WHR)이 0.80이면서 체지방률이 30%인 경우

정답 다

저자촌평 ACSM 최신 가이드라인에 따르면 "다"의 경우 낮음에 해당된다.

성인의 허리둘레에 따른 위험도(ACSM 최신)

위험 범주	여성	남성
매우 낮음(very low)	<70cm (<27.5 in)	<70cm (<27.5 in)
낮음(low)	70~89cm (27.5~35.0)	70~89cm (27.5~35.0)
높음(high)	90~110cm (35.5~43.0)	90~110cm (35.5~43.0)
매우 높음(very high)	<70cm (<27.5 in)	<70cm (<27.5 in)

16. 심폐체력 평가에 대한 설명으로 옳지 <u>않은</u> 것은?

가. 스텝 테스트는 운동 후 회복 심박수로 유산소 능력을 평가하여 최대산소섭취량을 추정할 수 있다.

나. 스텝 테스트 실시 후 회복기 심박수는 심폐지구력이 높을수록 빠르게 감소된다.

다. 장거리 달리기의 거리가 멀수록 최대산소섭취량과의 상관관계는 더 높다.

라. 유산소 능력을 평가하는 장거리 달리기는 최대산소섭취량측정 대신에 사용할 수 있다.

정답 라

"라"는 다음과 같이 수정하면 좋을 것 같다.

유산소 능력을 평가하는 장거리 달리기로 정확한 최대산소섭취량측정을 대신할 수 있는 것은 바람직하지 않다. 왜냐하면 정확한 최대산소섭취량의 도달은 다음과 같은 지표를 전제로 한다.

- 운동강도가 증가하더라도 심박수가 증가하지 않을 때
- 정맥혈의 젖산염 농도가 8mmol/L를 초과할 때
- 호흡교환율(respiratory exchange ratio : RER)이 1.15보다 클 때
- 운동자각도(rating of perceived exertion : RPE)가 보그 척도 (Borg scale : 6~20)의 17보다 높을 때
- 운동시간은 8~12분을 권장한다.

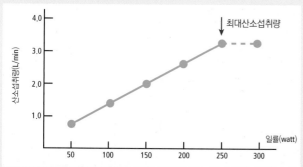

점증부하 운동에 따른 산소섭취량이 변화

운동 중 산소운반과 이용의 최대능력[최대산소섭취량(maximal oxygen uptake) 심폐지구력의 가장 합리적인 측정이다. 실제로 점증부하 운동검사(incremental exercise test, graded exercise test)는 환자들의 심장질환 가능성을 검사하고 피험자의 심폐지구력을 결정하기 위해 종종 사용되었다. 최대산소섭취량은 근수축을 위해 산소를 운반하는 산소 운반체계능력의 '생리학적 최대한도(physiological ceiling)'로 표현된다. VO_2가 최대에 도달하게 되면 산소섭취량이 선형으로 증가한다. 최대산소섭취량에 영향을 주는 생리학적 요인들로 ① 근수축을 위해 산소를 운반하는 심폐계의 최대능력 ② 산소를 섭취하고 ATP를 유산소성으로 생산하는 근육의 능력 등이 있다. 유전과 훈련 모두 최대산소섭취량에 영향을 주는 것으로 알려져 있다.

17. 근력 및 근지구력 검사와 평가 시 적절하지 <u>않은</u> 것은?

가. 피검사자는 검사도구와 검사절차에 익숙해야 한다.

나. 실내온도는 약 21~23℃로 유지한다.

다. 검사자는 잘 훈련을 받은 사람으로 검사 전 시범을 보여야한다.

라. 잘 관리된 프리웨이트나 가변저항 운동 장비를 이용한다.

정답 라

근력은 악력계나 배근력계를 이용하고, 근지구력의 경우 윗몸일으키기나 팔굽혀펴기를 이용하여 측정한다.

근지구력 검사

18. 1초강제폐활량비율(FEV₁/FVC) 검사결과에 따른 폐기능의 정상 범위는 어느 것인가?

가. FEV_1/ FVC가 50% 이상

나. FEV_1/ FVC가 60% 이상

다. FEV_1/ FVC가 65% 이상

라. FEV_1/ FVC가 70% 이상

정답 라

저자촌평 공부를 깊게 하지 않으면 풀기 어려운 문제이다.

폐기능 검사는 폐활량계로 측정하며, 많은 요인을 폐활량계로 측정하지만 가장 흔히 강제폐활량(FVC), 초강제폐활량비율(FEV_1/FVC)이 이용된다. 폐쇄성 장애는 FEV_1/ FVC가 50% 아래로 정의된다.

19. 운동 참가 전 선별검사를 통해 심혈관, 폐, 대사 질환을 예측 할 수 있는 증상 또는 징후가 <u>아닌</u> 것은?

가. 심근허혈로 인해 발생하는 다른 부위의 통증과 불편감
나. 중강도 운동 중에 발생하는 호흡곤란
다. 간헐적 파행
라. 양측성 발목 부종

정답 **나**

"나"는 중강도가 아니고, 안정 시 또는 가벼운 운동 시로 수정해야 한다.

자기주도적인 신체활동 선별검사, PAR-Q를 통하여 설문지의 결과에 따라 의학적 결과가 내려지면 의사와 상담을 하고, 사전허가 절차를 거쳐 신체활동 프로그램에 참여하게 된다.

---

20. 다음 중 혈압 평가 결과로 적절하지 <u>않은</u> 것은?

가. 정상-수축기 혈압 125mmHg, 이완기 혈압 70mmHg
나. 고혈압 전단계-수축기 혈압 130mmHg, 이완기 혈압 80mmHg
다. 고혈압 1기-수축기 혈압 140mmHg, 이완기 혈압 90mmHg
라. 고혈압 2기-수축기 혈압 160mmHg, 이완기 혈압 100mmHg

정답 **가**

정상 - 수축기 혈압 120mmHg, 이완기 혈압 80mmHg의 범위는 ACSM이 권장하는 수치이다.

성인을 위한 혈압의 기준과 관리				
ACC/AHA 기준				
혈압분류	정상	상승된	1단계 고혈압	2단계 고혈압
수축기혈압(mmHg)	<120	120~129	130~139	≥140
이완기혈압(mmHg)	<80	<80	80~89	≥90

JNC 기준				
혈압분류	정상	고혈압 전 단계	고혈압 1단계	고혈압 1단계
수축기혈압	<120	120~139	140~159	≥160
이완기혈압	<80	80~89	90~99	≥100
치료 및 권고사항	적절한 생활습관 장려, 매년 재평가	생활습관 개선	생활습관과 혈압강하제	생활습관과 혈압강하제

운동처방론

01. 운동처방의 검사순서로 바르게 연결된 것은?

가. 사전검사 → 의학검사 → 운동부하검사 → 체력검사 →
　　운동처방

나. 의학검사 → 사전검사 → 체력검사 → 운동부하검사 →
　　운동처방

다. 사전검사 → 의학검사 → 체력검사 → 운동부하검사 →
　　운동처방

라. 의학검사 → 사전검사 → 운동부하검사 → 체력검사 →
　　운동처방

정답 다

① 사전검사 : 문진(면접), 생활방식, 식습관, 운동습관, 음주, 흡연, 가족력, 병력 등의 체크
② 의학검사 : 병원 또는 보건소에서 순환기능, 호흡기능, 혈액검사, 요검사, 시력검사 등의 신체의 이상이나 질환유무 검사
③ 체력검사 : 트레드밀이나 에르고미터 등을 이용하여 건강관련 및 운동관련 체력 검사
④ 운동부하검사 : 안정 시, 운동 중, 운동 직후, 회복기 등, 운동을 부하하여 순환기계 이상의 발생유무 검사(심전도 검사, 심박수, 혈압, 호흡가스 분석)
⑤ 운동처방 : 건강상태, 체력상태, 운동능력의 한계를 파악하여 운동처방의 양적, 질적 요소를 부여

02. 운동처방의 원리에 대한 설명으로 옳지 않은 것은?

가. 대상자의 연령, 체력수준 보다 주관적인 심리상태를 우선 고려한다.

나. 과부하의 조정은 운동강도, 운동빈도, 운동시간을 지속적으로 관찰하여 정한다.

다. 운동자극에 대한 인체 생리 및 대사적 반응과 적응은 행해지는 운동 형태와 근육군에 따라 달라진다.

라. 회복시간의 길이는 주어진 운동 강도나 양에 따라 조정한다.

정답 가

"가"는 다음과 같이 수정한다.

대상자의 주관적인 심리상태보다 연령, 체력수준을 우선 고려한다.

03. <보기> 내용을 읽고 K씨의 ㉠목표심박수(참고 : HRR)와 ㉡예비산소섭취량으로 알맞은 것은?

〈보기〉

K○○ 씨는 55세 남성으로 과거 병력이 없으며 운동부하검사 결과는 다음과 같았다.
안정시 심박수 = 60bpm, 최대심박수 = 170bpm
최대산소섭취량 = 35㎖/kg/min
K 씨의 검사결과를 토대로 70%의 운동 강도로 처방을 하려고 한다.

가. ㉠ 126 ㉡ 20.8　　　　나. ㉠ 131 ㉡ 23.6

다. ㉠ 137 ㉡ 25.6　　　　라. ㉠ 142 ㉡ 28.2

정답 다

⤵ 저자촌평 이 문제는 목표심박수만 구해도 답을 고를 수 있는 문제였다.

(1) 목표심박수(THR) : (220 – 자기나이 – 안정 시 심박수)
　　　　　　　　　　× 운동강도 + 안정 시 심박수

즉, (110) × 0.7 + 60 = 137회/분

(2) 예비산소섭취량 = [최대산소섭취량 – 안정 시 산소섭취량]
　　　　　　　　　　× 운동강도 + 안정 시 산소섭취량

즉, [35㎖/kg/min – 3.5㎖/kg/min] × 0.7
　　+ 3.5㎖/kg/min = 25.6㎖/kg/min

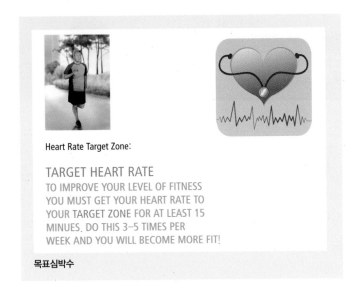

Heart Rate Target Zone:

TARGET HEART RATE
TO IMPROVE YOUR LEVEL OF FITNESS
YOU MUST GET YOUR HEART RATE TO
YOUR TARGET ZONE FOR AT LEAST 15
MINUES. DO THIS 3–5 TIMES PER
WEEK AND YOU WILL BECOME MORE FIT!

목표심박수

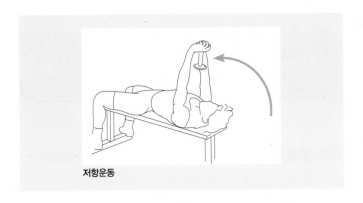

저항운동

04. 다음 <보기>에서 근력 및 근지구력 운동 시 주의 사항으로 옳은 것끼리만 연결된 것은?

〈보기〉

ⓐ 저항운동 시 근육의 긴장은 무게를 들어 올릴 때 유지하고 내릴 때 푼다.
ⓑ 호흡은 저항을 머리 위로 들어 올릴 때 내쉬고, 내릴 때 들이마신다.
ⓒ 운동 초보 노인과 좌업생활자는 1RM의 40~50%도 근력개선이 된다.
ⓓ 단일 근육군에서 운동세션 간 48시간 이상의 휴식이 권고된다.
ⓔ 저항 운동의 형태는 단일관절운동의 주동근과 길항근에 중점을 두어야 한다.

가. ㉠, ㉢, ㉣   나. ㉠, ㉣, ㉤
다. ㉡, ㉢, ㉣   라. ㉡, ㉢, ㉤

정답 **다**

㉠, ㉤은 다음과 같이 수정한다.

㉠ 저항운동 시 근육의 긴장은 무게를 들어 올릴 때 내릴 때 유지하도록 한다.
㉤ 저항 운동의 형태는 한 개 이상의 다관절운동과 복합운동(총 8~10종)으로 구성하는 것이 바람직하다. 주동근보다 고정근을 먼저 발달시킬 수 있다.

05. 건강한 성인의 심폐지구력 증진을 위한 운동처방 지침으로 바르지 <u>못한</u> 것은?

가. 전형적인 유산소 운동형태의 활발한 신체활동
나. 최소한 중등도 이상의 신체활동
다. 운동강도와 빈도에 관계없이 1주일에 800kcal 이내 소모 운동
라. 운동시간은 20~60분 정도

정답 **다**

"다"는 다음과 같이 수정하면 좋을 것이다.

다. 운동강도와 빈도를 고려하여 주당 1000kcal 이상 소모량을 권장한다.

06. 일반 성인의 근력 향상 운동처방 설정 근거로 바르지 <u>않은</u> 것은?

가. 최대근력(1-RM)은 운동강도를 결정하는 데 주로 사용된다.
나. 1-RM의 90%를 넘는 강도에서는 근비대보다도 신경계에 미치는 효과가 크다.
다. 1-RM의 65% 이하는 근비대보다는 근지구력 개선에 효과적이다.
라. 근력훈련의 효과적인 마무리 시간은 최소 120분 이상이다.

2015

정답 **라**

근력훈련의 효과적인 마무리 시간은 최소 45~60분 이내로 단시간에 질이 높은 훈련을 하는 것이 효과적이다. 왜냐하면 인간의 집중력에는 한계가 존재한다. 일반적으로 90분 정도가 집중력을 지속할 수 있는 범위이다.

레그프레스

07. 유연성 운동처방의 일반적인 원칙에 대한 설명으로 옳지 <u>않은</u> 것은?

가. 동적스트레칭은 저항성 훈련 전 준비운동으로 권장된다.
나. 유연성 운동은 매일 실시하는 것이 좋으며, 훈련단계 전·후에 준비·정리운동으로 실행되어야 한다.
다. 유연성 훈련의 목적이 관절가동범위 확대라면 심폐·저항성 훈련 후 정리운동 일부로 실행한다.
라. 유연성 운동은 소근육 중심으로 수시로 실시할 것을 권장한다.

정답 **라**

모든 주요 대근군의 스트레칭을 고루 실시한다.

08. 비만개선의 효과적인 체중관리 방안이 <u>아닌</u> 것은?

가. 체중감소는 유산소운동 이외에 저항운동을 병행하는 것이 효과적이다.
나. 체중감소는 일주일에 0.9kg 이상 초과하지 않도록 한다.
다. 저항운동은 제지방량의 증가를 통한 기초대사율을 높이는 데 효과적이다.
라. 특정부위 지방감소를 통한 체중관리는 국부운동이 효과적이다.

정답 **라**

국부운동으로 특정부위 지방감소를 할 수 없다.

09. 고혈압 환자를 위한 운동요법으로 옳은 것은?

가. 심혈관질환 합병증이 있는 고혈압 환자에게 유산소운동강도는 제한하지 않는다.
나. 안정 시 혈압이 수축기 200mmHg, 이완기 110mmHg 이상인 고혈압 환자는 고강도 유산소 운동은 허용한다.
다. 운동강도는 고혈압 환자의 상태를 고려하여 최대산소섭취량의 40~70% 범위에서 조정하는 것이 좋다.
라. 고혈압 환자의 운동적용 시 수축기혈압이 200mmHg 이상 올라가는 운동을 금지할 필요는 없다.

정답 **다**

"가~라"는 다음과 같이 수정한다.

가. 심혈관질환 합병증이 있는 고혈압 환자에게 유산소운동강도를 제한해야 해야 한다.
나. 안정 시 혈압이 수축기 200mmHg, 이완기 110mmHg 이상인 고혈압 환자는 고강도 유산소 운동은 제한해야 한다.
라. 고혈압 환자의 운동적용 시 수축기혈압이 200mmHg 이상 올라가는 운동을 금지할 필요는 있다.

고혈압 환자의 운동처방

① 운동 종류
  유산소 운동을 원칙적으로 권장하며 걷거나 조깅과 같은 동적이며 전신적 운동은 확장기 혈압을 떨어뜨린다고 한다. 반면에 무거운 기구를 이용하는 중량운동은 정적, 등척성 운동이 되어 운동 중의 확장기 혈압이 상당히 상승하기 때문에 오히려 혈압을 상승시키는 결과를 초래할 수 있으므로 제한하는 것이 좋다. 또한 호흡을 정지한 상태에서 행하는 무산소성 운동 또는 등척성 운동은 삼간다.

② 운동 강도
  유산소 운동에 있어서 운동 강도는 심혈관계(cardiovascular system)에 주어지는 부담으로서 고혈압 환자에게 매우 중요한 요소이다. ACSM은 고혈압 환자의 경우 건강 인에 비해 더 낮은 강도에서 운동할 것을 제안하며 40~70% VO2max 범위를 제안하고 있다.
  환자의 상태에 따라 운동 강도의 조정이 있어야 하며 운동 시 수축기 혈압이 200mmHg 이상 올라가는 강도 높은 운동은 금지한다.

10. 다음 <보기>에서 고혈압 환자를 위한 유산소 운동 프로그램 중 올바르게 짝지어진 것은?

〈보기〉

ⓐ 빈도 : 일주일에 3~7회
ⓑ 강도 : 운동자각도(RPE) 15 이상
ⓒ 시간 : 30~60분
ⓓ 형태 : 유산소 운동 위주의 저항 운동 병행
ⓔ 금기사항 : 약물복용환자 운동 금지

가. ⓐ, ⓒ, ⓓ
나. ⓑ, ⓓ, ⓔ
다. ⓐ, ⓓ, ⓔ
라. ⓑ, ⓒ, ⓓ

정답 가

고혈압환자의 경우 강한 운동을 단시간하기보다는 중등도의 운동을 1시간 정도 하는 것이 좋으며 걷기, 달리기, 수영, 자전거타기 등 유산소운동이 바람직하다.

11. 제2형 당뇨병환자를 위한 유산소 운동처방으로 올바르지 <u>않은</u> 것은?

가. 중·고강도(HRR의 50~80%)
나. 1회 운동 시 20분 이하
다. 일주일에 3~7회
라. 일주일에 150분 이상

정답 나

ⓑ 강도 : 운동자각도(RPE) 15 이상이 아니라 12~16으로 수정되어야 한다.
제2형 당뇨병환자를 위한 유산소 운동은 식사 후 30~1시간 후 30분 정도 규칙적으로 운동하는 것이 바람직하며 최대운동량의 40~60% 정도만 운동하는 것이 좋은데 이런 중등 강도의 운동이 맥박수를 측정하는데 가장 정확하며 심장이 가볍게 두근거리며 함께 운동하는 사람과 편하게 얘기할 수 있을 정도를 말한다.

📖 **보충학습**

당뇨병 환자의 운동은 몸 안의 당대사가 활발해져 근육에서의 당 이용이 증가되어 혈당을 떨어뜨리며 표준체중 유지에 도움을 주며 근육량을 증가시키고 지방질을 감소시켜 효과적인 혈당조절이

가능하여 인슐린 요구량의 감소효과를 나타내며 유리지방산의 이용이 증가되어 고지혈증을 감소시켜 심근경색 등 심혈관 질환을 감소시키고 건강을 증진하고 상쾌한 느낌을 주게 된다.

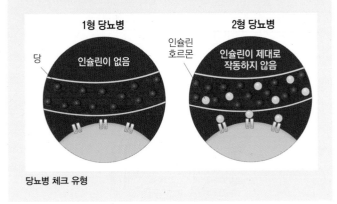

당뇨병 체크 유형

12. 당뇨병 환자의 운동 시 저혈당 예방을 위한 주의사항과 거리가 먼 것은?

가. 안전을 위한 적정혈당 수준은 $100 \sim 250 \mathrm{mg} \cdot \mathrm{dL}^{-1}$이다.
나. 운동전 혈당의 상승(예, $>250 \sim 300 \mathrm{mg} \cdot \mathrm{dL}^{-1}$)시 일회성 운동은 저혈당증세를 유발한다.
다. 저혈당을 피하기 위하여 운동 전 20~30g의 탄수화물 섭취를 권장한다.
라. 흡수가 빠른 당을 휴대하고 저혈당 증세(무력감, 현기증 등) 발생 시 섭취한다.

정답 나

운동 전 혈당의 상승 시(예 : $>70 \mathrm{mg} \cdot \mathrm{dL}^{-1}$) 일회성 운동은 저혈당 증세를 유발한다.
운동 전 혈당의 상승 시(예 : $>300 \mathrm{mg} \cdot \mathrm{dL}^{-1}$) 일회성 운동은 고혈당증세를 유발한다.

당뇨병

13. 당뇨병성 합병증 환자의 운동 권고사항과 거리가 <u>먼</u> 것은?

가. 말초신경증은 체중부하운동이 적합하며, 궤양의 진행 시 수중운동은 금한다.

나. 신증 질환자는 과한 혈압상승 운동과 호흡 참기는 피하고, 저강도 운동을 권한다.

다. 망막증 환자는 호흡을 참는 운동이나 무게를 머리 위 또는 아래로 향하는 운동은 피한다.

라. 고혈압 환자는 과도한 부하의 중량운동이나 호흡 참기는 피한다.

정답 **가**

말초신경증 환자의 경우 발의 궤양을 막기 위해 적절한 신발을 신고 발 위생상태를 좋게 하여 발관리를 한다. 발의 물집을 막기 위해 특별조치를 취한다. 발을 건조하게 하고, 실리카겔이나 공기주입식 운동화뿐만 아니라 폴리에스텔이나 합성양말을 사용하며, 견디기 좋고 회복에 도움을 주기 때문에 실내 자전거같이 체중이 실리지 않는 운동이 고려된다.

14. 고지혈증 개선을 위한 운동처방으로 올바르지 <u>않</u>은 것은?

가. 형태 : 걷기, 등산, 수영 등 유산소운동

나. 강도 : 최대심박수의 60~80% 수준

다. 시간과 빈도 : 강도에 따라 30~60분, 주 5회 이상

라. 주의사항 : 활동 상태에 따라 기호식품은 제한 안 함

정답 **라**

고지혈증 개선을 위한 운동처방으로 운동과 더불어 저지방식이 식사요법을 병행해야 하며 담배, 카페인 음료 등의 섭취를 제한하도록 한다.

15. 골다공증 환자의 운동처방 지침으로 바르지 <u>않은</u> 것은?

가. 저항운동은 1RM의 60~80%(중강도), 8~12회 반복, 주 2~3회 실시한다.

나. 유연성 증가를 위하여 슬굴곡근 포함 척추굴곡 운동은 매일 실시한다.

다. 유산소운동은 여유심박수(HRR)의 40~60%, 주당 3~5일 실시한다.

라. 몸통을 비트는 동작과 과도한 굴곡운동은 금한다.

정답 **나**

골다공증 환자들에게 운동이 효과적이라고 해서 임의대로 한쪽으로 치우친 운동은 권장하지 않는다. 격렬한 움직임이나 강한 충격을 주는 운동은 피해야 하며, 척추를 구부리거나 비틀거나 압박하는 운동은 피하는 것이 좋다.

16. 골다공증의 예방과 개선을 위한 운동방법으로 거리가 <u>먼</u> 것은?

가. 청소년 시기에는 점프, 중강도 저항운동, 스포츠참여와 같은 충격활동을 포함한다.

나. 성인기에는 체중을 이용한 중.고강도 지구성 운동과 저항운동을 병행하여 실시한다.

다. 요통이 있는 골다공증 환자는 유연성 및 근력 향상을 위하여 수중운동도 권장된다.

라. 노약자 및 통증동반의 인공관절 수술 환자는 운동프로그램 제한을 두지 않는다.

정답 **라**

저자촌평 쉬운 문항을 제시해서 정답을 무난하게 고를 수 있는 문제이다.

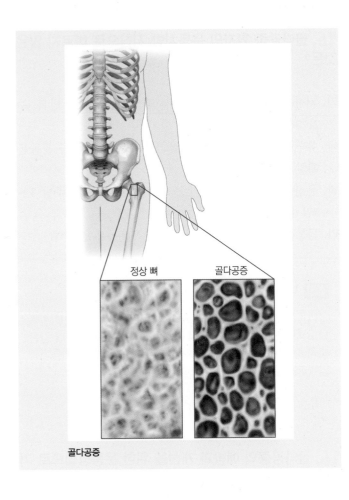

정상 뼈   골다공증

골다공증

17. 어린이 대상 운동처방 시 특별한 고려사항과 거리가 먼 것은?

가. 성인보다 발한율과 열내성이 높아 환경변화 적응 속도가 빠르다.

나. 걷기와 자전거타기 등 건강증진의 다양한 활동을 경험하도록 한다.

다. 신체활동은 보통, 격렬한 정도(중·고강도)로 하루 60분 이상이 적합하다.

라. 운동습관 개선을 위하여 신체활동 지속시간과 빈도는 점진적으로 증가시킨다.

정답 가

어린이는 형태적, 기능적 차이로 운동 시의 온도조절을 효율적으로 할 수 없다. 어린이는 성인보다 발한율이 낮고 열 내성이 떨어지며 환경변화에 적응하는 속도가 느리다.

18. 임산부를 위한 운동처방 시 특별한 고려사항과 거리가 먼 것은?

가. 운동 전과 중 현기증, 두통, 하지부종 시 운동을 금하거나 중단한다.

나. 임신 3개월 후 태아의 정맥폐색이 발생하지 않도록 누운 자세에서 운동해야 한다.

다. 운동 중 발살바조작(Valsava maneuver) 수행은 피해야 한다.

라. 근력운동은 1RM의 40~60% 강도범위내에서 12~15회 반복 실시한다.

정답 나

임산부는 임신 첫 3분기 이후에 정맥저류현상이 발생하지 않도록 바로 누운 자세는 피하도록 한다.
임산부는 태아나 산모에게 불균형을 초래할 수 있는 접촉성 스포츠나 활동은 피하도록 한다. 아이스하키, 승마, 축구, 농구 등의 격렬한 스포츠는 하지 않도록 권장한다.

19. 노인의 심폐능력 향상을 위한 운동방법으로 적합한 것은?

가. 에너지 소모량이 높은 조깅, 점핑, 달리기 등 고충격 운동형태가 적합하다.

나. 유산소운동 형태로 에너지 소모량을 높이고 위험성을 고려하여 운동강도는 점진적으로 증가시킨다.

다. 유산소 운동의 최적 효과를 위하여 60분 이상 연속실시해야 한다.

라. 1주일 운동량은 최소 180분 이상 고강도 운동을 실시해야 한다.

정답 나

↪ 저자촌평 정답을 쉽게 고를 수 있는 문제이다.

노인 운동의 권장사항
① 프로그램이 재미있어야 한다.
② 안전해야 한다.
③ 경제적으로 부담이 적어야 한다.
④ 가까운 장소일수록 좋다.
⑤ 낮시간이 바람직하다.
⑥ 성취감을 가지는 난이도가 좋다.

20. 노인을 위한 운동처방 시 특별한 고려사항으로 거리가 <u>먼</u> 것은?

가. 근육감소증이 있는 노인의 경우 유산소운동 실시 전 고강도 근력증가 운동이 필요하다.

나. 체력향상을 위해 최소 권고 신체활동량 보다 많게 점진적으로 증가시켜야 한다.

다. 인지능력이 감퇴된 노인은 중등도 신체활동이 권장된다.

라. 족부궤양, 심각한 관절염이 있는 노인은 유산소운동 대신 저항운동을 권장한다.

정답 **가**

노인운동의 경우 자신의 최대 운동능력의 40~50% 수준에서 시작하여 70%를 넘지 않도록 한다. 느낌(운동자각도)이 조금 힘든 정도가 적당하다.

노인 운동

운동부하검사

01. 운동부하검사의 목적을 모두 포함하는 것은?

〈보기〉

㉠ 운동의 안정성 확보　　㉡ 최대운동능력 평가
㉢ 운동처방 관련 정보 획득　㉣ 건강체력요소의 종합적 평가

가. ㉠, ㉡　　　　　　　　나. ㉡, ㉢
다. ㉠, ㉡, ㉢　　　　　　라. ㉠, ㉡, ㉢, ㉣

정답 다

㉣은 체력검사 항목에 해당한다.

운동부하검사의 목적
① 안정 시에는 발견할 수 없었던 이상과 질병을 운동이라는 스트레스에 의해 잠복되어 있는 소견을 발견하고 평가하는 데 있다. 특히 심장기능과 혈압 등 순환계의 이상유무 평가에 주안점을 둔다.
② 현재의 심폐기능을 평가하는 것이다. 다시 말하면, 운동이 순환기능과 유산소능력에 미치는 효과를 판정하는 것이며, 최대운동 시 심박수, 자각적 운동 강도, 심전도 소견, 최대산소섭취량 등이 그 지표가 된다.
③ 피검자가 견디어 낼 수 있는 운동 강도의 한계와 순환기능의 운동에 대한 적응능력을 파악하여 운동 강도를 설정하는 데 있다.

02. 미국스포츠의학회(ACSM) 위험분류에 사용되고 있는 심혈관질환 위험요소에 속하지 않는 경우는?

가. 심근경색이 부계나 남자 직계 가족 중 55세 이전 혹은 모계나 여성 직계 가족 중 65세 이전에 급사한 가족력
나. 현재 흡연 혹은 금연한지 6개월 이내인 경우
다. 고밀도지단백 콜레스테롤(HDL-C)이 60mg/dℓ 이상인 경우
라. 두 번 이상 확인한 공복 시 혈당이 100mg/dℓ 이상 125mg/dℓ 이하

정답 다

ACSM에서 기준을 제시한 심폐질환계 또는 대사성질환의 주요 증상 및 징후와 관상동맥질환(심혈관질환)의 주요 위험인자 중 하나를 묻는 내용이다. 비교적 쉬운 문제였다.

고밀도지단백 콜레스테롤(HDL-C)이 40mg/dℓ 미만인 경우로 수정해야 한다.

ACSM 최신 가이드라인

HDL	
<40	낮음
≥60	높음

03. 심혈관질환의 위험도 분류를 근거로 한 의학검사와 운동검사에 대한 내용 중 고위험군에 대한 설명으로 옳은 것은?

가. 고위험군은 2개 이상의 심혈관질환 위험 요소를 가진다.
나. 최대하운동부하검사를 실시할 때 의사의 감독이 불필요하다.
다. 모든 종류의 운동을 하기 전에 의학검사를 받아야 한다.
라. 중강도 운동을 실시하고자 할 때 운동검사는 불필요하다.

정답 다

ACSM(최신)에서는 참여 전 알고리즘을 제시하여 참여자는 6가지 분류에서 하나로 나눠지는데 규칙적인 운동에 참여/비참여로 구분하고 있다. 그 당시의 표(기준)를 참조하기 바란다.

위험분류에 따른 검사 필요성과 검사 시 의사의 감독 필요성 유무

분류		운동강도	낮은 위험군	중등도 위험군	높은 위험군
운동검사 필요성		중강도 (중등도) 운동	불필요	불필요	권고됨
		고강도 (힘든) 운동	불필요	권고됨	권고됨
운동검사 시 의사의 감독 필요성		최대하 검사	불필요	불필요	권고됨
		최대 검사	불필요	권고됨	권고됨

04. 다음 ( )에 들어갈 알맞은 단어를 순서대로 나열한 것은?

<보기>

일반적으로 운동부하 검사의 각 단계별 운동강도는 (㉠) METs 이상, 환자의 경우는 (㉡) METs 이하로 증가시킨다.

가. ㉠ 1, ㉡ 1/2
나. ㉠ 2, ㉡ 1/2
다. ㉠ 1, ㉡ 3/4
라. ㉠ 2, ㉡ 3/4

정답 **나**

모든 운동부하 검사에는 다음과 같은 원리를 적용한다.

① 운동검사는 예상한도 또는 최대능력보다 상당히 낮은 운동강도에서 시작해야 한다. 따라서 환자의 체력상태에 따라 적합한 운동부하 프로토콜을 선택해야 한다.
② 운동 강도는 각 단계별 측정결과를 참고해서 점진적으로 증가시켜야 한다. 일반적으로 각 단계별로 2METs 이상, 노약자와 환자의 경우는 1/2METs 이하를 증가 시킨다.
③ 검사에 대한 금기사항과 검사 중단에 대한 지시사항은 반드시 지켜져야 한다.
④ 검사 중에 어떤 문제가 생기면 지체 없이 검사를 중단해야 한다.
⑤ 심박수, 혈압, 환자의 상태, 운동자각도(RPE),증세(관찰되거나 말로 표시했거나 관계없이)는 면밀히 감시되어야 한다. 협심증 환자와 호흡 곤란 증 환자의 증상 단계 표를 적극 활용한다.
⑥ 감독업무는 장시간의 사후 감독이 필요하며 이상 반응이 없는 경우에는 검사 종료 후 7~8분의 회복시간 동안 계속한다.
⑦ METs로 표시한 운동 대사량은 산소 섭취량을 얻는데 사용되는 트레드밀이나 자전거 에르고미터 검사방법에 의해서 산출될 수 있다.
⑧ 검사는 가능하면 온도가 20~22℃이고, 습도가 50~60%인 장소에서 행해져야 한다.

05. 하버드 스텝 테스트의 신체효율지수(PEI)를 구하기 위한 공식 [{운동지속시간(초)×100}/(2×□)}]에서 □에 알맞은 내용은?

가. 회복기(운동 후 1분~1분30초, 2분~2분30초, 3분~3분30초) 3회 측정한 심박수의 합
나. 회복기(운동 후 1분~1분30초, 2분~2분30초, 3분~3분30초) 3회 측정한 심박수의 평균
다. 회복기 (운동 후 1분~2분, 2분~3분, 3분~4분) 3회 측정한 심박수의 합
라. 회복기(운동 후 1분~2분, 2분~3분, 3분~4분)3회 측정한 심박수의 평균

정답 **가**

신체효율지수(PEI)는 다음과 같이 나타낼 수 있다. 문제에서 주어진 것처럼 심박수를 계산한 다음 아래의 틀에 그 수치를 대입하면 등급이 나온다. 등급이 높을수록 우수한 체력을 나타낸다.

등급	신체 효율 지수	심박수 합계
1(특히 우수)	90 이상	167 이하
2(우수)	80~89	168~188
3(평균)	65~79	189~232
4(평균 이하)	55~64	233~272
5(열등)	54 이하	273 이상

스텝검사

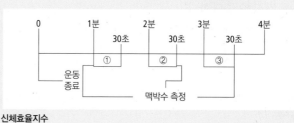

신체효율지수

06. 일반적인 최대하 운동부하검사 종료 시점은 예상 최대심박수의 (　) 범위이다. (　)에 해당되는 내용은?

가. 50~60% 정도　　　　나. 60~75% 정도
다. 70~85% 정도　　　　라. 80~90% 정도

정답 다

최대하 운동부하검사는 3분되는 시점에서 심박수가 최대심박수 85%이다. 검사단계는 각 단계별 항정상태를 유지하는 심박수 반응을 살펴보기 위해 3분이나 그 이상으로 하고 종료시점(연령으로 예측한 최대심박수의 85%나 여유심박수 70%)을 동일하게 한다. 단일 단계 최대하운동검사와 다단계 최대하운동검사는 간단한 심박수를 통해 최대산소섭취량을 추정할 수 있다. 최대하운동검사는 최대운동검사만큼 정확성은 떨어지지만 적은 비용 및 시간의 노력을 줄일 수 있다. 연령과 성별에 따라 심폐체력을 추정하기 위한 회귀방정식을 사용할 수 있다. 자전거에르고미터 검사, 트레드밀 검사, 스텝 검사 등이 고려된다.

07. 점증적 운동부하검사 절차에 대한 설명 중 옳지 않은 것은?

가. 휴식 시 심박수와 혈압을 측정한다.
나. 각 단계에서 심박수가 항정상태에 도달하지 않았을 경우 운동부하를 증가시키지 않는다.
다. 피검자의 요구나 운동검사를 중단해야할 징후가 보이면 검사를 중단한다.
라. 회복기 동안 심박수와 혈압은 안정적으로 감소되어야 하며 운동 전 수준보다 높아서는 안 된다.

정답 라

운동부하검사 직후 회복운동시간은 약 6~8분 정도를 피검자의 혈압과 심박수가 안정 시 수준으로 회복될 때까지 지속하는 것이 좋다. 회복기 동안 운동 전 수준보다 높을 수 있다.

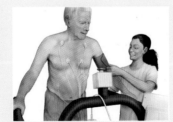
점증적 운동부하검사

08. 운동부하검사 시 측정해야 하는 변인들에 대한 설명으로 옳은 것은?

가. 운동 중 목동맥(경동맥, carotid artery)에서 심박수를 측정할 때는 강한 압력으로 촉진한다.
나. 측정자는 안정적인 혈압 측정을 위해서 청진기를 사용하고, 피검자는 트레드밀의 손잡이를 잡아 움직임을 줄인다.
다. 운동 중 심장활동의 평가를 위해 심전도, 혈압, 심박수를 측정한다.
라. 운동자각도는 휴식에서 최대 단계까지의 피검자의 노력여부를 나타내는 수치이며, 6~20까지의 숫자만을 사용한다.

정답 다

가. 경동맥에 지나친 압력을 가하면 심박수를 감소시키는 반사반응을 유발시키므로 너무 세게 눌러서는 안 된다. 이 곳은 매우 민감하여 경동맥 반사로 심한 서맥이 유발될 수 있으니 촉진 시 너무 세게 압박해서는 안 된다. 많은 에르고미터와 트레드밀에는 심박수 측정장치가 장착되어 있다.
나. 청진법은 피검자가 안정된 자세로 있을수록 심음을 정확하게 들을 수 있으며, 장비의 난간을 붙잡지 말고 팔을 자연스럽게 내려뜨리는 것이 좋다.
라. 6~20까지의 숫자만을 사용하는 것이 아니고 자각적 운동강도 정수에 10배한 것이 심박수에 의한 운동강도 수준과 비슷하게 설정되어 있다. 운동강도 관찰을 위해 운동자각도를 권장하는 이유는 사용되는 말초근육들과 관절, 중추심혈관 및 호흡기능, 그리고 중추신경계를 통합하기 때문이다.

📖 **보충학습**

운동자각도

운동부하검사의 각 단계에서 행해지는 또 다른 흔한 측정법은 보그(Borg)의 운동자각도(Rating Perceived Exertion, RPE)이다. 원래 단계는 휴식할 때부터 최대 단계까지의 심박수 기준에 접근하기 위해 6~20까지의 등급(심박수 60~200)을 이용했다. 수정 단계는 운동자각도 기준의 비율 단계를 나타낸다. 운동자각도 점수는 피검자의 노력 여부를 보여주는 좋은 본보기이자 운동부하검사나 운동기간을 통한 반응을 점검할 수 있는 양적인 방법을 제시해준다. 이는 피험자가 언제 체력 소모가 오는지를 알 수 있다는 점에서 유용하게 이용되며, 기준은 운동강도를 규정하는 데 이용될 수 있다.
운동자각도의 유용성을 최대화하려면 각 개인들에게 분명하고 표준화된 지침을 제공하는 것이 중요하다. 미국대학스포츠의학회(ACSM)의 가이드라인은 이러한 기준을 제시한다.

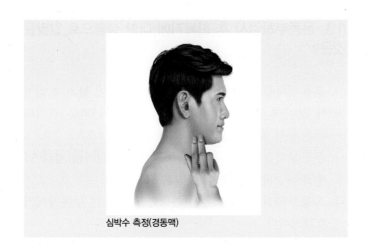

심박수 측정(경동맥)

09. 협심증 환자의 운동부하검사 시 적합한 프로토콜은?

가. Balke, Naughton

나. Balke, Bruce

다. Bruce, Naughton

라. Ramp, Bruce

정답 **가**

Balke, Naughton은 stage당 1METs 이하의 적은 증가폭을 갖는 프로토콜로서 나이가 많거나 체력 수준이 현저히 떨어져 있는 사람들과 심혈관 혹은 호흡기 질환을 갖는 환자에게 매우 적당하다.

① Bruce 검사 : 본 트레드밀 검사는 가장 흔히 이용되는 프로토콜이다. 그러나 이것은 상대적으로 매 3분마다 많은 증가량을 주고 있다. 속도, 경사 또는 2가지가 동시에 3분마다 바뀐다.

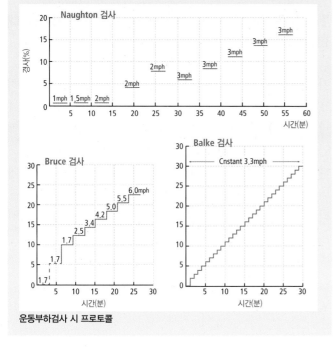

운동부하검사 시 프로토콜

건강한 피험자는 0%~5%의 경사에서 수행하지 않는다.

② Ramp 프로토콜은 운동량을 일정하고 지속적인 방법으로 증가시키는 것이다.

③ Naughton 검사 : 증가된 강도에서 3분 동안 운동 후 3분간 휴식한다. 이 운동은 경사와 속도가 다양하다.

④ Balke 검사 : 0% 경사에서 1분 후 2% 경사에서 1분을 하고 분당 1%씩 올라간다.

10. <보기> 중 운동부하검사의 상대적 금기사항으로 바르게 짝지어진 것은?

〈보기〉

㉠ 불안정성 협심증   ㉡ 박리성 동맥류   ㉢ 폐경색
㉣ 급성 심근염   ㉤ 빈맥성 부정맥   ㉥ 심실 동맥류

가. ㉠, ㉢   나. ㉤, ㉥   다. ㉡, ㉣   라. ㉠, ㉤

정답 **나**

ACSM 최신 가이드라인에 따르면 운동부하검사에 대한 상대적 금기사항은

① 안정 시 수축기 혈압 200mmHg 혹은 이완기 혈압이 110mmHg 이상인 경우

② 좌주간부 관상동맥질환

③ 전해질 불균형(저칼륨증, 저마그네슘증), 갑상선 기능저하증, 심각한 빈혈이 있는 경우

④ 증상이 불분명한 중등도-심각한 대동맥협착

⑤ 전신장애

⑥ 최근 뇌졸중

⑦ 조절되지 않는 빈맥

⑧ 심각하거나 완전 심장차단

11. 최대산소섭취량 도달 여부를 판단하기 위한 생리적 기준에 대한 설명으로 <u>틀린</u> 것은?

가. 운동강도 증가에도 산소섭취량의 증가 없이 고원현상을 보일 때
나. 운동강도 증가에도 심박수의 증가 없이 예측 최대심박수의 95% 수준일 때
다. 호흡교환율이 1.0 이상일 때
라. 혈중 젖산농도가 8mmol/L 이상, 운동자각도가 17 이상일 때

정답 다

👤 **저자촌평** 이 문제는 최대산소섭취량 도달 여부를 판단하기 위한 생리적 기준에 대한 수치가 다르기 때문에 좋은 문제라고 생각되지 않는다. 해답에 해당되는 수치보다 명확한 다른 내용을 제시하는 것이 더 좋았을 것으로 사료된다.

예컨대 다음과 같은 기준도 있기 때문이다.

나. 운동강도 증가에도 심박수의 증가 없이 예측 최대심박수의 85% 수준 이상인 경우
다. 호흡교환율이 1.10~1.15 이상일 때
라. 혈중 젖산농도가 8mmol/L 이상, 운동자각도가 19 이상일 때

12. 운동부하검사 중 측정하는 항목에 대한 설명으로 바르지 <u>않은</u> 것은?

가. 혈압은 매 단계의 마지막 45초 동안 측정한다.
나. 운동자각도는 매 단계의 마지막 15초 동안 측정한다.
다. 심전도는 매 단계의 마지막 15초 동안 측정한다.
라. 호흡가스는 매 단계의 마지막 1분에 측정한다.

정답 라

운동검사 중 호흡가스는 지속적으로 측정한다.
ACSM 최신 가이드라인을 기준으로 공부하기 바란다.

13. 운동부하검사 후 회복기에 대한 설명으로 알맞은 것은?

가. 운동부하검사 직후의 회복방법은 침대에 눕거나 의자에 앉아서 정적 휴식을 취하는 것보다 가벼운 걷기와 같은 동적 휴식이 효과적이다.
나. 운동부하검사 직후 걷기운동은 저혈압의 위험성과 ST분절 하강과는 연관성이 없다.
다. 운동부하검사 후 호흡이 곤란한 피검자는 누운자세가 효과적이다.
라. 운동부하검사 후 측정변인은 혈압과 심박수만 관찰하면 된다.

정답 가

"나~라"는 다음과 같이 수정한다.

나. 운동부하검사 직후 걷기운동은 저혈압의 위험성과 ST분절 하강의 폭을 줄일 수 있다.
다. 운동부하검사 후 호흡이 곤란한 피검자의 경우 누운 자세는 상태를 악화시킬 수 있으므로 앉아있는 자세가 보다 효과적이다.
라. 운동부하검사 후 측정변인은 혈ST분절의 하강 또는 상승, 부정맥, 심장의 전도장애, 그리고 심근허혈이 주로 관찰된다.

14. 운동부하검사 결과에 따른 운동능력의 평가에 대한 설명으로 알맞은 것은?

가. ST분절의 하강은 비정상적인 심전도 반응이며 심근허혈을 의미한다.
나. Q파가 없는 상태에서 운동 중 ST분절의 상승은 대동맥의 협착을 의미한다.
다. 운동강도가 증가함에 따라 심박수가 직선적으로 증가하면 비정상적인 심박수 반응이다.
라. 운동부하검사 중 수축기 혈압이 200mmHg 이상 증가하면 검사를 중단한다.

운동부하검사

정답 가

"나~라"는 다음과 같이 수정한다.

나. Q파가 없는 상태에서 운동 중 ST분절의 상승은 관상동맥의 협착을 의미한다.

다. 운동강도가 증가함에 따라 심박수가 직선적으로 증가하면 정상적인 심박수 반응이다.

라. 운동부하검사 중 수축기 혈압이 250mmHg 이상 증가하면 검사를 중단한다.

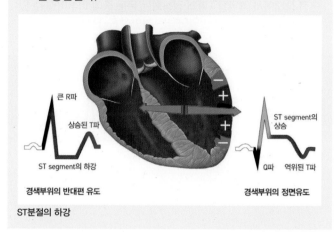

큰 R파

상승된 T파

ST segment의 상승

ST segment의 하강

Q파 역위된 T파

경색부위의 반대편 유도

경색부위의 정면유도

ST분절의 하강

16. 운동부하검사에 대한 심박수의 반응과 관련된 설명으로 바르지 <u>않은</u> 것은?

가. 운동강도가 증가함에 따라 직선적으로 증가하면 정상적인 심박수 반응이다.

나. 비활동적인 사람인 경우 운동강도 증가에 따른 심박수 증가율은 10 ± 2회/MET이다.

다. 연령을 이용한 최대심박수 예측치보다 10회/분 이상 낮게 나타나면 심박수 변동 부전현상(chronotropic incompetence)이다.

라. 운동부하검사 후 심박수는 매 분의 마지막 5초 동안 기록한다.

15. 운동부하검사 결과에 따른 관상동맥질환의 선별검사에 대한 설명으로 알맞은 것은?

가. 관상동맥질환자의 심전도는 안정 시에만 검사가 가능하다.

나. ST분절의 하강은 명확한 심방의 허혈을 의미한다.

다. 비정상적인 ST분절 또는 Q파가 나타나거나 R파가 보이지 않을 때는 심근경색을 의미한다.

라. 심전도 검사와 약물의 복용 유무는 상관이 없다.

정답 다

연령을 이용한 최대심박수 예측치보다 20회/분 이상 낮게 나타나면 심박수변동부전현상(chronotropic incompetence)이다.

정답 다

"가, 나, 라"는 다음과 같이 수정해야 한다.

가. 안정 시의 심전도 상에서는 이상소견이 없었다고 하더라도 운동부하 검사 중에는 협심증, 심근 허혈 증, 부정맥, 허혈성 심질환 등 심장기능의 이상소견을 진단할 수 있다.

나. ST분절의 하강은 명확한 심근의 허혈을 의미한다.

라. 심전도 검사는 약물에 의해서 영향을 받을 수 있다.

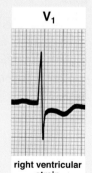

V₁

right ventricular strain

ST분절의 하강

17. 운동부하검사에서 혈압반응에 대한 설명으로 알맞은 것은?

가. 운동강도 증가 시 수축기 혈압이 떨어지거나 증가하지 않아도 비정상적인 것은 아니다.

나. 수축기 혈압 250mmHg 이상, 이완기 혈압 115mmHg 이상이면 운동검사를 중단한다.

다. 혈관확장제, 칼슘채널차단제, 엔지오텐신 전환효소억제제, 알파 및 베타차단제를 처방받은 사람의 경우 운동에 대한 혈압반응을 정확하게 예측할 수 있다.

라. 운동 후 정상적인 혈압반응은 수축기 혈압과 이완기 혈압이 점진적으로 감소하는 것이다.

정답 **나**

↳저자촌평 이 문제는 14번 문제 "라"와 관련이 있다.

ACSM 최신 가이드라인에 따르면 "수축기 혈압 250mmHg 이상, 이완기 혈압 115mmHg 이상이면 운동검사를 중단한다"로 운동검사를 위한 일반적 지침에 해당된다.

"가~라"는 다음과 같이 수정해야 한다.

가. 운동강도 증가 시 수축기 혈압이 떨어지거나 증가하지 않으면 비정상적인 반응이라고 볼 수 있다.
다. 혈관확장제, 칼슘채널차단제, 엔지오텐신 전환효소억제제, 알파 및 베타차단제를 처방받은 사람의 경우 운동에 대한 혈압반응을 다양하게 감소하는 변화를 보이게 되며, 정확하게 예측할 수 없다.
라. 운동 후 정상적인 혈압반응은 수축기 혈압은 점진적으로 감소하는 것이다.

📖 보충학습

운동으로 인해 수축기 혈압이 감소하는 현상(exercise induced hypotension ; EH)은 관상동맥질환, 심장판막증, 심근질환, 혹은 다양한 형태의 부정맥이 있는 환자일 가능성이 있다. 수축기혈압은 검사 후 몇 시간 동안은 검사 전 안정 시 수준 이하로 떨어질 때도 있다. 지속적인 저강도에서 중강도의 1회성 운동 후 수축기 혈압은 정상인과 고혈압환자에게서 일시적으로 최고 12시간 동안 운동 전 수준 이하로 낮아진다. 저혈압성 회복반응(hypertensive recovery response)은 운동의 중요한 비약물성 고혈압 치료법이라는 것을 강력하게 뒷받침해주는 예라고 할 수 있다.

---

18. 운동부하검사의 심전도에서 비정상적으로 크고 뾰족하거나 역전된 T파가 의미하는 것으로 알맞은 것은?

가. 고칼슘증   나. 급성 심낭염
다. 저칼륨증   라. 급성 심근경색

정답 **라**

ST분절의 하강은 심근허혈, ST분절의 상승은 의미있는 Q파가 전개되었을 때 심근손상(급성 심근경색)을 나타낸다.

대부분의 건강하고 젊은 사람들에게는 운동 중 또는 운동 직후에 T파 반응이 증가된다. 환자에 따라서는 과환기, 저칼륨혈증, 과도한 부하에 의해서 T파가 평탄화되고 역위되기도 한다. T파의 역위는 보통 운동 후 회복기에 나타나며, 이러한 현상은 다른 테스트 반응과 함께 분석되어야 한다.

안정 상태에서 역위된 T파의 정상화는 운동 중에 이루어질 수 있으며, 이것은 동시적으로 일어나는 허혈성 S-T분절 이상반응과 관계가 있다.

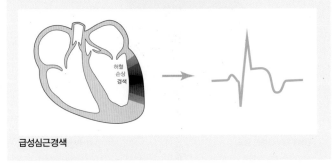

급성심근경색

---

19. 운동부하 검사의 진단예측에서 민감도에 대한 설명으로 알맞은 것은?

가. 운동검사의 관상동맥질환이 없는 피검자가 음성검사 결과를 보일 백분율을 의미한다.
나. ST분절이 1.0mm 이상 하강하는 현상이 나타난 진양성(TP) 결과는 피검자의 관상동맥질환을 의미한다.
다. 운동 중 심전도 검사에서 표준 6개의 좌측 흉부유도를 사용하면 운동검사의 민감도를 하락시킨다.
라. 민감도 공식은 진양성/(진음성+위양성)[TP/(TN+FP)]이다.

정답 **나**

가. 특이도란 운동검사의 관상동맥질환이 없는 피검자가 음성검사 결과를 보일 백분율을 의미한다.
다. 운동 중 심전도 검사에서 표준 6개의 좌측 흉부유도를 사용하면 운동검사의 민감도를 향상시킨다.
라. 민감도 공식은 진양성/(진양성+위음성)[TP/(TP+FN)]×100이다.

20. 아래 Duke 노모그램의 5단계 방법을 이용하여 심장질환의 예후를 추정하는 순서로 바르게 연결된 것은?

〈보기〉

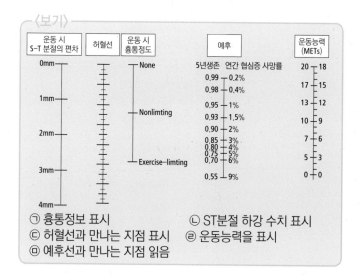

운동 시 S-T 분절의 편차	허혈선	운동 시 흉통정도	예후	운동능력 (METs)

⊙ 흉통정보 표시   ⓒ ST분절 하강 수치 표시
ⓒ 허혈선과 만나는 지점 표시   ② 운동능력을 표시
⑩ 예후선과 만나는 지점 읽음

가. ⊙-ⓒ-ⓒ-②-⑩   나. ⓒ-ⓒ-⊙-②-⑩
다. ⊙-ⓒ-②-ⓒ-⑩   라. ⓒ-⊙-ⓒ-②-⑩

정답 라

👉 **저자촌평** 이 문제는 임상운동검사에 대한 문제로서 심도있는 공부를 하지 않은 수험생의 경우 풀 수 없는 문제이다.

"질병의 심각성과 예후를 위한 운동검사"로서 이미 알려진 혹은 의심이 되는 CAD를 지닌 사람들의 평가에 유용하다.

Duke 노모그램은 정해진 사람의 예후를 Duke 점수의 파라미터로부터 예측하기 위해서 5단계를 이용한다.

① ST분절 하강 수치 표시
② 흉통정보 표시(협심증 정도가 협심증 표시를 위한 선에 표시)
③ 허혈선과 만나는 지점 표시(ischemia reading line에 교차하는 점을 표시한다)
④ 운동능력을 표시(관찰된 운동내성은 운동능력을 나타내는 선에 표시한다)
⑤ 예후선과 만나는 지점 읽음(마지막으로 schemia reading line 상의 표시점과 운동능력 선상의 표시점을 연결한다)

그리고 예측되는 5년 생존율 또는 평균 연간 사망률을 이 선이 예후척도에서 교차하는 지점에서 읽는다.

건강운동관리사 필기시험
2교시

2015 건강운동관리사

운동상해

01. 무릎관절(슬관절, knee joint)의 손상은 불행한 3화음(unhappy triad)과 같은 복합적인 손상을 유발할 수 있다. 아래 <보기>에서 불행한 3화음(unhappy triad)의 손상 조직들로 맞게 짝지어진 것은?

─〈보기〉─

ㄱ 앞십자인대(전방십자인대, anterior cruciate ligament)
ㄴ 뒤십자인대(후방십자인대, posterior cruciate ligament)
ㄷ 안쪽곁인대(내측측부인대, medial collateral ligament)
ㄹ 가쪽곁인대(외측측부인대, lateral collateral ligament)
ㅁ 안쪽반달연골(내측반월상연골, medial meniscus)
ㅂ 가쪽반달연골(외측반월상연골, lateral meniscus)

가. ㄱ, ㄹ, ㅁ   나. ㄴ, ㄹ, ㅂ
다. ㄱ, ㄷ, ㅁ   라. ㄴ, ㄷ, ㅂ

정답 다

과격한 운동일수록 무릎부상이 많다. 무릎관절은 뼈위에 뼈가 위치하고 있기 때문에 해부학적으로 아주 불안정한 구조이다. 따라서 무릎은 전·후, 좌·우 관절을 잡아주는 인대들이 따로 존재하며, 관절과 관절사이에 충격을 흡수하는 구조물들이 따로 있다.

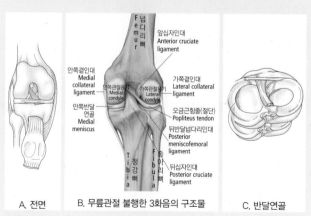

A. 전면   B. 무릎관절 불행한 3화음의 구조물   C. 반달연골
무릎의 구조

① 전방십자인대는 대퇴골에 대해 경골이 전방으로 이동하는 것을 막고 과신전과 경골회전을 제한해 관절 안정성에 기여한다.

② 전방십자인대파열의 원인은 대부분 비틀림 감속 손상, 과신전 운동 등 비접촉성 외상에 의해 발생한다. 축구(이동국선수의 예), 농구, 야구, 스키 등과 같은 스포츠 활동 중 자주 발생한다. 일부 환자에서 외전에 의한 접촉성 외상으로 발생하기도 한다. 접촉에 의한 손상은 다른 구조물의 동반 손상이 많은 특징이 있으며 그중 반월상연골 파열이 자주 일어난다.

③ 반월상연골은 허벅지뼈와 종아리뼈 사이에 있는 반달 모양의 연골인 반월상연골은 무릎 관절의 충격을 줄여주며, 관절연골에 영양분을 공급하는 등 연골 보호에 중요한 역할을 담당하는 곳이다. 반월상연골은 무릎 구조물 중 가장 손상이 많이 발생하는 부위이다.

④ 반월상연골파열의 원인은 무릎에 체중이 실렸을 때 과도한 회전으로 인해 발생하는데 내측 반월상연골이 외측에 비해 손상 빈도가 높다. 과도한 운동, 외부 충격으로 무릎이 뒤틀리거나 꺾이는 경우에 흔히 발생한다. 연골판 손상은 운동선수나 육체 노동자들에게 많이 생기며 발바닥을 땅에 고정하고 무릎을 구부린 상태에서 회전 운동이 일어날 때 발생한다.

02. <보기>에서 설명하고 있는 질환과 검사방법으로 옳은 것은?

─〈보기〉─

축구가 취미인 강 씨는 어느 날 축구 경기 중 허리통증과 엉덩부위(둔부) 및 하지의 피부절을 따라 왼쪽 다리로 방사되는 저림 증상을 호소하였다. 통증은 오래 앉아있거나 몸을 앞으로 숙이는 동작에서 증가하는 것으로 나타났다.

가. 퇴행성디스크(degenerative disc)−슬럼프 검사(slump test)

나. 허리 추간판탈출증(lumbar herniated nucleus pulposus)−하지 직거상 검사(straight leg raising test)

다. 척추분리증(spondylolysis)−하지 직거상 검사(straight leg raising test)

라. 척추관협착증(spinal stenosis)−슬럼프 검사(slump test)

정답 나

허리 추간판탈출증(디스크)은 잘 못된 신체기전, 외상 등으로 섬유태의 균열, 파열, 퇴행을 일으킬 수 있다. 허리 추간판탈출증은 돌출 또는 격리될 수 있다.

하지직거상 검사는 제 5요추신경근과 제 1천추신경근을 긴장시키고, 좌골신경은 대퇴후방으로 주행하며 제 4, 5요추 신경근, 제 1, 2, 3의 천추신경근으로 이루어진다. 앙와위 포지션에서 무릎을 최대한 편 상태에서 들어 올리는데 고관절이 80~90도 굴곡된 상태에서 대퇴후근에 약간의 긴장을 느끼는 것이 일반적이나 그렇지 않고 척추분리증이 있는 경우 쏘는 듯한 통증이 있으면 양성이라고 할 수 있다.

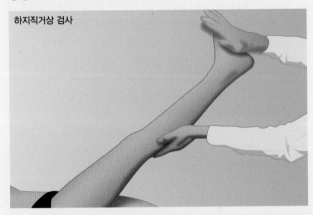
하지직거상 검사

① 증상 : 요통과 둔부, 무릎 아래의 하지로 통증이 퍼지며, 심하면 감각 손실과 근력 약화를 보인다.
② 처치 : 자기 공명 영상 촬영(MRI)으로 정확하게 진단하며, 초기에 약 60~70%는 안정, 진통제 복용, 물리 치료 등으로 호전시킨 후, 허리와 복근 근력을 강화시킴으로써 치료할 수 있다. 장기간의 휴식은 오히려 근력과 뼈의 약화를 가져올 수 있다.
③ 예방 : 올바른 자세를 유지하고, 일상생활에서 허리에 무리를 주지 않도록 한다. 또한, 복부 근육과 등 근육을 강화시키고, 아침에 일어난 후와 운동 전에 반드시 스트레칭 체조를 하도록 한다.

03. 팔꿈관절(주관절, elbow joint)의 가쪽위관절융기염(외측상과염, lateral epicondylitis) 손상기전으로 옳은 것은?

가. 팔꿈관절 굽힘근(굴곡근, flexor)과 엎침근(회내근, pronator)의 지속적인 미세손상

나. 팔꿈관절 굽힘근(굴곡근, flexor), 뒤침근(회외근, supinator)의 지속적인 미세손상

다. 팔꿈관절 폄근(신전근, extensor), 엎침근(회내근, pronator)의 지속적인 미세손상

라. 팔꿈관절 폄근(신전근, extensor) 및 뒤침근(회외근, supinator)의 지속적인 미세손상

정답 라

가쪽위관절융기염은 테니스 엘보(Tennis elbow)라고도 한다. 팔꿈치를 45도 구부리고 펴놓은 손목에 저항을 가하면 가쪽위관절융기에서 통증이 증가한다. 외측 위관절융기염(lateral epicondylitis)라고도 알려져 있으며 대부분의 환자는 운동선수가 아니다. 단지 운동선수 5%에서 발생한다. 이 질병은 전완(forearm)의 신전근(extensor)의 건(tendon)에 반복적인 미세 외상이 반복되므로 야기된다. 초기에 장요측수근신근(extensor carpi radialis)과 척측수근신근(extensor carpi ulnaris)에 미세상처가 발생함으로써 질병이 시작되며, 전완의 신전근을 지속적으로 과도하게 사용하거나 잘못 사용하여 결과적으로 이차적인 염증이 발현된다.

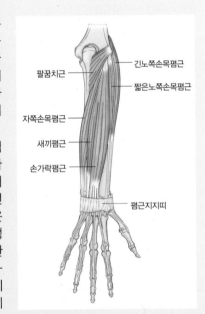
주관절의 구조

긴노쪽손목폄근
팔꿈치근
짧은노쪽손목폄근
자쪽손목폄근
새끼폄근
손가락폄근
폄근지지띠

일상생활에서 손을 쥐는 행동(ex. 악수), 손목을 세게 뒤트는 행동(아이스크림을 스푼으로 뜨는 행동) 등이 이 질환을 쉽게 발현 시킬 수 있다. 테니스 선수들에서는 두 가지 기전으로 이 질환이 쉽게 발생되는데 너무 무거운 라켓으로 운동함으로써 과도하게 악력을 사용할 때, 백핸드 샷을 할 때 어깨와 팔꿈치가 네트와 평행을 이루지 않고 어깨가 먼저 나갈 때 등이 있다.

04. 인조잔디라는 환경적 요인으로 인해 훈련 중 발생할 수 있는 손상으로 옳지 **않은** 것은?

가. 천연잔디보다 손상을 야기할 확률이 낮다.

나. 인조잔디에서 많이 발생하는 손상은 찰과상과 터프토우(turf toe)이다.

다. 미끄러운 지면으로 넘어지는 경우 마찰열로 인해 화상을 입을 수 있다.

라. 천연잔디보다 빠른 속력이 나기 때문에 충돌 시 잠재적으로 더 큰 손상을 유발할 수 있다.

정답 가

천연잔디보다 손상을 야기할 확률이 높다. 인조잔디에서는 빠른 속력이 나기 때문에 충돌로 인한 사고는 잠재적으로 더 큰 부상을 초래할 수 있다. 우리나라에서도 한 때 인조잔디를 학교 운동장에 설치했다가 최근에는 자연잔디로 탈바꿈하는 경향이 있다. 많은 선수들이 자연잔디에서 연습하는 것을 선호하고 있고, 내성이 강한 자연잔디의 종자가 개발되었기 때문이다.

엄지발가락 통증(장모지신근 방사통)이 생기는 부위

터프토우

05. 뇌진탕 후 증후군에 대한 설명으로 옳은 것은?

가. 뇌진탕 후 증후군은 의식불명과 동반하여 나타난다.

나. 증상으로 빈혈, 편두통, 기억상실 등이 나타난다.

다. 증상은 외상 후 즉시 사라지지 않으며 몇 주에서 몇 개월간 지속되기도 한다.

라. 뇌진탕 후 증후군은 경미하거나 심각한 뇌진탕 모두에서 나타날 수 있다.

정답 라

"가~다"는 다음과 같이 수정하면 좋을 것 같다.

가. 뇌진탕 후 증후군은 기억상실과 의식의 혼미가 나타난다.

나. 증상으로 현기증, 두통, 방향감각 장애, 착란 등이 나타난다.

다. 증상은 외상 후 즉시 사라지기도 하지만 몇 주에서 몇 개월간 지속되기도 한다.

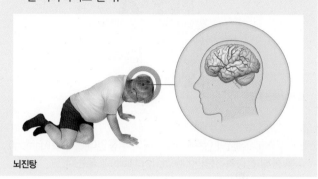

뇌진탕

06. 무릎넙다리 통증증후군(슬개대퇴 통증증후군, patellofemoral pain syndrome) 환자의 재활 운동 시 '중기단계-치유기'에 적용되어야 할 운동 프로그램의 내용으로 바른 것은?

가. 앞쪽 무릎에 통증을 유발시키는 원인을 찾아 통증 경감을 위한 치료에 집중한다.

나. 안쪽넓은빗근(내측사근, vastus medialis obliquus)의 근력운동과 뒤넙다리근(슬와근, hamstrings)의 스트레칭에 중점을 둔다.

다. 제한된 관절각도에서의 무릎관절 등척성 운동을 집중적으로 실시한다.

라. 무릎뼈(슬개골, patella)의 부정렬을 교정하기 위해 보장구(orthosis)를 사용하면 안 된다.

정답 나

안쪽넓은빗근의 라틴명은 Musculus vastus medialis이다.

① 이는곳(Origin Point)

• 돌기사이선(intertrochanteric line)의 먼쪽 1/2

• 넙다리뼈 거친선(linea aspera of femur) 안쪽능선(medial lip)

• 안쪽관절융기위선(medial supracondylar line)

• 안쪽근육사이막(medial intermuscular septum 내측대퇴근간중격 內側大腿筋間中隔).

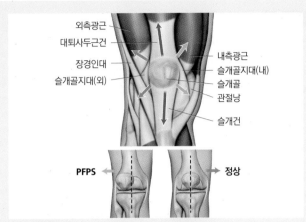

슬개대퇴증후군

② 닿는곳(Insertion Point)
• 무릎뼈(patella)의 안쪽테두리. 이어 무릎인대(patella ligament)를 통해 정강뼈거친면(tuberosity of tibia)에 붙는다.
• 정강뼈 안쪽관절융기(medial condyle of tibia)
③ 작용(Action) : 걷는 동안 발꿈치가 땅을 찰 때 무릎관절의 굽힘을 방지한다.
• 무릎관절(knee joint)의 폄(extension)
• 무릎을 편 상태에서는 인대의 작용을 보강하여 무릎을 안정화시키는 역할을 한다.
• 무릎을 굽힌 상태에서는 정강뼈를 안쪽돌림 한다.

hamstrings는 슬굴근군(膝屈筋群)의 총칭. 즉 대뇌후면에 있는 근군으로 내측에 있는 박근, 반건양근, 반막양근을 내측 햄스트링스라고하며, 외측에 있는 대퇴이두근을 외측햄스트링스라고 한다.
무릎넙다리 통증증후군을 예방하기 위해서는 스쿼트, 런지, 스텝업, 스텝다운 등이 좋은 운동으로 알려져 있다.

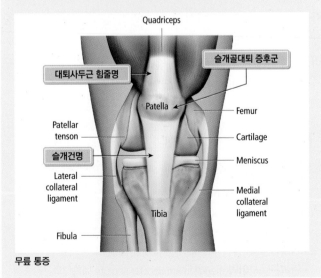

무릎 통증

07. 재활 운동프로그램 진행에서 <보기>에 해당하는 운동 단계로 옳은 것은?

〈보기〉

ⓐ 재활의 1차적 초점은 부종을 조절하는 것이다.
ⓑ 손상부위의 휴식이 매우 중요하다.
ⓒ 손상에 의해 영향을 받지 않은 신체 부위는 근력과 유연성 운동을 실시해야 한다.

가. 수술이전 운동 단계
나. 급성 반응 단계
다. 섬유아세포(fibroblast) 재생 단계
라. 성숙-재형성 단계

정답 **나**

재활의 단계는 3가지 국면의 회복과정을 기초로 나뉘어져 있다.

수술이전의 운동단계 : 수술을 요구하는 부상을 당한 선수들에게만 적용된다.
① 1단계 : 급성 반응기
② 2단계 : 치유기
③ 3단계 : 재구성기

만일 수술이 필요할 경우 수술이전 단계가 포함되어야 할 것이다.
① 급성 반응 단계 : 외적요인에서 일반적으로 24시간이 지나지 않았다면 급성염증으로 24시간 경과 후라면 만성염증반응으로 판단하나 이것은 어디까지나 일반적인 이론이고, 그 사람의 염증반응(혈액이 과잉공급되고 노폐물이 쌓이는 현상)이 상태(급성염증 반응)인지 아니면 서서히 혈류량이 적어지면서 통증을 수반하는 만성염증 단계인지는 확인해야 한다.
② 섬유아세포(fibroblast) 재생 단계 : 섬유성 결합조직의 중요한 성분을 이루는 세포로 섬유질 생성, 조직 수축, 골격조직 유지에 중요한 기본 구성요소이다. 섬유아세포는 외상, 산화, 노화에 의해 피부조직 손상이 일어나면 자신의 모습을 바꿔 근섬유모세포가 되어 적극적으로 조직 재생과정에 관여해 피부의 구성성분인 콜라겐과 엘라스틴을 생성하는 역할을 한다.
③ 성숙-재형성 단계 : 상처의 수축이다. 근육섬유모세포가 이러한 역할을 한다. 상처의 교원질구조와 정렬의 성숙은 재형성 과정에서 주된 활동이라고 할 수 있다.

08. <보기>에서 설명하고 있는 손상평가 방법은?

〈보기〉

㉠ 환자는 서거나 앉게 한 다음 환측 어깨를 90° 굽힘(굴곡, flexion) 15° 수평모음(수평내전, horizontal adduction)을 한다.
㉡ 그리고, 아래팔(전완, forearm)은 안쪽돌림(내회전, internal rotation) 시킨다.
㉢ 검사자는 환자 앞 또는 옆에 서서 한 손으로 손목을 잡고 아래쪽 방향으로 힘을 가하면서 환자에게 저항하게 한다.
㉣ 그리고 환자의 아래팔(전완, forearm)을 가쪽돌림(외회전, external rotation) 시킨 후 동일한 방법으로 힘을 가하면서 저항하게 한다.
㉤ 양성은 안쪽돌림(내회전, internal rotation) 시에는 통증이 있지만, 가쪽돌림(외회전, external rotation) 시에는 통증이 없는 경우이다.

가. 오브라이언 검사(O'brien test)
나. 스피드 검사(Speed test)
다. 드롭암 검사(Drop arm test)
라. 엠프티 캔 검사(Empty can test)

정답 **가**

SLAP 병변의 손상 기전은 다양하고 복잡하나, 기본적으로 건(tendon)의 손상은 뼈로부터 당겨지는 힘(견인력), 또는 벗겨지는 힘 (회전력)에 의해 유발된다.

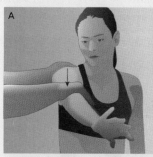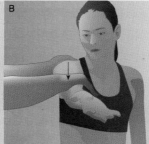

오브라이언 검사(O'brien test) 엎침자세(A), 뒤침자세(B)

나. 스피드 검사(Speed test) : 굴곡 전완 회외검사자는 하방으로 저항을 가한다. 상완이두근염을 가진 환자는 압력에 저항하는데 어려움을 보인다.
다. 드롭암 검사(Drop arm test) : 회전근개(특히 극상근건) 파열 검사이다. 팔을 최대한 외전시킨 후 천천히 내린다. 이 때 90도 아래에서 천천히 내리지 못하고 급작스럽게 떨어지면 이는 극상근이 완전히 파열된 것이고, 천천히 내릴 수 있지만 통증이 심하면 이는 부분 파열이다.
라. 엠프티 캔 검사(Empty can test) : 회전근개 검사로서 회전근개는 견관절과 관련된 4개의 회선근(극상근, 극하근, 소원근,

견갑하근)의 건을 회전근개라고 하고 회전근개손상은 그들이 균열된 상태를 뜻한다. 젊은 운동선수의 경우에는 관절면의 부분파열이 많고 고령층에서는 회전근개의 변성에 의한 완전파열이 많다. 만성적인 역학적 스트레스나 사고에 의한 외상으로 발생한다. 회전근개손상에 대한 정형외과 검사인 empty can test 시에는 empty can(빈캔)을 쥐는 자세로 전완 회내위, 견관절 내회전위로 외전위를 유지시키는 것으로 저항을 준다. full can test는 full can(내용물이 들어 있는 캔)을 쥐고 있는 것처럼 전완 회외위, 견관절 외회전위에서 외전이를 유지시키는 것으로 저항을 준다. 회선근에 손상이 있다면 수축 시 통증이 발생한다.

09. 엉덩관절(고관절, hip joint) 및 골반의 평가 방법과 평가 목적이 옳지 <u>않은</u> 것은?

가. 토마스 검사(Thomas test) – 엉덩관절(고관절, hip joint) 구축
나. 패트릭 검사(Patrick test, FABER) – 엉덩관절(고관절, hip joint)과 엉치엉덩관절(천장관절, sacroiliac joint)
다. 트렌델렌버그 검사(Trendelenburgs test) – 엉덩관절(고관절, hip joint)과 모음근(내전근, adductor)
라. 오버 검사(Ober's test) – 넙다리근막긴장근(대퇴근막긴장근, tensor fasciae latae)과 엉덩정강인대(장경인대, iliotibial tract)

정답 **다**

트렌델렌버그 검사(Trendelenburgs test) – 중간볼기근(고관절, hip joint)과 신경근(내전근, adductor)의 눌림 증상으로 이 검사는 중둔근(중간볼기근)의 약화의 정도를 검사하는 방법이다.

트렌델렌버그 검사_ 정상(A), 양성(B)

10. <보기>에 제시된 재활 운동프로그램의 구성요소를 적용하는 순서가 바르게 연결된 것은?

〈보기〉

㉠ 통증 및 부종 조절
㉡ 근신경 조절능력 회복
㉢ 근력, 근지구력 회복
㉣ 관절운동범위 회복
㉤ 기능적 진전

가. ㉣ → ㉠ → ㉢ → ㉤ → ㉡
나. ㉠ → ㉢ → ㉣ → ㉤ → ㉡
다. ㉣ → ㉠ → ㉢ → ㉡ → ㉤
라. ㉠ → ㉣ → ㉢ → ㉡ → ㉤

정답 **라**

① 통증 및 부종 조절 : 부종을 최소화하기 위해 RICE 요법 등으로 이차적 손상을 감소하는 단계
② 관절운동범위 회복 : 스트레칭 등으로 가동범위 회복 단계
③ 근력, 근지구력 회복 : 등척성, 등장성, 등속성 트레이닝을 통해 신체기능을 이전의 상태로 회복시키는데 트레이닝이 필수적이다.
④ 근신경 조절능력 회복 : 기계적 수용기들에 의해 고유수용감각과 운동자각 정보를 수용하고, 해석하는 단계이다.
⑤ 기능적 진전 : 정상적인 기능을 찾도록 프로그램을 설계하는 단계로서 가동성, 안정성을 이용하여 통합적으로 접근한다.

11. 급성 손상에 대한 초기 치료 시 얼음찜질을 하는 이유로 틀린 것은?

가. 통증을 완화시킨다.
나. 혈관의 국소적 표면 수축을 촉진시킨다.
다. 화학적 매개체 방출을 증가시킨다.
라. 조직의 산소 필요량을 감소시킨다.

정답 **다**

냉찜질의 효과
손상으로 인한 염증과 부종을 감소시키고 혈관을 수축시켜 내부의 출혈을 감소시키며, 국소적인 진통 효과와 근육 경련을 풀어주는 효과가 있다.
운동 중 부상을 당하게 되면 즉시 얼음찜질을 실시해야 한다. 요즘은 얼음팩 등이 많이 이용되고 있으나, 얼음팩이 없는 경우에는 종이컵에 물을 채워 얼린 후 종이를 벗겨 내고 얼음덩이를 수건에 싸서 부상부위에 찜질을 한다. 상해 후 처음 48~72시간 동안은 2~4시간마다 얼음찜질을 하는 것이 효과적이다.

RICE 응급처치
- 휴식 : Rest
- 얼음찜질 : Ice massage
- 압박 : Compression
- 환부 올리기 : Elevation

12. 배구, 수영, 골프, 야구 등과 같이 오버헤드(overhead) 활동에 참여하는 사람들의 어깨 손상을 예방하기 위한 운동과 운동 목적이 옳지 <u>않은</u> 것은?

가. 슬리퍼 스트레치(sleeper stretch) – 어깨관절의 안쪽돌림(내회전, internal rotation)의 관절운동범위(range of motion) 증가
나. 스캡션(scaption) – 마름근(능형근, rhomboid)의 근력과 근지구력 강화
다. 푸시–업 플러스(push–up plus) – 앞톱니근(전거근, serratus anterior muscle)의 근력과 근지구력 강화
라. 몸통 교차 스트레치(cross body stretch) – 어깨 뒤 관절주머니(관절낭, posterior capsule)의 신장

정답 **나**

손상에 따른 운동의 매뉴얼을 묻는 문제이다. 근육의 명칭만 잘 알고 있어도 문제를 해결할 수 있다고 사료된다.

스캡션(scaption)은 견갑골의 각도를 따라서 상완골을 외전시키는 운동이다. 어깨 재활 중 극상근을 활성화시킬 때 하는 재활운동이다.

스캡션

마름근에 따른 통증의 원인은 나쁜자세와 스마트폰 이용을 많이 하는 사람(저두족)들이 날개쭉지 쪽이 뻐근하고, 뒷짐을 지는 자세에서 불편함을 느끼게 된다.

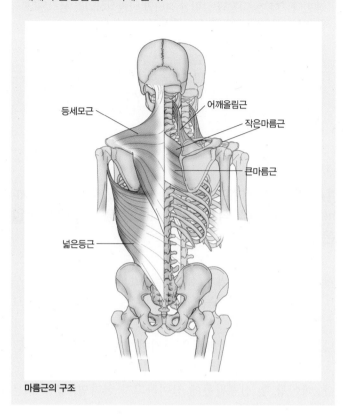

마름근의 구조

13. ( ) 안에 들어갈 용어를 순서대로 적합하게 짝 지어 놓은 것은?

〈보기〉

봉우리 밑 충돌증후군(subacrominal impingement syndrome)은 (㉠)와 어깨봉우리(견봉, acromion) 사이 간격이 좁아지면서 윤활주머니와 (㉡)이 사이에 염증이 유발되는 것이다.
증상으로는 심한 경우 90° 정도 팔을 위로 들어올리면 통증 발생 및 압통이 동반된다.

가. ㉠ 위팔뼈머리(상완골두, humeral head)

    ㉡ 가시위근(극상근, supraspinatus)

나. ㉠ 어깨뼈(견갑골, scapula)

    ㉡ 돌림근띠(회전근개, rotator cuff)

다. ㉠ 어깨뼈(견갑골, scapula)

    ㉡ 가시위근(극상근, supraspinatus)

라. ㉠ 위팔뼈머리(상완골두, humeral head)

    ㉡ 돌림근띠(회전근개, rotator cuff)

정답 **가**

오버헤드 동작을 많이 하는 선수들에게 흔히 발생하는 현상이다.
어깨 관절은 4개로 구성되어 있다.

① 복장빗장관절
② 봉우리빗장관절
③ 어깨관절
④ 어깨가슴관절

어깨충돌증후군(Impingement Syndrome)은 어깨 힘줄인 회전근개(rotator cuff, 돌림근띠)가 그 위에 있는 견봉 뼈와 부딪혀 염증을 일으키는 질환이다. 염증이 생기면 점액낭이 붓고 견봉이 아래로 돌출된다. '어깨충돌증후군', '견관절충돌증후군'이라고도 한다. 회전근개는 어깨 앞쪽, 위쪽, 위팔뼈머리의 뒤쪽을 감싸는 4개의 근육인 가시아래근, 가시위근, 어깨밑근, 작은원근으로 이루어져 있다.

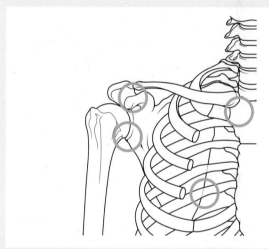

어깨복합체의 관절들

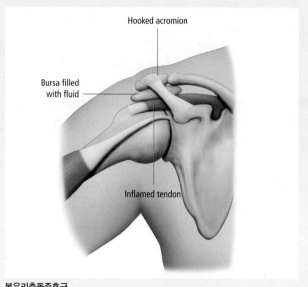

Hooked acromion

Bursa filled with fluid

Inflamed tendon

봉우리충돌증후군

14. 손상평가 정보를 기록하는 방법인 SOAP 형식에 대한 설명으로 옳은 것은?

가. S(Subjective) – 해부학적 구조 등 손상의 본질에 대한 전문적인 판단을 기록한다.

나. O(Objective) – 손상 부위, 기전, 병력 등 손상과 관련된 환자의 주관적인 진술을 기록한다.

다. A(Assessment) – 촉진, 움직임 평가, 특수 검사(special test) 등의 결과가 반드시 기록되어야 한다.

라. P(Plan) – 추가 검진이나 재검진, 치료계획 등 치료와 관련된 소견이 기록되어야 한다.

정답 **라**

스포츠 손상에 대한 기록은 주관적이면서 객관적인 현상들을 기입하도록 만들어진 시스템을 통해 효율적으로 관리될 수 있으며, 손상을 입은 본인을 위한 즉시치료와 치료계획을 보존해야 한다. 그 표준방식이 바로 SOAP이다.

"가~다"는 다음과 같이 수정해야 한다.

가. A(Assessment) – 해부학적 구조 등 손상의 본질에 대한 전문적인 판단을 기록한다.

나. S(Subjective) – 손상 부위, 기전, 병력 등 손상과 관련된 환자의 주관적인 진술을 기록한다.

다. O(Objective) – 촉진, 움직임 평가, 특수 검사(special test) 등의 결과가 반드시 기록되어야 한다.

SOAP의 기록

① 주관적(Subjective)
② 객관적(Objective)
③ 평가(Assessment)
④ 계획(Plan)

15. 장기간의 고정(immobilization)이 근육에 미치는 영향에 대한 설명으로 옳지 <u>않은</u> 것은?

가. 고정은 기질(matrix) 손상의 원인이 된다.

나. 교원섬유사이의 교차결합이 약화된다.

다. 섬유망(fiber meshwork)의 수축으로 조직은 치밀하고 단단해진다.

라. 관절운동범위가 감소한다.

정답 **나**

장기간의 고정(immobilization은 대부분 부정적인 요인들이 발생한다. "나"는 다음과 같이 수정하면 바람직하리라 생각된다. 교원섬유사이의 교차결합이 강화된다.

교원섬유(collagenous fiber, 膠原纖維)는 결합조직섬유 중의 하나로서 모든 결합조직에 포함되는데 건(腱)이나 인대는 이 섬유가 모인 것이다. 또 뼈나 연골에도 다량으로 함유된다. 물과 함께 끓이면 교(아교)가 생기므로 아교질이라고도 한다. 교원섬유는 섬유아세포에 의해서 만들어지며, 코티손은 교원섬유의 형성을 억제하기도 한다.

16. 탄력성 테이프의 하나인 키네시올로지 테이프(kinesiology tape)의 적용방법에 대한 설명으로 바르지 <u>않은</u> 것은?

가. 장력 없이 근육만 신장해서 테이프를 붙일 경우, 피부는 접혀지고 구불구불 해져서 손상을 유발할 수 있으므로 피해야 한다.

나. 테이프 모퉁이의 말림을 방지하기 위해 모퉁이를 둥글게 잘라서 사용하는 것이 좋다.

다. 테이핑 후 신체활동에 참여하고자 한다면, 활동 20분~1시간 전에 적용하는 것이 좋다.

라. 테이프 적용 후 열에 민감한 접착제의 활성화를 위해서 테이프를 문질러야 한다.

정답 **가**

키네시올로지 테이프는 통증이나 증상을 감소시키는데 좋은 역할을 하는 것으로 알려져 있으며, 피부아래의 출혈과 조직액의 제거로 혈액 및 림프순환의 증진, 약화된 근력을 강화시켜 근육의 고정, 신경억제를 통한 통증의 감소, 근육긴장의 불균형 제거를 통하여 어긋난 관절의 재위치를 잡아주는 역할을 한다. 또한 피부에 압박과 스트레칭을 통해 피부의 기계적수용체를 자극하고 관절의 움직임과 위치와 관련된 정보의 피드백을 증가시켜 고유수용감각을 확장시킨다.

17. 발목 안쪽번짐(내번, inversion) 염좌(sprain) 시 손상되는 인대로 바르지 <u>않은</u> 것은?

가. 앞목말종아리인대(전거비인대, anterior talofibular ligament)

나. 뒤목말종아리인대(후거비인대, posterior talofibular ligament)

다. 세모인대(삼각인대, deltoid ligament)

라. 발꿈치종아리인대(종비인대, calcaneofibular ligament)

정답 **다**

발목 안쪽번짐 염좌는 높은 하이힐을 신발을 신었을 때 발목이 안쪽으로 꺾이는 현상(안쪽번짐)으로서 이 때 관련된 근육은 가자미근, 장딴지근, 긴엄지굽힘근, 뒤장딴지근, 짧은 엄지굽힘근이며, 제기차기를 밖으로 하는 현상(가쪽번짐)에 관련된 근육은 짧은 종아리근, 긴종아리근, 셋째종아리근육이다. 안쪽번짐 시 더 많은 근육의 손상이 동원된다. 세모인대는 발목과 목말밑 관절의 가쪽번짐을 막는 안정성에 기여한다.

발목인대의 기능

인대	적근섬유
앞목말종아리 인대	목말뼈의 앞쪽 이동 저지
발꿈치종아리 인대	발꿈치의 안쪽번짐을 저지
종아리 인대	목말뼈의 뒤쪽 이동 저지
세모 인대	발목과 목말밑관절의 벌림과 가쪽번짐을 저지, 목말뼈의 가쪽번짐과 엎침, 앞쪽 이동을 저지

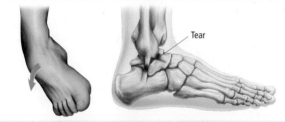

발목염좌

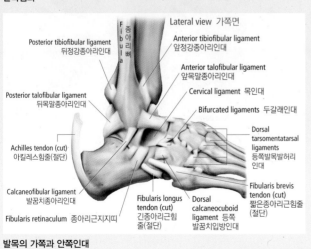

발목의 가쪽과 안쪽인대

18. 무릎관절(슬관절, knee joint) 주변 인대의 손상 기전으로 바르게 묶인 것은?

가. 앞십자인대(전방십자인대, anterior cruciate ligament) – 정강뼈(경골, tibia) 안쪽돌림(내회전, internal rotation)과 무릎관절 외반력(valgus stress)

나. 뒤십자인대(후방십자인대, posterior cruciate ligament) – 무릎관절 90° 굽힘(굴곡, flexion)과 무릎관절 전방 충격

다. 안쪽곁인대(내측측부인대, medial collateral ligament) – 무릎관절 안쪽부분(내측부, medial part)의 내반력(varus stress)

라. 가쪽곁인대(외측측부인대, lateral collateral ligament) – 정강뼈(경골, tibia) 안쪽돌림(내회전, internal rotation)과 무릎관절 가쪽부분(외측부, lateral part)의 외반력(valgus stress)

정답 **나**

"가~라"는 다음과 같이 수정하는 것이 바람직하다.

가. 앞십자인대(전방십자인대, anterior cruciate ligament) – 정강뼈(경골, tibia) 가쪽돌림(내회전, internal rotation)과 무릎관절 외반력(valgus stress)

다. 가쪽곁인대(내측측부인대, medial collateral ligament) – 무릎관절 가쪽부분(내측부, medial part)의 외반력(varus stress)

라. 가쪽곁인대(외측측부인대, lateral collateral ligament) – 정강뼈(경골, tibia) 안쪽돌림(내회전, internal rotation)과 무릎관절 안쪽부분(외측부, lateral part)의 내반력(valgus stress)

19. 아래의 내용에 해당되는 하지 손상으로 옳은 것은?

〈보기〉

㉠ 모든 달리기 손상의 10~15% 정도를 차지한다.
㉡ 반복적인 미세한 외상에 의해 발생되며, 일반적으로 달리기나 점핑과 같은 활동에서 나타난다.
㉢ 통증부위는 다리의 중간에서 끝쪽 1/3 지점이다.
㉣ 통증은 달리기 후에 없어지기도 하며, 운동을 하지 못하게 되는 경우 등 매우 다양하다.
㉤ 증상이 지속될 경우 스트레스 골절(fracture), 만성 앞쪽구획증후군(chronic anterior compartment syndromes)과 같은 손상으로 진행될 수 있다.

가. 안쪽정강뼈 스트레스증후군(내측경골 스트레스증후군, medial tibia stress syndromes)
나. 아킬레스힘줄염(아킬레스건염, achilles tendonitis)
다. 정강뼈(경골, tibia) 스트레스 골절
라. 종아리 힘줄의 탈구

정답 가

나. 아킬레스힘줄염(아킬레스건염, achilles tendonitis) : 아킬레스힘줄염의 경우 뒤꿈치 뒷부분과 힘줄이 부착되어있는 뼈 주변에 통증이 나타나는 것이 특징이다. 정지와 전진 등의 갑작스런 강력한 수축 시에 발생하는 급성상해이다.
다. 정강뼈(경골, tibia) 스트레스 골절 : 체중을 지탱해 주는 매우 중요한 뼈로 하지의 안쪽에 위치하고 있으며, 아래쪽 1/3은 둥글고 잘록한 모양을 하고 있기 때문에 해부학적 쇠약한 구조로 골절이 가장 빈번하게 발생한다.
라. 종아리 힘줄의 탈구 : 과도한 힘이 발과 발목에 실리는 활동(스키, 농구, 풋볼, 레슬링 등)에서 가장 흔하게 발생한다.

안쪽정강뼈 스트레스증후군

20. 어깨의 '유착성 관절주머니염(유착성 관절낭염, adhesive capsulitis)'에 대한 병인, 증상 및 치료방법에 대한 설명으로 바른 것은?

가. 노인에게만 발생하는 질환이다.
나. 발병 원인은 과사용이며 관절운동범위(range of motion)의 전범위에 걸쳐 움직임 제한이 나타난다.
다. 특징적인 증상은 관절운동범위(range of motion) 끝부분에서의 통증, 수면장애, 점진적인 관절운동범위(range of motion) 감소이다.
라. 치료의 목표는 통증 해소이므로 전기자극 치료나 초음파를 이용한 물리치료를 위주로 적용하며, 회복을 위해 일정기간 동안 관절을 고정해야 한다.

정답 다

유착성 관절주머니염은 흔히 오십견 혹은 동결견 또는 "굳은 어깨"라고도 한다.

"가~라"는 다음과 같이 수정하면 좋을 것 같다.

가. 노인에게 많이 나타나지만 젊은이한테도 발생하는 질환이다.
나. 발병 원인은 위팔뼈머리 주변이 좁아지고, 활액이 줄어들고, 관절주머니가 경직되어 문제를 야기한다. 따라서 능동적·수동적 움직임 모두를 제한한다.
라. 치료의 목표는 통증을 해소하고, 움직임을 회복하는 것이다. 치료는 적극적인 관절의 가동화기법과 강직된 근육을 스트레칭하는 것이다.

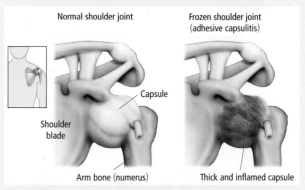

Normal shoulder joint
Frozen shoulder joint (adhesive capsulitis)
Capsule
Shoulder blade
Arm bone (numerus)
Thick and inflamed capsule

유착성 관절낭염

기능해부학(운동역학 포함)

01. 테니스에서 라켓을 잡는 자세에서와 같이 손을 쥐는 힘(griping force)은 <그림>에서 보는 바와 같이 손목관절 폄(신전, extension) 각도가 약 30~35° 사이에서 최대 힘을 발현하는 것으로 알려져 있다. 하지만 손목관절 각도에 따라서 쥐는 힘의 역량은 달라진다. 특히 과도한 손목관절 굽힘(굴곡, flexion) 각도에서는 쥐는 힘이 급격히 약해지는데 그 이유로 적절한 것은?

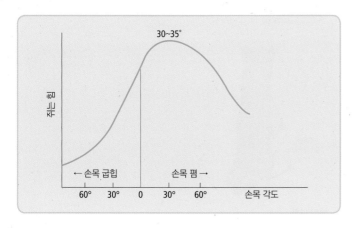

가. 손가락 폄근(신전근, extensor)의 수동적 힘(passive force) 감소
나. 손가락 굽힘근(굴곡근, flexor) 길이 감소에 의한 근력 감소
다. 손가락 굽힘근(굴곡근, flexor)의 모멘트암(moment arm) 감소
라. 손가락 폄근(신전근, extensor)의 근활성도 증가

정답 **나**

손가락 굽힘근은 전완에 있으며, 얕은 손가락굽힘근과 깊은 손가락굽힘근으로 분류된다.
① 얕은 손가락굽힘근 : 각각손가락의 중절골체 굽힘, 손목굽힘을 보조
② 깊은 손가락굽힘근 : 원위절골 굽힘(오직 이 근육만 가능)

이 근육들의 기본적 동작은 갈고리쥐기, 강력한 쥐기, 꼭지를 돌릴 때, 피아노나 현악기 연주 시이며 이 근육을 많이 사용하는 스포츠는 양궁, 배드민턴, 테니스 등 라켓이나 배트를 사용하는 스포츠에서 잡기를 유지할 때이다.

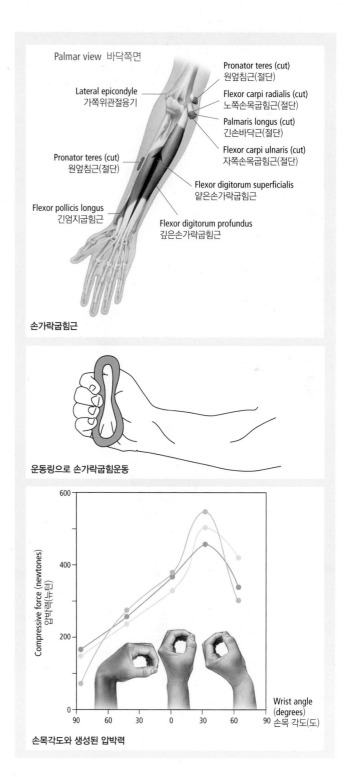

손가락굽힘근

운동링으로 손가락굽힘운동

손목각도와 생성된 압박력

02. <보기> 설명 중 (   ) 안의 답이 순서대로 나열된 것은?

〈보기〉

보행 중에 종아리세갈래근(하퇴삼두근, triceps surae)은 다양한 형태의 근수축을 수행한다. 발바닥닿기(foot flat)-발꿈치떼기(heel off) 구간에서는 (㉠) 수축을, 발꿈치떼기(heel off)-발가락떼기(toe off) 구간에서는 (㉡) 수축을 수행한다.

가. ㉠ 단축성 ㉡ 등척성   나. ㉠ 단축성 ㉡ 신장성
다. ㉠ 신장성 ㉡ 단축성   라. ㉠ 신장성 ㉡ 등속성

정답 **다**

종아리세갈래근은 장딴지근(비복근)과 가자미근을 의미하며 이 동작은 발을 디디는 동작과 떼는 동작을 말한다. 장딴지근과 가자미근이 큰 부피를 가지는 이유는 인간의 직립(upright stance)과 직접적인 관련이 있다. 이런 구조는 인간만이 가지는 특징이다. 걷고 달리고 뛰어오르거나 발가락으로 서 있으려 할 때, 이 근육들은 몸을 들어 올리고 추진력을 만들고 가속을 내야 하므로 강하고 두껍다. 종아리세갈래근의 2개 근육은 함께 힘줄을 공유하고 있으나 각각 독립적으로 작용할 수 있기에 가자미근(soleus muscle)으로는 한가로이 산책할 수 있지만 멀리 뛰기 위해서는 장딴지근(gastrocnemius muscle)을 이용해야 한다.

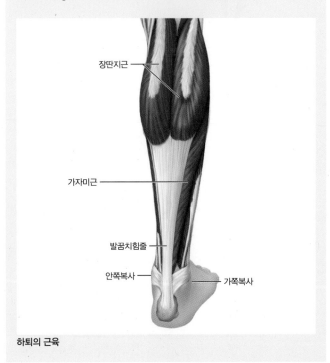

하퇴의 근육

03. 발에서의 엎침(회내, pronation) 동작을 바르게 고른 것은?

가. 가쪽번짐(외번, eversion) – 벌림(외전, abduction) – 발등굽힘(배측굴곡, dorsiflexion)

나. 안쪽번짐(내번, inversion) – 모음(내전, adduction) – 발등굽힘(배측굴곡, dorsiflexion)

다. 안쪽번짐(내번, inversion) – 모음(내전, adduction) – 발바닥쪽굽힘(저측굴곡, plantar flexion)

라. 가쪽번짐(외번, eversion) – 벌림(외전, abduction) – 발바닥쪽굽힘(저측굴곡, plantar flexion)

정답 **가**

내번은 발엎침의 한 요소이다.

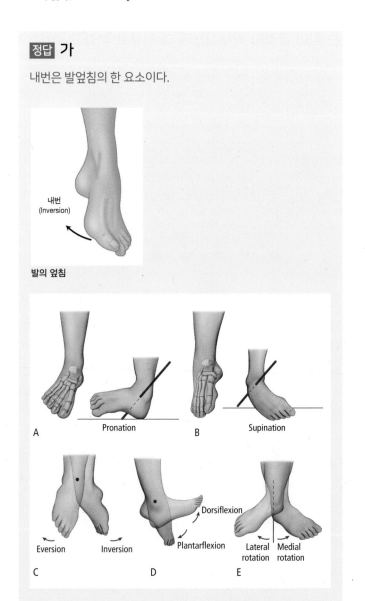

04. 호흡 중 몸통(체간, trunk) 근육의 움직임에 대한 설명이다. ( ) 안에 알맞은 용어를 순서대로 바르게 나열한 것은?

〈보기〉

호흡과 관련하여 몸통(체간, trunk)의 근육 중, 안정 시 호흡은 (㉠), 목갈비근(사각근, scalenus), 갈비사이근(늑간근, intercostales)의 작용으로 충분하다. 하지만 강제날숨(force expiration)이 필요한 경우에는 (㉡), 가슴가로근(흉횡근, transverse thoracis), 속갈비사이근(내늑간근, intercostal interni)의 추가적인 기여가 필요하다.

가. ㉠ 큰가슴근(대흉근, pectoralis major)
　　㉡ 배근육(복근, abdominal muscles)
나. ㉠ 가로막(횡경막, diaphragm)
　　㉡ 큰가슴근(대흉근, pectoralis major)
다. ㉠ 가로막(횡경막, diaphragm)
　　㉡ 배근육(복근, abdominal muscles)
라. ㉠ 작은가슴근(소흉근, pectoralis minor)
　　㉡ 배근육(복근, abdominal muscles)

정답 다

호흡 시 관련된 근육을 묻는 문제이다.

흡기의 주동근인 횡격막이 횡격막신경(phrenic nerve)의 흥분에 의해 수축하며, 안정 상태의 호기 시 횡격막과 외늑간근의 이완에 이해서 흉강은 원래의 크기로 돌아간다. 즉, 안정 시의 호기작용은 수동적으로 이루어지며, 호기근육(expiratory muscle)은 관여하지 않는다. 그러나 운동 시에는 호기작용이 능동적으로 이루어진다. 즉, 호기작용은 호기근, 특히 복부근(abdominal muscle)에 의해서 촉진된다. 복부근의 수축에 의해 하위늑골들은 압박되고, 복압이 상승하여 횡격막을 흉강쪽으로 밀어 올리게 된다.

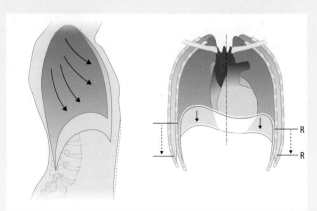

숨 쉬는 동안 가로막과 가슴우리의 위치변화

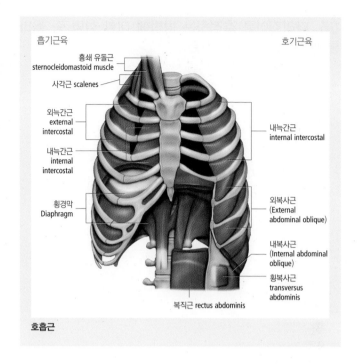

흡기근육 / 호기근육
흉쇄 유돌근 sternocleidomastoid muscle
사각근 scalenes
외늑간근 external intercostal
내늑간근 internal intercostal
내늑간근 internal intercostal
횡경막 Diaphragm
외복사근 (External abdominal oblique)
내복사근 (Internal abdominal oblique)
횡복사근 transversus abdominis
복직근 rectus abdominis

호흡근

05. 발목관절의 움직임에 관련된 근육의 특성으로 적절하지 **않은** 것은 ?

가. 발목관절 움직임에 기여하는 근육 중, 발바닥쪽굽힘(족저굴곡, plantar flexion)에 기여하는 근육의 근력은 다른 동작에 기여하는 근육과 비교하여 가장 크다.
나. 보행 디딤기(stance phase)에서 발목관절의 엎침(회내, pronation)에 저항하는 근육 중, 뒤정강근(후경골근, tibialis posterior)이 가장 크게 기여하는 근육이다.
다. 발목관절에서 발바닥쪽굽힘(족저굴곡, plantar flexion)을 사용해 발꿈치를 바닥에서 떼는 동작은 제 3형 지레를 이용한 동작이라고 할 수 있다.
라. 가자미근(가자미근, soleus)은 자세유지에, 장딴지근(비복근, gastrocnemius)은 파워 발현에 적절한 근섬유 구성을 가지고 있다.

정답 다

발목관절에서 발바닥쪽굽힘(족저굴곡, plantar flexion)을 사용해 발꿈치를 바닥에서 떼는 동작은 제 2형 지레를 이용한 동작이라고 할 수 있다.
지면과 닿는 곳이 축, 수직으로 누르는 체중이 저항점, 종아리 근육이 힘점으로 제 2종 지레이다.

06. 다리길이를 측정하는 방법에 대한 설명 중 올바른 방법을 모두 고른 것은?

〈보기〉

㉠ 실제 다리길이는 위앞엉덩뼈가시(상전장골극, anterior superior iliac spine)에서 안쪽복사(내측 복사뼈, medial malleolus)까지의 길이이다.

㉡ 기능적인 다리길이는 배꼽에서 안쪽복사(내측 복사뼈, medial malleolus)까지의 길이이다.

㉢ 다리길이 측정은 해부학적 자세에서 측정하는 것을 원칙으로 한다.

㉣ 골반의 돌림(회전, rotation)은 실제 다리길이를 변화시키는 원인이다.

가. ㉠, ㉢   나. ㉠, ㉡
다. ㉡, ㉢   라. ㉠, ㉡, ㉢, ㉣

정답 나

㉢, ㉣은 다음과 같이 수정한다.

㉢ 실제 다리길이(true length discrepancy) 측정은 진찰대 위에 눕힌 후 앙와위 자세에서 측정하는 것을 원칙으로 한다. 하지를 신전시키고, 중심선에서 가급적 좌·우 동일한 체위에 놓는다.

㉣ 골반의 돌림(회전, rotation)은 기능적 다리길이를 변화시키는 원인이다.

① 실제 다리길이 검사

검사자는 양쪽 하지의 위앞엉덩뼈가시(ASIS)에서 안쪽복사뼈 또는 안쪽복사뼈의 가장 아래 지점까지 길이를 잰다. 비대칭적인 차이는 1~1.3㎝까지 정상으로 본다. 선천적 기능부전, 외상에 의해 해부학적으로 짧아진 다리의 경우에는 척추와 골반의 손상을 받아 골반이 가쪽으로 경사지게 되고 척추옆굽음증을 초래한다. 한쪽 무릎이 반대쪽보다 높다면 그 쪽 다리의 정강뼈가 긴 것이며, 무릎이 반대쪽보다 앞으로 튀어나와 있다면 그쪽 넙다리뼈가 길다는 것을 나타낸다.

② 기능적 다리길이 검사

실제적 다리의 측정

배꼽 또는 칼돌기에서 안쪽복사의 가장 아래 지점까지 길이를 잰다. 비대칭적인 다리길이의 차이는 골반의 기울임이나 엉덩관절의 모음 또는 굽힘 때문이다.

기능적 다리의 측정

골반의 불일치

07. 세포질 내의 구조물인 소기관의 기능으로 적절하지 않은 것은?

가. 미토콘드리아(mitochondria)는 세포호흡과 세포내 에너지 생산의 기능을 수행한다.

나. 소포체(endoplasmic reticulum)는 지질, 스테로이드 호르몬 합성과 대사에 관여된 기능을 수행한다.

다. 용해소체(lysosome)는 세포 내로 들어온 세균이나 각종 이물질들을 식작용으로 소화·분해하는 세포의 방어기전을 담당한다.

라. 골지복합체(Golgi complex)는 탄수화물과 단백질의 합성과 칼슘의 저장고 역할을 수행한다.

정답 라

단백질의 세포내 운반 시 통로 역할을 할 뿐만 아니라, 단백질에 인산과당을 결합시켜 분자를 가공·변형시키는 기능을 한다. 그 형태는 접시를 쌓아 놓은 듯한 층판구조를 보이며 그 주위는 위는 작은 소포(vesicles)와 커다란 공포(vacuoles)들이 산재해 있다. 성숙한 세포에 한 개 이상 존재하면서 핵부근(juxta nuclear)에서 중심체(centrioles)를 반쯤 감싸듯이 위치하고 있다.

골지체는 조면소포체에서 합성된 단백질을 받아 변형시키고, 소포 안으로 넣어 포장한다. 또한 리보솜에서 합성된 단백질을 재정제하고 포장하여 운반한다.

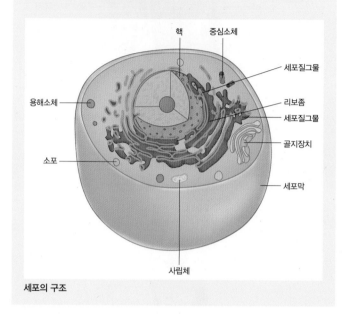

세포의 구조

뼈의 종류

뼈는 그 크기와 모양이 다양하며 생긴 모양에 따라 긴뼈, 짧은뼈, 납작뼈, 불규칙뼈로 나누어진다.

긴뼈는 주로 사지에 있으며, 넓이보다 길이가 매우 길고 가운데의 뼈 몸통과 양쪽의 뼈끝으로 이루어져 있다. 짧은뼈는 넓이와 길이가 비슷하며 주로 손목과 발목에 있는 뼈이다. 납작뼈는 얇고 편평하며 치밀뼈 표면을 가지고 있으며 어깨뼈, 갈비뼈, 머리뼈가 여기에 속한다. 불규칙뼈는 모양이 일정하지 않은 뼈로 척추뼈, 추골 등이 포함된다.

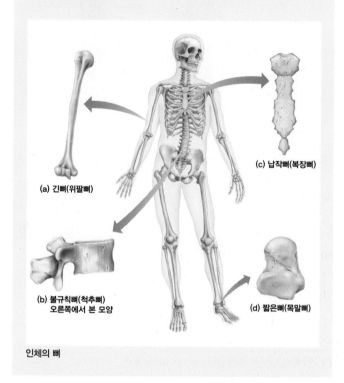

(a) 긴뼈(위팔뼈)

(b) 불규칙뼈(척추뼈) 오른쪽에서 본 모양

(c) 납작뼈(복장뼈)

(d) 짧은뼈(목말뼈)

인체의 뼈

08. 뼈의 형태에 따른 분류와 예를 바르게 짝지은 것은?

가. 긴뼈(장골, long bone) – 넙다리뼈(대퇴골, femur), 갈비뼈(늑골, rib)

나. 짧은뼈(단골, short bone) – 척추뼈(추골, vertebra), 손목뼈(수근골, carpal bone)

다. 납작뼈(편평골, flat bone) – 복장뼈(흉골, sternum), 마루뼈(두정골, parietal bone)

라. 불규칙뼈(복합골, irregular bone) – 어깨뼈(견갑골, scapula), 자뼈(척골, ulna)

정답 **다**

"가~라"는 다음과 같이 수정한다.

가. 긴뼈(장골, long bone)-넙다리뼈(대퇴골, femur), 상완골(humerus)

나. 짧은뼈(단골, short bone)-발목뼈, 손목뼈(수근골, carpal bone)

라. 불규칙뼈(복합골, irregular bone)-척추뼈, 추골

09. 뼈에 대한 설명으로 틀린 것은?

가. 긴뼈(장골, long bone)의 성장은 주로 뼈속막(골내막, endosteum)에서 일어난다.

나. 많은 뼈속에는 골수가 있으며, 골수에서 적혈구, 백혈구 및 혈소판이 생산된다.

다. 골화(ossification) 과정은 막내뼈되기(막내골화, intramembronous ossification)와 연골내뼈되기(연골내골화, endochondral ossification) 두 가지가 있다.

라. 골조직은 형성된 뒤에도 한편에서는 흡수되고 다른 한편에서는 다시 생성되는데, 이를 골 재형성(bone remodeling)이라 한다.

정답 **가**

뼈의 길이는 긴뼈의 뼈 끝판에서 새로운 연골을 만들어 내면서 양쪽으로 길어지고, 뼈의 굵기는 뼈바깥막의 골모 세포가 뼈 바깥에 새로운 뼈를 침전시키면서 더욱 굵어지게 된다.

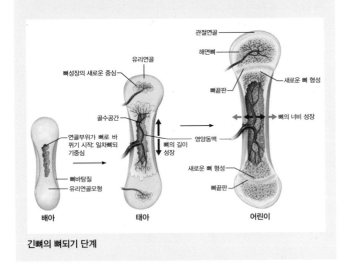

긴뼈의 뼈되기 단계

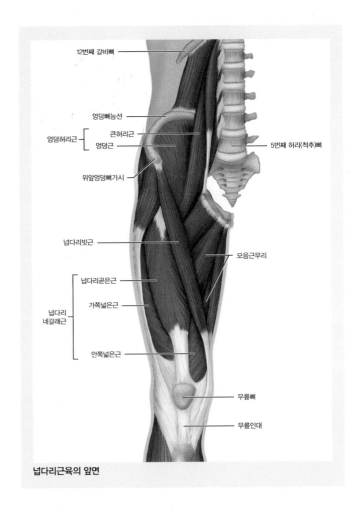

넙다리근육의 앞면

10. 엉덩관절(고관절, hip joint)과 무릎관절(슬관절, knee joint) 운동 모두 관여할 수 있는 근육은?

가. 넙다리곧은근(대퇴직근, rectus femoris)
나. 가쪽넓은근(외측광근, vastus lateralis)
다. 중간넓은근(중간광근, vastus intermedius)
라. 안쪽넓은근(내측광근, vastus medialis)

정답 **가**

넙다리곧은근(대퇴직근, rectus femoris)은 하전장골극 엉덩뼈에서 관골구를 기시하여 무릎뼈 바닥 무릎인대에서 정강뼈 거친면에서 착지한다. 무릎관절의 폄, 엉덩관절을 안정시키고, 엉덩이에서 엉덩허리근이 넓적다리를 굽히는 것을 돕니다.

11. <보기>에서 시상면(sagittal plane) 관절운동범위(range of motion)가 큰 것에서 작은 것 순으로 바르게 나열한 것은?

〈보기〉

㉠ 손목관절(wrist joint)
㉡ 위팔어깨관절(상완와관절, glenohumeral joint)
㉢ 발목관절(talocrural joint)

가. ㉠-㉡-㉢   나. ㉡-㉠-㉢
다. ㉠-㉢-㉡   라. ㉡-㉢-㉠

정답 **나**

시상면(sagittal plane)은 전후면을 말한다.

12. 백 스쿼트(back squat) 동작에서 상체를 앞쪽으로 더 기울이는 자세는 다음 근육의 '저항 토크'를 어떻게 변화시키는가?

가. 큰볼기근(대둔근, gluteus maximus) 증가, 넙다리네갈래근 (대퇴사두근, quadriceps femoris) 감소

나. 큰볼기근(대둔근, gluteus maximus) 감소, 넙다리네갈래근 (대퇴사두근, quadriceps femoris) 증가

다. 큰볼기근(대둔근, gluteus maximus) 증가, 넙다리네갈래근 (대퇴사두근, quadriceps femoris) 증가

라. 큰볼기근(대둔근, gluteus maximus) 감소, 넙다리네갈래근 (대퇴사두근, quadriceps femoris) 감소

정답 **가**

Squat는 하체운동의 꽃이자 대장이다. 그 유형을 살표보면 다음과 같다.

① Front Squat 프론트 스쿼트 : 대퇴사두근과 등상부에 집중되며, 수직으로 세워진 자세를 요구하기 때문에 요추의 굴곡을 최소화 시키고, 더 큰 척추 굴곡 가능성에 대한 코어 안정화를 증가시킨다.

② Back Squat 백 스쿼트 : 둔근과 요추에 더 집중되며, 고반복을 할 때나 깊고 지치는 세트를 할 때 덜 지루하다.

백스쿼트

13. 철봉 운동에서 매달리기 동작을 수행할 때 가장 많이 사용되며, 매달리기를 시작할 때 어깨뼈(견갑골, scapula)의 안쪽모서리(내측연, medial border)를 아래쪽돌림(하방 회전, downward rotation)시키고 척추 쪽으로 가져 오는 역할을 하는 근육은?

가. 작은가슴근(소흉근, pectoralis minor)

나. 앞톱니근(전거근, serratus anterior)

다. 마름근(능형근, rhomboid)

라. 큰가슴근(대흉근, pectoralis major)

정답 **다**

능형근은 어깨뼈를 후인(내전), 어깨뼈의 안정화, 문열기와 같은 어떤 물건을 잡아당긴다. 양궁, 앉아서 노젓기, 윈드서핑, 라켓 스포츠 등에서 많이 사용하는 근육이다. 매달리기 동작을 수행할 때 가장 많이 사용되는 근육은 능형근이지만, 턱걸이의 주동근은 이두박근이다.

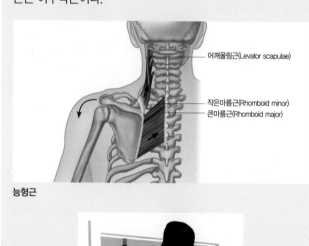

어깨올림근(Levator scapulae)

작은마름근(Rhomboid minor)
큰마름근(Rhomboid major)

능형근

턱걸이

14. 위팔(상완, upper arm)의 근육과 관련된 설명으로 옳지 <u>않은</u> 것은?

가. 위팔세갈래근(상완삼두근, triceps brachii)은 인체 동작 중 대부분의 미는 동작에서 주로 사용된다.

나. 위팔노근(상완요골근, brachioradialis)은 팔꿈관절(주관절, elbow joint)의 가장 강력한 굽힘근(굴곡근, flexor)이다.

다. 덤벨 암컬 운동은 위팔근(상완근, brachialis)을 발달시키는 데 매우 효과적인 운동이다.

라. 위팔두갈래근(상완이두근, biceps brachii)은 팔꿈관절(주관절, elbow joint)의 굽힘(굴곡, flexion)과 아래팔(전완, forearm)의 뒤침(회외, supination)에 관여한다.

가. 원엎침근(원회내근, pronator teres)

나. 네모엎침근(방형회내근, pronator quadratus)

다. 뒤침근(회외근, supinator)

라. 팔꿈치근(주근, anconeus)

정답 나

근육의 명칭과 사용처에 관련된 문제로서 공부를 하지 않을 경우 정답을 고르기 어려운 문제이다.

네모엎침근(방형회내근,pronator quadratus) : 엎침 작용, 정중신경의 지배를 받으며, 저항의 유·무와 무관하게 아래팔 엎침의 전 범위에 사용되고 수평 당김선을 가져서 원엎침근과 함께 작동한다.

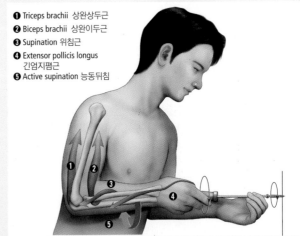

❶ Triceps brachii 상완상두근
❷ Biceps brachii 상완이두근
❸ Supination 위침근
❹ Extensor pollicis longus 긴엄지폄근
❺ Active supination 능동뒤침

네모엎침근 동작

정답 나

위팔근(Brachialis)은 팔꿈관절(주관절, elbow joint)의 가장 강력한 굽힘근(굴곡근, flexor)이다.

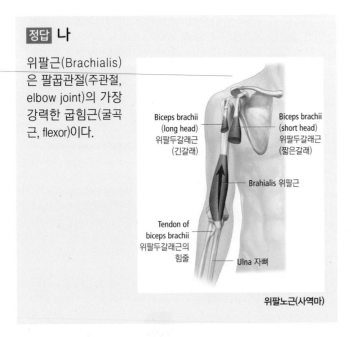

Biceps brachii (long head) 위팔두갈래근 (긴갈래)

Biceps brachii (short head) 위팔두갈래근 (짧은갈래)

Brahialis 위팔근

Tendon of biceps brachii 위팔두갈래근의 힘줄

Ulna 자뼈

위팔노근(사역마)

15. <보기>의 설명에 해당하는 근육은?

〈보기〉

아래팔(전완, forearm)의 엎침(회내, pronation) 동작에 주로 사용되는 근육으로서 이는곳(기시점, origin)은 자뼈(척골, ulna)의 앞면(전면, anterior)이며, 닿는곳(정지점, insertion)은 노뼈(요골, radius)의 앞면(전면, anterior)에 위치한다. 이 근육은 못을 빼내기 위하여 드라이버를 돌릴 시에 주로 사용되는 근육 중의 하나이다.

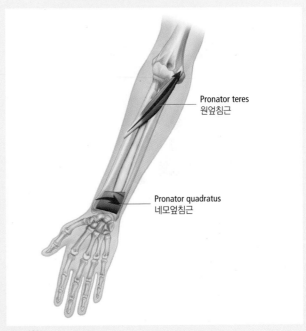

Pronator teres 원엎침근

Pronator quadratus 네모엎침근

네모엎침근

16. 엉덩관절(고관절, hip joint) 주변 근육의 운동과 관련된 설명으로 옳지 <u>않은</u> 것은?

가. 반힘줄모양근(반건양근, semitendinosus), 큰모음근(대내전근, adductor magnus), 넙다리두갈래근(대퇴이두근, biceps femoris)은 넙다리뒤근육(슬와부근육군, hamstring)이라고도 하며 점프 동작에서 함께 이용된다.

나. 넙다리빗근(봉공근, sartorius)은 인체의 가장 긴 근육이며, 엉덩허리근(장요근, iliopsoas) 발달을 위한 엉덩관절 굽힘(고관절 굴곡, hip joint flexion) 운동 시 강화된다.

다. 넙다리곧은근(대퇴직근, rectus femoris)은 엉덩관절 굽힘(고관절 굴곡, hip joint flexion) 운동이나 수동적 저항에 대한 무릎 폄(신전, extension) 운동으로 강화시킬 수 있다.

라. 엉덩허리근(장요근, iliopsoas)은 평행봉에서 팔을 지지한 상태로 엉덩관절을 굽히며(고관절 굴곡, hip joint flexion) 다리를 들어올리는 동작으로 강화시킬 수 있다.

정답 가

"가"는 무릎관절 운동에 해당되는 내용이다.

대퇴관절의 운동은 상지의 견관절운동에 해당하는 것이지만, 관절와가 깊고, 관절낭도 견고하여 운동량이 상당히 제한되어 있다. 그리고 인대도 강하며, 이러한 고관절이 체중유지와 체위 안정성에 보다 유용하게 작용한다는 것을 나타낸다.

📖 **보충학습**

걷거나, 축구의 킥을 할 때 등 다양하게 사용되어지는 대퇴관절(고관절, hip joint)은 관골의 관골절구(acetabulum)와 대퇴골의 머리 사이에 형성되는 절구관절로, 인체에서는 어깨관절 다음으로

운동성이 높다. 어깨관절과 마찬가지로 절구테두리(acetabular labrum)가 있어 관절면을 넓혀준다. 관절강내에는 대퇴골머리인대(ligamentum teres)가 있어 탈구를 방지해주므로 인체에서 가장 튼튼한 관절이다. 관절주머니 바깥에는 장골대퇴인대(iliofemoral ligament), 좌골대퇴인대(ischiofemoral ligament), 치골대퇴인대(pubofemoral ligament) 등이 있어 관절을 보강한다.

17. <보기>의 설명에 해당하는 근육은?

─〈보기〉─

㉠ 이는곳(기시점, origin) : 복장뼈자루(흉골병, manubrium), 빗장뼈(쇄골, clavicle)의 안쪽 1/3(medial 1/3, medial third)의 윗부분(상부, upper part)

㉡ 닿는곳(정지점, insertion) : 꼭지돌기(유양돌기, mastoid process), 뒤통수뼈(후두골, occipital bone)의 위목덜미선(상항선, superior nuchal line)의 가쪽 1/3(외측 1/3, lateral third)

㉢ 동작 : 목의 가쪽굽힘(외측굴곡, lateral flexion), 머리의 돌림(회전, rotation), 고리-뒤통수관절(환추-후두관절, atlanto-occipital joint)의 폄(신전, extension)

가. 등세모근(승모근, trapezius)

나. 어깨올림근(견갑거근, levator scapula)

다. 목갈비근(사각근, scalene)

라. 목빗근(흉쇄유돌근, sternocleidomastoid)

정답 라

흉골쇄골유돌기근(sternocleidomastoid)은 더부신경과 목신경얼기의 가지를 받고 흉골 및 쇄골에서 기시하여 유돌기에 정지하며, 머리를 옆으로 돌리는 데 중요한 근육이다.

기본적인 동작은 머리를 돌려 어깨를 보는 것, 베개에서 머리를 들어 올리는 것 등이며, 수영, 럭비에서 스크럼동작이나 미식축구에서 많이 사용하는 근육이다.

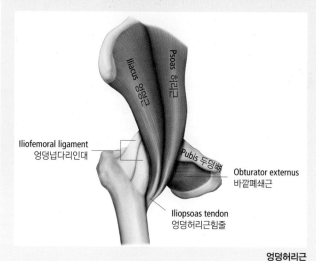

엉덩허리근

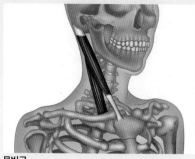

목빗근

18. 근골격 문제로 인한 보행장애 및 기능적 호전 정도를 가늠하는 선형요소 지표 중 가장 민감한 지표로 활용되는 것은?

가. 보장　　　나. 보속　　　다. 보폭　　　라. 보간

정답 **나**

걷기는 모든 운동의 기본이 되는 동작으로, 역학적 분석을 통하여 신체 이동 체계의 원리를 이해할 수 있고, 의학적 진단과 치료에 도움이 되며 상해를 입은 후 재활에도 사용할 수 있다. 하지의 통증이 있거나 근력 약화 또는 관절이상에 의한 불안정증상으로 인해 보행속도의 변인이 가장 중요한 요소이다.
예컨대 나이에 관련된 보행 시의 변화에서도 나이에 따른 근력의 약화로 낙상 경험이 없는 건강한 노인의 적정속도는 젊은 성인의 20% 정도 느리다. 나이에 따른 보행속도가 느린 것이 보폭 효율성에 있는 것이 아니라 보폭길이 감소에 그 원인이 있다는 것이다. 보폭길이에 대한 감소는 팔위 스윙과 엉덩이, 무릎, 발목의 회전, 이중지지 시간의 증가, 발끝이 떨어지기에 앞서 지면에 접촉된 고정된 발이 포함된 다양한 형태에 대한 결과이다.

19. 주행 속도와 보폭, 보수와의 관계에 대한 설명으로 옳지 <u>않은</u> 것은?

가. 주행 속도는 보폭과 보수의 곱으로 구할 수 있다.
나. 주행 속도가 빨라지면 보폭과 보수는 비례적으로 증가한다.
다. 보폭과 보수는 달리기 종목 특성에 따라 영향력이 상대적으로 평가되어야 한다.
라. 마라톤 선수는 단거리 선수보다 상대적으로 큰 보폭이 요구된다.

정답 **라**

걷기의 속도는 보폭과 보수에 의하여 결정된다. 걷는 속도를 빠르게 하려면 보폭을 넓게 하고 1보의 소요 시간을 단축해야 한다. 그러나 보수의 증가를 위하여 1보의 소요 시간을 너무 심하게 단축할 경우에는 보폭이 짧아져서 결국에는 걷는 속도가 감소될 수 있다. 달리기에서 가장 중요한 요인은 속력이며, 속력은 보폭과 보속에 의해 결정된다. 보폭과 보속은 역상관 관계를 갖는다. 즉, 보속을 너무 빨리 하면 보폭이 좁아진다.
따라서, 주자의 체격과 체력 등을 고려한 올바른 균형이 이루어질 때 질주의 효율은 최대로 된다.

100m 달리기 선수는 마라톤 선수보다 상대적으로 큰 보폭이 요구되는 반면에 마라톤 선수는 100m 선수보다 상대적으로 많은 보수가 요구된다. 100m 달리기 선수들은 전력 질주 시의 속도 증가를 보폭보다는 보수의 증가에 의존하고 있다. 그 이유는 보폭의 증가는 일정 속도 이상에서 한계에 이르지만 보수의 증가는 그에 비하여 상대적으로 계속 증가하기 때문이다. 즉, 지나치게 보폭을 넓힐 경우 보수는 줄어든다.

마라토너

20. '근육 내 근섬유 배열(muscle architecture)'과 관련된 내용 중 옳지 <u>않은</u> 것은?

가. 생리학적 단면적(physiological cross-sectional area)에 직접적인 연관성이 있다.
나. 일반적으로 부피가 동일하다면 깃모양근(우상근, pennat muscle)이 가락모양근(방추상근, fusiform muscle) 보다 힘 발현 잠재력이 더 크다.
다. 일반적으로 근섬유 타입이 동일하다면 깃모양근(우상근, pennat muscle)이 가락모양근(방추상근, fusiform muscle) 보다 수축 속도가 느리다.
라. 깃모양근(우상근, pennat muscle)의 경우, 생리학적 단면적과 해부학적 단면적은 동일하다.

정답 **라**

우상근의 근섬유는 새의 깃털과 같이 정렬되어 있어 근수축 방향에 대해 비스듬히 놓여 져 있다. 우상근의 우상각은(pennation angle)은 근육의 기점과 착점을 연결한 가상의 선과 근섬유의 각을 말하며, 우상각 0도는 우상의 형태가 없음을 나타낸다. 몸의 근절은 모두 장축 방향으로 배열되어 있지 않다. 그 예로 우상근은 우상각에 의해 동일한 근횡단 면적당 존재하는 근절수가 변화되며, 이 때문에 우상각에 의해서 발휘된 근력이나 수축 속도 특징도 변화하게 된다.

근섬유의 세 가지 배열은 평행, 반우상근, 우상근으로 즉, 큰 우상각을 가지는 근에서는 횡단면에 병렬로 존재하는 근절이 증가하는 반면 직렬로 이어지는 근절수는 감소하여 반추근과 비교하여 근력발휘가 뛰어나며 수축 속도도 늦게 이루어진다.

이 우상각은 유전이나 트레이닝의 영향에 따라 결정되어 있어 근량이 같은 개인 간에도 스피드나 근력이 다른 것도 우상각의 개인차 때문에 나타난 현상이라고 설명할 수 있다. 단위면적당 발휘할 수 있는 근력의 크기는 근육에 따라 다르다. 근력섬유의 배열방향이 힘이 작용하는 방향과 각도를 이루는 깃모양근(pennate muscle) 일수록 근육의 단위면적당 최대근력이 크다.

근섬유의 정렬
① 삼각근 : 다우상근
② 상완이두근 : 방추근
③ 대퇴직근 : 우상근
④ 중둔근 : 방사근
⑤ 복직근 : 다복근
⑥ 후경골근 : 단우상근

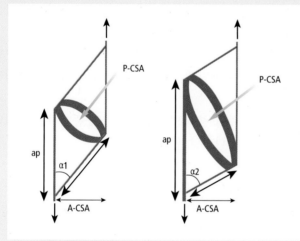

근의 해부학적 · 생리학적 단면적

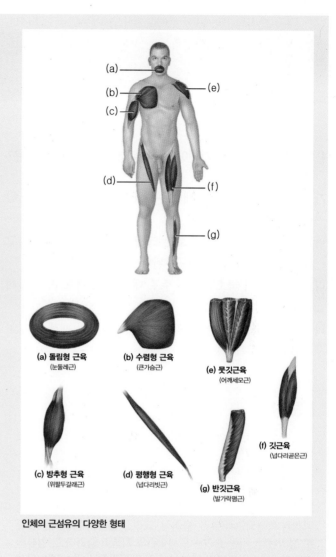

(a) 돌림형 근육
(눈둘레근)

(b) 수렴형 근육
(큰가슴근)

(e) 뭇깃근육
(어깨세모근)

(c) 방추형 근육
(위팔두갈래근)

(d) 평행형 근육
(넙다리빗근)

(g) 반깃근육
(발가락폄근)

(f) 깃근육
(넙다리곧은근)

인체의 근섬유의 다양한 형태

병태생리학

01. 다음 질병발생 기전에 관한 설명 중 옳지 <u>않은</u> 것은?

가. 질병의 원인이 되는 세포손상의 가장 흔한 내인성 요인
　　은 저산소증이다.

나. 질병의 외인성 요인으로는 크게 물리적, 화학적, 그리고
　　미생물학적 손상으로 구분된다.

다. 급성염증의 국소증상은 주로 대식세포, 림프구, 형질세
　　포가 관여한다.

라. 장기간의 스테로이드 약물 사용은 조직의 재생을 지연
　　시킨다.

정답 다

"다"의 급성염증은 선천성 면역이고, 림프구, 형질세포 등은 후천
성 면역에 해당한다.

개체의 단위인 세포 또한 비교적 좁은 범위의 자극에 대해서는
세포적응을 통해 항상성을 유지할 수 있으나 견딜 수 없는 강한
자극이 가해지면 세포손상을 일으키게 된다. 염증은 국소적으로
액체가 축적되면서 부기, 붉어짐, 그리고 통증이 동반되는 것으
로 정의된다. 이런 효과는 모세혈관의 지름이 증가하고, 혈류의
속도의 감소, 혈관벽의 투과성 증가로 이어지는 국소적인 모세
혈관의 변화에 기인한다. 이 지역에 혈액공급이 증가하면서 염
증과 동반되는 국소적인 붉어짐과 열이 초래된다.

① 대식세포 : 다양한 수용체를 사용하여 병원체와 반응하고 포
　　식작용과 사이토카인의 분비를 촉진시킨다.

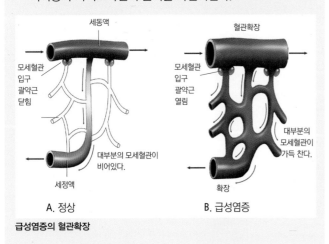

A. 정상　　**B. 급성염증**

급성염증의 혈관확장

② 림프구 : 내재면역의 효과 세포로서 자연살해 세포로 바이러
　　스 감염에 대한 방어에 중요하다.

③ 형질세포는 정상혈액 중에는 존재하지 않는 대식세포 중 하
　　나이다.

02. 부정맥에 대한 설명으로 옳지 <u>않은</u> 것은?

가. 심실빈맥은 3개 이상의 심실조기박동이 100회/분 이상
　　의 빈도로 연속하여 나타나는 것이다.

나. 발작성 상심실성빈맥에 대한 치료는 환자의 불안감소
　　를 일차적으로 고려해야 한다.

다. 관상동맥질환이 있는 경우 부정맥이 발생되면 심근혈
　　액순환 장애로 인해 협심증이나 심근경색으로 진행될
　　수 있다.

라. 부정맥의 주요 증상으로 심박출량이 증가하면서 혈압
　　상승 반응이 나타날 수 있다.

정답 라

"라"는 다음과 같이 수정하면 바람직하다.

빈맥성 부정맥의 주요 증상으로 심박출량이 감소하면서 저혈압
반응이 나타날 수 있다.

부정맥(arrhythmia)이란 심장의 전기자극형성이나 자극전도에
이상이 있을 때 발생하여 맥박은 규칙적이기도 하고 불규칙적이
기도 하며 서맥, 정상맥, 빈맥 등의 여러 형태로 나타난다. 부정
맥으로 인한 증상은 없을 수도 있으나 대부분의 환자에선 심계
항진, 현기증, 실신, 운동 시 호흡곤란, 흉통 등이 나타나게 된다.
이들 증상은 환자에 따라 느끼는 정도가 달라 증상의 경중만으
로 부정맥의 경중을 따져서는 안 된다.

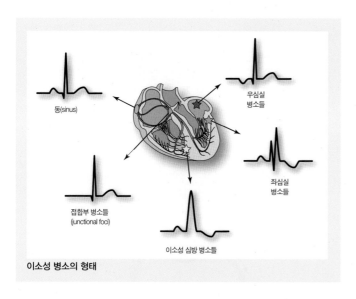

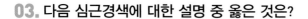

이소성 병소의 형태

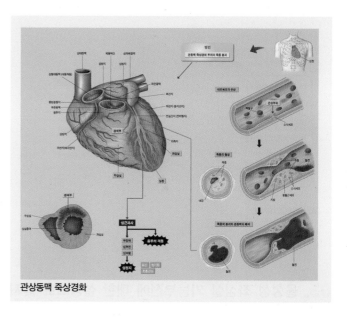

관상동맥 죽상경화

03. 다음 심근경색에 대한 설명 중 옳은 것은?

가. 관상동맥의 내강(lumen)이 동맥경화증으로 75% 막히면 심장근육으로 흐르는 최대 혈류의 감소가 일어난다.

나. 심근허혈이 발생하면 심근세포는 가역적 손상을 받게 되고 특히 노인이나 당뇨병 환자는 심한 흉통을 보인다.

다. 심근경색은 좌심실 기능저하를 유발하며 폐혈관내 압력을 감소시킨다.

라. 심근경색 및 괴사로 진행될 가능성이 가장 높은 협심증은 이형협심증(variant angina pectoris)이다.

정답 **가**

"나~라"는 다음과 같이 수정한다.

나. 심근허혈이 발생하면 심근세포는 비가역적 손상을 받게 되고 특히 노인이나 당뇨병 환자는 심한 흉통을 보인다.

다. 심근경색은 좌심실 기능저하를 유발하며 폐혈관내 압력을 증가시킨다.

라. 죽상경화병변이 별로 없음에도 불구하고 혈관의 연축에 의해 혈류 장애가 발생하여 초래되는 협심증을 변이형(이형성) 즉, 이형협심증(variant angina pectoris)이라고 한다.

04. 고혈압에 대한 설명으로 옳지 <u>않은</u> 것은?

가. 고혈압 2기의 판정기준은 수축기 160㎜Hg 이상, 이완기 100㎜Hg 이상이다.

나. 만성적인 후기단계 고혈압 증상으로 고혈압성 망막질환, 고혈압성 부신질환이 있다.

다. 신장질환, 내분비 장애, 임신중독 등은 이차성 고혈압을 일으키는 주요 원인이다.

라. 혈압을 나타내는 수식은 [심박출량×말초저항]이다. 동맥경화로 말초저항이 증가하면 혈압이 증가한다.

정답 **나**

"나" 당뇨병과 관련이 있는 항목으로 간주된다.

만성적인 후기단계 고혈압 증상으로 심부전, 허혈성심질환, 좌심실 비대가 있다.

📖 보충학습

당뇨병의 만성합병증
당뇨병에 의해 소동맥이 손상됨으로 인해 합병증이 나타나며 주로 눈과 콩팥, 신경에 만성합병증이 잘 나타난다.
① 눈에 발생하는 합병증
② 콩팥에 생기는 합병증
③ 신경에서 생기는 합병증
④ 혈관과 심장에 생기는 합병증

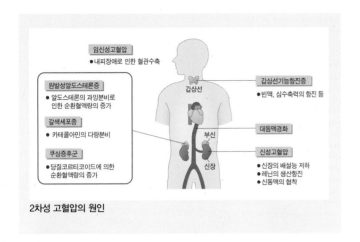

2차성 고혈압의 원인

05. 울혈성 좌심실 기능부전에 대한 설명으로 옳지 않은 것은?

가. 입술과 손톱 등에 청색증이 관찰된다.

나. 심장으로 들어오는 폐순환계에 혈액이 정체되어 발목 부종, 복수가 나타난다.

다. 혈액이 폐로 역류함으로써 폐정맥의 압력이 상승하여 발생한다.

라. 주요 원인은 고혈압이며 발작적 야간호흡곤란이 나타 난다.

정답 나

"나"는 울혈성우심실 기능부전에 해당된다.

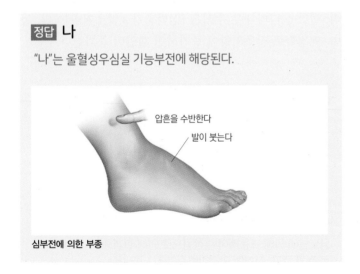

심부전에 의한 부종

압흔을 수반한다
발이 붓는다

📖 보충학습

울혈성 심부전(congestive heart failure)은 다양한 원인으로 심장이 신체조직이나 기관에서 필요한 혈액을 공급할 수 없는 병리학적 상태를 말한다. 심장은 계속 일하지만 적절한 순환을 유지할 만큼 충분히 기능을 하지 못함으로써 정맥혈이 "역류"하기 시작하고 부종이 일어난다. 특히 다리와 발목에서 부종이 심하게 나타난다. 그 원인은 만성고혈압, 관상동맥질환, 판막에 이상이 있는 기계적 결함 등이다. 이와 관련된 질환으로는 허혈성 심질환, 부정맥, 심장판막 질환, 고혈압, 죽상경화증, 심근경색증, 불안정형 협심증, 심계항진, 협심증 등이 있다.

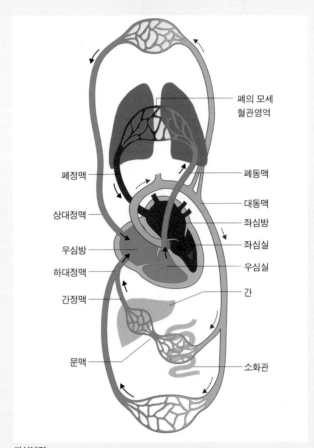

좌심부전

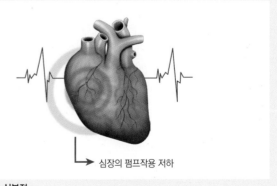

울혈성 심부전

심장의 펌프작용 저하

06. <보기> 중 만성폐쇄성폐질환(COPD)에 대한 설명으로 옳지 <u>않은</u> 것을 모두 고르시오.

〈보기〉

ㄱ 만성폐쇄성폐질환은 폐기종, 만성기관지염, 만성천식이 있다.
ㄴ 기도폐색이 있는 경우 기관지 확장제를 사용하고, 호흡부전과 저산소증이 발생하면 장기 산소요법을 실시한다.
ㄷ 폐와 흉곽이 경직되고, 호흡근이 약화되어 팽창이 제한됨으로 인해 전체 폐활량이 감소한다.
ㄹ 만성폐쇄성폐질환은 저녁에 가장 심해진다.
ㅁ 만성폐쇄성폐질환은 1초강제호기량(FEV1)이 추정 정상치의 80% 미만이다.
ㅂ 만성폐쇄성폐질환에서 FEV1/FVC 비율은 변화가 없거나 증가한다.

가. ㄱ, ㄴ, ㄹ   나. ㄴ, ㅁ, ㅂ
다. ㄱ, ㄷ, ㅁ   라. ㄷ, ㄹ, ㅂ

정답 라

ㄷ 폐와 흉곽이 경직되고, 호흡근이 약화되어 폐포들이 비정상적으로 늘어나고, 폐포격벽이 파괴된 상태를 말하며, 전체 폐활량이 감소한다.
ㄹ 만성폐쇄성폐질환은 아침에 가장 심해진다.
ㅂ 만성폐쇄성폐질환에서 FEV1/FVC 비율은 감소한다.

많은 측정들은 폐활량계로 하지만 만성폐쇄성폐질환을 분류하는데 사용되는 일반적 검사는 일초당 강제호기량(FEV1/FVC) 비율검사 방법이 이용된다.

① FEV1 : 일초량(총 폐활량에서 1초 동안 내 불 수 있는 최대 공기량)
② FVC : 총폐활량

만성폐쇄성폐질환

07. 천식에 대한 설명으로 옳은 것은?

가. 천식은 기관지경련과 점액분비증가, 점액부종의 결과로 발작적 기도폐색을 야기한다.
나. 천식환자의 가장 큰 병태생리적 변화는 폐포벽 파괴이다.
다. 천식의 치료 및 예방법으로 면역요법, 약물요법, 저온환경에서의 운동이 있다.
라. 천식은 발작 시작 시 마른기침과 흉부압박감이 느껴지며 서맥과 수축기 저혈압이 나타난다.

정답 가

"나~라"는 다음과 같이 수정한다.

나. 천식환자의 가장 큰 병태생리적 변화는 기도 주위 평활근의 수축에 의한 것이다.
다. 천식의 치료 및 예방법으로 면역요법, 약물요법, 운동요법이 있으며, 수영은 천식환자를 위한 운동으로 적합하다.
라. 천식은 발작 시작 시 마른기침과 흉부압박감이 느껴지며 빈맥과 수축기 고혈압이 나타난다.

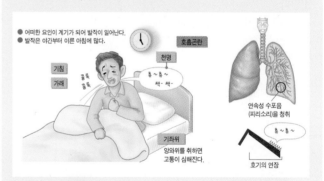

기관지 천식 발작증상

보충학습

① 점막세포의 부종과 점막의 과분비에 의한 기도 주위 평활근의 수축에 의한 것
② 면역요법, 약물요법, 운동요법에 상세한 내용과 저온환경에서의 운동이 왜 문제가 있는지에 대한 의문점은 박승화의 건강운동관리사 카페[cafe.naver.com/healthtrainer]나 강의시간에 확인할 수 있다.

08. 요추추간판탈출증(HIVD)의 증상, 기전, 진단에 대한 설명으로 옳지 <u>않은</u> 것은?

가. 추간판탈출증은 추간판이 뒤쪽으로 탈출되어 신경근(nerve root)이나 척수를 압박하여 요통, 하지방사통, 마비 등을 일으키는 질환이다.

나. 바로 누운 후 아픈 쪽 다리의 무릎을 편채로 다리를 서서히 30°도 가량 거상시켰을 때 통증이 발생한다(하지직거상검사).

다. 노화에 따른 추간판 내부의 수분함량 감소와 섬유테(annulus fibrosus)의 변형과 결합력 저하로 인해 균열로 추간판탈출이 발생될 수 있다.

라. 척추사이원판(disc)의 섬유테(annulus fibrosus)는 뒤쪽의 섬유수가 많기 때문에 추간판 탈출을 예방하는 역할을 한다.

정답 라

요추추간판탈출증(HIVD)의 증상은 흔히 이야기 하는 디스크를 말한다.
척추사이원판(disc)의 섬유테(annulus fibrosus)는 수핵이 중심에서 약간 뒤쪽에 위치하고, 뒤쪽의 섬유륜이 얇아 상대적으로 약해진다.

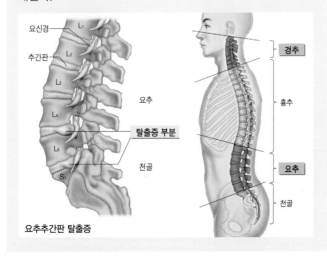

요추추간판 탈출증

09. 만성요통에 대한 설명으로 옳지 <u>않은</u> 것은?

가. 만성요통을 일으키는 일차적인 근육은 척주세움근(척주기립근, erector spinae), 배곧은근(복직근, rectus abdominis)과 같이 요추에 붙어 요추분절을 직접 조절하는 심부근육군(deep muscle group)이다.

나. 비기질적 만성요통의 원인은 정신적, 기능적, 정서적 요인에 의해 발생한다.

다. 기질적 만성요통의 원인은 비만, 운동부족, 외상(trauma), 근육질환 등으로 발생된다.

라. 허리통증을 유발하거나 악화시킬 수 있는 일반적인 병으로는 퇴행성 관절염, 강직성 척추염, 골다공증 등이 있다.

정답 가

복근강화 운동
처음에는 근육을 신전시키고 유연성을 증가시키는 운동을 하지만 점차 이 운동과 함께 근력 및 근지구력을 강화시키는 운동을 해야 한다. 물론 복근강화는 쉬운 운동부터 시작해서 점점 어려운 운동으로 발전시켜 나간다. 그러나 똑바로 누워서 무릎대고 다리 올리기 또는 무릎 펴고 누운 상태에서 윗몸일으키기 등은 금해야 하는 복근운동이다.
척주세움근(척주기립근, erector spinae)은 척추를 뒤로 펼 때, 배곧은근(복직근, rectus abdominis)은 동원된다.
만성요통의 원인은 매우 다양한다. 우선 척추와 주변구조물(디스크·신경 등)의 변형과 장애를 나타내는 추간판 탈출증(속칭 '허리디스크'), 척추관 협착증 등이 요통의 원인이 될 수 있다. 이 외에도 척추와 주변 구조물에 특별한 이상소견이 없음에도 통증이 발생하는 경우가 존재한다. 부적절한 자세, 운동부족, 앉아서 생활하는 습관으로 인한 척추 주변 근육들의 약화와 긴장이 그 원인일 수 있다.

10. 척추측만증의 원인 분류 및 진단에 대한 설명으로 옳지 <u>않은</u> 것은?

가. 구조적 측만증은 상체를 숙였을 때 척추가 펴지는 특징이 있다.

나. 기능성 측만증은 상체를 숙였을 때 척추가 휘어지는 특징이 있으며 불량한 자세 등으로 인해 발생될 수 있다.

다. 특발성 측만증은 원인을 정확히 알 수 없으며 초·중학생 시기의 여학생들에게 주로 발생한다.

라. 척추의 만곡 정도를 콥스각(Cobb's angle)으로 측정하고, 60° 이상 만곡부터 반드시 보조기 착용을 시작한다.

2015

정답 **라**

"라"는 다음과 같이 수정하면 바람직할 것으로 사료된다.

척추의 만곡 정도를 콥스각(Cobb's angle)으로 측정하고, 40° 이상 만곡부터 반드시 보조기 착용을 시작한다.
콥스각이란 정형외과 의사 Robert Cobb(1903~1967)이 만들어 낸 방법이다.

비대칭적인 운동 및 운동요법

불분명한 원인의 환경적, 나쁜 자세, 잘못된 운동습관 등으로 인한 척추의 휘어짐이 경미한(콥스각 20도 미만) 정도일 때 비대칭적인 운동이 효과적으로 알려지고 있다. 척추의 좌우 휘어짐은 근육의 비대칭적인 발달로 이어지며 그로 인한 통증을 유발할 수 있다. 올바르지 못한 자세를 개선하기 위해 좌우 대칭 운동으로 근육의 밸런스를 유지하는 운동프로그램이다. 최근 청소년을 비롯하여 연령을 불문하고 스마트폰 과사용과 나쁜자세 등으로 척추뿐만 아니라 상지, 하지의 근력 균형을 향상시키며 운동으로 자세의 치우침으로 인한 악화된 근력을 강화해야 한다. 청소년 시기의 측만증 운동은 체계적이며 장기적으로 계획하여 진행되어야 한다.

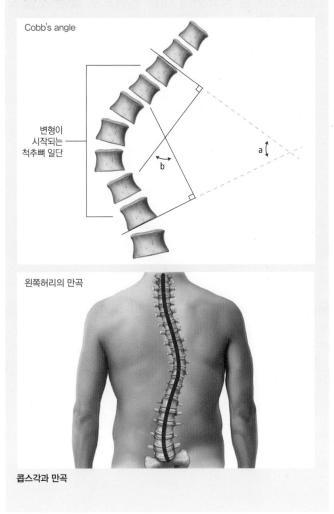

콥스각과 만곡

11. 골다공증의 진단과 설명에 관한 내용으로 옳지 <u>않은</u> 것은?

가. 골밀도 정상기준은 T-점수, 뼈의 건강은 칼슘, 인, 알칼리 인산분해효소의 혈청수준으로 제시된다.

나. 폐경기 여성의 무기질 밀도 T-점수가 -2.5 초과 -1.0이하인 경우 골다공증으로 진단한다.

다. 골다공증의 원인으로는 비타민D 결핍, 부갑상선 기능항진, 파제트병 등이 있다.

라. 골다공증은 척추와 대퇴골경부와 같은 해면골에 영향을 주며 골밀도 스캔과 X-선을 사용하여 진단할 수도 있다.

정답 **나**

"나"는 다음과 같이 수정한다.

폐경기 여성의 골밀도가 최대골밀도(T-score)에서 -2.5 표준편차값 이상이면 골다공증이라고 진단하며 -1에서 -2.5 표준편차값 사이는 골감소증이라고 정의한다.

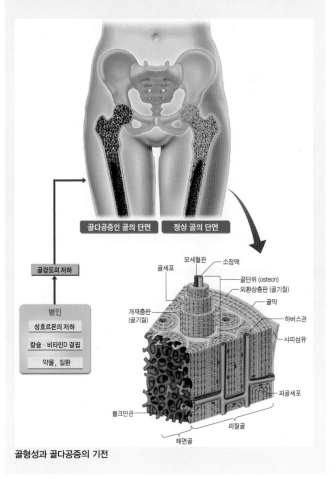

골형성과 골다공증의 기전

① T-점수에 대한 상세한 내용은 박승화의 건강운동관리사 홈페이지(www.peteacher.co.kr)나 강의 시간에 확인할 수 있다.

② Paget's disease란 뼈에서 비정상적으로 재형성 과정이 나타남에 따라 발생하는 질환을 말한다. 대부분 자각 증상은 없으나, 뼈의 통증을 호소하는 경우가 있다. 골절, 관절염, 감각이나 운동 소실, 뇌신경 마비, 청력 감소, 하반신 마비 등이 나타날 수 있다.

③ 아무런 증상이 없어도 골다공증이 심한 경우가 매우 많아 골다공증이 발생할 위험 인자를 갖고 있는 사람과 폐경기의 여성은 골밀도 검사를 받아서 조기에 진단하여 적극적으로 치료하는 것이 바람직하다.

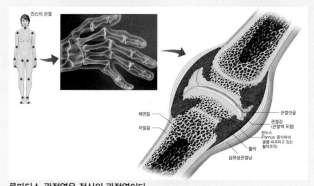

류마티스 관절염은 전신의 관절염이다.

📖 **보충학습**

또 다른 관절염의 유형

골관절염 : 국부적인 퇴행성 관절질환으로서 "라"의 관절면이 좁아지는 것은 퇴행성 골관절염에 해당한다.

12. 류마티스 관절염에 대한 설명으로 옳은 것은?

가. 과도한 물리적 스트레스로 인해 구조적인 균열과 연골 손상으로 관절에 뼈곁돌기(골증식체, osteophyte)가 형성된다.

나. 관절에 가해지는 스트레스로 주변조직에 이차적인 염증이 있으나 전신성 징후는 없다.

다. 관절부위에 점액낭염(synovitis)이 나타나고, 연골파괴와 뼈의 흡수작용을 가져오는 판누스(pannus) 조직을 형성한다.

라. 자가면역질환으로 국소적 염증반응을 나타내며, 관절면이 좁아진다.

정답 다

일반 관절염이 근, 골격계 질환에 속한다면 류마티스 관절염은 '자가면역질환'에 속하는 질환이다.

"가~라"는 다음과 같이 수정한다.

"가"는 골관절염에 관련된 내용으로 볼 수 있다.

나. 관절에 가해지는 스트레스로 주변조직에 이차적인 염증이 있으나 전신성 염증 질환이다.

라. 자가면역질환으로 전신성 염증반응을 나타내며, 여러 부위(주로 세 부위 이상)의 관절통증과 부종 등이 나타나는 것이 특징이다.

13. <보기> 중 당뇨병에 대한 설명으로 옳은 것을 모두 고르시오.

〈보기〉

㉠ 당뇨병의 합병증으로 고삼투성 고혈당성 비케톤성 증후군(HHNS)은 주로 제1형 환자에게 발생된다.

㉡ 당뇨병 환자에서 다뇨가 발생하는 이유는 소변내로 포도당과 케톤이 배설되기 때문이다.

㉢ 당뇨병 환자가 대사성 산증이 생기는 이유는 지방이용 증가에 따라 혈액내 케톤이 축적되어 혈중 pH를 감소시키기 때문이다.

㉣ 제1형 당뇨병은 췌장의 베타세포가 파괴되어 인슐린생성의 결핍으로 초래되는 자가면역질환이다.

㉤ 진단기준은 공복시 혈당 126mg/dℓ 이상, 식후 2시간 포도당 부하검사에서 혈당 200mg/dℓ 이상이다.

가. ㉠, ㉡, ㉣, ㉤   나. ㉡, ㉢, ㉣, ㉤

다. ㉢, ㉣, ㉤   라. ㉠, ㉡, ㉢

정답 나

㉠은 당뇨병의 경력이 전혀 없거나 경미한 2형 당뇨병환자(50~70세)에게서 빈번하게 나타난다.

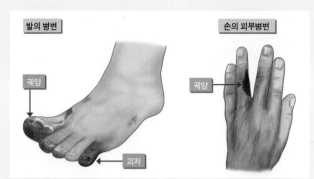

당뇨병에 의한 피부질환

📖 보충학습

① 당뇨병성 케톤산증과 고삼투성 혼수 : 인슐린이 심하게 모자라는 인슐린 의존성 당뇨병 환자가 병이 있는 것을 모르고 지내거나, 임의로 인슐린 치료를 중단할 때 혹은 나이든 환자가 중풍이나 기타 급성질환을 심하게 앓게 될 때 나타나며 몸에서 포도당이 이용되지 않아 혈당은 아주 높고 대신 지질이 많이 소모되어 케톤산이 많이 만들어져 심한 구역질과 구토, 탈수, 복통 등의 증상을 보이며 심하면 혼수상태에 빠지므로 즉시 병원에 후송해서 응급치료를 해야만 생명을 유지할 수 있다.

② 혈당검사 : 정상 혈당치는 공복 시 115mg/dℓ 이하, 식사후 2시간 혈당치가 140mg/dℓ 이하이며 당뇨병이란 공복 시 혈당이 140mg/dℓ 이상이거나 식후 두 시간 혈당치 혹은 무작위로 측정한 혈당이 200mg/dℓ 이상인 경우에 진단을 내릴 수 있다.

③ 당뇨병의 치료방법 : 식사요법, 운동요법, 약물요법으로 나눌 수 있다.

14. 혈중지질에 대한 설명으로 옳지 <u>않은</u> 것은?

가. 초저밀도지단백(VLDL)과 저밀도지단백(LDL)의 증가는 죽상동맥경화증의 원인이 된다.

나. 스타틴(statin)계열의 약물은 간의 콜레스테롤 생성을 감소시킴으로써 혈중지질의 농도를 낮춘다.

다. 고밀도지단백(HDL)은 간에서 말초로 콜레스테롤을 운반하기 때문에 '좋은 콜레스테롤'이라고 한다.

라. 혈중 중성지방의 증가는 췌장염의 원인이 되며 복통을 야기한다.

정답 다

혈관 벽에 쌓인 콜레스테롤을 간으로 운반하는 역할을 하며 동맥경화를 예방하는 효과가 있어 '착한 콜레스테롤'로 불린다.

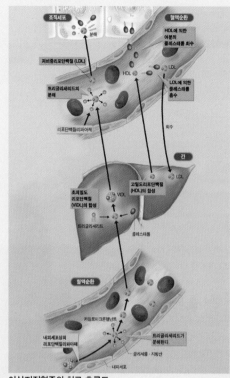

이상지질혈증의 치료 흐름도

고밀도지단백은 콜레스테롤을 동맥벽으로부터 더 멀리 운반함으로써 죽상 동맥경화증에 대해 보호역할을 한다. HDL수준으로 조깅하는 사람보다 마라톤선수가 더 높고 앉아 있는 사람보다 조깅하는 사람이 더 높다.

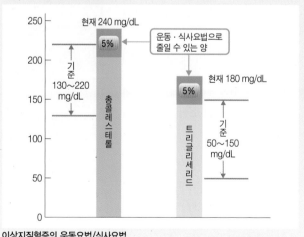

이상지질혈증의 운동요법/식사요법

15. <보기> 중 악성종양에 해당하는 특성은?

〈보기〉

⊙ 세포의 크기와 모양이 다양하고 미분화된 세포로 구성되어 있다.
ⓛ 상대적으로 성장이 느리며 서서히 덩어리가 커진다.
ⓒ 주변조직으로 침투하거나 혈관, 림프관을 통해 전이가 잘 일어난다.
ⓔ 정상세포에 가까운 유사분열을 한다.
ⓜ 피막이 없다.

가. ⊙, ⓒ, ⓔ　　　　나. ⓛ, ⓒ, ⓔ
다. ⊙, ⓒ, ⓜ　　　　라. ⓛ, ⓔ, ⓜ

정답 다

팽창했다는 의미를 갖는 종양(tumor)과 새로운 성장을 의미하는 신생물(neoplasm)은 세포들이 비정상적으로 증가하는 조직을 기술하는 동일한 단어로 사용된다. 종양이라고 해서 모두 악성은 아니다. 예컨대 사마귀같은 양성종양은 피막화되어 있고, 해부학적으로 제한된 부위에만 존재하며, 그 크기가 한정되어 있다. 이와는 구별되게 악성종양은 기저판을 뚫고 주위 조직으로 침습하는 방식으로 크기가 계속 증가할 수 있다. 악성종양(惡性腫瘍)은 증식력이 강하고 주위 조직에 대하여 침윤성과 파괴성이 있으며 온몸에 전이하여 치명적인 해를 주는 종양·암종(癌腫)이나 육종(肉腫) 따위가 대표적이다.

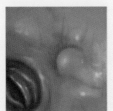
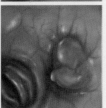

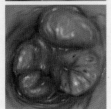

ⓛ 상대적으로 성장이 빠르며 서서히 덩어리가 커진다.
ⓔ 무제한의 세포분열로 매우 왕성하게 증식하여 주위 조직을 파괴·침식한다.

암세포의 내시경 영상

암세포의 특징
필요한 것보다 더 많은 세포가 증식이 되는 것이며, 이렇게 생긴 불필요한 세포는 제대로 자리를 잡지 못하고 혹처럼 자리를 잡는데, 이것을 '종양'이라고 부른다.

⊙ 암은 통제되지 않는 세포성장의 원인이 되는 돌연변이에 의해 발생한다.

ⓒ 암은 여러 가지 돌연변이들이 누적된 하나의 세포로부터 발생한다.
ⓒ 화학물질이나 방사선 또는 바이러스에 노출되면 암으로의 진행이 촉진될 수 있다.
ⓔ 암세포들이 특정한 공통적인 특징들에 의해서 정상세포들과 구별된다.

16. 뇌졸중의 원인에 대한 설명으로 옳은 것은?

가. 혈전과 색전이 원인이 되어 뇌허혈과 뇌경색이 일어나서 발생한다.
나. 대뇌기능은 정상이나 신경전달의 문제로 미세운동조절 상실, 전신마비, 과반사 등이 나타난다.
다. 대뇌피질 뉴런에 통제되지 않는 과도한 활동전위가 발생하여 나타난다.
라. 신경자극 전도를 방해하는 베타-아밀로이드 플라크가 신경축삭에 축적되어 발생한다.

정답 가

뇌졸중은 작은 뇌세동맥이 파열되거나 색전에 의해 막힐 때 일어난다. 산소부족은 뇌의 일부분을 만들며, 마비(반신불수) 또는 죽음을 초래할 수 있다. 뇌졸중의 전조는 손과 얼굴의 무감각, 말하기 어려움 또는 한 쪽 눈이 일시적으로 보이지 않음 등이 있다.

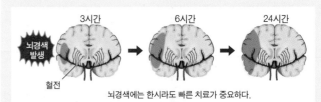

뇌경색의 진행

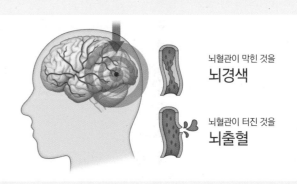

뇌졸중

"나~라"는 뇌졸중과 무관한 내용이다.

나. 편측마비, 언어장애, 감각이상, 의식저하 등으로 수정해야 한다.

다. 뇌전증

라. 알츠하이머

알츠하이머 환자들의 뇌에는 베타-아밀로이드(beta-amyloid)의 축적으로 이루어진 비정상적으로 높은 수준의 아밀로이드 플라크(plaque)가 발생한다. 끈적한 단백질 덩어리인 아밀로이드 플라크가 뇌세포 사이의 의사 소통을 차단함으로써 알츠하이머의 주요 증상인 치매를 유발시키게 된다.

17. <보기> 중 빈칸에 들어갈 적절한 용어를 순서대로 나열한 것은?

─〈보기〉─

파킨슨병은 (㉠)의 기능을 감소시키는 만성퇴행성 신경계질환이다. 원인과 증상을 살펴보면, 기저핵의 (㉡)에서 억제성 신경전달물질인 (㉢)의 생성이 감소되어 휴식시 진전, 근경직, (㉣) 등이 나타난다.

가. ㉠ 추체로 운동계, ㉡ 회백질, ㉢ 세로토닌, ㉣ 운동실조

나. ㉠ 추체외로 운동계, ㉡ 흑색질, ㉢ 도파민, ㉣ 운동느림증

다. ㉠ 추체로 운동계, ㉡ 흑색질, ㉢ 세로토닌, ㉣ 운동느림증

라. ㉠ 추체외로 운동계, ㉡ 회백질, ㉢ 도파민, ㉣ 운동실조

정답 **나**

⅃ **저자촌평** 이 문제는 평소 필자가 파킨슨병(Parkinson's disease)은 도파민과 관련된 질환이라는 것을 수차례 강조하였기에 물질만 알아도 풀 수 있는 문제이다.

파킨슨병은 1817년에 처음으로 제임스 파킨슨(James Parkinson)이라는 영국 의사가 손 떨림, 근육 경직, 자세성 반사 소실 등의 특징적 양상을 보이는 환자들에게 '떨림 마비'라는 이름을 붙이면서 처음 알려졌다. 그러나 정확한 의미에서 파킨슨병 환자들의 증상은 마비라고 하기보다는 동작이 느려지는 운동완서이다. 뇌의 흑질(substantia nigra)에 분포하는 도파민의 신경세포가 점차 소실되어 발생하며 안정떨림, 경직, 운동완만(운동느림) 및

자세 불안정성이 특징적으로 나타나는 신경계의 만성 진행성 퇴행성 질환이다. 파킨슨병은 도시 거주자보다 농촌 거주자에게서 많이 발생하는데, 이는 농약이나 오염된 우물물에 노출된 것이 원인일 수 있다는 가설이 있다. 대표적인 신경퇴행성 질환으로는 흔하게 알쯔하이머병이나 파킨슨병 드물게는 루게릭병 등을 예로 들 수 있다. 도파민은 뇌의 신경세포에서 만들어지는 물질로 세포와 세포 간에 신호를 전달하는데 이용되는 신경 전달 물질 중의 하나이다.

18. 60세 노인환자의 이학검사에서 분당 45회의 심박수가 나타났다. 이러한 느린 심박수의 원인이 되는 일차적인 병태생리학적 기전을 <보기>에서 모두 고르시오.

─〈보기〉─

㉠ 과거의 심근경색 병력
㉡ 갑상선 기능저하증
㉢ 항부정맥제, 베타차단제, 칼슘통로차단제 복용
㉣ 당뇨병
㉤ 동맥경화로 인한 동방결절(SA node)의 허혈

가. ㉢, ㉣, ㉤   나. ㉠, ㉢, ㉤

다. ㉡, ㉢, ㉣, ㉤   라. ㉠, ㉡, ㉢, ㉤

정답 **라**

㉣ 당뇨병은 서맥의 일차적 병태생리학적 기전이라고 보기 어렵다.

2015

19. <보기>에 제시된 전형적인 증상 및 징후를 보이는 사람에게 발생 가능한 병태생리적 질환은 무엇인가?

<보기>

55세 남성은 운동 시 다리에 통증을 느끼기 시작하고 시간이 지날수록 운동을 하지 않을 때에도 다리 통증이 간헐적으로 지속되었다. 특히, 발과 발가락 부위에서 통증 정도가 심해졌다. 또한 발의 저림 현상도 느껴지고 다리를 올리고 있을 때 다리에 창백함이나 청색증이 현저하게 나타났다.

가. 말초혈관질환(peripheral vascular disease)
나. 쿠싱증후군(cushing's syndrome)
다. 신경섬유종증(neurofibromaosis)
라. 고나트륨혈증(metabolic sysdrome)

정답 가

🔈 저자촌평 나머지 항목에 대한 의미를 몰라도 정답을 쉽게 고를 수 있는 문제이다.

나. 쿠싱증후군(cushing's syndrome) : 부신피질에서 당질 코르티코이드가 만성적으로 과다하게 분비되어 일어나는 질환으로 쿠싱 증후군 환자는 얼굴이 달덩이처럼 둥글게 되고, 비정상적으로 목 뒤에 지방이 축적되며(물소혹), 배에 지방이 축적되어 뚱뚱해지는 반면 팔다리는 오히려 가늘어지는 중심성 비만을 보인다.
다. 신경섬유종증(neurofibromaosis) : 다발성 신경섬유종과 담갈색의 피부반점을 주 증상으로 하는 유전 질환으로서 제1형 신경섬유종증의 증상은 피부에 담갈색의 반점, 겨드랑이와 서혜부의 주근깨, 신경섬유종, 두개 내 접형골의 이상이나 장골의 피질이 얇아지는 특징적인 골 병변, 시신경 아교종 등이 있다.
라. 고나트륨혈증(metabolic sysdrome) : 우리 몸의 수분 균형을 반영한다. 수분을 잃어 버리거나 과다하게 많은 양의 나트륨이 몸으로 들어오면 고나트륨혈증이 발생하게 된다.

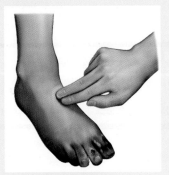

말초혈관질환

20. 감염에 관한 설명 중 옳지 <u>않은</u> 것은?

가. 감염에 대한 저항력을 감소시키는 요인으로는 연령, 유전적 감수성, 면역결핍, 영양부족, 심혈관 질환, 만성질환, 육체적, 정신적 피로 등이 있다.
나. 미생물은 감염을 일으키기 위하여 숙주에 부착하여 번식해야 하는데 이때 필요한 특수한 구조가 수용체이다.
다. 전이증식(colonization)은 면역반응을 일으키지 않으면서 체표면에 미생물이 증식하는 것으로 특정 조건을 제외하고 숙주에게 무해하다.
라. 미생물은 독소와 효소를 분비하여 세포사멸, 조직파괴, 혈관손상을 야기한다.

정답 나

"나"는 다음과 같이 수정하면 바람직할 것으로 사료된다.

미생물은 감염을 일으키기 위하여 숙주에 부착하여 번식해야 하는데 이때 필요한 특수한 구조가 바이러스이다.
세균(박테리아)은 바이러스보다 크기가 작고, 숙주 없이도 증식할 수 있으며, 항생제 개발이 용이한 반면에 바이러스는 숙주(인간, 동물, 세균) 없이는 증식할 수 없다. 변이 속도가 빨라 항바이러스 개발이 어렵다. 세균감염은 항생제 치료를 필요로 하지만 바이러스 감염은 항바이러스제 없이도 호전되는 경우가 많다. 메르스의 경우 아직까지 입증된 항바이러스제가 없어 현재로선 감염에서 회복될 때까지 각 장기의 기능을 유지하기 위한 보존적 치료가 최선이다.

감염

스포츠심리학

01. 운동발달 연구의 목적으로 가장 거리가 먼 것은?

가. 전 생애에 걸쳐 일어나는 운동행동, 기능, 형태의 일반적이고 특징적인 것을 관찰한다.

나. 운동발달의 변화를 일으키는 원인을 규명한다.

다. 운동행동이 언제 두드러지게 발달하는지를 규명한다.

라. 선천적 운동행동 변화에만 관심을 갖고 이에 대한 변화를 규명한다.

정답 라

운동발달은 인간의 움직임과 관련된 발달현상을 연구하는 분야로 전 생애(全 生涯)에 걸친 운동행동의 발달적 변화와 그 것을 일으키는 기전을 규명하는 것이 목적이다. 운동발달의 분야 주제가 유전과 경험, 발달의 원리, 운동기능의 발달, 학습 및 수행 적정연령, 학습 및 수행 적정연령 이듯이 운동발달의 연구목적은 전 생애에 걸쳐 운동패턴과 숙련된 수행의 발달과정을 연구하는 것이다.

02. 광의의 스포츠심리학 하위 영역에 대한 설명으로 바르지 않은 것은?

가. 운동제어-유기체, 과제, 환경의 상호작용 속에서 나타나는 복잡한 운동행동의 원리를 규명하는 분야

나. 건강운동심리학-선수들의 경기력 향상에 영향을 미치는 심리적 요인을 규명하는 분야

다. 운동학습-인간의 운동행동의 영구적인 변화를 유발하는 연습과 경험에 관련된 과정을 연구하는 분야

라. 스포츠심리학-스포츠 수행에 영향을 미치는 심리적 요인을 규명하는 분야

정답 나

"나"는 스포츠심리학에 대한 내용이다.

건강운동심리학은 운동실천에 대한 인식, 운동의 심리적 효과, 운동실천과 관련된 이론적 설명, 운동실천 촉진을 위한 전략 등을 연구하여 일반인의 건강운동과 관련된 동기, 정서를 탐색하고, 이들의 운동참가, 지속, 탈퇴의 요인을 분석 및 이해하여 건강운동의 심리를 폭넓게 연구하는 학문이라고 할 수 있다.

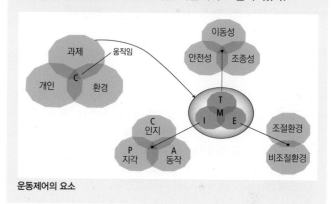

운동제어의 요소

03. 운동기술 연습계획의 준비에 대한 설명으로 옳지 않은 것은?

가. 교사나 지도자의 설명에 대하여 정확하게 이해하거나 상대적으로 부정확하고 느리게 반응하는 학습자가 있으며, 이는 학습자의 인지능력과 관련이 있다.

나. 사람들은 각기 다른 신체적 조건을 가지고 있기 때문에 운동학습에 있어서도 각 개인에 적합한 다양한 연습방법이 요구된다.

다. 초등학교 저학년 시기까지는 성별에 따른 차이가 크지만, 학년이 올라갈수록 성별에 따른 운동학습의 차이는 크지 않다.

라. 학습의 효과를 높이기 위해서는 시범을 어떻게 보여주는가 하는 문제가 중요하며, 숙련된 시범은 새로운 운동기술을 배우려고 할 때 효과적이다.

정답 다

"다"는 다음과 같이 수정한다.

초등학교 저학년 시기까지는 성별에 따른 차이가 크지 않지만, 학년이 올라갈수록 성별에 따른 운동학습의 차이는 크다.

04. 운동제어 연구의 정보처리 단계에서 자극 유입부터 순서대로 바르게 연결한 것은?

가. 감각지각단계–반응선택단계–반응실행단계
나. 반응선택단계–감각지각단계–반응실행단계
다. 동작계획단계–근육움직임발생단계–근육전달단계
라. 반응실행단계–반응선택단계–감각지각단계

정답 가

운동 기술의 수행 과정의 반응시간 : 반응시간은 자극이 제시된 순간부터 실제 반응이 일어나기 전까지의 시간을 말하는 것으로, 감각 · 지각, 반응 · 선택, 반응 · 실행 단계를 거치는 데에 걸리는 시간이라 할 수 있다. 여기서 자극을 탐지하는 감각 · 지각 단계와 근육 수축을 시작하기 위한 반응 · 실행 단계의 소요시간은 개인에 따라 크게 차이가 나지 않는다. 따라서, 반응시간을 줄이기 위해서는 반응 · 선택 단계에서 소요되는 시간을 줄여야 한다.

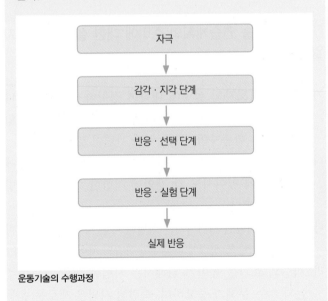

운동기술의 수행과정

05. 스포츠 수행에 있어 몰입과 재미에 대한 설명으로 옳지 않은 것은?

가. 몰입은 스포츠나 운동 수행의 초보자가 전혀 느낄 수 없다.
나. 몰입은 스포츠 수행이나 운동 수행 수준이 높을수록 경험할 확률이 높다.
다. 몰입과 재미는 스포츠 수행이 과제지향적 성향일 때 촉진된다.
라. 몰입과 재미는 스포츠 수행자가 달성 가능한 목표나 과제를 수행할 때 촉진될 수 있다.

정답 가

신체활동에 참여하는 대부분의 참여자들은 활동의 종류와 수준에 상관없이 몰입을 경험할 수 있다. 즉, 몰입은 스포츠나 운동 수행의 초보자도 느낄 수 있다.

몰입은 기술과 도전과제의 균형을 이루는 상황에서 수행에 완전히 집중할 때 발생한다. 도전이 너무 앞서면 불안이 발생되고, 도전감이 너무 낮으면 지루함이 발생된다. 사람들이 어떤 과제에 완전히 몰두될 때 혹은 과제가 저절로 수행되는 기분이 들 때 느끼는 총체적인 감각을 몰입이라고 한다.

몰입체험의 요소
① 동작과 의식의 일체감
② 즐거움과 만족감
③ 동작에 대한 완벽한 몰두
④ 자의식의 상실
⑤ 동작의 자동적 수행

몰입과 재미

2015

06. 운동발달의 영향에 대한 설명으로 옳지 <u>않은</u> 것은?

가. 아동은 연령이 증가함에 따라 규칙적인 활동에 참여하는 경향이 있다.

나. 대중매체의 발달은 간접적인 스포츠 경험을 하게 하며 많은 정보를 전달해 준다.

다. 아동의 주변 인물은 아동발달에 있어 긍정적, 부정적 영향을 줄 수 있다.

라. 동기는 운동발달에 간접적으로 영향을 미치지 않고 직접적으로 운동에 참여하여 운동발달을 꾀하는 기초를 마련해준다.

정답 라

운동참가자는 자신의 성격이나 환경에 따라 서로 다른 동기를 갖게 되며, 이는 운동발달에도 영향을 미치게 된다.

07. 내적동기(intrinsic motivation)를 가장 잘 설명한 것은?

가. 특정한 운동수행에 대하여 어떤 보상이 약속되었을 때 행동이 유발되는 것

나. 체중 감량을 위해 운동 하는 것

다. 순수하게 기쁨과 만족감을 추구하고자 스스로 활동에 참여하는 것

라. 부모나 친구의 권유 때문에 운동하는 것

정답 다

내적동기란 과제 그 자체에 대한 흥미 때문에 그 과제에 참여하려는 동기를 말한다. 어떤 사람이 외적인 보상을 바라지 않고 스포츠 그 자체가 좋아서 운동을 하면 내적동기가 높다고 말한다. 반면, 스포츠 활동을 하는 이유가 상금이나 기타 외적인 보상 때문이라면 그 사람은 외적동기가 높은 것이다. 우수 선수나 규칙적으로 운동을 하는 사람들은 대개 내적동기 수준이 높다고 볼수 있다. 물론 내적동기와 외적동기가 모두 높을 때 강한 성취행동이 나온다.

08. 불안의 정도를 측정하는 방법에 관한 설명으로 옳지 <u>않은</u> 것은?

가. 자기보고식 단일척도인 Martens의 SCAT은 상태불안과 특성불안을 동시에 측정할 수 있다.

나. 불안의 정도는 심리적 척도, 행동적 척도, 생리적 척도로 측정할 수 있다.

다. 가장 보편적인 측정방법은 불안 검사지를 활용한 자기보고식(self-report)이다.

라. 뇌전도(EEG), 심전도(ECG), 근전도(EMG) 등은 불안에 의한 생리적 징후를 측정하는 검사들이다.

정답 가

"가"는 다음과 같이 수정하면 좋은 문항이 될 것이다.

Martens의 SCAT은 스포츠 상황에서 수행자의 불안, 즉 경쟁 불안을 측정하기 위한 검사지이다.

불안의 심리적 척도 측정 방법

① Taylor의 표면불안 척도 : 선구자적인 검사로서 특성불안 검사지

② Spielbeger의 상태-특성불안검사 : 특성불안과 상태불안을 측정할 수 있는 검사

③ Martens의 SCAT : 스포츠 상황에서 수행자의 불안, 즉 경쟁 불안을 측정하기 위한 검사지

④ Martens의 경쟁상태 불안검사의 CSAI2 : 시합상황에서 선수들의 불안을 보다 정확하게 예측하는 검사지

09. Weinberg와 Gould(1995)가 제안한 바람직한 처벌 행동 지침에 대한 설명으로 옳지 <u>않은</u> 것은?

가. 사람이 아니라 행동을 처벌한다.

나. 지도자의 개인적 감정으로 처벌하지 않는다.

다. 규정 위반 시 선수의 능력에 따라 처벌 기준을 다르게 적용한다.

라. 지도자는 처벌할 때에는 단호함을 보인다.

정답 다

"다"는 다음과 같이 수정한다.

동일한 규칙위반에 대해서는 누구든지 관계없이 동일한 처벌을 하는 일관성을 지킨다.

Weinberg와 Gould(1995)가 제안한 바람직한 처벌행동 지침(추가 항목)

① 규칙 위반에 관한 처벌규정을 만들 때 선수의 의견을 반영한다.

② 신체활동(예, 운동장 돌기)을 처벌로 이용하지 않는다.

③ 연습 중에 실수한 것에 대해서는 처벌하지 않는다.

④ 전체 선수나 학생 앞에서 개개 선수에게 창피를 주지 않는다.

10. 집단 내의 사회적 태만을 감소 혹은 방지시키는 방안으로 옳지 <u>않은</u> 것은?

가. 개인별 노력 정도(참여도)를 확인할 수 있도록 한다.

나. 집단의 크기를 최대한 크게 설정한다.

다. 팀 목표와 함께 개인의 목표도 함께 설정하고 평가한다.

라. 집단 내의 상호작용을 촉진시켜 개인의 책임감을 향상시킨다.

정답 나

사회적 태만 현상을 처음으로 연구한 학자의 이름을 따서 링겔만 효과(Ringelmann effect)라고도 한다. 집단의 크기가 커짐에 따라 개인의 평균수행이 감소하는 현상을 링겔만 효과라 부른다.

사회적 태만

11. 개인이 운동을 실천하고 지속하는데 있어 개인, 지역사회, 정부의 노력과 책임이 모두 중요하다고 보는 운동심리 이론은?

가. 자결성 이론　　　　나. 사회생태 이론

다. 계획된 행동이론　　　라. 건강신념 모형

정답 나

운동실천 이론 중 통합이론에 관련된 내용을 묻는 문제이다.

사회생태학 이론은 건강 행동을 설명하고 예측하기 위해 여러 이론을 끌어와 동원하기 때문에 통합이론에 해당한다. 개인 차원, 지역사회 차원, 정부 차원에서 행동 변화를 설명하거나 예측하기 위해 기존에 제시된 여러 이론을 동원할 수 있다. 이 이론은 개인 차원의 역할도 물론 중요하지만 물리적 환경, 지역사회, 정부 등 다른 차원의 요인도 고려해야 한다고 보는 이론이다.

12. 계획된 행동이론의 구성 요소에 대한 설명으로 옳지 <u>않은</u> 것은?

가. 행동 통제 인식 – 어떤 행동을 실천하기가 쉽거나 어려운 정도에 대한 인식 수준

나. 주관적 규범 – 어떤 행동을 할 것인지 안 할 것인지에 대해 개인이 느끼는 사회적 압력

다. 의도 – 어떤 행동을 하겠다는 의지와 그 행동을 위해서 투자하는 노력의 정도

라. 태도 – 어떤 행동을 성공적으로 수행할 수 있다는 자신의 능력에 대한 믿음

정답 라

"라"는 다음과 같이 수정한다.

유능성 – 어떤 행동을 성공적으로 수행할 수 있다는 자신의 능력에 대한 믿음

태도(attitude)란 어떤 행동의 실천에 대해 개인이 갖고 있는 긍정적 또는 부정적 생각을 말한다.

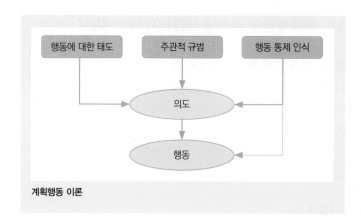

계획행동 이론

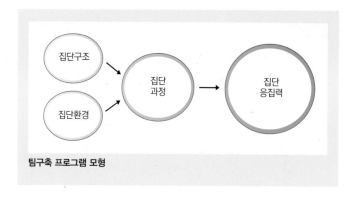

팀구축 프로그램 모형

2015

13. 운동의 심리적 효과에 대한 설명으로 옳지 <u>않은</u> 것은?

가. 운동은 인지기능을 유지하는데 효과적이다.
나. 운동은 자아존중감 및 자신감을 긍정적으로 변화시킨다.
다. 무산소 운동은 우울증에 도움이 되지 않는다.
라. 운동은 삶의 질을 향상시키는 데 도움이 된다.

> 정답 **다**
>
> 유 · 무산소 운동 둘 다 효과가 있다.

14. 운동참여를 촉진시키기 위한 집단 차원의 중재 전략의 구성 요소가 <u>아닌</u> 것은?

가. 집단 역량   나. 집단 환경
다. 집단 구조   라. 집단 과정

> 정답 **가**
>
> 팀구축(team-building)에 대한 문제로서
>
> 팀구축은 실천을 통해 발달하는 협력적인 상호의존으로부터 작업집단의 성공이 초래된다는 가정에서 출발한다. Prapavessis, Carron과 Spink는 팀구축 개입의 적용을 위한 모형을 제안하였다. 이 모형은 선행변인, 과정변인, 결과변인으로 구성되어 있다.

15. 청소년들의 운동실천을 위한 환경조성 방법 중 적절하지 <u>않은</u> 것은?

가. 안전한 장소와 시설을 제공한다.
나. 학교에서 자유롭게 운동할 수 있는 시간을 배정한다.
다. 신체 활동을 처벌의 수단으로 활용한다.
라. 학교 교사와 지역사회 전문가가 참여하는 운동 프로그램을 운영한다.

> 정답 **다**
>
> 저자촌평 누구나 쉽게 풀 수 있는 문제이다. 처벌은 운동실천을 위한 환경조성에 도움이 안 된다.

16. 운동심리학의 변화단계모형(transtheoretical model)에서 신체활동 단계에 대한 설명으로 바르지 <u>않은</u> 것은?

가. 계획 전 단계 – 현재 운동을 하고 있지 않으며 앞으로 6개월 내에도 운동을 할 의도가 없는 단계
나. 계획 단계 – 현재 운동을 하고 있지 않으나 6개월 내에 운동을 할 의도를 가지고 있는 단계
다. 준비 단계 – 현재 규칙적으로 운동을 하고 있지 않으나 1개월 내에 운동을 할 의도를 가지고 있는 단계
라. 행동 단계 – 현재 운동을 규칙적으로 하고 있으며 시작한지 6개월이 지난 단계

정답 **라**

"라"는 유지 단계이다.

다음 그래프를 이해하면 이 모형에 많은 도움이 될 것이다.

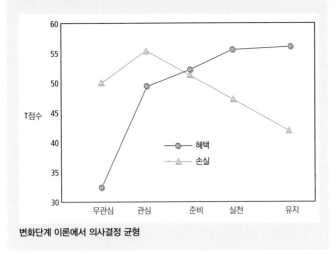

변화단계 이론에서 의사결정 균형

17. 팀 응집력을 향상시킬 수 있는 전략에 대한 설명으로 옳지 않은 것은?

가. 선수 자신이 맡은 역할의 중요성과 개인의 역할을 분명히 설명한다.

나. 팀 미팅을 정례화 한다.

다. 팀 순위를 우선시 하는 결과목표 보다 현실적인 수행목표에 초점을 둔다.

라. 팀 구성원들의 훈련 및 경기 외적인 부분에 대해선 관심을 갖지 않도록 한다.

정답 **라**

↳ 저자촌평 쉬운 문제로서 외적인 부분이란 "구성원의 생일, 좋아하는 것, 대·소사 등"을 의미한다.

18. 목표설정의 원리에 해당되지 않는 것은?

가. 구체적인 목표를 설정한다.

나. 도전적이지만 실현 가능한 목표를 설정한다.

다. 단기 목표를 세운 후, 장기목표를 세운다.

라. 긍정적인 목표를 설정한다.

정답 **다**

쉬운 문제이다. 장기 목표와 단기 목표 병행해야 한다.

목표 설정의 원리(스포츠 심리학의 이해, 2000)

구체적인 학습 목표 설정	실현 가능하면서 다소 어려운 목표 설정
• 목표가 없거나 '열심히 하자 또는 최선을 다하자' 등의 애매모호한 목표를 설정하는 것은 수행력 향상에 도움이 되지 않는다. • '농구 자유투 성공률을 3개월 이내에 60%에서 75%로 올린다'와 같이 반드시 측정이 가능하고 행동적인 용어로 설정한다.	• 목표는 자신의 능력으로 성취할 수 있는 수준으로 설정하되, 다소 어려운 목표를 설정하여 도전하고자 하는 동기를 유발하도록 한다. • 목표의 수준이 너무 쉬우면 과제에 대한 관심이 적어지고 노력을 하지 않게 된다. 반면에 목표 수준이 너무 높으면, 성공에 대한 경험을 하지 못하여 실패감이나 열등감과 같은 부정적인 생각을 갖게 된다.
장기 목표와 단기 목표 병행	수행 목표 설정
멀리뛰기 기록을 1년에 1m 늘리는 것이 목표라면, 이에 대한 단기 목표로 매달 약 0.1m씩 기록을 향상시키는 것을 설정함으로써 장기 목표를 달성할 수 있다는 자신감을 가질 수 있다.	경기 결과에 대하여 집착하기보다는 연습 과정에서부터 쌓아온 자신의 수행 능력과 비교하여 그에 맞는 수행 목표를 설정하는 것이 좋다.

19. 운동심리학의 변화단계모형(transtheoretical model)의 구성 요소에 포함되지 않는 것은?

가. 자기효능감   나. 태도

다. 변화의 과정   라. 의사결정 균형

정답 **나**

↳ 저자촌평 운동실천이론을 공부한 수험생이면 비교적 쉽게 정답을 고를 수 있는 문제이다.

태도는 합리적 행동이론 · 계획행동 이론의 구성 요소이다.

20. 스포츠 심리상담 기법에 대한 설명으로 가장 거리가 <u>먼</u> 것은?

가. 상담자는 내담자의 비언어적 메시지보다 언어적 메시지에 더 집중한다.

나. 상담자는 내담자의 메시지에 관심을 가진다.

다. 상담자는 내담자와 신뢰 형성을 할 수 있어야 한다.

라. 상담자는 경청을 통해 내담자에 대한 공감적 이해를 한다.

정답 **가**

↪ 저자촌평 스포츠 심리상담 기법 중 "경청"에 대한 문제이다.

상담자는 내담자의 비언어적 메시지를 경청하라.
상담자는 내담자의 말 이외에 비언어적 메시지에 주목해야 한다.

비언어적 메시지

① 몸의 자세 : 웅크림, 뒤로 젖힘
② 눈 : 시간, 눈깜박임, 눈물 글썽임
③ 목소리 : 강약, 톤의 고 · 저
④ 얼굴표정 : 미소, 입술이 떨림, 미간의 찡그림
⑤ 손발의 제스처 : 손발의 움직임, 주먹을 쥠, 뒤통수를 긁적임
⑥ 자율신경계에 의한 생리적 반응 : 홍조, 창백, 급한 호흡, 동공 확대, 땀분비 등

스포츠 상담

건강운동관리사
기출 바이블

전과목 수록

PART 02

2 0 1 6 년
건강운동관리사
필 기 시 험

건강운동관리사
필기시험
1교시

2016

건강운동관리사

운동생리학

01. 운동 중 젖산대사에 대한 설명으로 옳지 않은 것은?

① 운동 중 생성된 젖산은 심장과 근육에서 에너지원으로 사용될 수 있다.
② 젖산은 골격근의 당신생과정(gluconeogenesis)을 통해 포도당으로 전환된다.
③ 혈중 젖산은 피로와 관련이 있다.
④ 근수축 시 젖산 생성은 지근 섬유(slow twitch fiber)에 비해 속근 섬유(fast twitch fiber)에서 더 높다.

정답 ②

↳ **저자촌평** 비교적 쉬운 문제로서 ②는 골격근이 아니라 간에서 당신생과정(gluconeogenesis)을 통해 포도당으로 전환된다.

비탄수화물에서 포도당을 합성하는 과정을 포도당신생이라고 한다. 당신생과정이란 글루코스 이외의 물질로부터 글리코겐을 합성하는 과정으로서, 간에서 특징적으로 일어난다.

02. 운동 시 혈류 재분배(blood redistribution)에 대한 옳은 설명을 <보기>에서 고른 것은?

―〈보기〉―

㉠ 신장(kidney)의 혈류 재분배율은 증가한다.
㉡ 근육의 혈류 재분배율은 증가한다.
㉢ 뇌의 혈류 재분배율은 증가한다.
㉣ 심장의 혈류 재분배율은 거의 변화하지 않는다.

① ㉠, ㉡   ② ㉡, ㉢
③ ㉡, ㉣   ④ ㉢, ㉣

정답 ③

㉠ ㉢의 항목은 다음과 같이 수정하는 것이 바람직하다.
㉠ 신장(kidney)의 혈류 재분배율은 감소한다.
㉢ 뇌의 혈류 재분배율은 감소한다.

↳ **저자촌평** 이 문제를 해결할 때는 키워드 "재분배율"에 주의해야 한다.

운동 시 골격근의 산소요구량을 충족시키기 위해 간장, 신장, 췌장과 같은 비활동조직에는 혈류량이 감소하는 반면에 활동근에는 혈류량이 증가한다. 운동 시 근육의 혈류량 증가와 내장기관의 혈류량 감소는 최대산소섭취량과 함께 직선적으로 변화한다. 강한 운동을 하는 동안에는 뇌로 향하는 총심박출량의 퍼센트는 안정 시와 비교해보면 감소한다. 그러나 뇌에 도달하는 절대혈류량은 안정 시의 값보다 약간 증가한다. 이것은 운동 시 증가한 심박출량 때문이다. 더욱이 비록 심근에 도달하는 총심박출량 때문이다. 더욱이 비록 심근에 도달하는 총심박출량은 안정 시와 마찬가지로 최대운동 시에 같게 나타나지만, 총동맥혈류량은 힘든 운동을 하는 동안에 심박출량의 증가로 인해 증가하게 된다.

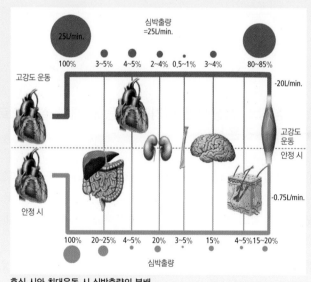

휴식 시와 최대운동 시 심박출량의 분배

03. 노화로 인한 근 손실에 대한 설명으로 옳지 않은 것은?

① 규칙적인 운동으로 예방 혹은 지연이 불가능하다.
② 주로 속근 섬유에서 발생한다.
③ 50~80세 사이에서 인생 최대치의 약 40%가 감소한다.
④ 사용저하(disuse)로 인한 근위축(atrophy)이 주요 원인으로 작용한다.

정답 ①

↳ 저자촌평 하위수준의 문제이다.

속근섬유의 감소는 노화와 함께 지구성 능력보다 순발력이 더 크게 감소하는 현상을 의미한다. 연령의 증가에 따른 근력손실은 운동부족, 테스토스테론과 같은 아나볼릭 호르몬의 감소, 근섬유의 유리기 관련 손상(산화스트레스) 등으로 볼 수 있다. 규칙적인 근력운동은 연령으로 인한 상대근력의 손실을 크게 지연시킬 수 있다.

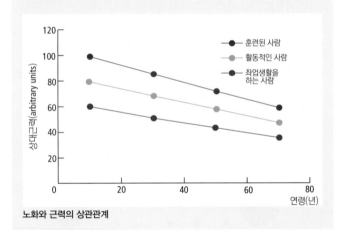

노화와 근력의 상관관계

04. 심장의 정상적인 전기적 활동에 대한 설명으로 옳지 않은 것은?

① 동방결절(sinoatrial node)은 심박조율기(pacemaker)의 역할을 수행한다.
② 동방결절의 전기적 신호는 방실결절(atrioventricular node)을 통하여 심실로 전도된다.
③ 심방의 재분극파는 심실의 탈분극파로 인해 일반적인 심전도로 관찰하기 어렵다.
④ 심전도 분석으로 심실의 1회 박출량을 정확하게 측정할 수 있다.

정답 ④

심전도 분석은 비정상적인 박동률, 부정맥, 심근손상, 비정상적인 심장의 리듬을 진단하는데 사용되는 심장 전기활성의 전반적 전파과정의 기록이다.

05. 호흡·순환계의 가스 확산 원리에 대한 옳은 설명만을 <보기>에서 있는 대로 고른 것은?

〈보기〉

㉠ 대기 중 이산화탄소 분압은 폐포(alveoli)의 이산화탄소 분압보다 낮다.
㉡ 폐동맥의 산소 분압은 폐정맥의 산소 분압 보다 낮다.
㉢ 대동맥의 산소 분압은 대정맥의 산소 분압 보다 낮다.

① ㉠, ㉡   ② ㉠, ㉢
③ ㉡, ㉢   ④ ㉠, ㉡, ㉢

정답 ①

㉠은 탄산가스를 밖으로 배출해야 하기 때문이며, ㉡은 폐동맥은 정맥혈, 폐정맥은 동맥혈의 경로이기 때문이다. ㉢은 '대동맥의 산소 분압은 대정맥의 산소 분압보다 높다'로 수정해야 한다.

다음의 가스확산의 내용을 알아두면 좋을 것이다. 조직을 통한 가스의 확산은 픽의 확산법칙(Fick's law of diffusion)으로 서술할 수 있는데 가스의 운반율(Vgas)은 조직의 면적, 가스의 확산계수, 조직의 두 면 사이의 가스의 분압차와 정비례하며 조직의 두께와는 반비례한다.

$$Vgas = A/T \times D \times (P_1-P_2)$$

A는 조직의 면적이고, A는 조직의 두께, D는 가스의 확산계수, P_1-P_2는 조직의 두 면 사이의 분압차를 나타낸다.

동맥과 정맥에서의 산소 농도

혈관	O^2	CO^2
대동맥	↑	↓
대정맥	↓	↑
폐동맥	↓	↑
폐정맥	↑	↓

06. 보행 시 한쪽 발바닥이 바늘에 찔렸을 때 나타나는 교차신근반사(crossed extensor reflex)에 대한 옳은 설명을 <보기>에서 고른 것은?

―〈보기〉――

㉠ 바늘에 찔린 다리의 슬관절 굽힘근(knee flexor)이 수축한다.
㉡ 바늘에 찔린 다리의 슬관절 폄근(knee extensor)이 수축한다.
㉢ 바늘에 찔린 반대 다리의 슬관절 굽힘근(knee flexor)이 수축한다.
㉣ 바늘에 찔린 반대 다리의 슬관절 폄근(knee extensor)이 수축한다.

① ㉠, ㉢   ② ㉠, ㉣
③ ㉡, ㉢   ④ ㉡, ㉣

정답 ②

♪저자촌평 찔린 다리의 무릎이 지체 없이 굽혀지는 것은 무릎을 굽히는 근육은 자극시키고 무릎을 펴는 근육은 억제하는 동시성 반사에 의한 것이다. 이 교차신전반사는 찔린 다리를 자극으로부터 피하는 동안 반대쪽 다리가 체중을 지탱할 수 있는 자세를 취하도록 하는 자세반사이다.

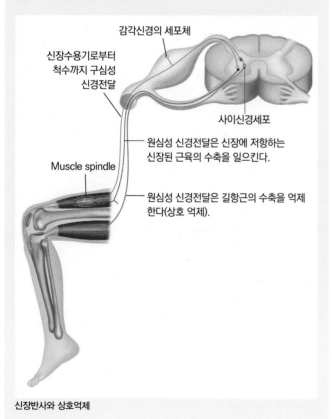

감각신경의 세포체
신장수용기로부터 척수까지 구심성 신경전달
사이신경세포
원심성 신경전달은 신장에 저항하는 신장된 근육의 수축을 일으킨다.
Muscle spindle
원심성 신경전달은 길항근의 수축을 억제한다(상호 억제).

신장반사와 상호억제

07. 운동 시 발한량 증가로 인한 혈장량 감소가 심혈관계에 미치는 영향에 대한 설명으로 옳은 것은?

① 이완기말 용적(end diastolic volume)이 증가한다.
② 1회 박출량(stroke volume)이 증가한다.
③ 심박수(heart rate)가 증가한다.
④ 좌심실(left ventricle)의 압력이 증가한다.

정답 ③

①, ②, ④는 모두 감소한다. ④의 원인은 정맥혈회귀의 감소에 기인한다.
③의 증가는 운동에 필요한 혈액량을 유지하기 위하여 ②의 감소에 따른 것이다.

08. 저온 환경에서 장기간 훈련 시 나타나는 순응(coldacclimatization)에 대한 내용으로 적절하지 **않은** 것은?

① 열 발생을 위한 근 떨림(shivering)이 시작되는 평균 피부 온도가 낮아진다.
② 저온 환경에 노출될 때 손과 발의 평균 온도가 높아진다.
③ 저온 환경에서의 수면의 질이 개선된다.
④ 열손상단백질(heat shock protein) 발현이 증가한다.

정답 ④

추운 환경에 적응하면 열손실을 감소시켜서 추운 환경에서 상해의 기회를 감소시킬 수 있다.
추위에 대한 신체적응의 세 가지 현상은 ① 피부의 떨림이 없이 열생성을 증가시킨다. ② 손과 발의 체온유지를 위한 말초 순환계의 증가를 가져온다. ③ 추위에서 수면능력이 향상된다. 이러한 적응은 열생성을 증가시키고 심부온도 유지하여 추위에서 편안하게 활동할 수 있게 한다.
추위에 적응된 사람은 떨림이 없는 열생성을 증가시킴으로써 떨림이 적은 열생성을 유지한다. 노르에피네프린의 분비를 증가시켜서 대사적 열생성을 증가시킨다.
④는 고온환경에 대한 순응에 대한 내용이다.

09. 중강도 장시간 운동 시 시간경과에 따라 혈중 농도가 점차 감소하는 호르몬은?

① 에피네프린(epinephrine)
② 인슐린(insulin)
③ 성장호르몬(growth hormone)
④ 코티졸(cortisol)

정답 ②

①, ③, ④는 장기간 운동 시 증가하는 호르몬에 해당한다.

10. 장기간의 훈련중단(detraining)으로 인해 발생할 수 있는 생리적 변화 중 옳은 것을 <보기>에서 고른 것은?

〈보기〉
㉠ 최대산소섭취량은 감소한다.
㉡ 1회 박출량은 감소한다.
㉢ 근세포 내 미토콘드리아 수는 변화하지 않는다.
㉣ 최대심박수는 급격히 감소한다.

① ㉠, ㉡   ② ㉠, ㉢   ③ ㉡, ㉢   ④ ㉢, ㉣

정답 ①

장기간 트레이닝의 중단은 미토콘드리아 수 감소, 최대심박수는 거의 변화가 없거나 약간 감소한다고 사료된다.

아래 그림은 시간에 따른 요인별 변화이다.

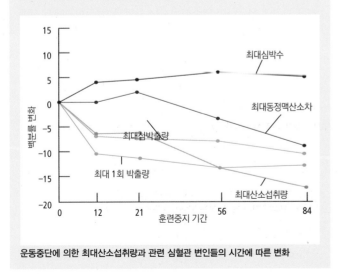

운동중단에 의한 최대산소섭취량과 관련 심혈관 변인들의 시간에 따른 변화

11. <보기>의 기능을 담당하는 기관 혹은 조직이 순서대로 바르게 연결된 것은?

〈보기〉
㉠ 중추신경계의 명령을 말초기관으로 전달하는 기능
㉡ 감각기관의 정보를 중추신경계로 전달하는 기능
㉢ 근수축 시 근섬유의 길이 변화에 반응하여 근수축 미세조절
㉣ 근수축 시 장력에 반응하여 과도한 장력으로 인한 근 손상 예방

① ㉠ 교감신경계 – ㉡ 부교감신경계 – ㉢ 근방추(muscle spindle) – ㉣ 골지건기관(Golgi tendon organ)

② ㉠ 감각신경섬유 – ㉡ 체성신경섬유(somatic nerve fiber) – ㉢ 추간내섬유(intrafusal fiber) – ㉣ 골지건기관(Golgi tendon organ)

③ ㉠ 원심성 신경섬유(efferent nerve fiber) – ㉡ 구심성 신경섬유(afferent nerve fiber) – ㉢ 근방추(muscle spindle) – ㉣ 골지건기관(Golgi tendon organ)

④ ㉠ 감각신경섬유 – ㉡ 체성신경섬유(somatic nerve fiber) – ㉢ 골지건기관(Golgi tendon organ) – ㉣ 추간내섬유(intrafusal fiber)

정답 ③

㉠은 척수의 전근, ㉡은 척수의 후근, ㉢은 고유수용기 중 근육의 신전에 관한 정보, ㉣은 고유수용기 중 근육의 장력(힘)에 관련된 정보를 중추신경에 전달하여 부상을 예방하는 기관이다.

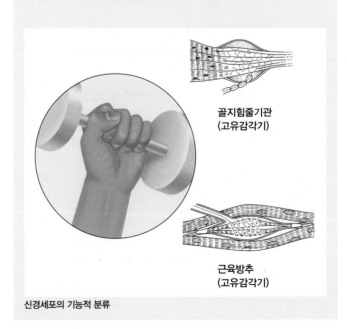

신경세포의 기능적 분류

12. 운동강도 증가에 따라 지방대사에서 탄수화물대사로 전환되도록 조절하는 주요 요인을 <보기>에서 고른 것은?

〈보기〉

ㄱ. 혈중 인슐린(insulin) 증가
ㄴ. 속근 섬유(fast twitch fiber) 동원 증가
ㄷ. 혈중 유리지방산(free fatty acid) 증가
ㄹ. 혈중 에피네피린(epinephrine) 증가

① ㄱ, ㄴ
② ㄴ, ㄹ
③ ㄱ, ㄹ
④ ㄴ, ㄷ

정답 ②

운동강도가 증가하면 인체는 탄수화물을 주 에너지원으로 사용한다.
ㄱ은 포도당을 글리코겐으로 전환해야 하기 때문에 운동강도가 증가하면 감소이고, ㄷ은 지방을 사용하지 않기 때문에 감소라고 해야 한다. ㄹ은 근글리코겐 분해 호르몬이다.

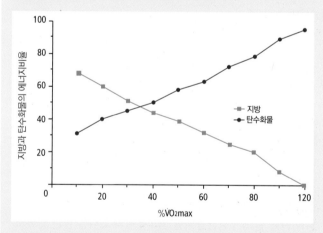

운동강도가 증가함에 따라 탄수화물의 연료 기여도가 점증적으로 증가한다.
운동강도가 증가함에 따라 혈중 에피네프린이 서서히 증가하며, 높은 수준의 에피네프린은 당원분해, 탄수화물대사, 젖산의 생성을 증가시킨다. 이렇게 증가한 젖산은 지방이 연료로 사용되는 것을 방해함으로써 지방대사를 억제한다. 따라서 활동 중인 근육에서 지방을 연료로 사용할 수 없으므로 탄수화물이 주요 원료가 된다.

13. 탄수화물, 지방, 단백질 모두를 운동 에너지 기질(energy substrates)로 사용할 수 있는 에너지 대사과정은?

① 베타산화과정
② 젖산 시스템
③ ATP-PC 시스템
④ 유산소성 시스템

정답 ④

①은 유리지방산이 아세틸조효소 CoA로의 전환을 의미하며, ②, ③은 무산소과정이다. 지방과 단백질은 반드시 산소가 있어야 에너지를 생산할 수 있다.

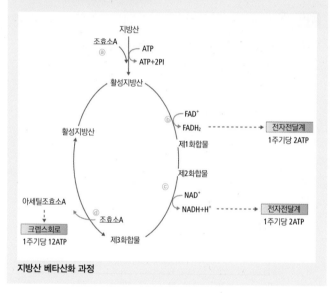

지방산 베타산화 과정

14. 신경흥분 시 활동전위(action potential)의 탈분극(depolarization) 초기 시점에서 이온 통로(ion channels)에 대한 설명으로 옳은 것은?

① K⁺ 통로는 닫힌 상태에서, Na⁺ 통로가 열린다.
② Na⁺ 통로는 닫힌 상태에서, K⁺ 통로가 열린다.
③ K⁺ 통로는 닫힌 상태에서, Cl⁻ 통로가 열린다.
④ Cl⁻ 통로는 열린 상태에서, K⁺ 통로가 닫힌다.

정답 ①

탈분극은 신경섬유가 자극을 받으면 열리고 약간의 나트륨 이온이 확산되어 세포막이 탈분극 된다.

15. 운동 시 혈당 항상성 유지를 위한 내분비계의 기능에 대한 옳은 설명을 <보기>에서 고른 것은?

―〈보기〉―

㉠ 췌장의 글루카곤(glucagon) 분비를 자극한다.
㉡ 갑상선의 칼시토닌(calcitonin) 분비를 자극한다.
㉢ 췌장의 인슐린(insulin) 분비를 억제한다.
㉣ 부신수질의 에피네피린(epinephrine) 분비를 억제한다.

① ㉠, ㉡   ② ㉡, ㉢
③ ㉠, ㉢   ④ ㉡, ㉣

정답 ③

㉡은 골다공증과 관련된 호르몬이며, ㉣은 증가한다.

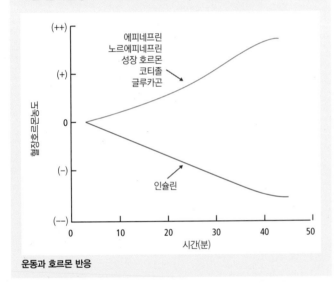

운동과 호르몬 반응

16. 운동 시 전부하(preload)의 증가를 유도하는 요인에 해당하지 <u>않는</u> 것은?

① 정맥혈관 수축   ② 골격근의 펌프 작용
③ 호흡근의 펌프 작용   ④ 대동맥 압력 증가

정답 ④

④는 후부하의 원인이다.
㉠ 후부하 : 심실이 수축하여 반월판을 열 때 심실혈압은 주요동맥내 혈압보다 높아야 한다. 이 동맥혈압을 후부하라고 한다.

수축이 시작된 후 심장에 가해지는 일의 하중이다.
㉡ 전부하 : 심실에 채워지는 양을 말하는데 이는 수축이 시작되기 전에 가해지는 하중을 말한다.

Frank Starling law of the heart와 관련이 있다.
1회 박출량에 영향을 주는 요인 중 하나는 대동맥압(평균동맥압)이다. 혈액을 방출하기 위해서는 좌심실에 의해서 발생되는 압력은 반드시 대동맥압을 초과해야만 한다. 그래서 대동맥압 또는 평균동맥압은 보통 심장수축 후에 나타나는 압력으로 사후부하(afterload)라 불리며, 심실에서 혈액의 박출량을 저해하는 중요한 요인으로 간주된다. 따라서 1회 심박출량은 심장의 사후부하와 반비례하며, 이는 대동맥압이 증가하여 심박출량의 감소를 가져온다. 그러나 심장의 사후부하가 소동맥의 확장으로 운동하는 동안 감소되는 것은 특기할 만하다. 이것으로 활동근에서 소동맥이 팽창하는 것은 심장의 사후부하를 감소시키며, 심장이 보다 쉽게 많은 양의 혈액을 펌프하게 한다.

17. 운동 시 골격근의 혈류 증가 요인에 해당하지 <u>않는</u> 것은?

① 심박출량 증가
② 발한량 증가
③ 이산화탄소 분압 증가
④ 산화질소(nitric oxide) 증가

정답 ②

발한량 증가는 혈액을 농축시키기 때문에 운동 시 골격근에 혈류량을 감소시킨다.

산화질소는 내피세포 이완인자(EDRF)라고 하며, 동맥혈관의 이완을 일으켜 평균동맥혈압의 유지와 조직을 통한 혈류조절에 중요한 역할을 한다. 산소가 부족한 조직에 혈류를 유도한다.

📖 **보충학습**

세동맥의 혈관 반지름에 영향을 주는 국소부위 대사작용의 변화 요인으로 산소의 감소, CO_2의 증가, 산성의 증가, K^+의 증가, 삼투압의 증가, 아데노신의 분비 등을 들 수 있다.

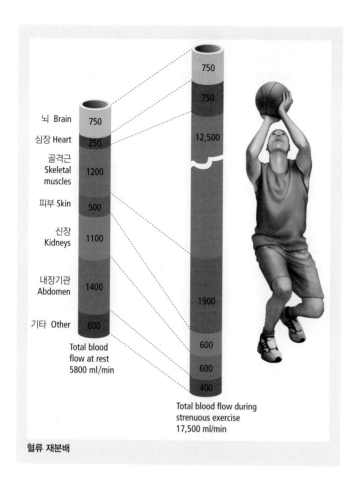

혈류 재분배

18. 심장주기(cardiac cycle)의 등용성수축기(iso-volumiccontraction time)에서 좌심실의 용적(volume)과 압력(pressure) 변화에 대한 설명으로 옳은 것은?

① 용적과 압력이 동시에 증가한다.
② 용적과 압력이 동시에 감소한다.
③ 용적은 변화 없고, 압력은 증가한다.
④ 용적은 감소하고, 압력은 증가한다.

정답 ③

🦶 **저자촌평** 이 문제의 어려움은 "등용성수축기"에 대하여 공부하지 않은 수험생은 용어가 생소하기 때문일 것이다.

심장주기 동안 물리적 변화 중 "등용성 심실수축"은 심실압력이 심방압력보다 커지게 되는데 이에 의해 대동맥의 판막이 열린다. 따라서 방실판막이 닫히고 대동맥 판막이 열리기 전 단계에서 심실은 잠시 폐쇄된 공간으로 존재한다. 따라서 등용적 심실수축은 심실로부터의 혈액이동이 없으므로 심실은 일정한 부피를 유지하고 근섬유도 일정한 길이를 유지한다.

📖 **보충학습**

반면에 등용적 심실이완(isovolumiccontraction venticular relax-ation)이란 심실은 계속 이완하고 압력 또한 낮아지면서 혈액은 심실로 들어가지도 나오지도 않는다.

② 등용성수축기 : 일정한 부피와 길이를 의미함. 근육의 장력은 증가하지만 길이는 짧아지지 않는다는 골격근의 등척성수축과 유사하다.

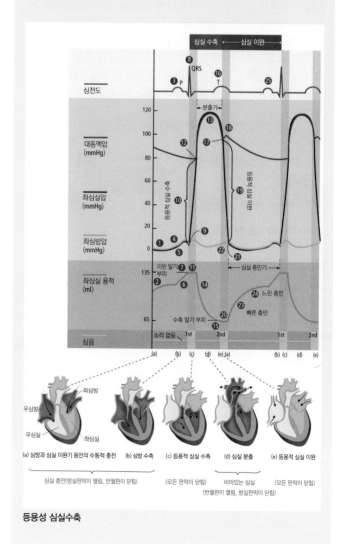

등용성 심실수축

19. 운동 시 열 부하(heat load)에 대한 인체의 정상적인 생리적 반응에 대한 설명으로 옳은 것은?

① 시상하부 전엽(anterior hypothalamus)이 반응하여 피부혈관 확장 및 발한을 자극한다.
② 시상하부 전엽(anterior hypothalamus)이 반응하여 피부혈관 수축 및 발한을 자극한다.
③ 시상하부 후엽(posterior hypothalamus)이 반응하여 피부혈관 확장 및 발한을 자극한다.
④ 시상하부 후엽(posterior hypothalamus)이 반응하여 피부혈관 수축 및 발한을 자극한다.

정답 ①

인체의 체온조절센터는 시상하부에 위치해 있다. 시상하부 전엽(anterior hypothalamus)은 주로 체온의 증가에 관여하는 반면, 시상하부 후엽(posterior hypothalamus)은 체온의 감소에 관여한다. 일반적으로 시상하부는 가정에서의 자동온도조절기와 거의 유사하게 작동한다. 즉 시상하부는 '설정된 온도'를 중심으로 상대적으로 일정한 온도를 유지하려 한다. 이때의 설정온도는 약 37℃이다.

열부하의 증가에 따른 생리학적 반응

20. 최대강도 운동 시 엘리트 선수에게서 관찰될 수 있는 운동 유발성 저산소혈증(exercise-induced hypoxemia)의 원인에 대한 설명으로 가장 옳은 것은?

① 미토콘드리아의 산소 결핍(oxygen deficit)
② 운동 후 초과산소섭취량(EPOC)
③ 환기-관류 비율의 부조화(mismatched ventilationperfusionratio)
④ 미오글로빈(myoglobin)의 산소 결핍(oxygen deficit)

정답 ③

저자촌평 이 문제에서 출제자가 가장이라는 말은 쓴 것은 ③번 외 기타 요인들도 저산소혈증과 무관하지 않기 때문일 것으로 사료된다.

산소분압이 낮은 것을 저산소혈증(hypoxemia)이라 부른다. 이러한 명확한 저산소혈증은 고도로 훈련된 남자 지구력 운동선수(V̇O₂max 4.5L/min 또는 > 68㎖/kg⁻¹/min⁻¹) 이상의 약 40~50%에서 나타난다.
게다가 고강도의 운동 중 이러한 운동선수들에게서 볼 수 있는 저산소혈증의 정도는 각 개인마다 차이가 난다. 고도로 훈련된 모든 여성 지구성 운동선수들의 25~51%가 운동에 의해 야기된 저산소혈증을 나타낸다는 점에서 우수 여자 운동선수의 저산소혈증 발생률은 남자의 발생률과 비슷한 수준으로 나타났다.
운동에 의해 촉진되는 저산소혈증과 관계되는 가장 중요한 질문은 이러한 폐기능계에 이상을 일으키는 요인이다. 환기량 및 관류비율의 부조화, 제한된 확산은 우수 운동선수들에 있어 운동에 의해 야기된 저산소혈증의 주요 요인이다.

건강 · 체력평가

01. 건강에 대한 규칙적인 운동의 일반적인 효과로 옳지 <u>않은</u> 것은?

① 대장암의 발병률과 우울증을 감소시킨다.
② 근육의 산소이용 능력이 향상된다.
③ 제2형 당뇨병, 심혈관질환, 뇌졸중의 발병률을 감소시킨다.
④ 심근 산소소비량과 골격근의 모세혈관 밀도를 감소시킨다.

정답 ④

④의 모세혈관 밀도는 증가이며, 운동 중 심장에 부과되는 대사적 요구는 심근산소소비량(double product)으로 예측할 수 있다. 심근산소소비량은 심박수에 수축기혈압을 곱하여 산출한다.

심근산소소비량 = 심박수 × 수축기혈압

이 문제에서 심근산소소비량은 꼭 감소가 틀렸다고 할 수 없다. 트레이닝 후 심근산소소비량의 변화는 절대운동 강도 시를 기준으로 안정 시, 최대하운동 시, 최대운동 시로 구분해서 증가, 무변화, 감소를 따져봐야 할 것이다.

자세한 내용은 박승화 체육·스포츠교육원[www.peteacher.co.kr]의 강의를 통해서 학습할 수 있다.

규칙적인 운동

02. 운동관련 심장사고에 대한 설명으로 옳지 <u>않은</u> 것은?

① 운동선수는 심장사고의 위험이 없기 때문에 병리적 상태에 대한 조사 혹은 건강검진을 받지 않아도 된다.
② 심혈관질환, 폐질환, 대사질환 등을 가지고 있는 사람은 고강도 운동 전 반드시 의사의 상담을 받아야 한다.
③ 운동 중 급성 심장사의 위험률은 성인의 경우 나이가 많을수록 더 높다.
④ 좌식생활습관을 가진 사람이 갑자기 운동할 때, 심장사고 위험은 규칙적으로 운동하는 사람보다 높다.

정답 ①

하위수준의 문제이다.

운동선수도 심장사고의 위험이 전혀 없지 않고, 비활동적인 사람들보다는 낮다는 의미이며, 따라서 건강검진을 받아야 한다.

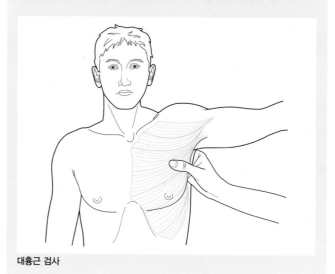

대흉근 검사

03. 규칙적인 신체활동이 심혈관질환 위험요소에 미치는 효과로 옳지 <u>않은</u> 것은?

① 혈액 점성(viscosity) 감소
② 혈중 중성지방(triglycerides) 감소
③ 당 내성(glucose tolerance) 감소
④ 고밀도 지단백 콜레스테롤(HDL-C) 증가

정답 ③

당내성 증가이다.

당뇨병환자는 당내성이 작고, 인슐린 저항성이 크다. 당내성은 혈당을 올리지 않는 현상을 의미한다.

04. 신체활동의 실천 방법과 특성에 대한 설명으로 옳은 것은?

① 건강의 이점을 얻기 위해서는 고강도의 신체활동만 효과적이다.
② 장기간의 좌업생활은 심혈관질환 및 대사성질환과 관련이 없다.
③ 운동을 규칙적으로 실시하지 않는 경우 만성질환의 발생 위험이 낮아진다.
④ 운동이 부족한 경우 일상생활의 신체활동으로도 건강증진의 효과를 얻을 수 있다.

정답 ④

저자촌평 하위수준의 문제이다. 다음과 같이 수정해야 한다.

①의 경우 고강도 외 저·중강도의 운동도 효과가 있다.
② 관련이 있다.
③ 높아진다.

05. 최근 ACSM 지침에 따른 심혈관질환의 위험요인과 운동참여 전 위험분류에 대한 설명으로 옳은 것은?

① 수축기혈압 125mmHg, 이완기혈압 95mmHg인 경우 고혈압이라고 할 수 있다.
② 심혈관질환 위험요인이 3개인 경우, LDL-C이 기준 값보다 높다면 심혈관질환의 위험요인은 2개로 결정된다.
③ 심혈관·폐·대사성 질환의 증상이 없고, 심혈관질환 위험요인이 2개 미만이면 저위험군이다.
④ 심혈관·폐·대사성 질환을 가지고 있는 경우 중 위험군에 해당된다.

정답 ③

다음과 같이 수정해야 한다.

① 이완기혈압 95mmHg인 경우 심혈관질환의 위험요인에 해당된다고 할 수 있다.
② HDL-C
④ 고위험군에 해당된다.

06. 검사방법에 대한 옳은 설명은?

① 운동부하검사를 통해 혈당량에 대한 평가를 할 수 있다.
② 안정시 혈압은 최소한 3회 연속 측정하여 가장 높은 값을 사용한다.
③ 비정상적 폐기능 검사 결과는 사망률, 심장발작, 뇌졸중의 위험성 증가와 상관이 있다.
④ 최대운동부하검사 시 동의서에 사망 가능성에 대한 위험조항은 포함되지 않는다.

정답 ③

비정상적 폐활량은 폐암의 증가를 예측할 수 있으며, 금연과 중재효과가 가장 잘 나타날 수 있는 환자들을 확인하는데 유용하다.

폐활량 검사는 호흡근 훈련으로 프로그램으로 훈련을 볼 수 있는 감소된 폐기능을 가진 만성질환자를 확인하는 방법으로 유용하다.

다음과 같이 수정해야 한다.
① 운동부하검사→혈액검사
② 2회
④ 위험조항이 포함된다.

07. 운동에 참여하기 전 조사해야 하는 병력요소가 아닌 것은?

① 일시적인 언어구사능력 및 시력 상실
② 약물복용으로 인한 알레르기
③ 선호하는 운동종목
④ 돌연사에 대한 가족력

정답 ③

적절한 병력요소는 고혈압, 비만, 이상지질혈증, 당뇨병 등 의학적 진단이 포함되며 운동력, 직업력, 최근의 질환으로 입원 문제 등이 포함된다.

③은 병력요소가 아니고, 생활체육설문지에 해당하는 내용이다.

08. <보기> 중 신체활동 준비 설문지(PAR-Q)에 관한 설명으로 옳은 것을 모두 고른 것은?

─〈보기〉─

㉠ 노인의 기능적 능력을 평가하기 위해 개발되었다.
㉡ 설문 결과로 의사와의 상담 필요성 여부는 알 수 없다.
㉢ 전체 7개의 문항으로 구성되어 있다.
㉣ 모든 항목에서 '아니오(NO)'라면 체력평가에 참가할 것을 권장한다.

① ㉠   ② ㉡, ㉢   ③ ㉠, ㉡, ㉣   ④ ㉢, ㉣

정답 ④

PAR-Q는 운동프로그램 시작 전 건강검진의 자가 안내 방법으로서 15~69세 대상 설문지이다. 실시 이유는 건강운동관리사에 의한 후속조치(의학검사, 운동검사, 운동 시 감독, 관리의 수준 등)를 결정하고, 진행하기 위해서이다.

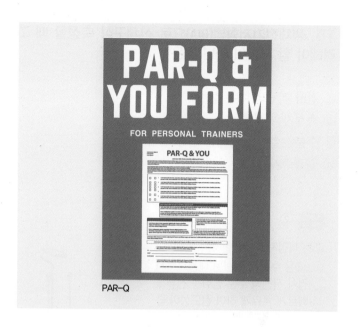

PAR-Q & YOU FORM
FOR PERSONAL TRAINERS
PAR-Q & YOU
PAR-Q

09. <보기>의 '국민체력100 노인기 건강체력검사'에 대한 설명으로 옳은 것만 모두 고른 것은?

─〈보기〉─

㉠ 2분제자리걷기 검사는 심폐지구력을 평가한다.
㉡ 8자보행 검사는 순발력을 평가한다.
㉢ 6분걷기 검사는 6분 동안 걷기의 총 이동 거리를 측정하여 심폐지구력을 평가한다.
㉣ 악력 검사는 악력계를 손에 지속해서 쥔 시간을 측정하여 근지구력을 평가한다.

① ㉠, ㉡   ② ㉠, ㉢   ③ ㉢, ㉣   ④ ㉡, ㉢, ㉣

정답 ②

미국에 SFT가 있다면 한국에는 한국형 노인체력검사(국민체력 100) 노인기 건강체력검사 6가지 항목에 대한 7가지 검사와 관련된 문제이다.

㉡은 협응성
㉣은 상지근기능을 평가한다.

2분 제자리 걷기

10. 생체전기저항법(BIA)으로 신체구성 측정할 때 고려해야 할 사항이 <u>아닌</u> 것은?

① 검사 직전의 수분 섭취
② 측정자의 성별
③ 수분손실이 발생되는 운동 실시 여부
④ 월경주기

> **정답** ②
>
> ②는 피검자로 수정한다.
> ①, ③은 수분과 관련된 내용으로서 검사 직전의 수분 섭취는 전류를 빠르게 흐르게 하여 전도성이 좋아지면 제지방이 높게 나타날 수 있다.
> ④ 여성의 수분 축적과 관련있는 월경주기의 기간에는 검사를 금지한다.

체지방률

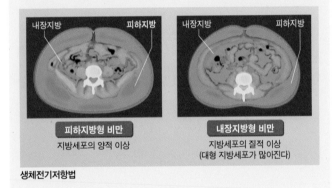
생체전기저항법

11. <보기>에서 설명하는 우리나라 국가수준의 국민 체력관리 사업은?

> ─〈보기〉─
> 국민의 체력 및 건강 증진에 목적을 두고 체력상태를 과학적 방법에 의해 측정·평가하여 운동 상담 및 처방을 해주는 국민의 체육복지 서비스입니다.

① 국민체력100 사업
② 국민체력증진 사업
③ 국민건강체력복지 사업
④ 국민건강체력평가 사업

> **정답** ①
>
> ①의 목적은 국민의 체력 및 건강증진이다.
>
> 방법, 정책, 관리, 자격증 등에 관련된 내용은 박승화 체육·스포츠교육원[www.peteacher.co.kr]의 강좌를 통해서 학습할 수 있다.

12. 같은 검사자가 동일 피험자를 동일시점에서 2회 반복 측정한 체지방 값 간의 낮은 일관성에 대한 해석으로 옳은 것은?

① 해당 체지방 검사는 객관도가 낮다.
② 해당 체지방 검사는 민감도가 낮다.
③ 해당 체지방 검사는 신뢰도가 낮다.
④ 해당 체지방 검사는 타당도가 낮다.

> **정답** ③
>
> ①은 주관성 배제이며, ②는 운동부하검사의 결과에 관련된 내용이며, ④는 what(측정하고자 하는 것을 제대로 하느냐?)이다. 낮은 일관성은 신뢰도와 관계가 있다.

13. <보기>의 측정결과를 활용하여 계산한 제지방량이 옳은 것은?

> ─〈보기〉─
> 이름 : 강○○   신장 : 165cm
> 체중 : 60kg   체지방률 : 25%

① 제지방량 35kg
② 제지방량 40kg
③ 제지방량 45kg
④ 제지방량 50kg

> **정답** ③
>
> 제지방량 = 체중 − 체지방이다.
> 지방량 = 체중 × 체지방률
> 제지방량 = 60 − (60 × 0.25) 이므로 45kg이다.

14. 심폐지구력 측정을 위한 PACER 검사의 준거 타당도(criterion validity) 확보방법으로 옳은 것은?

① 마라톤 선수 집단과 역도 선수 집단 간의 PACER 결과의 차이 규명
② 최대운동부하검사의 VO₂max 값과 PACER 결과 간의 상관관계 규명
③ 심폐지구력 전문가로부터 확보한 PACER 검사 내용의 정당성
④ PACER 결과를 이용한 마라톤 선수의 성공가능성 예측

정답 ②

준거관련 타당도는 공인타당도와 예언타당도로 나눌 수 있는데 이 문제의 경우 공인타당도와 관련이 있는 문제이다.

④는 예언타당도와 관련이 있다.
준거관련타당도는 어떤 검사 도구에 의해 측정된 점수를 준거가 되는 검사 도구에 의해 측정된 점수에 비추어 추정한 타당도이다. 스포츠 현장에서는 현장 검사들이 주로 사용된다. 이러한 현장 검사의 적합성(suitability)을 평가하고자 할 때 사용하는 타당도가 공인타당도라 할 수 있다.

PACER

15. <보기>의 비만판정 기준을 활용하여 인체측정 결과에 따른 비만상태를 옳게 판정한 것은?(소숫점 2자리에서 반올림한 근사값 사용)

〈보기〉

〈비만판정 기준〉

평가항목	비만판정기준	비만평가
WHR	0.95 이상	복부비만
BMI	25 이상	비만

〈인체측정 결과〉

신장	175cm	체중	73kg
허리둘레	97cm	엉덩이둘레	90cm

① WHR=1.08, 복부비만 BMI=41.7, 비만
② WHR=0.93, 복부비만 아님 BMI=41.7, 비만
③ WHR=0.93, 복부비만 아님 BMI=23.9, 비만 아님
④ WHR=1.08, 복부비만 BMI=23.9, 비만 아님

정답 ④

저자촌평 비만과 관련된 아래 내용만 알고 있으면 쉽게 해결할 수 있는 문제이다.

① 복부 둘레 ÷ 엉덩이 둘레 : 남자는 0.95, 여자는 0.86 이상이면 비만
② 체질량지수 = 체중(kg)/신장(m)× 신장(m)
　20 미만 : 체중 부족
　20~24 : 정상
　25~29 : 과다 체중
　30 이상 : 비만

16. 체력검사에 대한 설명으로 옳은 것은?

① 청소년, 노인, 장애인 등 대상의 특성에 따라 체력검사 항목을 다르게 구성해야 한다.
② 앉아윗몸앞으로굽히기를 측정할 때 신체반동을 이용해서 최대능력을 발휘해야 한다.
③ 스텝테스트에서 신체효율지수(PEI)를 산출할 때 수축기 혈압 값을 사용한다.
④ BMI는 역도선수의 비만도를 평가하는 가장 정확한 방법이다.

③의 수축기혈압→심박수
④는 정확한 방법이 아니다. BMI 기준은 모든 사람에게 적용이
적절치 않기 때문이다. 어린이, 10대 청소년, 약한 노인,임산부,
수유부는 적용되지 않으며 남자운동선수들의 경우 근육량이 많
아서 BMI가 25보다 크다. 또한 신장이 150㎝ 이하인 성인은 과
체중이나 비만이 아니더라도 BMI가 크다.

17. 다음 표의 체력검사 결과에 대한 해석으로 옳은 것은?(단, 정상분포를 가정)

〈보기〉

분류		근력 (악력, kg)	심폐지구력 (PACER, 회)	유연성 (좌전굴, cm)
피검사자		35	27	16
동일연령	평균	30	24	10
	표준편차	2.5	3	4

① 근력, 심폐지구력, 유연성 중에서 근력이 가장 우수하다.
② 심폐지구력이 유연성에 비해 상대적으로 더 우수하다.
③ 심폐지구력은 동일연령의 상위 10% 이내에 속한다.
④ 체력의 항목별 상대비교는 불가능하다.

↳ 저자촌평 표준점수로 환산한 후 따지면 되는 문제이다.

표준점수=원점수-평균/표준편차

다음과 같이 수정해야 한다.
②는 유연성이 심폐지구력보다 우수하다.
③은 10→16%
④는 가능하다.

아래의 정상분포 곡선을 이용해도 가능하다.

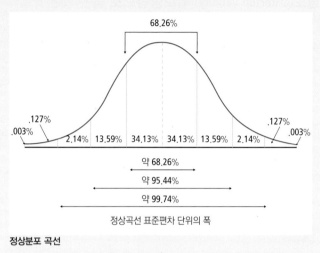

정상분포 곡선

18. 보그(Borg)의 운동자각도(RPE)에 대한 설명으로 옳은 것은?

① 피검사자의 운동검사 가능여부를 사전 진단하는 것이 목적이다.
② 피검사자가 주관적으로 느끼는 운동강도를 나타낸다.
③ 저항성 운동의 강도 설정을 목적으로 개발되었다.
④ RPE 12는 6에 비해서 두 배 힘들다는 것을 의미한다.

↳ 저자촌평 다음과 같이 수정해야 한다.

①은 운동 중
③은 유산소성
④는 비율척도가 아닌 서열척도이기 때문에 두 배라는 의미는
적절하지 않다.

19. <보기>의 그래프에 대한 해석으로 옳지 <u>않은</u> 것은?

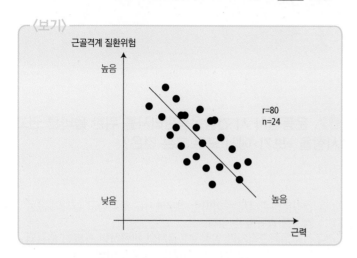

① 근력과 근골격계 질환위험은 정적상관이 있다.
② 근력이 높을수록 근골격계 질환위험은 낮다.
③ 근력과 근골격계 질환위험은 관계가 있다.
④ 24명을 대상으로 자료를 수집한 것이다.

정답 ①

↳저자촌평 상관에 대해서 알고 있으면 해결되는 문제이다.

①은 부적상관이다.

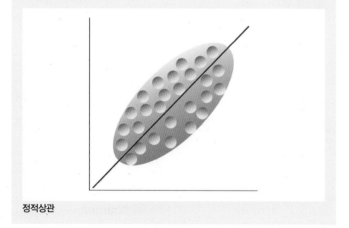

정적상관

20. <보기>의 운동시간(x)과 에너지소비량($\hat{y}$)의 관계를 바르게 나타낸 식은?

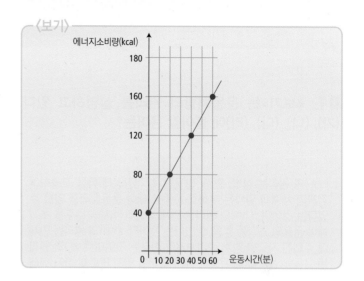

① $\hat{y}=2x+40$
② $\hat{y}=4x+40$
③ $\hat{y}=20x+40$
④ $\hat{y}=40x+40$

정답 ①

x와 y의 관계를 묻는 문제로서 하나의 방정식 문제이다.

운동시간(x), 에너지(y)의 관계를 고려하면 분당 2배의 증가된 모습을 볼 수 있다.

운동처방론

01. <보기>는 운동처방의 원리를 설명하고 있다. (가), (나), (다), (라)에 들어갈 용어는?

─〈보기〉─

(가)의 원리는 성별, 연령, 발육단계, 건강상태 등을 고려하여 각자의 체력과 알맞은 부하로 운동을 해야 운동효과를 얻을 수 있다는 것이며, (나)의 원리는 인체의 생리적 자극 수준을 초과해야 운동의 효과를 얻을 수 있다는 것이다. (다)의 원리는 인체에 주어진 자극을 점차 증가시켜야 한다는 것이며, (라)의 원리는 운동을 실시할 때 운동에 대한 흥미를 잃지 않도록 하기 위해 운동의 형태, 운동시간 및 환경 등의 요인들도 고려하여 배치해야 한다는 것이다.

	(가)	(나)	(다)	(라)
①	개별성	점진성	과부하	다양성
②	특이성	점진성	자극성	흥미성
③	개별성	과부하	점진성	다양성
④	특이성	과부하	점진성	흥미성

정답 ③

특이성의 원리(specificity of training)는 운동자극에 대한 생리·대사적 반응과 적응은 행해지는 운동형태와 근육군에 따라 달라진다. 자극이 주어진 부위만 특별히 훈련의 적응현상이 나타나는 원리이다.

02. 운동검사 시 건강운동관리사를 위한 올바른 권고사항을 <보기>에서 모두 고른 것은?

─〈보기〉─

㉠ 건강운동관리사는 어떠한 경우에서도 고위험군 환자의 운동검사를 감독할 수 없다.
㉡ 건강운동관리사가 임상운동검사와 관련하여 특별히 훈련되어 있으면 중위험을 지닌 환자는 의사가 아닌 건강운동관리사의 감독하에 운동검사가 이루어질 수 있다.
㉢ 운동검사 동안 반드시 의사의 즉각적인 동원이 가능해야 하는지 또는 그렇지 않은지에 대해서는 지역의 정책과 상황, 환자의 건강 상태 및 실험실 직원의 숙련도에 의해 좌우 되기도 한다.

① ㉠, ㉡   ② ㉡, ㉢
③ ㉠, ㉢   ④ ㉠, ㉡, ㉢

정답 ②

㉠은 상황에 따라서 의사의 감독하에 참여가 가능하다고 할 수 있다.

03. 유산소 운동의 운동량을 나타내는 방법으로 옳지 <u>않은</u> 것은?

① MET   ② MET−min/day
③ MET−hr/week   ④ kcal/min

정답 ①

①은 운동강도를 나타내는 방법이다.

04. 최근 ACSM 지침에 따른 일반 성인의 건강증진을 위한 권장 운동량에 대한 설명으로 옳지 <u>않은</u> 것은?

① 중강도의 유산소 운동을 주당 150분 이상 실시한다.
② 격렬한(vigorous) 유산소 운동을 주당 75분 이상 실시한다.
③ ①과 ②에서 제시한 운동을 병행하여 주당 권장 운동량을 충족하여도 무방하다.
④ ① 또는 ②에서 권장한 운동량에 못 미치는 경우에는 효과가 없다.

> 정답 ④
>
> 변별력이 떨어지는 쉬운 문제이다.

05. 최근 ACSM 지침에 따른 일반 성인의 건강증진을 위한 저항운동 방법으로 옳지 <u>않은</u> 것은?

① 격일(24~48시간 간격)로 주당 2~3일 실시한다.
② 주동근과 길항근이 모두 포함되도록 실시한다.
③ 단관절(single joint)운동을 실시한 후 다관절(multijoint)운동을 실시한다.
④ 근육군별로 세트당 8~12회 반복, 2~4세트, 세트간 휴식시간은 2~3분으로 실시한다.

> 정답 ③
>
> 저자촌평 필자가 제시하는 보충학습처럼 문장을 구조화하면 더 좋은 문제가 된다.
>
> 다음과 같이 수정해야 한다.
> ③ 다관절 운동 후 단관절 운동을 실시한다.
>
> 📖 보충학습
> ① 대근육을 운동하고자 할 때 : 상지와 하지운동으로 순환하라. 기본운동 이전에 전신운동을 시행하라.
> ② 개별근육을 운동하고자 할 때 : 단관절 이전에 다관절 운동을 하라.
>
> 그 외 내용은 박승화 강의를 통해서 학습할 수 있다.

06. 유연성 향상을 위한 스트레칭 시 주의해야 할 내용으로 옳은 것은?

① 스트레칭은 본 운동에 쓰이는 부위만 집중적으로 실시하는 것이 좋다.
② 스트레칭의 유지 시간은 초보자의 경우 60초 이상 길게 할수록 좋다.
③ 전반적인 관절가동범위를 증가시키기 위해서는 주요 근육뿐만 아니라 다른 부위의 근육도 스트레칭 한다.
④ 스트레칭은 주요 근육 외에 다른 부위 근육도 포함해서 통증을 느끼는 범위까지 실시하는 것이 효과적이다.

> 정답 ③
>
> 저자촌평 변별력이 떨어지는 쉬운 문제이다.
>
> 스트레칭은 15~30초 정도, 스트레칭포인트까지 실시하는 것이 바람직하다.

유연성 운동

07. 비만인 사람들의 체중 감량을 위한 <보기>의 유산소 운동처방에 대한 설명으로 옳은 것은?

〈보기〉
㉠ 70%HRR(여유심박수), 30min/day, 3days/week, 1000kcal/week
㉡ 60%HRR(여유심박수), 40min/day, 4days/week, 1000kcal/week
㉢ 50%HRR(여유심박수), 50min/day, 5days/week, 1000kcal/week

① ㉠이 가장 효과적이다.
② ㉡이 가장 효과적이다.
③ ㉢이 가장 효과적이다.
④ ㉠, ㉡, ㉢ 모두 효과가 유사하다.

정답 ④

운동강도 50~70%이며, 주당 1000kcal로 동일하기 때문에 모두 효과가 유사하다.
ACSM 가이드라인의 경우 주 5일 이상, HRR 40~59%로 시작해서 60% 이상으로 진행한다. 중·고강도 운동을 최소 주당 250분 (2000kcal) 이상 권장된다.

08. P 씨는 50세 남성이고 체중은 80kg이다. 만일 P 씨가 5METs로 1시간 동안 운동을 하였다면 에너지소비량은 얼마인가?

① 약 250kcal
② 약 300kcal
③ 약 350kcal
④ 약 400kcal

정답 ④

에너지소비량은 다음 공식으로 산출하면 된다. 값은 420kcal이므로 근사치는 400kcal이다.

5MET × 3.5㎖/kg/min × 80㎏ × 60 = 84000㎖
1L(1000㎖) = 5kcal
84000㎖/1000 ×5kcal = 420kcal

09. 고혈압 환자를 위한 운동처방에 대한 설명으로 가장 적절한 것은?

① 저항운동은 과도한 혈압 상승을 유발하므로 권고하지 않는다.
② 유산소 운동의 강도는 점진적으로 증가시키는 것이 좋지만 큰 증가는 피해야 한다.
③ 간헐적 유산소 운동은 혈압 강하 효과가 없으므로 권고하지 않는다.
④ 복합운동은 과도한 혈압상승을 유발하므로 권고하지 않는다.

정답 ②

쉬운 문제이다.
④의 복합운동이란 유·무산소성의 운동을 의미한다.

10. 고혈압 환자를 위한 운동처방 시 고려해야 할 사항으로 옳은 것은?

① 베타차단제(β-blocker)를 복용하는 고혈압 환자의 최대 운동능력은 감소될 수 있다.
② 칼슘채널차단제(Ca⁺⁺ channel blocker)를 복용하는 고혈압 환자는 운동 후 과도한 혈압 상승을 유발할 수 있다.
③ 유산소 운동의 혈압강하 효과는 즉각적으로 나타나지 않고 서서히 나타난다.
④ 허혈진단 이력이 있는 고혈압 환자는 허혈역치보다 높게 운동 강도를 설정해야 한다.

정답 ①

교감신경의 자극을 차단시켜 심장의 박동수와 심장의 기능을 감소시킨다.

다음과 같이 수정해야 한다.
② 혈압 하강을 유발할 수 있다.
③ 빠르게 나타난다.
④ 낮게 운동강도를 설정해야 한다.

11. 당뇨병 환자의 운동처방에 대한 설명으로 옳은 것은?

① 저항운동은 혈당조절에 효과적이지 않다.
② 식사 전에 운동을 실시하는 것을 권장한다.
③ 중강도 유산소 운동이 저강도 유산소 운동보다 혈당조절에 더 효과적이다.
④ 인슐린 또는 혈당강하제는 운동 직전에 사용하는 것이 효과적이다.

정답 ③

②와 ④번의 항목은 맥락을 같이 한다. 저혈당 증세를 유발할 수 있다.

당뇨병환자의 운동(계단오르기)

12. <보기> 중 최근 ACSM에서 제시하는 당뇨병 환자를 위한 운동처방 시 주의해야 할 사항들을 모두 고른 것은?

〈보기〉

ㄱ 저혈당으로 인한 증상은 운동 후 12시간까지도 발생할 수 있다.
ㄴ 혈당은 일회성 운동 후 24~72시간 동안 감소하므로 주의해야 한다.
ㄷ 2시간 정도의 힘든 등산은 혼자 해도 무방하다.
ㄹ 운동 전에 혈당이 상승(250~300mg/dL)되어 있으면 일회성 운동으로 인해 혈당이 더욱 상승할 수 있다.

① ㄱ, ㄴ
② ㄴ, ㄷ
③ ㄱ, ㄷ, ㄹ
④ ㄱ, ㄴ, ㄹ

정답 ④

ㄷ의 경우 저혈당을 유발할 수 있기 때문에 파트너와 함께 운동하는 것을 권장한다.

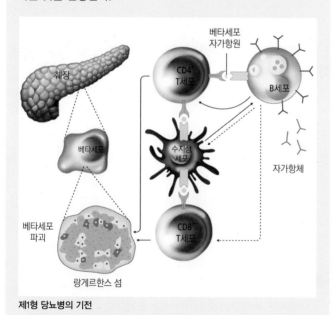

제1형 당뇨병의 기전

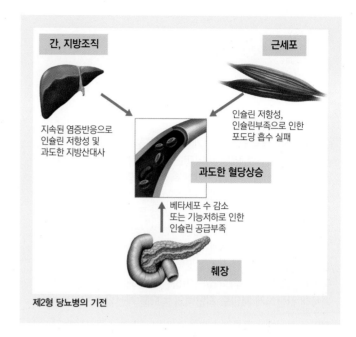

제2형 당뇨병의 기전

13. <보기>의 환자에게 운동처방을 실시하고자 할 때 목표심박수의 범위로 옳은 것은?

〈보기〉

연령이 40세인 고지혈증 환자가 운동부하검사를 받은 결과 최대심박수 180회/분, 안정 시 심박수 60회/분으로 나타났다(참고 : 고지혈증 환자를 위한 운동 강도는 40~75%이며, HRR(여유심박수)공식을 이용하시오).

① 18~20회/10초
② 108~140회/분
③ 18~25회/10초
④ 108~145회/분

정답 ③

카보넨 공식을 이용해서 계산하는 쉬운 문제이다.

120 × 0.4 + 60=108, 120 × 0.75 + 60 = 150
10초당 18~25회에 해당된다.

14. 고지혈증 환자를 위해 가장 바람직한 식이요법은?

① 어류 등의 생선 섭취비율을 증가시킨다.
② 트랜스지방(trans fat)의 섭취비율을 증가시킨다.
③ 운동 시 주에너지원인 탄수화물 섭취비율을 증가시킨다.
④ 단백질 섭취비율을 높이기 위해 육류 섭취를 증가시킨다.

저자촌평

변별력이 떨어지는 쉬운 문제이다.

보충학습

omega-3는 혈중 중성지질 개선에 도움을 줄 수 있으며, 혈행개선에 도움을 줄 수 있는 비타민E(토코페롤)이다. 총콜레스테롤 농도가 200mg/dl 이상이면 반복 측정하여 평균치를 산출하고 이를 기준치로 한다. 이 값이 200~239mg/dl의 경계역 수치를 보이고 고밀도지단백 농도가 35mg/dl 이상 또는 관상동맥 심질환의 위험 인자가 2종 미만인 사람에서는 식사요법, 신체활동 증가, 심혈관질환의 위험인자에 대해 교육하고 1~2년 내 총콜레스테롤 및 고밀도지단백을 재측정 한다.

중성지방의 농도가 400mg/dl 이하인 경우에는 Friedwald공식을 이용해 간편하게 저밀도 지단백의 농도를 계산할 수 있다.

저밀도 지단백 = 총콜레스테롤 - (고밀도지단백 + 중성지방/5)

15. <보기>와 같이 운동을 한다면 이 환자의 운동 강도는?

―〈보기〉―

80세 고지혈증 환자가 운동부하검사를 받은 결과 최대심박수 140회/분, 안정 시 심박수 80회/분으로 나타났다. 이 환자의 운동 중 심박수는 20회/10초이었다[참고 : HRR(여유심박수)공식을 이용하여 운동 강도를 산출하시오].

① 63% ② 67% ③ 69% ④ 71%

정답 ②

$(140 - 80) \times \% + 80 = 120$

$60 \times + 80 = 120$

$60 \times = 40$

66.67%

16. <보기>에 제시된 여성의 골다공증 예방을 위한 초기 운동처방으로 가장 적절한 것은?

―〈보기〉―

체중 60kg인 여성의 레그 익스텐션(Leg Extension) 1RM은 50kg으로 나타났다(참고 : 골다공증 예방을 위한 근력운동의 최소 강도는 1RM의 60%임).

① 30kg × 8회 × 3세트 × 주당 2~3일
② 36kg × 10회 × 3세트 × 주당 2~3일
③ 30kg × 8회 × 3세트 × 주당 4~5일
④ 36kg × 10회 × 3세트 × 주당 4~5일

정답 ①

ACSM 가이드라인에 따르면 골다공증의 경우 1RM의 60~80% 수준으로 운동하는 것이 권장된다. 유산소는 40~60% 수준으로 운동하는 것이 권장된다.

17. 골다공증 환자를 위한 운동방법으로 옳지 않은 것은?

① 체중을 이용한 고강도 점핑운동을 권장한다.
② 운동 유형은 수영보다 웨이트 트레이닝이 권장된다.
③ 체력수준에 알맞은 운동이 권장되며, 경쟁적인 운동은 피한다.
④ 통증을 유발시키거나 악화시키지 않는 중강도 운동을 권장한다.

정답 ①

저자촌평 변별력이 떨어지는 쉬운 문제이다.

다음과 같이 수정한다.

① 체중을 이용한 저 · 중강도 점핑운동을 권장한다.
　ACSM이 제시한 가이드라인의 FITT원칙을 고려한다.
　체중부하 유산소운동(걷기, 계단오르기), 점프를 포함한 운동(농구, 배구), 저항운동(중량들기) 등이 처방된다.
　여러 차례 반복할 수 있는 수준(12~15RM)으로 수행한다.

18. <보기>에서 최근 ACSM에서 권장하고 있는 임산부를 위한 안전한 운동지침으로 옳은 것을 고른 것은?

<보기>

⊙ 체질량지수(BMI)가 25kg/㎡ 미만인 임산부에게는 중강도의 유산소 운동을 권장한다.
ⓒ 체질량지수가 25kg/㎡ 이상인 임산부에게는 중강도의 유산소 운동을 권장한다.
ⓒ 임산부에게는 대근육을 이용한 저항운동을 권장하지 않는다.
② 일반적으로 정상 분만 후 4~6주 이후부터 운동을 시작할 수 있다.
ⓜ 임신과 운동으로 인해 요구되는 에너지량을 충족시키기 위해 추가적으로 300kcal/day를 섭취해야 한다.

① ㉠, ㉢, ㉤   ② ㉠, ㉣, ㉤
③ ㉡, ㉢, ㉣   ④ ㉡, ㉣, ㉤

정답 ②

↳ 저자촌평 공부를 한 수험생이면 쉽게 접근할 수 있는 쉬운 문제이다.

다음과 같이 수정하면 좋을 것이다.

ⓒ 체질량지수가 ≥25kg/㎡인 임산부에게는 저강도의 유산소 운동을 권장한다.
ⓒ 임산부에게도 대근육을 이용한 저항운동에 참여하도록 권장한다.

임신 중 규칙적인 운동은 산모와 태아에게 건강 및 체력적 이점을 제공한다.

최근 ACSM 지침에 따르면 임산부에게 대근육을 이용한 저항운동에 참여할 수 있는데, 적절한 피로를 유발하는 수준에서 여러 차례 반복할 수 있는 수준(12~15RM)으로 수행한다.

임신 첫 3분기 이후에는 등을 바로 눕는 자세로 등척성 운동이나 발살바 조작을 야기시키는 운동은 피하도록 권장된다. 케겔운동을 위해 두덩꼬리근을 수축시켜 근강화를 유도하는 운동이나 강화운동 등은 요실금을 감소시키기 때문에 권장될 수 있다.

19. 최근 ACSM 지침에 따른 어린이를 위한 운동처방에 대한 설명으로 옳은 것은?

① 골강화 운동으로 달리기, 줄넘기와 같은 놀이는 적합하지 않다.
② 중강도 유산소 운동은 매일하되 적어도 3일 이상은 격렬한 강도로 실시해야 한다.
③ 근력 강화를 위한 신체활동으로 놀이와 같은 비구조적인 방법은 적합하지 않다.
④ 저항운동은 성인들을 위한 지침과는 다르게 근피로가 유발되지 않도록 지도해야 한다.

정답 ②

④의 경우 어린이의 저항성 운동의 경우 기구를 이용하기보다 자신의 체중을 이용한 저항운동으로 8~15RM 정도의 최대하 반복 횟수를 실시하여 적정피로를 유발될 수 있도록 권장된다.

20. 최근 ACSM에서 권장하는 고령자를 위한 중강도 유산소 운동으로 가장 적절한 것은?

① 20~30min/day, 60~90min/week
② 20~30min/day, 100~150min/week
③ 30~60min/day, 90~180min/week
④ 30~60min/day, 150~300min/week

정답 ④

①, ②, ③은 일일 운동량이 적거나 주당 운동량이 적은 것이 문제점이다. 30분 이상일 경우 2회로 나눠서 운동하며, 150분 이상/주, 2~3회 권장된다.

운동부하검사

01. <보기>는 남성 A씨의 운동부하검사 전 의학검사 결과이다. A씨의 운동 참여 전 운동부하검사 실시에 대한 설명으로 옳은 것은?

---〈보기〉---

- 나이 : 48세
- BMI : 24kg/m²
- HDL-C : 45mg/dL
- LDL-C : 128mg/dL
- TC : 182mg/dL
- 나이 : 아버지가 58세에 심장마비로 사망
- 공복혈당 : 94mg/dL
- 혈압 : 124/85mmHg

---

① 저위험군으로 중강도 운동 참여시 운동부하검사를 해야 한다.
② 저위험군으로 고강도 운동 참여시 운동부하검사를 하지 않아도 된다.
③ 중위험군으로 중강도 운동 참여시 운동부하검사를 해야 한다.
④ 중위험군으로 고강도 운동 참여시 운동부하검사를 하지 않아도 된다.

정답 ②

나이의 하나의 위험군을 가지고 있는 저위험군으로 고강도 운동 참여시 운동부하검사를 하지 않아도 된다.

02. 최대 운동부하검사 종료 기준으로 활용되는 변인을 <보기>에서 고른 것은?

---〈보기〉---

㉠ 산소섭취량
㉡ 호흡교환율(RER)
㉢ 무산소성 역치
㉣ 운동자각도(RPE)
㉤ 이산화탄소 생성량

---

① ㉠, ㉡, ㉣
② ㉠, ㉡, ㉢
③ ㉡, ㉢, ㉣
④ ㉡, ㉣, ㉤

정답 ①

$\dot{V}O_2max$에 도달하였는지를 알려주는 가이드라인으로 이용되는 기준(ACSM)을 살펴보면 다음과 같다.

- 운동강도가 증가하더라도 심박수가 증가하지 않을 때
- 정맥혈의 젖산염 농도가 8mmol/L를 초과할 때
- 호흡교환율(respiratory exchange ratio : RER)이 1.15보다 클 때
- 운동자각도(rating of perceived exertion : RPE)가 보그척도 (Borg scale : 6~20)의 17보다 높을 때
- 운동부하가 추가적으로 증가되더라도 산소섭취량이 150㎖/분 이상 증가하지 않을 때

㉢ 운동강도와 ㉤은 호흡교환율과 관련이 있는 항목이다.

03. <보기>가 설명하는 운동부하검사의 프로토콜은?

---〈보기〉---

- 심혈관질환자나 고령자에게 적합하다.
- 시작 속도는 1mph로 2분이고, 그 이후는 2mph로 고정한다.
- 경사도는 4분까지 0%이고, 4분 이후부터 2분마다 3.5%씩 증가한다.

---

① 브루스 프로토콜(Bruce protocol)
② 램프 프로토콜(Ramp protocol)
③ 노턴 프로토콜(Naughton protocol)
④ 수정된 브루스 프로토콜(Modified Bruce protocol)

정답 ③

노턴프로토콜은 증가된 강도에서 3분 동안 운동 후 3분간 휴식한다. 이 운동은 경사와 속도가 다양하다.

①은 신체활동이 가장 왕성한 대상자(정상인)들에게 적용하며 ②는 체력이 정상수준에 미치지 못하는 허약한 대상자들에게 적용한다.
④는 기존의 ①이 최초부하나 단계별 증가 폭이 지나치게 높아

성인병이나 고위험 요인이 있는 만성적질환을 가진 사람이나 여성에게 부담을 줄여 증가 폭을 적게 한 적합한 프로토콜이다.

노턴프로토콜

04. <보기>는 체중 75kg인 A 씨의 YMCA 프로토콜을 이용하여 얻은 검사결과이다. <보기>에 제시된 공식을 이용하여 산출된 최대산소섭취량은 얼마인가?

〈보기〉

- 1단계 : 89회/분
- 2단계 : 110회/분
- 3단계 : 140회/분
- 4단계 : 160회/분
- 최대심박수 : 180회/분
- ※ $\dot{V}O_2(ml \cdot kg^{-1} \cdot min^{-1}) = 1.8 \times$ (운동부하)/(체중)+7

① $35.8ml \cdot kg^{-1} \cdot min^{-1}$
② $32.2ml \cdot kg^{-1} \cdot min^{-1}$
③ $28.6ml \cdot kg^{-1} \cdot min^{-1}$
④ $25.0ml \cdot kg^{-1} \cdot min^{-1}$

정답 ②

↳저자촌평 상위수준의 문제라고 할 수 있다. 아래의 공식에 대입하게 되면 다음과 같다.

1.8 × (운동부하)/(체중) + 7
1.8 × 1050/75 + 7 = $32.2ml \cdot kg^{-1} \cdot min^{-1}$

05. 운동부하검사 시 급성 심근경색이 의심되는 부위의 심전도상 변화로써 옳은 것만을 <보기>에서 있는 대로 고른 것은?

〈보기〉

㉠ ST분절의 2㎜ 이상 상승
㉡ PR 간격의 연장
㉢ Q파 발생
㉣ T파의 역위

① ㉠, ㉢, ㉣
② ㉠, ㉡, ㉢
③ ㉡, ㉢, ㉣
④ ㉠, ㉡, ㉢, ㉣

정답 ①

급성심근경색은 심실벽의 일부에서 조직괴사가 일어난 것이다. 적절한 혈액공급이 되지 않을 경우 허혈→심근손상→심근경색이 나타난다. 심근조직에 혈액공급의 부족현상이 지연되어 결국 산소부족이 발생하는 현상이다.

㉡의 경우 전기전도계 지연에 따른 심방실차단 시 나타나는 현상이다.

📖 보충학습

급성심근경색의 3대 특징은 아래와 같고, 세 가지 중에서 어느 하나도 독립적으로 발생할 수 있다.

① 허혈(심전도에서 T파의 역전이나 ST저하)
② 심근손상(ST상승)
③ 심근경색(이상 Q파 보임)-심근경색의 가장 중요한 소견

심근경색은 관상동맥의 폐쇄에 따라 심장근육이 불가역적인 손상을 받은 상태이다.

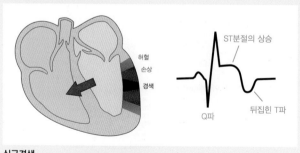

심근경색

06. 운동부하검사 시 다음과 같은 심전도 파형이 나타났다. 이 파형이 의미하는 것은?

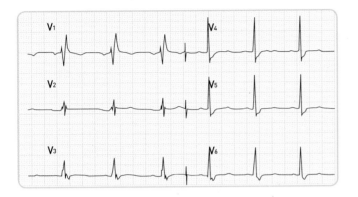

① 정상파   ② 방실차단   ③ 좌각차단   ④ 우각차단

정답 ④

우각차단이 발생하면 흥분전달이 이루어지지 않기 때문에 시간이 걸린다. 즉 QRS폭이 넓어진다. 심실중격의 오른쪽에는 차단되기 때문에 흥분이 전달되지 않고 대신에 먼저 나간 좌각쪽에서 흥분이 돌아온다.
우각차단에서는 V_1, V_2에서 폭이 넓은 상향의 톱니 모양 QRS가 된다.

📖 보충학습

정상보다 늦기는 하지만 우심실로 가는 전기가 공급이 신속하게 이루어지지는 않아도 좌각을 통해 좌심실로 들어간 전기가 돌아나와 우심실로 들어간다. 정상보다 줄기는 하지만 우심실도 전기를 공급받는다. 우각차단은 좌각차단보다 적기 때문에 상대적으로 흔하게 생긴다.

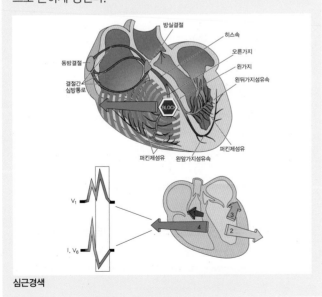

심근경색

07. 운동부하검사 시 운동을 종료하고 자동제세동기를 적용해야 하는 심전도 파형으로 옳은 것만을 <보기>에서 모두 고른 것은?

〈보기〉

㉠ 심실 빈맥   ㉡ 심실 조동
㉢ 심방 세동   ㉣ 심정지

① ㉠, ㉡, ㉢   ② ㉠, ㉡, ㉣
③ ㉠, ㉢, ㉣   ④ ㉠, ㉡, ㉢, ㉣

정답 ②

이 문제는 각 항목마다 명확한 증상과 현상에 대해서 파악을 하고 있어야 쉽게 해결할 수 있다.
㉡은 심실빈맥보다 맥박수가 증가(170~300회/분)된 상태를 말한다. 심실세동과 조동은 부정맥 중에서 가장 위험하다. 심실근육이 완전히 무질서하게 작은 흥분을 일으키는 상태이다.
㉢은 빠르고 불규칙적이며, 특히 P파가 없는 것이 특징이다. 따라서 심방수축이 혼돈스럽고 일률적이지 않다.

📖 보충학습

자동제세동기는 환자의 심장에 적절한 충격을 가해 심장이 다시 정상적인 리듬을 회복할 수 있도록 하는 장치이다.

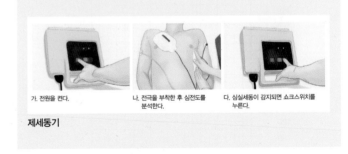

가. 전원을 켠다.   나. 전극을 부착한 후 심전도를 분석한다.   다. 심실세동이 감지되면 쇼크스위치를 누른다.

제세동기

08. 운동부하검사 시 운동부하가 증가함에도 측정값이 일정하거나 약간 감소하는 것은?

① 환기당량($\dot{V}E/\dot{V}O_2$)

② 산소섭취량($\dot{V}O_2$/Watt)

③ 이산화탄소 생성량($\dot{V}CO_2$/Watt)

④ 호기말 이산화탄소 분압($PETCO_2$/Watt)

정답 ④

♩ 저자촌평 이 문제의 해결은 ②, ③은 당연히 증가에 해당되는 내용이라서 ①, ④번의 항목을 놓고 고민하는 문제이다.

①은 정량의 산소섭취 또는 이산화탄소를 배출하는데 필요한 폐환기량을 말한다. 보통 매분 100㎖의 산소 섭취량에 필요한 매분 환기량(L)으로 표시한다.
④는 산소를 섭취하고 탄산가스를 배출할 때의 압력으로서 PETCO₂/Watt는 안정 시 정상범위는 36~42mmHg이다. 약한 부하에서 중간 정도 부하의 운동 시 3~8mmHg 증가하고 최대 강도로 운동 시 감소한다. 따라서 ④의 항목에 "최대운동 강도 시"라는 단서를 붙여야 더 좋은 문제라고 볼 수 있다.

09. 심장이식환자의 운동부하검사 반응에 대한 설명으로 옳지 않은 것은?

① 정상인에 비해 안정 시 심박수가 높다.
② 운동 종료 후 심박수는 안정 시로의 회복이 느리다.
③ 정상인에 비해 최대심박수와 최고산소섭취량이 낮다.
④ 정상인에 비해 동정맥산소차가 작다.

정답 ④

♩ 저자촌평 이 문제에 대한 내용을 건강운동관리사가 알아야 하는 이유는? 심장이식 환자에 대한 운동처방을 해야 하기 때문일 것이다. 활동하면서 만날 수 있는 특별한 경우이며, 극복해야 할 분야이다.

①~③ 외에 운동 시 심박수는 더디게 나타나며, 교감신경의 자극에 대하여 정상적인 반응이 나타나지 않는다. 따라서 ④항목도 비정상적으로 드러난다.

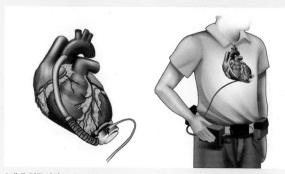

3세대 인공심장

10. 운동부하검사 시 심박수에 영향이 가장 큰 약물은?

① 아테놀롤(Atenolol) – 베타차단제
② 부데소니드(Budesonide) – 흡입용 코르티코스테로이드
③ 케토프릴(Captopril) – ACE 억제제
④ 디곡신(Digoxin) – 강심제

정답 ①

①은 심장선택베타차단제로서 협심증환자의 증상을 호전시키고, 생명을 연장시키는 약제이다.
②는 부신피질 호르몬이란 부신에서 분비되는 호르몬으로서 글루코스 및 수분의 대사, 신경 및 근육의 기능 조절, 위산 분비, 스트레스에 대한 반응 등의 여러 가지 중요한 작용을 한다.
③은 혈압강하제이며, ④는 심장 기능을 효과적으로 유지하고 비정상적인 심장박동수를 치료하는 강심제로서 심부전 치료약제이다.

11. 다음 그림은 브루스(Bruce) 프로토콜을 이용한 운동부하검사 시 운동부하와 산소섭취량의 관계를 나타낸 것이다. 산소이용의 효율성이 가장 높은 사람은?

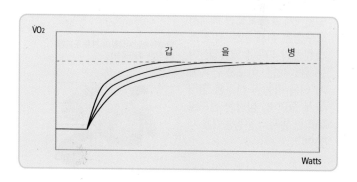

① 갑   ② 을   ③ 병   ④ 모두 같다

정답 ③

같은 V̇O₂에서 병이 더 높은 강도의 Watt를 수행하고 있다.

12. 만성폐쇄성폐질환(COPD)을 예측하는 데 사용되는 호흡가스 변인으로 옳은 것만을 <보기>에서 모두 고른 것은?

〈보기〉

㉠ 환기당량($\dot{V}E/\dot{V}O_2$)
㉡ 환기예비량지수($\dot{V}E/MVV$)
㉢ 환기량에 대한 1회 호흡량($VT/\dot{V}E$)
㉣ 생리적사강 비율(VD/VT)

① ㉠, ㉡
② ㉠, ㉢, ㉣
③ ㉠, ㉡, ㉣
④ ㉠, ㉡, ㉢, ㉣

정답 ④

㉠은 정량의 산소섭취 또는 이산화탄소를 배출하는데 필요한 폐환기량을 말한다. 보통 매분 100㎖의 산소 섭취량에 필요한 매분 환기량(L)로 표시한다.

만성폐쇄성폐질환 환자의 경우 안정 시 호흡이 건강사람보다 3배 더 힘들다. 중증 폐질환에서 호흡에 드는 에너지요구량은 전체 운동 시 산소섭취량의 40%에 달한다. 이는 활성화된 비호흡 근육에서 이용 가능한 산소를 명백하게 줄이며, 심각한 정도로 이러한 환자의 운동능력을 제한한다.

만성폐쇄성폐질환의 기종 우위형
(노작성 호흡곤란)

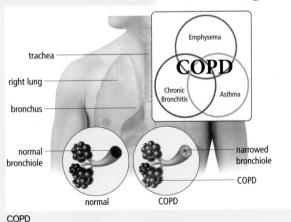

trachea
right lung
bronchus

Emphysema
COPD
Chronic Bronchitis Asthma

normal bronchiole
narrowed bronchiole
COPD
normal   COPD

COPD

13. 특별한 증상이 없는 사람의 운동부하검사 시 측정변인에 대한 설명으로 옳지 않은 것은?

① 심박수는 운동부하검사 전, 중, 후에 측정한다.
② 운동의 힘든 정도를 주관적으로 평가하기 위해 가슴통증척도(angina scale)를 사용한다.
③ 운동 시 심장의 이상을 알아보기 위해서 12유도 심전도를 측정한다.
④ 심폐운동능력을 알아보기 위해 최대산소섭취량을 측정한다.

정답 ②

다음과 같이 수정해야 한다.

가슴통증척도(angina scale) → 운동자각도(RPE)

14. 운동부하검사 도중 급성 심근경색 발생 시 조치를 순서대로 가장 바르게 연결한 것은?

〈보기〉

㉠ 검사 중단   ㉡ 응급센터 연락
㉢ 심전도 모니터링 ㉣ 심박수 및 혈압 측정
㉤ 혈관확장제 등 응급약 투여

① ㉠ → ㉡ → ㉣ → ㉤ → ㉢
② ㉡ → ㉢ → ㉠ → ㉣ → ㉤
③ ㉠ → ㉡ → ㉤ → ㉢ → ㉣
④ ㉡ → ㉢ → ㉤ → ㉠ → ㉣

정답 ③

심근경색은 관상동맥의 거의 완전폐색, 심근부위의 혈관 흐름이 막혀서 나타난다. ST분절의 변화, T파의 상승, 심실세동 등의 심실성부정맥이 나타난다.

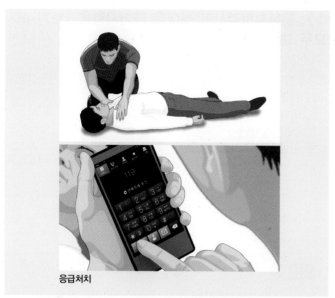

응급처치

고혈압환자의 생활습관 개선 셀프캐어

15. 임상 운동부하검사에 대한 설명으로 옳지 않은 것은?

① 폐동맥고혈압 환자의 운동부하검사는 수술적 치료나 약물적 치료의 효과를 결정하는데는 도움을 주지 않는다.
② 급성심근경색 후 실시하는 퇴원 전 최대하운동 검사는 급성심근경색 후 4~6일이 경과한 후 실시할 것을 권장한다.
③ 전형적인 협심증 환자의 운동부하검사는 진단 목적 보다는 잔존하는 심근허혈이나 예후에 대한 평가를 위해서 실시한다.
④ 최대 혹은 증상제한(sign/symptom limited) 운동검사는 환자의 의학적 관리나 수술을 결정하는데 광범위하게 활용된다.

정답 ①

저자촌평 폐동맥 고혈압은 심장병의 중요한 합병증으로 대동맥 압력과 같거나 더 높아지는 현상으로서 폐동맥 고혈압 환자 80%가 여성 30~40대로 여성호르몬 에스트로겐으로 유추된다.

질병의 정도와 예후판단을 위한 운동검사는 심혈관이 있거나 의심이 있는 사람들에게 있어 질환의 심각성을 평가하는데 유용하다. ST분절의 하강이나 그 경사도 등 운동검사 시 나타나는 이런 반응들은 폐동맥 고혈압, 만성심부전, 만성폐쇄성폐질환과 같은 만성질환을 가진 환자들의 질병의 정도를 판단하는데 유용하다.

16. 운동부하검사 시 심전도 이외의 영상의학검사가 추가적으로 필요한 경우는?

① 프래밍험 위험도(Framingham risk)가 10년 내에 20%를 초과할 때, 유의한 관상동맥질환에 대한 관찰이 필요할 경우
② 나이, 성별, 증상 등에 따른 중위험군으로 가슴의 불편감이 있는 경우
③ 좌각차단(left bundle branch block)이 있으면서 강심제를 복용하는 경우
④ 관상동맥질환, 심부전 환자의 예후를 파악하고, 심장재활프로그램을 시작하고자 할 경우

정답 ③

저자촌평 결코 해결하기 쉽지 않다. 운동부하검사에 대하여 공부를 한 수험생이 쉽게 해결할 수 있다.

영상의학은 의학적 지식과 함께 물리학(物理學, physics)에 대한 높은 이해를 필요로 한다. 영상의학에서 사용되고 있는 X-ray, CT, MRI, 초음파 등은 매우 복잡한 물리학적 원리를 기초로 만들어졌다. 현대의학에서 영상의학이 차지하는 위치는 매우 크다. CT와 MRI가 대중화되기 이전의 영상의학은, X-선이 중요하게 작용하는 몇몇 과에서만 이용하던 분야였으나, CT와 MRI, 초음파 등 혁신적인 영상의학기술의 발전으로 인해, 현대의학의 필수불가결한 진단 요소이다.

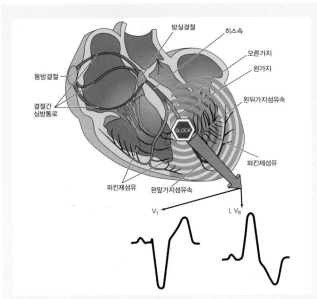

좌각차단

강심제(cardiotonics, 强心劑)는 불완전한 심장의 기능을 정상으로 돌이키는 데 쓰이는 약제를 말한다. 대표적인 약물은 디지털리스이고 이들 약물은 식물성분 및 두꺼비의 피부선분비액중의 성분에서 발견되었는데, 화학구조상 스테로이드이므로 강심제를 강심스테로이드라고도 한다.

ⓘ의 Framingham Risk Score(프래밍험 위험 점수)는 '심혈관 질환 발병 가능성'을 확인시켜주는 검사이다.

강심제를 복용하면 좌각차단이 있어도 정상 소견으로 나타날 수 있기 때문에 영상의학 검사가 필요하다.

좌각차단의 기준
① 지속시간 0.12초 이상
② Ⅰ와 V₆에서 넓고, 단일한 형태의 R파
③ V₁에서 넓고, 단일한 형태의 S파, 작은 r파를 가질 수도 있음

---

17. 운동부하검사의 상대적 금기사항을 <보기>에서 모두 고른 것은?

〈보기〉
ⓐ 점액수종(myxedema)
ⓑ 박리성 동맥류 의증(suspected dissecting aneurysm)
ⓒ 3도 방실차단
ⓓ 안정 시 수축기혈압 220mmHg, 이완기혈압 115mmHg

① ㉠, ㉡
② ㉡, ㉢
③ ㉠, ㉢, ㉣
④ ㉠, ㉡, ㉢, ㉣

정답 ③

저자촌평 2015년 10번 참조(ACSM 가이드라인 참조)

상대적 금기사항은 검사의 위험성과 이점을 신중히 검토하고, 운동의 위험보다 이점이 크다면 검사를 시행할 수 있다. 이 경우 환자가 안정 시에 자각증상이 없는 상황이라면 주의 깊게 저강도 수준에서 운동을 시행할 수 있다. 반면에 절대적 금기사항은 환자가 적절한 치료와 안정을 찾을 때까지는 검사를 수행해서는 안되며, 피검자가 금기사항에서 벗어나거나 안전해지면 검사를 시행할 수 있다.

참고로 ACSM의 가이드라인에서는 상대적(8개), 절대적 금기사항(10개)은 더 추가되었다. 자세한 것은 박승화 교수의 강의를 통해서 해결할 수 있다.

㉠ 점액수종은 심한 갑상선 기능저하증 환자에게 나타나는 피부증상으로, 피부 아래 진피 내에 점액이 쌓여 피부가 붓고 단단해지는 것을 말한다.
㉡ 박리성 동맥류라 함은 혈관이 찢어지면서 찢어진 부위가 풍선처럼 부풀어져 있는 것을 말한다.
㉢ 방실전도 장애는 다음과 같이 분류할 수 있다.

방실 차단	불완전 방실차단	1도 방실차단	
		2도 방실차단	Mobiz Ⅰ형(Wenckebach)
			Mobiz Ⅱ형
		고도 방실차단	
	완전 방실차단	3도 방실차단	

3도 방실차단은 치명적 부정맥으로서 상대적 금기사항이다. 차단부위 이하에서 이소성발화점이 생겨서 심실을 수축시킨다. 3도 방실차단의 간헐적 발생에 의해 실신과 회복이 반복되는 것을 Stokes Adams 증후군이라 한다.

안정 시 심한 동맥고혈압의 정확한 수치는 수축기혈압 220mmHg, 이완기혈압 110mmHg인데 출제자는 이완기혈압 115mmHg로 나열해 놓고, 넘버링을 ㉠, ㉢은 제시하지 않고, ㉠, ㉢, ㉣로 제시하고 있다. 이 문제의 정확한 정답은 ㉠, ㉢이라고 할 수 있다.

18. 운동부하검사 장비와 관련된 설명으로 옳지 <u>않은</u> 것은?

① 트레드밀의 손잡이를 잡고 검사할 경우, 심전도 기록의 질과 운동능력평가의 정확성이 감소되므로 손잡이 사용은 권장되지 않는다.

② 자전거 에르고미터의 안장 높이는 다리를 최대로 신전시켰을 때, 약 35도 이상으로 굴곡되도록 조절해야 한다.

③ 고정식 자전거 에르고미터 검사를 통해 얻은 최대/최고산소섭취량은 트레드밀검사에 비해 약 5~25%정도 낮게 측정된다.

④ 암(arm) 에르고미터 검사를 통해 얻은 최대/최고산소섭취량은 트레드밀검사에 비해 약 20~30% 정도 낮게 측정된다.

정답 ②

🕹 **저자촌평** 이 문제는 운동부하검사 장비에 대해서 알고 있느냐의 내용이다.

②의 35도는 25도로 수정해야 한다.
예전의 여러 교재에 5도 또는 10도로 제시되어 있는데 ACSM의 최근 가이드라인은 25도로 제시되어 있다.
암(arm) 에르고미터의 최대심박수는 10~15회 낮게 측정된다.

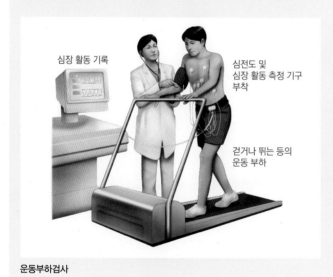

심장 활동 기록

심전도 및 심장 활동 측정 기구 부착

걷거나 뛰는 등의 운동 부하

운동부하검사

19. 자전거 에르고미터를 이용한 운동부하검사에 대한 설명으로 옳지 <u>않은</u> 것은?

① 혈압과 심전도 측정이 용이하다.

② 운동량의 증가폭을 세밀하게 조절할 수 있다.

③ 국소피로로 인해 최대산소섭취량이 과소평가될 수 있다.

④ 뇌졸중 등의 신경학적 손상으로 균형감각의 이상 또는 보행이 어려운 환자에게 부적절하다.

정답 ④

④는 다음과 같이 수정하면 올바른 문장이 된다.

뇌졸중 등의 신경학적 손상으로 균형감각의 이상 또는 보행이 어려운 환자에게 트레드밀이 운동부하검사에 부적절하다.
자전거 에르고미터는 다른 운동장비에 비해 파워출력이 쉽게 계산되고 조절된다. 휴대가 가능하고 안전하며, 상대적으로 저렴하다. 전기식 제동 에르고미터는 미리 설정된 파워 출력이 페달 회전수 범위 내에서 고정된다. 전기가 없어도 가능하며, 좁은 공간에서도 가능하며, 말초혈관, 신경계에 문제가 있는 환자나 밸런스 유지가 어려운 정형외과적으로 문제가 있는 환자에게 적절하다. 또한 흔들림이 적어 혈압측정이나 심전도 측정이 용이하다. 그러나 트레드밀보다 오차가 크며, 어린이에게 적용하기 어려우며 국소피로를 유발하는 단점도 있다.

20. 특정 질환자의 운동부하검사에 대한 설명으로 옳은 것은?

① 중증 이상의 만성폐쇄성폐질환자의 운동부하검사는 10~12분의 시간이 소요되는 프로토콜을 권장한다.

② 천식환자의 운동부하검사에서 동맥혈산소포화도(SaO_2)가 80% 이하인 경우, 상대적 중단사유에 해당한다.

③ 혈액투석환자의 최대심박수는 연령으로 예측된 최대심박수의 90% 수준이며, 운동강도를 설정하는 데 심박수를 사용하는 것이 적절하다.

④ 다운증후군 환자의 최대심박수 예측공식은 일반적으로 '220-연령'을 사용한다.

정답 ②

ↄ 저자촌평 상위수준의 문제로 심도있게 공부하지 않을 경우 결코 쉽게 해결하기 어렵다.

① 만성폐쇄성폐질환자의 운동부하검사는 5~9분의 지속시간을 갖는 점증운동부하 검사법이 권장된다. 최근에는 6분 걷기가 기능적 운동능력을 측정하는데 보편적으로 활용되고 있다. 증증의 동맥혈 산소헤모글로빈 포화도 감소($SaO_2 \leq 80\%$)에 의하여 운동검사가 중단될 수 있다.

② 천식환자의 운동부하검사는 트레드밀 또는 전기 제동식 사이클에르고미터에서 4~6분간 지속되는 고강도 운동을 통해서 측정된다. 헤모글로빈 포화도가 80% 이하로 떨어지는 경우에도 검사를 중단해야 한다.

　Borg의 운동자각도 척도 10을 변형하여 운동호흡을 결정하는데 유용하게 사용될 수 있다.

③은 대략 75% 수준으로 수정해야 하며, ④의 다운증후군은 21번 염색체가 정상적인 2개가 아니라 3개 존재하여 정신 지체, 신체 기형, 전신 기능 이상, 성장 장애 등을 일으키는 유전 질환으로 최대심박수는 210-0.56(나이)-15.5(증후군2, 없을 경우 1)의 공식을 적용하는 것으로 되어있다.

건강운동관리사 필기시험 2교시

2016

운동상해

01. 경기 전 검사(preparticipation examination)에 대한 설명으로 옳지 <u>않은</u> 것은?

① 팀의 코치가 실시하는 것이 원칙이다.
② 검사 결과는 경기 참여를 제한하는 정당한 이유가 된다.
③ 검사의 주목적은 경기 중 발생 가능한 위험요소를 확인하는 것이다.
④ 경기 전 검사는 심혈관 검사를 포함한다.

> **정답** ①
>
> 팀닥터나 스포츠의학팀(건강운동관리사) 등이 실시한다.

02. <보기>가 설명하는 고지대 손상은?

> ─〈보기〉─
>
> 축구선수가 해수면에서 2,400m(약 8,000 피트)의 고지대로 이동한 후 뇌의 조직 이상과 무기질의 불균형으로 인하여 3일간 두통과 구역질 증상을 겪었다.

① 급성 고산병(acute mountain sickness)
② 겸상세포형질(sickle-cell trait reaction)
③ 고지 뇌부종(high altitude cerebral edema)
④ 고지 폐수종(high altitude pulmonary edema)

> **정답** ①
>
> ♪ **저자촌평** 제시된 모든 항목이 고산병에 대한 질환이다. 고도와 기간에 따라서 질환의 유형이 다르게 나타난다. 이들의 처치방법은 저지대로 이동하는 공통점도 갖고 있다.
>
> 급성 고산병(acute mountain sickness, AMS)은 노출된 처음 몇 시간 동안의 운동에 의해 악화될 수 있지만 대체로 크게 염려할 필요는 없는 질환들이다. 보다 낮은 고도에서 단계적으로 점진

적인 순응을 하지 않고 고지에 올라갈 경우 흔히 발생한다. AMS는 고소병의 가장 일반적인 형태이다. 증상은 메스꺼움, 두통, 식욕부진, 수면부족 등이 나타난다. 이러한 증상들은 노출 후 초기, 4~12시간 혹은 길게는 24시간 이내에 시작되며, 발생률과 심각도는 등반속도에 비례한다. 일주일 이내에 사라진다. 치료는 등반을 중지하고, 격렬한 신체활동을 제한하면서 저지대로 이동하고 휴식과 단계적 고도순응 등과 같은 절차를 거치면 24~84시간 안에 회복된다.

②는 적혈구의 구조와 Hb함량이 비정상적인 것과 관계가 있다.

③은 일반적이지는 않지만 약 12000피트(3660m) 초과로 등반한 개인 약 2% 이내에서 발생하며, 뇌혈류의 증가로 뇌부종이 증가하는 현상으로서 치명적일 수 있기 때문에 저지대로 이동해야 한다.

④는 뇌와 폐에 물이 차는 현상 등이 나타나며, 생명을 위협하는 질환이기도 하다. 12000피트(3660m) 초과로 등반한 개인 약 10% 미만에서 발생하며, 입술과 손톱에 푸른색을 띠는 증상이며, 폐에 잡음과 수포음의 발생 가능성이 높다.

급성고산병

03. 헬멧의 기능 또는 사용법으로 옳지 <u>않은</u> 것은?

① 헬멧을 사용할 때 턱끈을 항상 조여야 한다.
② 헬멧을 주기적으로 점검하여 사용해야 한다.
③ 헬멧은 머리 부위의 모든 상해를 예방할 수 있다.
④ 헬멧에 있는 패드를 선수의 턱에 알맞게 조정하여 사용한다.

정답 ③

♪ 저자촌평 하위 수준의 문제이다.

스포츠손상을 예상하기 위한 헬멧은 해당 종목에 맞게 구조화되어 있다.

04. 아킬레스 건 좌상(strain) 후 처치하는 테이핑의 주목적은?

① 안쪽번짐(내번, inversion)을 제한한다.
② 가쪽번짐(외번, eversion)을 제한한다.
③ 발등쪽굽힘(배측굴곡, dorsiflexion)을 제한한다.
④ 발바닥쪽굽힘(저측굴곡, plantarflexion)을 제한한다.

정답 ③

♪ 저자촌평 이 문제는 아킬레스 건의 구조와 역할, 그리고 해부학적 자세에서 운동축과 운동면에 대한 이해를 하고 있는 수험생이면 쉽게 풀 수 있다.

발등쪽굽힘(배측굴곡, dorsiflexion)은 발등이 정강뼈의 앞면을 향해 움직이는 것을 말하며, 아킬레스건의 좌상 후 이 방향의 가동을 제한하는 것이 테이핑의 주목적이다.

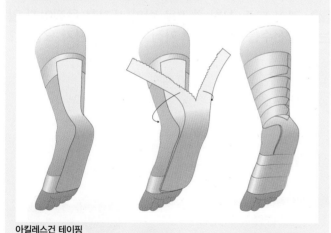

아킬레스건 테이핑

05. <보기>에서 설명하는 연부조직의 치유과정 단계는?

〈보기〉

이 단계에서 피부의 발적, 체온 상승, 부종, 통증, 그리고 기능 상실이 동반된다. 동시에 국소혈관의 수축이 일어나며, 이어서 혈관이 확장된다.

① 재형성 단계(remodeling phase)
② 성숙기 단계(maturation phase)
③ 염증반응 단계(inflammatory phase)
④ 세포분열증식 단계(proliferative phase)

정답 ③

♪ 저자촌평 운동상해를 공부하는 수험생이면 누구나 쉽게 해결할 수 있는 문제이다.
☞ 2015년 운동상해 7번 참고

전형적인 연부조직의 치유단계는 세 단계인데 문제를 출제하기 위해 마지막 단계를 두 단계로 분리시켜 놓았다.

염증반응 단계의 특징
① 붓는다.
② 열이 난다.
③ 누르면 아프다.
④ 붉어진다.
⑤ 움직이기 힘들다.
⑥ 화학물질을 분비한다.

06. 관문조절이론(gate control theory) 관점에서 볼 때, 통증을 완화시키는데 효과적인 치료방법으로 옳지 않은 것은?

① 침치료   ② 냉치료
③ 열치료   ④ 휴식치료

정답 ④

통증조절의 신경생리학적 기전은 명쾌하지는 않지만 몇 가지 모델이 제안되고 있다. 일반적으로 관문조절이론, 중추교차 이론, 베타 엔돌핀 이론이 설득력 있는 이론들이다. 이들 어느 하나의 독립적이기보다는 3개의 모델의 조합에 의해 통증조절을 해석하는 것이 타당하다고 볼 수 있다.

관문조절 이론은 1965년 Melzack과 Wall이 발표한 통증의 기전에 기초한 가설로 전기자극이 감각신경을 자극함으로써 관문조절에 의한 진통효과가 얻어진다는 가설이다. 통증부위를 문지르거나 마사지를 하거나 경피적 전기신경 자극을 하면 Aβ신경섬유를 통해 전달된 자극이 억제세포를 흥분시켜 통각 전달세포의 통증신호 전달을 억제시키므로 통증이 조절된다는 이론이다. 감각신경의 전기자극은 관문조절기전을 활성화시켜 통증 자극에 대한 인식을 감소시키는 것이다. 자극을 멈추면 문은 열리고 통증을 인식하게 된다. 강도는 따끔따끔한 감각을 일으키는데 적합하지만 근수축은 일어나지 않을 정도이다. 따라서 이문제의 외부자극(침, 열, 냉치료)은 관문조절 이론과 유관하다.

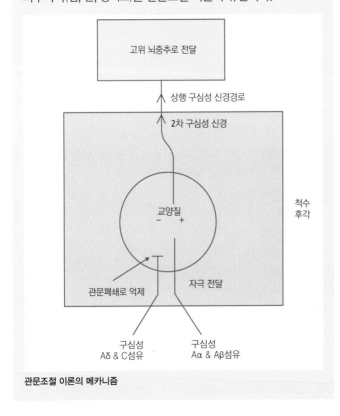

관문조절 이론의 메카니즘

07. 말초신경 손상에 대한 설명으로 옳은 것은?

① 손상된 신경과 연결된 피부분절(dermatome) 검사 시 이상 증상이 나타나지 않는다.
② 손상 부위의 신경외막이 손상되면 대부분의 신경 회복이 느리며 불완전하다.
③ 면봉이나 손톱으로 손상된 신경과 연결된 근육을 자극했을 때 전달되는 느낌이 평소와 같다.
④ 손상된 신경과 연결된 근육분절(myotome) 검사 시 10초 이상 강한 근육수축을 할 수 있다.

정답 ②

손상된 하위 운동신경의 축삭에 의해 근섬유가 더 이상 충분한 신호들을 받을 수 없을 때, 근섬유들의 이완성 마비가 초래된다.
팔의 말초신경 손상은 주로 정중신경에서 일어난다. 다리에서는 궁둥신경이 주로 손상을 받는 부위이다. 말초신경 손상들은 근육의 불균형을 초래하고 이런 이차적인 상태는 변형들을 초래한다. 자신경의 병변으로 '갈퀴손 변형(claw hand deformity)'이 발생한다.
오랜 기간 움직임을 자주 하지 않을 경우 구축이 형성되며, 자극에 의한 전달되는 느낌은 다르며, 강한 근수축이 어렵다.

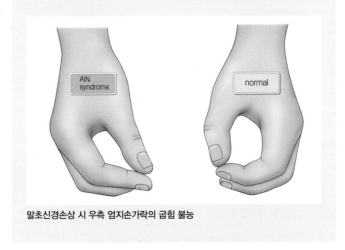

말초신경손상 시 우측 엄지손가락의 굽힘 불능

08. 경기 도중 심한 충격을 받아 쓰러져 움직이지 않는 부상선수를 평가할 때 가장 우선적인 평가 요인은?

① 출혈 유무
② 척수 손상 여부
③ 의식과 호흡 유무
④ 근골격계 상해 여부

정답 ③

① 손상 후 의식의 유무를 파악한 후 무의식과 의식 수준 여부에 따라 손상을 입은 응급 절차의 순서를 다르게 해야 한다.

아래 그림에서 일차적 검사는 생명을 위협하는 손상 평가이며, 이차적 검사는 생명을 위협하는 손상을 처치하고 진단하는 것을 의미한다.

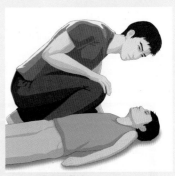

의식과 호흡유무 확인

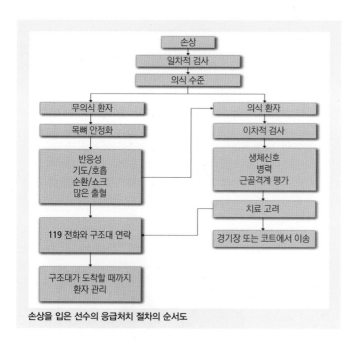

손상을 입은 선수의 응급처치 절차의 순서도

09. 〈보기〉의 부상선수를 처치하는 방법으로 가장 옳은 것은?

─〈보기〉─

축구선수가 경기 중 헤딩 상황에서 상대 선수와 머리가 부딪친 후 바닥에 쓰러졌다. 이 부상선수는 의식을 잃지 않았으나, 경추 부분에 심한 통증과 경련을 느껴 목뼈의 손상이 의심되고, 팔과 다리에 감각이 없어 척수손상이 의심된다.

① 부상선수를 일으켜 세워 병원으로 후송한다.
② 부상선수를 부축하여 경기장 밖으로 옮긴다.
③ 부상선수를 들것(stretcher)을 이용하여 옮긴다.
④ 부상선수의 목을 고정하고, 척추보드(spine board)를 이용하여 옮긴다.

정답 ④

비교적 해결하기 쉬운 문제이다. "목뼈의 손상이 의심"이 간다는 〈보기〉의 문장이 답을 제시하고 있다.

척추보드 이용

10. HOPS의 기본원칙에 근거하여 볼 때 경기장에서 부상선수를 평가하는 방법으로 옳지 않은 것은?

① 촉진
② 관찰
③ 과거 동료가 경험한 상해와 비교
④ 손상 시 발생된 소리나 주요 증상 파악

정답 ③

평가손상 과정은 크게 4개의 범주로 분류되어 지는데 다음과 같다.
① 문진(History)
② 관찰(Observation)
③ 촉진(Palpation)
④ 특수 검사(Special test)

③은 '주된 불편함이나 현재의 문제' 등의 예로 수정해야 한다.

특수검사

11. 오른쪽 좌골신경(sciatic nerve)의 눌림(compression)에 의하여 나타날 수 있는 증상으로 옳은 것은?

① 왼쪽 허리부터 위쪽으로 통증이 있다.
② 왼쪽 사타구니(서혜부)부터 아래쪽으로 통증이 있다.
③ 오른쪽 사타구니(서혜부)부터 위쪽으로 통증이 있다.
④ 오른쪽 허벅지의 뒤쪽 가운데부터 아래쪽으로 통증이 있다.

정답 ④

오른쪽 좌골신경이라고 주어졌기 때문에 ①, ②번의 문항은 답에서 배제하고 ③은 위쪽으로 통증이라고 해서 바르지 않다.

좌골신경은 천골신경총이 대좌골절흔을 빠져나와 대퇴후부 심층으로 하행한다. 둔부에서 대퇴후부를 따라 종아리 외측과 발에 이르는 통증을 경험할 수 있다. 좌골신경통은 대개 작열감이다. 좌골신경이 눌려서 주로 발생하며, 요추 4~5번과 천추 1~3번 신경이 모여서 형성되며, 증상은 엉덩이에서 대퇴부, 종아리, 발, 발가락이 저리며 감각이 둔화된 느낌이다. 좌골신경을 직접적으로 촉진할 수는 없다. 압통부위를 중심으로 대략적인 경로의 촉진을 시도할 수 있다. 궁둥뼈 결절과 큰돌기를 먼저 촉진한 후 이들 구조물의 중간 지점에 위치하는 좌골신경을 촉진할 수 있다.

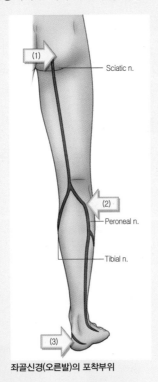

좌골신경(오른발)의 포착부위

12. 위팔어깨관절(상완관절, glenohumeral joint)**의 탈구에 대한 설명으로 옳은 것은?**

① 위팔어깨관절은 주로 뒤쪽으로 탈구된다.
② 탈구가 심한 경우 골절과 과다 출혈 등이 나타난다.
③ 위팔어깨관절 전방탈구의 비율은 5% 미만으로 매우 낮다.
④ 앞쪽 관절 테두리(관절순, labrum)의 손상은 힐색(Hill-Sachs) 병변이고, 탈구 후 나타나는 뒤쪽 바깥쪽 손상은 밴카트(Bankart) 병변이다.

정답 ②

다음과 같이 수정해야 한다.
① 뒤쪽 → 앞쪽, ③ 전방탈구 → 후방탈구(1~4.3%)
④ 앞쪽 관절 테두리(관절순, labrum)의 손상은 밴카트(Bankart) 병변이고, 탈구 후 나타나는 뒤쪽 바깥쪽 손상은 힐색(Hill-Sachs) 병변이다.

📖 **보충학습**

① 밴카트(Bankart) 병변 : 아래 오목위팔인대가 관절테두리로부터 분리되거나 관절테두리의 일부와 함께 관절오목으로부터 분리된 것을 의미한다. 즉 관절오목 공간의 전하방부에 있는 오목테두리가 마모되거나 관절주머니가 찢어질 수 있다.
② 힐색(Hill-Sachs) 병변 : 돌림근띠의 단열과 관절 오목테두리의 단열, 위팔뼈머리의 관절면에 손상 뒤가쪽 손상을 의미한다. 위팔뼈머리의 뒤쪽에 생긴 골결손인데 이는 위팔뼈를 재위치 시킬 때 위팔뼈머리에 가해진 압박으로 인해 발생한다. 이 병변은 탈구의 심한 정도를 구분하는 진단적 도구로도 사용된다.

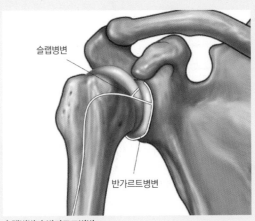

슬랩병변과 반가르트병변

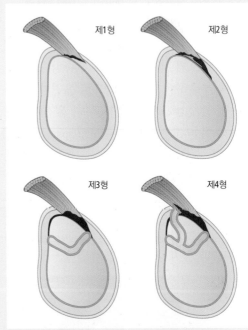

슬랩병변의 분류

13. 팔꿉관절(주관절, elbow joint)의 안쪽위관절융기염(내측상과염, medial epicondylitis)에 대한 설명으로 옳은 것은?

① 손목 굽힘근(굴곡근, flexor)을 과다하게 사용할 때 발생한다.
② 팔꿉관절 폄근(신전근, extensor)의 지속적인 미세 손상으로 발생한다.
③ 테니스의 한손 백핸드 스트로크를 장기간 반복하는 것이 주된 원인이다.
④ 대표적인 증상은 손가락이나 손목을 뒤로 젖힐 때 통증이 발생하는 것이다.

정답 ①

안쪽위관절융기염은 피처엘보, 라켓볼엘보, 골퍼엘보, 자벨린드로워엘보 등이 같이 쓰이는 용어이다.
투창던지기에서 창을 놓는 단계에서 엄청난 힘의 손목의 굽힘을 요구한다. ②, ③, ④는 테니스엘보(가쪽위관절융기염)에 관련된 내용이다.

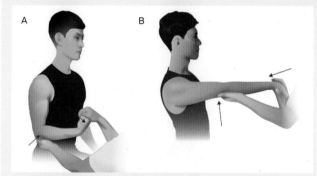

안쪽위관절융기염 검사[Reverse Cozen's test(A), Reverse Mill's test(B)]

14. 손목굴증후군(carpal tunnel syndrome)의 주요 원인으로 옳은 것은?

① 손목이 뒤로 젖혀지거나 비틀리는 동작을 통해 발생한다.
② 손목에 가해지는 반복적인 충격에 의한 정중신경의 압박에 의하여 발생한다.
③ 손목이 젖혀지면서 넘어질 때 받는 외부 충격에 의하여 발생한다.
④ 노쪽(radial) 편위동작을 반복할 때 짧은엄지폄근(abductor pollicis brevis) 힘줄에 발생한다.

정답 ②

①과 ③은 삼각섬유연골 복합체(TFCC)
④는 De Quervain's syndrome으로서 짧은엄지폄근 힘줄과 긴엄지 벌림힘줄의 건초염을 말하며, 이 두 힘줄은 섬유막에 의해 덮여 있다. 20~40대 여성에서 흔하며, 반복적인 손상이 염증을 초래한다. 염증이 지속될 경우 섬유막은 두꺼워지고 섬유막 안은 더욱 좁아지게 된다. Finkelstein's 검사는 진단에 결정적이지는 않지만 매우 유용한 검사이다. 얼음찜질 및 안정, 약물치료(NSAIDS), 부목 고정도 도움을 줄 수 있다. 협착성 건초염이라고도 불리는 이 질환은 손이나 손목관절을 과도하게 사용하는 경우나 집안일을 많이 하는 여성에게 호발한다.

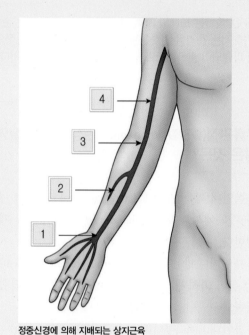

정중신경에 의해 지배되는 상지근육

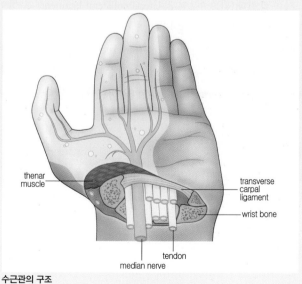

thenar muscle
transverse carpal ligament
wrist bone
tendon
median nerve

수근관의 구조

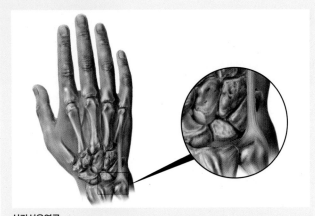

삼각섬유연골

손목 TFCC파열은 노뼈와 자뼈, 손목뼈로 이루어져 있는 손목관절에 가해지는 충격을 완화하는 연골, 인대 등의 연부조직의 복합체가 파열되어 손목통증과 부종을 유발하는 수부질환이다.

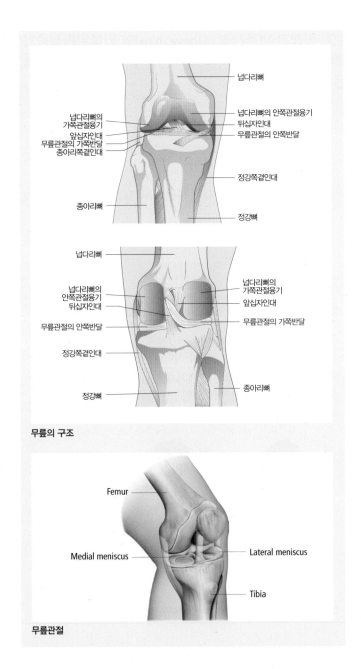

무릎의 구조

무릎관절

15. 무릎관절(슬관절, knee joint) 손상에 대한 설명으로 옳지 <u>않은</u> 것은?

① 가쪽곁인대(외측측부인대, lateral collateral ligament) 손상은 무릎 가쪽에서 외반력(valgus stress)이 가해졌을 때 주로 발생한다.

② 뒤십자인대(후방십자인대, posterior cruciate ligament) 손상은 무릎이 과하게 굽혀진 상태에서 바닥에 부딪혔을 때 발생한다.

③ 안쪽곁인대(내측측부인대, medial collateral ligament) 손상은 가쪽곁인대(외측측부인대, lateral collateral ligament) 손상에 비하여 발생 빈도가 높다.

④ 앞십자인대(전방십자인대, anterior cruciate ligament) 손상은 발이 바닥에 고정된 상태에서 정강뼈(경골, tibia)의 가쪽돌림(외회전, external rotation)에 의하여 발생한다.

정답 ①

다음과 같이 수정해야 한다.
① 가쪽곁인대 손상은 무릎 안쪽에서 내반력 또는 정강뼈가 안쪽으로 돌려진 상태에서의 내반력에 의해 발생한다.

16. <보기>에서 설명하고 있는 손상 평가 방법은?

─〈보기〉─

• 부상선수를 테이블에 눕게 한다.
• 검사자의 한 손으로 부상선수의 종아리뼈(비골, fibula) 머리를 잡고, 다른 한 손으로 발목을 잡아 고정한다.
• 검사자가 종아리뼈 머리를 잡은 손으로 힘을 주어 부상선수의 무릎에 외반력(valgus stress)을 가한다.

① 라크만 검사(Lachman drawer test)

② 앞당김 검사(Anterior drawer test)

③ 피봇 시프트 검사(Pivot-shift test)

④ 애플리 검사(Apley test)

정답 없음

↳ 저자촌평 이 문제는 출제자가 <보기>를 애매모호하게 제시하였기 때문에 정답을 고르기 어려운 문제이다. 정답을 ③으로 하기 위해서는 마지막 문장을 더 구조적으로 표현했어야 한다.

무릎을 편 상태에서 굽히면서 정강뼈(비골)를 안쪽으로 회전시키고 외반력을 가한다.

문제의 오류

종아리뼈(경골, fibula)→종아리뼈(비골, fibula)

'가쪽 곁인대' 검사를 설명하는 내용에 가깝다.

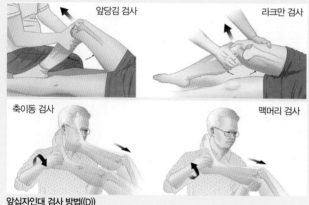

앞십자인대 검사 방법((D))

①은 앞쪽 불안정성 즉, 앞십자인대의 느슨함을 알아보기 위한 검사

②는 주로 앞목말종아리 인대 손상을 알아보기 위한 검사이며, 이차적으로는 가쪽 인대손상을 알아보기 위한 검사이다.

③은 무릎 앞가쪽 불안정성 검사로서 앞십자인대의 파열을 예측하는 검사로 맥킨토시 검사라고도 부른다.

④는 반달손상을 알아보는 애플리 검사는 엎드려 무릎굽혀서 압박검사와 신연검사로 나눌 수 있는데 압박검사는 발꿈치의 바닥부위에 압력을 가하고 정강뼈를 안쪽과 가쪽으로 회전을 하면서 정강뼈에 축방향으로 압력을 가한다.

신연검사는 하지를 잡고 넙다리융기에 가까운 곳을 고정시킨다. 정강뼈를 안쪽과 가쪽으로 회전 시키면서 정강뼈를 넙다리뼈로부터 잡아당긴다.

양성반응은 압박을 하는 동안 통증이 발생하고, 신연을 하는 동안 통증은 감소하거나 없어진다.

실습은 박승화교수의 강의를 통해서 체험할 수 있다.

17. 족저근막염(plantar fasciitis)에 대한 설명으로 옳지 않은 것은?

① 아킬레스건을 스트레칭 하는 것이 통증을 완화하는데 효과적이다.

② 지속적인 장거리 달리기 등 발의 과사용으로 인하여 주로 발생한다.

③ 발생 즉시 휴식, 냉치료, 항염증제 사용 등의 급성 치료를 시작한다.

④ 아침에 걷기 시작할 때는 통증이 없다가 걸을수록 통증이 점차 심해지는 증상을 보인다.

정답 ④

①의 이유는 경직된 안쪽 세로 아치를 완화시키고, 아킬레스건이 직접적으로 족저근막과 연결되어 있기 때문이다.

④가 틀린 이유는 밤사이 족저근막이 수축되어 있다가 체중이 실리면 족저근막이 스트레칭되면서 통증을 유발하기 때문이다.

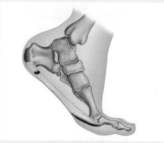

발바닥 근염 발생 부위

📖 **보충학습**

족저근막염은 염증이라기보다는 퇴행성 과정에 더 가깝다고 할 수 있다. 평발이나 요족이 이 질환을 유발시킬 수 있다. 평가와 특수검사는 강의를 통해서 체험할 수 있다.

18. 뇌진탕(concussion)에 관한 설명으로 옳지 않은 것은?

① 의식 상실을 항상 동반한다.

② 뇌기능에 이상이 발생된 상태이다.

③ 기억 상실은 뇌진탕의 주요 증상 중 하나이다.

④ 머리에 직접 타격을 받지 않아도 발생될 수 있다.

정답 ①

↳**저자촌평** 비교적 쉬운 문제이다.

①의 향상은 부적합한 표현이다.
뇌진탕의 주요 2가지 증상은 외상 후 기억상실과 의식수준과 혼란이다. Glasgow 혼수척도나 심각도의 등급시스템에 대한 내용도 숙지하고 있어야 한다.
두통, 귀울림, 흐릿한 시야, 무의식 등 일정시간 동안 인지장애를 나타낼 수 있다. 특수검사로는 할로검사가 있다.
④는 반충손상을 말한다.

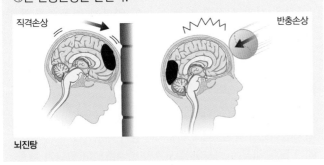
뇌진탕

19. 재활운동 프로그램의 구성요소에 해당되지 <u>않는</u> 것은?

① 균형능력의 회복
② 통증과 부종의 감소
③ 경기력 향상과 체중의 감소
④ 스포츠기능과 관절가동범위의 회복

정답 ③

↳**저자촌평** 쉬운 문제이다. 체중의 감소는 도움이 되지 않는다.

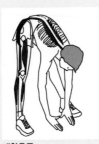
재활운동

20. 선수가 재활과정을 마치고 실전 경기로 복귀하는 시점으로 옳은 것은?

① 부상 부위의 근력과 근지구력이 상해 이전의 70% 수준으로 회복되었다.
② 플라이오매트릭스 훈련을 실시한 후 부상 부위에 부종이 발생되지 않는다.
③ 체력훈련 시 통증이 없지만 특정 스포츠 기술을 발휘할 때 통증이 유발된다.
④ 부상관절의 관절가동범위가 완전히 회복되었으나, 균형능력은 상해 이전보다 낮다.

정답 ②

다음과 같이 수정해야 한다.
①은 90%
③은 통증이 없어야 한다.
④는 상해 이전과 유사하다.

재활과정의 운동형태는 등척성→등장성→등속성→플라이오메트릭 순으로 진행하는 것이 바람직하다.

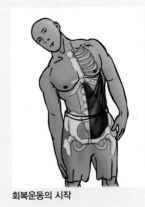
회복운동의 시작

기능해부학(운동역학 포함)

01. 중심으로부터 가까운 부위(근위, proximal)와 먼 부위(원위, distal)의 순서로 바르게 연결된 것은?

① 오금근(슬와근, popliteus)과 두덩근(치골근, pectineus)
② 손배뼈(주상골, scaphoid)와 작은마름뼈(소능형골, trapezoid)
③ 발목관절(족관절, ankle joint)과 무릎관절(슬관절, knee, joint)
④ 앞목발종아리인대(전거비인대, anterior talofibular ligament)와 앞십자인대(전방십자인대, anterior cruciate ligament)

정답 ②

♫**저자촌평** 기능해부학을 공부한 수험생이면 누구나 쉽게 해결할 수 있는 문제이다.

②를 제외한 나머지 항목들은 반대 내용으로 수정해야 한다.

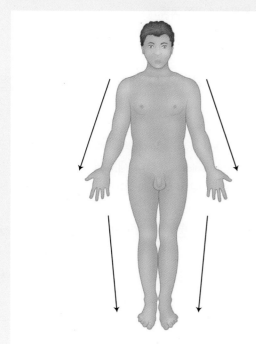

(멀리 있는 의미의 라틴어 *distans*에서 유래)
신체의 중앙 또는 몸통 연결부위에서 멀어지는 방향

원위부(먼쪽, Distal)

02. <보기>의 움직임을 모두 유발하는 근육은?

─〈보기〉─

㉠ 엉덩관절(고관절, hip joint)의 폄(신전, extension)
㉡ 엉덩관절의 벌림(외전, abduction)
㉢ 엉덩관절의 가쪽돌림(외회전, external rotation)

① 큰볼기근(대둔근, gluteus maximus)
② 중볼기근(중둔근, gluteus medius)
③ 소볼기근(소둔근, gluteus minimus)
④ 궁둥구멍근(이상근, piriformis)

정답 ①, ②

♫**저자촌평** 문제의 오류이다. 정답은 2개로 처리했지만 이 문제를 제대로 출제하기 위해서는 관절과 더불어서 면(面)을 제시했어야 한다.

여러 관절이 골반의 움직임에 참여한다. 전반적으로 볼 때 7개의 관절이 참여한다. 엉덩관절은 자유도가 3인 3축의 가동관절이다. 굽힘-폄, 벌림-모음, 안쪽돌림-가쪽돌림 대부분의 활동에서 엉덩관절은 3운동면의 운동이 결합되어 일어난다.

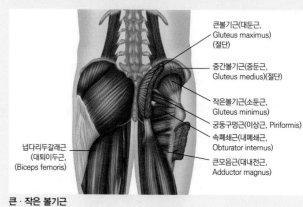

큰·작은 볼기근

㉠은 시상면에서 어떤 지점에서부터 후방 골반쪽으로 후방 대퇴골의 움직임
㉡은 관상면에서 대퇴골이 중심으로부터 외측옆으로 멀어지는 움직임

©은 횡단면에서 장축을 중심으로 중앙선에서 멀어지는 외측 회전 동작

①은 엉치뼈, 꼬리뼈, 엉덩뼈 뒷면에서 기시하여 넙다리뼈의 뒷면과 넓적다리 근막에 종지하는 근육으로서 넓적다리 폄이 주기능이다. 엉덩관절의 뒤쪽을 지나기 때문에 엉덩관절을 폄하고, 궁둥신경의 지배를 받는다.

②는 엉덩뼈 가쪽면에서 기시하여 넙다리뼈의 큰돌기에서 종지하는 근육으로서 넓적다리의 벌림과 안쪽 돌림이 주기능이다. 엉덩관절의 가쪽에 있는 근육으로서 소둔근과 더불어 벌림을 한다.

03. 닿는곳(정지점, insertion)이 부리돌기(오훼돌기, coracoid process)인 근육을 <보기>에서 고른 것은?

─〈보기〉─

㉠ 어깨세모근(삼각근, deltoid)
㉡ 작은가슴근(소흉근, pectoralis minor)
㉢ 위팔노근(상완요골근, brachioradialis)
㉣ 부리위팔근(오훼완근, coracobrachialis)

① ㉠, ㉡   ② ㉡, ㉣
③ ㉡, ㉢   ④ ㉢, ㉣

정답 없음

↳ 저자촌평 각 근육의 기점과 착점을 파악하는 문제로서 아래에 제시한 것처럼 ㉡이 정답이다. ㉡만 있는 번호가 없어 모두 정답으로 처리한 문제이다.

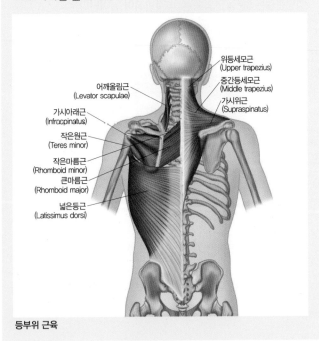

등부위 근육

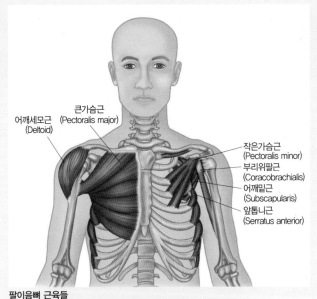

팔이음뼈 근육들

㉠ 기시점 : 가쪽 빗장뼈, 봉우리돌기, 어깨뼈가시
   정지점 : 위팔뼈의 어깨세모근 거친면
㉡ 기시점 : 3~5째 갈비뼈
   정지점 : 어깨뼈의 부리돌기 중간면
㉢ 기시점 : 위팔뼈의 가쪽관절융기위 능선
   정지점 : 노뼈의 붓돌기 가쪽면
㉣ 기시점 : 어깨뼈의 부리돌기 꼭지
   정지점 : 위팔뼈의 안쪽 몸통

04. 세포막의 구조와 특성에 대한 설명으로 옳지 않은 것은?

① 세포막의 인지질 이중층(phospholipid bilayer)은 주위의 세포 바깥액(extracellular fluid)으로부터 세포의 내부를 보호한다.
② 세포막은 이온과 영양물질의 진입과 노폐물의 제거에 관여한다.
③ 수용성 분자들은 세포막의 인지질 이중층을 직접 통과한다.
④ 세포막은 특정 분자를 인식하고 반응하는 다양한 수용기를 포함하고 있다.

정답 ③

인지질은 절연체로서 스테로이드 호르몬만 통과할 수 있다.
③의 수용성은 지용성으로 바꾸면 옳은 문장이 된다.

05. 시각(vision)에 관여하는 뇌신경(cranial nerve)은?

① 미주신경(vagus nerve)

② 후각신경(olfactory nerve)

③ 활차신경(trochlear nerve)

④ 전정와우신경(vestibulocochlear nerve)

정답 ③

아래에 제시된 평가(내용)를 통해서 해결할 수 있다.

뇌신경

숫자	신경	종류	기능
I	후신경	감각신경	냄새 구분
II	시신경	감각신경	시야
III	동안신경	운동신경	눈 근육
IV	활차신경	운동신경	눈 근육
V	삼차신경	혼합신경	감각 : 안면부위
VI	외전신경	운동신경	눈 근육
VII	안면신경	혼합신경	안면 근육
VIII	전정신경	감각신경	청각(균형감각)
IX	설인신경	혼합신경	구역질, 반사
X	미주신경	혼합신경	심장, 허파
XI	부신경	운동신경	목빗근, 등세모근
XII	설하신경	운동신경	혀 근육

본 교재 앞부분의 뇌신경의 분포의 그림을 참고하면 쉽게 이해할 수 있다.

06. <보기> 동작에 관여하는 어깨 근육군의 경우, 일반적으로 발휘되는 최대 토크(N·m)를 큰 것부터 순서대로 나열한 것은?

〈보기〉

㉠ 폄(신전, extension) ㉡ 굽힘(굴곡, flexion)
㉢ 벌림(외전, abduction) ㉣ 모음(내전, adduction)

① ㉠ > ㉣ > ㉡ > ㉢

② ㉡ > ㉣ > ㉠ > ㉢

③ ㉢ > ㉣ > ㉡ > ㉠

④ ㉣ > ㉡ > ㉠ > ㉢

정답 ①

토크란 축 주위로 회전을 만들어 내는 힘이다.

토크 = 편심력 x 모멘트팔

토크는 당김 각도가 90°일 때 가장 크고, 당김 각도가 줄어들거나 증가할 때 토크는 작아진다. 중력방향의 자세가 중력의 반대 자세보다 토크가 더 크다.

07. 다음 중 정중신경(median nerve)에 의해 수축되는 근육으로 옳은 것은?

① 팔꿈치근(주근, anconeus)

② 위팔노근(완요골근, brachioradialis)

③ 위팔세갈래근(상완삼두근, triceps brachii)

④ 네모엎침근(방형회내근, pronator quadratus)

정답 ④

①, ②, ③ 모두 노신경(Radial nerve) 또는 요골신경(橈骨神経)의 지배를 받는 신경으로서 주로 위팔 뒷면을 담당하는 신경이다. 팔꿈치근은 노신경(C7, C8)이다. 나머지 근육에 대한 신경은 다음 표를 참고하기 바란다.

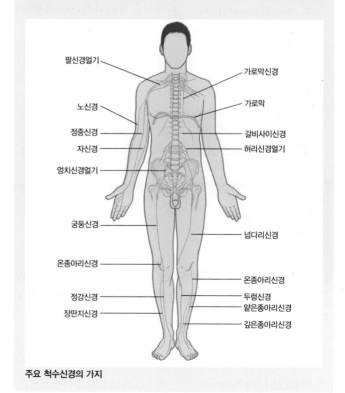

팔신경얼기　가로막신경
노신경　가로막
정중신경　갈비사이신경
자신경　허리신경얼기
엉치신경얼기
궁둥신경　넙다리신경
온종아리신경　온종아리신경
정강신경　두렁신경
장딴지신경　얕은종아리신경
깊은종아리신경

주요 척수신경의 가지

주관절과 요척관절의 주동근과 신경

전면 근육	상완이두근 장두	
	상완이두근 단두	근피신경(C5, C6)
	상완근	
	상완요골근	요골신경(C5, C6)
	원회내근	정중신경(C5, C6)
	방형회내근	정중신경(C5, C6)
후면 근육	상완삼두근 장두	
	상완삼두근 외측두	요골신경(C7, C8)
	회외근	요골신경(C6)
	주근	요골신경(C7, C8)

08. 관절의 형태와 그에 해당하는 예로 옳지 <u>않은</u> 것은?

① 경첩관절(hinge joint) : 팔꿈관절(주관절, elbow joint), 발목관절(족관절, ankle joint)

② 절구관절(ball and socket joint) : 어깨관절(견관절, shoulder joint), 엉덩관절(고관절, hip joint)

③ 활주관절(gliding joint) : 봉우리빗장관절(견봉쇄골관절, acromioclavicular joint), 손목뼈사이관절(수근골간관절, intercarpal joint)

④ 타원관절(condyloid joint) : 손가락뼈사이관절(지절간관절, interphalangeal joint), 손허리손가락관절(중수지절관절, metacarpophalangeal joint)

정답 ④

타원(과상)관절은 손허리손가락관절외 발허리발가락관절, 손목관절이 있다. 2축성이면서 자유도는 2이다.
손가락뼈사이관절은 경첩관절이며, 무릎과 발목에서도 나타나며, 1축성 1자유도이다.
본 교재 앞부분의 윤활관절의 유형 그림을 참고하면 쉽게 이해할 수 있다.

09. 공중에서 물체를 자유낙하 시켜 3초 후에 지면에 닿았다. 이때 물체가 떨어진 높이(s)와 땅에 닿기 직전 물체의 속도(v)는?

① s=14.7m, v=9.8m/s² ② s=44.1m, v=29.4m/s²

③ s=44.1m, v=29.4m/s ④ s=14.7m, v=9.8m/s

정답 ③

자유낙하란 정지상태로부터 낙하하는 물체의 운동을 말하며, 이 문제는 자유낙하의 조건과 공식을 알아야 풀 수 있는 문제이다.

이동거리의 식과 나중 속도의 식을 대입하면 된다.

① 이동거리의 식 : $s = 1/2gt^2 (4.9 \times 9) = 44.1$
② 나중 속도의 식 : $v = gt (9.8 \times 3) = 29.4$

9.8은 중력가속도 값이다.

10. 역학적으로 일이 행해졌다고 할 수 있는 것은?

① 턱걸이를 하는 행위

② 힘을 작용시켜 움직이지 않는 벽을 미는 경우

③ 힘과 물체의 이동 방향이 수직이 되는 경우

④ 마찰이나 저항이 없는 곳에서 관성에 의해 운동이 행해지는 경우

정답 ①

일은 힘과 이동거리의 곱으로 정의된다.
②는 등척성 운동으로서 수행된 일은 0이다.
③은 힘과 변위의 방향이 수직일 때를 의미한다.

11. (가)와 (나)에 들어갈 용어로 옳은 것은?

〈보기〉

대퇴골두 전념(전경, femoral anteversion)은 ((가))에서 일어나며 14° 이상이 되면 골격 부정렬(malalignment)로 인식된다. 이때 환자는 서 있는 자세에서 발이 ((나)) 된 형태로 보여질 수 있다.

	(가)	(나)
①	전두면(frontal plane)	내회전(toe in)
②	시상면(sagittal plane)	외회전(toe out)
③	전두면(frontal plane)	외회전(toe out)
④	수평면(horizontal plane)	내회전(toe in)

정답 ④

↳ **저자촌평** 넙다리뼈의 생체역학적 각형성에 대한 내용을 공부해야 해결할 수 있는 문제이다.

정상보다 큰 각을 앞방향경사(anteversion)라고 하고, 뒤방향경사(retroversion)는 선자세나 보행 시 '발이 바깥으로 돌아가고' 엉덩관절의 가쪽돌림이 일어난다.

넙다리뼈의 뒤틀림은 넙다리뼈를 위쪽에서 바라보면서 넙다리뼈 머리와 넙다리뼈목 사이의 이마축을 따라 한 선을, 그리고 다른 선으로 먼쪽 넙다리뼈의 양쪽 관절융기를 잇는 선을 그린다. 15°의 비틀림각이 앞방향 경사와 뒤방향 경사의 기준이 된다.

이 문제는 수직축을 중심으로 한 수평면에서의 운동이다. 내회전이 되면 안짱걸음 형태이다.

📖 **보충학습**

넙다리의 해부학적 축과 역학적 축 : 성인의 경사각은 125°이다. 밖굽이 엉덩은 정상각도보다 더 크고, 안굽이 엉덩은 정상각도보다 각이 작다.

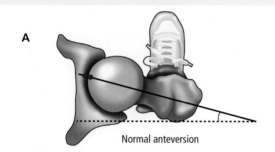

Normal anteversion

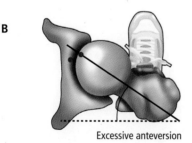

Excessive anteversion

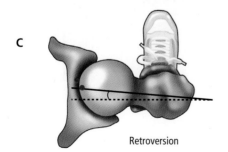

Retroversion

넙다리비틀림각. A(정상), B(과도한 앞굽음), C(뒤굽음)

---

12. 숙련된 우 타자가 배트로 공을 친 후, 두 손으로 스윙을 완료하는 동안 일어나는 움직임에 대한 설명으로 옳지 **않은** 것은?

① 몸통(체간, trunk) : 좌회전(rotation to left)
② 왼쪽 날개뼈(견갑골, scapular) : 들임(후인, retraction)
③ 오른쪽 어깨관절 : 수평모음(수평내전, horizontal adduction)
④ 왼쪽 손목관절(수관절, wrist joint) : 엎침(회내, pronation)

정답 ④

④의 엎침은 뒤침(supination)으로 수정해야 한다.

일상생활에서의 스포츠 활동에 대한 동작분석에 대한 문제가 향후에도 출제될 것으로 사료된다.

예컨대 야구 피칭(5단계), 소프트볼던지기(6단계), 인스텝킥(5단계), 자유형(5단계), 골프스윙(4단계) 등은 박승화 교수의 강의를 통해서 공부할 수 있다.

---

13. 위팔자관절(상완척골관절, humeroulnar joint)을 닫힌 상태(close-packed position)로 만드는 옳은 동작을 <보기>에서 고른 것은?

〈보기〉

㉠ 팔꿉관절(주관절, elbow joint)의 폄(신전, extension)
㉡ 팔꿉관절의 굽힘(굴곡, flexion)
㉢ 손목관절(수관절, wrist joint)의 뒤침(회외, supination)
㉣ 손목관절의 엎침(회내, pronation)

① ㉠, ㉢   ② ㉡, ㉢
③ ㉠, ㉣   ④ ㉡, ㉣

해부학적 자세와 유사한 동작으로 팔을 신전했을 때이다.

아래 그림을 참조하기 바란다.

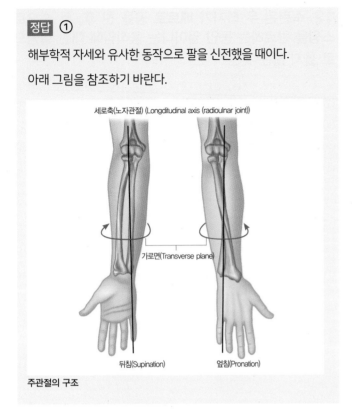

주관절의 구조

14. 무릎관절(슬관절, knee joint)의 스크류 홈 회전 (screw home rotation)을 유발하는 요소가 아닌 것은?

① 무릎뼈(슬개골, patella)
② 넙다리네갈래근(대퇴사두근, quadriceps)
③ 앞십자인대(anterior cruciate ligament)
④ 넙다리안쪽관절융기(대퇴내측과, medial femoral condyle)

🐾 **저자촌평** 필자가 강의 시간에 여러 차례 언급했지만 인간의 무릎은 불안정한 구조를 갖고 있다.

완전히 펴한 상태로 무릎이 잠기기 위해서는 약 10°의 가쪽돌림이 필요하다. 이러한 돌림성 잠김작용은 무릎폄의 마지막 30° 동안 발생하는 비틀림에 근거하여 '나사집 돌림'이라 언급되어 왔다.

나사되감기 기전을 하는 동안 뒤십자인대와 앞십자인대는 무릎을 굽히는 동안 감기게 되고, 무릎을 펴는 동안 다시 풀리게 된다. 뒤십자인대의 손상은 이마면 뿐만 아니라, 가로면에서도 무릎을 선천적으로 불안정하게 한다.

②의 약간의 가쪽 당김, ③의 수동장력, ④중에서 안쪽넙다리뼈관절융기가 스크류 홈 회전에 가장 큰 영향을 미치는 것으로 보인다.

'나사집'의 기전은 무릎의 다양한 역학적 구조적 요인의 결과로 발생한다.

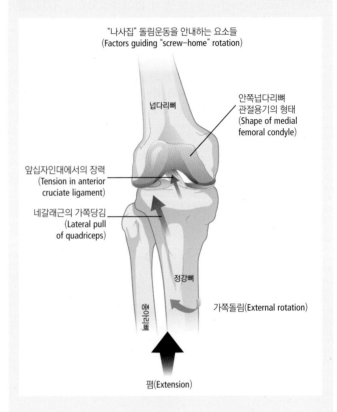

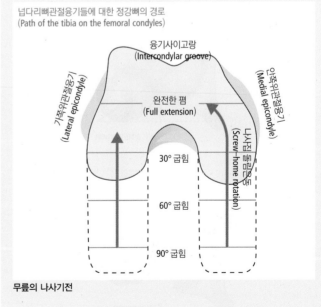

넙다리뼈관절융기들에 대한 정강뼈의 경로
(Path of the tibia on the femoral condyles)

무릎의 나사기전

15. 발의 엎침(회내, pronation)에 대한 설명으로 옳은 것은?

① 가쪽번짐(외번, eversion)과 동일한 뜻으로 쓰인다.
② 밑목말관절(거골하관절, subtalar joint)에서 일어난다.
③ 뒤정강근(후경골근, tibialis posterior)에 의해 일어난다.
④ 발의 엎침(회내, pronation)은 보행의 발뒤꿈치 닿기(heel strike) 시 일어난다

정답 ②

①은 발의 전후축을 중심으로 좌우면에서 일어나는 발바닥을 외측으로 돌리는 운동이다.
③은 발목관절에서 발바닥굽힘(족저굴곡)과 목말밑관절에서 안쪽번짐(내번)을 유발하고
④ 발의 엎침(회내, pronation)은 중간입각기부터 일어난다.

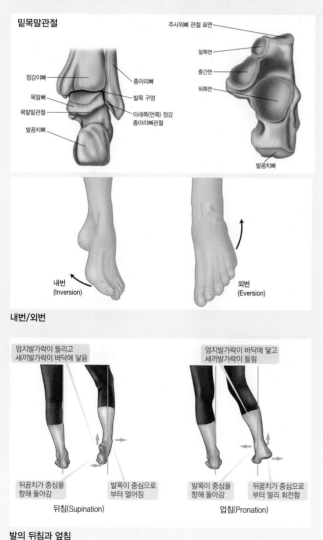

16. 봉우리밑 공간(견봉하 공간, subacromial space)에서 일어나는 어깨 충돌 증후군(shoulder impingement syndrome)을 유발하는 신체부위는?

① 큰원근(대원근, teres major)
② 가시위근(극상근, supraspinatus)
③ 어깨올림근(견갑거근, levator scapula)
④ 위팔두갈래근(상완이두근, biceps tendon)의 작은머리(short head)

정답 ②

충돌증후군과 관련 있는 근육만을 알고 있어도 풀 수 있는 문제이다. 왜냐하면 나머지 근육들은 충돌증후군과 무관하기 때문이다.
충돌증후군은 오훼쇄골인대와 견봉돌기가 회전근개와 견봉하 활액낭의 실제적으로 맞닿는 것을 말한다. 수영선수들 사이에서 "수영선수의 어깨"라고도 한다. 손상징후에 따라 양성징후는 drop arm, empty can, Neer's, Hawawkins-Knnedy test로 확인할 수 있다.
가시위근은 벌림, 가쪽돌림, 위팔뼈머리 고정 등의 역할을 한다. 어깨충돌증후군에 가장 큰 영향을 미치는 근육이다.
부리어깨봉우리 아치 아래에 있는 가시위근과 봉우리주머니, 위팔두갈래근의 긴힘줄이 역학적인 압박에 의해 발생하는데 이러한 역학적 압박은 부리어깨봉우리 아래의 공간이 좁기 때문이다.

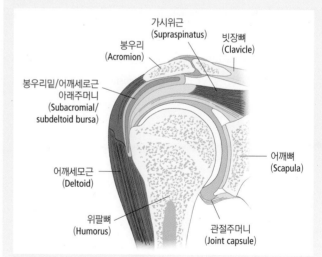

위팔뼈 위공간에 있는 봉우리밑 공간

17. (가)와 (나)에 들어갈 용어로 옳은 것은?

〈보기〉

달리기는 걷기와 다르게 ((가))가 없으며, 속도의 증가를 위해 뒷다리의 빠른 리커버리(recovery)가 이루어져야 한다. 이를 위해서 다리의 ((나))을/를 최소로 해야 한다.

	(가)	(나)
①	한발 지지기	충격량
②	한발 지지기	관성모멘트
③	두발 지지기	충격량
④	두발 지지기	관성모멘트

정답 ④

달리기는 이중지지기가 없다. 체공기(진각기)가 존재하며, 각속도를 빠르게 하기 위해서는 관성모멘트를 작게 해야 한다.

18. 척추뼈에 대한 설명으로 옳지 않은 것은?

① 목뼈(경추, cervical vertebrae) 1번(atlas)은 가시돌기(극돌기, spinous process)가 없다.

② 등뼈(흉추, thoracic vertebrae)는 12개로 이루어져 있다.

③ 허리뼈(요추, lumber vertebrae)에서 가장 큰 움직임은 좌우 회전이다.

④ 엉치뼈(천골, sacral vertebrae)는 몸통(체간, trunk)이 굽힘(굴곡, flexion)하는 동안 폄(신전, extension)한다.

정답 ③

③은 전·후 회전으로 수정해야 한다.
요추는 전·후회전이, 경추는 좌·우회전이 가장 크다.

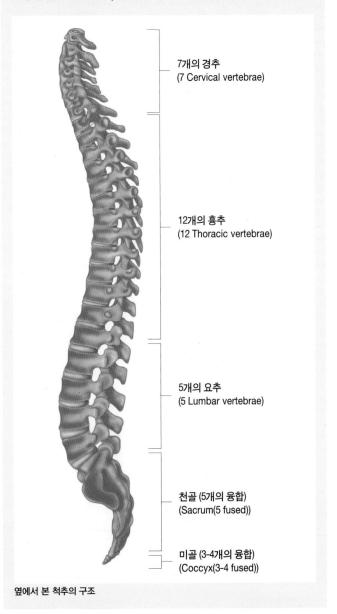

7개의 경추
(7 Cervical vertebrae)

12개의 흉추
(12 Thoracic vertebrae)

5개의 요추
(5 Lumbar vertebrae)

천골 (5개의 융합)
(Sacrum(5 fused))

미골 (3-4개의 융합)
(Coccyx(3-4 fused))

옆에서 본 척추의 구조

19. 엉덩관절 굽힘(고관절 굴곡, hip joint flexion)에 가장 크게 기여하는 근육은?

① 엉덩허리근(장요근, iliopsoas)
② 넙다리빗근(봉공근, sartorius)
③ 넙다리곧은근(대퇴직근, rectus femoris)
④ 넙다리근막긴장근(대퇴근막장근, tensor fascia latae)

정답 ①

①은 엉덩관절굽힘근의 주동근이다. 허리근(요근)은 추체에 부착하기 때문에 넙다리뼈가 안정상태에 있을 때 몸을 굽힘시키는 것이다.
②는 인체에서 가장 긴 근육이다. 엉덩관절굽힘, 벌림, 가쪽돌림, 무릎관절굽힘을 시킨다.
③은 엉덩관절굽힘과 무릎관절폄에 대한 주동근이다.
④는 매우 긴 힘줄 부착점을 갖고 있는 매우 짧은 근육이다. 굽힘과 벌림이 결합된 동작수행 시 강하게 작용한다. 또한 약간 앞쪽으로 벌림시킬 때 가장 효과적으로 작용한다.

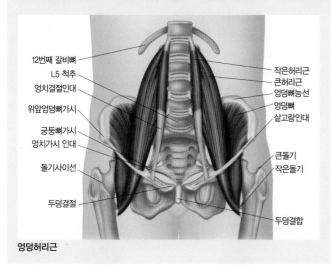

12번째 갈비뼈
L5 척추
엉치결절인대
위앞엉덩뼈가시
궁둥뼈가시
엉치가시 인대
돌기사이선
두덩결절

작은허리근
큰허리근
엉덩뼈능선
엉덩뼈
샅고랑인대
큰돌기
작은돌기
두덩결합

엉덩허리근

20. 축구에서 킥을 할 때 공이 휘어져 날아가는 현상에 적용되는 개념은?

① 뉴턴의 법칙(Newton's law)
② 마그누스 효과(Magnus effect)
③ 베르누이 원리(Bernoulli's principle)
④ 아르키메데스 원리(Archimedes principle)

정답 ②

♪ **저자촌평** 필자가 기능해부학 시간에 상세하게 다루는 운동역학 내용에서 수차례 설명한 내용이다.

볼의 스핀에 대한 메커니즘은 마그누스가 제시한 원리로서 그의 이름을 따서 "마그누스 효과"라고 한다.

2016

병태생리학

01. 세포손상의 유형에 대한 설명으로 옳은 것은?

① 괴사(necrosis)는 자기방어의 세포자살기전이다.
② 화생(metaplasia)은 세포성분의 비정상적인 성장과 성숙이다.
③ 증식(hyperplasia)은 기관 또는 조직의 세포 수 증가이다.
④ 이형성(dysplasia)은 분화된 세포 형태의 다른 형태로의 전환이다.

정답 ③

①은 손상의 결과 일어나는 죽음을 말하며, 개체 전체의 죽음과는 구별하고 있다.
②는 이미 어떤 방향으로 분화되어 성숙한 조직이 다른 성질을 가진 조직으로 바뀌는 것을 말한다. 편평상피화생과 창자상피화생이 있다.

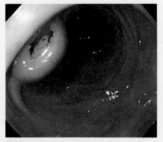

증식

④는 종양성세포가 모조직의 세포와 다른 성질을 가지고 있는 것을 말한다. 세포이형과 구조이형이 있다.

02. 악성종양의 일반적 증상 및 징후에 대한 설명으로 옳지 <u>않은</u> 것은?

① 국소적 증상으로 심한 통증이 초기에 나타난다.
② 국소적 증상으로 관이나 통로를 압박하여 막힘(폐쇄, obstruction)이 발생한다.
③ 전신적 증상으로 혈관 침식 및 조직 궤양을 일으켜 출혈이 발생한다.
④ 전신적 증상으로 여러 악성종양에서 체중감소와 악액질(cachexia)이 나타난다.

정답 ①

①은 다음과 같이 수정하면 좋다.

심한 통증이 말기에 나타난다.
악성종양은 발생부위의 조직이나 장기를 파괴하고 내부로 침입(침윤)해서 본래의 발생부위에서 떨어진 원격 장기에 정착하고 성장(전이)하는 성질이 있으며, 결국에는 개체를 죽음에 이르게 한다. 이러한 상태를 암(cancer)으로 정의할 수 있다.
가장 흔한 증상 중 하나는 몸이 자꾸 마르고 붓는 것이다. 이를 악액질(惡液質, cachexia)이라 하며 마르는 것은 암세포의 쓸데없는 에너지 소모가 원인이고 부종이 생기는 등의 현상은 암세포에서 분비되는 미지의 독성 때문이라는 주장이 있다.

암세포의 특징을 살펴보면 다음과 같다.
① 세포주기 조절작용의 상실
② 유전력, 이식가능성, 유전변이 능력
③ 탈분화 작용
④ 접촉저해 작용의 상실
⑤ 혈관생성
⑥ 침입
⑦ 전이 능력

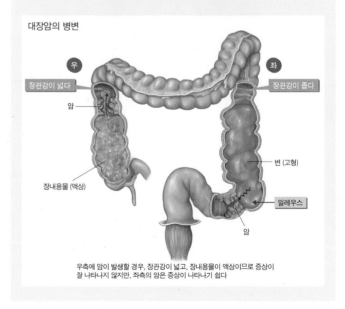

대장암의 병변

우측에 암이 발생할 경우, 장관강이 넓고, 장내용물이 액상이므로 증상이 잘 나타나지 않지만, 좌측의 암은 증상이 나타나기 쉽다

03. 부정맥에 대한 설명으로 옳지 <u>않은</u> 것은?

① 빈맥성 부정맥은 안정 시 심박수가 100회/분 이상인 경우를 의미한다.

② 서맥성 부정맥은 경동맥동(carotid sinus) 압박으로 증상 완화가 가능하다.

③ 빈맥성 부정맥은 자동능(automaticity)의 이상 또는 격발 활동(triggered activity)으로 유발될 수 있다.

④ 서맥성 부정맥은 동성 기능부전(sinus dysfunction) 또는 방실 전도장애(AV conduction disorder)로 유발될 수 있다.

정답 ②

서맥성 부정맥은 심장박동수가 60회 미만으로 느린 리듬을 보이는 부정맥으로 경동맥동을 압박하면 부교감신경의 활성화로 증상이 더 악화될 것이다.

📖 **보충학습**

부정맥이란 정상 범위 내의 빈도를 가진 규칙적인 리듬 이외의 모든 비정상 상태를 지칭하는 것으로 그 종류 및 범위는 매우 넓고 다양하다. 심근이 가지고 있는 다섯 가지 생리적 특성(자동성, 흥분성, 불응성, 전도성, 수축성)에 의해 유지되어 있고 규칙적으로 활동하고 있다. 심근의 특성에 이상이 생기면 심근활동에 규칙성이 없어진다. 즉, 부정맥이라는 상태가 발생한다. 부정맥은 심근이 가진 특성의 어느 것에 이상이 있어도 발생하고 이러한 이상이 조화를 이루어 발생하는 경우가 많다.

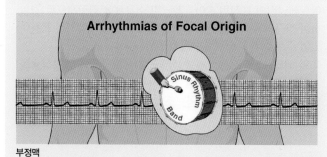

부정맥

빈맥형 부정맥	서맥형 부정맥
• 동빈맥 • 발작성심방빈맥 (심방세동, 심방조동) • 조기수축 또는 기외수축 • WWW증후군에 의한 빈맥(빈박) • 심실빈맥(심심세동, 심실조동)	• 동서맥 • 동부정맥 • 방실접합부조율 • 심실고유리듬 • 방실블록(2도, 3도) • 방실해리
반드시 심장박동 이상을 동반하지 않는 것	WWW증후군(빈박이 없을 시), LPL 증후군 • 각블럭(각차단) 1도 · 방실블록(PQ연장)

04. 고혈압의 혈역학적 징후에 대한 설명으로 옳지 <u>않은</u> 것은?

① 평균혈압의 상승은 혈관저항과 심박출량의 증가에 의해 발생할 수 있다.

② 일반적으로 초기에는 소정맥 혈관저항 증가에 의해 발생하고 이후에는 심박출량 증가에 의해 발생한다.

③ 혈관수축 증가에 따라 말초 저항을 증가시키고 혈관 용적을 감소시켜 이완기 혈압 및 후부하(afterload)를 증가시킨다.

④ 레닌-앤지오텐신계(renin-angiotensin system)가 활성화되면 혈관수축과 말초혈관 저항이 상승하여 발생한다.

정답 ②

평균동맥 혈압 = 심박출량 전체 혈관저항
따라서 심박출량 또는 혈관저항의 증가는 평균동맥혈압의 증가를 가져온다.

②의 소정맥은 소동맥으로 수정해야 한다.

05. <보기>의 증상 및 징후가 모두 나타나는 심부전의 유형으로 가장 적절한 것은?

<보기>

• 간 및 복부 장기의 부종
• 구역질, 복부통증, 복부팽만
• 정맥압의 증가로 인한 목 정맥의 확장과 뇌부종

① 폐울혈 심부전　　　② 전신울혈 심부전

③ 좌심실 심부전　　　④ 우심실 심부전

정답 ④

🖍 **저자촌평** 병태생리학의 심도 있는 내용으로서 깊이 있게 공부하지 않은 수험생은 올바른 답을 쉽게 찾기 어려운 문제이다.

심부전(heart failure)이란 심장의 구조적 또는 기능적 이상으로 인해 심장이 혈액을 받아들이는 충만 기능(이완 기능)이나 짜내는 펌프 기능(수축 기능)이 감소하여 신체 조직에 필요한 혈액을 제대로 공급하지 못해 발생하는 질환군을 말한다.

오른쪽 심장기능의 상실을 의미하는 우심부전은 전신에 울혈이 나타나기 때문에 '울혈심장기능 상실'이라고도 한다. 심장병이 악화되면 심부전증이 발행하는데 심부전증의 원인은 심장판막증, 심근경색증, 고혈압성 심장병, 심방세동, 심근증이며, 심부전증의 증상은 호흡곤란, 빈맥, 기침, 앉아서 숨을 쉰다. 발목의 부종 등이다.

①과 ②는 심부전이 생기면 좌측의 심장이 폐에서 들어오는 모든 피를 박출할 수 없기 때문에 폐에 피가 고이게 되며, 이것이 폐에 수분이 고이게 하여 폐부종이 생기게 되는데 이것을 울혈성 심부전이라고 한다.

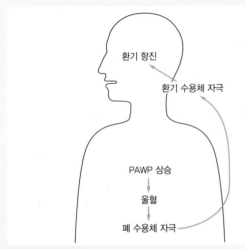

심부전환자의 운동처방

📖 **보충학습**

오른쪽 심장기능 상실의 영향은 우심방으로 되돌아오는 하대정맥 영역에 크게 미치며 간장, 비장 및 소화관에 울혈을 일으켜 각 기능에 장애를 일으킨다. 다리와 같이 중력의 작용을 받기 쉬운 곳에서 정맥압이 상승하여 부종 발생하며, 배안에도 복수가 생긴다.

추가로 자세한 내용은 박승화의 건강운동관리사 강의를 통해 확인할 수 있다.

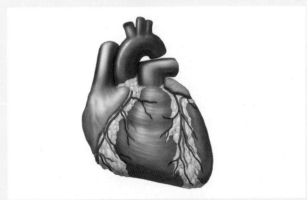

심부전

06. <보기>의 증상 및 징후가 나타나는 대표적인 폐질환의 유형과 그에 대한 약물처방으로 가장 적절한 것은?

〈보기〉
- $FEV_{1.0}$(1초 강제 호기량) 50% 이상, 80% 미만
- $FEV_{1.0}$/FVC(강제 폐활량) 70% 미만
- 기침과 가래의 동반
- 곤봉형 손가락

	유형	약물처방
①	천식	베타차단제(beta-blocker)
②	만성폐쇄성폐질환	베타차단제
③	천식	베타₂-아드레날린수용체 (beta2-adrenergic receptor) 자극제
④	만성폐쇄성폐질환	베타₂-아드레날린수용체 자극제

정답 ④

문제 6. 7. 8번은 '병태생리학 호흡계 질환'의 문제이다.

<보기>는 만성폐쇄성폐질환의 중등도의 등급을 가진 환자의 소견이다.

이 등급에서는 흡입용항콜린제도 사용 가능하다.

베타차단제는 β아드레날린수용체의 작용을 차단함으로써 교감신경 작용을 억제하는 약물이며, 교감신경계에서 분비하는 노르아드레날린의 표적인 β 아드레날린 수용체에 길항적으로 결합하여 심근의 수축력을 저하시키고 혈액 박출을 억제하는 작용이 있어 주로 혈압 강하제로 사용되고 있다.

④의 베타₂-아드레날린수용체자극제는 차단제와 길항작용을 하는 약물이므로 기관지를 확장시키는 역할을 한다.

이 외에도 흡연에 대한 금연보조제, 거담제, 부신피질호르몬제제 등이 있다.

📖 **보충학습**

곤봉손가락(Clubbed finger)

손톱을 볼 때 체크할 필요성이 있는 소견은 곤봉손가락(clubbed-finger) 같이 되는 증상이다. 이것은 다음과 같은 특징을 지닌 소견이다.

① 손가락 끝이 커져 있다.
② 손톱과 손톱바닥의 각도가 180° 이상(정상은 160° 정도)

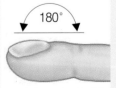

③ 손가락으로 손톱을 누른 후, 손가락을 떼면, 원래의 색으로 돌아가는 데 시간이 걸린다.

④ 손톱 끝이 둥글다.

clubbed finger를 유발하는 질환으로서는 다음과 같은 것을 들 수 있다.

① 호흡기 질환 : 만성 기관지염, 기관지 확장증, 폐기종, 폐암 등

② 호흡기 질환 이외의 것 : 간경변, 간암, 궤양성 대장염, Nephrotic-syndrome, 감염성 심내막염 등

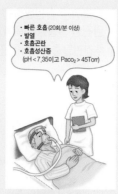

• 빠른 호흡 (20회/분 이상)
• 발열
• 호흡곤란
• 호흡성산증
 (pH < 7.35이고 Paco₂ > 45Torr)

COPD NIPPV의 적응

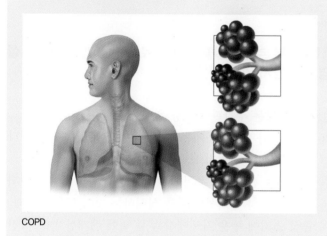

COPD

07. 운동 유발성 천식에 대한 설명으로 옳지 않은 것은?

① 기도 저항이 증가하고 호흡곤란, 기침, 천명이 나타난다.

② 일반적으로 운동 시작 5~10분 이상 경과한 후 증상이 나타난다.

③ 온도나 습도의 변화에 민감하며 덥고 습한 환경에서 가장 잘 유발된다.

④ 단거리 달리기, 골프에 비해 축구, 농구, 스키 종목에서 더 유발될 수 있다.

정답 ③

저자촌평 호흡계 질환에 대해 공부를 한 수험생이면 쉽게 해결할 수 있는 문제이다.

천식은 건조하거나 저온환경에서 운동을 하는 경우 기도의 온도 저하 및 기관지 상피의 수분손실에 의한 것으로 알려져 있다.

③의 문장은 다음과 같이 수정할 수 있다.
온도나 습도의 변화에 민감하며, 춥고 건조한 환경에서 가장 잘 유발된다.

📖 보충학습
천식의 전형적 3대 증상은 발작적인 기침, 천명, 호흡곤란이다.

08. 공기가슴증(기흉, pneumothorax)에 대한 설명으로 옳은 것은?

① 긴장성 기흉은 호흡곤란, 청색증 및 저혈압이 나타난다.

② 외상성 기흉은 키가 크고 마른 체형의 젊은 층에서 잘 나타난다.

③ 일차성 자연 기흉은 결핵, 폐기종, 폐암 등의 폐질환을 기존에 가지고 있는 사람에게서 나타난다.

④ 자연 기흉은 흉곽에 외상이 있는 상태에서 호흡을 할 때 상처를 통해 공기가 흉강 내로 진입하는 경우에 나타난다.

정답 ①

저자촌평 ②는 원발성(젊은층), ③은 속발성(고령자에서 호발), ④는 외상성 기흉이다.

기흉은 흉강내로 공기가 새면서 벽측흉막과 장측흉막 사이에 공기가 저류되어 폐가 허탈해지는 병태이다. 주 증상은 호흡곤란, 흉통, 건성기침이다.

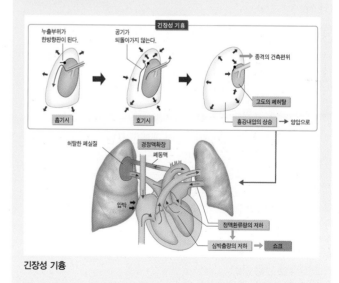

긴장성 기흉

원인에 따라 외상없이 저절로 발생한 '자연기흉'과 외상에 의해 발생한 '외상성기흉' 두 가지로 구분된다.

1) 자연기흉은 원인이 되는 기초질환이 있어서 발생한다. 원발성(기종성낭포가 파열), 속발성(폐기종·폐암·폐결핵 등의 기초질환으로 발생)으로 구분한다.
2) 외상성기흉은 흉부타박, 골절의 합병증으로 생긴다. 의원성기흉과 인공기흉이 여기에 속한다.
3) 응급처치를 요하는 특수한 기흉에는 긴장성기흉과 혈기흉이 있다.

추가로 자세한 내용은 박승화의 건강운동관리사 강의를 통해 확인할 수 있다.

② 탈출형 추간판탈출증 : 척추원반의 중심부와 연결되어 있는 완전한 탈출증(안쪽과 가쪽 섬유테가 모두 파열)
③ 추간판탈출증 : 척추공간까지 흘러나온 완전한 탈출증

추간판 탈출증의 돌출(A), 탈출(B), 분리(C)

09. 추간판탈출증에 대한 옳은 설명을 <보기>에서 고른 것은?

─〈보기〉─

㉠ 형태학적으로 추체(body of vertebra)의 위치에 따라 돌출형(protrusion), 탈출형(extrusion), 격리형(sequestration)으로 구분한다.
㉡ 허리척추원반(lumbosacral disc)에서 흔하게 발생하고 L4와 L5 사이 혹은 L5와 S1 사이에서 나타난다.
㉢ 섬유테(annulus fibrosus)가 앞쪽보다 뒤쪽 부위에 많기 때문에 수핵(nucleus pulposus)이 섬유테의 뒤쪽으로 돌출되어 발생한다.
㉣ 하지방사통은 뒤쪽으로 돌출된 수핵의 기계적 신경압박 또는 화학적 염증반응이 주요 기전이다.

① ㉠, ㉢　　　　② ㉡, ㉣
③ ㉠, ㉣　　　　④ ㉡, ㉢

정답 ②

♻ 저자촌평 표현의 모호성을 내포한 문제이다.

㉠의 문장은 형태학적이라는 말이 애매한 표현이다. 왜냐하면 형태학적이라는 말은 모양이라는 표현도 포함하고 있기 때문이다. 차라리 세 가지 유형 중 하나를 다른 것으로 제시하든지 했어야 하는 아쉬움이 남는 문제이다.
㉠은 디스크 형태학적 → '돌출 정도'로 수정
㉢은 앞·뒤가 바뀌었다.

📖 보충학습

① 돌출형 추간판탈출증 : 가쪽 섬유테로 진행하는 불완전한 탈출증(안쪽 섬유테만 파열)

10. 요부 추간판탈출증의 치료 또는 예방에 대한 설명으로 옳지 <u>않은</u> 것은?

① 견인치료는 추간판성 통증 완화에 도움이 된다.
② 요통과 하지방사통에는 누운 자세가 서있는 자세보다 허리부담 완화에 더 도움이 된다.
③ 초기에는 전·후·좌·우의 등장성 운동을 통해 근력을 강화시키고 점차 등척성 운동을 실시하는 것이 도움이 된다.
④ 증상 초기에 누운 자세에서 무릎 밑에 베개를 놓고 약간 무릎이 굽혀지도록 하여 안정을 취하는 것이 통증 완화에 도움이 된다.

정답 ③

초기에는 안정을 취한 후 등척성 운동으로 그 후 등장성→등속성→플라이오메트릭 트레이닝 순으로 진행하도록 권장한다.

운동 1　　　운동 2　　　운동 3
운동 4　　　운동 5　　　운동 6

요추신전운동(McKenzie exercise) 운동 5, 6번의 경우 요추에 굴곡스트레칭을 가하여 디스크 손상을 유발할 수 있기 때문에 권장하지 않는 것이 바람직하다.

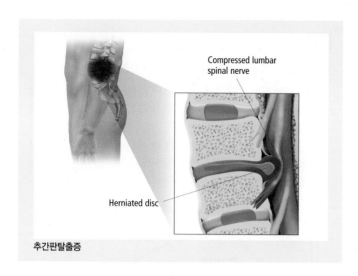

Compressed lumbar spinal nerve

Herniated disc

추간판탈출증

11. 요통 치료에 대한 설명으로 옳은 것은?

① 통증 초기에 적극적인 신체활동을 실시하는 것이 증상 회복을 촉진시켜 준다.

② 디스크 팽륜(bulging)이 원인일 경우 통증이 없는 범위 내에서의 척추가동성 운동으로 시작할 것을 권장한다.

③ 근육의 긴장과 경직으로 통증이 심할 때에는 진통제나 근육이완제를 복용하면서 조기에 운동을 실시해야 한다.

④ 요통의 원인과 상관없이 심부 근육의 근육강화운동을 우선적으로 실시한다.

정답 ②

👆저자촌평 비교적 쉬운 문제이다.

위 그림은 체간근육을 강화를 위해 요추를 반복적으로 굴곡-신전 시키는 운동들이다. 근육은 강화되나 그 과정에서 추간판의 손상을 초래할 가능성이 높다.

12. 특발성(idiopathic) 척추옆굽음증(척추측만증, scoliosis)에 대한 옳은 설명을 <보기>에서 고른 것은?

〈보기〉

㉠ 척추측만증의 유형 중에서 발생 비율이 가장 높다.

㉡ 주로 유소년기에 발병한다.

㉢ 여성 보다 남성이 더 많이 발병한다.

㉣ 다리 길이 차이나 골반 경사에 의해 발생한다.

㉤ 콥스 각도가 20° 미만일 경우 보조기를 착용하여 교정을 실시하면 된다.

① ㉠, ㉡   ② ㉡, ㉢

③ ㉢, ㉣   ④ ㉣, ㉤

정답 ①

특발성 척추측만증이란 확실한 원인이 밝혀지지 않은 10° 이상의 만곡 각도와 회전이 동반된 것으로 측만증의 가장 흔한 형태로 전체 측만증의 80~85% 정도를 차지한다.

㉠은 80%의 높은 비율을 차지한다. ㉢은 여성이 더 많이 발생하며, ㉣의 경우 비구조적 척추옆굽음증으로써 앞과 가쪽 구부림, 바로 누운자세와 같은 자세의 변경, 다리 길이 차이를 교정함으로써 골반 재배열, 그리고 근수축으로 변화시키고 치료할 수 있다.

전방굴곡 검사는 척추측만증의 선별검사로 가장 흔히 사용되는 검사이다.

㉤은 커브의 각도(콥스각도)가 10° 이상일 때 측만증이라 부르며, 20°~40°일 때 치료나 보조기를 착용해서 치료를 적극적으로 해야 하고, 40° 이상의 경우 외과적 수술도 권장된다.

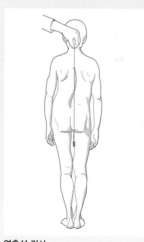

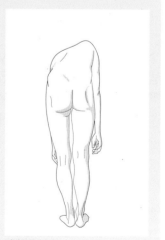

연추선 검사   전방굴곡 검사

📖 **보충학습**

Cobb's 방법으로 각도 측정

방사선사진 굽이 크기를 측정하는 방법은 등과 허리에서 각각 가장 심하게 휘어진 척추뼈 2개를 지정하여 위쪽 척추뼈의 상방에서 평행선을 긋고, 가장 아래 척추뼈의 하방에서 평행선을 긋는다. 여기에서 교차하는 각도를 사용하면 된다.

상세한 방법(그림과 사진)은 박승화의 건운사 강의를 통해서 가능하다.

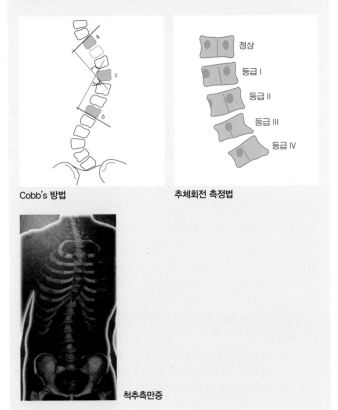

Cobb's 방법   추체회전 측정법

척추측만증

정답 ①

🔖 **저자촌평** 비교적 쉽게 정답을 고를 수 있는 문제이다.

동물성 단백질을 많이 섭취하는 것은 바람직하지 않다. 단백질을 많이 섭취하는 경우 칼슘흡수를 방해하고, 체내에서 지방으로 전환되어 비만을 초래할 수 있다.

골다공증은 발생기 전에 따라 폐경 후 골다공증 및 노인성 골다공증을 포함하는 원발성과 다른 질환 및 약물, 흡연, 음주 등과 같은 원인이 있는 속발성으로 분류된다.

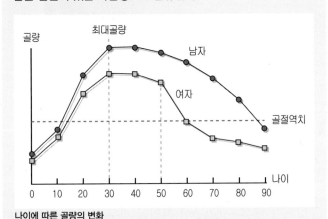

나이에 따른 골량의 변화

골감소증과 골다공증의 기준

분류	골밀도(T score)
정상	−1<T score
골감소증	−1≥T score>−2.5
골다공증	T score≤−2.5
심한 골다공증	T score≤−2.5이면서 골절이 있는 경우

---

13. 일차성(원발성, primary) 골다공증의 치료 또는 예방에 대한 설명으로 옳지 <u>않은</u> 것은?

① 동물성 단백질을 많이 섭취할수록 칼슘 형성에 유익하다.
② 담배를 피우는 것은 최대 골량 형성을 억제한다.
③ 호르몬 치료를 받지 않는 폐경 여성은 하루에 칼슘 1,500㎎ 이상 섭취하도록 권장하고 있다.
④ 뼈의 파괴를 감소시켜주는 에스트로겐(estrogen), 칼시토닌(calcitonin) 등이 치료제로 사용된다.

14. 뼈관절염(퇴행성관절염, osteoarthritis)에 대한 설명으로 옳지 <u>않은</u> 것은?

① 원발성은 노화와 관련되며, 속발성은 손상이나 과다한 사용으로 나타난다.
② 가쪽 손가락뼈사이관절(원위지절간관절, distal interphalangeal joint) 부위에 골증식체(Herberden 결절)가 생긴다.
③ 전신 질환이 아니기 때문에 혈청의 변화나 전신적 징후가 없다.
④ 손가락과 같은 작은 관절의 침범으로 시작된 후, 다른 관절의 염증과 파괴가 이어진다.

정답 ④

④는 류마티스관절염의 내용이다.

📖 보충학습

초기에는 대개 다발성 관절통으로 특히 손가락의 여러 마디가 방추형으로 부어올라 통증이 생기는데 주먹 쥐는 힘이 약해져 조그만 물건을 드는데도 불편을 느끼며 물건을 자주 떨어뜨리게 된다. 통증이 이곳저곳으로 옮겨 다니며 아침에 일어나면 관절 운동이 유연하지 못하고 뻣뻣해지며 쉽게 피로감을 느끼고 전신 무력감과 의욕감소현상을 보인다. 관절통이나 종창이 대칭으로 나타나는 특징이 있다.

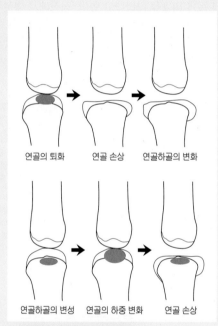

연골의 퇴화   연골 손상   연골하골의 변화

연골하골의 변성   연골의 하중 변화   연골 손상

골관절염에서 연골하골의 변화모델

퇴행성관절염

---

15. <보기>가 설명하는 당뇨 합병증은?

〈보기〉

- 잘못된 용량의 인슐린 투여, 과다한 음식 또는 알코올 섭취로 발생할 수 있다.
- 인슐린 요구가 증가하거나 감염이나 스트레스에 의해 시작될 수 있다.
- 인슐린 부족으로 인한 고혈당과 지질 분해로 인해 발생한다.
- 증상과 징후는 탈수, 대사성 산증, 전해질 불균형과 관련이 있다.

① 부정맥   ② 저혈당증
③ 인슐린 쇼크   ④ 당뇨병성 케톤산증

정답 ④

🔱 저자촌평 당뇨병의 합병증에는 급성과 만성으로 나눌 수 있는데 이 문제는 만성 합병증을 묻는 문제이다.

당뇨병성 케톤산증과 고삼투성 혼수

인슐린이 심하게 모자라는 인슐린 의존성 당뇨병 환자가 병이 있는 것을 모르고 지내거나, 임의로 인슐린 치료를 중단할 때, 혹은 나이든 환자가 중풍이나 기타 급성질환을 심하게 앓게 될 때 나타나며 몸에서 포도당이 이용되지 않아 혈당은 아주 높고 대신 지질이 많이 소모되어 케톤산이 많이 만들어져 심한 구역질과 구토, 탈수, 복통 등의 증상을 보이며 심하면 혼수상태에 빠지므로 즉시 병원에 후송해서 응급치료를 해야만 생명을 유지할 수 있다.

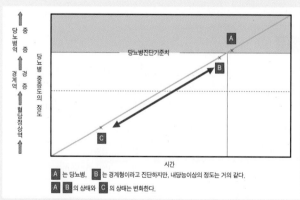

당뇨병 중등도의 연속성

📖 보충학습

인슐린 의존 당뇨병성 케톤산증(IDDM with ketoacidosis)은 인슐린부족으로 인해 케톤이 과량으로 생기는 응급 상태를 말한다. 고혈당, 산증 및 케톤혈증이 유발되는, 당뇨병에 의해 발생되는 가장 흔하면서도 생명을 위협할 수 있는 심각한 급성 대사성 합병증의 하나이며, 제1형 당뇨병 환자에게서 주로 발생하나, 제2형 당뇨병환자에서도 종종 발생할 수 있다.

16. 콜레스테롤에 대한 설명으로 옳지 <u>않은</u> 것은?

① 소화액인 담즙을 만드는데 사용된다.
② 스테로이드계 호르몬의 주요 성분이다.
③ 물과 친한 성질을 가지고 있어 혈액에 쉽게 용해된다.
④ 혈액 내에 과다하게 증가하면 동맥벽에 침착되어 염증을 일으킬 수 있다.

정답 ③

콜레스테롤은 지방의 한 종류이다. 지방의 성질이기 때문에 친수성이 아니다.
콜레스테롤은 인지질과 함께 세포막과 신경조직의 주요성분이다. 스테로이드계 호르몬이나 담즙산의 전구체이다. 피부에서는 자외선의 도움을 받아 비타민 D로 합성된다.

17. 대사증후군에 대한 설명으로 옳은 것은?

① 나이와 체질량지수는 직접적인 관련이 없다.
② 혈압의 증가가 가장 주요한 위험요인이다.
③ 혈압의 진단 기준은 130/85mmHg 이상일 경우이다.
④ 저밀도지단백콜레스테롤의 진단 기준은 남자 140mg/㎗, 여자 150mg/㎗ 이상일 경우이다.

정답 ③

인슐린저항성, 이상 지질혈증, 고혈압 등 다양한 병태가 합병되기 쉬워 심근경색증 등의 동맥경화성 질환을 잘 일으킨다. 이처럼 다양한 병태가 합병해 있는 상태를 대사증후군이라고 한다.

대사증후군의 기준

분류	기준
허리둘레	남자 : >102cm(비율 0.9)
	여자 : >88cm(비율 0.85)
혈당장애	≥110mg/㎗
이상지질혈증	HDL <40mg/㎗(남), <50mg/㎗(여)
중성지방	≥150mg/㎗
혈압	130≥ 또는 ≥85

18. 동맥혈관이 점진적으로 좁아져서 발생하는 뇌졸중의 가장 흔한 원인은?

① 색전(embolism)   ② 혈전(thrombosis)
③ 출혈(hemorrhage)   ④ 충혈(hyperemia)

정답 ②

색전은 혈류를 통해서 운반되어 온 비용해성 이물질에 의해 혈관이 막힌 상태로 혈관 안을 막는 이물질을 말한다.
뇌졸중은 뇌출혈과 뇌경색으로 나눌 수 있는데 뇌경색의 질환의 발생이 더 높은 비율을 나타내고 있다. 심장에서 혈전이 발생하여 혈전이 혈관을 따라 이동한 후 뇌혈관을 막는 것을 뇌색전증, 뇌동맥의 혈전이 자라 혈관을 막는 것을 뇌혈전증이라고 한다.

뇌졸중의 분류

	원인에 따른 분류	부위에 따른 분류
출혈성 뇌졸중	외상성 출혈 비외상성 출혈	경막하 출혈 천막 상부 출혈 (엽상 출혈, 심부 출혈) 천막 하부 출혈 (뇌간 출혈, 소뇌 출혈)
허혈성 뇌졸중	혈전성 뇌졸중 색전성 뇌졸중 열공성 뇌졸중	전대뇌동맥 폐쇄 중대뇌동맥 폐쇄 후대뇌동맥 폐쇄 척추기저동맥 폐쇄

19. 파킨슨병에 대한 설명으로 옳은 것은?

① 휴식 시나 수의적 운동 시 항상 진전(tremor)이 나타난다.
② Hoehn과 Yahr의 척도는 증상의 중증도에 따라 5단계로 구분한다.
③ 운동 시 가급적 움직임이 작고 강도를 약하게 하는 것이 효과적이다.
④ 운동기능장애의 개선을 위해 도파민을 투여한다.

정답 ②

파킨슨병의 4대 징후는 진전, 근경직, 서동, 자세반사장애이다. 중뇌에는 도파민에 대한 수용체가 있는 두 가지 뉴런계가 있는데 그 하나는 흑질부에서 시작되는 것으로 이 신경이 퇴화되면 파킨슨병이 된다.

다음과 같이 수정하는 것이 바람직하다.

① 가장 눈에 잘 띄는 증상으로 주로 편한 자세로 앉아 있거나 누워 있을 때 나타나고, 손이나 다리를 쓰거나 움직일 때 사라진다.

③ 기능적 능력향상을 위한 보행, 균형, 이동, 관절가동성과 근 파워이다.

④ 운동기능장애의 개선을 위해 도파민 제제를 투여한다.

📖 보충학습

혼과 야의 스케일(The Hoehn and Yahr)은 파킨슨병 증상의 정도를 나타내며 사용하는 척도이다. 기능부진의 정도로 0에서 5까지의 척도를 사용한다.

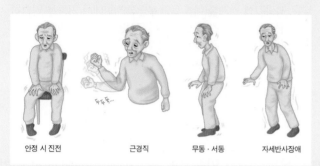

안정 시 진전　　근경직　　무동·서동　　자세반사장애

파킨슨병의 4대 징후

파킨슨병의 Hoenhn과 Yahr의 단계척도(7단계)

stage 0 : 질병의 징후 없다.

stage 1.0 : 편측성 질환

stage 2.0 : 균형의 손상이 없는 양측성 질환이다.

stage 2.5 : pull test에 회복 가능한 경도의 양측성 질환

stage 3.0 : 일부자세가 불안정하고 신체가 독립적인 경도에서 중등도의 양측성 질환

stage 4.0 : 아직까지는 도움 없이 서거나 걸을 수 있는 증증 장애

stage 5.0 : 도우미 없이 휠체어에 의지해 있거나 누워만 있는 상태

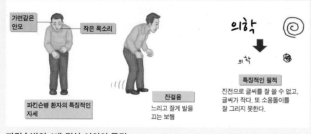

가면같은 안모　　작은 목소리

특징적인 필적
진전으로 글씨를 잘 쓸 수 없고, 글씨가 작다. 또 소용돌이를 잘 그리지 못한다.

파킨슨병 환자의 특징적인 자세

잔걸음
느리고 잘게 발을 끄는 보행

파킨슨병의 4대 징상 이외의 특징

---

20. (가), (나), (다), (라)에 들어갈 용어로 옳은 것은?

〈보기〉

치매는 ((가))의 기능이 감소되는 진행성 만성질환으로, 운동조정기능뿐만 아니라 언어 및 인지기능이 손상된다. 기억은 주로 ((나)) 기억 상실로 시작되고, 행동변화와 성격변화가 나타난다. ((다)) 치매는 치매의 절반 이상을 차지하는 가장 큰 원인으로, 뇌조직이 퇴행되고 위축이 일어난다. 치매 진단법 가운데 가장 보편적인 인지기능검사로 ((라))을/를 활용하고 있다.

	(가)	(나)	(다)	(라)
①	해마	단기	혈관성	DSM-Ⅳ (Diagnostic and Statistical Manual of MentalDisorders Ⅳ)
②	대뇌 피질	장기	혈관성	MMPI(Minnesota Multiphasic Personality Inventory)
③	해마	장기	알츠 하이머	MMPI (Minnesota Multiphasic PersonalityInventory)
④	대뇌 피질	단기	알츠 하이머	DSM-Ⅳ (Diagnostic and Statistical Manual of MentalDisorders Ⅳ)

정답 ④

치매의 원인으로 가장 빈번한 질환으로 전체 치매환자의 30~60% 정도가 알츠하이머병에 의한 치매증상을 보이는 것으로 알려져 있다. 이상 단백질들(아밀로이드 베타 단백질, 타우 단백질)이 뇌 속에 쌓이면서 서서히 뇌 신경세포가 죽어나가는 퇴행성 신경질환이다. 여기서 퇴행성의 의미는 정상적인 사람에서 나이가 들면서 서서히 세포가 손상되어 점차적으로 증세가 나타나는 경우를 말한다.

치매의 분류는 알츠하이머성 치매, 뇌혈관성 치매, 기타 약물과 영양 결핍 등으로 인한 치매가 있다.

DSM-Ⅳ는 현재 가장 많이 사용하고 있는 정신장애 분류 체계이다. 알츠하이머성 치매는 뇌의 전반적인 위축, 베타-아밀로이드 침착, 신경세포 소실 등이다. 해마를 중심으로 내측 측두엽의 양측성 위축이 뚜렷하며 전반적인 뇌 위축도 함께 동반된다. 뇌혈관성 치매는 뇌혈관에 이상이 생겨 발생하는 데 3가지로 나눌 수 있다.

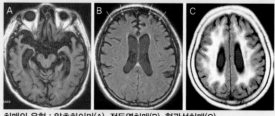

치매의 유형 : 알츠하이머(A), 전두엽치매(B), 혈관성치매(C)

스포츠심리학

01. 운동학습의 단계구분에 대한 설명으로 옳은 것은?

① 젠타일(A. Gentile, 1972)은 인지, 연합, 자동화단계로 구분했다.
② 피츠와 포스너(P. Fitts & M. Posner, 1967)는 협응, 제어 단계로 구분했다.
③ 뉴웰(K. Newell, 1985)은 움직임의 개념 습득, 고정화, 다양화 단계로 구분했다.
④ 번스타인(N. Bernstein, 1967)은 자유도의 고정, 풀림, 반작용 단계로 구분했다.

정답 ④

운동학습의 단계를 구분하는 이유는 효율적인 학습 계획을 수립하는데 많은 정보를 제공해 주기 때문이다. 필자가 정리한 아래의 틀을 참고하기 바란다.

운동학습 단계

단계	구분
Fitts와 Posner의 단계(1967)	운동학습의 단계를 인지, 연합, 자동화 단계로 구분
Bernstein의 단계(1967)	자유도의 고정, 자유도의 풀림, 반작용의 활용 단계로 구분
Adams의 단계(1971)	언어적 운동단계, 운동단계
Gentile의 단계(1972)	움직임의 개념 습득, 고정화 및 다양화 단계로 구분
Newell의 단계(1985)	협응, 제어 단계로 구분 : 매개 변수화
Vereijkenl의 단계(1991)	초보, 향상, 숙련 단계로 구분
Schmidt & Wrisberg의 단계(2000)	인지 · 언어 단계, 운동 단계, 자동화 단계

02. 연습의 구성에 대한 설명으로 옳지 않은 것은?

① 연습계획을 구성할 때 연습의 가변성을 고려한다.
② 과제의 단위수준을 고려하여 전습법과 분습법을 실시한다.
③ 무선연습을 통해서 맥락간섭 효과를 감소시키는 것이 중요하다.
④ 연습과 휴식의 상대적인 시간을 고려하여 집중연습과 분산연습을 실시한다.

정답 ③

무선연습을 통해서 맥락간섭 효과를 증가시키는 것이 중요하다.

📖 **보충학습**
맥락간섭효과
낮은 맥락간섭 스케줄(예를 들면 분단적연습)에서 기능을 연습하기보다는 높은 맥락간섭 스케줄(예 무선연습)에서 여러 기능들을 연습하는데서 기인하는 학습상의 이득이다.
맥락간섭 효과가 낮은 구획연습은 무선연습에 비해 연습 수행에 효과가 높고, 맥락간섭 효과가 높은 무선연습은 파지와 전이에 효과적이다.

03. 운동학습의 연습기법 중 가이던스(guidance) 기법에 대한 설명으로 옳은 것은?

① 수행오류를 줄여주는 목적을 가지고 있다.
② 부상치료나 재활의 후기단계에서 적용한다.
③ 신체활동을 하지 않는 상태에서 정신연습으로 진행된다.
④ 가이던스 기법을 제거해도 수행 능력은 효과적으로 유지된다.

정답 ①

다음과 같이 수정해야 한다.
② 부상치료나 재활의 초기단계에서 적용한다.
③ 내적인 감각피드백을 운동기술 학습에 유용하게 활용한다.
④ 가이던스 기법을 제거하면 수행 능력은 감소하는 것으로 나타났다(의존성).

04. 아동의 운동발달 원리에 대한 설명으로 옳은 것은?

① 운동발달은 개인차가 없다.
② 운동발달은 정해진 방향이 없다.
③ 운동발달은 속도가 일정하게 진행된다.
④ 운동발달은 성숙과 학습에 의해서 진행된다.

정답 ④

쉬운 문제이다.

운동발달

05. 건강 운동참가자와 지도자 사이의 관계변화 촉진 전략으로 옳지 <u>않은</u> 것은?

① 적극적 경청　　　② 폐쇄형 질문
③ 운동 계획-결정 공유　　　④ 비밀 유지

정답 ②

예, 아니오 답을 원하는 질문은 폐쇄, 다양한 답을 요구하는 질문의 경우 개방형이라고 한다.
질문지 또는 설문지를 문항구성방식에 따라 구분하면, 크게 폐쇄형 질문과 개방형 질문(open-ended question)으로 구분할 수 있는데, 그 가운데서 폐쇄형 질문은 미리 준비된 선택지들 또는 항목들 가운데서 답을 선택하도록 하거나 또는 제한된 수만큼의 단어로 답하도록 구성된 질문을 말한다. '폐쇄적 질문'이라고도 한다. 한편, 폐쇄형 질문과는 달리, 개방형 질문은 선택지나 항목들을 미리 준비하거나 답을 일정한 양으로 제한하지 않고 응답자가 자신의 견해나 태도를 자유롭게 표현할 수 있도록 구성된 질문을 말한다. 개방형 질문은 '개방적 질문'이라고도 한다.

06. 다음은 농구경기의 상황과 니드퍼(R. Nideffer, 1976)의 주의집중 유형을 각각 제시한 것이다. (가), (나)의 농구 경기 상황에 맞는 주의집중 유형은?

〈보기〉

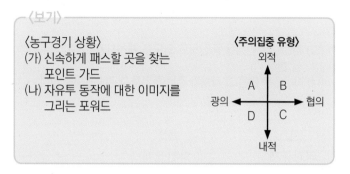

〈농구경기 상황〉
(가) 신속하게 패스할 곳을 찾는 포인트 가드
(나) 자유투 동작에 대한 이미지를 그리는 포워드

　　　(가)　(나)　　　　　　(가)　(나)
①　A　　C　　　　　②　B　　D
③　B　　C　　　　　④　A　　D

정답 ①

필자가 정리한 아래 개념틀을 보고 공부하면 쉽다.

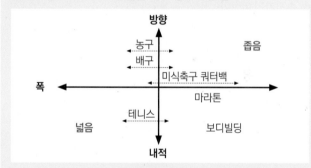

주의의 차원		주의의 폭(포괄적·한정적), 주의의 방향(외적·내적)
주의의 유형	포괄적 외적 주의	① 개념 : 빠르게 상황을 파악하는 데 사용 ② 장점 : 복잡한 상황 이해 ③ 단점 : 서둘러 반응
	포괄적 내적 주의	① 개념 : 분석하고 계획하는 데 사용 ② 장점 : 분석 능력 우수 ③ 단점 : 빠른 반응 불가
	한정적 외적 주의	① 개념 : 집중에 사용 ② 장점 : 목표에 대한 정확한 집중 ③ 단점 : 바르지 못한 반응에 집착
	한정적 내적 주의	① 개념 : 경기 내용을 정신적으로 상상하는 데 사용 ② 장점 : 풍부한 아이디어 ③ 단점 : 민감도 저하

07. <보기>의 (가), (나)의 내용에 해당하는 데시와 라이언(L. Deci & R. Ryan, 1985)의 동기 규제(motivation regulation) 유형은?

〈보기〉

(가) 김○○은 건강을 증진하고 외모를 개선시키고 싶어서 운동을 한다.
(나) 박○○은 운동 그 자체가 주는 즐거움 때문에 운동을 한다.

	(가)	(나)
①	외적규제	확인규제
②	외적규제	의무규제
③	확인규제	외적규제
④	확인규제	내적규제

정답 ④

↳ 저자촌평 내적규제만 알면 정답을 고를 수 있는 쉬운 문제이다. 필자가 강의 시간에 강조한 내용으로서 아래 동기의 개념들을 숙지하기 바란다.

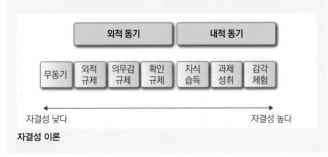

자결성 이론

08. 와이너(B. Weiner, 1972)의 귀인 모형과 관련된 설명으로 옳지 않은 것은?

① 귀인의 인과소재는 능력, 노력, 운의 3가지로 구성된다.
② 인과소재는 통제소재, 안정성, 통제가능성의 3차원으로 분류된다.
③ 성공 결과에 대한 노력 귀인은 긍정 정서와 자기효능감을 향상시킨다.
④ 반복되는 실패 결과에 대해 능력 귀인을 하면 학습된 무기력이 발생된다.

정답 ①

귀인의 인과소재는 과제의 난이도를 추가하여 총 4가지이다. 필자가 정리한 아래 개념들을 잘 정리하기 바란다.

학습결과의 원인의 차원에 따른 분류

구분	원인의 소재	안정성	통제 가능성
능력	내적	안정적	통제 불가능
노력	내적	불안정적	통제 가능
운	외적	불안정적	통제 불가능
학습과제의 난이도	외적	안정적	통제 불가능

① 잘못된 귀인
학업의 실패 → 능력결핍(내적, 안정적, 통제불가능)으로 귀인 → 무능감 → 성취감소
② 귀인의 변경
학업의 실패 → 노력결핍(내적, 불안정적, 통제가능) → 죄책감과 수치심 → 성취증가

09. 심상(imagery)에 관한 설명으로 옳지 않은 것은?

① 모든 감각을 활용하여 마음속으로 경험을 재현하고 창조한다.
② 내적 심상이 외적 심상보다 자세 교정에 유리하다.
③ 시합과 관련된 자신감 향상, 동기 유발, 목표 확인 및 부상 재활에 효과적이다.
④ 근육의 움직임이 발생하지 않지만 뇌와 근육에서는 실제 움직임이 일어날 때와 유사한 자극이 나타난다.

정답 ②

다음과 같이 수정하면 된다.
② 외적 심상이 내적 심상보다 자세 교정에 유리하다.

그 이유는 외적 심상은 자신의 동작을 제3자의 입장에서 상상하는 것이기 때문이다. - 자신의 동작을 녹화한 후에 녹화 테이프를 보는 것과 같은 것

📖 보충학습

외적 심상 : 동작을 수행할 때의 다양한 운동 감각을 느낄 수 없다는 단점이 있다.
내적 심상 : 자신의 관점에서 동작의 수행 장면을 상상하는 것을 말한다.

예) 자신의 눈을 비디오카메라로 생각하고 자신이 본 모든 장면들에 대하여 그 기억을 떠올리는 것, 따라서, 경기 중에 시선이 이동하는 것과 같이 심상도 계속적으로 변하게 된다.

일반적으로 많은 선수들은 외적 심상보다는 내적 심상을 선호하는 경향이 있다. 그러나 어느 형태의 심상이 수행력에 보다 효과적인지는 아직 명확한 결론이 내려지지 않고 있다. 따라서, 어떤 유형의 심상을 사용해야 하는가라는 문제보다는 자신이 사용하고 있는 심상의 이미지를 다양한 감각을 동원하여 선명하게 떠올릴 수 있는지가 더 중요

심상

10. 운동 심리기술 중 루틴(routine)에 대한 설명으로 가장 적절한 것은?

① 운동수행 전에 실시하는 루틴만 효과가 있다.
② 루틴은 운동의 규칙과 관계없이 길고 구체적인 것이 좋다.
③ 심호흡, 장비 정리, 유니폼 및 자세정렬 등은 인지적 루틴에 해당한다.
④ 바람직한 운동수행을 발휘하기 위한 개인의 고유하고 독특한 일련의 행동절차를 의미한다.

정답 ④

루틴은 최고의 수행을 할 수 있는 좋은 기회를 만들어 주는 요인이다. 이를 공식으로 기술하면 다음과 같다.

프리샷 루틴 = 불안감소 × 집중력 증대

③은 기술 수행에 관련된 동작으로서 행동적 요인에 해당한다.

수행 루틴	
인지적 요인	행동적 요인
자신감 유지, 주의 집중, 긍정적 마인드, 정신적 이완, 기술적 단서, 인지재구성, 심상화, 의사결정 등	신체적 이완, 기술수행에 필요한 동작 등

남자 등운동 루틴

11. 위드마이어(W. Widmeyer, 1985)의 집단 응집력 모형에 대한 설명으로 옳지 않은 것은?

① 집단 응집력은 집단통합 수준과 관계가 있다.
② 집단 응집력은 팀에 대한 믿음, 인식과 관계가 있다.
③ 집단 응집력은 개인의 직업, 연령과 관계가 있다.
④ 집단 응집력은 구성원이 집단에 대해 느끼는 매력과 관계가 있다.

정답 ③

다음과 같이 수정해야 한다.
③ 집단 응집력은 팀의 목표, 역할, 훈련 등 과제달성과 관계가 있다.

응집력은 다차원적으로 측정된다. 일반적으로 응집력은 과제차원과 사회차원으로 구분된다. 스포츠 팀의 응집력을 측정하는 질문지는 이러한 응집력의 차원이 반영되어 있다.

GEQ의 네 가지 차원

12. <보기>가 설명하는 리더십 접근 방법은?

〈보기〉

성공적인 리더는 집단을 효율적으로 이끄는 보편적인 행동특성을 가지고 있어서 이러한 특성을 찾아내어 가르치면 누구나 훌륭한 리더가 될 수 있다고 보는 관점이다.

① 특성적 접근　　　② 행동적 접근
③ 상황적 접근　　　④ 다차원적 접근

정답 ②

리더십에 대한 이론적 접근에는 크게 특성적 접근, 행동적 접근, 상황적 접근이 있다.

① 특성적 접근은 리더의 개인적 속성을 강조한다. 이 이론은 위대한 리더는 이상적인 리더가 되는데 필요한 타고난 인성특성을 가진다는 "위대한 사람" 이론에 근거를 두고 있다.
② 행동적 접근은 리더십에 대한 특성적 접근은 1950년대 행동주의 심리학의 등장과 함께 근본적인 비판을 받았다. 이러한 비판은 주로 인간의 특성이란 타고난 것이 아닐 뿐 아니라 실제로 리더에게 바람직한 특성이 무엇인가를 확인하고 측정해 내기가 어렵다는데 근거하고 있다.
③ 상황적 접근은 리더십을 결정하는 것은 리더의 특성이나 행동뿐만 아니라 팔로워의 태도와 능력 그리고 리더십이 발휘되는 조직 내의 상황들이다. 리더와 팔로워의 상호작용으로 보고, 그 상호작용이 그들을 둘러싸고 있는 환경 속에서 이루어지는 것으로 파악한 것이다.

13. 스포츠에서의 경쟁과 협동에 대한 설명으로 옳은 것은?

① 협동은 집단 구성원이 개인적 보상을 추구할 때 나타난다.
② 경쟁은 집단의 공동과제나 목표에 대한 명확한 인식에서 나타난다.
③ 집단 내 협동, 집단 내 경쟁, 집단 간 경쟁이 나타난다.
④ 집단 간에는 협동이 중시되고, 집단 내에서는 경쟁이 중시된다.

정답 ③

👉 저자촌평 비교적 쉬운 문제이다. 다음과 같이 수정해야 한다.

① 협동은 집단 구성원이 집단적 보상을 추구할 때 나타난다.
② 협동은 집단의 공동과제나 목표에 대한 명확한 인식에서 나타난다.
④ 집단 간에는 경쟁이 중시되고, 집단 내에서는 협동이 중시된다.

14. 손스트롬과 모건(R. Sonstroem & W. Morgan, 1989)의 모형에 근거하여 규칙적인 운동과 자기 개념의 관계를 설명한 내용으로 옳은 것은?

① 규칙적인 운동은 신체 능력을 향상시켜 특성불안을 향상시킨다.
② 규칙적인 운동은 신체 이미지를 향상시켜 자기존중감을 감소시킨다.
③ 규칙적인 운동은 신체적 유능감을 향상시켜 자기존중감을 향상시킨다.
④ 규칙적인 운동은 특성불안을 감소시켜 신체적 유능감을 향상시킨다.

정답 ③

다음과 같이 수정해야 한다.
① 규칙적인 운동은 신체 능력을 향상시켜 특성불안을 감소시킨다.
② 규칙적인 운동은 신체 이미지를 향상시켜 자기존중감을 증가시킨다.
④ 규칙적인 운동은 상태불안을 감소시켜 신체적 유능감을 향상시킨다.

15. <보기>에서 설명하는 운동심리 이론은?

〈보기〉

- 의사결정 측면에서 행동을 예측한다.
- 특정행동의 실천 결과에 대한 신념을 포함한다.
- 타인의 기대에 대한 인식을 포함한다.
- 본래 투표참가를 설명하기 위한 목적으로 개발되었다.

① 계획행동 이론(theory of planned behavior)
② 건강신념 모형(health belief model)
③ 합리적행동 이론(theory of reasoned action)
④ 통합 이론(transtheoretical model)

정답 ③

②의 이론이 운동심리 이론에 대한 신뢰성이 결여되어 등장한 이론이 ③이다.

투표참가는 개인의 의도(intention)와 직접적으로 관련이 있다(그림 참조). 이 의도는 태도와 주관적 규범에 의해 형성된다. 태도(attitude)란 어떤 행동의 실천에 대해 개인이 갖고 있는 긍정적 또는 부정적 생각을 말한다.

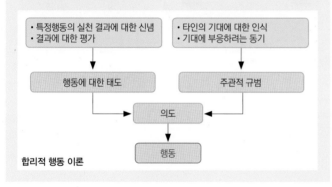

합리적 행동 이론

16. 변화단계모형(J. Prochaska & C. Declemente, 1983)에 근거한 운동의 혜택(pros)과 손실(cons)을 적용한 내용으로 가장 적절한 것은?

① 무관심단계에서는 운동의 혜택을 손실보다 높게 지각한다.
② 준비단계에서는 운동의 혜택을 손실보다 낮게 지각한다.
③ 실천단계에서는 운동의 혜택을 손실보다 낮게 지각한다.
④ 유지단계에서는 운동의 혜택을 손실보다 높게 지각한다.

정답 ④

☞ 2015년 스포츠심리학 16번 틀 참고

①, ③ 모두 각 단계에서 반대의 지각으로 수정해야 한다.
②는 '같게'라고 수정한다.

행동을 5단계로 구분한 것은 운동에 대한 심리적 준비도(psychological readiness)에 기초하고 있다. 운동 실천의 심리적 준비도에 따라 5단계로 구분하면 운동 실천을 위한 다양한 중재전략을 적용하는 데 매우 효과적이다.

2016

17. 운동실천에 영향을 미칠 수 있는 심리적 변인으로 바르게 묶은 것은?

① 직업, 자기효능감
② 태도와 의도, 재미
③ 신체이미지, 연령
④ 건강상태, 운동에 대한 지식

정답 ②

운동실천에 영향 요인
① 개인적인 요인 : 연령, 성, 직업, 교육수준, 건강상태
② 심리적 요인 : 자기효능감, 태도와 의도, 운동방해 요인, 재미, 신체이미지, 변화의 단계, 운동에 대한 지식
③ 운동특성 요인 : 운동 지속시간, 운동빈도, 운동 경력, 시사점
④ 환경적 요인 : 서포트, 날씨, 온도, 시설 등

18. 반두라(E. Bandura, 1977)의 자기효능감 모형에 근거한 운동실천 전략 중 언어적 설득에 해당하는 것은?

① 긍정적인 격려와 지지
② 수행이 비슷한 동료 관찰
③ 엘리베이터를 타는 대신 계단 이용
④ 긍정적인 정서 상태 유지

정답 ①

②는 대리경험, ③은 과거의 성공경험, ④는 생리적·정서적 각성에 해당한다.

Bandura의 자신감 형성의 원리

19. 운동참여자들의 운동 동기를 촉진하는 전략으로 옳지 <u>않은</u> 것은?

① 출석 상황 게시
② 운동의 효과 설명
③ 운동일지 작성
④ 어려운 것부터 점진적으로 지도

정답 ④

저자촌평 쉬운 문제로서 '쉬운 것부터 지도'로 수정한다.

20. 스포츠 심리상담에서 적용하는 인지재구성 프로그램의 설명으로 적절하지 <u>않은</u> 것은?

① ABCDE 단계를 포함한다.
② 인지정서 행동치료를 기반으로 한다.
③ 합리적 신념을 비합리적 신념으로 바꾸는 과정을 거친다.
④ 인간의 신념이 정서와 행동에 영향을 미친다는 점을 강조한다.

정답 ③

다음과 같이 수정할 수 있다.

③ 비합리적 신념을 합리적 신념으로 바꾸는 과정을 거친다.

인지정서 행동치료(REBT)의 개념모형을 통해서 인간의 신념이 정서와 행동에 큰 영향을 미친다는 것을 보여준다.

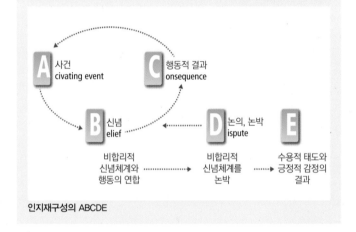

인지재구성의 ABCDE

건강운동관리사
기출 바이블

전과목 수록

PART 02

2 0 1 7 년
건강운동관리사
필 기 시 험

건강운동관리사 필기시험 1교시

2017 건강운동관리사

운동생리학

01. 인체에서 사용되는 주요 에너지원에 대한 설명으로 옳은 것은?

① 탄수화물은 단당류, 이당류, 다당류를 포함한 무기물질이며, 단당류가 체내에 가장 잘 흡수된다.
② 포도당(glucose)은 대사작용에 중요한 지방의 한 형태이며, 뇌의 유일한 에너지원이다.
③ 중성지방은 글리세롤(glycerol) 1분자와 지방산 4분자로 구성되며, 지방산은 포화지방산과 불포화 지방산으로 구분된다.
④ 단백질은 주로 근육, 장기(organ), 호르몬 등을 만드는 재료로 사용되며, 필수 아미노산과 비필수 아미노산으로 구성된다.

정답 ④

👆 **저자촌평** 큰 차원에서 인체의 에너지원의 개념을 묻는 내용이다. 다음과 같이 수정한다.

① 무기물질 → 유기물질
② 포도당은 탄수화물의 한 형태이다.
③ 지방산 3분자로 수정해야 한다.

인체 내에서 합성되지 않는 9가지 아미노산을 필수, 인체 내에서 합성되는 11가지 아미노산을 비필수아미노산이라고 한다.

02. 장기간 유산소 트레이닝 후 나타나는 적응 현상이 아닌 것은?

① 최대하운동 시 호흡교환율의 증가
② 최대하운동 시 지방대사 능력의 증가
③ 점증부하 운동 시 환기역치 시점의 지연
④ 최대산소섭취량의 증가

정답 ①

👆 **저자촌평** 트레이닝 전·후를 비교하는 문제로서 절대운동 강도 또는 동일 운동 시의 증가, 감소, 무변화를 묻는 내용이다.

①은 감소이다.

📖 **보충학습**

① 운동 중 탄수화물이나 지방의 에너지대사량에 대한 백분율 기여도를 평가하는 데 일반적으로 사용하는 비침해적인 기술로 산소섭취량에 대한 이산화탄소생성량의 비율($\dot{V}CO_2/\dot{V}O_2$)을 호흡교환율이라 부른다.
② 환기역치 시점의 지연은 역치점이 우측으로 이동되어 지방사용량의 증가를 의미한다.

03. <보기>의 괄호 안에 들어갈 용어로 가장 적절한 것은?

┌─ 〈보기〉 ─
• (   )(이)란 화학반응을 시작하는 활성화 에너지(activation energy)를 낮추는 역할을 한다.
• (   )의 활성도 증가는 에너지 생성을 위한 화학적 대사반응을 촉진시킨다.
• 준비운동을 통한 체온의 상승은 (   )의 활성도를 증가시킨다.

① 펩타이드(peptide)   ② 스테로이드(steroid)
③ 효소(enzyme)   ④ 기질(substrate)

정답 ③

👆 **저자촌평** 운동생리학에서 파생된 용어를 아느냐의 내용이다.

①은 대사조절이나 호르몬작용 등의 생리적 활성을 나타내는 단백질의 구조이며, ②는 지방의 한 유형, ④는 미토콘드리아 크리스테 단백질들의 용해된 효소들의 농축된 혼합체이다.

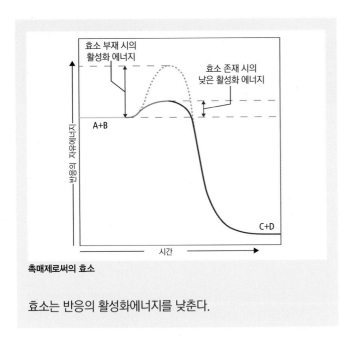

효소 부재 시의 활성화 에너지

효소 존재 시의 낮은 활성화 에너지

A+B

C+D

시간

촉매제로써의 효소

효소는 반응의 활성화에너지를 낮춘다.

04. 점증부하운동 시 혈중젖산이 증가하는 주요 요인으로 옳지 <u>않은</u> 것은?

① 젖산 생성 후 제거율 감소
② 해당과정(glycolysis)의 가속화
③ 속근섬유(fast-twitch fiber)의 동원율 증가
④ 근육세포의 미세한 손상에 대한보상(compensation)

정답 ④

근육의 낮은 산소량도 혈중젖산이 증가하는 주요 요인에 해당된다.

④는 세포 항상성 조절을 위한 스트레스단백질에 대한 내용이다.

젖산역치

근육의 낮은 산소량

해당작용의 활성화

속근섬유 동원

젖산 제거비율의 감소

젖산역치를 유발하는 요인

05. 전자전달계(electron transport chain)에 대한 설명으로 옳지 <u>않은</u> 것은?

① 유산소성 에너지 시스템 과정 중 하나이다.
② 미토콘드리아의 내막(inner membrane)에 있는 단백질 복합체들로 이루어진다.
③ 미토콘드리아의 기질(matrix)에서 막사이(inter-membrane)공간으로 Na^+을 퍼내는 펌프(pump)를 이용한다.
④ 기질(matrix)보다 막사이 공간에서 H^+의 농도가 높아지면 H^+가 ATP 합성효소(synthase)를 통해 기질로 들어온다.

정답 ③

♪ 저자촌평 에너지대사과정을 묻는 내용이다.

다음과 같이 수정한다.

③의 문장[막사이(intermembrane)공간으로 H^+을 퍼내는 펌프(pump)를 이용한다.]
즉 수소이온을 이동시켜 농도를 높이는 데 사용된다.

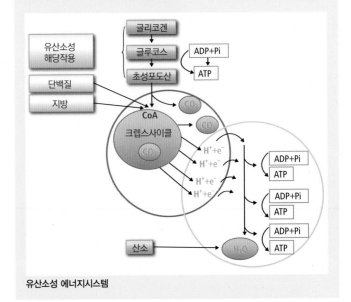

유산소성 에너지시스템

06. 뉴런(neuron)의 전기적 활동에 대한 설명으로 옳은 것은?

① 안정 시 세포내부의 전하는 양성(+)을 나타낸다.
② 신경섬유마디(node of Ranvier)에서 탈분극을 일으키고 빠르게 이동하는 전도양상을 시간가중(temporal summation)이라 한다.
③ 신경자극의 전달은 실무율(all-or-none) 법칙에 의해 이루어진다.
④ K^+의 세포내 유입으로 탈분극이 되면 활동전위(action potential)가 발생된다.

정답 ③

신경자극이 발생되었다면 이러한 자극은 전압의 감소 없이 축색 끝까지 전달되며 이는 신경전달이 시작되는 시점의 전압이 축색을 따라 전달될 때까지 유지된다는 의미이다.

①은 안정 시 세포내부의 전하는 음성(-)을 나타낸다.
② 시간가중 → 도약전도
④는 Na^+으로 수정해야 한다.

짧은 시간동안 하나의 연접 전 신경으로부터 흥분성 연접 후 막전압의 합을 시간가중(temporal summation)이라 한다.

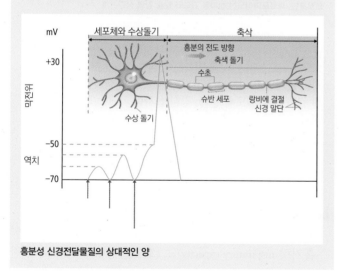

흥분성 신경전달물질의 상대적인 양

07. <보기>의 괄호에 들어갈 용어는?

〈보기〉
• 혈중 Ca^{2+} 농도가 낮을 경우 (   )이 분비된다.
• 이것은 비타민D를 활성화시키고, 신장(kidney)에서 Ca^{2+}의 재흡수를 높여 혈중 Ca^{2+} 농도를 조절한다.

① 부갑상샘 호르몬(parathyroid hormone)
② 레닌(renin)
③ 칼시토닌(calcitonin)
④ 안드로겐(androgen)

정답 ①

저자촌평 호르몬의 역할과 분비기관에 대한 주제이다.

②는 레닌은 신장 내에서 생기는 단백질 분해 효소이며, ③은 혈중 Ca^{2+} 농도가 높을 경우 분비되며, ④는 부신피질에서 분비되는 남성 생식계의 성장과 발달에 영향을 미치는 호르몬의 총칭으로 남성호르몬이라고도 한다. 남성 호르몬의 작용을 나타내는 모든 물질을 일컫는 말이다.

아래 그래프는 안정 시를 기준으로 변화 비율을 나타낸 것이다.

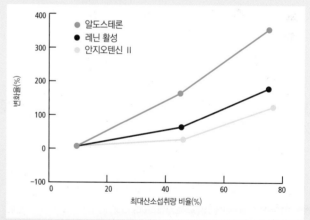

운동강도 증가에 따른 호르몬, 펩타이드

08. 뇌(brain)와 운동에 대한 설명으로 옳지 <u>않은</u> 것은?

① 대뇌(cerebrum)는 복잡한 움직임을 조직화하고, 학습된 경험을 저장하며, 감각정보를 처리한다.

② 운동은 학습능력과 기억력향상에는 효과가 없지만 우울 증 개선에는 효과가 있다.

③ 운동의 조절은 척수 조율(spinal tuning)이 중요한 역할을 하며, 많은 뇌 영역의 협력이 필요하다.

④ 소뇌(cerebellum)는 균형과 자세조절 운동타이밍 조절, 운 동명령을 수정하는 과정을 통해 운동 시 조화로운 움직 임을 돕는다.

정답 ②

🖐 저자촌평 대뇌에 관련된 지식의 유무를 묻는 주제이다.

② 운동학습은 신경시스템의 단기적·장기적 변화를 통해서 이 루어지며, 학습이 이루어지면서 시냅스 연결의 강도가 높아 지며, 신호전달의 효율성이 향상된다.

③ 척수는 필요한 움직임을 실행시키기 위해 척수중추를 준비함 으로써 움직임 조절에 큰 영향을 미친다. 수의적 움직임에 의 한 척수기전이 운동하는데 적합한 근육활동으로 전환되는 것 을 척수조율(spinal turning)이라 한다.

척수조율에 관한 기전은 ☞2017년 스포츠심리학 4번 참고

09. <보기>의 괄호 안에 들어갈 용어로 가장 적절한 것은?

〈보기〉

• 활동전위가 근세포막을 따라 가로세관(T-tubules)을 통과하면 저장된 (㉠)이 근형질세망(sarcoplasmic reticulum)에서 분비 된다.

• (㉠)이 (㉡)과 결합하면 (㉢)의 위치 변화에 의해 액틴의 활 성부위(active site)가 노출되어 마이오신 머리와 액틴이 결합 된다.

	㉠	㉡	㉢
①	Ca^{2+}	트로포닌(troponin)	트로포마이오신 (tropomyosin)
②	K^+	트로포닌	트로포마이오신
③	Ca^{2+}	트로포마이오신	트로포닌
④	K^+	트로포마이오신	트로포닌

정답 ①

근세사활주설에 대한 문제로써 그 단계 중 <보기>는 수축의 단 계를 의미한다.

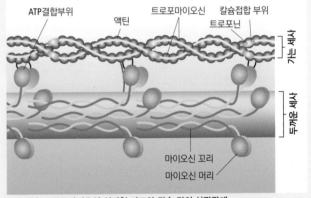

트로포닌, 트로포마이오신 십자형 가교와 칼슘 간의 상관관계

근형질세망에서 가로소관으로 이동하여 칼슘 방출을 일으키며, 트로포미오신의 위치를 변화시켜 액틴의 활동부위가 노출되어 액틴 분자에 에너지를 갖고 있는 미오신의 십자형 가교가 강하 게 결합할 수 있도록 한다. 강한 십자형 가교는 미오신 분자 내 에서 저장된 에너지를 방출시키는데 이는 십자형 가교의 각 운 동을 일으켜, 결국 근육이 짧아지게 한다.

10. 제시된 용어의 설명으로 옳지 <u>않은</u> 것은?

① 흡기량(inspiratory capacity) : 1회호흡량(tidal volume)과 잔 기량(residual volume)의 합

② 폐활량(vital capacity) : 호기예비용적(expiratory reserve vol- ume)과 흡기량의 합

③ 기능적잔기량(functional residualcapacity) : 잔기량과 호기 예비용적의 합

④ 총폐용량(total lung capacity) : 흡기량과 기능적 잔기량의 합

정답 ①

♪ **저자촌평** 폐용적과 폐용량에 대한 내용을 묻는 문제로서 강의 시간에 제시하는 틀 전체를 학습하는 것을 권장한다.

11. <보기>의 가스 교환에 대한 옳은 설명을 모두 고른 것은?

─〈보기〉─

㉠ 산소는 혈액 속에서 주로 헤모글로빈과 결합하여 운반된다.
㉡ 산소분압(PO_2)이 감소하면 헤모글로빈의 산소포화도가 낮아진다.
㉢ 체온이 증가되면 헤모글로빈의 산소포화도가 높아진다.
㉣ 이산화탄소는 혈액 내에서 주로 중탄산염(bicarbonate)의 형태로 운반된다.
㉤ 카르바미노(carbamino)화합물은 폐에서 이산화탄소 제거를 억제한다.

① ㉠, ㉡, ㉣   ② ㉠, ㉢, ㉤
③ ㉡, ㉢, ㉣   ④ ㉡, ㉢, ㉤

정답 ①

㉠~㉢은 산소-헤모글로빈 해리곡선에 대한 내용이며, ㉣, ㉤은 이산화탄소 운반체에 대한 내용이다. 다음과 같이 수정해야 한다. ㉢은 낮아진다. ㉤은 촉진한다.

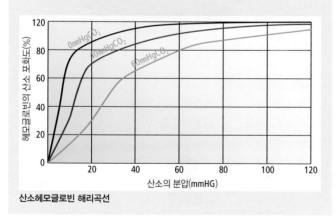

산소헤모글로빈 해리곡선

12. 장시간 운동 시 다음 <표>에 대한 설명으로 옳지 않은 것은?

㉠	• 운동시작 2~3시간 전 약 500~600㎖의 수분을 섭취한다. • 운동시작 10~15분 전 약 200~300㎖의 수분을 추가로 섭취한다. • 운동 중 1시간 마다 약 400~1,200㎖의 수분을 섭취한다.
㉡	• 스포츠음료를 섭취한다. • 수분보충 시 Na^+을 첨가하면 갈증해소와 혈장량 유지에 도움이 된다. • 감귤류나 바나나 섭취로 K^+을 보충할 수 있다.

① ㉠의 방법은 체액 균형을 유지하는 역할을 하지만 과도하게 되면 저나트륨혈증(hyponatremia)을 유발한다.
② ㉠과 ㉡의 방법은 심박수, 심부온도, 운동자각도 등의 반응들을 상대적으로 감소시킨다.
③ ㉠의 방법은 전해질 불균형을 해소시킴으로써 고체온증(hyperthermia)과 탈수증(dehydration)으로 인한 부작용을 줄인다.
④ ㉡의 방법은 수분 보유율을 높이고, 소변 배출을 줄여서 손실된 혈장량을 더 빨리 회복시킨다.

정답 ③

㉠의 방법은 전해질 불균형을 해소시켜주기 보다는 물을 많이 섭취함으로써 저나트륨혈증을 유발시킬 수 있다. 물을 너무 많이 마시거나 적게 마시지 않도록 해서 저나트륨혈증과 탈수의 위험성을 최소화해야 한다.

13. 자율신경계의 특성으로 옳지 않은 것은?

① 대부분의 인체기관은 교감신경계와 부교감신경계의 자극을 동시에 받는다.
② 평활근, 심장근, 내분비샘 등의 효과기(effector)와 연결되어 항상성(homeostasis)을 조절한다.
③ 신경절이전(preganglionic) 신경섬유와 신경절 이후(post-ganglionic) 신경섬유 사이의 신경전달 물질은 아세틸콜린(acetylcholine)이다.
④ 부교감신경 말단에서 분비되는 신경전달물질은 노르에피네프린(norepinephrine)이다.

정답 ④

④의 노르에피네프린은 아세틸콜린으로 수정해야 한다.

자율신경계(autonomic nervous system)는 신체의 내부환경을 일정하게 유지하는데 있어서 가장 중요한 역할을 한다. 체성 운동신경과는 대조적으로 자율신경계는 평활근이나 심장근과 같은 효과기 기관과 연결되어 있으며 이들은 보통 수의적인 조절을 받지 않는다. 자율신경계는 심장근, 내분비선, 평활근을 자극하며 기도, 장, 혈관에서 발견된다. 일반적으로 자율신경계는 무의식적으로 작동하지만 개개인에 따라 이 체계의 일부를 조절할 수도 있다.

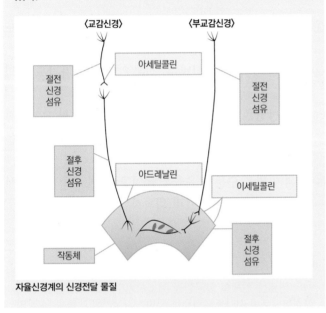

자율신경계의 신경전달 물질

14. <보기>에서 괄호 안에 들어갈 용어는?

〈보기〉

- ( )는 근육의 성장과 회복에 중요한 역할을 한다.
- ( )는 근력 훈련 후 발생한 미세한 손상 부위를 치유하는 과정에서 근섬유 속 핵을 분열시켜, 핵의 수를 늘리고 근육의 성장을 돕는 단백질 합성을 촉진한다.

① 성상세포(astrocyte)
② 슈반세포(Schwann cell)
③ 위성세포(satellite cell)
④ 신경아교세포(neuroglial cell)

정답 ③

저자촌평 골격근섬유는 몸에서 발견되는 가장 큰 세포로 배아 근육세포들의 융합으로 만들어진다. 위성세포라고 하는 줄기세포는 근섬유의 세포막 바깥에 놓여 있다. 근육성장과 근육재생이 필요하면 위성세포들은 활성화되어 분화된다. 위성세포는 말초신경계에 위치하며, 문제에서 제시된 <보기>의 기능 외에 감각과 자율신경절 내 신경세포의 기능을 지지하며 신경절 아교세포라고도 한다.

①은 별아교세포라고도 불리며 중추신경계에서 신경세포의 외부 환경을 조절하는데 도움을 주는 세포로서 뇌의 절반을 차지한다.
②는 많은 말초신경 섬유를 감아서 말이집을 형성하며, 랑비에르결절이라는 매우 작은 틈이 있다. 이 결절은 축삭을 따라 전기신호가 전달되는데 매우 중요한 역할을 한다.
④는 슈반세포와 위성세포를 총칭해서 신경교세포 또는 신경아교세포라고 한다.

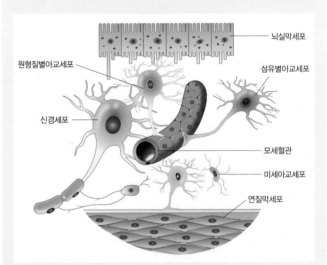

신경세포와 신경아교세포

신경아교세포의 유형

① 별아교세포   ② 희소돌기아교세포
③ 미세아교세포   ④ 뇌실막세포

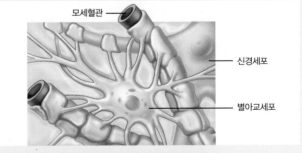

별아교세포(A)는 수도 많고 기능도 많은 신경아교세포이다.

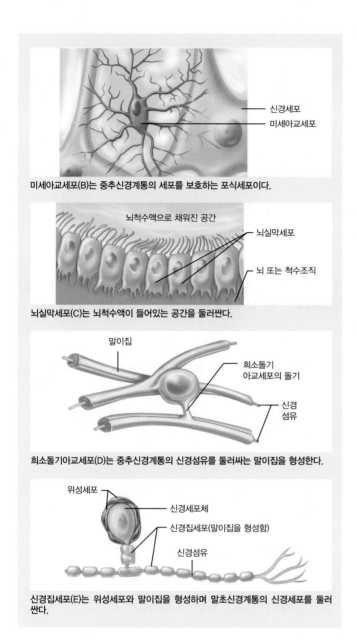

미세아교세포(B)는 중추신경계통의 세포를 보호하는 포식세포이다.

뇌실막세포(C)는 뇌척수액이 들어있는 공간을 둘러싼다.

희소돌기아교세포(D)는 중추신경계통의 신경섬유를 둘러싸는 말이집을 형성한다.

신경집세포(E)는 위성세포와 말이집을 형성하며 말초신경계통의 신경세포를 둘러싼다.

정답 ④

이 문제를 바꾸면 "근력을 결정하는 요인에 해당하는 것은?"이라고도 할 수 있다.

<보기>의 ⓒ을 제외한 모든 항목이 높거나 많으면 좋다.

---

16. 심박출량을 증가시키는 요인으로 옳지 <u>않은</u> 것은?

① 심실 수축력의 증가
② 교감신경계의 활성화
③ 평균동맥압(mean arterial pressure)의 증가
④ 이완기말 용적(end-diastolic volume)의 증가

정답 ③

평균동맥압은 보통 심장수축 후에 나타나는 압력으로 사후부하(afterload)라 불리며, 심실에서 혈액의 박출량을 저해하는 중요한 요인으로 간주된다. 따라서 1회 심박출량은 심장의 사후부하와 반비례한다.

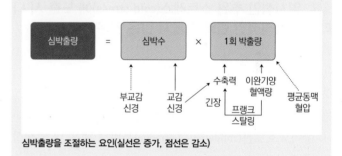

심박출량을 조절하는 요인(실선은 증가, 점선은 감소)

---

15. <보기>에 근육의 수축력 및 파워에 영향을 미치는 요인으로 옳은 것을 모두 고른 것은?

〈보기〉

㉠ 액틴과 마이오신 십자교(cross-bridge)의 수
ⓛ 수축 전 근육의 적정 길이(optimal length)
ⓒ 근섬유로 전달되는 신경자극의 크기와 빈도
ⓔ 마이오신 ATPase의 활성도
ⓜ 근섬유의 높은 효율성(efficiency)

① ㉠, ⓛ, ⓒ
② ⓒ, ⓔ, ⓜ
③ ㉠, ⓛ, ⓒ, ⓔ
④ ㉠, ⓛ, ⓒ, ⓔ, ⓜ

---

17. <보기>가 설명하는 용어로 적절한 것은?

〈보기〉

• 내심전도 검사에서 R-R시간 인터벌로 측정한다.
• 교감신경계와 부교감신경계간의 균형을 알아보는 좋은 지표이다.
• 심혈관질환자의 비침습적(non-invasive) 검사로 사용된다.

① 맥압(pulse pressure)
② 심박수 변이도(heart rate variability)
③ 심장의 우축편위(right axis deviation)
④ 좌심실 확장기말 압력(left ventricular end-diastolic pressure)

정답 ②

♪ 저자촌평 운동부하검사 과목에 가까운 문제라고도 할 수 있을 것이다. 용어에 대한 의미를 알고 있는지의 문제이다.

심박수 변이도는 〈보기〉 외에 동방결절에 영향을 미치는 자율신경계의 영향은 체내 및 외부환경의 변화에 따라 시시각각으로 변화하는데 이러한 시간에 따른 심박수의 주기적인 변화를 말한다.

📖 보충학습

①은 수축기와 이완기혈압의 차이를 말하며, ③은 우심실비대, 좌각후섬유속차단, 우심증 등에서 우축편위를 볼 수 있다.

전액면(前額面)에서의 축(軸)이 정상이라면 -30~110°의 범위 안에 있다. -30~-90°에 있는 것을 좌축편위(左軸偏位)라 하고 +110~+180° 사이에 있는 것을 우축편위(右軸偏位)라고 한다. 좌축편위는 생리적으로는 비만, 임신후기, 노인에게서 나타나고, 병적으로 좌실비대(左室肥大)를 일으키는 질환, 좌전지(左前枝) 헤미블록 등에서 볼 수 있다. 우축편위는 생리적으로는 영유아기(嬰幼兒期)에 볼 수 있으며, 병적으로는 우실비대(右室肥大)를 일으키는 질환, 좌후지(左後枝) 헤미블록, 고도복수(高度腹水), 복수종류(腹部腫瘤) 등에서 볼 수 있다.

18. 일시적인 추위 스트레스(cold stress)에 노출 시 나타나는 생리적인 변화로 옳지 않은 것은?

① 불수의적인 떨림(shivering)의 발생
② 피부의 혈관 수축(vasoconstriction)
③ 티록신(thyroxine) 분비로 세포 내 열생성 증가
④ 항이뇨호르몬(antidiuretic hormone)분비로 세포 내 열생성 증가

정답 ④

♪ 저자촌평 내분비계를 공부한 수험생이면 쉽게 해결할 수 있는 문제이다.

④는 질문과 무관한 호르몬이다.
항이뇨호르몬(antidiuretic hormone, ADH)은 명칭이 암시하는 것처럼 몸으로부터 수분 손실을 감소시킨다. 항이뇨 호르몬은 체액을 유지하기 위해 신관장으로부터 모세혈관으로 수분의 재흡수를 돕는다.

항이뇨호르몬의 분비를 증가시키기 위한 중요한 자극
① 혈액 손실이나 불충분한 수분 보충으로 인한 낮은 혈장량
② 물 보충 없이 과도한 수분 손실로 인한 높은 혈장 삼투압 농도(낮은 수분 농도)

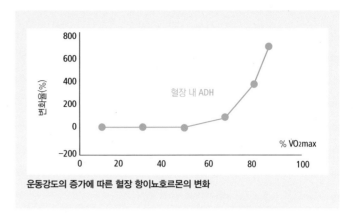

운동강도의 증가에 따른 혈장 항이뇨호르몬의 변화

19. 〈보기〉의 혈압 수치를 이용하여 평균동맥압 (mean arterial blood pressure)을 구하시오.

〈보기〉
수축기 혈압 : 126mmHg / 이완기 혈압 : 90mmHg

① 약 96mmHg   ② 약 102mmHg
③ 약 108mmHg   ④ 약 114mmHg

정답 ②

♪ 저자촌평 좀 더 응용하고, 분석력을 요구한다면 수치를 그래프를 통해서 읽게 한 후 풀 수 있도록 했어야 할 것이다. 강의 시간에 여러 번 강조한 내용이다. 공식에 대입하면 바로 답이 산출되는 문제이다.

평균동맥혈압 = 이완기 혈압 + 0.33(맥압)

📖 보충학습
평균동맥 혈압 = 심박출량 × 전체 혈관저항

20. 점증부하 운동 시 땀 손실에 의한 체액 및 혈장량이 감소할 때 뇌하수체에서 분비되는 호르몬은?

① 성장 호르몬(growth hormone)
② 바소프레신(vasopressin)
③ 갑상샘자극 호르몬(thyroid stimulating hormone)
④ 부신겉질자극 호르몬(adrenocorticotrophic hormone)

정답 ②

♫ 저자촌평 18번 문제와 맥락을 같이 하는 문제이다.

혈장이 높은 입자 농도를 가지면 삼투압 수용기가 오그라들어 시상하부에 대한 신경반사는 항이뇨호르몬 분비를 자극한다. 항이뇨호르몬은 신장에서의 수분 손실을 감소시킨다. 만약 혈장의 삼투압이 정상이지만 혈장량이 적다면 좌심방에 있는 신장 수용기는 체액을 유지하기 위한 시도로서 항이뇨호르몬 분비를 유도하는 반사를 시작한다. 운동 중에는 혈장량은 감소하고, 삼투압은 증가한다. 운동강도가 VO_2max의 60%를 초과할 때 항이뇨호르몬 분비는 18번 그림에서 보는 것처럼 증가한다. 이것은 혈장량을 유지하기 위한 수분의 보존을 돕는다.

시상하부의 후엽은 바소프레신을 저장하고 방출한다.

📖 보충학습

뇌하수체 전엽호르몬은 많은 중요한 기능을 조절하기 때문에 몸의 "master gland(마스터 내분비샘)"이라고도 하며 성장, 대사, 생식을 조절한다. ①, ③, ④는 뇌하수체 전엽에서 분비되는 호르몬이다.

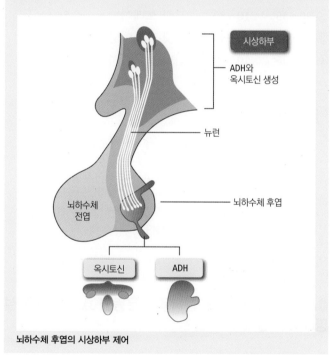

뇌하수체 후엽의 시상하부 제어

건강 · 체력평가

01. 규칙적인 신체활동 또는 운동을 통한 생리적 적응 현상으로 옳은 것은?

① 최대하운동 시 심근 산소소비량의 증가
② 점증적 최대운동 시 혈중 무기인산염 축적의 지연
③ 저강도운동 시 지방산화 활성에 의한 글리코겐보존(glycogen sparing)효과 억제
④ 최대하운동 시 비단백질호흡률(non-protein RQ)의 증가

정답 ②

다음과 같이 수정해야 한다.
① 심근산소비량은 안정 시, 최대하, 최대로 구분하여 증 · 감을 구별해야 한다. 점증적 최대운동 시 혈중 무기인산염 축적의 단축으로 수정해야 한다.
③ 글리코겐 보존 효과 증가
④ 감소

02. <보기>에서 규칙적인 운동으로 발생하는 혈압 감소의 원인에 대한 설명을 모두 고른 것은?

─〈보기〉─
㉠ 교감신경 활성 증가 및 부교감신경 활성 감소
㉡ 혈중 카테콜라민(catecholamine) 증가
㉢ 레닌-안지오텐신 시스템(renin-angiotensin system) 활성 감소
㉣ 향상된 신장 기능으로 인해 Na⁺체외 배출 증가

① ㉠, ㉡　　　② ㉡, ㉢　　　③ ㉢, ㉣　　　④ ㉠, ㉣

정답 ③

운동으로 혈장 노르에피네프린(norepinephrine)이 감소되고, 자율신경계의 긴장을 완화시키며, 압력수용반사(baroreflex)의 재조정으로 말초저항이 감소되어 혈압이 감소하게 되며 운동은 합리적인 강압요법이다.

03. <보기>는 ACSM에서 관상동맥질환자에게 권장하는 운동방법이다. 괄호 안의 용어가 바르게 묶인 것은?

─〈보기〉─
• 유산소 운동은 $\dot{V}O_2max$의 (㉠)% 강도에서 하루(㉡)분 동안 지속적으로 수행하는 대근육 운동을 권장한다.
• 저항성운동은(㉢)의 운동형태로 (㉣)회의 반복을 수행할 수 있는 운동 강도를 권장한다.

	㉠	㉡	㉢	㉣
①	40~85	20~40	인터벌 트레이닝	5~6
②	20~35	10~30	서킷 트레이닝	5~6
③	40~85	20~40	서킷 트레이닝	12~15
④	20~35	10~30	인터벌 트레이닝	12~15

정답 ③

관상동맥질환자의 경우 사망률 개선을 위해 훈련빈도, 기간과 강도는 주당 1500kcal 이상의 에너지를 소비할 수 있게 해야 한다. 저항훈련은 일반적으로 주당 2~3일 수행하고, 국부적인 운동들을 8~12회 1세트 수행하도록 한다. 1RM의 50~70%에서 저항훈련을 하는 동안 심근산소 소비량은 지구력 운동을 위해 처방된 범위를 넘어서는 안 된다. Borg 척도 11~14 사이를 유지하도록 권장한다.

04. 대사성질환자에게 적용한 운동의 효과에 대한 설명으로 가장 옳은 것은?

① 규칙적인 운동은 고혈압 환자의 수축기 혈압은 감소시키지만, 이완기 혈압은 변화시키지 못한다.
② 제2형 당뇨병 환자가 저항성 운동을 매일 수행한 경우 인슐린 저항성이 증가한다.
③ 고콜레스테롤혈증 환자는 지구성 운동에 의해 고밀도지단백콜레스테롤(HDL-C) 수치가 낮아진다.
④ 고혈압환자가 장기간 동안 매일 최소 30분의 유산소운동을 수행한 경우, 수축기 혈압이 약 10mmHg 정도 감소한다.

정답 ④

비교적 쉬운 문제이다. 다음과 같이 수정해야 한다.

① 모두 변화시킨다.
② 인슐린 저항성 감소(인슐린의 민감도 증가)로 수정해야 한다.

대사증후군

---

05. ACSM에서 제시한 당뇨병 환자의 운동참여 전 운동검사 실시여부를 결정하는 권고기준으로 옳은 것은?

① 제1형 당뇨병 진단 후 10년 경과
② 제2형 당뇨병 진단 후 5년 경과
③ 총콜레스테롤 수치가 200㎎/㎗ 이하
④ 60세 미만의 직계에서 관상동맥질환의 가족력 보유

정답 ④

저자촌평 공부하지 않으면 해결하기 쉽지 않은 문제이다.

다음과 같이 수정해야 한다.
① 15년, ② 10년, ③ 240㎎/㎗ 이상

이 외에도 의학적으로 진행된 말초혈관이나 신장질환, 미세혈관 질환, 심장비대증이나 심부전증, 진행된 자율성, 신장이나 뇌혈관 질환의 존재 등이 있다.

---

06. 심혈관질환자를 위한 위험분류 기준 중 '고위험군'에 대한 설명이다. <보기>에서 괄호 안의 수치가 바르게 묶인 것은?

〈보기〉
• (㉠)MET 미만의 운동 또는 회복 시 비정상적인 호흡곤란, 가벼운 어지럼증, 현기증이 발생한다.
• 운동부하검사 중 또는 휴식 시 기준선으로부터 (㉡)mm 이상의 ST분절 하강을 보인다.

① ㉠ 7 ㉡ 2   ② ㉠ 6 ㉡ 1
③ ㉠ 5 ㉡ 2   ④ ㉠ 4 ㉡ 1

정답 ③

저자촌평 공부를 한 수험생이 해결할 수 있는 문제이다.

문제에 대해서 추가했으면 좋은 내용은 '미국심폐재활학회(AACVPR)의 위험 분류기준'이라는 정의를 제시했으면 하는 아쉬움이 남는 문제이다.

'고위험군'에 대한 그 외의 항목은
① 운동검사 중 또는 회복기 중 복합성 심실부정맥이 있는 경우
② 비정상적인 혈역학 증상이 있는 경우이다.

📖 보충학습

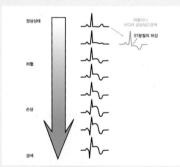

경색에서 심전도의 진행

ST분절 하강은 심전도 기저선 아래로 1~2mm 또는 작은 칸 1~2개 이하로 나타나는 경우를 말하며, 심근허혈로 발생한 것이며 이차적으로는 심근조직의 저산소증을 발생한 것이다. ST분절 하강은 대부분 심근허혈이지만 한정된 원인만이 있는 것은 아니다. 심실비대, 심실 내 전도결손, 디지털리스약물 투여 등으로도 나타날 수 있다.

07. 운동 전 평가로 실시하는 이학적 검사 요소를 <보기>에서 모두 고른 것은?

〈보기〉

| ㉠ 체중 | ㉡ 압통평가 | ㉢ 심장청진 |
| ㉣ 안정 시 혈압 | ㉤ 신경학적 기능 검사 | ㉥ 피부시진 |

① ㉠, ㉡, ㉢
② ㉠, ㉢, ㉤, ㉥
③ ㉠, ㉢, ㉣, ㉤, ㉥
④ ㉠, ㉡, ㉢, ㉣, ㉤, ㉥

정답 ④

이학적 검사의 목적은 환자의 증상을 재현하고, 침범된 관절 또는 조직에 대한 자극을 통하여 기능부전의 수준을 확인하는 것이다. 관찰, 시진, 근육검사, 신경근검사, 촉진, 유발검사, 특수검사, 관련 영역검사 등이다.

08. 국제당뇨병연맹(IDF)에서 제시한 대사증후군의 위험지표에 관한 기준을 바르게 묶은 것은?

항목	IDF 기준
허리둘레(cm)	남: (>㉠), 여: (>㉡)
고밀도지단백콜레스롤(HDL-C, mg/dℓ)	남: (<㉢), 여: (<㉣)
중성지방(TG, mg/dℓ)	(≥㉤)

	㉠	㉡	㉢	㉣	㉤
①	94	80	40	50	150
②	90	85	35	39	150
③	94	80	50	40	100
④	85	90	39	30	100

정답 ①

고밀도지단백콜레스롤 수치만 알고 있어도 쉽게 해결할 수 있는 문제이다.

대사증후군

09. 1RM측정 시 검사자가 숙지해야 하는 기본 절차로 옳지 않은 것은?

① 스쿼트 1RM 측정 시 15회 이상의 반복횟수를 수행하면 최대 5kg의 중량을 올려 다음 세트를 진행한다.
② 피검자가 자각할 수 있는 능력 내에서 최초 무게를 정한다.
③ 측정사이의 간격이 3~5분인 4회 시험 내에서 1RM(또는 다중 RM)으로 결정한다.
④ 측정 사이의 동일성을 위하여 같은 속도의 동작과 관절 가동범위로 수행한다.

정답 ①, ③

저자촌평 복수정답으로 다음과 같이 수정해야 할 것으로 사료된다.

① 예상되는 최대근력의 50~60% 강도로 5~10회 반복한다.
③ 5회→4회

10. <보기>에서 골관절염(osteoarthritis)의 주요 특징을 바르게 묶은 것은?

〈보기〉

㉠ 관절연골(articular cartilage)의 파괴
㉡ 아침경직(morning stiffness)이 최소한 1시간 이상 지속
㉢ 골극(osteophyte)의 형성
㉣ 좌우 양측의 같은 관절에서 동시 발병

① ㉠, ㉡
② ㉠, ㉢
③ ㉡, ㉢
④ ㉡, ㉣

정답 ②

㉡, ㉣은 류마티스관절염에 대한 내용이다.

11. <보기>는 A집단과 B집단의 1,600m 오래달리기 기록(초)과 최대산소섭취량(VO₂max)의 관계를 나타낸 산점도(scatter plot)이다. 산점도와 관련된 설명으로 옳은 것은?

〈보기〉

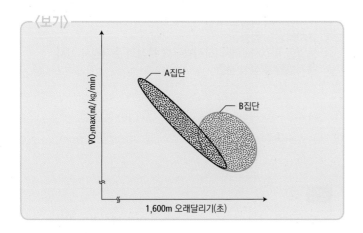

① B집단이 A집단보다 심폐지구력이 평균적으로 더 우수하다.

② B집단이 A집단보다 1,600m 오래달리기 기록의 분산도 (variability)가 더 크다.

③ A집단이 B집단보다 최대산소섭취량 추정식의 결정계수 (R2)가 더 크다.

④ A집단이 B집단보다 최대산소섭취량 추정치의 신뢰구간 (confidence interval)이 더 크다.

정답 ③

🎵 저자촌평 상관계수의 해석에 대한 내용을 공부해야 풀 수 있는 문제이다.

〈보기〉의 최대산소섭취량(V̇O₂max) 총변화량 중에 1600m 오래달리기의 시간으로 설명되는 변화량의 비율을 '결정계수'라고 한다. 이는 상관계수를 자승한 값(R^2)을 말한다.

상관계수를 통하여 두 변인의 상관이 음인지 양의 관계인지 알 수 있으며, 상관계수의 크기로서 상관의 정도를 평가할 수 있다. 그러나 상관계수만으로 상관정도를 구체적으로 설명할 수 없기 때문에 두 변인 간에 중복설명 되는 분산의 정도를 나타내는 결정계수로써 명확한 설명이 가능하다.

📖 보충학습

산점도란 두 변수간의 상관을 잘 보여주는 것으로서 X축과 Y축에 각각의 변수들을 투입하여 한 피험자의 두 변수값이 교차되는 지점을 점으로 표시한 그래프를 말한다.

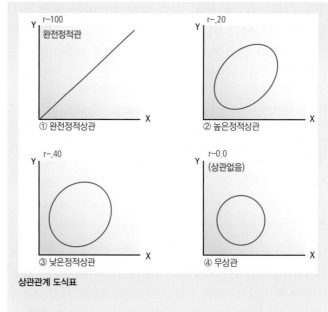

상관관계 도식표

상세한 방법(그림과 사진)은 박승화의 건운사 강의를 통해서 가능하다.

12. 건강 관련 체력검사의 결과 활용으로 바르게 묶인 것은?

〈보기〉

㉠ 체력의 향상도 평가를 위한 기초자료로 활용한다.
㉡ 달성 가능한 건강체력 목표를 설정하는데 활용한다.
㉢ 규준(norm)지향 기준과 비교하여 신체활동 동기를 유발한다.
㉣ 준거(criterion)지향 기준과 비교하여 체력의 상대적 위치를 확인한다.

① ㉠, ㉡, ㉢   ② ㉠, ㉡, ㉣
③ ㉡, ㉢, ㉣   ④ ㉠, ㉡, ㉢, ㉣

정답 ①

㉣의 준거지향과 상대적 위치는 맞지 않는 문장이다. 상대적 위치는 상대평가에서 가능하다.

13. 다음 <표>는 성인 남자 표본 100명의 체력 검사 결과를 모집단과 비교하여 나타낸 것이다. 표본 집단의 체력검사 결과에 대한 해석으로 옳은 것은?(단, 모집단의 결과는 정규분포를 가정함)

체력(검사)	근지구력 (윗몸일으키기, 회/분)	심폐지구력 (1,600m 오래달리기, 초)	유연성 (앉아윗몸앞으로 굽히기, cm)
표본 평균	40	540	13
모집단평균	35	520	10
z-점수	1.8	1.0	0.8

① 표본의 심폐지구력은 모집단보다 평균적으로 더 우수하다.
② 표본의 유연성은 모집단보다 평균적으로 우수하지 않다.
③ 표본의 심폐지구력은 유연성보다 상대적으로 더 우수하다.
④ 표본의 근지구력평균은 모집단의 상위 5%에 속한다.

정답 ④

↳ 저자촌평 필자가 강의 시간에 항상 강조한 내용이다.

아래의 공식은 참고로 숙지할 것이며, 필자가 강의시간에 그리는 그래프를 이용해도 산출이 가능한데 백분율 역시 마찬가지이다.

Z = (원점수-평균)/표준편차

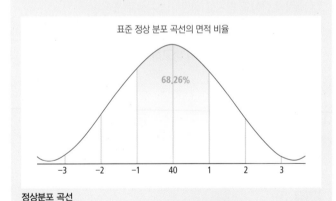

표준 정상 분포 곡선의 면적 비율

68.26%

정상분포 곡선

체력검사

14. 피하지방두께를 이용한 체지방률(%body fat) 추정식의 예측타당도(predictive validity)를 검증하는 과정을 순서대로 나열한 것은?

〈보기〉
㉠ 준거검사의 타당도 확인
㉡ 교차타당도 검증
㉢ 동일한 피검자에게 피하지방두께 측정과 준거검사 실시
㉣ 체지방률 추정식 산출

① ㉠→㉡→㉢→㉣
② ㉠→㉢→㉣→㉡
③ ㉡→㉠→㉢→㉣
④ ㉢→㉠→㉣→㉡

정답 ②

예측타당도는 측정도구에 의한 점수와 미래 행동과의 관계를 기초로 판단하는 특징이 있다. 미래 행동은 이전에 측정한 도구로 다시 측정하는 것이 아니라 측정도구와 논리적으로 관계가 있는 다른 행동이 되어야 한다. 우선 타당도를 알아보고자 하는 측정도구로 점수를 구하고, 일정 시일이 지난 후 측정 점수와 관계가 있는 연구 대상자의 행동을 측정한다. 측정도구에 의한 점수와 미래 행동 사이의 상관관계를 구한다.
축소현상을 위한 방법으로 타당도 교차검증 기법을 활용한다. 이 기법은 예언식의 정확성을 검증하기 위해 동일한 전집으로부터 추출된 새로운 표본집단에 동일한 검사를 실시하게 된다.

15. 유연성 검사에 대한 설명으로 옳지 <u>않은</u> 것은?

① '앉아서 윗몸 앞으로 굽히기'는 측정 시 피검자가 무릎을 굽히거나 반동을 주면 재측정 한다.
② 'Back-Saver 앉아서 윗몸 앞으로 굽히기'는 윗몸을 굽힐 때 척추 부분의 불편함을 해소하기 위해 한쪽 다리만 편 상태에서 측정한다.
③ '수정된 Back-Saver 앉아서 윗몸 앞으로 굽히기'는 팔다리 길이 차이를 고려하여 상대적 0점을 이용해서 측정한다.
④ '의자앉아 윗몸 앞으로 굽히기'는 노인의 기능적 제한을 고려하여 의자에 앉아 한쪽 다리만 편 상태에서 측정한다.

정답 ③

↳ 저자촌평 Modified back saver 검사는 다른 검사 방법과 비교해 볼 때 가장 안정적이고, 편안한 방법이다. 그러나 이 검

사는 기준치를 일반화하기 어려운 단점을 안고 있다. 따라서 노인들에게 맞는 back saver 방법과 유사한 Chair sit and reach 방법을 고안하게 되었다.

신발 앞쪽에서 가장 긴 부위에 "0"점수를 놓게 한다.

③은 Modified sit and reach 방법으로 사료된다.
Modified back saver, Chair sit and reach 방법은 검사하지 않은 다리는 바닥에서 90° 구부리고 12인치 높이에서 한쪽 다리만 검사하게 된다. 다른 방법과 비교해 볼 때 가장 안정적이고 편안한 방법이다. 그러나 이 검사의 기준치를 일반화하기는 어려운 점이 있다.

Modified Back–Saver sit and reach

16. 심폐지구력 검사에 대한 설명으로 옳은 것은?

① 6분 걷기와 2분 제자리 걷기는 노인에게 적절한 검사이다.
② 15m 왕복오래달리기는 성인 여성에게 적절한 검사이다.
③ 스텝검사에서 회복심박수의 합이 높을수록 신체 효율성 지수(Physical Efficiency Index, PEI)가 높다.
④ 왕복오래달리기는 피검자가 신호음이 울리기 전에 반대쪽라인에 1회 도달하지 못할 경우 측정은 종료된다.

정답 ①

♪ 저자촌평 ①의 노인체력검사는 미국형(수입품)과 한국형(토종)으로 나눌 수 있는데 미국형의 경우 2분 스텝테스트이며, 한국형의 경우 제자리 걷기(국민체력 100)이다.

②는 초등학생에게 적절한 검사이다.
③은 그림에서 보는 것처럼 심박수가 낮아야 높다.

④ 2회로 수정해야 한다.
PACER에 대한 자세한 내용은 박승화 건강운동관리사 강의에서 확인할 수 있다.

17. 등속성 근기능 검사장비에 대한 설명을 바르게 묶은 것은?

〈보기〉

㉠ 단축성수축(concentric contraction) 운동은 가능하지만 신장성 수축(eccentric contraction) 운동은 불가능하다.
㉡ 관성의 영향 없이 관절가동범위 내에서 최대 근수축을 유도한다.
㉢ 다른 근기능 검사 장비보다 비교적 검사 시간이 짧게 소요된다.
㉣ 각속도 조절이 가능하므로 적합한 속도를 부과하여 측정할 수 있다.

① ㉠, ㉡   ② ㉠, ㉣   ③ ㉡, ㉢   ④ ㉡, ㉣

정답 ④

㉠ 특별히 설계된 장비에 의하여 근육은 신전과 굴곡부분에서 동일한 저항을 느낀다.
㉢ 기계에 의하여 제공되는 최대의 저항으로 운동은 본인의 의지와 상관없이 빠르게 수행될 수 없다.

📖 보충학습
컴퓨터화된 근력측정 장비는 가변저항을 제공하는 등속성 동력계이다. 등속성(isokinetic)이란 용어는 일정한 비율의 속도로 이동한다는 의미이다. 가변저항 등속성 동력계는 특정 움직임 중에 저항이 변하는 동안 움직임의 속도를 일정하게 유지하는 전자 기계적 장비이다. 장비에 의해 제공되는 저항은 근육에서 산출되는 힘과 일치하도록 설계된 저항이다. 장비 내부에 있는 힘 변환기는 항상 일정한 속도에서 산출되는 근육의 힘을 감지하고, 이러한 정보를 운동 중에 관절 각도와 각각의 시간대에 걸쳐 산출된 평균치의 힘을 계산하는 컴퓨터에 전달한다.

18. 건강 관련 체력검사의 신뢰도와 타당도에 대한 설명으로 옳지 <u>않은</u> 것은?

① 변별력이 높은 체력검사는 타당도가 높다.
② 여러 번 측정해도 검사 결과가 비슷한 검사는 신뢰도가 높다.
③ 신뢰도가 높은 검사라도 타당도는 낮을 수 있다.
④ 추정표준오차(Standard Error Estimate, SEE)는 준거검사의 신뢰도를 나타낸다.

신뢰도, 타당도, 객관도는 필자가 강의하면서 여러 번 강조하고, 쉽게 가르치는 내용이다.

다음과 같이 수정해야 한다.

④는 '규준지향 검사의 예측타당도를 나타낸다.

추정의 표준오차는 두 검사 점수 간 상관이 클수록 추정의 표준오차는 작고, 추정의 표준오차가 작을수록 정확한 예측을 의미한다.

19. ACSM 질병위험분류 기준에 따른 고혈압, 대사증후군, 뇌졸중 등의 건강관련 문제가 발생 할 가능성이 가장 높은 대상자로 적절한 것은?

① 체질량지수 33kg/㎡이면서 허리둘레가 90㎝인 성인 여성
② 체질량지수 33kg/㎡이면서 허리둘레가 98㎝인 성인 남성
③ 체질량지수 34kg/㎡이면서 허리둘레가 85㎝인 성인 여성
④ 체질량지수 34kg/㎡이면서 허리둘레가 95㎝인 성인 남성

①은 ACSM 가이드라인(BMI 30kg/㎡, 허리둘레 88인치)의 질병위험분류 기준에 모두 포함되어 있기 때문이다.

20. 국민체력100의 국민체력인증제에 대한 설명으로 옳지 <u>않은</u> 것은?

① 체력 수준을 과학적으로 평가한다.
② 절대평가 기준에 의하여 체력을 인증하여 수상한다.
③ 맞춤형 운동처방 및 체력관리를 무료로 제공한다.
④ 생애주기별로 건강체력의 기준을 제시한다.

국민체력인증제의 목적은 전 국민 대상 체력인증제를 통해 스포츠 복지서비스를 강화하고, 생활체육 참여율을 높이는 것이다.

②는 상대적평가 기준에 의해 성별, 연령별 각 검사 항목의 백분위와 외국의 인증 단계를 참고하여 상장을 제공하고 있다.

국민체력 100

운동처방론

01. <보기>에서 운동부하검사 시 검사자가 고려해야 할 내용으로 옳은 것은?

〈보기〉
ㄱ 검사 직전까지 음식 섭취를 허용한다.
ㄴ 검사 중 초래되는 증상과 흔치 않은 느낌을 알리도록 한다.
ㄷ 처방되지 않은 약물을 제외한 복용 약물은 정확하게 밝히도록 한다.
ㄹ 원활한 검사를 위해 모든 질문은 자제하도록 한다.
ㅁ 피검자가 불편함이나 피로감을 느끼는 경우 운동 부하검사의 중단을 요청할 수 있도록 한다.

① ㄱ, ㄴ　　② ㄴ, ㄷ　　③ ㄴ, ㅁ　　④ ㄷ, ㅁ

정답 ③

쉽게 해결할 수 있는 문제이다.

02. 심폐지구력 향상을 위한 트레이닝에 대한 설명으로 옳지 <u>않은</u> 것은?

① 운동강도와 시간은 상호 정비례 관계를 통해서 총 칼로리 소비량을 결정한다.
② 운동형태는 율동적이고 동적으로 대근육군을 사용하도록하며 필요할 경우 교차훈련을 할 수 있다.
③ 운동시간은 20~60분간의 지속적인 혹은 간헐적인 활동을 포함한다.
④ 주당 3~5일의 빈도를 통해서 향상되지만 그 향상 정도는 점차 고원화(plateau) 된다.

정답 ①

①은 다음과 같이 수정해야 바른 문장이 된다.
• 정비례→반비례

높은 강도로 오랜 시간을 지속하기 어렵기 때문이다

심폐지구력 운동

03. <보기>에서 저항성 트레이닝의 효과에 관한 설명으로 바르게 묶인 것은?

〈보기〉
ㄱ 근비대를 통해서 안정 시 대사율이 감소한다.
ㄴ 성별, 연령, 운동종목에 상관없이 많은 사람들에게 도움이 된다.
ㄷ 근비대는 주로 근섬유 횡단면적의 증가로 이루어진다.
ㄹ 운동강도, 반복횟수 및 세트 수 설정에 따라 근지구력, 근파워, 근비대의 효과가 다르게 나타난다.
ㅁ 운동강도가 유지되더라도 운동빈도를 줄이면 즉각적으로 트레이닝 효과가 감소한다.

① ㄱ, ㄴ, ㄷ　　　② ㄱ, ㄹ, ㅁ
③ ㄴ, ㄷ, ㄹ　　　④ ㄴ, ㄹ, ㅁ

정답 ③

비교적 쉬운 문제이다.

ㄱ 근비대는 안정 시 기초대사율을 증가시킨다.
ㅁ 근육이 위성세포들과 융합을 통해 많은 핵을 보유하고 있기 때문에 트레이닝 효과가 즉각적으로 감소하지 않는다.

2017

04. <보기>에서 심폐지구력 향상을 위한 트레이닝의 효과로 바르게 묶인 것은?

―〈보기〉―
> ㉠ 안정 시 심박수가 감소한다.
> ㉡ 근육량이 현저하게 증가한다.
> ㉢ 동일한 강도의 최대하운동 시 1회 박출량이 증가한다.
> ㉣ 동일한 강도의 최대하운동 시 심박수가 감소한다.
> ㉤ 동일한 강도의 최대하운동 시 심근산소소비량이 증가한다.

① ㉠, ㉢, ㉣
② ㉠, ㉣, ㉤
③ ㉡, ㉢, ㉤
④ ㉢, ㉣, ㉤

정답 ①

♪**저자촌평** 필자가 강의 시간에 트레이닝 전·후를 비교하고, 강조한 내용에서 출제되었다. 심근산소소비량은 안정 시, 최대하운동 시, 최대운동 시의 트레이닝 전·후를 비교해서 숙지해야 할 것으로 사료된다.

다음과 같이 수정해야 한다.
㉡은 근력훈련 시 해당되는 내용으로 심폐지구력 운동 시엔 현저한 증가 없음, ㉤은 감소한다.

심근산소소비량 = 심박수 × 수축기혈압

심폐지구력 운동

05. 고혈압 환자를 위한 운동 내용으로 옳지 않은 것은?

① 혈압조절이 되지 않는 고혈압환자는 먼저 의사에게 의학적 평가를 받고 혈압강하제를 처방받은 후 운동에 참가해야 한다.
② 저항운동 중 발살바 조작(Valsalva maneuver)이 발생하는 형태의 근육운동을 하도록 한다.
③ 대부분의 유산소운동은 가급적 매일 실시하고, 저항운동은 주당 2~3회 실시한다.
④ 운동프로그램은 대근육군을 이용하는 8~10가지의 서로 다른 운동으로 구성한다.

정답 ②

발살바 조작의 문제점
① 심장에서 동맥 시스템으로 증가된 흉 내압 때문에 혈압이 급작스럽게 증가한다.
② 흉추와 복부 내의 압력이 정맥 시스템 내로 비교적 낮은 압력을 초과하기 때문에 하대정맥이 압축되어 정맥혈 회귀가 감소된다.

06. 당뇨병 환자에게 운동처방 시 특별히 고려해야 할 사항 중 가장 옳은 것은?

① 운동에 대한 심박수 반응이 둔화될 수 있기 때문에 운동자각도(RPE)로 운동강도를 평가할 수 있다.
② 발의 상처확인을 위해서 가급적 맨발로 운동하도록 한다.
③ 망막병증을 동반한 환자의 운동프로그램에는 고강도 유산소운동을 포함한다.
④ 제1형 당뇨병 환자의 경우는 운동 전과 후에 인슐린을 투여하여 혈당을 조절하도록 한다.

정답 ①

♪**저자촌평** 당뇨병환자들은 말초신경병변, 말초혈관장애 혹은 기타 여러 가지 원인에 의한 족부괴저의 위험이 있다.

다음과 같이 수정하면 바람직하다.

①의 문장은 '자율신경계에 장애를 가진 사람'은 운동에 대한 심박수 반응이 둔화될 수 있기 때문에 운동자각도(RPE)로 운동강도를 평가할 수 있다.

필자가 지적한 밑줄 친 문장을 넣어야 더 좋은 문장이 될 수 있다. 추가로 말초혈관의 손상이 있는 사람은 통증을 호소하고 균형 장애, 약화, 고유수용기의 감수성이 감소되어 있다.

② 발의 물집을 위해 특별한 관리를 해야 하는데 건조하게 관리하고, 실리카겔이나 공기주입식 운동화뿐 아니라 폴리에스테르 또는 합성양말을 사용하는 것이 권장된다.

③ 망막에 대한 중요성은 운동강도의 증가에 따른 기관의 혈액 흐름 감소와 관계가 있기 때문에 중·저 강도의 프로그램이 권장된다. 고강도 운동 시 심박수와 혈압이 급격하게 증가할 수 있다.

④ 혈당농도가 높은 환자들은 운동 전·후에 반드시 혈당을 체크해야 한다.

　<100mg/dℓ 혹은 >300mg/dℓ인 경우 운동을 연기하거나 다시 생각해야 한다.

　운동 전 인슐린을 투여하면 지나치게 빨리 혈류로 유입되어 저혈당이 초래된다.

📖 보충학습

제1형 당뇨병 환자의 운동처방

* 신체활동 전에 대사조절
  - 공복 시 혈당이 250mg/dℓ이 이상이거나 케톤증이 있으면 신체활동을 금하고 혈당이 300mg/dℓ이 이상이고 케톤증이 없으면 주의해서 운동을 할 수 있다.
  - 혈당이 100mg/dℓ 이하이면 탄수화물을 섭취해야 한다.
* 신체활동 전, 후의 혈당조절 모니터
  - 인슐린의 변화가 있거나 음식섭취가 필요할 때 한다.
  - 운동의 형태에 따른 혈당의 반응을 알고자 할 때 한다.
* 음식섭취
  - 저혈당증을 예방하기 위하여 필요한 만큼의 탄수화물을 섭취
  - 운동 중 또는 운동 후에 언제나 탄수화물 음식을 섭취할 수 있도록 준비

---

07. <보기>의 ACSM에서 제시한 어린이를 위한 운동처방 시 FITT-VP 권고사항으로 바르게 묶인 것은?

─〈보기〉─

㉠ 체격에 맞춰 부하를 결정하도록 한다.
㉡ 달리기, 줄넘기, 근력운동 등을 포함한 뼈 강화 활동을 주당 3일 이상 실시한다.
㉢ 어린이들은 어른들보다 더 적은 양의 신체활동을 해야 한다.
㉣ 유산소운동은 중강도 이상으로 실시하며, 주당 3일은 격렬한 강도의 운동이 포함되도록 한다.

① ㉠, ㉢　　② ㉠, ㉣　　③ ㉡, ㉢　　④ ㉡, ㉣

정답 ④

🔖 저자촌평 쉬운 문제이다.

㉠은 체격보다는 체력에 맞춰 운동부하를 결정하는 것이 바람직하다.

---

08. ACSM이 최근에 제시하는 과체중과 비만환자를 위한 체중감량 프로그램 권고사항으로 옳지 <u>않은</u> 것은?

① 유산소운동의 강도는 $\dot{V}O_2R$의 35% 이하로 제한한다.
② 유산소운동과 함께 저항운동과 유연성운동을 병행한다.
③ 적당한 신체활동량을 위하여 운동빈도는 주당 5~7일로 한다.
④ 한 번에 최소 10분씩 간헐적으로 운동하여 하루 운동 권장량을 채우는 것이 가능하다.

정답 ①

🔖 저자촌평 쉬운 문제이다.

①처럼 저강도로 운동할 경우 체중감량에 효과가 거의 없기 때문에 최소한 40~60% 정도 시작한 후 그 이상의 강도로 향상시키는 것이 권장된다.

---

09. <보기>에서 고령자의 운동부하검사에 대한 내용으로 바르게 묶인 것은?

─〈보기〉─

㉠ 낮은 운동능력이 예상되면 초기강도를 3MET 이하로 설정한다.
㉡ 단계를 올릴 때 트레드밀의 경사보다는 속도를 증가시킨다.
㉢ 단계별 운동의 증가량은 2MET로 설정하는 것이 안전하다.
㉣ 트레드밀 검사의 대체검사방법으로 자전거 에르고미터 또는 6분 걷기검사를 실시할 수 있다.

① ㉠, ㉢　　② ㉠, ㉣　　③ ㉡, ㉢　　④ ㉡, ㉣

2017

다음과 같이 수정한다.

ⓒ은 보행능력이 부족하기 때문에 속도보다는 경사도를 증가(최대 속도 3~3.5mile) 시킨다.

ⓒ은 0.5~1MET씩 각 단계는 2~3분으로 설정한다.

---

10. <보기>와 같은 순(net) 칼로리 소비가 목표일 경우 하루 몇 분간 운동하는 것이 적절한가?(소수점 이하 첫째자리에서 반올림)

〈보기〉

목표칼로리 소비 : 1,200kcal/주
(산소소비량 1L당 5kcal의 칼로리 소비를 기준)
• 성별 : 남성   • 연령 : 45세   • 체중 : 70kg
• 운동강도 : 6MET   • 운동빈도 : 4일/주

① 약 42분   ② 약 45분   ③ 약 49분   ④ 약 55분

저자촌평 결코 쉽지 않은 계산문제이다.

순(net) 칼로리 소비라는 단서가 붙어 있기 때문에 운동 시에서 안정 시 소비량을 빼야 한다. 목표칼로리를 주당 4회로 나누게 되면 1일 소비칼로리를 알 수 있다.

48분 97초가 계산된다.

상세한 계산 방법은 박승화 체육·스포츠교육원[www.peteacher.co.kr]의 강좌를 통해서 학습할 수 있다.

---

11. <보기>에서 A씨가 $\dot{V}O_2R$의 60% 강도로 운동을 실시할 때 산출된 산소섭취량으로 옳은 것은?

〈보기〉

A씨는 36세의 남성으로 체중은 70kg, 신장은 165cm이고 체지방률은 28%이다. 안정 시 혈압은115/80mmHg이고, 심박 수 68회/분이었다. 최대산소섭취량은 41mℓ/kg/min이었다.

① 1.72L/min   ② 1.82L/min
③ 1.97L/min   ④ 2.46L/min

저자촌평 이 문제는 목표산소섭취량을 산출하는 공식을 이용하면 쉽게 해결할 수 있다.

목표산소섭취량 = [% × (최대산소섭취량 − 안정 시 산소섭취량)] + 안정 시 산소섭취량

상세한 계산 방법은 박승화 체육·스포츠교육원[www.peteacher.co.kr]의 강좌를 통해서 학습할 수 있다.

---

12. 대퇴골 경부 골밀도 T점수가 −3.0이며 일상생활에 문제가 없는 53세 남성을 위한 운동처방 내용으로 가장 옳은 것은?

① 코어근육 발달을 위하여 저항운동으로 동적 복근 운동과 몸통 회전운동을 실시한다.
② 동기유발을 위해 동료와 함께하는 팀 스포츠인 야구, 축구를 실시한다.
③ 근육과 뼈에 자극을 주기위해서 탄성 스트레칭으로 준비운동을 실시한다.
④ 중강도 유산소 운동(HRR의 40~60%)과 계단 오르내리기 운동을 실시한다.

저자촌평 대퇴골 경부 골밀도 T점수가 −2.5이하일 경우 골다공증으로 정의하기 때문에 골다공증 환자의 경우 몸을 틀거나, 충격을 받을 수 있는 축구 등의 접촉 스포츠나 대인 스포츠 등은 삼가는 것이 권장된다.

필자가 강의 시간에 강조하는 'T점수'의 의미를 알아두면 이 문제뿐만 아니라 다른 과목(건강체력평가 등)의 문제들을 해결할 때 수월하다.

T점수는 평균이 50이고, 표준편차가 10인 표준점수 중 하나이다. 아래 그래프는 박승화의 건운사 강의 시간에 쉽게 확인할 수 있다.

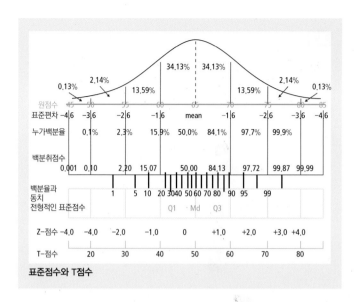

표준점수와 T점수

13. <보기>의 내용을 읽고 중강도의 유산소운동을 처방할 경우 여유심박수(HRR)법을 활용한 목표심박수 범위로 옳은 것은?

⟨보기⟩

목표심박수 : HRR의 40~60%
- 성별 : 여성
- 연령 : 40세
- 신장 : 158cm
- 체중 : 70kg
- 안정 시 심박수 : 70회/분
- 최대심박수 : 170회/분
- 최대산소섭취량 : 28mℓ/kg/mi

① 88~132회/분
② 110~130회/분
③ 112~168회/분
④ 114~135회/분

정답 ②

카보넨공식을 이용하면 쉽게 구할 수 있는 문제이다.

14. 근력 향상을 위한 운동 유형별 설명으로 옳지 <u>않은</u> 것은?

① 등속성(isokinetic)운동은 근육에 장력을 발생시키고 근육의 수축 시 근육 길이가 변하며 각속도는 동일하다.
② 신장성(eccentric)운동은 근파워 향상에 효과적이지만, 근육 손상의 발생 위험성이 높기 때문에 수행 시 주의해야 한다.
③ 등척성(isometric)운동은 근육의 수축 시 관절각도가 변하지 않기 때문에 근수축 시간변화를 통해 효과를 조절할 수 있다.
④ 등장성(isotonic)운동은 관절각도에 따른 근력 발휘 정도가 동일하게 발생하기 때문에 동적스포츠 활동과 유사한 동작이다.

정답 ④

다음과 같이 수정해야 한다.
④ 동일하게 → 다르게

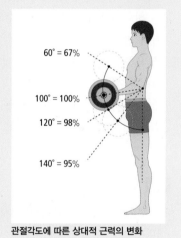

관절각도에 따른 상대적 근력의 변화

15. ACSM이 제시하는 임산부를 위한 운동처방 내용으로 옳지 <u>않은</u> 것은?

① 운동강도는 BMI가 25kg/㎡ 미만인 여성에게는 중강도 운동을, 25kg/㎡ 이상인 여성에게는 저강도 운동을 권고한다.
② 유산소운동형태로 하루 15~30분정도로 실시하고, 저항성 운동은 저강도로 실시한다.
③ 임신 3개월 후 태아의 정맥폐색이 발생하지 않도록 누운 자세에서의 운동은 피한다.
④ 운동강도 설정 시 정확성을 위해 최대산소섭취량을 측정하거나 여유심박수(HRR)법으로 설정한다.

정답 ④

👤 **저자촌평** 임신에 따른 불편감과 위험 요인이 최소화되는 시점을 기준으로 임신 3개월 이후가 운동을 실시하기에 가장 바람직하다. 목표심박수와 운동자각도를 기준 강도로 설정하여 최소 주당 3일, 1일 15분에서 점진적으로 증가시켜 최대 주당 4일, 1일 약 30분 운동을 실시하는 것을 권장한다.

임산부의 중등도운동은 체질량지수(BMI)<25kg/㎡, 저강도 운동은 ≥25kg/㎡인 여성들에게 권장된다.

16. 대사성질환자의 운동처방을 위한 내용으로 옳지 않은 것은?

① 이상지질혈증 환자는 운동부하검사 시 심혈관질환에 노출될 수 있기 때문에 유의해야 한다.
② 운동 중 허혈진단 병력이 있는 고혈압 환자의 운동 강도는 허혈역치보다 분당심박수가 10회 이상 낮게 설정되어야 한다.
③ 골다공증 환자는 골밀도가 낮기 때문에 점프운동은 실시하지 못하도록 제한한다.
④ 제1형 당뇨병 환자는 소변을 통해 측정된 케톤이 일정 수준 이상일 경우에는 운동을 취소한다.

정답 ③

ACSM 가이드라인은 골다공증 환자에게 체중부하 유산소 운동(계단오르기, 테니스, 조깅을 겸한 걷기), 점프를 포함한 운동(배구, 농구), 저항 운동(중량들기 등)을 권장하고 있다.

17. <보기>의 괄호에 들어 갈 용어로 가장 적절한 것은?

	㉠	㉡	㉢
①	동적 스트레칭	고유감각 신경근촉진법(PNF)	정적 스트레칭
②	정적 스트레칭	고유감각 신경근촉진법(PNF)	동적 스트레칭
③	동적 스트레칭	정적 스트레칭(PNF)	고유감각 신경근촉진법
④	고유감각 신경근촉진법	동적 스트레칭(PNF)	정적 스트레칭

정답 ①

쉬운 문제이다. 동적스트레칭은 반동을 이용하지 않고, 동작범위의 한계 내에서 적극적인 동작으로 스포츠의 특이적 동작과 관련된 dynamic 스트레칭과 반동을 이용하는 ballistic 스트레칭이 있는데 본 문제의 출제자는 후자를 답으로 요구하고 있다.

PNF

정적스트레칭

동적스트레칭

18. <보기>에서 괄호 안에 들어 갈 용어로 가장 적절한 것은?

<보기>

운동프로그램 설계를 위한 기본 원리 중 (㉠)는 수행된 운동 형태와 동원된 근육군에 국한해서 트레이닝 효과가 나타남을 의미하며, (㉡)는 운동기능을 향상시키기 위해서 평상 시 보다 더 큰 자극에 노출되어야 한다는 것을 의미한다.
(㉢)는 적절한 적응과 운동참여를 지속하게 하고 운동 중 근골격 손상 및 심장마비 등의 위험요인들을 감소시킬 수 있다.

	㉠	㉡	㉢
①	특이성의 원리	과부하의 원리	가역성의 원리
②	개별성의 원리	점진성의 원리	가역성의 원리
③	특이성의 원리	과부하의 원리	점진성의 원리
④	개별성의 원리	특이성의 원리	점진성의 원리

정답 ③

쉬운 문제이다.

특이성의 원리는 대근군을 지속적으로 수축과 이완을 반복하는 운동은 심폐지구력을 개선시키는데 적합하며, 근육을 당겨 늘리는 운동은 관절의 가동범위와 유연성을 향상시키는데 유익하다. 또한 무게를 들어 올리는 중량운동은 근력과 근지구력을 증가시키기에 적합하다는 원리를 말한다.

19. 만성질환자를 위한 일반적인 운동처방 원리로 옳은 것은?

① 관절염환자의 기능적인 활동은 주 1회만 수행하도록 한다.
② 당뇨병 환자의 저혈당 예방을 위해 운동 후 필수아미노산을 섭취하고 5분 후에 혈당을 측정한다.
③ 이상지질혈증 환자의 주된 운동 형태는 대근육군을 사용하는 유산소운동을 수행한다.
④ 고혈압 환자의 수축기 혈압이 200mmHg를 초과할 경우 중강도 유산소운동을 수행한다.

정답 ③

저자촌평 답은 쉽게 고를 수 있지만 나머지 틀린 항목에 대해서 왜 오답인지를 아는 것이 중요하다.

ACSM 가이드라인은
①의 경우 유산소 운동은 3~5회/주, 저항운동은 2~3회/주, 유연성 운동은 필수적이며, 가능한 한 매일 수행하도록 권장하고 있다.
②는 운동 후 저혈당증이 발생하면 건강운동관리사는 20~30g의 탄수화물을 섭취하도록 하고, 5분 후에 혈당을 재측정한다.
④는 안정 시 수축기 혈압 ≥200mmHg 또는 이완기 혈압 ≥110mmHg은 상대적 금기사항이다.

20. <보기>에서 운동프로그램 참여 시 위험성을 낮추기 위한 고려사항으로 바르게 묶인 것은?

〈보기〉

㉠ 심혈관계가 정상적인 사람은 운동에 의한 심장사고 발생률이 매우 낮다.
㉡ 과도한 고강도 신체활동은 돌연사와 급성 심근경색의 위험을 일시적으로 낮추어 준다.
㉢ 진단되거나 잠재된 심장질환자는 운동 시 심장사고를 유발할 가능성이 높다.
㉣ 급성 심근염 또는 불안정성 협심증 환자는 운동부하검사가 필수적이다.
㉤ 집단의 심장질환 유병률은 운동의 위험성에 영향을 미칠 가능성이 높다.

① ㉠, ㉡, ㉢
② ㉠, ㉢, ㉤
③ ㉡, ㉢, ㉣
④ ㉢, ㉣, ㉤

정답 ②

저자촌평 ㉡은 쉬운 문장이며, ㉣의 경우 필자가 강의 시간에 강조하는 운동검사의 금기사항을 숙지한 수험생이라면 쉽게 해결할 수 있는 내용이다.

㉣의 요인들은 절대적 금기사항이기 때문에 운동부하검사를 해서는 안 된다.

운동부하검사

01. 운동부하검사의 목적으로 옳지 <u>않은</u> 것은?

① 심혈관질환자를 위한 안전하고 효과적인 운동 프로그램 처방
② 심근허혈, 부정맥 등의 잠재적 위험요인 발견
③ 특정 질환의 치료적 운동처방 및 적용
④ 운동 시 나타나는 인슐린 민감도 평가

	㉠	㉡	㉢
①	200	100	150
②	220	120	150
③	200	120	160
④	220	100	160

정답 ④

운동부하검사는 혈역학적 반응, 허혈에 대한 반응, 심전도, 부정맥, 평소에 나타나지 않았지만 운동을 통해 나타날 수 있는 비정상적인 반응과 운동강도에 따른 환자의 반응 상태를 확인하기 위하여 임상적으로 이용된다.

④는 운동처방의 목적에 해당된다.

📖 **보충학습**

운동부하검사의 목적
① 안정 시에는 발견할 수 없었던 이상과 질병을 운동이라는 스트레스에 의해 잠복되어 있는 소견을 발견하고 평가하는 데 있다.
② 현재의 심폐기능을 평가하는 것이다. 운동이 순환기능과 유산소능력에 미치는 효과를 판정하는 것이며, 최대운동 시 심박수, 자각적 운동 강도, 심전도 소견, 최대산소섭취량 등이 그 지표가 된다.
③ 피검자가 견디어 낼 수 있는 운동 강도의 한계와 순환기능의 운동에 대한 적응능력을 파악하여 운동 강도를 설정하는 데 있다.

정답 모두 정답[문제의 오류]

모두 정답으로 처리한 이유는 문제를 '옳지 않은 것은?'으로 했기 때문이다. 만약 '옳은 것은?'으로 했을 경우 1번이 정답이다.

ATP III는 Adult Treatment Panel III를 의미한다.

03. <보기>에서 고혈압 환자의 운동부하검사에 대한 설명으로 바르게 묶인 것은?

〈보기〉

㉠ 안정 시 수축기 혈압 200mmHg 이상은 검사의 상대적 금기사항이다.
㉡ 베타차단제 복용은 심박수 증가를 억제한다.
㉢ 검사 중 이완기 혈압이 증가하는 것은 정상적인 반응이다.
㉣ 이뇨제 복용 후 검사 시 위양성(FP)결과가 나올 수 있다.

① ㉡, ㉣
② ㉠, ㉡, ㉢
③ ㉠, ㉡, ㉣
④ ㉠, ㉡, ㉢, ㉣

정답 ③

㉡ 베타차단제는 노르아드레날린의 자극 활동을 차단해 심장 박동수와 심장의 운동량을 줄여준다. 오늘날 베타차단제는 협심증, 고혈압, 불규칙한 심장 박동을 치료하고 심근증이 발병한 심장의 근육 기능 향상을 위해 널리 사용되고 있다.
㉢ 동적인 운동 중 이완기 혈압은 변화가 없거나 소폭(10mmHg 이내의 증가)으로 증가하는 것이 보통이다. 이는 수축기 혈압이 주로 심박출량의 영향을 받는 반면 이완기 혈압은 세동맥의 말초저항에 의해 영향을 받기 때문이다.

02. 운동 전 안전성평가에서 혈중 지질 관련 변인의 ATPⅢ 분류기준으로 옳지 <u>않은</u> 것은?

단위 : mg/dl

	총 콜레스테롤(TC)	저밀도지단백 콜레스테롤(LDL-C)	중성지방 (TG)
적정	< ㉠	< ㉡	< ㉢
적정상위	–	㉡~129	–
경계	–	130~159	㉢~199
높음	≥ 240	160~189	200~499
매우 높음	–	≥ 190	≥ 500

ⓔ 위양성(FP)이란 검사 결과가 비정상적이지만 피험자는 심장 질환이 없다는 의미이다.

검사 결과에 대한 위양성, 위음성 등에 대한 상세한 내용은 박승화 건강운동관리사 강의에서 확인할 수 있다.

04. <보기>에서 운동부하검사 중 절대적 중단 기준에 관한 설명으로 바르게 묶인 것은?

─ 〈보기〉─

ⓐ 피검자의 중단요청
ⓑ 지속적 심실성 빈맥이 나타날 때
ⓒ 좌심실 빈맥과 구분될 수 없는 좌각차단(left bundle branch block)이 나타날 때
ⓓ 청색증이 나타날 때

① ⓐ, ⓑ, ⓒ

② ⓑ, ⓒ, ⓓ

③ ⓐ, ⓑ, ⓓ

④ ⓐ, ⓒ, ⓓ

정답 ③

ACSM 가이드라인을 참조하기 바란다.

ⓒ은 상대적 중단기준이다.

05. 운동부하검사 후 회복 시에 대한 설명으로 옳지 않은 것은?

① 심혈관계 질환 진단의 민감도를 높이기 위해, 바로 눕힌 자세에서 회복 시 상태를 관찰할 수 있다.

② 심하게 호흡곤란이 있는 경우, 운동 직후 앉히면 호흡이 더 힘들어지기 때문에 바로 눕힌 자세로 회복시킨다.

③ 검사가 심혈관계 질환 진단의 목적이라면 회복 시 천천히 걷거나 최소한의 저항을 주는 활동적 회복이 적절하다.

④ 회복 시 측정은 회복방법(능동적 및 수동적)과 상관없이 적어도 운동 후 5분 이상 실시한다.

정답 ②

②는 다음과 같이 수정한다.

심하게 호흡곤란이 있는 경우, 운동 직후 눕히면 호흡이 더 힘들어지기 때문에 바로 앉힌 자세로 회복시킨다.

눕게 되면 내장이나 하지쪽에 있는 혈액이 폐나 심장쪽으로 이동하여 압력이 높아지게 된다. 따라서 호흡하기 어렵게 된다. 운동부하 검사 직후 회복운동 시간은 약 6~8분 정도를 피검자의 혈압과 심박수가 안정 시 수준으로 회복될 때까지 지속하는 것이 좋다. 단 호흡 곤란한 피검자의 경우 누운 자세는 상태를 악화시킬 수 있으므로 앉아있는 자세가 보다 효과적이다. 운동부하 검사 직후의 심전도는 ST분절의 하강 또는 상승, 부정맥, 심장의 전도장애, 그리고 심근허혈이 주로 관찰된다.

검사 결과에 대한 민감도 등에 대한 상세한 내용은 박승화 건강운동관리사 강의에서 확인할 수 있다.

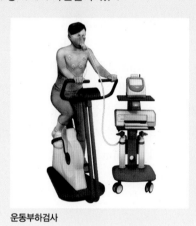

운동부하검사

06. 운동부하검사 시 심전도와 혈압을 반드시 측정해야 하는 시점을 모두 고른 것은?

	운동부하 검사 전	운동부하 검사 중	운동부하검사 후 (회복기)
심전도	ⓐ	측정	ⓑ
혈압	측정	측정	ⓒ

① ⓐ

② ⓐ, ⓒ

③ ⓑ, ⓒ

④ ⓐ, ⓑ, ⓒ

정답 ④

㉠ 지속적 모니터와 누운자세와 운동자세에서 측정

㉡ 지속적 관찰 : 운동검사 직후, 회복기 60초, 그 이후 2분마다 기록

㉢ 운동직후, 회복기 60초와 그 이후 2분마다 측정과 기록

심박수, 운동자각도 가스교환 등에 대한 상세한 내용은 박승화 건강운동관리사 강의에서 확인할 수 있다.

07. 최대하 운동부하검사 중 YMCA 자전거 에르고미터 프로토콜에 대한 설명으로 옳지 않은 것은?

① 1단계 운동량은 150kgm/min으로 설정한다.

② 1단계 3분 시점의 심박수가 80회/분 미만인 경우 2단계 운동량은 900kgm/min으로 설정한다.

③ 1단계 3분 시점의 심박수가 80~89회/분 경우 2단계 운동량은 600kgm/min으로 설정한다.

④ 1단계 3분 시점의 심박수가 101회/분 이상인 경우 2단계 운동량은 300kgm/min으로 설정한다.

정답 ②

🐾 저자촌평 각 프로토콜에 대해서 숙지하고 있어야 풀 수 있는 문제이다.

다음과 같이 수정해야 한다.

② 900kgm/min → 750kgm/min

YMCA 자전거 에르고미터 프로토콜은 최대하부하법 중 하나로 체력수준을 고려하여 운동을 부하하여 최대산소섭취량을 추정하는데 있다. 다단계법으로서 최대산소섭취량을 예측하는 가장 잘 알려진 방법이다. 즉, 체력수준을 고려하므로 운동검사 시 상해나 심장에 문제를 야기하는 것을 예방하는데 있어서 유용한 방법이다. 그러나 운동강도의 증가가 다양하므로 실험 시 세심한 주의가 요구되며, 피검자 간의 운동강도에 따른 비교가 어렵다.

각 프로토콜에 대한 상세한 내용(그림과 사진)은 박승화 건강운동 관리사 강의에서 확인할 수 있다.

운동부하검사

		1st stage	150kgm/min (0.5kg)	
		HR : < 80	HR : 80-89	HR : 90-100	HR : > 100
2nd stage		750kgm/min (2.5kg)*	600kgm/min (2.0kg)	450kgm/min (1.5kg)	300kgm/min (1.0kg)
3rd stage		900kgm/min (3.0kg)*	750kgm/min (2.5kg)	600kgm/min (2.0kg)	450kgm/min (1.5kg)
4th stage		1050kgm/min (3.5kg)*	900kgm/min (3.0kg)	750kgm/min (2.5kg)	600kgm/min (2.0kg)

1. 1단계 운동량은 150kgm/min(0.5kg, 50rpm)으로 설정한다.
2. 1단계 3분째 심박수가
   <80인 경우 2단계 운동량은 750kgm/min(2.0kg, 50rpm)
   80-89인 경우 600kgm/min(2.0kg, 50rpm),
   890-100인 경우 450kgm/min(1.5kg, 50rpm),
   >100인 경우 300kgm/min(1.0kg, 50rpm)으로 설정한다.
3. 3,4단계에서는 운동량에 따라 필요한 경우 2단계 운동부하량 이하로 설정한다.

08. 최대하 운동부하검사에서 측정된 심박수를 이용하여 최대산소섭취량을 추정할 때 사용되는 이론적 가정으로 옳지 않은 것은?

① 기계적 효율은 모든 사람에게서 동일하지 않다.

② 심박수와 운동량은 선형(linear)적인 상관관계를 가진다.

③ 항정상태 심박수는 각 운동부하량을 통해 얻어진다.

④ 심박수를 변화시키는 약물복용과 카페인 섭취를 피한다.

정답 ①

🐾 저자촌평 기계적 효율은 모든 사람에게서 동일하다. 그 외 최대심박수의 실측치와 예측치 간의 차이를 최소화한다.

09. <보기>에서 운동부하검사 프로토콜에 대한 옳은 설명을 모두 고른 것은?

─〈보기〉─

ⓐ 운동량 증가율이 높은 프로토콜은 브루스(Bruce)와 엘리스타드(Ellestad)이며, 주로 젊거나 활동적인 사람에게 적합하다.
ⓑ 운동량 증가율이 낮은 프로토콜은 노튼(Naughton)과 발케(Balke)이며, 만성질환자 또는 운동부족인 사람에게 적당하다.
ⓒ 발케 프로토콜은 속도를 3.4mph로 고정하고, 1분마다 경사도를 1%씩 증가시킨다.
ⓓ 수정된 브루스(modified Bruce) 프로토콜의 첫 단계를 제외한 나머지 단계는 표준 브루스 프로토콜과 유사하다.
ⓔ 램프(Ramp) 프로토콜은 좌업생활자, 외관상 건강한 사람들의 기능적 심폐능력을 평가하기 위해 개발되었다.

① ⓐ, ⓑ, ⓒ
② ⓑ, ⓓ, ⓔ
③ ⓒ, ⓓ, ⓔ
④ ⓐ, ⓑ, ⓔ

정답 ④

ⓒ 발케 프로토콜은 속도를 3.4mph로 고정하고, 1분마다 경사도를 2%씩 증가시킨다. 여성들에게 적합한 프로토콜이다.

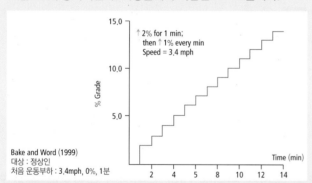

Bake and Word (1999)
대상 : 정상인
처음 운동부하 : 3.4mph, 0%, 1분

ⓓ 수정된 브루스(modified Bruce) 프로토콜은 기존의 브루스 프로토콜이 최초부하나 단계별 증가폭이 지나치게 높아 이를 수정하여 증가폭을 적게 한 것이다. 성인병이나 고위험군에게 적절한 프로토콜이다.

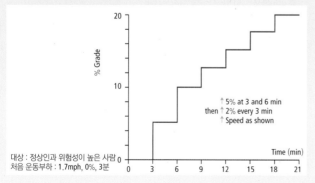

대상 : 정상인과 위험성이 높은 사람
처음 운동부하 : 1.7mph, 0%, 3분

10. <보기>에서 운동부하검사의 절대적 금기사항에 해당하는 질환을 바르게 묶은 것은?

─〈보기〉─

ⓐ 특별한 활동이 없는 안정 시에도 협심 증상이 발생하는 질환
ⓑ 대동맥의 일부가 좁아져, 하반신으로 혈류순환이 제한되고, 동시에 호흡곤란, 식욕부진, 고혈압(상체) 등을 동반하는 질환
ⓒ 심각하게 심장근육조직에 혈류 공급이 되지 않는 질환 또는 최근 2일 이내에 심장 근육의 조직이나 세포가 괴사되는 질환이 발생한 경우
ⓓ 심장의 판막 중 일부에 염증 등의 이유로 판막이 손상되어 혈액의 흐름이 다소 줄어든 경우

① ⓐ, ⓑ, ⓒ
② ⓑ, ⓒ, ⓓ
③ ⓐ, ⓒ, ⓓ
④ ⓐ, ⓑ, ⓒ, ⓓ

정답 ①

ⓓ은 상대적 금기사항에 해당한다.

11. 51세, 흡연, 체지방률 24%인 남성이 주 3회 이상 규칙적인 운동에 참여하고자 한다. ACSM의 최근 위험도 분류에 근거한 의학검사와 운동부하검사의 권고 여부(○, ×)에 대하여 옳은 것은?

① 중강도 운동전 의학검사 권고(○), 운동부하검사는 권고(×)
② 고강도 운동 전 의학검사는 권고(○), 운동부하검사는 권고(×)
③ 중강도 운동 전 의학검사는 권고(×), 운동부하검사는 권고(○)
④ 고강도 운동 전 의학검사와 운동부하검사 모두 권고(○)

정답 ②

저자촌평 위험 요인이 2개(나이, 흡연) 이상이므로 중등도 위험군이기 때문에 정답을 ②번으로 할 수 있다.

위험군 분류는 상세한 내용은 박승화 건강운동관리사 강의에서 확인할 수 있다.

12. 진단을 목적으로 하는 운동부하검사의 일반적인 지침에 관한 내용으로 옳은 것은?

① 심각한 동맥경화성 심혈관질환의 발병 가능성이 있는 환자들은 진단적 운동부하검사를 실시하지 않는다.
② 만성심부전, 폐동맥고혈압, 만성폐쇄성폐질환의 질환정도를 판단하기 위하여 검사를 실시한다.
③ 진단 목적 운동부하검사 결과의 정확성은 남성과 여성 간에 차이가 없다.
④ 가슴통증으로 내원한 저위험 환자의 경우 필요한 조치 후 퇴원 전에 진단 목적의 운동부하검사를 실시할 수 있다.

정답 ④

이 문제는 공부를 해야 해결할 수 있는 문제이다.

다음과 같이 수정하면 좋을 것으로 사료된다.
① 심각한 동맥경화성 심혈관질환의 발병 가능성이 있는 환자들에게 운동부하검사는 평가하는데 도움을 준다.
② 만성심부전, 폐동맥고혈압, 만성폐쇄성폐질환을 앓았던 환자들은 진단 목적보다는 예후와 잠재적인 심근허혈에 대한 평가를 위해 검사를 실시한다.
③ 진단을 목적으로 하는 운동부하 심전도는 여성에게서 위양성 반응이 많기 때문에 정확성이 떨어진다.

13. 운동부하검사 전 피검자와 검사자가 준수해야 할 내용으로 옳지 <u>않은</u> 것은?

① 진단 목적인 경우, 피검자가 베타차단제를 복용 중 이라면 검사자는 검사 전에 복용을 중단하도록 요청할 수 있다.
② 운동처방 목적인 경우, 평소 복용 중인 약물의 복용을 중단하게 해서는 안 된다.
③ 피검자는 복용하는 약의 약품명뿐만 아니라, 복용량도 검사자에게 알려주어야 한다.
④ 피검자는 검사 24시간 전부터 충분한 물을 마셔 정상 수분 상태를 유지한다.

정답 ①

다음과 같이 수정해야 바른 문장이다.

진단 목적인 경우, 피검자의 고아드레날린성 위축반응을 최소화 하기 위해 검사 2~4일 전에 약 복용을 감소하도록 요청할 수 있다.

14. 운동부하검사를 통한 기능적 능력(functional capacity)결과의 해석으로 옳지 <u>않은</u> 것은?

① 신체활동 조언, 운동처방, 장애정도를 평가하고 예후를 예측하는 데 도움이 된다.
② 유산소능력이 요구되는 직업을 가진 심장질환자의 경우에는 직장복귀를 위한 평가도구로 가치가 있다.
③ 심부전 환자의 심장 이식수술의 기준이 되는 최대산소 섭취량은 20㎖/kg/min이다.
④ 예측 유산소 능력을 통해 심혈관 질환 환자의 예후를 살필 수 있다.

정답 ③

♪ 저자촌평 포괄적인 내용과 심도있는 내용을 섞어서 출제한 문제이다.

다음과 같이 수정해야 한다.
③ 20㎖/kg/min → 10㎖/kg/min

15. 유산소 능력에 대한 일반적인 설명으로 옳지 <u>않</u>은 것은?

① 고혈압, 고지혈증, 당뇨병과 비교하여 사망률 예측에 더 효과적인 지표가 될 수 있다.
② 간질성폐질환 환자의 예후를 파악하는 유용한 지표이다.
③ 폐암 수술과 위우회술 환자들의 수술 후 합병증 위험과 관련 있다.
④ 회귀방정식에 의해 추정된 최대산소섭취량($\dot{V}O_2max$)으로 심부전 환자의 예후를 평가할 수 없다.

	㉠	㉡	㉢
①	10±2	220	160
②	10±2	250	140
③	12±2	250	160
④	12±2	220	140

정답 ④

↳ 저자촌평 회귀방정식에 의해 추정된 최대산소섭취량(VO-2max)으로 심부전 환자의 예후를 평가할 수 있다.

회귀방정식은 박승화 건강운동관리사 강의에서 확인할 수 있다.

정답 ②

↳ 저자촌평 이 문제 역시 ACSM 가이드라인의 심폐 및 혈역학적 반응과 임상적 의의에 관련된 문제로 꼼꼼하게 공부하지 않을 경우 풀기 어려운 문제이다.

16. 운동부하검사 시 심박수에 관한 설명으로 옳지 않은 것은?

① 운동강도가 증가함에 따라 심박수가 직선적으로 증가하는 것은 정상적인 반응이다.
② 검사 시 측정된 최대심박수가 예측된 최대심박수 보다 1SD(표준편차) 이상 낮게 나타나면 심박수변동부전(chronotropic incompetence)으로 판단한다.
③ 심박변동지수(CI)는 임의의 운동강도에서 여유대사량의 백분율에 대한 여유심박수의 백분율의 비로 계산한다.
④ 운동부하검사 종료 후 활동적 휴식(회복 시 걷기)시 심박수 감소가 초기 1분 동안 12회 이하인 것은 비정상 반응이다.

정답 ②

이 문제는 ACSM의 심폐 및 혈역학적 반응과 임상적 의의에 관련된 문제로 꼼꼼하게 공부하지 않을 경우 풀기 어려운 문제이다.

다음과 같이 수정해야 한다.
② 심박수변동부전의 기준은 검사 시 측정된 최대심박수가 예측된 최대심박수보다 2SD(표준편차) 이상 낮게 나타나면 심박수변동부전(chronotropic incompetence)으로 판단한다. 2SD(표준편차)는 20회/분당 낮은 것으로 알려져 있다.
④는 비활동적인 사람인 경우이다.

17. <보기>의 괄호에 들어갈 값으로 바르게 묶인 것은?

―〈보기〉―

운동부하검사에서 운동강도가 1MET 증가함에 따라, 수축기혈압은 일반적으로 약 (㉠)mmHg 증가한다. 운동 중 수축기 혈압이 (㉡)mmHg 이상 증가하면 운동을 즉시 중단한다. 운동 검사 중 최대수축기 혈압이 (㉢)mmHg 이하인 경우는 좋지 않은 예후이다.

18. 운동부하검사 시 <보기>의 심전도 파형에서 ST분절 변화에 대한 설명으로 옳지 않은 것은?

〈보기〉

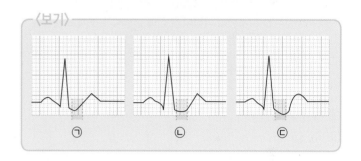

| ㉠ | ㉡ | ㉢ |

① ㉠은 상향적 ST분절 하강, ㉡은 수평적 ST분절 하강, ㉢은 하향적 ST분절 하강을 의미한다.
② ㉠과 비교하여, ㉡과 ㉢은 확실한 심근허혈의 지표이다.
③ ㉠, ㉡, ㉢은 각각 다른 부위에서 허혈이 나타났음을 의미한다.
④ ㉠, ㉡, ㉢은 모두 가장 흔한 운동 유발성 심근허혈의 지표이다.

정답 ③

이 문제는 심전도에 대한 공부를 해야 풀 수 있다.

일반적으로 ST분절의 변화는 심근허혈과 심근손상을 의미한다. ST분절의 하강은 기저선보다 1~2mm 이하 또는 작은 1~2칸만큼 저하되는 특징이 있다. J점을 지나 지점의 ST분절이 수평으로 1mm 아래쪽 경사의 형태로 60~80msec 하강하면 비정상적인 심전도 반응이며, 심근허혈을 의미한다.

심전도 파형의 임상적 의미와 정상치 요약

파형	구분	임상적 의의	정상 높이
ST	QRS군과 ST분절이 만나는 지점	심실의 초기 재분극	등위 전선 (팔다리유도 1mm 이하, 가슴유도 2mm 이하)

J점은 QRS군이 끝나는 지점 혹은 QRS군과 ST분절이 만나는 지점을 말한다.

19. <보기>에서 운동부하검사를 통한 진단과 관련된 설명으로 옳은 것은?

〈보기〉

㉠ 심혈관질환을 가진 환자가 음성검사 결과를 얻을 백분율은 민감도를 의미한다.
㉡ ST분절이 1.0mm 이상 하강하는 현상이 나타난 진양성(TP) 결과는 피검자가 관상동맥 질환이 있음을 의미한다.
㉢ 비정상적인 심기능이 나타나기 전에 근골격계 문제로 운동을 하지 못한 경우 진음성(TN) 검사 결과가 발생한다.
㉣ 초음파 등의 영상 검사들과 운동부하검사를 병행하여 심혈관질환 진단의 정확성을 높인다.

① ㉠, ㉢   ② ㉠, ㉣
③ ㉡, ㉢   ④ ㉡, ㉣

정답 ④

다음과 같이 수정해야 한다.
㉠ 음성검사 → 양성검사. 민감도는 실제로 병이 있는 사람을 병이 있다라고 판정할 수 있는 능력을 의미한다.
㉢ 진음성 → 위음성(근·골격계 문제가 아닌 정상결과인 경우), 따라서 위음성은 검사 실패이다.

20. 40세 남성이 운동부하검사를 통해 최대산소섭취량 35㎖/kg/min, 운동 중 ST분절 편차 3㎜의 결과를 얻었으며, 운동 중 협심증은 느껴졌으나 검사를 제한할 정도는 아니었다면, <보기>의 Duke노모그램을 이용하여 5년 생존율과 1년 평균 사망률을 가장 가깝게 추정한 것은?

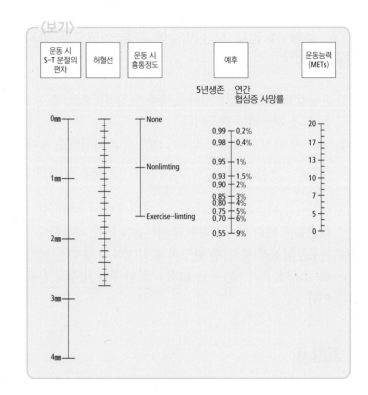

① 5년 생존율 90%, 1년 평균 사망률 2%
② 5년 생존율 85%, 1년 평균 사망률 3%
③ 5년 생존율 80%, 1년 평균 사망률 4%
④ 5년 생존율 70%, 1년 평균 사망률 6%

정답 ③

이 문제는 필자가 평소 강의시간에 강조한 내용이 출제되었다.

Duke노모그램은 정해진 사람의 예후를 Duke 점수의 파라미터로부터 예측하기 위해서 5단계를 이용한다.

ST분절 편차 → 운동 중 협심증 → 허혈선 → 운동능력 순으로 연결하면 바로 답이 산출된다.

상세한 방법(그림과 사진)은 박승화의 건운사 강의를 통해서 쉽게 해결이 가능하다.

건강운동관리사 필기시험 2교시

2017

운동상해

01. 안쪽곁인대(내측측부인대, medial collateral liga-ment)와 관련된 무릎의 이학적 검사로 옳은 것은?

① 가드프리(Godfrey) 검사
② 애플리압박(Apley's compression) 검사
③ 피봇-쉬프트(pivot-shift) 검사
④ 슬로컴(Slocum) 검사

정답 **④**

↳ 저자촌평 ④번에 대한 정확한 질문은 다음과 같이 수정하면 더 바른 문제라고 생각한다.

안쪽곁인대 → '무릎 앞가쪽 회전불안정성검사'라고 질문했으면 더 좋았을 것으로 사료된다.

①은 무릎의 뒤쪽 불안정성 검사
②는 무릎 반달연골과 인대의 손상
③은 무릎 앞가쪽 회전 불안정성 검사로 Jerk검사와 반대이다.
④는 슬로컴 검사의 자세는 대상자를 눕게 한 후 무릎관절은 80~90° 굽히고 엉덩관절은 45° 굽힌다. 발은 30° 안쪽으로 돌린다.

양쪽 앞안쪽과 앞가쪽돌림에 대한 불안정성을 평가하기 위해 실시한다.

📖 보충학습

앞가쪽 회전불안정을 평가하기 위한 많은 특수검사들은 각각의 장점과 한계를 가진다. 또한 상대적으로 낮은 신뢰성을 가지기도 한다. 이러한 병리학을 구체화시키는 3가지 특수검사가 ③과 ④ 그리고 굽힘-회전 당김검사이다. 앞당김검사에서 파생된 검사가 슬로컴당김검사인데 앞안쪽 또는 앞가쪽 관절주머니 단독 손상을 검사하기 위해 사용된다.

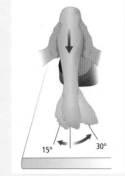

15°   30°

Slocum test

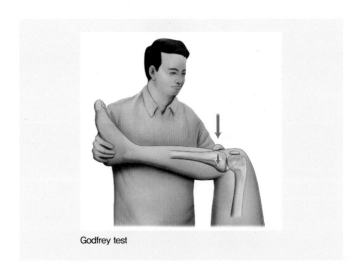

Godfrey test

02. 열사병(heat stroke)에 대한 설명으로 옳은 것은?

① 과도한 열전도(conduction)에 의한 체온증가가 주된 원인이고 정상적인 증발(evaporation)이 이루어지지 않을 때 발생한다.
② 다한증(excessive sweating), 구토 및 빠르고 약한 맥박을 보인다.
③ 중추신경계(central nervous system)의 손상을 유발할 수 있으며, 수축기혈압이 100mmHg 이하, 직장온도 섭씨 40도, 그리고 심박수 100(회/분) 이상일 경우 응급상황일 수 있다.
④ 습도는 열사병의 중요한 요인이고 체온 상승의 원인이 되지만 저칼륨혈증(hypokalemia)과 직접적인 관련은 없다.

정답 **③**

↳ 저자촌평 출제자는 운동성 열사병이라고 하지 않고 포괄적인 열사병에 대한 내용을 묻고 있다.

일사병과 혼돈하기 쉬운 질환인데 일사병이란 고온의 환경 노출되어 심부 신체의 온도가 섭씨 37°에서 40° 사이로 상승하여, 적절한 심박출을 유지할 수 없으나 중추신경계의 이상은 없는 상태

이다. 열사병은 심부 체온이 40° 이상이고, 중추신경계의 이상소견이 함께 나타난다. 최근 ACSM의 가이드라인에 따르면 '운동성 열사병(exertional heatstroke)'은 고열에 의해 발생하고, 체온상승(>40℃), 심한 중추신경계 기능장애와 정신착란, 경련 또는 혼수상태를 초래하는 다중기관계통의 장애가 특징으로 정의하고 있다.

직접적인 관련이 있는 이유는 초기 증상과 징후가 종종 제일 먼저 중추시스템에 영향을 미치기 때문이다.

열사병은 신체의 체온조절 시스템의 장애와 더불어 더 나아가 정지를 말한다.

📖 보충학습

운동성 열사병 외에 열사병의 유형은 전형적 열사병(영·유아, 노인에게 발생)과 탈진성 열사병(덥고 습한 운동 시 발생)이 있다. 열사병은 일사병과 혼돈하기 쉬운데 아래 내용은 임상적인 차이점이다.

분류	일사병	열사병
호흡계	정상 또는 빠른 호흡	정신혼란과 동반된 느린 호흡 혹은 빠른 호흡
순환계	약간 또는 중간 정도 탈수, 정상혈압과 빠른 맥박	중간 또는 심한 탈수, 저혈압과 빠른 맥박
심부온도	≤40도	>40도
정신상태	정상, 30분 이내에 완전히 회복되는 어지러움증과 약간의 정신 혼란, 즉시 회복되는 실신	비정상, 발작, 섬망, 경련, 의식소실, 어눌함
피부	땀으로 촉촉함	건조 또는 땀으로 촉촉함
기타	두통, 구역감 구토, 피로	급성신부전, 구토와 설사, 심인성 쇼크, 횡문근 융해증

열사병

03. 재활운동프로그램 구성 시 고려사항으로 옳지 않은 것은?

① 손상부위가 부종을 수반하고 있을 때 통증과 동작 제한의 원인이 될 수 있으므로 부종을 조절하는데 초점을 둔다.
② 섬유아재생 단계(fibroblastic repair phase)에서의 재활운동 중 약물요법(medication)은 금지한다.
③ 고유감각기능(proprioceptivefunction)훈련은 신경근(neuromuscular)조절 능력 회복을 위해 재활운동 프로그램에 포함해야 한다.
④ 재활초기 관절이 부동화(immobilization)되었을 때 등척성(isometric) 운동을 실시하여 근력 감소를 최소화할 수 있다.

정답 ②

② 이 단계에서도 염증반응 단계와 마찬가지로 통증과 부종을 통제하기 위한 수단(약물요법, 한냉치료, 전기 자극 등)이 사용되어야 한다.

부동화란 골절이 발생한 경우 부러진 뼈가 붙도록 고정해야 하겠지만 그로 인한 악영향을 이해하고 주변의 약화된 관절과 근육 등을 재활하여 정상기능으로 만들어야 한다. 따라서 부동은 근위축, 근력(순발력) 저하, 근지구력 저하 등을 초래한다.

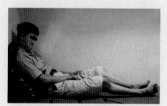

신체 전신에 미치는 부동에 의한 폐해

04. 발목안쪽번짐(내번, inversion) 염좌가 발생한 환자를 평가할 때 흔히 볼 수 있는 복합손상들과 그 원인에 대한 옳은 설명을 <보기>에서 모두 고른 것은?

〈보기〉

㉠ 가쪽복사(외과, lateralmalleolus)뒤쪽(후방, posterior)의 통증 : 긴종아리근(장비골근, peroneus longus)과 짧은 종아리근(단비골근, peroneus brevis)의 과신장 및 비정상적인 수축
㉡ 다섯째 발허리뼈 바닥(base of 5th metatarsal)의 통증 : 과도하게 안쪽번짐 되면서 발생하는 타박상
㉢ 안쪽복사(내과, medial malleolus)의 골절 : 과도한 안쪽번짐으로 인한 골절
㉣ 목말받침돌기(재거돌기, sustentaculumtali) 위쪽의 통증 : 압박(compression)으로 인한 안쪽 복사와 목말받침돌기 사이 연조직의 자통(pinch)

2017

① ㉠, ㉡, ㉢   ② ㉠, ㉢, ㉣

③ ㉠, ㉡, ㉣   ④ ㉡, ㉢, ㉣

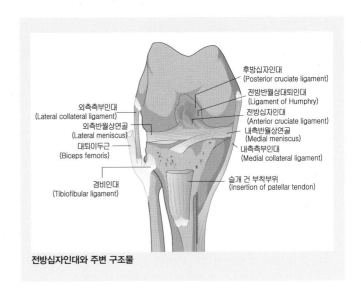

후방십자인대
(Posterior cruciate ligament)
전방반월상대퇴인대
(Ligament of Humphry)
외측측부인대
(Lateral collateral ligament)
전방십자인대
(Anterior cruciate ligament)
외측반월상연골
(Lateral meniscus)
내측반월상연골
(Medial meniscus)
대퇴이두근
(Biceps femoris)
내측측부인대
(Medial collateral ligament)
경비인대
(Tibiofibular ligament)
슬개 건 부착부위
(Insertion of patellar tendon)

전방십자인대와 주변 구조물

정답 ②

㉡은 다음과 같이 수정해야 한다.
타박상→압통

---

05. 앞(전방)십자인대(anterior cruciate ligament) 의 이는 곳 (기시점, origin)과 닿는 곳(부착점, insertion)의 위치를 근거로 전방십자인대의 장력을 증가시켜 손상을 유발하게 되는 기전을 <보기>에서 모두 고른 것은?

〈보기〉

㉠ 대략 20~30° 무릎굴곡에서의 과도한 넙다리 곧은근(대퇴직근, rectus femoris)의 수축
㉡ 대략 30° 이상의 무릎 굴곡에서의 과도한 넙다리 곧은근의 수축
㉢ 정강뼈(경골, tibia)의 과도한 안쪽돌림(내측회전, medial rotation)
㉣ 정강뼈의 과도한 가쪽돌림(외측회전, lateral rotation)
㉤ 무릎관절의 가쪽굽음(내반, valgus)
㉥ 무릎관절의 안쪽굽음(외반, varus)

① ㉠, ㉢, ㉤   ② ㉠, ㉣, ㉥

③ ㉡, ㉢, ㉤   ④ ㉡, ㉣, ㉤

정답 모두 정답 처리(문제의 오류)

무릎의 앞·뒤 십자인대는 무릎 관절에만 있는 아주 독특한 구조물이다. 무릎 관절 속에서 이 두 인대의 위치가 앞-뒤 안정성에 영향을 미치기 때문이다. 또한 무릎의 돌림 운동 시에도 안정성을 제공한다. 전방십자인대는 과거 30여 년 동안 근·골격계에서 가장 연구가 많이 된 구조물이기도 하다. 이 인대는 넙다리뼈에 대해 정강뼈의 앞쪽 전위를 막는 역할을 한다. 전방십자인대는 스포츠현장에서 가장 손상의 빈도가 높다. 다리에 앞으로 빠지는 힘이 가해지거나 회전력이 가해질 때 끊어지며 또한 다리가 바깥 또는 안으로 꺾일 때 측부 인대가 끊어지고 난 다음 2차적으로 끊어질 수도 있고, 무릎이 과도하게 뒤로 젖혀질 때에도 손상을 받을 수 있다.

㉤, ㉥의 괄호 안은 외반과 내반으로 수정해야 한다. 출제자의 오류이다.

---

06. 무릎관절의 굽힘(굴곡, flexion) 동작범위의 제한이 발생한 환자에게 관절가동술(joint mobilization)을 적용하려고 할 때 ㉠ 고정되는 신체부위, ㉡ 움직이는 신체부위, 그리고 ㉢ 관절가동술의 주 방향이 순서대로 나열된 것은?

	㉠	㉡	㉢
①	넙다리뼈대퇴골(femur)	정강뼈경골(tibia)	앞쪽
②	정강뼈	종아리뼈(비골, fibula)	뒤쪽
③	정강뼈	넙다리뼈	앞쪽
④	정강뼈	넙다리뼈	뒤쪽

정답 ③

이 문제를 이해하기 위해서는 관절운동 형상학적 움직임에 대해서 알아야 한다.

관절운동 형상학적 움직임의 종류는 구르기, 미끄러짐, 축회전이다. 모든 관절은 이 3가지 움직임이 섞여서 나타난다.

볼록-오목법칙은 볼록한 면은 움직이는 인체의 분절과 반대방향, 오목한 면은 인체분절과 같은 방향으로 움직인다.

인대와 관절주머니 구조의 안정성을 검사하고자 할 때 관절은 항상 닫힌 자세에 놓는다.

상세한 설명은 박승화 건강운동관리사 강의에서 확인할 수 있다.

07. 어깨와 팔의 이학적 검사와 관련된 근육으로 옳지 <u>않은</u> 것은?

이학적 검사	관련된 근육
① 스피드(speed)	위팔두갈래근
	(상완이두근, biceps brachii)
② 니어(Neer)	가시위근(극상근, supraspinatus)
③ 드롭암(drop arm)	가시위근(극상근, supraspinatus)
④ 오브라이언(O'Brien)	가시위근(극상근, supraspinatus)

던지기의 선수의 경우 "죽은 팔"로 표현하는 증상이 나타나는데 조절능력 상실, 투구속도 감소 등의 현상이 나타난다. 앞·뒤 상관절 테두리의 병변에 대한 특수검사는 위팔두갈래근 힘줄 긴갈래에 장력을 가하여 증상을 재현시키는 방법, 관절테두리에 압박을 가하는 방법으로 구분된다.

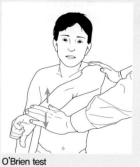

O'Brien test

정답 ④

④의 오브라이언 검사는 어깨관절테두리의 위쪽면 통합을 평가하기 위해 실시하며, SLAP병변이라고도 한다.

☞ 2015년 운동상해 8번 참고

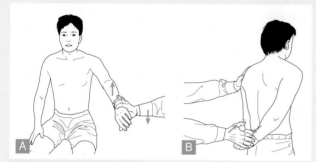

회전근개의 긴장도를 증가하여 통증을 유발하는 검사
Empty can test(A), Back rub test(B)

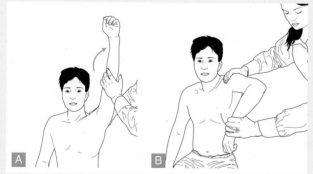

견봉하충돌 증후군을 보기 위한 검사
Neer's test(A), Hawkins-kennedy test(B)

📖 **보충학습**

어깨의 앞·뒤 상관절 테두리의 병변은 점진적으로 시작하거나 급성으로 발생할 수 있는데 증상이 일관성이 없고 다른 병변과 동반적으로 발생하는 경우가 많다. 테니스나 배드민턴 등 오버헤드 동작이 많은 선수들의 봉우리빗장관절과 부리돌기 사이의 통증이 주 증상인데 팔을 내리고 쉬면 증상이 완화되기도 한다.

08. 뇌진탕이 의심되어 뇌신경(cranial nerve) 평가를 실시하였다. <표>에서 뇌신경 이름, 종류와 기능을 바르게 연결한 것을 모두 고른 것은?

	이름	종류	기능
㉠	III 눈돌림신경 (동안신경, oculomotor)	혼합	시각, 동공 반응, 눈동자 모으기
㉡	IV 도르래신경 (활차신경, trochlear)	운동	눈동자 위로 올리기
㉢	VIII 속귀신경 (전정신경, vestibulocochlear)	감각	균형, 청각
㉣	XII 혀밑신경 (설하신경, hypoglossal)	혼합	입 운동, 미각

① ㉠, ㉡　　② ㉠, ㉢　　③ ㉡, ㉢　　④ ㉡, ㉣

정답 ③

다음과 같이 수정해야 한다.

	이름	종류	기능
㉠	III 눈돌림신경 (동안신경, oculomotor)	운동	시각, 동공 반응, 눈동자 모으기
㉣	XII 혀밑신경 (설하신경, hypoglossal)	운동	입 운동(혀 근육으로 발음, 말하기, 삼키기 등)

본 교재 앞부분의 그림을 참조하기 바란다.

09. 관절반달봉합(반월상연골봉합, meniscus repair)을 실시한 환자의 재활 시 고려해야 할 사항으로 옳지 않은 것은?

① 관절반달(반월상연골, meniscus)은 혈액 공급이 잘 이루어져 조직의 치유가 빠르게 진행되므로 조기에 저항성 운동을 실시할 필요가 있다.

② 체중지지를 하게 될 경우 재 손상의 우려가 있으므로 초기의 체중지지 운동은 피하는 게 바람직하다.

③ 재활초기 일정기간 부동화(immobilization)를 하게 되므로 근력은 개방운동(open kinetic chain)을 실시하여 강화할 필요가 있다.

④ 체중지지가 가능하게 되면 반드시 무릎관절의 안정성을 유지하면서 체중지지 운동을 실시할 필요가 있다.

> **정답 ①**
>
> 다음과 같이 수정해야 한다.
>
> ① 관절반달(반월상연골, meniscus)은 혈액 공급이 잘 이루어지지 않아서 조직의 치유가 느리게 진행되므로 서서히 저항성 운동을 실시할 필요가 있다.
>
> 📖 **보충학습**
>
> 연골은 뼈의 양쪽 끝 부분에 위치하고 있으며, 운동 시 충격을 완화시켜 뼈의 마모를 방지한다. 운동을 규칙적으로 적당히 하면, 연골이 두꺼워져서 그 기능이 좋아진다. 연골은 큰 압력과 장력을 견디게 하는 치밀성 섬유성 결합조직이다.
>
> **반달연골의 역할**
> ① 관절표면을 위해 윤활작용
> ② 충격흡수 제공
> ③ 무릎을 움직이는 동안 생기는 틈을 줄이고, 관절표면에 발생하는 압력을 전달하는 역할
> ④ 굽힘과 폄의 끝지점을 억제
> ⑤ 고유감각기관의 기능
>
> 모든 반달연골은 태어날 때 혈관이 있었지만 생후 9개월이 되면 안쪽 1/3은 혈관이 없어지며, 10개월이 되면 반달연골은 성인처럼 거의 무혈관 구조가 되어 손상을 입게 될 경우 치유가 더디다.

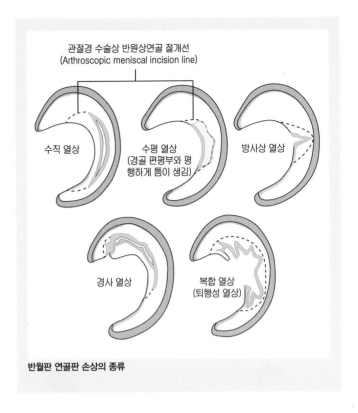

관절경 수술상 반원상연골 절개선
(Arthroscopic meniscal incision line)

수직 열상 / 수평 열상 (경골 편평부와 평행하게 틈이 생김) / 방사상 열상

경사 열상 / 복합 열상 (퇴행성 열상)

반월판 연골판 손상의 종류

10. 손상조직의 치유 과정에서 염증반응단계(inflammatory response phase)의 내용으로 옳지 않은 것은?

① 혈액응고(coagulation)　　② 혈관수축(vasoconstriction)
③ 섬유증식(fibroplasia)　　④ 가장자리화(margination)

> **정답 ③**
>
> ②는 "최초"라는 단어를 넣으면 더 좋은 문항이 될 것이다. 왜냐하면 손상 시 최초 1시간의 혈관반응은 응고와 일시적 수축이 일어나며, 2시간째부터는 혈관확장과 부종을 초래하며, 백혈구의 가장자리화가 일어나기 때문이다.
>
> ③은 섬유아세포 회복 단계에 해당한다.
>
> ④는 염증 초기에 손상 부위의 혈관벽의 상피세포에 백혈구가 축적 또는 부착되는 것을 말한다.
>
> 변연추향이라고도 하는데 류코트리엔과 프로스타글란딘이 일으키게 되는데 중성구와 대식세포가 세포벽에 붙게 되는 현상을 말한다.

11. 통증(pain)에 대한 설명으로 옳은 것은?

① 관문조절이론(gate control theory)에 의한 통증조절 효과는 다른 이론에 비해 긴 시간 지속 된다.
② 날신경(원심성신경, efferent nerve)은 통각수용기(nociceptor)를 포함한 감각수용기의 정보를 척수로 전달한다.
③ 통증유발점(trigger points)은 주로 근육 또는 근막(myofascia)에 존재한다.
④ 통증은 객관적이기 때문에 평가와 정량화가 용이하다.

정답 ③

다음과 같이 수정해야 한다.
①의 이론은 척수 수준에서 일어나기 때문에 짧다. 감각신경 전달이 통증신경 전달보다 더 빠르다.
②는 들신경(구심성 신경)으로 수정해야 한다.
④ 통증은 주관적이기 때문에 평가와 정량화가 어렵다.

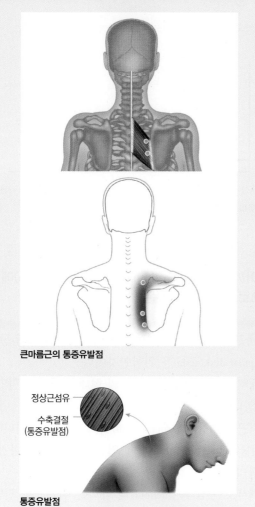

큰마름근의 통증유발점

정상근섬유
수축결절
(통증유발점)

통증유발점

12. 찰과상(abrasion)과 같은 피부손상이나 척추전방전위증(spondylolisthesis)을 야기할 수 있는 조직부하(tissue stress)유형으로 적절한 것은?

① 장력(tension) ② 전단력(shearing)
③ 압축(compression) ④ 비틀림(torsion)

정답 ②

♪ 저자촌평 필자가 강의 시간에 자주 언급한 기계적 손상에 대한 내용들이다.

전단력은 서로 간 평행한 방향에서 움직이도록 그들 표면에 부과하는 반대쪽 표면에 동등하되 선형적이지 않은 상반된 부하가 적용되었을 때 생기는 힘을 말한다. 전단력이 어떤 조직 본래의 힘을 초과하면 부상을 야기한다. 스트레스는 포진 또는 찰과상과 같이 피부손상이나 척추디스크 손상을 초래한다.

비틀림 부하는 구조 전체 횡단면에 전단력 스트레스를 유발한다. 최대 장력과 압축력은 대각선 면에서 발생하며, 비틀림은 긴뼈(장골)의 빗각에 나선형 골절을 의미한다.

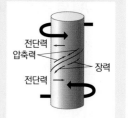

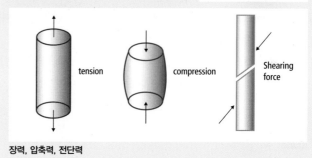

장력, 압축력, 전단력

13. 경기장 내에서의 손상평가에 대한 설명으로 옳지 않은 것은?

① 생명에 지장(life-threatening) 또는 파국적(catastrophic) 손상이 있는지 판단하는 것이 제일 중요하다.
② 충분한 시간을 갖고 자세한 정보 수집을 통해 정확한 진단이 이루어져야 한다.
③ 선수의 상태를 파악하여 신속한 후속조치와 선수 이동 방법을 결정해야 한다.
④ 쓰러진 선수가 목의 통증을 호소할 경우, 경추 손상으로 인한 전신마비의 가능성에 대비한 처치가 필요하다.

정답 ②

이 문제는 비교적 쉬운 문제로서 ②와 ③의 문장은 서로 상치되는 내용으로 ②는 경기장 밖에서의 손상평가라고 할 수 있다.

신속한 조치와 빠른 이동

14. 유형 별 골절(fracture)에 대한 설명으로 옳지 <u>않은</u> 것은?

① 반충(contrecoup)골절 : 충격 부위의 볼록한 뼈 표면에 주로 발생한다.
② 생나무(greenstick)골절 : 청소년기에 주로 발생하고, 골화되지 않은 뼈에서 발생한다.
③ 함몰(depressed)골절 : 머리뼈(두개골)와 같은 편평한 뼈에서 주로 발생한다.
④ 분쇄(comminuted)골절 : 3개 이상의 조각으로 골절이 발생하며, 뼈 조각이 이탈되면 치료를 더욱 어렵게 한다.

정답 ①

①은 외상이 시작된 반대쪽에서 발생한다.

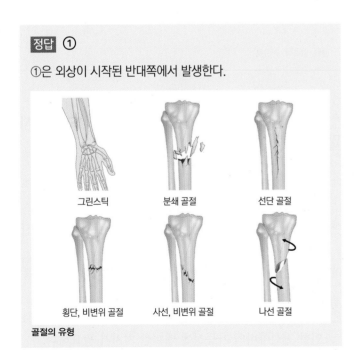

그린스틱 분쇄 골절 선단 골절

횡단, 비변위 골절 사선, 비변위 골절 나선 골절

골절의 유형

15. 재활운동프로그램의 각 단계별 고려 사항으로 옳은 것은?

① 수술 전 단계의 재활운동은 수술 후의 회복에 방해되므로 가급적 실시하지 않는다.
② 염증반응 단계(inflammatory response phase)에는 플라이오메트릭(plyometrics) 운동으로 근 파워와 순발력을 향상시킨다.
③ 섬유아재생 단계(fibroblastic repair phase) 동안 재활의 일차적 초점은 부종 조절, 휴식, 얼음찜질, 압박, 거상을 실시하는 데 있다.
④ 성숙－재형성 단계(maturation－remodeling phase)에는 스포츠 특정 기술(sports－specific function)을 다시 습득하는 것을 포함해야 한다.

정답 ④

②는 성숙-재형성 단계, ③은 염증반응 단계에 해당한다.

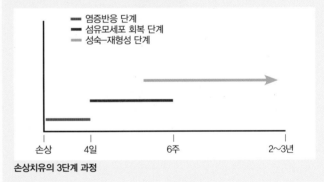

염증반응 단계
섬유모세포 회복 단계
성숙－재형성 단계

손상   4일   6주   2~3년

손상치유의 3단계 과정

16. 어깨 충돌증후군(impingement syndrome)에 대한 설명으로 옳지 <u>않은</u> 것은?

① 어깨근육의 피로, 과사용, 약화 및 어깨뼈 운동 이상(scapular dyskinesia)은 위험인자이다.
② 어깨뼈봉우리(견봉, acromion)의 형태적 변형이 원인이 될 수 있다.
③ 돌림근띠(회전근개, rotator cuff)와 봉우리 밑주머니(견봉하 윤활낭, subacromial bursa)에 염증과 지속적인 마찰이 발생한다.
④ 어깨세모근(삼각근, deltoid)의 약화는 위쪽으로 전단력을 증가시키는 원인이 되어 충돌증후군을 발생시킨다.

정답 ④

♪ 저자촌평 의외로 쉬운 문제이다.

필자가 평소 강의 시간에 강조했던 어깨 충돌증후군과 관련된 근육의 명칭만 알고 있어도 해결할 수 있는 문제이다.

다음과 같이 수정하면 바람직하다.

④ 어깨세모근→가시위근

증상과 관련된 구조물들은 주로 회전근개를 포함한 위팔두갈래근의 긴갈래, 봉우리밑주머니, 가시위근의 힘줄 등이다.

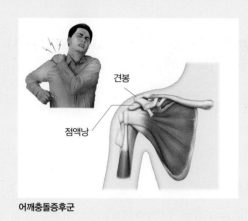

어깨충돌증후군

---

17. 해부학코담배갑(anatomical snuff box)에서 빈번히 골절이 발생하는 뼈의 명칭과 가쪽(lateral) 및 안쪽(medial) 경계를 형성하는 근육의 명칭으로 올바른 것은?

	골절뼈	가쪽	안쪽
①	큰마름뼈	긴엄지벌림근, 짧은엄지폄근	긴엄지폄근
②	손배뼈	긴엄지벌림근, 짧은엄지폄근	긴엄지폄근
③	큰마름뼈	긴업지폄근, 긴엄지벌림근	짧은엄지폄근
④	손배뼈	짧은엄지폄근, 긴엄지벌림근	긴엄지폄근

*긴엄지폄근(장수무지신근, extensor pollicis longus)
*긴엄지벌림근(장무지외전근, abductor pollicis longus),
*짧은엄지폄근(단무지신근, extensor pollicis brevis)
*큰마름뼈 (대능형골, trapezium) *손배뼈(주상골, scaphoid)

정답 ②, ④ [복수 정답]

♪ 저자촌평 만약 이 문제를 해부학코담배 부위의 지속적 통증을 유발하는 주원인은 무엇인가? 라고 했을 경우 답은 '손배뼈'이다. 또 하나의 원인이 되는 뼈의 명칭은? 이라는 문제가 출제되었다면 '큰마름뼈'이다.

손배뼈(주상골)는 손목뼈 중에서 가장 쉽게 부러지는 뼈이다. 흔한 손상기전은 아래팔을 엎침하고 팔을 뻗어 바닥에 손을 짚었을 때 발생한다. 이 뼈는 혈관공급이 나빠서 골절되면 쉽게 치유되지 않고 불유합 골절로 남기 쉽다. 불유합 골절이 생기면 보존적 치료는 크게 도움이 되지 못한다.

주상골 골절환자 대부분은 수근관절이 신전된 상태에서 낙상한다. 수근관절의 요측부분 특히 배측면의 통증을 호소하고 해부학적코담배갑 위치에 가까운 부종과 반출혈이 있다.

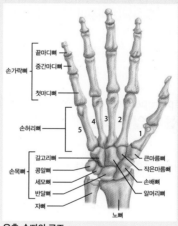

우측 손뼈의 구조   해부학코담배갑

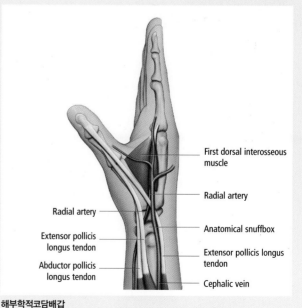

First dorsal interosseous muscle
Radial artery
Radial artery
Anatomical snuffbox
Extensor pollicis longus tendon
Extensor pollicis longus tendon
Abductor pollicis longus tendon
Cephalic vein

해부학적코담배갑

18. <보기>에서 설명하는 손상으로 옳은 것은?

〈보기〉

동일한 근육에 압박 혹은 타격이 반복적으로 가해지면 작은 칼슘침전물들이 근육에 형성되어 근육의 기능을 제한하는 손상

① 골화근염(myositis ossificans)　② 근경직(muscle spasm)
③ 근육염좌(muscle strain)　④ 반상출혈(ecchymosis)

정답 ①

골화근염은 결체조직 내 비종양성의 연골 혹은 골형성 과정을 의미하는데 대퇴사두근에서 가장 흔하게 보인다. ②는 흔히 '쥐'를 말하며, ③은 근육이 찢어진 상태, ④는 타박상을 입었을 때 가벼운 출혈로써 종종 여러 날 지속되는 피부가 옅은 남색 자줏빛으로 변색하는 현상을 말한다.

19. 시합 전 신체검사(pre-participation examination)의 특성에 대한 설명으로 옳지 <u>않은</u> 것은?

① 시즌이 시작하기 전이나 시합 전에 검사하는 것을 원칙으로 한다.
② 질병이나 손상에 대한 모든 병력 및 건강정보를 포함한다.
③ 결과에 따라서 선수의 시즌 시합 참여 여부를 결정할 수 있다.
④ 검사 결과들은 개인정보이므로 의사와 선수만이 공유할 수 있다.

정답 ④

④는 다음과 같이 수정한다.
검사 결과들은 개인정보이지만 의사와 팀구성원이 공유할 수 있다.

건강운동관리사는 팀구성원의 의사소통 과정의 중심에 있다. 추측이 아닌 정확한 정보들을 팀관계자들이 알고 있어야 하며, 선수를 누구보다도 잘 알고 있어야 한다.

20. 환자의 평가를 위한 SOAP 노트작성 시 객관적(objective) 기록에 해당하는 것은?

① 활력징후(vital sign)　② 병력(medical history)
③ 통증(pain)　④ 운동습관(exercise habit)

정답 ①

나머지는 모두 주관적 기록에 해당한다.

①은 건강운동관리사가 환자의 건강상태에 관한 기본적인 정보를 얻기 위한 것으로서 주로 4가지(혈압, 분당호흡수, 맥박, 체온)를 일컫되 추가로 피부색, 동공 등이 포함될 수 있다.

SOAP 기록은 다음과 같다.
㉠ 주관적(Subjective)　㉡ 객관적(Objective)
㉢ 평가(Assessment)　㉣ 계획(Plan)

노트작성은 필자가 강의 시간에 많이 강조한 내용이다. 건강운동관리사가 하루하루 환자의 상태와 치료과정에 대한 반응 등을 기술하는데 가장 널리 쓰이는 방법이다.

기능해부학(운동역학 포함)

01. 스포츠활동 시 무게중심에 대한 설명으로 옳지 않은 것은?

① 투사각도 및 투사속도가 같을 경우, 멀리뛰기의 도약(take off) 시 신체 무게중심이 높을수록 멀리 뛸 수 있다.
② 동작에 따라 무게중심은 신체 외부에도 존재할 수 있다.
③ 같은 무게중심 높이에서 무게중심선이 기저면의 중앙에 가까울수록 정적안정성이 높아진다.
④ 쇼트트랙코너링 시 신체 무게중심을 최대한 복부에 고정시키는 것이 더 빠르고 안정하게 돌 수 있는 방법이다.

> **정답** ④
>
> 움직이고 있는 물체의 무게중심은 운동의 특성에 따라 위치가 변화한다. 무게중심은 안정성과 밀접한 관계를 갖는다. 움직인다는 것은 무게중심을 이동시키는 것이다. ④의 경우 빙면이 마찰력과 자세를 낮추어 구심력을 키워야 일정한 원의 궤도를 안정적으로 달릴 수 있다. 선수가 몸을 커브방향으로 기울이면 무게중심선을 더 이상 기저면 위에 위치하지 않게 된다. 속도가 빠르면 빠를수록 커브가 급하면 급할수록 안쪽으로 몸을 기울이게 되며, 그 결과 선수의 무게중심선은 커브의 안쪽으로 더욱더 멀리 이동하게 된다. 즉, 커브 안쪽으로 작용하는 힘이 바깥쪽으로 작용하려는 힘과 균형을 이룬다. 이러한 동적안정성을 유지하기 위해서는 중심의 위치를 낮추면 안정성이 증가한다.

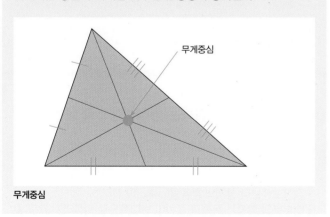

무게중심

02. 보행관련 용어 및 특성에 관한 설명으로 옳지 않은 것은?

① 걸음 보(step length)는 한쪽 발뒤꿈치 접지 지점에서 반대측 발뒤꿈치 접지 지점까지의 거리이다.
② 정상보행 시 걸음주기는 입각기(디딤기, stance phase)가 40%, 유각기(흔듦기, swing phase)는 60%를 차지한다.
③ 정상보행 시 발뒤꿈치가 지면에 닿은 직후 입각기 전반부에 발의 엎침(회내, pronation) 운동이 발생한다.
④ 보행 입각기 후반구간에서의 지면반력은 추진력으로 활용된다.

> **정답** ②
>
> 지지기와 체공기만 알고 있다면 쉽게 풀 수 있는 문제이다.
> 입각기 60%, 유각기 40%로 수정해야 한다.

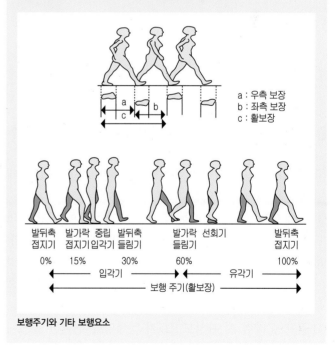

보행주기와 기타 보행요소

하나의 완벽한 보행주기는 100%로 표현되고, 단계와 세부 단계는 보행주기의 %로 기술된다. 발이 지면에 닿은 순간부터 보행주기가 시작되며, 이때는 60%이다. 보행이 진행됨에 따라 보행주기의 40%도 증가하여 같은 발이 다시 지면에 닿을 때 하나의 보행주기가 끝나고, 이를 100%로 표현한다. 평상 시 보행속도로 걸을 때 입각기는 보행주기의 약 62%이고, 유각기는 약 38%이다.

보행주기와 기타 보행요소
1) 입각기
① 초기접지기(0~2%)
② 부하반응기(2~10%)

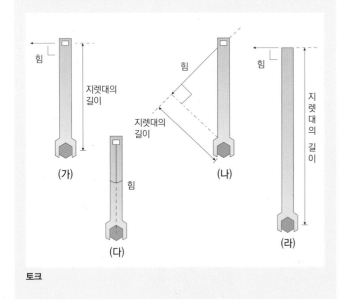

토크

03. 토크(torque)와 관련된 설명으로 옳지 않은 것은?

① 힘의 작용선이 물체의 중심을 관통하여 작용 되었을 때 토크는 발생하지 않는다.
② 인체지레 중 2종 지레는 힘점의 모멘트 암이 저항 점의 모멘트 암보다 길기 때문에 효율적인 힘의 활용 예이다.
③ 런닝(running) 시 안굽이엉덩관절(coxa vara)은 밖굽이엉덩관절(coxa valga)보다 엉덩관절(고관절, hip joint)을 축으로 큰 토크를 발생시킨다.
④ 골프공 타격 시 관성모멘트가 정중앙에 위치한 골프채일수록 볼을 멀리 보내는데 유리하다.

정답 ④

토크는 지렛대의 원리이다. 회전을 일으키는 효과를 얻는 원리이다.

$T = F \times d = I \times \alpha$ (T : 토크, F : 힘, d : 축에서 힘점까지의 수직거리, I : 관성모멘트, α : 각가속도)

①은 향심력을 의미하며, ②는 힘팔이 저항팔보다 크기 때문에 범위나 속도에서는 손해를 보지만 힘에서 득을 얻는다. ③은 경사각에 대해서 이해를 하고 있어야 이해를 하는 내용으로서 안굽이엉덩관절은 경사각이 125° 이하이며, 밖굽이엉덩관절은 130° 이상을 말한다.

건강운동관리사 제 1권(박승화) 기능해부학 p139에서 확인할 수 있다.

④ 관성모멘트가 끝에 위치한 골프채일 경우 힘팔이 크기 때문에 토크가 커서 멀리 보내는데 유리하다.

넙다리뼈 몸통은 동일한 체중부하선 내에서 무릎과 넙다리뼈머리를 정렬하기 위해 이마면에서 안쪽으로 각을 형성한다. 이마면의 각 형성 혹은 목-몸통각을 경사각이라고 한다. 평균적인 정상적 경사각은 125°이다. 안굽이엉덩은 넙다리뼈목을 지나가는 장력을 증가시키고, 넙다리뼈목 골절의 전조증상일 수 있다. 관절변화로 인생의 노년기에서 주로 발생한다. 밖굽이엉덩과 안굽이엉덩의 구조적 변화는 토크의 변화 때문에 근력 감소에 영향을 줄 수 있다. 토크의 변화는 모멘트팔의 길이의 변화와 장력관계 때문으로 본다.

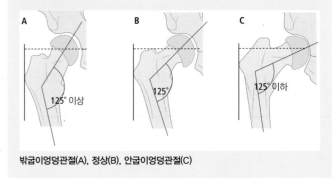

밖굽이엉덩관절(A), 정상(B), 안굽이엉덩관절(C)

04. <보기>에서 설명하는 병적보행으로 옳은 것은?

〈보기〉

• 정상보행보다 활보장(stride length)과 속도가 감소한다.
• 정상보행보다 상지의 흔들림(swing)이 작다.
• 대부분의 환자가 몸통과 골반이 반대쪽으로 비틀리지 않고 같은 방향으로 회전한다.
• 걸음을 시작하거나 걷다가 정지하기 어렵다.
• 보행초기 발을 지면에 끌며 걷는 현상을 보이기도 한다.

① 첨족(talipes equinus)보행
② 진통(antalgic)보행
③ 트렌델렌버그(Trendelenburg)보행
④ 파킨슨(Parkinson)보행

정답 ④

♪저자촌평 활보장이란 한 발의 초기 접지기에서 같은 발이 다시 내딛는 초기 접지기까지의 거리이다.

①은 발목관절 발등굽힘이 전혀 안 될 경우 발끝이 먼저 지면에 닿게 되는 걸음걸이를 말한다.
②는 엉덩관절의 통증으로 인해 나타나는 비정상 걸음을 의미한다. 통증을 지닌 하지의 사용 시간을 줄이려고 하며, 그 쪽 하지에 실리는 스트레스를 최소화하려고 한다.
③은 중간볼기근 보행이라고도 하는데 부상을 당해 오랫동안 한쪽 하지에 체중을 부하할 수 없거나, 엉덩관절 부위에 부상을 당했다면 중둔근이 약해질 수 있다.

걷기는 다리에 있는 모든 영역의 기능들을 통합한다. 하체의 신경 근육과 뼈대의 상호작용의 궁극적인 운동학적 표현이다. 철저한 분석과 이해를 통해 다리가 연루된 대부분의 질환의 평가와 치료를 위한 직·간접적 기초로 삼는다.

④는 〈보기〉 외에 교대적인 팔운동이 적거나 아예 없는 특징도 있다.

파킨슨병환자의 걸음

---

05. 형태항력(formdrag)을 줄이는 방법에 대한 설명으로 옳지 <u>않은</u> 것은?

① 사이클 시합 중 앞 선수를 뒤따르면서 드래프팅(drafting)한다.
② 골프공과 같이 표면에 표면요철(dimple)을 구성한다.
③ 물체를 비대칭으로 만들어 비행 시 그 물체를 따라 흐르는 경계층의 속도차이로 인한 상대적인 압력 차이를 발생시킨다.
④ 진행하는 방향에서 본 물체의 단면적을 최대한 줄인다.

정답 ③

♪저자촌평 필자가 강의 시간에 여러 번 강조한 내용이다. 아래 그림은 ③의 문장을 수정해야만 하는 이유를 잘 보여주고 있다. 형태항력을 줄이기 위해서 선형처럼 입수자세를 취해야 하며, 단면적을 최소화해야 하며, 배머리처럼 대칭으로 제작되어야 형태항력을 줄일 수 있다.

선형 입수자세

---

06. 수영 종목(자유형)의 경기력 향상과 관련된 설명으로 옳지 <u>않은</u> 것은?

① 수영 시 물속에서 무게중심과 부력중심의 수평선상 위치 차이가 큰 선수가 유리하다.
② 부피가 같은 경우, 몸무게가 가벼운 선수가 유리하다.
③ 허파 속의 공기의 양 조절을 잘 할 수 있는 선수가 유리하다.
④ 머리를 드는 것 보다 최대한 물속에 잠긴 상태로 수영하는 것이 유리하다.

정답 ①

수영 시 물속에서 무게중심과 부력중심의 수평선상 위치 차이가 작은 선수가 유리한 이유는 평형을 유지하면서 물에 떠 있을 수 있기 때문에 수영에 유리하다.
기울어진 물체의 부력중심을 통과하는 수직선과 최초의 부심축과의 교차점을 경심이라고 하는데 이 거리가 크면 클수록 물체의 흔들림이 크다.

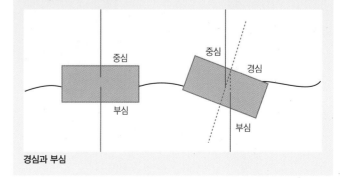
경심과 부심

07. 자세와 관련한 용어의 설명으로 옳은 것은?

① 밖굽이팔꿈치(cubitus valgus) : 여성에게 15°, 남성에게 20° 이상 아래팔이 가쪽(lateral)으로 기울어진 상태

② 척주옆굽음증(척추측만증, scoliosis) : 척주(vertebralcolumn), 척주 주위 물렁조직, 척추사이원반(추간판,intervertebral disc) 등의 이상으로 가슴과 엉치뼈(천골, sacrum) 부위가 정상범위보다 뒤쪽으로 많이 돌출된 상태

③ 이마면(전두면, frontal plane)의 정렬선 : 양쪽 복장빗장관절(흉쇄관절, sternoclavicular joint)의 중심지점, 두덩결합(symphysis pubis), 양쪽 무릎 관절의 중심지점, 양쪽 발목 관절의 중심지점을 수직으로 연결하는 선이 중앙에 위치된 상태

④ 척주뒤굽음증(척추후만증, kyphosis) : 위앞 엉덩뼈가시(전상장골극, anterior superior iliac spine)가 두덩 결합보다 앞 부분에 위치한 상태

정답 ③

다음과 같이 수정해야 한다.

① 밖굽이팔꿈치(cubitus valgus, 외반주)는 여성에게 15°, 남성에게 10° 이상의 바깥굽은각이 있을 때를 말하며, 팔꿈치 외과 골절 후 뼈가 안 붙어 위치가 밀리면서 불유합 또는 부정유합 되어 나타난다. 팔이 외측으로 휘어서 안쪽에 있는 자신경의 긴장이 발생하여 제 4, 5손가락이 저린신경 증상을 호소하는 경우가 많다.

② 척주후만증 ④ 척주전만증

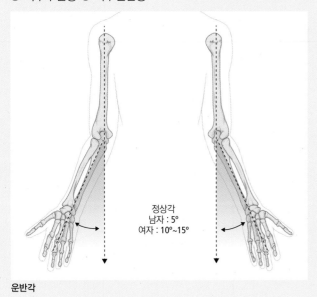

정상각
남자 : 5°
여자 : 10°~15°

운반각

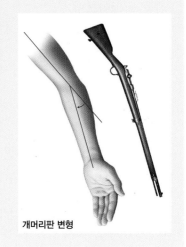
08. 각운동량 보존과 관련하여 스포츠에 적용된 예시 중 옳지 않은 것은 ?

① 10m 다이빙 시 3½ 바퀴 공중돌기 동작 수행을 위하여 최대한 몸을 움추려 회전을 빨리하도록 노력하는 방법

② 멀리뛰기 시 공중가위뛰기(hitch kick) 동작을 통하여 도약거리를 증가시키는 방법

③ 피겨 스케이트 선수가 공중회전 시 두 팔을 몸 안으로 모음으로써 더 빠르게 회전하는 방법

④ 골프 다운스윙 시 코킹동작을 최대한 늦게까지 유지함으로써 몸통과 골프채의 회전속도를 빠르게 한다.

정답 ④

필자가 강의 시간에 '각운동량 보존의 법칙'에 대하여 수강생들이 아주 쉽게 이해할 수 있는 귀신같은 방법으로 전달했던 내용이다.

①, ②, ③의 공통점을 찾으면 바로 ④번이 정답이다.

보충학습

'각운동량 보존의 법칙'이란 순수한 외적 토크가 작용하지 않는 한 회전체는 크기와 방향이 동일한 각운동량을 지닌다.

각운동량은 벡터량으로서 크기와 방향을 지니고 있으며 회전체의 관성 모멘트와 각속도의 곱으로 나타내고 있다($L = I \cdot w = mr^2w$).

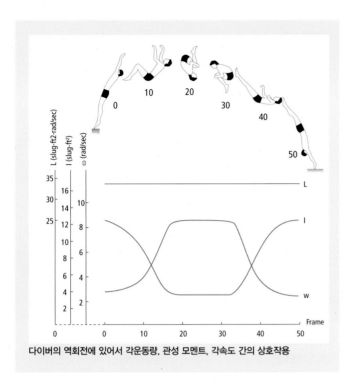

다이버의 역회전에 있어서 각운동량, 관성 모멘트, 각속도 간의 상호작용

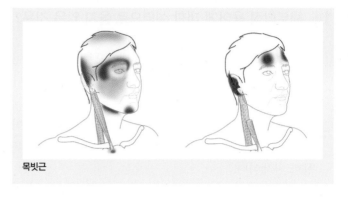

목빗근

09. 목빗근(흉쇄유돌근, sternocleidomastoid)에 대한 설명으로 옳지 <u>않은</u> 것은?

① 운동은 더부신경(부신경, accessory n.), 통증과 고유 감각은 둘째와 셋째 목신경(경추신경, cervical n.)의 지배를 받는다.

② 이는곳(기시부, origin)은 관자뼈(측두골, temporal)의 꼭지돌기(유양돌기, mastoid process)가 포함된다.

③ 머리를 기울이고 얼굴을 반대쪽으로 돌리며, 턱을 복장뼈(흉골, sternum)에 붙이고 입꼬리를 아래로 당긴다.

④ 목빗근의 복장부분(흉골두, sternal head)은 복장뼈자루(흉골병, manubrium)에 붙고, 빗장부분(쇄골두, clavicular head)은 빗장뼈 안쪽 ⅓ 윗면에 붙는다.

> **정답** ②, ③ [복수 정답처리]
>
> 다음과 같이 수정해야 한다.
>
> ② 닿는곳(기시부, origin)은 관자뼈(측두골, temporal)의 꼭지돌기(유양돌기, mastoid process)가 포함된다.
>
> ③ 얼굴을 돌리게 하거나 위를 올려다보게 하며, 턱을 당기는 작용을 한다. 또한 머리목 영역을 굽힘이나 폄시킬 수 있다.

10. 어깨의 네모공간(quadriangular space of shoulder)이 좁아져 이곳을 통과하는 신경의 신경전달에 문제가 생겼을 때 약화될 수 있는 근육으로 옳은 것은?

① 가시위근(극상근, supraspinatus)

② 어깨세모근(삼각근, deltoid)

③ 큰원근(대원근, teres major)

④ 등세모근(승모근, trapezius)

> **정답** ②
>
> 이 문제에서 '이곳을 통과하는 신경'은 겨드랑이 신경(C5~C6)를 말한다.

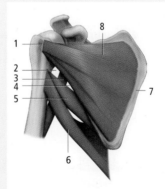

1. 작은결절 Lesser tubercle
2. 네모공간 quadrilateral space
3. 위팔세갈래근의 긴갈래 long head triceps brachii m.
4. 세모공간 triangular space
5. 큰원근 teres major m.
6. 넓은등근 latissimus dorsi m
7. 앞톱니근이 닿는 곳 insertion of serratus anterior m.
8. 어깨밑근 subscapularis m.

어깨네모공간

②는 팔이음뼈 근육으로서 어깨 관절을 덮어 어깨에 삼각형의 두껍고 큰 융기를 만든다. 빗장뼈 가쪽부위, 어깨봉우리, 어깨뼈가시에서 일어나며, 위팔뼈 몸통 중앙 가쪽부위에 있는 세모거친면에 부착한다. 가장 강력한 위팔의 벌림근육이다. 어깨세모근은 봉우리돌기 위를 직접 지나간다. 위팔뼈가 벌림하는 동안 돌림근띠의 수축과 어깨세모근의 수축 사이에서 짝힘이 발생한다. 어깨 세모근 수축에 의한 힘의 방향은 봉우리와 부리어깨인대의 아래쪽에 위팔뼈머리가 부딪히도록 위팔뼈머리를 당긴다.

11. 해부학적 용어에 대한 설명으로 옳지 <u>않은</u> 것은?

① 정중면(median plane)은 몸을 좌우 대칭으로 나뉘게 길이 방향으로 자르는 수직면이고 정중면에 평행하게 지나는 면이 시상면(sagittal plane)이다.

② 해부학적 자세(anatomical position)는 머리, 눈과 발끝이 정면을 향하고 팔은 몸통 옆으로 내려 손바닥이 앞을 향한 자세이다.

③ 안쪽(내측, medial)은 해부학적 자세에서 정중면에 가까운 쪽을 의미함으로 새끼손가락은 엄지손가락보다 안쪽이다.

④ 벌림(외전, abduction)은 이마면(frontal plane)에서 정중선(median line)으로부터 멀어지는 운동으로, 손·발가락에서는 각 중립의 위치인 셋째손가락과 셋째발가락에서부터 벌어지는 운동이다.

> **정답 ④**
>
> 해부학적 자세를 이해하는 수험생이면 쉽게 해결할 수 있는 문제이다. 다음과 같이 수정해야 한다.
>
> ④ 벌림(외전, abduction)은 이마면(frontal plane)에서 정중선(median line)으로부터 멀어지는 운동으로, 손·발가락에서는 각 중립의 위치인 셋째손가락과 둘째발가락에서부터 벌어지는 운동이다.

12. 능동적 아래팔뒤침(전완회외, supinationfor forearm)이 되지 않는 사람에게서 예측가능한 상황이 아닌 것은?

① 손목과 손가락의 폄 동작은 가능하나, 손바닥의 감각이상이 생길 수 있다.

② 노신경(요골신경, radial nerve)의 손상이 의심되며, 손가락의 맞섬(대립, opposition) 동작은 가능하다.

③ 팔꿉관절(주관절, elbowjoint)굽힘 동작은 가능하나, 손등 일부분에 감각 이상이 생길 수 있다.

④ 주먹을 쥐는 동작은 가능하며, 새끼손가락의 감각에는 이상이 없다.

> **정답 ①**
>
> ↪저자촌평 이 문제는 손목과 손의 말초신경에 대하여 이해하고 있어야 풀 수 있는 문제이다.
>
> 다음과 같이 수정하면 좋을 것이다.
>
> ① 노신경의 손상으로 손목과 손가락의 폄 동작이 어렵고, 손등의 감각이상이 생길 수 있다.
>
> 손목과 손을 지배하는 신경들은 일반적으로 말초신경이라고 하는데 운동신경과 감각신경을 보내는 3종류의 말초신경은 노신경, 정중신경 및 자신경이다.
>
> 노신경은 아래팔과 가쪽위관절융기에서 몸쪽 부착하는 손목과 손가락의 모든 폄근을 지배한다.
>
> 노신경이 마비되면 손목의 폄근과 손가락의 긴손가락폄근이 마비된다. 손목 떨어짐은 노신경이 마비되었을 때 발행한다.
>
> 📖 **보충학습**
>
> 1) 뒤침근육
> ① 일차적인 뒤침근육 : 뒤침근, 위팔두갈래근
> ② 이차적인 뒤침근육 : 노쪽의 손목 폄근육, 긴엄지폄근, 집게폄근, 위팔노근
>
> 2) 노신경은 손가락의 외재성 폄근육을 지배한다. 아래팔의 등쪽면에 위치한 이 근육군은 손가락폄근, 새끼폄근, 집게폄근, 긴·짧은엄지폄근, 엄지벌림근이다. 노신경이 지배하는 감각영역은 손목과 손의 등쪽면 특히 엄지두덩에 있는 물갈퀴 공간의 등쪽 주변이다.
>
> 상세한 내용(그림과 사진)은 박승화 건강운동관리사 강의에서 확인할 수 있다.

13. 엉덩관절(고관절, hip joint)의 모음(내전, adduction)에 작용하는 근육으로 옳지 <u>않은</u> 것은?

① 긴모음근(장내전근, adductor longus)

② 넙다리빗근(봉공근, sartorius)

③ 바깥폐쇄근(외폐쇄근, obturator externus)

④ 두덩정강근(박근, gracilis)

> **정답 ②, ③ [문제의 오류, 복수정답 처리]**
>
> ↪저자촌평 이 문제를 해결하기 위해서는 고관절의 해부학적 작용과 주동근에 대해서 숙지하고 있어야 한다.

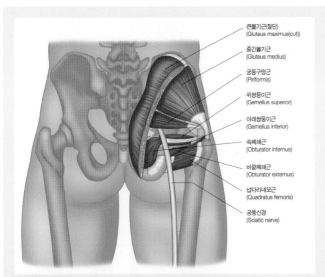

엉덩관절 심부가쪽 돌림근

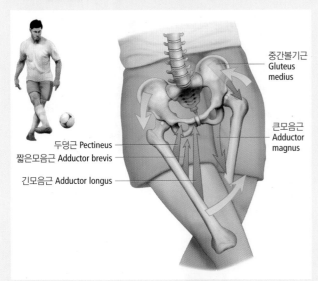

엉덩관절 모음근

엉덩관절의 모음에 작용하는 근육들은 대부분 넙다리 안쪽에 위치한 근육군이다.

②는 굽힘 동작에 해당한다.

③은 골반과 대퇴에 연결되어진 근육인데 아무 생각 없이 보면 닭다리 모양새 같이 생긴 근육이다. 골반뼈 바깥면에서 기시하여 넙다리뼈 돌기오목에 착지하는 근육으로서 가쪽돌림을 하는 역할을 한다.

📖 **보충학습**

이 문제에 제시된 근육 외에 모음에 작용하는 근육에는 짧은 모음근과 두덩근이 있다.

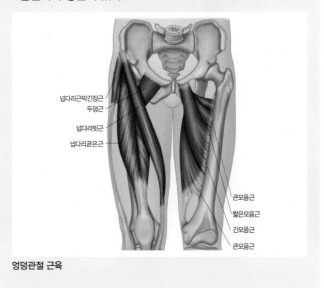

엉덩관절 근육

14. <보기>에서 무릎관절(슬관절, knee joint)의 안쪽 돌림(내회전, medial rotation)에 작용하는 근육으로 바르게 짝지어진 것은?

─〈보기〉──

㉠ 반힘줄근(반건상근, semitendinosus)
㉡ 안쪽넓은근(내측광근, vastus medialis)
㉢ 넙다리두갈래근(대퇴이두근, biceps femoris)
㉣ 반막근(반막양근, semimembranosus)
㉤ 두덩근(치골근, pectineus)
㉥ 오금근(슬와근, popliteus)

① ㉠, ㉣, ㉤   ② ㉠, ㉣, ㉥

③ ㉠, ㉤, ㉥   ④ ㉡, ㉣, ㉤

정답 ②

🎵 **저자촌평** 이 문제 역시 해부학적 작용과 주동근에 대한 내용을 상세하게 꿰고 있어야 풀 수 있다.

㉢은 무릎관절 굽힘과 가쪽돌림

㉤은 앞안쪽 엉덩관절에 위치한다. 샅고랑 안의 깊숙한 곳에 위치하는 납작한 형태의 근육이다. 먼쪽 부착점의 영역은 몸쪽 부착점만큼 넓어서 사각형 모양이고, 빗모양이다. 고관절의 굽힘과 모음을 한다.

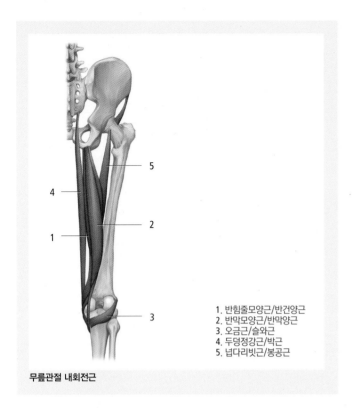

1. 반힘줄모양근/반건양근
2. 반막모양근/반막양근
3. 오금근/슬와근
4. 두덩정강근/박근
5. 넙다리빗근/봉공근

무릎관절 내회전근

가자미근과 장딴지근에 의해 덮여 있다.
앞정강근은 발목의 발등굽힘 작용을 하며, 온종아리신경가지와
깊은종아리신경(L_4~S_1)의 가지의 지배를 받는다.

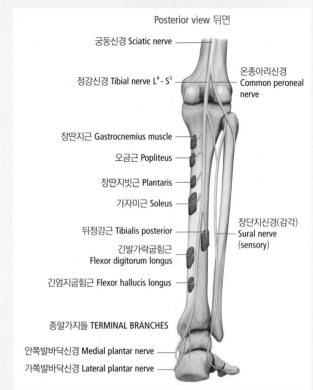

Posterior view 뒤면

궁둥신경 Sciatic nerve
정강신경 Tibial nerve L^4 - S^3
온종아리신경 Common peroneal nerve
장딴지근 Gastrocnemius muscle
오금근 Popliteus
장딴지빗근 Plantaris
가자미근 Soleus
뒤정강근 Tibialis posterior
장단지신경(감각) Sural nerve (sensory)
긴발가락굽힘근 Flexor digitorum longus
긴엄지굽힘근 Flexor hallucis longus
종말가지들 TERMINAL BRANCHES
안쪽발바닥신경 Medial plantar nerve
가쪽발바닥신경 Lateral plantar nerve

하퇴의 신경

15. 발목관절(족관절, ankle joint)의 ㉠**안쪽번짐**(내번, inversion)에 작용하는 근육과 ㉡그 근육의 지배신경으로 바르게 연결된 것은?

	㉠	㉡
①	뒤정강근 (후경골근, tibialis posterior)	정강신경(경골신경,tibial n.)
②	뒤정강근	오금신경(슬와신경, popliteal n.)
③	앞정강근	정강신경(전경골근, tibialis anterior)
④	앞정강근	오금신경

정답 ①

문항에 제시한 근육은 모두 적절하지만 ②, ③, ④는 지배하는 신경이 맞지 않다.

보충학습

뒤정강근은 장딴지 근육 중에서 가장 깊은 곳에 위치하는 근육이다. 정강뼈와 종아리뼈 사이의 뼈사이막 근처에 위치하고,

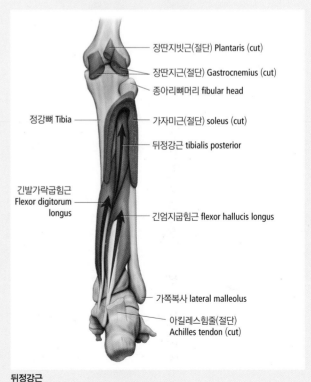

장딴지빗근(절단) Plantaris (cut)
장딴지근(절단) Gastrocnemius (cut)
종아리뼈머리 fibular head
정강뼈 Tibia
가자미근(절단) soleus (cut)
뒤정강근 tibialis posterior
긴발가락굽힘근 Flexor digitorum longus
긴엄지굽힘근 flexor hallucis longus
가쪽복사 lateral malleolus
아킬레스힘줄(절단) Achilles tendon (cut)

뒤정강근

16. <보기>에서 호흡 시 들숨(흡기, inspiration)에 관여하는 근육들을 모두 고른 것은?

① ㉠, ㉢, ㉤   ② ㉠, ㉡, ㉣
③ ㉠, ㉣, ㉤   ④ ㉠, ㉤, ㉣

정답 ④

㉠은 안정 들숨, ㉡ 강제적 들숨, ㉢은 안정 들숨근육에 해당한다.

나머지 근육들은 다음과 같이 정리한다.
㉡ 아래뒤톱니근(하후거근, serratus posterior inferior) : 강한 호기근
㉢ 갈비밑근(늑골하근, subcostalis) : 갈비뼈 내림근
㉣ 가슴가로근(흉횡근, transversus thoracis) : 갈비뼈 내림근

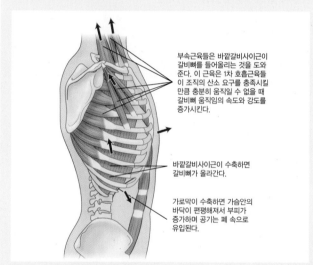

부속근육들은 바깥갈비사이근이 갈비뼈를 들어올리는 것을 도와준다. 이 근육은 1차 호흡근육들이 조직의 산소 요구를 충족시킬 만큼 충분히 움직일 수 없을 때 갈비뼈 움직임의 속도와 강도를 증가시킨다.

바깥갈비사이근이 수축하면 갈비뼈가 올라간다.

가로막이 수축하면 가슴안의 바닥이 편평해져서 부피가 증가하며 공기는 폐 속으로 유입된다.

갈비사이근(흡기 시)

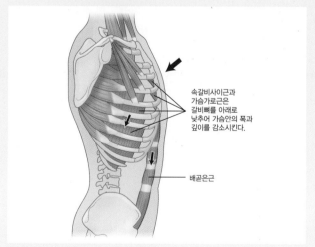

속갈비사이근과 가슴가로근은 갈비뼈를 아래로 낮추어 가슴안의 폭과 깊이를 감소시킨다.

배곧은근

갈비사이근(호기 시)

17. 근육피부신경(근피신경, musculocutaneous n.)의 손상에 영향을 받는 동작으로 가장 적절한 것은?

① 팔꿉관절(주관절, elbow joint) 굽힘(굴곡, flexion)
② 손목관절(수근관절, wrist joint) 굽힘
③ 팔꿉관절 폄(신전, extension)
④ 손목관절 폄

정답 ①

②는 정중신경, ③과 ④는 노신경에 해당한다.
근육피부신경은 상완신경총 중의 하나로 위팔요골근, 위팔두갈래근, 위팔근육의 신경지배를 말한다.

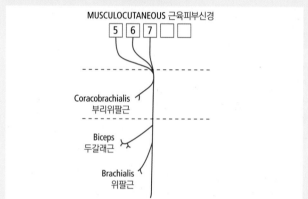

MUSCULOCUTANEOUS 근육피부신경
5 6 7

Coracobrachialis
부리위팔근

Biceps
두갈래근

Brachialis
위팔근

근피신경의 지배근

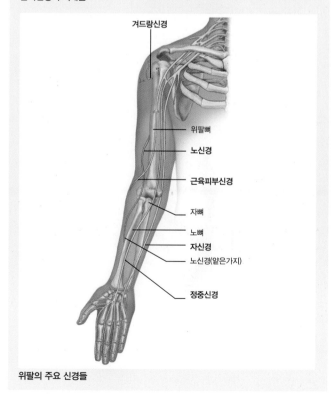

겨드랑신경

위팔뼈
노신경
근육피부신경
자뼈
노뼈
자신경
노신경(얕은가지)
정중신경

위팔의 주요 신경들

18. 〈보기〉의 괄호 안에 들어갈 명칭으로 옳은 것은?

〈보기〉

$$A = B + C$$

A : 척추사이원반(추간판, intervertebral disc)
B : 속질핵(수핵, nucleus pulposus)
C : (   )

① 섬유인대(섬유인대, annulus ligament)
② 섬유액(섬유액, annulus fluid)
③ 섬유테(섬유륜, annulus fibrosus)
④ 섬유막(섬유막, annulus membrane)

정답 ③

앞쪽 척추 요소를 설명하는 구조물로서 척추사이원반과 세로인대는 앞쪽척추 구조물을 형성한다. 각 원반은 속질핵, 섬유테, 척추뼈끝판의 세 부분으로 구성되어 있다. 속질핵은 80% 이상의 물을 함유하는 겔이고, 섬유테는 속질핵을 에워싸는 일련의 섬유성 연골조직의 고리이다.

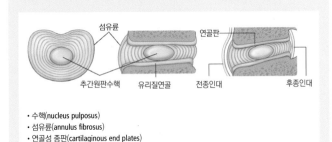

• 수핵(nucleus pulposus)
• 섬유륜(annulus fibrosus)
• 연골성 종판(cartilaginous end plates)

추간판의 구조와 주변 구조물의 관계

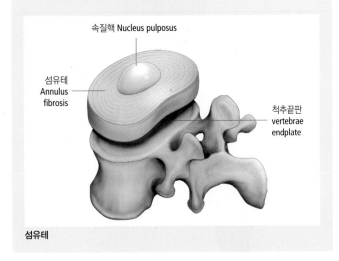

섬유테

19. 척추뼈(vertebra)에 대한 설명으로 옳은 것은?

① 첫째목뼈(제1경추, 1st cervical vertebra)를 중쇠뼈(축추, axis)라고 한다.
② 일곱째 목뼈에는 가로구멍(횡공, transverse foramen)이 없다.
③ 모든 갈비뼈(늑골, rib)는 등뼈(흉추, thoracic vertebra)와 관절한다.
④ 각각의 허리뼈(요추, lumbar vertebra)에는 7개의 돌기(process)가 있다.

정답 ③

🐾저자촌평 꼼꼼하게 뼈에 대해서 공부하지 않은 수험생의 경우 ④가 왜 틀린 내용인지 알기에는 쉽지 않은 문제이다.

다음과 같이 수정한다.
① 첫째목뼈(제1경추, 1st cervical vertebra)를 고리뼈(환추, axis)라고 한다.
② 일곱째 목뼈에는 가로구멍(횡공, transverse foramen)이 있다.
③ 일부 갈비뼈(늑골, rib)는 등뼈(흉추, thoracic vertebra)와 한 번 또는 두 번 관절한다.
④는 왜 정답이 아닌가? → 강의에서 확인

이에 대한 물음이나 궁금증은 박승화 건강운동관리사 강의에서 확인할 수 있다.

📖 보충학습
경추의 구조
1) 제 1경추 : 환추는 척추뼈몸통 그리고 가시돌기가 없다. 그리고 전궁이 길지 않으며, 대신 후궁이 기다랗다.
2) 제 2경추 : 축추는 척추뼈 몸통으로부터 위로 튀어나온 치상(치아)돌기가 가장 큰 특징이라고 할 수 있다. 이는 환추의 중심에 생겨서 축추와 유합이 된 것이라고 할 수 있다.
3) 제 7경추 : 끝이 갈라지지 않은 길다란 가시돌기가 가장 큰 특징인데 융추라고도 한다.
   끝에는 항인대가 달려있는 결절이 있는데, 가로돌기구멍은 크지 않고 때로는 한쪽 또는 양쪽에 가로돌기 구멍이 없을 때도 있다. 이 구멍 속에는 정맥, 부척추정맥이 통과하는데 드물게는 척추동맥이 지나가기도 한다.

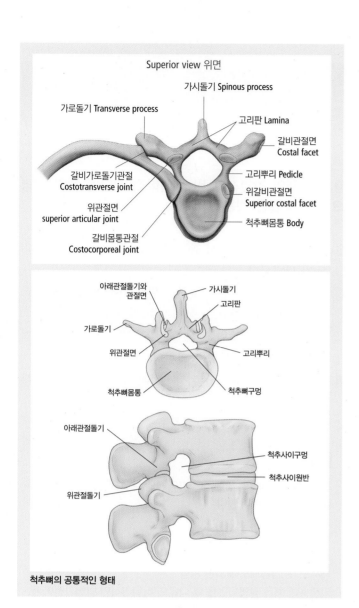

Superior view 위면

가시돌기 Spinous process
가로돌기 Transverse process
고리판 Lamina
갈비관절면 Costal facet
갈비가로돌기관절 Costotransverse joint
고리뿌리 Pedicle
위갈비관절면 Superior costal facet
위관절면 superior articular joint
척추뼈몸통 Body
갈비몸통관절 Costocorporeal joint

아래관절돌기와 관절면
가시돌기
고리판
가로돌기
위관절면
고리뿌리
척추뼈몸통
척추뼈구멍

아래관절돌기
척추사이구멍
척추사이원반
위관절돌기

척추뼈의 공통적인 형태

20. 몸통뼈대(체간골격, axial skeleton)로 옳지 <u>않은</u> 것은?

① 허리뼈(요추, lumbar)
② 빗장뼈(쇄골, clavicle)
③ 복장뼈(흉골, sternum)
④ 머리뼈(두개골, skull)

정답 ②

필자가 강의하면서 강조한 뼈이다. 빗장뼈는 애매한 뼈이기 때문에 잘 기억해야 한다고 강조했다.

②는 팔이음뼈이다.

뼈대의 구조는 본 교재의 앞 부분을 참고하기 바란다.

2017

병태생리학

01. <보기>에서 설명하는 세포적응 형태로 가장 옳은 것은?

〈보기〉

- 장기적인 염증이나 만성적인 물리적 손상에 의해 유발된다.
- 세포의 수가 증가하여 조직의 질량이 증대한다.
- 티눈(corn) 혹은 굳은살(callus)이 대표적인 예이다.

① 이형성(dysplasia)
② 과형성(hyperplasia)
③ 신생물(neoplasm)
④ 비대(hypertrophy)

정답 ②

저자촌평 필자가 강의 시간에 비대와 과다형성을 여러 차례 그림을 그리면서 비교해서 설명한 내용이다.

장기가 커지는 이유는 각 세포의 크기가 커지거나, 세포 크기에는 변함이 없으나 그 수가 증가하기 때문이다.
이때 전자를 비대, 후자를 과다형성이라고 한다. 비대와 과다형성에는 생리적인 것과 병적인 것이 있다.
①은 종양세포가 모조직의 세포와 다른 성질을 가지고 있는 것
③은 비정상적으로 성장하는 세포조직이다. 딱딱한 것은 종양(tumor)이라고 한다.

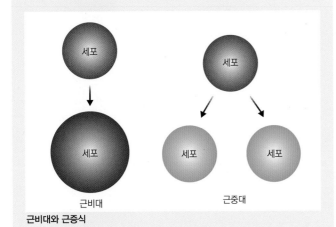

근비대   근중대

근비대와 근증식

02. 인체의 감염경로 및 생화학적 진단에 관한 설명으로 옳지 <u>않은</u> 것은?

① 인체 기생충 감염에서 특징적인 호중구 증가(neutrophil-ia)가 나타난다.
② 결핵이 의심되는 경우 확진을 위해 환자의 가래(sputum)를 검체로 사용한다.
③ 감염에 의한 염증반응 시 혈청 C-반응성 단백질과 적혈구 침강속도는 각각 증가한다.
④ 인플루엔자(influenza)는 상·하부 호흡기 감염을 모두 유발한다.

정답 ①

이 문제를 해결하기 위해서는 면역계의 구성요소와 방어기능에 대해서 알고 있어야 한다.

①은 다음과 같이 수정한다.
　호중구 → 호산구

체세포 및 염증세포에 의한 저항
기생충에 처음 감염되었을 때 다음의 비특이적인 방어기전이 관여하며, 그 종류는 아래와 같다.

① 병원체에 비특이적으로 저항하는 혈액 염증세포들 : 단핵구(monocytes), 호산구(eosinophils), 호중구(neutrophils), 자연살해세포(natural killer cells) 등.
② 조직세포인 mast cells, goblet cells, fibroblasts, histiocytes, macrophages 등

병원체는 질병을 일으키는 감염성 생물이다. 병원체는 4종류로 나눌 수 있는데 세균, 바이러스, 진균, 기생충이다. 기생충 침입을 방어하는 데 호산구가 중요한 역할을 한다.
호중구는 헌신적인 포식세포이며, 감여 부위로 소집되는 최초의 효과세포이다. 혈액을 따라 순환하며, 단기간 생존하는 헌신적인 킬러로 대식세포로부터 감염조직으로 들어가라는 지시를 내린다.

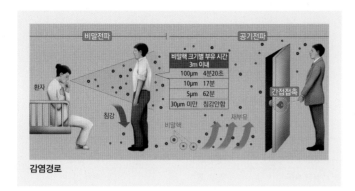

감염경로

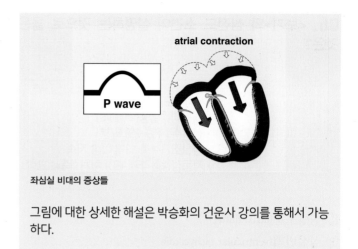

좌심실 비대의 증상들

그림에 대한 상세한 해설은 박승화의 건운사 강의를 통해서 가능하다.

03. 좌심실비대(left ventricular hypertrophy)에 대한 설명으로 옳지 <u>않은</u> 것은?

① V_1에서 큰 S파, V_5에서 큰 R파가 보인다.
② V_1의 S파와 V_5에서의 R파의 진폭 합이 35㎜ 이상인 경우이다.
③ 폐동맥 판막부전과 폐고혈압 환자에게 특징적으로 발생한다.
④ 만성고혈압 환자에게 발생하며 초음파 검사를 통해 확인한다.

04. 암의 유발인자 및 위험인자에 관한 설명 중 옳은 것은?

① 바이러스는 숙주세포의 단백질 변성을 유발한다.
② 초경 지연과 조기 폐경은 유방암의 위험 요인이다.
③ BRCA1은 위장관 암의 대표적인 종양 유전자이다.
④ 폐암은 흡연과 연관되며 유방암보다 가족력이 강하다.

정답 ③

③은 우심실비대에 해당되는 내용이다.
좌심실 비대가 있을 경우 스트레스 심전도상 가양성으로 나타날 수 있다. 우심실 비대는 보통 폐질환과 연관이 있다. 승모판 협착증, 좌심실부전, 선천성 심장병 등이 원인이다. 우측심장 유도에서 R파가 S파보다 크다.

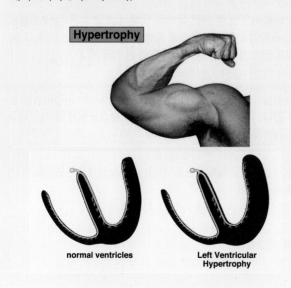

Hypertrophy

normal ventricles   Left Ventricular Hypertrophy

정답 ①

바이러스는 오랫동안 동물에게서 암의 원인이 되는 것으로 알려져 왔다. 바이러스는 절대세포 내 기생체로 감염된 세포를 자원으로 활용하여 복제할 수 있다. 바이러스 입자는 RNA나 DNA 유전물질의 중심핵으로 구성되며, 단백질 껍질인 캡시드로 둘러싸여 있다.

다음과 같이 수정해야 한다.
② 조기 초경과 폐경의 지연은 유방암의 위험도를 증가시킨다.
③ BRCA1은 유방암과 난소암의 유전적 위험과 연관된 유전자이다.
④ 폐암(2.7배)은 흡연과 연관되며 유방암(13배)보다 가족력이 떨어진다.

유방암 유전자(Breast Cancer gene)의 약자로서 BRCA1과 BRCA2 두 개의 유전자를 의미하며, 인간의 유방암을 유발시키는 데에 영향을 주는 것으로 알려져 있다.

이 문제에 대한 상세한 해설은 박승화의 건운사 강의를 통해서 가능하다.

05. <보기>의 심전도 소견이 설명하는 것으로 옳은 것은?

─〈보기〉─

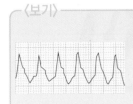

〈사지유도 II〉
• QRS파 : 넓음(≥0.20초)
• 심박수 : 150~250회/분
• 심실조기수축 : 3개 이상 지속
• 자동심장충격기(AED) 처치 : 즉시 요함

① 심방조동(atrial flutter)

② 심실빈맥(ventricular tachycardia)

③ 심방세동(atrial fibrillation)

④ 심실세동(ventricular fibrillation)

정답 ②

발작성 심실빈맥은 치명적인 부정맥으로서 QRS파는 약간 불규칙일수도 있으며, 마치 빠른 일련의 PVC처럼 보인다.

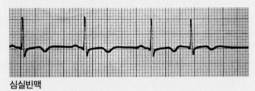

심실빈맥

📖 보충학습

①은 심방에서 생기는 빈맥의 일종으로 심실빈맥보다 맥박수가 증가되어 250~300회/분이다.

③은 심방에서 질서정연한 전기의 흐름이 아닌 무질서한 전기의 소용돌이가 만들어지는 부정맥이다.

④ QRS군이나 T파를 구분할 수 없게 불규칙한 모양을 나타낸다.

①과 ③은 발생기전이 좀 다르지만 둘 다 심방에서 생기는 빠른 맥의 한 종류이다. ③은 조기수축 다음으로 흔한 부정맥이며, ①은 ③에 비해 발생빈도는 드문 편이다.

06. 종양의 특성에 관한 설명으로 옳지 않은 것은?

① 섬유조직의 섬유육종(fibrosarcoma)은 양성 종양이다.

② 악성종양은 단백질을 파괴하는 콜라겐 분해 효소를 종종 분비한다.

③ 피막이 존재하고 성장속도가 상대적으로 느리면 대부분 양성종양이다.

④ 악성종양은 서로간의 결합력이 약하기 때문에 인접한 조직에 침윤(infiltration)한다.

정답 ①

섬유육종은 악성종양이다. 종양은 상피성과 비상피성, 기타로 분류할 수 있다. 섬유육종은 비상피성 암종양에 해당한다.

양성과 악성 종양의 몇 가지 특징

	양성	악성
성장양상	국소적으로만 성장	침윤과 전이에 의해 퍼짐
생명 위협	거의 없다	자주 발생
성장 속도	느린 편	빠른 편
분화 상태	잘 됨	다양 함

07. <보기>에서 죽상경화증(atherosclerosis)의 발생과정을 순서대로 나열한 것은?

─〈보기〉─

㉠ 섬유성 플라크(plaque) 형성
㉡ 혈관 내피세포의 손상
㉢ 혈관벽 내 지방선조(fatty streak) 형성
㉣ 혈구세포의 동맥 내막 하 축적

① ㉡→㉢→㉣→㉠   ② ㉢→㉠→㉣→㉡

③ ㉡→㉣→㉢→㉠   ④ ㉢→㉣→㉠→㉡

정답 ③

죽상경화증에 가장 강하게 영향을 주는 인자는 연령이었으나 현대 사회에서는 어려서 혹은 젊은 중년이 되면서부터 시작된다. 연령과 더불어 동맥의 내강 협착이 진행되면 장기는 허혈에 의해서 위축하고 또한 완전 폐색에 의해서 크고 작은 경색이 발생한다. 죽상경화증은 동맥벽에 지방성 플라그, 콜레스테롤, 기타 물질이 쌓여 발생하는 동맥경화증의 한 형태이다.

여기서 지방선조란 지방줄무늬를 말한다.

이 질환을 이해하기 위해서는 아래의 총 6가지의 진행과정을 알아야 한다. 이 과정은 동맥벽 내피층의 손상으로부터 시작되고 내피 기능의 이상으로 인한 진행에 따른다.

1) 초기 병변 : 조직학적으로 정상, 대식세포 침투, 뜨문뜨문 거품세포 존재
2) 지방 선조 병변 : 주로 세포 내 지방 축적
3) 중간 단계 혹은 죽종 병변 : 세포 내 지방 축적, 세포 외 소량의 지방 축적
4) 중종 병변 : 세포 내 지방 축적, 세포 외 지방핵 형성

5) 섬유 죽종 병변 : 단일 또는 여러 개의 지방핵, 섬유층 석회화
   층
6) 복합 병변 : 표면 결손, 출혈, 혈전증

A. 내피세포 손상

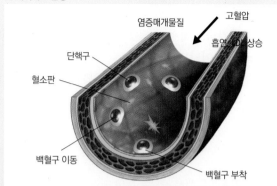

B. 염증성 세포(inflammatory cell) 이동

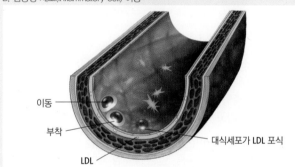

C. 지방 축적 및 평활근세포 증식

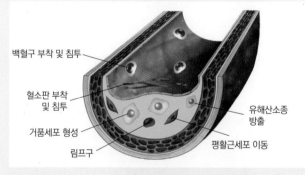

D. 죽상반 구조

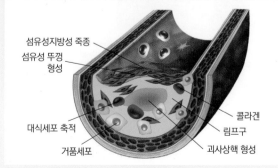

죽상경화증의 진행과정

📖 **보충학습**

죽상경화증의 발생 기전으로 여러 가지 설이 제시되고 있으나 그 중에서 가장 광범위하게 인정 받고 있는 이론이 '손상에 대한 반응 가설'인데 내피세포의 물리적 및 기능적 손상으로 인해 발생한다는 것이다.

08. 울혈성 심장기능부전(Congestive Heart Failure CHF)환자에게 나타나는 병태생리학적 특징으로 옳지 않은 것은?

① 관상동맥질환은 CHF의 주된 원인이다.
② 조직으로 공급되는 혈액량 감소로 운동 시 호흡 곤란이 심하다.
③ 좌·우심실 구분 없이 양쪽 모두에서 심박출량 감소가 나타난다.
④ 본태성 고혈압은 우심실 기능부전, 폐질환은 좌심실 기능부전이 특징이다.

정답 ④

고혈압은 좌심비대증을 일으킨다. 좌심비대증은 심근경색증을 일으키는 위험인자로 작용할 수 있고, 고혈압은 심실 수축기능 이상을 일으키는 원인이 된다. 왼쪽 심실의 부전은 폐동맥의 울혈과 폐의 부종을 일으킨다. 오른쪽 심실의 부전은 정맥 울혈과 부종, 이것은 복수로 나타나고, 또는 늑막 삼출로 나타난다.

모든 심장병이 악화되면 심부전증이 발생한다. 심부전증의 원인은 크게 두 가지로 볼 수 있다. 하나는 판막질환(승모판 협착증, 폐쇄부전증), 또 하나는 심장기능의 수축기능 약화(심근경색증, 심근증)이다.

이를 다시 정리하면 다음과 같다.

1) 심부전증의 원인 : 심장판막증, 심근경색증, 고혈압성 심장병, 심방세동, 심근증

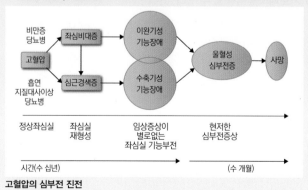

고혈압의 심부전 진전

2) 심부전증의 증상 : 기침, 호흡곤란, 빈맥, 앉아서 호흡, 발목의
    부종, 발한

심부전증이 생기면 좌측의 심장이 폐에서 들어오는 피를 모두
박출할 수 없기 때문에 폐에 피가 고이게 되며, 이것이 폐에 수
분을 고이게 하여 폐부종이 생기게 되는데 이를 '울혈성심부전'
이라고 한다.
심부전의 중요한 검사는 심장초음파 검사이다.
고혈압에서 심각한 합병증은 뇌졸중, 심근경색증, 협심증, 심부
전증 등이다. 심부전증의 두 가지 주 위험인자는 고혈압과 심근
경색증이다. 심근경색증은 심부전증의 가장 높은 위험인자이지
만, 고혈압은 노인 연령층의 심부전증을 더욱 악화시키는 인자
로 작용한다.

09. 천식에 관한 설명으로 옳지 않은 것은?

① 급성 천식의 발작횟수는 감기와는 무관하게 심장의 구
    조적 문제를 가져온다.
② 반복적인 급성 천식발작은 폐에 비가역적인 손상을 일
    으켜 만성천식으로 진행한다.
③ 내인성 천식(intrinsic asthma)은 알레르기 반응에 의한 것
    이 아니며 35세 이후에 주로 발병한다.
④ 운동 유발성 천식(exercise-induced asthma)은 천식 환자가
    찬 공기를 마시며 달리는 경우 기관지 수축에 의해 종
    종 발생한다.

정답 ①

급성 천식의 주원인은 감기이다.

①은 감염을 말하며, 상기도 감염은 천식을 유발시키고, 급격히
악화시키는 가장 흔한 원인으로 호흡기계 바이러스가 주가 된
다. 심장의 구조적 문제보다는 기도상피 혹은 기관지의 문제로
기도폐색을 유발할 수 있다.

호흡기 감염은 가장 흔한 천식의 악화 원인 가운데 하나이다. 특
히 감기, 세기관지
염과 같은 바이러
스 감염은 천식 발
생 및 악화에 중요
한 원인이다. 천식
환자는 특히 호흡기
감염의 예방에 주의
를 기울여야 한다.

천식의 증상

10. 공기가슴증(기흉, pneumothorax)에 대한 설명으로 옳은 것은?

① 공기가슴증 발생부위에 호흡음이 감소한다.
② 흉부 악성종양이나 손상에 의해서 발생하지 않는다.
③ 폐쇄성 공기가슴증에서 발생부위 반대편으로 기관 편위
    (deviation)가 일어난다.
④ 공기가슴증의 정도와 종류를 결정하기 위해서는 흉부
    X-ray가 아닌 CT를 촬영해야 한다.

정답 ①

저자촌평 기흉에 대해서 공부를 해야 해결할 수 있다. 이 문제
는 기흉의 유형을 묻는 게 아니고, 포괄적인 증상과 징후를 묻고
있다.

다음과 같이 수정해야 한다.

① 이학적 소견으로 흉부청진상 환측의 호흡음의 감약-소실, 음
    성진탕음의 감약, 타진상 고장음을 확인할 수 있다.
② 흉부악성종양이나 손상에 의해서 발생할 수 있다. 이를 '자발
    성 기흉'이라고 한다.

    이전부터 폐에 병이 있는 사람에게 생기는 이차성 기흉은 결
    핵, 악성종양, 폐섬유증, 만성 폐쇄성 폐질환, 폐기종 등 폐에
    질환을 앓고 있는 경우가 그 원인이다.
③ 폐쇄성 공기가슴증에서 발생부위 반대편으로 기관 편위(de-
    viation)가 일어나지 않는다. 그 이유는 흉벽 손상의 없기 때문
    으로 사료된다.
④ 기흉 환자의 가장 손쉽고 정확한 진단방법은 흉부 X-선 사진
    이다.

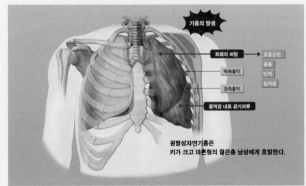

기흉의 발생

11. <보기>에서 요추 추간판에 가해지는 압력이 낮은 자세에서 높은 자세 순서로 나열한 것은?

〈보기〉

㉠ 똑바로 서 있는 자세
㉡ 똑바로 누워 있는 자세
㉢ 등받이 의자에 허리를 기대고 앉은 자세
㉣ 등받이 없는 의자에 상체를 앞으로 숙이고 앉은 자세

① ㉢→㉡→㉠→㉣   ② ㉡→㉢→㉣→㉠
③ ㉢→㉡→㉣→㉠   ④ ㉡→㉠→㉢→㉣

정답 ④

쉬운 문제로서 아래 그림을 참조하기 바란다.

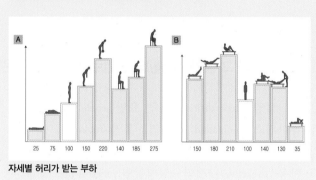

자세별 허리가 받는 부하

12. 요추 추간판탈출증에 대한 설명으로 옳은 것은?

① 50대 이상의 고령층에서 주로 발생한다.
② 추간판의 전위정도가 심해도 증상이 없을 수 있다.
③ 수핵 내의 풍부한 감각신경 지배 때문에 요통을 느끼기 쉽다.
④ 추간판의 퇴행성 변화는 수핵 내의 콜라겐 함량 감소가 주된 원인이다.

정답 ②

다음과 같이 수정해야 한다.

① 30~50세에서 가장 많이 발생한다.
③ 수핵이 빠지면서 단백질 함량이 감소되고, 신경근을 압박하여 감각이상, 저림 등의 증상이 나타나기 때문에 요통을 느

끼기 쉽다.
④ 추간판의 퇴행성 변화는 수핵 내의 수분함량은 줄어들고, 콜라겐 함량증가가 주된 원인이다.

📖 보충학습

수핵이 강한 물-결합 능력을 가지고 있어서 수분 함량이 88%의 수준에 이른다. 그러나 나이가 들어 50세경에 이르면 수분이 70~75% 정도로 줄어들고, 그 결과 콜라겐만 늘어나면서 추간판이 탄력을 잃게 되며, 추간판의 충격·흡수능력도 떨어지게 된다. 이러한 상태에서 추간판이 과도한 힘을 받게 되면 섬유륜(섬유테)이 찢어지거나 파열되면서 뒤쪽으로 돌출하게 된다.

추간판탈출증

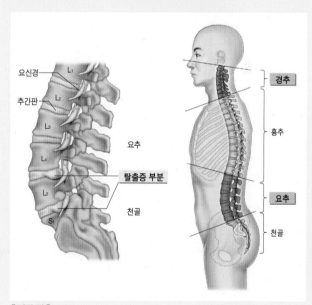

추간판 탈출

13. 척주옆굽음증(척추측만증, scoliosis)에 대한 설명으로 옳은 것은?

① 유소년기의 여자보다 남자에서 많이 발병한다.
② 신경근육성 질환과 연관된 형태로 가장 흔히 발생한다.
③ 콥스 각(Cobb's angle) 40° 이상의 만곡(curve)에서는 수술 치료를 권장한다.
④ 청소년기에 발병한 경우 성장이 모두 끝난 20~30대에 만곡의 변화가 가장 심하다.

정답 ③

① 유소년기의 남자보다 여자에서 많이 발병한다. 여학생이 90%를 차지한다.
② 80%가 특발성(원인을 알수 없는) 질환과 연관된 형태로 가장 흔히 발생한다.
④ 청소년기에 발병한 경우 성장기 동안 만곡의 변화가 가장 심하다.

성장이 끝나면 측만증이 커질 가능성이 훨씬 적어지며, 성장이 가장 빠른 시기에 측만증이 커질 위험성이 가장 높다.

📖 보충학습
척추 측만증을 일으킬 수 있는 원인은 여러 가지가 있으나, 대부분(85~90%)의 척추 측만증은 그 원인을 알 수 없으며, 이러한 경우를 특발성 척추 측만증이라고 한다. 태아 때 척추 생성 과정에서 이상이 생겨 발생한 척추 측만증은 선천성 척추 측만증이라 하며, 이 외에 중추 신경계나 신경학적 이상으로 발생하는 신경 근육성 척추 측만증, 신경 섬유종에 의한 척추 측만증과 마르팡(Marfan) 증후군 등 여러 증후군에 동반된 척추 측만증이 있다.

측만증의 진행 = 성장(成長)요소 + 만곡(彎曲)요소

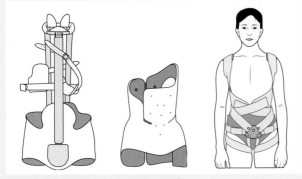
밀워키 보조기, 보스턴 보조기, SpineCor 보조기

14. 동일 운동량을 실시할 경우 골다공증의 예방을 위한 효과가 상대적으로 가장 적은 운동은?

① 걷기　　② 수영　　③ 역도　　④ 배드민턴

정답 ②
체중이 실리지 않는 운동 종목을 선택하면 된다.

골다공증 예방과 치료의 기본

15. 관절염과 그 병인(etiology)의 연결로 옳지 <u>않은</u> 것은?

① 골관절염(osteoarthritis) − 유전 요인(genetic factor)
② 류마티스(rheumatoid) 관절염 − 흡연(smoking)
③ 통풍성(gouty) 관절염 − 세포 재생(turn-over) 감소
④ 반응성(reactive)관절염 − 성병감염(venereal infection)

정답 ③
🦵 저자촌평 병태 생리학을 꼼꼼하게 그리고 심도있게 공부하지 않은 경우 쉽게 해결하기 어려운 문제이다.

③은 다음과 같이 수정하면 좋을 것이다.
통풍성(gouty) 관절염 − 혈중 요산 증가

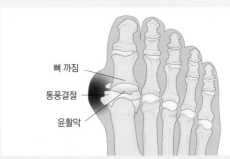
뼈 까짐
통풍결절
윤활막
통풍의 양상

①의 주 병인은 과체중과 비만이다. 비가변 병인으로 여성, 연령, 가족력이 있다.

②의 류마티스 관절염－흡연을 제시한 것은 류마티스 관절염의 병인으로 유전적 결정인자(선천성)와 비유전적 결정인자(후천성)으로 나눌 수 있는데 출제자는 후천성의 병인 중 하나인 흡연을 제시한 것이다. 즉, 체질량 지수가 30kg/㎡ 이상이거나 흡연자에게 발생비율이 높다.

③은 요산결정이 관절주변 조직에 들러붙어 관절에 심한 염증을 일으키는 질병이다.

④는 주요 원인균으로는 설사병을 일으키는 살모넬라와 예르시니아, 캄필로박터, 비브리오, 성병의 원인균인 클라미디아 등의 세균이 있다.

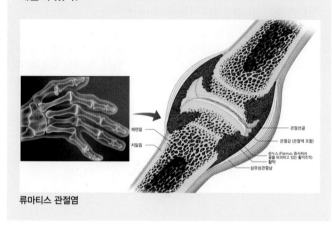

류마티스 관절염

16. <보기>의 의식 소실과 가장 관련 있는 병태생리학적 소견은?

〈보기〉

제1형 당뇨병을 진단받고 인슐린 치료 중인 21세 남자 대학생이 아침을 먹지 않고, 학교에서 축구를 하던 중 의식을 잃고 쓰러졌다. 호흡에서 손톱매니큐어를 지우는데 사용되는 아세톤(acetone)과 같은 냄새가 났다.

① 대사성 산증(metabolic acidosis)
② 호흡성 산증(respiratory acidosis)
③ 대사성 알칼리증(metabolic alkalosis)
④ 호흡성 알칼리증(respiratory alkalosis)

정답 ①

대사성 산증은 과다한 CO_2에 의한 산증 이외의 모든 산증을 의미한다. 중탄산염이온이 과다하게 손실되거나 비휘발성산이 다량 생성될 때 발생한다. 이 질환이 있을 경우 쿠스마울 호흡을 한다.

산증은 혈액의 산과 염기의 평형이 깨져 산성이 된 상태를 말한다. 당뇨병(당뇨성케톤산증), 신장질환, 설사 등이 병인이다. 이 경우 정맥을 통한 인슐린 주사가 효과적이다.

대사성 산증의 사전적 의미는 다음과 같다.

체액, 특히 혈액의 산염기평형이 산성으로 기우는 acidosis(산증) 중, 체내의 대사 결과로서 생성되는 산에 의해 발생하는 증상을 말한다. 기아나 당뇨병일 때 아세토아세트산이나 히드록시부티르산 등의 케톤체가 다량으로 생산되기 때문에 일어나는 것이 대표적이다. 그 외에 심한 운동이나 경련으로 락트산이 발생하는 경우나, 세뇨관 이상에 의해 HCO_3 재흡수 부전이 되는 경우 등에서 볼 수 있다.

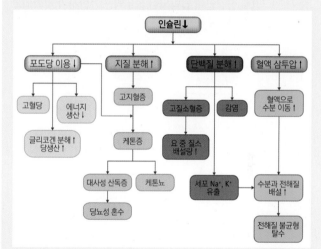

당뇨병의 대사 이상

혈당이 250~300mg/㎗를 초과하면 뇨케톤증이 나타나고, 지방대사가 과도해지고 당이 조절되지 않을 경우에는 당뇨병성 케톤증이 유발된다. 이런 경우에 혈당을 낮추고 혈당을 정상화시키기 위해서 인슐린이 필요하다.

②는 CO_2의 보유로 인해 염기에 비해서 산이 과량으로 존재할 때 발생하는데 일반적으로 폐에 의해 CO_2의 배출이 불가능한 경우이다.

③은 과다한 염으로 인해 대사성알칼리증이 나타난다. 일반적으로 이 산-염기 불균형은 혈액 내 과도한 중탄산염의 유입이나 비휘발성산의 손실로 인해 생긴다.

④는 CO_2의 감소로 인해 상대적으로 염기의 양이 과다한 경우이다. 이러한 산-염기 불균형은 과호흡이나 빠른 호흡의 결과로 발생한다.

17. 제 6~7번 경추 추간판탈출증으로 발생하는 특징적인 증상은?

① 새끼손가락 감각이상
② 팔꿈치 굽힘 근력 약화
③ 손의 악력(grasp power) 감소
④ 위팔 세갈래근 반사(triceps jerk) 저하

정답 ④

↳ 저자촌평 밑줄 친 내용을 참고하기 바란다.

근력저하 및 심부건반사의 변화 : 수핵의 탈출로 침범된 신경근이 지배하는 근육의 근력이 약화된다. 제 4-5경추 추간판탈출증 시 제 5경추 신경근이 압박되어 삼각근의 근력 약화가 오고, 제 5-6경추 추간판탈출증 시 제6경추 신경근이 이두박근 건반사가 약화되고 팔꿈치 굴곡운동이 약화되며, 제 6-7경추 추간판탈출증 시 제 7경추 신경근이 압박되어 삼두박근 건반사가 약화되고 팔꿈치 신전운동이 약화된다.

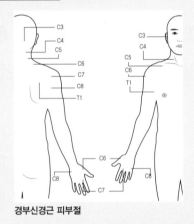

경부신경근 피부절

③ 감각이상 : 제 4-5경추 추간판탈출증 시 어깨의 감각이상이 오고, 제 5-6경추 추간판탈출증 시 상박과 무지 감각이상이, 제 6-7경추 추간판탈출증 시 2~3번째 손가락 감각이상이, 제 7경추-1흉추 추간판탈출증 시 4~5번째 손가락 감각이상이 온다.

18. 파킨슨병(Parkinson's disease) 발생과 관련 있는 조합으로 옳은 것은?

① 회색질(gray matter) − 도파민(dopamine) 증가
② 중간뇌(중뇌, midbrain) − 세로토닌(serotonin) 증가
③ 흑색질(흑질, substantianigra) − 도파민 (dopamine) 감소
④ 바닥핵(기저핵, basal ganglia) − 세로토닌 (serotonin) 감소

정답 ③

↳ 저자촌평 필자가 여러 차례 강조한 내용으로서 이 질환은 아래 내용으로 쉽게 접근할 수 있다.

파킨슨병은 뇌내의 도파민 부족과 상대적으로 과잉된 콜린작동성 자극으로 일어나는 운동기능장애를 주체로 한 신경변성질환인다.

뇌간은 중뇌, 뇌교 및 연수로 구성되어 있는데 척수와 연결되어 있다. 중뇌에는 안구운동, 청각정보, 운동조절에 관여하는 여러 핵이 있고, 일부 뇌신경이 시작된다. 중뇌에는 도파민에 대한 수용체가 있는 2가지 뉴런체가 있는 2가지 뉴런계가 있는데 그 하나는 바닥핵의 흑질부에서 시작되는 것으로 이 신경이 퇴화되면 파킨슨병(만성퇴행성 중추신경장애)이 시작된다.

초기에는 경미한 떨림, 근경직(뻣뻣함), 경도에서 중등도 증상은 떨림과 제한된 움직임, 운동불능증 등이 특징이다. 상세한 증상은 Hoehn과 Yahr의 척도에서 확인할 수 있다. 약물은 파킨슨병의 관련된 증상에 대한 기본적 치료이며, 운동은 관리에 있어서 필수적인 부가 치료이다.

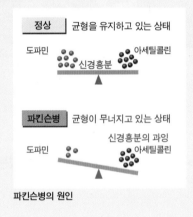

파킨슨병의 원인

19. <보기>의 증상을 설명하는 뇌신경계의 병태생리학적 소견은?

〈보기〉

평소 주 2~3회 소주 1병 이상 음주를 즐기며 매일 담배 1갑을 피우는 60세 남성에서 갑자기 발생한 시야 결손, 언어 장애 및 우측 팔다리의 위약감과 감각 이상이 약 1~2분간 지속되다가 소실되었다.

① 바이러스성 뇌수막염(viral meningitis)
② 급성 뇌경색증(acute cerebral infarction)
③ 비타민 B12 결핍(vitamin B12 deficiency)
④ 일과성 뇌허혈 발작(transient ischemic attack)

정답 ④

꒰저자촌평 정답에 대한 내용을 덧붙이자면 혈관경련, 죽상경화증, 작은 색전, 부분적 자동조절 상실로 인한 동맥의 부분적 혈관 폐색으로 뇌혈관에 막힌 작은 색전이 비교적 빨리 녹아 24시간 이내에 대부분 수분 내에 증상과 징후가 회복되는 질환을 말한다. 증상과 징후로는 시각장애, 저림증세, 팔 다리 근육의 약화, 안면감각 이상 등이 나타난다.

TIA는 반복적으로 발생하는 경우가 많은데 여러 차례 반복될 경우 심각한 뇌졸중으로 진행된다. 따라서 필자는 TIA를 대발작을 예고하는 예고편이면서 전야제라고 강의한다.

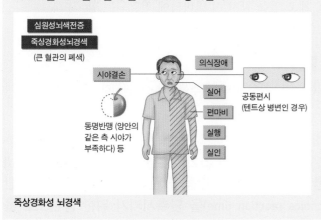

죽상경화성 뇌경색

20. 알츠하이머성 치매(Alzheimer's dementia)와 비교할 때, 혈관성 치매(vascular dementia)에서 나타나는 병태생리학적 특징으로 옳은 것은?

① 대부분 서서히 발병한다.
② 대부분 고령에서 발병한다.
③ 편마비 등이 동반되는 경우가 적다.
④ 고혈압, 당뇨병을 동반하는 경우가 많다.

정답 ④

치매는 원인에 따라 알츠하이머성 치매, 뇌혈관성 치매, 기타 약물과 영양결핍 등으로 인한 치매가 있다.
종전에는 서구에서는 알츠하이머형이 많고 일본에서는 혈관성이 많았으나 최근 일본에서도 알츠하이머형이 많은 추세이다.
정답 외에 나머지는 대부분 알츠하이머성 치매의 특징이며, 향후 시험대비 알츠하이머형의 특징에 대해서도 학습이 요구된다.

혈관성 치매의 병인은 세 가지이다.
① 고혈압, 고지혈증, 당뇨병, 동맥경화증, 심장병, 저혈당 등
② 뇌경색으로 인하여 혈전이 혈관을 막아 혈액순환이 순조롭지 못한 경우
③ 뇌종양, 뇌염, 두부손상으로 발생

치료 및 예방과 운동처방은 박승화 건강운동관리사 강의에서 확인할 수 있다.

편마비를 일으키는 질환은 다음과 같다. 뇌졸중(뇌경색 및 뇌출혈), 뇌종양, 뇌농양(열, 의식 저하 등과 동반되어 나타나는 경우), 경추부의 척수질환(척수종양, 추간판탈출증, 척수출혈, 척수혈관기형, 척수염 등)

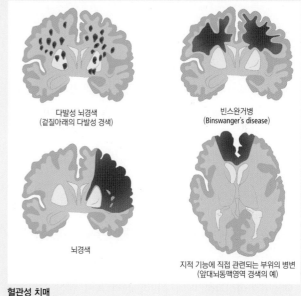

혈관성 치매

스포츠심리학

01. 광의의 스포츠심리학 하위 분야인 운동제어 관련 연구 주제로 가장 적절한 것은?

① 움직임의 반복을 통해 발생하는 신경가소성(neural plasticity)의 기전
② 운동 기억의 공고화(응고화, consolidation)를 촉진 시킬 수 있는 방법
③ 동작 중 오차인식에 예측된 고유 감각 (proprioception) 피드백이 미치는 영향
④ 노화에 따른 선택적 주의할당(attentional allocation)기능의 변화

정답 ③

🖐저자촌평 결코 쉽지 않은 문제이다. 왜냐하면 '가장'이라는 단서가 붙어있고 제시된 문항들의 내용이 중복된 면이 있기 때문이다.

이것을 굳이 구분해 보면 ①, ②는 운동학습, ④는 운동발달이라고 할 수 있다.

1) 운동제어 분야 주제 : 정보처리 이론, 운동제어 이론, 운동의 법칙, 반사와 운동제어, 협응구조
2) 운동학습의 분야 주제 : 운동행동 모형, 운동학습 과정, 운동 기억, 피드백, 전이, 연습의 법칙
3) 운동발달의 분야 주제 : 유전과 경험, 발달의 원리, 운동기능의 발달, 학습 및 수행 적정연령
4) 스포츠 심리학 분야 주제 : 집단과정 및 개인의 스포츠 상황의 행동이나 정신과정, 에너지 관리, 성격, 동기, 심상, 전문체육 및 노인 및 유소년, 장애인 스포츠 심리 등

건강운동관리사 제 1권 스포츠심리학 p321에서 확인할 수 있다.

02. 운동제어 분야에서는 움직임(수행) 결과(movement/performance outcome)를 측정함으로써 과제/기술의 수행력을 평가하기도 한다. 움직임 결과 측정의 사례로 옳은 것은?

① 멀리뛰기 시합에서의 도약거리
② 득점한 농구 자유투 동작 중 무릎관절의 각도 변화
③ 사격 격발 직전의 뇌파 패턴
④ 체조 뜀틀 착지 시 발바닥에 전달되는 힘

정답 ①

①은 결과지식 나머지는 수행지식에 해당된다.

03. 두 개 이상의 감각 자극정보가 제시되고 이에 대한 각각의 움직임 반응을 준비하는 선택 반응 시간(choice reaction time)을 단축시키기 위한 방안으로 옳지 않은 것은?

① 연습의 양(amount of practice) 증가
② 자극-반응 대안(alternatives)의 수 감소
③ 자극-반응의 적합성(compatibility) 감소
④ 특정 자극을 예측할 수 있는 단서(cue) 제시

정답 ③

아래 그림을 참조하면 이해가 쉽다. Hick의 법칙, 자극-반응의 적합성에 대하여 참고하기 바란다. 필자가 강의 시간에 그리면서 설명하는 내용들이다.

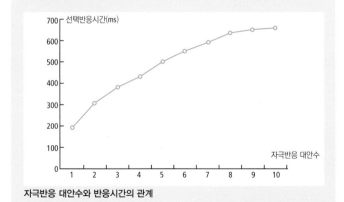

자극반응 대안수와 반응시간의 관계

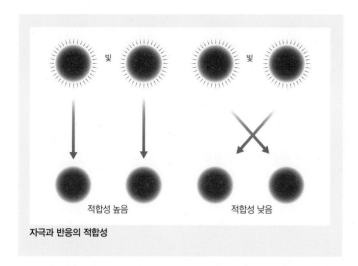

자극과 반응의 적합성

04. 근육에 전달된 운동명령의 원심성 복제(혹은 원심성 명령의 복사본 : efferent copy) 신호는 해당 운동의 기대목표에 대한 정보를 반영하기 때문에 인간은 고유감각 피드백만이 허용되는 상황에서도 운동오차를 탐지 및 수정할 수 있다. 원심성복제를 이용한 오차 처리가 발생하는 것으로 알려진 신경계 영역/시스템으로 옳은 것은?

① 바닥핵(기저핵, basal ganglia)

② 소뇌(cerebellum)

③ 몸(체성)감각(somatosensory)영역

④ 보조운동(supplementary motor)영역

반면, 기저핵은 느리고 신중한 운동을 관장한다. 기저핵은 신체 근육의 긴장억제, 불필요하고 원치 않는 운동의 패턴 억제하면서 의도하는 운동 선택하고 유지 등의 기능을 한다.

③은 피부, 근육, 뼈, 힘줄, 관절 등에서 유래되는 감각을 말하며, 체성수용기라고 통칭하는 감각수용기들에 의해 시작된다. 추체로와 추체외로가 있다.

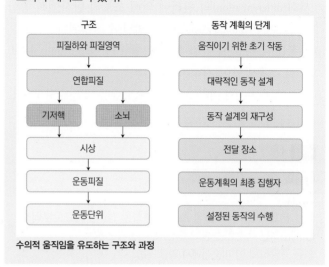

수의적 움직임을 유도하는 구조와 과정

05. 운동학습에서 구분하는 피드백(feedback)의 유형 중, 내재적(intrinsic/inherent) 피드백으로 분류할 수 있는 것은?

① 시각(visual) 피드백

② 결과지식(knowledge of results)

③ 보강(부가적, augmented) 피드백

④ 수행지식(knowledge of performance)

정답 ②

🎵 **저자촌평** '운동제어의 신경생리적 기초'에 대하여 공부를 해야 해결할 수 있다.

소뇌는 오차의 감지와 교정을 담당한다. 소뇌는 생성될 동작의 조절기능뿐만 아니라, 동작오차의 감지와 수정을 담당하기도 한다. 실제로 많은 연구자들은 소뇌를 '동작의 청사진' 또는 원심성 명령의 복사본을 생성하는 장소로 생각하고 있다. 소뇌는 움직임에 관한 피드백을 주는 척수와 움직임 계획에 관한 정보를 주는 대뇌겉질로부터 입력을 받아 뇌줄기에 출력을 전달한다. 감각신호와 운동명령을 비교하여 운동반응을 조절하고 운동명령의 수정에도 관여한다.

①의 바닥핵은 소뇌와 대뇌반구에 위치한 신경집합체인데 동작의 준비 그리고, 동작의 구체적인 매개변수들(예, 속도, 방향, 진폭)을 척도화 한다. 소뇌는 빠른 운동을 행하는데 관여하는

정답 ①

🎵 **저자촌평** 필자가 강의 시간에 피드백 분류를 쉽게 설명한 내용 중 출제되었다. ①을 제외한 나머지는 외재적 피드백이다. 아래 개념들을 참고하기 바란다.

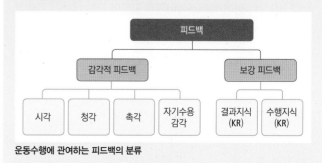

운동수행에 관여하는 피드백의 분류

06. 신체 및 운동발달의 원리 중 옳은 것은?

① 통합(integration)의 원리에 의해 큰 (전체적, gross) 움직임에서 정밀한 (특수한, precise/fine) 움직임(motor)으로 운동발달이 진행된다.
② 분화(differentiation)의 원리에 의해 초보적 반사에서 종합적인 수의(voluntary) 운동으로 발달이 진행된다.
③ 몸쪽(근위, 중심)에서 먼 쪽(원위, 말단)방향(proximo-distal)으로 운동발달이 진행된다.
④ 꼬리/발(하부)에서 머리(상부) 방향으로 운동 발달이 진행된다.

정답 ③

다음과 같이 수정해야 한다.
① 통합의 원리 → 분화의 원리
②는 분화의 원리 → 출생 초기 미분화된 전신운동으로부터 차츰 세분화된 특수한 운동으로 전이 되어 가는 것
③은 근말식의 법칙(중심에서 외관으로)
④는 두미의 법칙(머리에서 다리로)

📖 보충학습
분화와 통합에서 발달은 전체적이고 미분화된 기관 또는 기능에서 부분적이고 특수적 기능으로 분화되며, 부분적인 기관 기능은 전체로 종합되어 하나의 새로운 체제로 통합된다. 즉, 발달은 분화와 통합의 과정이다. 특수화된 행동은 다시 통합되어 복잡한 형태를 이루게 된다(예 : 뛰는 능력, 달리는 능력, 던지고 받는 능력 등이 통합되어 농구를 하는 경우).

07. <보기>의 현상을 설명하는 용어로 바르게 묶인 것은?

―〈보기〉―

㉠ 단체 줄다리기를 할 때 발휘되는 힘의 총합은 각자의 힘을 합친 것보다 작은 경우가 많다.
㉡ 마라톤 선수에게 페이스메이커가 있으면 없을 때보다 기록이 더 좋아진다.

	㉠	㉡
①	사회적 지지	사회적 촉진
②	사회적 태만	사회적 효능감
③	사회적 태만	사회적 촉진
④	사회적 효능감	사회적 태만

정답 ③

🔖 저자촌평 스포츠심리학을 공부한 수험생이면 쉽게 접근할 수 있는 문제이다.

1) 사회적 태만(social loafing)이란 개인이 집단에 있을 때 최선(100%)의 노력을 하지 않는 현상이다. 대표적인 예가 링겔만 효과(Ringelmann effect)로써 혼자일 때보다 집단에 속해 있을 때 더 게을러지는 현상을 말한다.
2) 혼자 있을 때보다 타인이 존재할 때 개인의 수행수준이 증가하는 현상을 사회적촉진(social facilitation)이라고 한다.

08. <보기>에 해당하는 불안이론으로 옳은 것은?

―〈보기〉―

• 각성과 정서는 각성을 인지적으로 해석하는 방식에 의해 결정된다.
• 낮은 각성을 지루함으로 느낄 수도 있고 편안함으로 느낄 수도 있다.
• 높은 각성을 흥분, 유쾌감으로 느낄 수도 있고 불안이나 불쾌감으로 느낄 수도 있다.

① 격변이론(catastrophe theory)
② 전환(반전)이론(reversal theory)
③ 적정각성수준이론(optimal arousal level theory)
④ 욕구(추동)이론(drive theory)

정답 ②

필자가 정리한 내용을 참고하기 바란다.

① 대격변이론 : 생리적 각성과 인지불안의 역동적(상호) 관계에 따라 운동수행이 달라짐
실제 스포츠 상황을 설명하는데 설득력이 높다. 실제 운동 상황을 설명하는데 보다 적절함(수행수준이 질서정연한 체계적 연속적으로 드러나지 않기 때문)
② 전환(반전가설)이론 : 자신의 각성수준을 어떻게 해석하느냐에 따라 각성과 정서의 관계가 달라짐, 동기유형에 따라 높은 각성은 흥분 또는 불안으로, 낮은 각성은 지루함 또는 편안함으로 느낄 수 있다는 이론
③ 적정수준이론 : 중간 정도의 각성수준이 최고의 운동수행 발휘
④ 욕구이론 : 각성수준과 수행은 비례, 단순과제에서 규명, 복잡한 기술이 요구되는 운동과제 설명 불가능

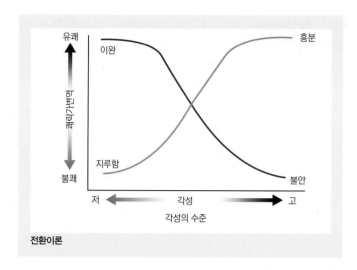

전환이론

09. 자결성 이론(self-determination theory)에 대한 설명으로 적절하지 않은 것은?

① 자결성이 가장 낮은 수준에는 외적동기가 위치한다.
② 자결성이 가장 높은 수준에는 내적동기가 위치한다.
③ 기본적 심리 욕구는 유능감, 자율성, 관계성 이다.
④ 자결성은 외부의 영향이 아닌 자신이 스스로 선택하고 결정하는 정도를 의미한다.

정답 ①

♪ **저자촌평** 필자가 정리한 '자결성의 연속체'를 참고하기 바란다.

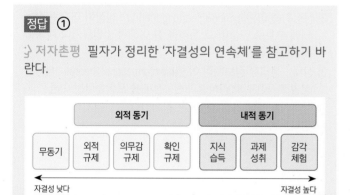

자결성 이론

10. <보기>의 목표설정 원리에 대한 설명으로 바르게 묶인 것은?

〈보기〉
㉠ 구체적인 목표를 설정한다.
㉡ 목표달성이 불가능하더라도 설정한 목표는 수정하지 않는다.
㉢ 결과목표와 과정목표를 함께 설정한다.
㉣ 쉬운 수준으로 다양한 목표를 설정한다.
㉤ 목표달성을 위한 전략을 개발한다.

① ㉠, ㉡, ㉢ 　　　　② ㉠, ㉢, ㉣
③ ㉠, ㉢, ㉤ 　　　　④ ㉡, ㉣

정답 ③

목표설정의 원리를 참고하기 바란다.

구체적인 학습 목표 설정
• 목표가 없거나 '열심히 하자 또는 최선을 다하자' 등의 애매모호한 목표를 설정하는 것은 수행력 향상에 도움이 되지 않는다.
• '농구 자유투 성공률을 3개월 이내에 60%에서 75%로 올린다'와 같이 반드시 측정이 가능하고 행동적인 용어로 설정한다.

장기 목표와 단기 목표 병행
• 멀리뛰기 기록을 1년에 1m 늘리는 것이 목표라면, 이에 대한 단기 목표로 매달 약 0.1m씩 기록을 향상시키는 것을 설정함으로써 장기 목표를 달성할 수 있다는 자신감을 가질 수 있다.

실현 가능하면서 다소 어려운 목표 설정
• 목표는 자신의 능력으로 성취할 수 있는 수준으로 설정하되, 다소 어려운 목표를 설정하여 도전하고자 하는 동기를 유발하도록 한다.
• 목표의 수준이 너무 쉬우면 과제에 대한 관심이 적어지고 노력을 하지 않게 된다. 반면에 목표 수준이 너무 높으면, 성공에 대한 경험을 하지 못하여 실패감이나 열등감과 같은 부정적인 생각을 갖게 된다.

수행 목표 설정
• 경기 결과에 대하여 집착하기보다는 연습 과정에서부터 쌓아온 자신의 수행 능력과 비교하여 그에 맞는 수행 목표를 설정하는 것이 좋다.

11. 모건(W. Morgan, 1980)의 빙산형 프로파일(iceberg profile)에 대한 설명으로 적절하지 않은 것은?

① 우수 선수가 가지는 성격특성을 분석하였다.
② 비우수 선수가 우수선수보다 활력이 낮게 나타났다.
③ 측정도구로 기분 상태 프로파일(profile ofmood states : POMS)을 사용하였다.
④ 비우수 선수의 기분상태 윤곽은 빙산형 모형으로 나타났다.

정답 ④

다음과 같이 수정해야 한다.

④ 우수 선수의 기분상태 윤곽은 빙산형 모형으로 나타났다.

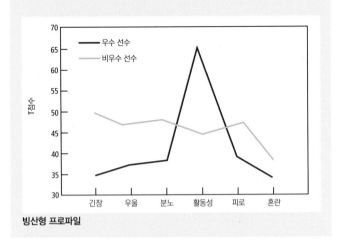

빙산형 프로파일

12. <보기>의 운동심리 이론에 대한 설명으로 바르게 묶인 것은?

〈보기〉

㉠ 건강신념모형 : 운동실천에 있어 질병 발생의 가능성과 심각성 인식이 중요한 역할을 한다.
㉡ 합리적행동 이론 : 운동태도와 주관적 규범뿐만 아니라 행동통제 인식도 운동실천에 영향을 준다.
㉢ 계획행동 이론 : 성취경험, 대리경험, 언어적 피드백, 신체 및 정서적 상태가 운동실천에 영향을 준다.
㉣ 생태 이론 : 운동 실천과 지속을 위해 개인, 지역사회, 정부의 노력과 책임이 모두 중요하다.

① ㉠, ㉡   ② ㉠, ㉣
③ ㉢, ㉣   ④ ㉡, ㉢, ㉣

정답 ②

다음과 같이 수정해야 한다.

㉡ 계획행동 이론 : 운동태도와 주관적 규범뿐만 아니라 행동 통제 인식도 운동실천에 영향을 준다.
㉢ 자기효능 이론 : 성취경험, 대리경험, 언어적 피드백, 신체 및 정서적 상태가 운동실천에 영향을 준다.

13. 심상(imagery)의 효과를 설명하는 심리신경근 이론(가설)의 주장으로 가장 적절한 것은?

① 실제 운동 중에 느껴지는 감각신경 신호가 인지된다.
② 실제 운동 중에 사용되는 신경－근 활성화 패턴이 하나의 운동프로그램으로 요약되어 부호화 된다.
③ 실제 운동 중에 느껴지는 감각자극에 대한 근육 반응을 동일하게 경험할 수 있다.
④ 실제 운동 중에 동원된 주동근에서 상대적으로 미세한 활성화가 발생한다.

정답 ④

저자촌평 심상이론에 대해서 공부를 한 수험생이 맞출 수 있는 문제이다.

심상의 대표적인 이론에는 심리신경근 이론, 상징학습 이론, 생물정보 이론, 심리기술향상 가설 등이 있다.
①과 ③은 심리생리적 정보처리 이론, ②는 상징학습 이론이라고 할 수 있다.

보충학습

1) 심리신경근 이론(psychoneuro muscular theory) : 심상이 실제 동작을 한 것과 같이 근육에 어떤 반응을 하여 근육의 운동기억을 강화시켜 준다는 이론
2) 상징학습 이론(symbolic learning theory) : 심상이 어떤 동작을 뇌에 부호로 만들어 그 동작을 잘 이해하게 만들거나 자동화 시켜 준다는 이론
3) 심리·생리적 정보처리 이론(bioinformational theory) : 심상은 상황(자극전제)과 심상결과(반응전제)를 포함한다는 이론
4) 심리기술향상 가설 : 심상은 심리기술을 발달시키는 역할을 한다는 주장

14. 정보처리의 측면에서 주의(attention)를 설명하기 위해 제시된 이론으로 옳지 않은 것은?

① 폐쇄회로(closed－loop) 이론
② 다중자원(multiple－resource) 이론
③ 중앙자원용량(중추자원역량, central－resource capacity) 이론
④ 단일통로(single channel)이론 혹은 병목(bottleneck) 이론

정답 ①

♪ 저자촌평 운동학습과 제어에 관련된 내용으로서 과목의 총론을 묻는 교과타당도를 파악하는 문제이다.

필자가 주의에 대하여 자주 설명하는 이론이다.

주의 이론은 크게 단일통로 이론과 제한역량 이론으로 구분된다. 제한역량 이론은 ②, ③이 해당된다.
①은 인간의 운동행동 연구의 이론적 기반에 관련된 4가지 이론 중 하나이다.

---

15. <보기>의 경우를 설명하는 주의초점의 방향 개념이 바르게 묶인 것은?

〈보기〉
㉠ 파킨슨병 환자가 복도 바닥에 그려진 선에 주의를 기울이고 따라가며 보행훈련을 한다.
㉡ 소뇌 위축증 환자가 본인 다리에서 기인되는 고유감각에 주의를 기울이며 보행훈련을 한다.

	㉠	㉡
①	능동적 주의초점	수동적 주의초점
②	외적 주의초점	내적 주의초점
③	개방적 주의초점	폐쇄적 주의초점
④	시각적 주의초점	신체적 주의초점

정답 ②

주의의 초점은 폭과 방향 차원에서 설명할 수 있다. 외적인 형태는 환경적인 요소에 주의의 초점을 맞추는 것이고, 내적인 형태는 생각이나 느낌, 또는 신체 감각과 같은 내적인 요소에 주의의 초점을 맞추는 것을 말한다. 스포츠 상황에서 주의를 이동시키는 것이 선수에게 요구된다.

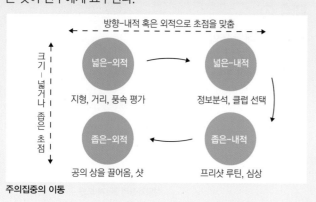

주의집중의 이동

📖 보충학습
기술을 성공적으로 수행하기 위해서는 주의 초점 요인 간에 전환이 빠르게 일어날 수 있어야 한다. 축구 경기에서 링커가 패스를 하기 위해서는 주의의 폭을 넓게 가져야 하지만, 일단 패스할 선수가 정해지면 정확히 볼을 패스할 수 있도록 볼과 동료 선수로 주의의 폭을 줄일 수 있어야 한다.

---

16. <보기>의 유켈슨(D. Yukelson, 1997)이 제안한 팀의 의사소통 문화를 개선하는 방법으로 바르게 묶인 것은?

〈보기〉
㉠ 팀 목표 설정을 함께한다.
㉡ 주기적으로 팀 미팅을 갖고 솔직한 대화를 한다.
㉢ 개인의 개성(독특성)보다 팀 성과를 우선한다.
㉣ 팀 소속감에 대한 자긍심과 팀 정체감을 발전시킨다.
㉤ 목표에 대한 평가는 하지 않는다.

① ㉠, ㉡, ㉢ ② ㉠, ㉡, ㉣
③ ㉠, ㉣, ㉤ ④ ㉢, ㉣, ㉤

정답 ②

개성을 존중하고, 선수들이 최상의 상태가 되도록 격려하는 것이 좋다.

---

17. <보기>에서 운동의 우울증 감소 효과를 설명하는 가설로 옳은 것은?

〈보기〉
규칙적인 운동 참여는 세로토닌, 노르에피네프린, 도파민과 같은 뇌의 신경전달물질 분비와 뉴런에서 이들의 수용을 촉진함으로써 우울증을 완화시킨다.

① 엔돌핀(endorphin) 가설
② 인지행동(cognitive-behavior) 가설
③ 모노아민(monoamine) 가설
④ 사회적 상호작용(social interaction) 가설

정답 ③

🎵 **저자촌평** 운동이 왜 정신적 현상인 '우울증'에 좋은가?

이러한 메커니즘이 제안 되었다. 생리적 기전(5가지), 인지적 기전(2가지)이 제시되었다. 생리적 기전 중 하나를 묻는 뇌의 신경전달물질의 변화에 대한 내용이다.

〈보기〉에서 제시된 세 가지 신경전달물질을 모노아민이라고 부르며, 이는 감정의 조절과 밀접한 관련이 있는 것으로 알려져 있다.
①은 운동을 하면 엔돌핀 분비가 촉진된다는 설(說)로서 모르핀과 유사한 역할을 하며 통증을 감소시켜 준다는 이론이다.
②는 운동의 '심리적 효과에 대한 기제'로서 운동에 참가하여 성공적인 경험을 하게 되면 불안, 스트레스, 부정적 정서가 없어지고 자신감이 향상된다는 이론이다.
④는 운동을 하게 되면 다른 사람들(친구나 동료)과의 상호작용이 건강을 개선시키고, 우울증에 효과가 있다는 이론이다.

생리적 기전(5가지), 인지적 기전(2가지)에 대한 상세한 내용은 박승화 건강운동관리사 강의에서 확인할 수 있다.

---

18. 〈보기〉는 운동행동 변화단계이론에 관한 내용이다. 괄호 안에 들어갈 숫자로 바르게 묶인 것은?

┌─〈보기〉─────────────────────────┐
│ • 관심단계(계획단계) : 현재 운동을 하지 않고 있지만, (㉠)개월 │
│   이내에 운동을 시작할 의도가 있다. │
│ • 유지단계 : 가이드라인(일반적으로 주당 3회 이상, 1회 20분 이상 │
│   기준)을 충족하는 수준의 운동을 (㉡)개월 이상 실시하였다. │
│   운동이 안정 상태에 접어들었으며, 하위 단계로 내려갈 가능 │
│   성이 낮다. │
└──────────────────────────────┘

① ㉠ 3, ㉡ 3   ② ㉠ 3, ㉡ 6   ③ ㉠ 6, ㉡ 3   ④ ㉠ 6, ㉡ 6

정답 ④

🎵 **저자촌평** ☞ 2016년 스포츠심리학 16번 참고

6개월 이상 되면 유지단계라고 하며, 이 단계는 가장 안정적인 단계이다.
〈변화의 단계〉
무관심단계 : 변화를 추구할 의도가 없는 단계
관심단계 : 6개월 이내에 행동변화를 실천할 의도가 있는 단계
준비단계 : 1개월 이내에 행동 변화를 실천할 의도가 있는 단계
실천단계 : 새로운 행동을 적극적으로 실천하는 단계
유지단계 : 과거 행동으로 되돌아갈 가능성이 없어진 단계

---

19. 〈보기〉의 행동수정 전략으로 옳은 것은?

┌─〈보기〉─────────────────────────┐
│ • 엘리베이터와 계단이 모두 있는 곳에서 계단 이용을 권장하는 │
│   포스터를 설치하자 계단 사용 비율이 올라갔다. │
│ • 운동용품을 눈에 띄는 곳에 두기, 자동차 트렁크에 운동복 두 │
│   고 다니기, 사회적지지 구하기를 통해 운동 실천율이 향상되 │
│   었다. │
└──────────────────────────────┘

① 프롬프트(prompt) 활용 전략   ② 인지재구성 전략
③ 의미와 목적 찾기 전략   ④ 합리적 의사결정 전략

정답 ①

①의 사전적 의미는 '즉각적인 효과'가 나타났다는 의미이다.
이러한 상황을 '환경적 촉진물(environmental prompts)'이라고 한다. 이는 유기체의 행동, 성장과 발달에 영향을 주는 주변조건, 영향력 또는 힘을 말한다.

②, ④는 이미 2016년 기출문제에서 다룬 내용들이다.

---

20. 스포츠심리 상담 초기에 내담자와의 신뢰형성 방법에 대한 설명으로 적절하지 <u>않은</u> 것은?

① 상담자가 전문성을 가져야 한다.
② 상담자는 책임감이 있어야 한다.
③ 상담자는 내담자가 상담의 효과에 대해 긍정적인 기대를 갖도록 해야 한다.
④ 상담자는 자신의 관점에서 내담자를 상담 회기마다 평가해야 한다.

정답 ④

상담자는 내담자의 관점에서 상담하고, 부담을 주지 않도록 해야 한다.

상담과정의 3단계 모형

건강운동관리사
기출 바이블

전과목 수록

PART 02

2018년
건강운동관리사
필 기 시 험

건강운동관리사
필기시험
1교시

2018 건강운동관리사

운동생리학

01. 운동 중 지방분해를 촉진시키는 호르몬의 변화로 옳지 <u>않은</u> 것은?

① 노르에피네프린(norepinephrine) 농도의 감소
② 에피네프린(epinephrine) 농도의 증가
③ 코티졸(cortisol) 농도의 증가
④ 성장호르몬(growth hormone) 농도의 증가

정답 ①

①은 증가로 수정해야 한다.

아래 그림을 참조하면 이해하기 쉽다

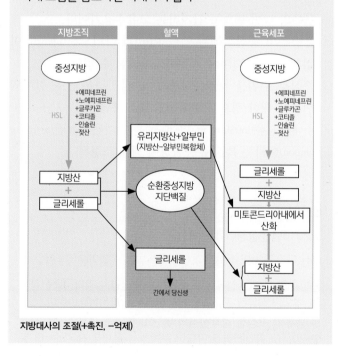

지방대사의 조절(+촉진, −억제)

02. 젖산역치(lactate threshold : LT)와 관련된 설명으로 옳지 <u>않은</u> 것은?

① 점증부하 운동 시 운동강도가 증가함에 따라 안정 시보다 혈중 젖산의 농도가 급격하게 증가하는 운동강도의 시점이다.
② 젖산역치를 표현하는 용어로 무산소성 역치(anaerobic threshold : AT)가 사용되기도 하지만, 젖산역치와 무산소성 역치가 항상 같은 것은 아니다.
③ 무산소성 체력이 좋은 사람일수록 젖산역치는 더 높은 강도에서 나타나며, 무산소성 운동 수행을 예측하거나 훈련강도를 평가하는데 사용된다.
④ 운동 시 근육 내 산소량 부족, 해당 작용의 증가, 속근섬유 사용 비율의 증가, 젖산 제거 비율의 감소와 같은 변화들에 의한 젖산 축적이 젖산역치의 원인이다.

정답 ③

☞2017년 운동생리학 4번 해설 참고

③은 다음과 같이 수정한다.
무산소성→유산소성

03. 에너지 소비량 측정 방법 및 원리와 관련된 설명으로 옳지 <u>않은</u> 것은?

① 직접열량측정법은 열량계를 사용하여 인체에서 생성되는 열을 측정하는 방식이다.
② 간접열량측정법은 호흡가스 분석을 통해 에너지 소비량을 측정하는 방식이다.
③ 호흡교환율(respiratory exchange ratio : RER)은 호흡가스 분석을 통해 배출된 이산화탄소량을 소비된 산소량으로 나눈 값으로, 에너지 소비량을 계산할 때 이용된다.
④ 이중표식수(double labeled water)법은 두 동위원소가 체내에서 배출되는 양의 차이로 수분의 생성량을 계산하여 에너지 소비량을 측정한다.

④는 다음과 같이 수정한다.

수분→CO_2 형태의 수소 안정 동위원소로 알려진 무거운 양의 물과 산소

상세한 내용(그림과 사진)은 박승화 건강운동관리사 강의에서 확인할 수 있다.

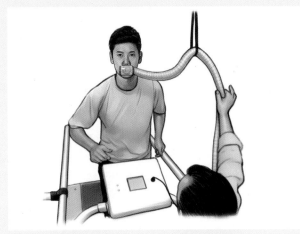

에너지소비량 측정

04. 신경세포가 연결된 시냅스(synapse)에서의 신호전달과 관련된 설명으로 옳지 <u>않은</u> 것은?

① 흥분성 시냅스후 전위(excitatory post-synaptic potential)는 점증적, 연속적 탈분극 과정이다.
② 세포체 표면에 다수의 역치하 자극이 동시에 주어져 활동전위가 나타나는 것을 시간가중(temporal summation)이라고 한다.
③ 억제성 신경전달물질에 의하여 시냅스후 세포막이 과분극 되는 것을 억제성 시냅스후 전위(inhibitory post-synaptic potential)라 한다.
④ 아세틸콜린(acetylcholine)은 골격근에서는 흥분성 작용을, 심장근에서는 억제성 작용을 일으킨다.

②는 다음과 같이 수정할 수 있다.
역치하 → 역치 이상
시간가중 → 공간가중

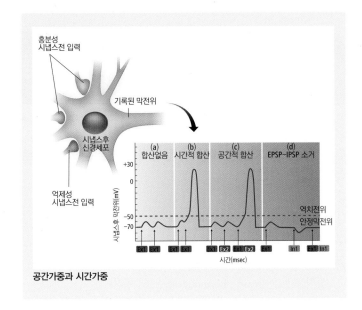

공간가중과 시간가중

05. 근방추(muscle spindle)에 대한 설명으로 옳지 <u>않</u>은 것은?

① 근육의 길이 변화를 감지하는 고유수용기이다.
② 근방추의 중심부에는 액틴(actin)과 마이오신(myosin)이 없거나 매우 적어 수축(contraction)할 수 없다.
③ 중심부 주위를 둘러싸고 있는 감각신경은 근육 길이의 변화에 대한 정보를 중추신경계로 보낸다.
④ 추내근섬유(intrafusal muscle fibers)는 알파운동뉴런(α-motor neuron)이라는 특정 운동신경에 의해 조절된다.

☞ 2016년 운동생리학 11번참고

④는 다음과 같이 수정한다. 알파운동뉴런 → 감마운동뉴런

근방추의 추내근 섬유에 공급되는 운동신경은 감마운동신경이며, 추외근 섬유에 공급되는 운동신경은 알파운동뉴런이다.
두 종류의 구심성 감각신경의 말단이 추내근 섬유와 접속하고 있으며, 이 감각신경 말단들이 근방추 수용체로 작용하는데 둘 다 근육이 늘어나면 활성화 된다.

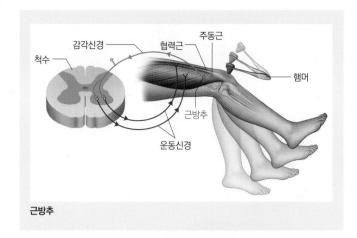

근방추

맥아들 증후군 : 근당원 대사의 유전적 오류

맥아들 증후군(McArdle's syndrome)은 인산 효소가 없이 태어난 환자가 갖는 유전적인 질병이다. 그래서 "근육인산화분해효소 결핍"이라고도 부른다. 이러한 대사적 이상은 운동 중 연료로써 근당원의 분해를 방해한다. 이처럼 맥아들 환자가 운동 시 당원을 사용하지 못하면 이는 근육의 젖산염 생성을 방해하여 고강도 운동 시 혈중 젖산 농도가 증가하지 않는다.

그러나 불행하게도 맥아들 환자의 유전적 질병의 부작용은 심한 운동 시 종종 근육통과 운동에 약한 특성을 갖는다. 이러한 의학적 연구결과는 운동 중 에너지 연료로써의 근당원의 중요성을 인식하게 한다. 더 나아가 맥아들 환자를 대상으로 운동의 효과를 연구한 실험에서 운동 시 호흡조절과 골격근 대사작용과 관련된 중요한 이론들을 발견할 수 있었다.

글리코겐을 포도당6-인산으로 전환시키는 효소가 근육에서 결핍되어 있는 상태이다. 결과적으로 근육은 유용한 글리코겐 에너지 공급이 결여되어 운동 지구력이 한정된다.

06. <보기>의 선천적으로 근인산분해효소(myophosphorylase)를 합성할 수 없어, 근육 내 글리코겐(glycogen)을 분해하여 에너지를 만드는데 제약이 있는 유전 질환인 맥아들증후군(McArdle's syndrome)에 대한 설명으로 바르게 묶인 것은?

─〈보기〉─

㉠ 최대하운동 초기에는 정상인에 비해 혈당과 지방을 연료로 더 많이 사용한다.
㉡ 최대하운동 초기에 근피로 및 무력감을 느끼고, 일정 시간 이후 증상이 현저하게 감소하는 세컨드 윈드(second wind) 시기가 나타난다.
㉢ 세컨드 윈드 시기에서 운동 중 지방 대사는 정상인과 큰 차이가 나타나지 않는다.
㉣ 세컨드 윈드 시기를 지나, 최대하운동을 장시간 지속하는 경우 탄수화물 대사와 관련 없이 에너지 결핍을 해소하기 위해 지방을 산화시켜 에너지를 보충한다.

① ㉠, ㉡, ㉢   ② ㉠, ㉡, ㉣
③ ㉠, ㉢, ㉣   ④ ㉡, ㉢, ㉣

정답 ①

↳ 저자촌평 이 문제는 평소 운동생리학을 꼼꼼하고, 성실하게 공부한 수험생이면 풀 수 있는 문제이다.

㉣은 근육의 글리코겐 분해과정이 정상적으로 진행되지 못하기 때문에 지방대사가 방해를 받고, 따라서 장시간 운동을 할 수 없어서 부합되지 않는다고 할 수 있다.

07. 운동 후 초과산소섭취량(excess post-exercise oxygen consumption : EPOC) 및 젖산에 관련된 설명으로 옳은 것은?

① EPOC의 빠른 영역이 나타나는 가장 주된 이유는 생성된 젖산을 글리코겐으로 재합성하여, 운동 전 수준의 글리코겐 양을 빠르게 확보하기 위한 반응 때문이다.

② 운동 중 체온 상승, 혈중 젖산 농도 증가, 카테콜라민 농도의 증가는 EPOC를 증가시키는 원인이며, EPOC의 느린 영역이 나타나는데 기여한다.

③ 운동 시간과 관계없이 크레아틴인산(PC), 젖산의 혈중 농도 등의 변화는 저강도 및 중강도 운동에 비해 고강도 운동에서 더 크기때문에, 고강도 운동 후 EPOC가 더 크게 나타난다.

④ 고강도 운동 후 생성된 젖산을 빠르게 제거하기 위한 최적의 운동성 휴식의 강도는 젖산 역치의 30~50% 강도이다.

2018

정답 ②

↳ **저자촌평** EPOC에 대한 내용은 평소 상세한 강의가 진행되고 있다. 강의를 성실하게 수강하는 수험생이면 쉽게 해결할 수 있는 문제이다.

다음과 같이 수정할 수 있다.

① (코리사이클)처럼 처리되지 않고, 젖산은 약 70%가 초성포도산으로 전환되어 심장근이나 골격근에서 산화되며, 20%정도만 글루코스로 전환되고 10% 정도는 아미노산으로 전환된다.

③은 운동시간과 관계없이 → 단시간 고강도 운동 시

④ 30~50% → 30~40%

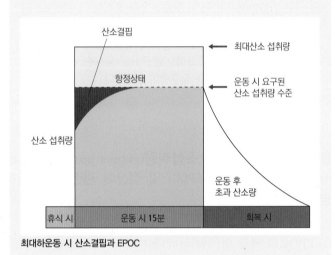

최대하운동 시 산소결핍과 EPOC

정답 ③

다음과 같이 수정해야 한다.

ⓒ 과분극(hyperpolarization) : 주로 K⁺ 펌프 작용에 의해 나타남, 일시적으로 안정 시보다 더 커진 상태의 막전위 형성

ⓔ 절대불응기(absolute refractory period) : Na⁺ 채널의 불활성화 때문에 발생, 활동전위 단계에서 나타남

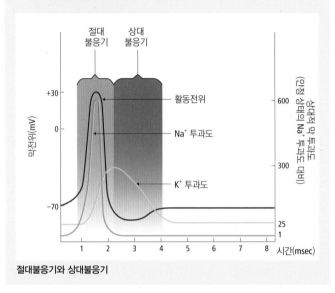

절대불응기와 상대불응기

09. 시냅스에서 발생하는 전기적 · 화학적 흥분 전도에 대한 <보기>의 순서로 옳은 것은?

〈보기〉

ⓐ 신경전달물질은 시냅스 후 신경세포(post-synaptic neuron)의 수용체(receptor)와 결합한다.
ⓑ Ca²⁺이 시냅스전 신경세포(pre-synaptic neuron) 내로 유입된다.
ⓒ 시냅스전 신경세포에서 활동전위가 축삭말단으로 전달된다.
ⓓ 수용체와 연결된 이온채널이 열린다.
ⓔ 신경전달물질이 세포 외 유출에 의해 시냅스 간극(synaptic cleft)으로 분비된다.

① ⓑ → ⓒ → ⓔ → ⓓ → ⓐ
② ⓑ → ⓒ → ⓐ → ⓓ → ⓔ
③ ⓒ → ⓑ → ⓔ → ⓐ → ⓓ
④ ⓒ → ⓑ → ⓐ → ⓔ → ⓓ

08. <보기>에서 신경세포의 전기적 활동과 관련된 Na⁺과 K⁺ 채널(channel)에 대한 설명으로 바르게 묶인 것은?

〈보기〉

ⓐ 탈분극(depolarization) : 역치 수준 이상의 전기적 자극에 의해 Na⁺ 채널이 열림, Na⁺의 세포 내 유입
ⓑ 재분극(repolarization) : K⁺ 채널의 늦은 반응 속도에 의해 나타남, K⁺의 세포 외 배출
ⓒ 과분극(hyperpolarization) : 주로 Na⁺/K⁺ 펌프 작용에 의해 나타남, 일시적으로 안정 시보다 낮은 막전위 형성
ⓔ 절대불응기(absolute refractory period) : Na⁺ 채널의 불활성화 때문에 발생, 과분극 단계에서 나타남
ⓓ 상대불응기(relative refractory period) : Na⁺ 채널의 불활성화 및 K⁺ 채널이 열려있을 때, 평상 시 자극보다 더 큰 역치 수준 이상의 자극에 반응

① ⓐ, ⓑ, ⓒ
② ⓐ, ⓒ, ⓔ
③ ⓐ, ⓑ, ⓜ
④ ⓒ, ⓔ, ⓜ

정답 ③

신경전달물질은 시냅스를 가로질러 신호를 전달한다.

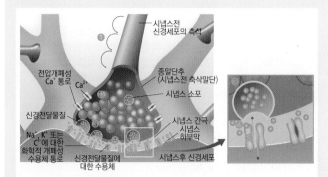

❶ 활동전위가 시냅스전 신경세포의 축삭말단에 도달한다.
❷ Ca²⁺이 종말단추로 들어간다(시냅스전 축삭말단).
❸ 신경전달물질이 세포외유출에 의해 시냅스 간극으로 유리된다.
❹ 신경전달물질이 시냅스후 신경세포의 시냅스 하부막에 존재하는 화학개폐성 통로인 수용체와 결합한다.
❺ 신경전달물질과 수용체의 결합으로 특정 통로가 열린다.

시냅스에서 일어나는 사건의 순서

---

10. <보기>에서 근원섬유(myofibrils)를 구성하는 단백질과 그 작용에 대한 설명으로 바르게 묶인 것은?

―〈보기〉―

㉠ 액틴(actin) : 주된 수축 단백질로 흥분-수축 결합 시 마이오신(myosin)과 상호작용한다.
㉡ 트로포마이오신(tropomyosin) : 칼슘과 결합하여 트로포마이오신 복합체의 구조적 변화를 일으킨다.
㉢ 데스민(desmin) : 액틴과 마이오신의 연속적인 상호작용을 막는다.
㉣ 티틴(titin) : 마이오신 세사를 고정시키고 근육의 수동적 장력(passive tension)에 기여한다.
㉤ 네블린(nebulin) : 액틴 단위체(monomer) 결합을 통해 액틴 세사를 고정시킨다.

① ㉠, ㉡, ㉢　　　　② ㉠, ㉣, ㉤
③ ㉡, ㉢, ㉣　　　　④ ㉢, ㉣, ㉤

정답 ②

♪ **저자촌평** 이 문제는 근세사활주설에 대해 심도있게 공부한 수험생이 해결할 수 있는 상위수준의 문제이다.

다음과 같이 수정해야 한다.

㉡ 트로포닌 : 칼슘과 결합하여 트로포마이오신 복합체의 구조적 변화를 일으킨다.
㉢ 데스민(desmin) : 근육원섬유마디들의 정렬을 안정화시킨다.

📖 **보충학습**

티틴은 인체 내에 존재하는 가장 큰 단백질로써 거의 3만개의 아미노산으로 이루어져 있다.
티틴은 세포골격, 탄성스프링으로써의 작용, 신호전달계에 참여 등의 세 가지 중요한 역할을 한다.

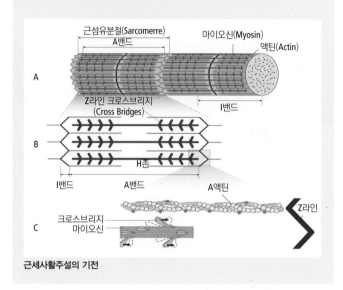

근세사활주설의 기전

---

11. 운동단위(motor unit) 및 근섬유 동원(muscle fiber recruitment)원리에 대한 설명으로 옳지 않은 것은?

① 활동전위가 전달되면 그 운동단위에 연결된 모든 근섬유는 수축한다.
② 동일한 근육에서 활성화되는 운동단위가 많을수록 큰 힘을 발휘한다.
③ 크기의 원리(size principle)는 type Ⅱ 섬유가 먼저 동원된 후 type Ⅰ 섬유가 동원되는 것을 말한다.
④ type Ⅱ 운동단위는 type Ⅰ 운동단위보다 더 많은 근섬유를 포함하고 있다.

정답 ③

쉬운 문제이다. 다음과 같이 수정해야 한다.

③ 크기의 원리(size principle)는 type Ⅰ 섬유가 먼저 동원된 후 type Ⅱ 섬유가 동원되는 것을 말한다.

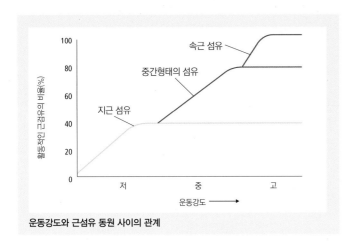

운동강도와 근섬유 동원 사이의 관계

12. 근육의 수축 형태와 그 특성에 대한 설명으로 옳은 것은?

① 등척성(isometric) 수축 시 근절(sarcomere)의 길이와 장력(tension) 간에는 정적인 상관관계가 있다.
② 등장성(isotonic) 수축 시 근절의 길이와 장력 간에는 정적인 상관관계가 있다.
③ 단축성(concentric) 수축 시 수축속도와 장력 간에는 정적인 상관 관계가 있다.
④ 신장성(eccentric) 수축 시 수축속도와 장력 간에는 정적인 상관관계가 있다.

정답 ④

다음과 같이 수정해야 한다.
① 정적인 상관관계 → 강의에서 확인
② 정적인 상관관계 → 정·부적상관 관계
③ 정적인 상관관계 → 부적상관 관계
아래 그림을 참조하면 쉽게 해결할 수 있다.

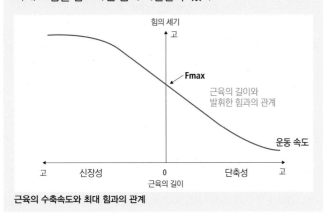

근육의 수축속도와 최대 힘과의 관계

13. <보기>의 괄호 안에 들어갈 내용으로 바르게 묶인 것은?

〈보기〉

스트레스 상황에서 위험에 대처하거나 위험으로부터 벗어나도록 인체를 준비시키기 위하여 카테콜라민(catecholamine) 분비가 (㉠)되며, 심장에 주로 존재하는 베타수용체(β-receptor)에 결합하면 심박수가 (㉡)된다. 또한, 베타수용체를 차단하는 약물을 복용할 경우, 운동 중 혈당은 (㉢)된다.

① ㉠ 감소 ㉡ 감소 ㉢ 증가
② ㉠ 증가 ㉡ 증가 ㉢ 감소
③ ㉠ 감소 ㉡ 증가 ㉢ 증가
④ ㉠ 증가 ㉡ 감소 ㉢ 감소

정답 ②

저자촌평 이 문제는 ㉠, ㉡이 증가라고 알기 쉬운 내용이기 때문에 다른 문항에서 제시된 것이 없어 ㉢을 굳이 모르는 수험생도 쉽게 답을 찾을 수 있다.

베타-2 수용체는 평활근, 골격근, 지방조직, 췌장, 간에 분포하며, 그 역할은 다음과 같다.
• 혈관 평활근, 기관지, 장관 및 자궁 이완
• 지방분해, 글리코겐(glycogen) 분해, 인슐린 분비 촉진
• 당뇨병성 케톤산증, 대사성 산증환자에게는 투여하지 않는다.

운동 중 혈중 인슐린 농도의 감소는 카테콜라민 농도의 증가로 나타나는데 이미 <보기>에 카테콜라민 분비와 베타수용체에 대한 내용이 제시되어 있어 차단 시의 경우 "감소"를 답으로 선택할 수 있다.

14. 다음 표에서 중강도 운동 중 혈당의 항상성을 조절하기 위한 인슐린과 글루카곤 분비에 대한 설명으로 바르게 묶인 것은?

구분	운동 중 분비량	운동 중 안정 시로부터 변화율
인슐린	(㉠)	지구성 훈련자 (㉢) 비훈련자
글루카곤	(㉡)	지구성 훈련자 (㉣) 비훈련자

① ㉠ 감소 ㉡ 증가 ㉢ < ㉣ <
② ㉠ 증가 ㉡ 감소 ㉢ < ㉣ >
③ ㉠ 감소 ㉡ 증가 ㉢ > ㉣ <
④ ㉠ 증가 ㉡ 감소 ㉢ > ㉣ >

정답 ①

필자가 평소 강의시간에 그려서 강조하는 아래 그래프를 참조하기 바란다.

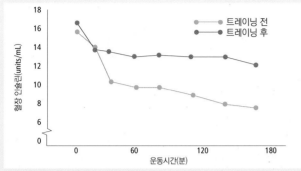

트레이닝에 따른 인슐린 분비량의 변화

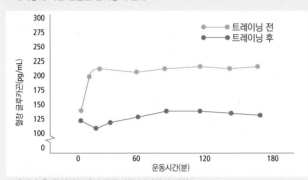

트레이닝 후 동일강도에서 글루카곤 분비량의 변화

15. <보기>의 운동 직후의 체온을 계산하시오.

〈보기〉

체중이 50kg인 장거리 국가대표 선수가 기온이 30℃, 상대습도가 60%인 환경에서 분당 3L(에너지소비량은 15kcal/min)의 산소섭취로 20분간 운동(단, 이 선수의 운동효율은 20%, 운동 중 생성된 열의 50%를 체온 조절 기전 및 외부환경에 의해 잃게 되고, 운동 전 체온은 36℃, 신체 온도를 1℃ 증가시키는데 필요한 비열은 0.8kcal/kg으로 가정)

① 40℃　　② 39℃　　③ 38℃　　④ 37℃

정답 ②

🎵 저자촌평　이 문제는 계산이 상당히 복잡한 문제이다. 아래 계산법 이해가 어려운 수험생은 박승화의 건운사 강의를 통해서 상세한 계산 방법을 제시한다.

$1℃ → 40kcal/50kg$
$120kcal/50kg = 3℃$　　　　$36℃ + 3℃ = 39℃$

16. 근세사활주설(sliding filament theory)에 대한 내용으로 옳지 <u>않은</u> 것은?

① I 밴드(I band)는 마이오신(myosin)과 겹쳐지지 않는 액틴(actin)의 영역이며, 근수축 시 줄어든다.
② H 영역(H zone)은 액틴과 겹쳐지지 않는 마이오신의 영역으로 근수축 시 줄어든다.
③ 마이오신 머리(myosin head)에 ATP가 결합하는 순간 마이오신 머리는 액틴의 활동 부위와 강하게 결합한다.
④ 인산기(Pi)가 마이오신 머리에서 떨어질 때 파워스트로크(power stroke)가 발생하여 근섬유가 수축한다.

정답 ③

③은 다음과 같이 수정한다.
강하게 결합한다.→분리된다.

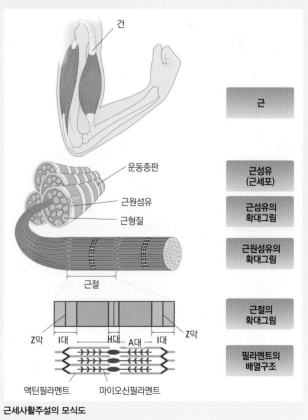

근세사활주설의 모식도

17. 고강도 유산소운동 중 호흡계 반응에 대한 설명으로 옳지 <u>않은</u> 것은?

① 환기량은 운동 초기에 급격하게 증가한다.
② 운동 후반부에는 호흡수보다 1회 호흡량에 의해 환기량이 증가한다.
③ 운동 중 호흡량의 증가는 동맥혈의 이산화탄소 분압의 증가와 관련된다.
④ 이산화탄소 생성이 급격하게 증가하는 환기역치 시점이 나타난다.

정답 ②

②는 다음과 같이 수정한다.

운동 후반부에는 1회 호흡량보다 호흡수에 의해 환기량이 증가한다.

18. 운동 중 1회 박출량(stroke volume)의 증가 원인으로 옳지 <u>않은</u> 것은?

① 대동맥압 증가에 따른 후부하(after load)의 증가
② 호흡펌프작용에 따른 정맥회귀(venous return)의 증가
③ 골격근의 등장성 수축에 따른 근육펌프작용의 증가
④ 교감신경 자극에 따른 심근의 수축력 증가

정답 ①

🦶**저자촌평** 평소 필자가 강의시간에 자주 강조한 내용으로서 쉬운 문제이다. 감소라고 해야 한다.

📖 **보충학습**

심실이 수축하여 반월판을 열 때 심실혈압은 주요 동맥 내 혈압보다 높아야 한다. 이 동맥혈압을 후부하라고 하는데, 이는 수축이 시작된 후 심장에 가해지는 일의 하중이다. 따라서 고혈압은 심장에 부담을 주는 것이다. 심장은 초기에는 후부하가 증가해도 이를 보상할 수 있지만 계속적으로 심장에 가해지는 과도한 하중은 심장에 병적 변화를 가져와 심장의 기능부전을 유발하는데 이를 우리는 심부전이라고 한다.

19. 유산소운동 트레이닝에 따른 안정 시 순환계의 적응 현상으로 옳지 <u>않은</u> 것은?

① 심박출량의 증가   ② 심실용적의 증가
③ 총 혈액량의 증가   ④ 총 적혈구 수의 증가

정답 ①

🦶**저자촌평** 이 문제 역시 평소 필자가 강의시간에 자주 강조한 내용이다. 감소라고 해야 한다.

트레이닝 후 안정 시 : 심박수 감소, 1회 박출량 증가하여 심박출량은 변화가 없거나 다소 감소한다.
심박출량 증가는 트레이닝 후 최내운동 시이다.

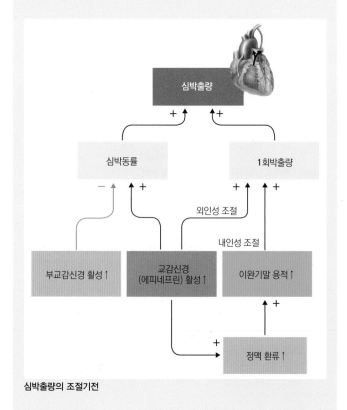

심박출량의 조절기전

20. 열순응 과정에서 발생하는 주요 생리학적 반응으로 옳지 <u>않은</u> 것은?

① 혈장단백질 증가에 의한 혈장량 증가
② 체내 전해질 균형을 위한 알도스테론(aldosterone) 분비 증가
③ 운동 시작 후 빠른 땀분비를 통한 열축적 감소 및 혈액의 피부순환량 감소
④ 열 스트레스 감소로 인한 열충격 단백질(heat shock protein) 생성 감소

정답 ④

증가라고 해야 한다.
열충격 단백질(heat shock protein)은 이름과는 다르게 손상된 세포를 수리하는 역할을 한다.

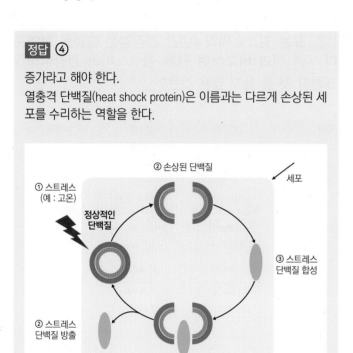

① 스트레스 (예 : 고온)
정상적인 단백질
② 손상된 단백질
세포
③ 스트레스 단백질 합성
② 스트레스 단백질 방출
④ 손상된 단백질 원상복구

세포의 스트레스 반응

건강 · 체력평가

01. 규칙적인 중강도 유산소운동을 통한 건강상 이점으로 옳지 <u>않은</u> 것은?

① 인슐린 저항성의 감소
② 관상동맥 질환의 위험도 감소
③ 혈중 고밀도지단백콜레스테롤(HDL-C) 농도 감소
④ 낮은 칼로리 섭취와 병행할 때 효과적인 체중 감소

정답 ③

🦶 **저자촌평**
변별력이 떨어지는
쉬운 문제이다.

유산소 운동

정답 ③

🦶 저자촌평 이 문제 역시 변별력이 떨어지는 쉬운 문제이다.

03. 표는 김○○씨의 4년간 건강검진 결과를 보여준다. 4년 전과 비교하여 현재 김○○씨의 건강상태를 표현한 것 중 옳지 <u>않은</u> 것은?

구분	4년 전	2년 전	현재
나이	40세	42세	44세
가족력	가족력 없음	가족력 없음	가족력 없음
흡연	비흡연	비흡연	비흡연
신체활동	300분/주 이상 중강도 유산소운동	운동습관 없음, 좌업위주의 생활	운동습관 없음, 좌업위주의 생활
허리둘레	85cm	101cm	106cm
혈압	120/82mmHg	132/94mmHg	145/105mmHg
저밀도지단백콜레스테롤	98mg/dℓ	113mg/dℓ	121mg/dℓ
공복 혈당	95mg/dℓ	107mg/dℓ	137mg/dℓ
당화혈색소	3.5%	5.0%	7.8%

① 당뇨병
② 고지혈증
③ 고혈압
④ 복부비만

02. 여성의 체지방률 추정을 위해 피하지방 두께 측정법을 실시하려고 한다. <보기>에서 ACSM 지침에 따른 Jackson과 Pollock의 3-부위 공식(three-site formula)을 이용하기 위한 측정부위로 바르게 묶인 것은?

〈보기〉
㉠ 가슴(chest)
㉡ 중앙겨드랑(중액와선, midaxillary)
㉢ 위팔세갈래(상완삼두근, triceps)
㉣ 어깨뼈아래(견갑골 하단, subscapular)
㉤ 복부(abdomen)
㉥ 엉덩뼈능선위(상장골능, suprailiac)
㉦ 넙다리(대퇴, thigh)

① ㉠, ㉤, ㉦
② ㉡, ㉣, ㉤
③ ㉢, ㉥, ㉦
④ ㉠, ㉣, ㉦

정답 ②

🦶 저자촌평 이 문제는 건운사 공부를 하는 사람이면 쉽게 해결할 수 있는 수치의 문제이다.

LDL 수치에 대한 ACSM 분류

LDL	
<100	바람직한 수준
100~129	약간 높음
130~159	경계선 수준
160~189	높음
≥190	매우 높음

04. 최대하운동부하검사 중 즉시 중지해야 하는 판단 기준으로 옳지 <u>않은</u> 것은?

① 검사 대상자가 중단을 요구할 경우
② 운동실조(ataxia) 및 현기증과 같은 신경계 증상이 보일 경우
③ 운동부하가 증가함에도 검사 전 수축기혈압보다 감소되는 경우
④ 수축기와 이완기 혈압이 220/110mmHg를 초과하는 경우

정답 ④

④는 다음과 같이 수정한다.

수축기와 이완기 혈압이 250/115mmHg를 초과하는 경우

05. 신체활동과 암(cancer)에 대한 설명 중 옳지 <u>않은</u> 것은?

① 좌업생활 또는 비신체활동은 대장암 유병률을 증가시킨다.
② 신체활동은 면역기능을 강화시켜 혈액암을 예방할 수 있다.
③ 비수술적 치료 도중의 유방암환자는 가능한 한 신체활동을 늘리는 것이 권장된다.
④ 심장문제가 없는 전립선암 초기 환자의 유산소운동 지침은 건강한 성인을 위한 운동 지침과 다르기 때문에 주의해야 한다.

정답 ④

심장문제가 없는 전립선암 초기 환자의 유산소운동 지침은 건강한 성인을 위한 운동 지침과 다르지 않다.

06. 표에서 ACSM 지침에 따른 운동 프로그램 참여 전 의사의 진단이 필요한 참여자(㉠~㉤)로 바르게 묶인 것은?

구분	㉠	㉡	㉢	㉣	㉤
규칙적인 운동에 참여하는가?	아니오	아니오	예	예	아니오
심혈관, 대사 또는 신장의 질환이 있는가?	아니오	예	아니오	아니오	아니오
질병의 징후 또는 증상이 있는가?	아니오	아니오	예	아니오	예
운동프로그램 참여 시 원하는 강도는?	고강도	중강도	중강도	고강도	중강도

① ㉠, ㉡, ㉢
② ㉡, ㉢, ㉤
③ ㉠, ㉡, ㉣
④ ㉢, ㉣, ㉤

정답 ②

ACSM 가이드라인을 참조하기 바란다.

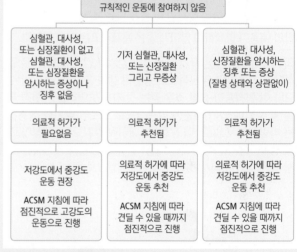

참여 전 검진 알고리즘

참여 전 검진 알고리즘

07. ACSM의 지침에서 만성 요통환자를 위한 운동처방 시 고려해야 할 사항으로 가장 적절하지 <u>않은</u> 것은?

① 오르막 걷기는 척추관협착증 환자의 증상을 악화시킬 수 있으므로 권장되지 않는다.

② 허리에 통증이 없는 범위 내에서 근력강화운동이 권장된다.

③ 장시간 복부 보조기의 지속적인 착용은 허리통증이 몸통 근육의 불균형과 관련이 있을 때 권장되는 방법이다.

④ 운동 중 반복적인 특정 동작으로 하지마비 증상이 발생하면 운동이나 신체활동은 피해야 한다.

정답 ①, ③

↳ 저자촌평 이 문제를 풀 때는 만성 요통환자를 위한 운동처방 시 고려해야 할 사항을 찾으면 더 쉽게 답을 해결할 수 있다.

정답의 내용이 명확하지 않아서 좋은 문제라고는 하기 어렵다.

①의 척추관협착증 환자가 오르막길 걷기나 앉아 있을 경우 일시적으로 척추관이 일시적으로 공간이 생겨 통증을 덜 느낄 수 있으나 이 협착증이 심할 경우 걷는 것 자체가 어려운 간헐적 파행을 할 수밖에 없기 때문에 일관적으로 오르막 걷기를 적용하기는 바람직하지 않고, 이 문항은 "내리막 걷기"가 문제점이고, ③의 경우 "장시간 지속적인 착용" 등의 문장에서 권장하는 것 역시 좋은 내용이 되지 못하기 때문에 정답으로 택한다.

10주 이상 지속 → 만성요통

급성요통

만성요통

08. <보기>의 대상자가 심혈관질환 위험요인의 기준에 부합하는 개수로 옳은 것은?

〈보기〉

- 35세 남성
- 부친이 80세에 관상동맥성형술 경험
- 6개월 이상 비흡연자
- 운동습관 없음
- 허리둘레 : 110cm
- 안정 시 혈압 : 125/82mmHg
- 저밀도지단백콜레스테롤 : 152mg/dℓ
- 공복 혈당 : 95mg/dℓ

① 1개 　　② 2개 　　③ 3개 　　④ 4개

정답 ③

ACSM 가이드라인을 참조하면 쉽게 답을 고를 수 있다.
운동습관 없음, 허리 둘레, LDL이 해당된다.

09. <보기>에서 무릎 관절염환자의 운동검사에 대한 설명으로 바르게 묶인 것은?

〈보기〉

㉠ 급성염증환자의 경우 증상이 사라질 때까지 운동검사를 연기하도록 한다.

㉡ 중증환자의 경우 심혈관 기능을 더 잘 평가하기 위하여 암 에르고 미터가 사용될 수 있다.

㉢ 관절염환자들의 하지 근력측정 운동검사는 금지된다.

㉣ 운동부하검사를 시행하기 전 충분한 시간 동안 저강도 수준의 준비운동을 하게 한다.

㉤ 트레드밀을 사용한 운동부하검사는 금지된다.

㉥ 6개월 이상 관절염을 앓고 있는 환자의 운동부하검사는 금지된다.

① ㉠, ㉡, ㉣ 　　　　② ㉠, ㉤, ㉥

③ ㉢, ㉤, ㉥ 　　　　④ ㉡, ㉣, ㉤

정답 ①

↳ 저자촌평 이 문제는 <보기>에 제시된 항목들이 명확하지 않아서 좋은 문제라고 할 수 없다고 본다. 출제자가 ACSM 가이드라인에 의한 정의라든지 명확한 기준을 제시했어야 한다. 문항들의 모호성을 배제하기 힘든 문제이다.

관절염을 가진 대부분의 사람들은 건강한 성인들에게 권고된 것과 마찬가지로 증상제한 운동검사를 받아야 한다.

ACSM 가이드라인에 따르면 "트레드밀을 사용한 운동부하검사는 참으며 할 수 있지만 통증을 줄이면서 심혈관 기능을 더 잘 평가하기 위해서 다리 자전거에르고메트리를 사용하거나 팔에 르고메트리를 사용하도록 해야한다"라고 되어 있다.

ⓒ 증상이 심각하지 않은 경우 관절염환자들의 근력과 근지구력은 일반적인 방법으로 측정할 수 있다.

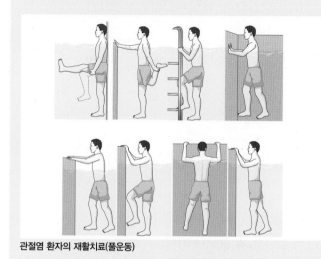

관절염 환자의 재활치료(풀운동)

10. <보기>에서 ACSM의 만성폐쇄성 폐질환 환자를 위한 운동부하검사 시 고려 사항으로 바르게 묶인 것은?

〈보기〉

ㄱ 중증의 환자는 운동시작 초기 동맥산소분압 또는 동맥혈산소포화도 중 하나를 측정해야 한다.
ㄴ 1초 동안의 최대호기량($FEV_{1.0}$)이 운동 전보다 운동 후에 5% 이상 감소하는 시점을 운동유발성 기관지수축의 역치로 정의한다.
ㄷ 중증 천식환자의 경우 8자보행 검사로 대체한다.
ㄹ 동맥혈산소포화도가 80% 미만일 경우 운동검사가 종료될 수 있다.
ㅁ 안정 시 기관지 확장제 사용 후 $FEV_{1.0}$% 예측값이 30 미만일 경우 최중증환자로 분류한다.

① ㄱ, ㄴ, ㄷ   ② ㄱ, ㄹ, ㅁ
③ ㄴ, ㄷ, ㅁ   ④ ㄷ, ㄹ, ㅁ

정답 ②

저자촌평 이 문제는 COPD에 대해서 깊게 공부하지 않으면 쉽게 답을 찾기 어려운 상위수준의 문제이다.

ㄴ 1초 동안의 최대호기량($FEV_{1.0}$)이 운동 전보다 운동 후에 15% 이상 감소하는 시점을 운동유발성 기관지수축의 역치로 정의한다.
ㄷ 중증 천식환자의 경우 6분 걷기보행 검사로 대체한다.

보충학습

운동유발성 천식의 기관지경련 정도는 숨 쉬는 정도와 비례한다. 호흡량이 많으면 기관지에서 열과 물기를 빼앗기게 된다. 또한 운동 후 기관지가 다시 따뜻해지고 물기가 많아지는 것과도 증상이 연관된다. 운동 후 PEFR(Peak Expiratory Flow Rate)은 정상인에서 15% 이상 떨어지지 않는데 만일 이보다 많이 떨어지면 운동유발성 천식이라 진단하게 된다.

서 있는 채로 측정한다. 심호흡을
한 후 Peak Flow Meter를 입에 물고,
가능한 빠르게 한번에 분다.

천식환자의 Peak Flow Master 사용법

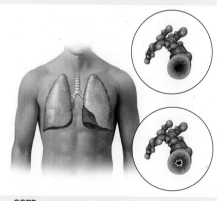

COPD

11. <A>는 왕복오래달리기(PACER)와 최대산소섭취량(V̇O₂max)의 산점도(scatter plot)이고, <B>는 신체효율지수(PEI)와 최대산소섭취량의 산점도이다. <보기> 중 바르게 묶인 것은?

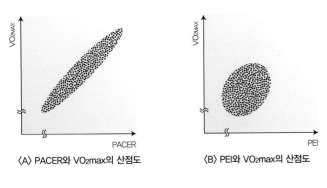

〈A〉 PACER와 VO₂max의 산점도　　〈B〉 PEI와 VO₂max의 산점도

〈보기〉

㉠ V̇O₂max를 설명하는 분산은 PEI가 PACER보다 크다.
㉡ 심폐지구력 검사의 타당도 계수는 PACER가 PEI보다 높다.
㉢ V̇O₂max를 예측할 때 추정의 표준오차(SEE)는 PACER가 PEI보다 크다.
㉣ PACER와 V̇O₂max의 상관이 PEI와 V̇O₂max의 상관보다 크다.

① ㉠, ㉡　　② ㉡, ㉢　　③ ㉠, ㉢　　④ ㉡, ㉣

정답 ④

↳ 저자촌평 11번에서 14번까지는 체육통계에 대해서 어느 정도 공부를 해야 정답을 제대로 찾을 수 있다. 평소 필자가 강조하는 체육통계에 관심을 갖기 바란다.

다음과 같이 수정해야 한다.
㉠ V̇O₂max를 설명하는 분산은 PEI가 PACER보다 작다.
㉢ V̇O₂max를 예측할 때 추정의 표준오차(SEE)는 PACER가 PEI보다 작다.

산점도(scatter plot, 상관도)는 2개의 연속형 변수 간의 관계를 보기 위하여 직교좌표의 평면에 관측점을 찍어 만든 통계 그래프이다. PACER의 산점도는 정적 상관관계이고, PEI는 무상관에 가깝다.

추정의 표준오차는 상관이 크면 작고, 이 오차가 작을수록 예측이 정확하다. 체육통계에 대한 상세한 내용은 박승화 건강운동관리사 강의에서 재미있게 공부할 수 있다.

12. <보기>는 A시에 소재하는 건강증진센터 성인 남자 회원 B의 팔굽혀펴기와 윗몸일으키기 기록, 정규분포 곡선에서 z-점수의 확률(p)이다. <보기>에 대한 해석으로 옳은 것은? (단, A시 성인 남자 모집단의 검사 결과는 정규분포를 가정함)

〈보기〉

구분	회원 B의 기록	모집단		z-점수
		평균	표준편차	
팔굽혀펴기(회/분)	44	35	6	(㉠)
윗몸일으키기(회/분)	60	52	5	(㉡)

z-점수	p
1.40	8.08%
1.50	6.68%
1.60	5.48%
1.70	4.46%

① ㉠의 값이 ㉡의 값보다 크다.
② 회원 B의 팔굽혀펴기와 윗몸일으키기 기록은 모두 모집단의 상위 5.50%에 속한다.
③ 모집단에서 회원 B보다 팔굽혀펴기를 더 잘 하는 성인 남자의 비율은 6.68%이다.
④ 모집단에서 회원 B보다 윗몸일으키기를 더 잘하는 성인 남자의 비율은 2.40%이다.

정답 ③

다음과 같이 수정할 수 있다.
① ㉠의 값이 ㉡의 값보다 작다.
② 회원 B의 팔굽혀펴기와 윗몸일으키기 기록은 z-점수가 서로 다르다.
④ 모집단에서 회원 B보다 윗몸일으키기를 더 잘하는 성인 남자의 비율은 5.48%이다.

13. 다음 그래프는 남성 노인의 의자에앉았다일어서기 검사의 결과를 나타낸 것이다. 그래프에 대한 설명으로 옳은 것은?(단, 모든 연령 집단의 검사 결과는 정규분포를 가정함)

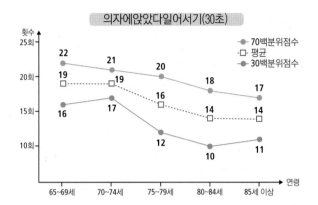

① 75~79세 측정대상자들 중 기록이 20회 이하인 비율은 70%이다.
② 기록이 19회인 67세와 71세 측정대상자들의 z-점수는 다르다.
③ 80~84세 집단과 85세 이상 집단에서 기록이 18회 이상인 측정대상자들의 비율은 같다.
④ 기록이 16회인 78세 측정대상자와 14회인 87세 측정대상자의 백분위 점수는 다르다.

> **정답 ①**
>
> ♪ **저자촌평** 이 문제는 평소 필자가 강조하는 정규분포를 그리면 쉽게 해결이 가능하다.
>
> 다음과 같이 수정할 수 있다.
> ② 기록이 19회인 67세와 71세 측정대상자들의 z-점수는 같다.
> ③ 80~84세 집단과 85세 이상 집단에서 기록이 18회 이상인 측정대상자 들의 비율은 다르다(전자의 비율이 높다).
> ④ 기록이 16회인 78세 측정대상자와 14회인 87세 측정대상자의 백분위 점수는 같다(모두 50%이다).
>
> 체육통계에 대해 이해가 가지 않은 수험생은 필자의 강의를 수강함으로써 쉽고 재미있게 답을 찾을 수 있을 것이다.

14. <보기>에서 피하지방 두께(X)로 체지방률(Y)을 예측하는 방정식을 선택할 때 고려해야 할 평가기준으로 바르게 묶인 것은?

> ─〈보기〉─
>
> ㉠ 방정식을 개발하는 데 대규모 표본(약 100명 이상)이 사용되었다.
> ㉡ 타당도 계수의 크기는 0.5를 초과한다.
> ㉢ 방정식을 개발할 때 활용했던 표본과 다른 표본에서 교차검증 되었다.
> ㉣ 예측변수(X)가 결과변수(Y) 변화량의 36% 이상을 설명한다.

① ㉠, ㉡   ② ㉠, ㉢   ③ ㉡, ㉢   ④ ㉢, ㉣

> **정답 ②**
>
> ♪ **저자촌평** 이 문제는 체육평가에 대해 심도있게 공부를 한 수험생이 해결 가능하다.
>
> ㉡ 타당도 계수의 크기는 0.8을 초과한다.

15. <보기>는 국민체력100의 체력인증시스템에 대한 설명이다. 괄호 안에 들어갈 용어로 바르게 묶인 것은?

> ─〈보기〉─
>
> • 체력을 3개 등급으로 분류하는 (㉠)를 실시한다.
> • 노인기 민첩성을 측정하기 위해 (㉡) 검사를 활용한다.

	㉠	㉡
①	절대평가	의자에앉았다일어서기
②	상대평가	의자에앉았다일어서기
③	준거지향평가	의자에앉아3m표적돌아오기
④	규준지향평가	의자에앉아3m표적돌아오기

> **정답 ④**
>
> ♪ **저자촌평** 이 문제는 필자가 예상문제에서 많이 강조한 문제가 그대로 출제된 문제이다.
>
> 국민체력100의 체력인증시스템은 상대평가이며, 노인기 민첩성의 측정은 미국은 2.44m이며, 한국형 노인체력검사의 경우 3m이다.

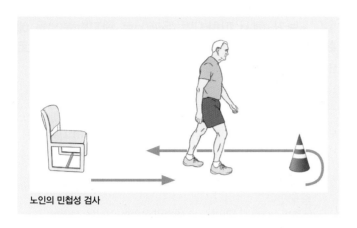

노인의 민첩성 검사

정답 ②

②는 다음과 같이 수정한다.
오래달리기 검사와 윗몸일으키기 검사 간 상관으로 판별의 관계를 확인하여 타당성을 검증한다.
심폐지구력과 근지구력의 관계는 서로 다른 구인을 측정하는 검사이기 때문에 낮은 상관을 나타내야 한다.

체육측정 및 체육통계에 대해 이해가 가지 않은 수험생은 자력으로 공부하기에 많은 시간과 교재가 필요하기 때문에 필자의 강의를 수강함으로써 빠르게, 쉽게 다가갈 수 있을 것이다.

16. 미국 노인체력검사(Senior Fitness Test : SFT)에 대한 설명으로 옳지 <u>않은</u> 것은?

① 의자에앉았다일어서기 검사를 할 때 참가자가 균형에 문제를 보이면 검사를 즉시 중단한다.
② 의자앉아앞으로굽히기 검사를 할 때 의자가 미끄러지지 않게 벽에 붙여 놓는다.
③ 공간과 날씨로 인해 6분걷기 검사를 할 수 없을 때 8자보행 검사를 실시한다.
④ 등뒤에서손잡기 검사 시 등 뒤에서 양손의 중지가 닿지 않는 측정대 상자의 기록은 음수(−)로 측정된다.

정답 ③

☺ **저자촌평** 필자가 평소 강의시간에 강조한 내용이다.
6분 걷기는 심폐능력, 8자 보행은 협응성 검사에 해당된다.

17. 심폐지구력 평가를 위한 오래달리기 검사의 타당도 검증 방법에 대한 설명으로 옳지 <u>않은</u> 것은?

① 준거타당성 검증을 위해서는 먼저 준거검사의 내용타당성을 확인한다.
② 오래달리기 검사와 윗몸일으키기 검사 간 상관으로 수렴의 관계를 확인하여 타당성을 검증한다.
③ 마라톤 선수 집단과 일반인 집단 간 오래달리기 검사의 차이를 통해 타당성을 검증한다.
④ 준거타당성 검증을 위해 오래달리기 검사와 운동부하검사로 측정된 VO₂max 간 상관을 분석한다.

18. 신체구성 평가를 위한 피하지방 두께 측정법에 대한 설명으로 옳지 <u>않은</u> 것은?

① 한 손으로 측정 부위를 잡고, 잡은 손가락에 가장 가까운 부위를 캘리퍼로 집는다.
② 측정 방식의 차이는 검사자 간 오차의 원인이 된다.
③ 운동 직후나 더운 환경에서는 가급적 피하지방 두께 측정법을 사용하지 않는다.
④ 피하지방 두께 측정의 정확성은 측정자의 기술과 측정기구의 종류에 의해 영향을 받는다.

정답 ①

부위마다 약간 다른 경우가 있지만 엄지와 집게 손가락을 사용해 표시된 위치에서 1㎝ 인접해 피부두겁을 집는다는 이론과 ㉠ 복부의 경우 배꼽 오른쪽 2㎝ 부위 수직으로잡고 측정, 삼두근 정면의 가운데 부위 1㎝ 위를 수직으로 잡고 측정, 남자 가슴의 경우 정면 겨드랑이와 젖꼭지 부위를 사선으로 잡고 측정한다.

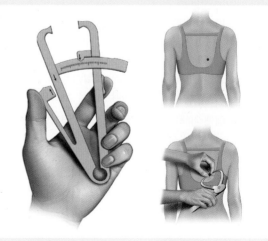

피하지방두께 측정

19. <보기>에서 성인을 대상으로 한 건강관련체력검사의 항목으로 바르게 묶인 것은?

〈보기〉

ⓒ 앉아윗몸앞으로굽히기로 유연성을 검사한다.
ⓒ 20m왕복오래달리기(PACER)로 심폐지구력을 검사한다.
ⓒ 사이드스텝테스트로 민첩성을 검사한다.
ⓒ 생체전기저항분석법(Bioelectrical Impedance Analysis : BIA)으로 신체구성을 검사한다.
ⓒ 제자리멀리뛰기로 순발력을 검사한다.

① ㉠, ㉡, ㉣   ② ㉡, ㉢, ㉤

③ ㉠, ㉢, ㉣   ④ ㉡, ㉣, ㉤

정답 ①

저자촌평 쉬운 문제이다. ㉢, ㉤은 운동관련 체력검사이다.

20. 신체활동량을 검사하는 방법에 대한 설명으로 옳은 것은?

① 일일기록지(diary)는 가속도계(accelerometer)보다 신체활동량의 측정 오차가 적다.
② 보행계수계(pedometer), 가속도계, 심박수계(heart rate monitor)를 활용한 검사는 객관적인 방법이다.
③ 신체활동 설문지는 가속도계보다 신체활동량을 정확하게 측정할 수 있다.
④ IPAQ(International Physical Activity Questionnaire) 신체활동 설문지로 측정한 자료는 대사당량(METs)과 열량(kcal)을 추정할 수 없다.

정답 ②

①, ③, ④는 반대로 기술하면 옳은 문장이 될 수 있다.

보충학습

① 신체활동을 측정하는 이유 : 활동이 식이나 체중에 영향을 끼치는 동안 질병과 간접적인 관련성 뿐만 아니라 신체활동과 질환과의 직접적 연관을 분석할 수 있고, 서로 다른 그룹에서 얻을 수 있는 다양한 변인들을 평가할 수 있기 때문이다.
② 주관적 방법 : 설문지, 일지
③ 객관적 방법 : 보수계, 가속계, 심박수계

운동역학의 정성적, 정량적 분석방법과 유사하며, 이에 대한 장 · 단점 및 특징 등의 상세한 해설은 필자의 강의를 통해서 학습이 가능하다.

운동처방론

01. <보기>의 ACSM 지침에서 건강한 일반인의 유연성운동에 대한 FITT-VP 설명으로 바르게 묶인 것은?

〈보기〉

㉠ 빈도(Frequency)와 강도(Intensity) : 주당 2~3일 이상, 약간의 불편함 정도
㉡ 시간(Time) : 대부분의 성인에서 10~30초간 스트레칭 권장
㉢ 형태(Type) : 각 대근육-힘줄군의 유연성 운동이 권장
㉣ 양(Volume) : 각 동작별로 총 150초를 수행
㉤ 점증(Progression) : 1주 간격으로 10% 정도 증가

① ㉠, ㉣, ㉤
② ㉠, ㉡, ㉢
③ ㉡, ㉣, ㉤
④ ㉢, ㉣, ㉤

정답 ②

ACSM 가이드라인을 참조하라.

다음과 같이 수정한다.
㉣ 양(Volume) : 각 동작별로 총 60초를 수행
㉤ 점증(Progression) : 최적의 점증방법은 없다.

02. ACSM에서 제시한 노인의 낙상을 예방하기 위한 일반적인 권장사항으로 옳지 <u>않은</u> 것은?

① 평형성, 민첩성, 고유수용성 트레이닝과 연계된 신경근 트레이닝이 주당 2~3일 권장된다.
② 체력이 낮은 노인은 초기 운동프로그램에서 유산소운동에 앞서 근력강화 활동이 권장된다.
③ 운동형태로 한발서기, 직선걷기, 발가락서기(toe stand), 태극권을 권장한다.
④ 인지능력이 감퇴된 노인들은 중강도의 신체활동이 제한된다.

정답 ②, ④

다음과 같이 수정한다.

② 체력이 낮은 노인은 초기 운동프로그램에서 유산소운동이 바탕이 된다.
④ 인지능력이 감퇴된 노인들은 중강도의 신체활동이 권장된다.

벽에서 가볍게 팔을 뻗을 정도로　의자나 테이블 등의 끝을 잡고 가볍게
떨어져 서서, 벽을 양손으로 민다.　무릎을 구부렸다 폈다 한다.

낙상을 예방하기 위한 운동

03. <보기>에서 운동과 급사에 대한 내용으로 바르게 묶인 것은?

〈보기〉

㉠ 젊은 사람들보다 나이든 사람에서 심근경색증의 발병률이 낮다.
㉡ 돌연사의 가장 보편적인 원인은 심근비대증, 관상동맥기형, 그리고 대동맥협착증과 같은 선천적이고 유전적인 기형이다.
㉢ 젊은 운동선수의 급사 원인은 터널화된 동맥(tunneled artery)을 포함한다.
㉣ 젊은 운동선수의 급사 원인으로 비대심장근육병증(심근비대증, hypertrophic cardiomyopathy)의 발병률은 낮다.
㉤ 가정중심의 심장재활프로그램은 센터중심에 비하여 심혈관 합병증의 발병률이 높기 때문에 반드시 의사의 감독 하에 운동을 해야 한다.

① ㉠, ㉡
② ㉡, ㉢
③ ㉢, ㉣
④ ㉣, ㉤

정답 ②

다음과 같이 수정할 수 있다.

㉠ 젊은 사람들보다 나이든 사람에서 심근경색증의 발병률이 높다.

㉣ 젊은 운동선수의 급사 원인으로 비대심장근육병증의 발병률은 높다.

㉤ 의사의 감독 하에 운동하는 것을 반드시 권장하되, 가정중심의 심장재활프로그램은 센터중심에 비하여 심혈관합병증의 발병률이 높지 않다.

합병증이 낮음에도 불구하고, 심혈관질환자들의 경우에는 응급상황에 대처하기 위해 의료적으로 준비되고 감독되는 상황에 대처하기 위해 감독되는 상황에서 검진을 받고 운동해야 한다.

젊은 선수들의 급사 위험에 대한 4가지 심혈관 이상 현상은 다음과 같다.

① 병적으로 커진 심장에서 나타나는 비후성 심근증
② 관상동맥의 선천적인 이상
③ 대동맥류
④ 대동맥판막의 선천적인 협착

몇몇 심장의 이상은 일반적 의학적 검사로 발견하기 어렵지만 그럼에도 불구하고 많은 의학적 검사가 갑작스런 사망 위험성을 가진 선수를 찾아내고 있다.

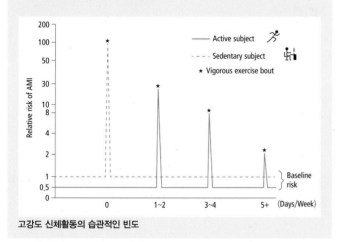

고강도 신체활동의 습관적인 빈도

04. <보기>의 여성은 제지방량을 유지하면서 체지방량을 감소시키기 위해 목표체지방률을 20%로 설정하였다. 이에 해당하는 목표체중은?

⟨보기⟩

나이 만 23세, 신장 158cm, 체중 60kg, 체지방률 30%

① 48.0kg   ② 49.5kg   ③ 51.0kg   ④ 52.5kg

정답 ④

저자촌평 이 문제 역시 필자의 예상문제집에서도 유사한 문제를 다룬 적이 있다.

아래와 같은 계산으로 쉽게 산출이 가능하다.

60kg X 0.7/1.0 - 0.2

05. <보기>의 운동에 의한 일주일간 총에너지소비량은?

⟨보기⟩

• 최대산소섭취량이 52.5㎖/kg/min인 70kg 남성
• 50% $\dot{V}O_2R$, 주당 5일의 빈도로 1일 20분간 유산소운동

(산소소비 1ℓ = 5kcal)

① 1,180kcal   ② 980kcal   ③ 919kcal   ④ 880kcal

정답 ②

저자촌평 이 문제 역시 필자의 예상문제집에서도 유사한 문제를 다룬 적이 있다.

총에너지소비량에 대한 공식을 활용하면 산출이 가능하다.
총에너지소비는 196 ℓ X 5 = 980kcal
상세한 계산내용은 박승화 건강운동관리사 강의에서 확인할 수 있다.

06. <보기>의 괄호 안에 들어갈 수치로 가장 바르게 묶인 것은?

⟨보기⟩

당뇨병환자의 운동처방과 관련된 ACSM의 최신 권장사항에서 유산소운동의 강도는 운동자각도 (㉠)(으)로 실시하고 운동 빈도는 주당 (㉡)일, 그리고 운동시간은 주당 최소 (㉢)분 이상 실시하도록 권장한다. 추가적인 이점을 위해서는 주당 300분 이상 (㉣)의 신체활동을 할 수 있다.

① ㉠ 11~13 ㉡ 3~5 ㉢ 120 ㉣ 저 · 중강도
② ㉠ 9~11 ㉡ 3~5 ㉢ 150 ㉣ 저 · 중강도
③ ㉠ 9~11 ㉡ 3~7 ㉢ 120 ㉣ 중 · 고강도
④ ㉠ 11~13 ㉡ 3~7 ㉢ 150 ㉣ 중 · 고강도

정답 ④

ACSM 가이드라인의 기준에 따르면 답을 찾을 수 있다.

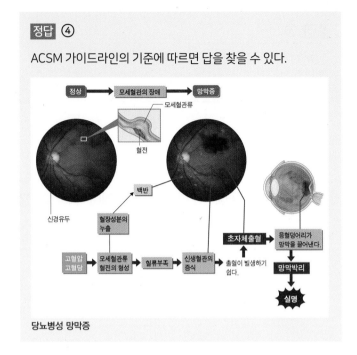

당뇨병성 망막증

07. 혈압약을 복용하는 고혈압 환자의 운동처방 시 고려사항으로 옳지 <u>않은</u> 것은?

① 베타차단제(β-blocker)는 최대산소섭취량을 감소시킬 수 있다.
② 베타차단제는 당뇨병 환자의 혈당치를 떨어뜨릴 수 있다.
③ 칼슘채널차단제(calcium channel blocker)는 체온을 감소시켜 혈관을 수축시킬 수 있다.
④ 알파차단제(α-blocker)는 운동실시 후 갑작스러운 혈압 감소를 일으킬 수 있다.

정답 ③

다음과 같이 수정해야 한다.

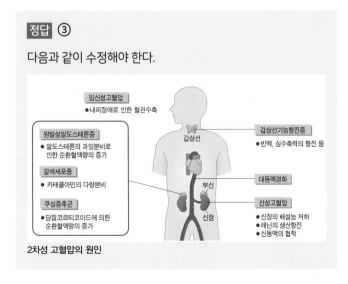

2차성 고혈압의 원인

칼슘채널차단제(calcium channel blocker)는 혈압을 감소시켜 혈관을 확장시킬 수 있다.
이러한 이유로 운동을 마칠 때 정리운동을 길게 해서 서서히 혈압과 심박수가 안정 시 수준까지 회복될 때까지 건운사들은 주의 깊게 관찰하고 정리운동 시간을 길게 해야 한다.

08. 체지방률이 30%인 중년 비만남성 A 씨의 최대산소섭취량은 40㎖/kg/min이다. 경사도 2%의 트레드밀 위에서 60% $\dot{V}O_2R$로 달리기운동을 하려고 한다. <보기>의 대사공식을 활용한 트레드밀 속도로 가장 가까운 것은?

—〈보기〉—
$$\dot{V}O_2 = 3.5 + (0.2 \times S) + (0.9 \times S \times G)$$

※ S : 속도(m/min), G : 경사도

① 약 5.0km/h   ② 약 5.5km/h
③ 약 6.0km/h   ④ 약 6.5km/h

정답 ③

♩ 저자촌평 이 문제 역시 시간에 쫓기는 많은 수험생들에게 결코 쉬운 문제는 아니었다.

본문의 체지방율은 체지방률로 바로 잡는다
[0.6 × 36.5/0.218]㎖/min = 6.03km/h이 계산된다.

09. 이상지질혈증에 대한 ACSM에서 제시하는 운동처방 시 고려사항으로 옳지 <u>않은</u> 것은?

① 중성지방 200㎎/㎗ 이상은 죽상경화성 심혈관질환의 위험요인이다.
② 스타틴(statin)계열의 약물은 치료에 효과적이지만 횡문근융해증의 위험성은 고려해야 한다.
③ 저항성운동과 유연성운동은 유산소운동보다 효과가 적다.
④ 유산소운동은 주당 250~300분을 유지해야 한다.

정답 ①

다음과 같이 수정해야 한다.
중성지방 → TC

죽상경화성 심혈관질환의 위험요인에 대한 상세한 내용은 박승화 건강운동관리사 강의에서 확인할 수 있다.

10. 다음 표에서 ACSM 지침에 의한 유산소운동 시 중등도 운동강도의 예측수준이 바르게 묶인 것은?

상대강도				최대운동능력(10METs)에 대한 상대강도	절대강도
%HRR	%VO₂R	%HRmax	운동자각도 (RPE)	%VO₂max	METs
(㉠)	(㉡)	64~76	(㉢)	46~63	(㉣)

	㉠	㉡	㉢	㉣
①	50~69	50~69	10~12	5.0~7.9
②	50~69	55~74	12~13	5.0~7.9
③	40~59	45~64	10~12	3.0~5.9
④	40~59	40~59	12~13	3.0~5.9

정답 ④

↳ 저자촌평 이 문제에서 절대강도는 연령을 제시했어야 좋은 문제라고 할 수 있다.

㉠ 상대강도 : 최대운동능력에 대한 상대강도
㉡ 절대강도 : 연령

FITT
중강도의 유산소 운동은 최소 5일/주당, 고강도 최소 3일/주당 하거나 또는 주중에 중·고강도 운동을 혼합하여 3~5일/주당 하는 것을 권장한다.

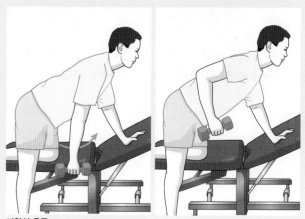

11. <보기>에서 ACSM이 제시한 저항성운동에 대한 권장사항으로 바르게 묶인 것은?

〈보기〉

㉠ 근지구력 향상을 위해 성인에게 1RM 50% 미만의 저항성운동을 권장한다.
㉡ 같은 대근육군은 최소 24시간의 간격을 두고, 주당 2~3일 운동을 권장한다.
㉢ 근력 향상을 위해 초보자는 1RM의 85%의 강도로 운동한다.
㉣ 대근육군을 이용하는 규칙적이고 의도적인 운동으로 지속적이고 율동적인 운동을 권장한다.
㉤ 뼈다공증(골다공증, osteoporosis) 환자에게 고강도 운동은 도움이 된다.
㉥ 단축성(구심성, concentric) 수축기에는 흡기를 하고 신장성(원심성, eccentric) 수축기에는 호기를 하여 발살바 매뉴버(Valsalva maneuver)를 피한다.

① ㉠, ㉣, ㉤　　　　② ㉠, ㉢, ㉤
③ ㉡, ㉣, ㉥　　　　④ ㉡, ㉢, ㉤

정답 ①

↳ 저자촌평 이 문제는 웨이트트레이닝을 하는 수험생이면 쉽게 해결할 수 있는 문제라고 할 수 있다.

다음과 같이 수정해야 한다.
㉡ 다른 대근육군은 최소 48시간의 간격을 두고, 주당 2~3일 운동을 권장한다.
㉢ 근력 향상을 위해 초보자는 1RM의 60~70%의 강도로 운동한다.
㉥ 단축성(구심성, concentric) 수축기에는 호기를 하고 신장성(원심성, eccentric) 수축기에는 흡기를 하여 발살바 매뉴버(Valsalvamaneuver)를 피한다.

저항성 운동

12. <보기>의 ACSM 지침에서 신장질환자의 운동프로그램으로 옳지 <u>않은</u> 것으로 묶인 것은?

─〈보기〉─

ㄱ 유산소운동 : 주당 3~5일, 40~59% VO₂R, 일일 20~60분
ㄴ 유산소운동 : 혈액투석의 경우 심박수로 운동강도를 모니터링
ㄷ 유산소운동 : (초기단계) 10~15분의 저강도로 짧은 운동시간을 고려
ㄹ 유산소운동 : (초기단계) 지속적으로 30분 이상 운동할 수 있을 때 운동강도를 증가
ㅁ 저항성운동 : 50~60%1RM, 15~20회의 반복, 주당 3~5일
ㅂ 유연성운동 : 정적스트레칭은 30초의 운동시간, PNF스트레칭은 최대수의수축의 20~75% 강도

① ㄴ, ㅁ   ② ㄹ, ㅂ
③ ㄱ, ㄷ   ④ ㄷ, ㅂ

정답 ①

↳ **저자촌평** 이 문제는 공부를 심도있게 한 수험생이 해결할 수 있는 문제이다.

다음과 같이 수정해야 한다.

ㄴ 유산소운동 : 혈액투석의 경우 운동자각도로 운동강도를 모니터링

ㅁ 저항성운동 : 65~75%, 3RM의 검사로 1RM 추정, 10~15회의 반복, 주당 2~3일

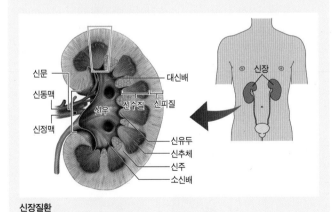

신장질환

13. <보기>에서 ACSM이 권장하는 천식에 대한 운동프로그램으로 옳지 <u>않은</u> 것은?

─〈보기〉─

ㄱ 경증에서 중증의 천식환자도 필요에 따라 유산소운동을 할 수 있다.
ㄴ 비선택적 베타차단제(non selected β-blocker)는 급성기관지 수축 완화의 효과가 있어 추천된다.
ㄷ 수영은 다른 운동에 비해 천식 유발이 낮기 때문에 선호하는 운동이다.
ㄹ 권장되는 운동강도는 VO₂max의 최소 50~60% 또는 6분걷기검사로 측정된 최대걷기 속도의 70%이다.
ㅁ 저항성운동을 위한 운동처방은 만성폐쇄성폐질환 환자를 위한 FITT 원칙을 따른다.

① ㄱ, ㄴ, ㄷ   ② ㄴ, ㄹ, ㅁ
③ ㄷ, ㄹ, ㅁ   ④ ㄱ, ㄹ, ㅁ

정답 ②

↳ **저자촌평** 이 문제의 ㅁ같은 문장의 경우 모호성이 있어서 좋은 문항이라고 할 수 없다.

다음과 같이 수정해야 한다.

ㄴ 비선택적 베타차단제(non selected β-blocker)는 COPD 및 천식환자에게 추천되지 않는다.

ㄹ 권장되는 운동강도는 VO₂max의 최소 40~59% 또는 다른 검사장비가 불가능한 경우 6분걷기검사가 중등도에서 심한 상태의 지속적 천식환자의 측정에 사용될 수 있다.

ㅁ 저항성운동을 위한 운동처방은 만성폐쇄성폐질환 환자를 위한 FITT 원칙과 유사하다.

필자가 확인한 ACSM 가이드라인에 따르면 천식환자와 COPD 환자의 저항성 운동의 FITT 원칙은 같으나 천식환자에게는 근지구력 처방이 따로 없다.

ㅁ의 문장은 정확하게 분석할 필요가 요구된다.

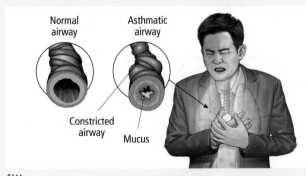

천식

14. ACSM에서 제시한 과체중 또는 비만인의 체중감량을 위한 운동처방 시 권장 및 고려사항으로 옳은 것은?

① 고강도 유산소운동은 제한한다.
② 장기간 체중감소를 목표로 초기체중의 10%를 매월 감량하도록 한다.
③ 중강도 유산소운동을 하루에 최소 30분 실시하며 주당 150분부터 300분까지 권장한다.
④ 건강한 체중감량을 위하여 중강도 유산소운동과 함께 단백질을 체중 1㎏ 당 5g 섭취하도록 권장한다.

정답 ③

다음과 같이 수정할 수 있다.
① 초기 운동강도는 중강도로, 보다 많은 건강 이점을 위해서는 고강도 유산소운동(VO₂max 60% 이상)으로 진행한다.
② 3~6개월 동안 적어도 초기 체중의 3~10% 체중의 최소 감소를 목표로 한다.
④ 건강한 체중감량을 위하여 중강도 유산소운동과 함께 단백질을 체중 1㎏ 당 1g(운동을 꾸준히 하는 사람의 경우 1.5~2g) 섭취하도록 권장한다.

📖 보충학습
건강한 체중감량을 위하여 주당 500~1,000kcal의 감소가 적당하며 감소된 섭취열량은 식이지방 섭취량의 감소와 병행되어야 한다.

15. 당뇨병 환자를 위한 운동 시 권장사항으로 옳지 않은 것은?

① 인슐린의존형의 경우에는 저혈당증을 피하기 위하여 인슐린의 용량을 줄이고 운동을 실시한다.
② 망막증을 동반하는 경우에는 팔을 머리위로 들어 올리는 저항성 운동은 삼간다.
③ 자율신경계 손상이 동반된 경우에는 운동자각도(RPE)보다 심박수의 정보를 활용한다.
④ 말초신경장애를 동반하는 경우에는 과도한 균형감각이 요구되는 운동은 삼간다.

정답 ③

✍ 저자촌평 이 문제는 생각보다 쉬운 문제이다.

③ 자율신경계 손상이 동반된 경우에는 심박수보다 운동자각도(RPE)의 정보를 활용한다.

16. 만성폐쇄성폐질환자(COPD)의 운동처방 시 고려사항으로 옳지 않은 것은?

① 저항성운동은 근기능이상을 해결하기 위한 가장 효과적인 방법으로 필수요소가 되어야 한다.
② 저항성운동은 고령자를 위한 운동처방의 FITT 원칙을 동일하게 적용한다.
③ 운동 중 산소보충은 동맥산소분압(PaO₂)이 55㎜Hg 이하 또는 동맥혈산소포화도(SaO₂)가 88% 이하일 때 적용된다.
④ 흡기근 운동의 강도는 최대흡기량의 50~85%로 설정하여 주당 3~5일의 빈도로 실시한다.

정답 ①, ②, ④

①, ②는 쉬운 문장이며, ④는 다음과 같이 수정한다.

흡기근 운동의 강도는 명확한 지침이 없지만 최대흡기량의 30%로 설정하여 주당 3~5일의 빈도로 권장된다.

입을 다물고 가볍게 숨을 들이마시고

입을 오므리고 천천히 조금씩 숨을 내쉰다.

COPD환자의 구강호흡법

2018

17. <보기>에서 심혈관질환자의 장기간 유산소운동에 따른 생리적 효과로 옳지 <u>않은</u> 것은?

〈보기〉

ㄱ 심근허혈 역치의 증가
ㄴ 동일한 최대하운동강도에서 심근부담률 증가
ㄷ 동일한 최대하운동강도에서 이완기혈압의 증가
ㄹ 운동 시 동정맥산소차(a-VO₂ diff.)의 감소
ㅁ 심박수변동부전(chronotropic incompetence)자의 운동 시 심박수의 빠른 증가

① ㄱ, ㄴ, ㄷ
② ㄴ, ㄷ, ㄹ
③ ㄷ, ㄹ, ㅁ
④ ㄱ, ㄹ, ㅁ

정답 ②

↳저자촌평 쉬운 문제이다.

다음과 같이 수정할 수 있다.
ㄴ 동일한 최대하운동강도에서 심근부담률 감소
ㄷ 동일한 최대하운동강도에서 이완기혈압의 감소
ㄹ 운동 시 동정맥산소차(a-VO₂ diff.)의 증가

18. <보기>의 ACSM 지침에서 임신 중 운동 실시에 대한 절대적 금기 사항으로 바르게 묶인 것은?

〈보기〉

ㄱ 임신 2~3기의 지속적인 자궁강 출혈
ㄴ 조절되지 않는 제1형 당뇨병
ㄷ 극단적인 체중 미달
ㄹ 임신성 고혈압
ㅁ 정형외과적 제한
ㅂ 혈역학적(hemodynamic)으로 위험한 심장병

① ㄱ, ㄹ, ㅂ
② ㄱ, ㄷ, ㅁ
③ ㄴ, ㄹ, ㅂ
④ ㄴ, ㄷ, ㅁ

정답 ①

↳저자촌평 약방의 감초같은 여차하면 출제되는 문제이다.

ACSM 가이드라인을 본 교재에 꼼꼼하게 제시하였으니 참조하기 바란다.

19. 어린이와 청소년을 위한 운동검사와 처방의 방법으로 옳지 <u>않은</u> 것은?

① 과체중의 경우 고강도의 신체활동은 제한한다.
② 정확한 운동검사를 위하여 대상자에게 동기부여와 격려를 한다.
③ 자전거에르고미터 뿐만 아니라 트레드밀 검사의 적용도 무방하다.
④ 성인의 표준 운동검사를 적용한다.

정답 ①

다음과 같이 수정할 수 있다.
① 과체중의 경우 중강도에서 운동을 시작해야 하며, 일일 1시간 이상 수행할 수 있는 목적을 달성하기 위해서는 빈도와 시간을 점진적으로 증가시키고, 고강도의 신체활동은 최소한 3일/주당 점진적으로 증가시키도록 권장한다.

20. <보기>에서 운동처방 시 대상자의 상황에 따른 대처로 옳지 <u>않은</u> 것은?

〈보기〉

㉠ 임산부에게 운동 중 근 위축, 종아리 통증 및 부종이 나타나면 운동강도를 감소시킨다.
㉡ 심혈관질환 입원환자가 운동에 의한 징후와 무관하게 현저한 심실 부정맥 발생 시 운동을 중단한다.
㉢ 운동 중 허혈진단 병력이 있는 사람들의 운동강도는 허혈역치보다 낮게 설정한다.
㉣ 당뇨병환자의 혈당이 300mg/dℓ로 측정되더라도 케톤증이 나타나지 않으면 운동은 저강도로 실시한다.

---

① ㉠, ㉢   ② ㉠, ㉣
③ ㉡, ㉢   ④ ㉡, ㉣

정답 ②

🏃 저자촌평 이 문제는 깊게 공부하지 않으면 답을 쉽게 고르기 어려운 문제이다.

다음과 같이 수정할 수 있다.

㉠ 임산부에게 운동 중 근 위축, 종아리 통증 및 부종이 나타나면 운동을 중단해야 한다.
㉣ 당뇨병환자의 혈당이 300mg/dℓ로 측정되더라도 케톤증이 나타나지 않으면 운동은 중강도까지 할 수 있다. 하지만 고강도 운동은 제한하며, 혈당검사를 자주 해야 한다.

임산부가 금지해야 하는 운동과, 어떤 증세의 경우 제외하는지에 대한 상세한 내용은 박승화 건강운동관리사 강의에서 확인할 수 있다.

2018

운동부하검사

01. 노인의 운동부하검사와 관련된 사항으로 옳은 것은?

① 트레드밀검사에서 손잡이를 잡고 검사가 수행되면 운동능력을 예측하는데 정확성이 감소하므로 허용해서는 안 된다.

② 평형성과 근신경 협응이 저조하고 시력손상 및 체중부하운동에 제한이 있을 경우 트레드밀 검사보다 자전거 에르고미터를 이용한 검사가 권장된다.

③ 트레드밀을 이용한 검사에서 운동강도의 조절은 경사보다 속도 위주로 증가시키는 것이 적합하다.

④ 운동부하 심전도 반응은 젊은이에 비해 관상동맥질환의 진단 시 민감도가 낮고 특이도가 높다.

정답 ②

♪ 저자촌평 필자가 예상문제에서 다루었던 문제이다.

다음과 같이 수정할 수 있다.

① 트레드밀검사에서 손잡이를 잡고 검사가 수행되면 운동능력을 예측하는데 정확성이 감소하지만 허용할 필요가 있다.

③ 트레드밀을 이용한 검사에서 운동강도의 조절은 속도보다 경사위주로 증가시키는 것이 적합하다.

④ 운동부하 심전도 반응은 젊은이에 비해 관상동맥질환의 진단 시 민감도는 높고 특이도는 낮다.

①의 경우 평형성과 근력이 저조하고, 신경근협응력이 떨어지며, 검사에 대한 공포심이 있을 경우 허용하도록 권장된다.

02. 심혈관 질환자 위험분류기준(미국심폐재활학회 : AACVPR)에서 중위험군에 대한 설명으로 옳은 것은?

① 안정 시 구출률이 50% 이상인 사람

② 운동부하검사에서 복합성 심실부정맥이 없는 사람

③ 합병증이 없는 심근경색증이 있거나 혹은 혈관성형술을 받은 사람

④ 운동부하검사에서 중간 정도 수준의 무증상 허혈을 보인 사람(2㎜ 미만의 ST분절 하강)

정답 ④

①과 ③은 저위험군이며, ②는 쉽게 고를 수 있는 문장이다.

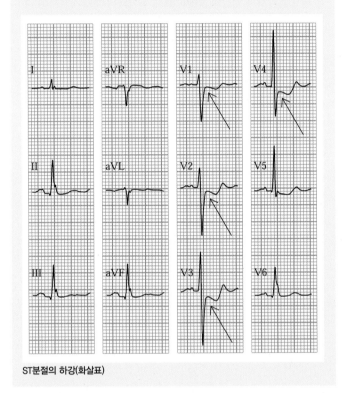

ST분절의 하강(화살표)

03. ACSM에 따른 질환별 운동검사에 대한 설명으로 옳은 것은?

① 다발성경화증 환자의 운동검사 시기는 오후가 권장된다.

② 암환자의 증상제한 및 최대운동검사 시 의사의 감독은 반드시 필요하다.

③ 말초동맥질환자는 운동검사를 마친 후 누운 상태로 15분 이상 휴식을 취하도록 한다.

④ 천식환자의 운동검사에서 동맥혈산소포화도(SaO2)가 80% 이하이면 절대적 중단사유에 해당한다.

정답 ③

♪ 저자촌평 이 문제는 공부를 심도있게 해야 해결 가능한 문제
이다.

다음과 같이 수정할 수 있다.
① 다발성경화증 환자의 운동검사 시기는 오전이 권장된다.
② 암환자의 증상제한 및 최대운동검사 시 의사의 감독은 암환
자라고 필요하다는 근거는 없다.
④ 천식환자의 운동검사에서 산화헤모글로빈 포화도가 80% 이
하이면 상대적 중단사유에 해당한다.

04. <보기>에서 운동부하검사 시 상대적 중단기준으
로 옳은 것은?

─〈보기〉─

㉠ 호흡곤란, 숨소리가 쌕쌕거림, 파행
㉡ 과도한 ST분절 하강(2mm 이상, 수평 또는 하향의 ST분절)
㉢ 청색증이나 창백 같은 관류부족 징후
㉣ 지속되는 심실성 빈맥
㉤ 협심증의 표준척도가 3에 해당하는 증상

① ㉠, ㉡   ② ㉠, ㉢   ③ ㉡, ㉣   ④ ㉡, ㉤

정답 ①

♪ 저자촌평 약방의 감초같은 여차하면 출제되는 문제이다.

ACSM 가이드라인을 본 교재에 꼼꼼하게 제시하였으니 참조하
기 바란다.

05. <보기>에 관한 설명으로 옳지 <u>않은</u> 것은?

─〈보기〉─

최근에 급성 심근경색으로 스텐트시술을 받은 김○○ 씨(67세)
는 외래환자 심장재활프로그램에 규칙적으로 참여하고 있다.
정기적인 체력검사와 예후를 판단하기 위하여 노턴 프로토콜
(Naughton protocol)을 이용한 운동부하검사 시행 중 3단계에서
메스꺼움과 가슴의 답답함을 호소하여 즉시 검사를 중단 후 다
음과 같은 심전도를 출력하였다.

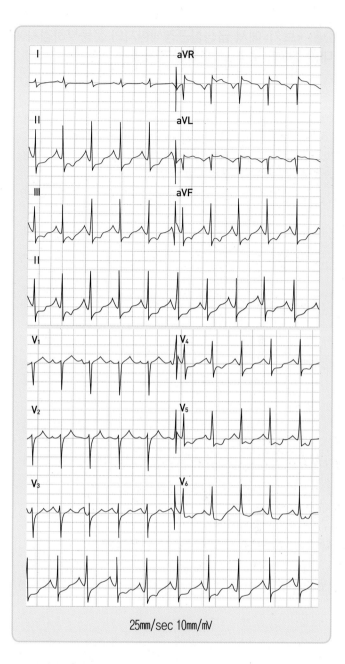

25mm/sec 10mm/mV

① 심박수는 대략 120회로 동성리듬이다.
② 운동검사의 상대적 중단기준에 해당한다.
③ 가슴의 증상을 완화시키기 위해 에피네프린(epinephrine)
을 투여한다.
④ 심근의 허혈을 의미한다.

정답 ③

♪ 저자촌평 이 문제는 본 교육원의 강의를 통해서 확인하기 바
란다.

06. <보기>에서 급성심근경색환자의 운동부하검사에 대한 설명으로 바르게 묶인 것은?

〈보기〉

㉠ 최대하 운동부하검사는 ST분절상승심근경색 환자에게 합병증이 없으면 발병직후 24시간 안에 실시할 수 있다.
㉡ ST분절상승심근경색 직후 합병증이 없으면 5일 이후 증상제한 운동부하검사를 실시할 수 있다.
㉢ 8METs 이상의 높은 강도에 도달해도 의미있는 허혈성 ST분절 하강이 있다면 예후가 좋지 않다.
㉣ 5METs 이하의 기능적 능력을 보이는 경우에는 예후가 좋지 않다.

① ㉠, ㉡   ② ㉠, ㉢   ③ ㉡, ㉢   ④ ㉡, ㉣

정답 ④

저자촌평 이 문제는 공부를 심도있게 해야 해결 가능한 문제이다.

㉠ 최대하 운동부하검사는 ST분절상승 심근경색 환자에게 합병증이 없으면 발병직후 5일 후에 실시할 수 있다.
㉢ 4METs(3~5.9) 정도의 중간강도에서 ST분절의 하향을 보이게 되면 판단하기 어렵다.

07. 다음 표의 운동부하검사 프로토콜은?

단계(stage)	속도(mph)	경사도(grade, %)	시간(min)	대사당량(METs)
1	1.7	0	3	3
2	1.7	5	3	4
3	1.7	10	3	5
4	2.5	12	3	7
5	3.4	14	3	10
6	4.2	16	3	13
7	5.0	18	3	15

① 수정된 브루스 프로토콜(Modified Bruce protocol)
② 노턴 프로토콜(Naughton protocol)
③ 수정된 발케 프로토콜(Modified Balke protocol)
④ 엘리스타드 프로토콜(Elestad protocol)

정답 ①

저자촌평 이 문제는 본 교재의 앞 부분을 참조하기 바란다. 강의시간에 모든 프로토콜을 공부하고 있다.

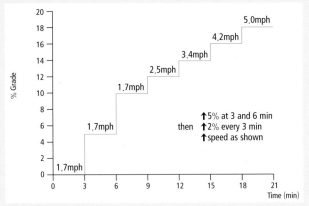

Modified Bruce protocol

변형된 Bruce 계획안은 Bruce 계획안보다 위험성이 높은 사람과 노인에게 더욱 적합하다.

08. 운동부하검사에서 심혈관질환의 민감도에 대한 설명으로 옳지 <u>않은</u> 것은?

① 민감도는 허혈성 심혈관질환자를 양성이라고 진단할 수 있는 비율을 의미한다.
② 운동부하검사 심전도의 민감도는 혈관조영술로 최소 1개의 혈관에서 70% 이상 협착이 발견된 것을 근거로 한다.
③ 베타차단제, 질산염(nitrate), 칼슘채널차단제는 민감도를 높인다.
④ 좌심실비대, 좌각차단, 조기흥분증후군 등에서 나타나는 ST분절의 변화는 해석이 어렵다.

정답 ③

다음과 같이 수정할 수 있다.
베타차단제, 질산염(nitrate), 칼슘채널차단제는 민감도를 떨어뜨린다.

09. 운동부하검사가 불가능한 환자들은 약물부하검사를 받을 수 있다. 심박수를 상승시켜 심근산소요구량의 증가로 심근벽의 운동장애를 파악할 수 있는 약물로 옳은 것은?

① 도부타민(dobutamine)

② 디피리다몰(dipyridamole)

③ 아데노신(adenosine)

④ 아스피린(aspirin, acetylsalicylic acid)

정답 ①

🕯️저자촌평 이 문제는 공부를 심도있게 해야 해결이 가능하다.

도부타민은 교감신경작용제이다. 정맥 내 도부타민, 베타안드로제닉 등의 촉진 약물이 운동을 할 수 없는 환자들에게 대체 약물로 제공되어 심근의 수축력과 심박수를 증가시킨다. 디피리다몰(dipyridamole), 아데노신(adenosine)과는 달리 도부타민은 산소공급과 요구의 불균형을 만들어냄으로써 운동반응처럼 유사한 반응을 일으킨다. β1 작용이 가장 세며, β2 작용이 중간정도이고, α1 작용은 미미하다. 심장 박동의 출력을 단기적으로 증가시키기 위하여 쓰는 교감 신경 흥분제. 부작용으로 고혈압, 협심증, 두통, 흉통 따위가 나타나기도 한다.

④는 진통제이자 혈전예방약이다.

그 외의 약물들이 효과나 반응에 대해서는 필자의 강의를 수강함으로써 빠르게, 쉽게 다가갈 수 있을 것이다.

---

10. 심부전과 일부 부정맥에 사용되는 치료제 중 QT간격의 감소, ST분절 하강의 심전도 양상을 나타내는 것은?

① 베타차단제(β-blocker)

② 강심제(digitalis)

③ 항콜린성작용제(anticholinergics)

④ 칼슘채널차단제(calcium channel blocker)

정답 ②

강심제란 약하거나 불완전한 심장의 기능을 정상으로 돌이키는 데 쓰이는 약제를 말한다.

심장에 직접 작용하여 그 수축력을 강화하는 약물의 총칭. 여러 가지 원인에 의한 심박출량의 감소로부터 일어나는 호흡곤란,

청색증, 부종을 주요증상으로 하는 울혈성 심부전의 치료에 주로 이용된다. 크산틴유도체(테오피린 등), 강심배당체(디기탈리스)가 그 대표적인 것이다.

digitalis를 투여할 경우 ST분절의 하강을 보일 수 있다.

①은 심근 수축력과 심장 박동수를 감소시키는 약물

③은 부교감신경 말단에서 분비되는 신경전달 물질인 아세틸콜린의 무스카린 작용을 방해하는 약물

④는 혈관과 심장근육이 수축하는 데 필요한 칼슘의 이동을 막아주어 혈관을 확장시키고 심장박동 속도와 심장박동력을 줄이는 약물

---

11. 안정 시 심전도에서 각 파형의 정상범위로 옳지 <u>않은</u> 것은?

① P파 : 0.12초 미만

② PR간격 : 0.12 ~ 0.20초

③ QRS군 : 0.20초 초과

④ RR간격 : 0.6 ~ 1.0초

정답 ③

교재마다 약간씩의 차이가 있지만 다음과 같이 수정한다.

③ QRS군 : 0.06(0.07)~0.11(작은 사각형 2.5개 미만)

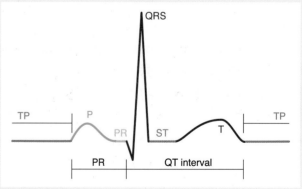

기본적인 심전도 구성

2018

12. 심폐운동검사(cardiopulmonary exercise test) 전과 후의 1초율(FEV$_{1.0}$/FVC) 측정을 통해 운동유발성 기관지경련(bronchospasm)을 예측할 수 있는 감소 기준치는?

① 5% 이상   ② 10% 이상   ③ 15% 이상   ④ 20% 이상

정답 ③

저자촌평 이 문제는 공부를 심도있게 해야 해결이 가능하다.

진단기준은 다르지만 15% 이상 감소하는 것이 더 높은 특수성을 나타내기 때문에 이를 진단기준으로하고 있다.

운동유발성 기관지경련에 대한 상세한 내용은 필자의 강의를 통해서 더 다가갈 수 있다.

사이클 운동

13. 폐질환자의 운동검사에서 안정 시 동맥혈산소포화도(SaO$_2$)가 95%일 때, 운동 중에 운동유발성 저산소증으로 판단할 수 있는 기점이 되는 산소 포화도로 옳은 것은?

① 92%   ② 90%   ③ 88%   ④ 80%

정답 ②

저자촌평 이 문제는 운동유발성 저산소증의 절대적 감소치를 묻는 문제이다. 공부를 심도있게 해야 해결이 가능하다.

저산소증은 호흡기능의 장애로 숨쉬기가 곤란하여 체내 산소 분압이 떨어진 상태로 동맥혈 가스검사를 시행했을 때 산소 분압이 60mmHg 미만이거나 산소 포화도가 90% 미만일 경우를 의미한다.

동맥혈의 산소분압이 낮은 것을 저산소증이라고 하는데 환기량 및 관류비율의 부조화, 제한된 확산이 그 원인이다.

③은 보조 산소장치를 사용하는 환자의 경우에 해당된다.

14. 운동부하검사 시 수축기혈압에 대한 임상적 의의에 대한 설명으로 옳은 것은?

① 여성은 최대수축기 혈압이 190mmHg 이상이면 과도한 혈압반응이다.
② 250mmHg 이상 증가하면 절대적 중단기준이기 때문에 의사의 지시와 상관없이 반드시 중단해야한다.
③ 운동성 저혈압(혈압증가가 없거나 10mmHg 이상 하강하는 경우)은 갑상선기능 저하의 예후와 관련 있다.
④ 최대수축기 혈압이 160mmHg 이하부터 예후가 좋지 않다.

정답 ①

저자촌평 이 문제 역시 공부를 심도있게 해야 해결이 가능하다.

② 250mmHg 이상 증가하면 상대적 중단기준이며, 검사를 중단해야한다.
③ 운동성 저혈압(혈압증가가 없거나 10mmHg 이상 하강하는 경우)은 심근허혈, 좌심실부전과 관련이 있다.
④ 최대수축기 혈압이 140mmHg 이하부터 예후가 좋지 않다.

15. 운동부하검사의 가음성(false negative) 결과의 원인으로 옳지 <u>않은</u> 것은?

① 심혈관질환이 존재하지만 측부순환에 의해 관류기능이 보상된 경우
② 허혈역치에 도달하지 못한 경우
③ 심전도의 변화를 포착하기에 불충분한 리드(lead)를 사용한 경우
④ 나이에 따른 최대 예측심박수에 도달한 경우

정답 ④

④는 진음성에 해당된다고 할 수 있다.

가음성에 해당하는 그 외 항목은 필자의 강의를 수강함으로써 빠르게, 쉽게 다가갈 수 있을 것이다.

16. <보기>에서 저항성 운동과 저항성 운동부하검사의 절대적 금기사항으로 바르게 묶인 것은?

〈보기〉
㉠ 보상(조절)되지 않는 심부전
㉡ 4METs 미만의 낮은 운동능력
㉢ 대동맥박리
㉣ 조절되지 않는 고혈압(160/100mmHg 초과)
㉤ 이식형 심박조율기를 착용한 사람

① ㉠, ㉤   ② ㉠, ㉢   ③ ㉡, ㉣   ④ ㉡, ㉤

정답 ②

저자촌평 이 문제는 꾸준히 매해마다 출제되는 내용이다.

17. 운동부하검사 시 심박수와 관련된 설명 중 옳지 <u>않은</u> 것은?

① 심박수변동부전(chronotropic incompetence)은 최대심박수가 연령 예측 최대심박수의 85% 미만일 경우에 해당한다.
② 혈액투석 신장질환자의 최대심박수는 연령예측 최대심박수의 약 75% 수준이다.
③ 운동부하검사 종료 후 활동적인 휴식 시 초기 1분 동안의 심박수 감소가 12회 이하이면 비정상으로 분류한다.
④ 다운증후군이 아닌 지적장애인의 최대심박수 예측은 일반적으로 '220-연령'의 공식이 사용된다.

정답 ④

저자촌평 이 문제는 꾸준히 매해마다 출제되는 내용이다.

다운증후군에서는 ④ 다운증후군에서는 일반적으로 사용되는 최대심박수 예측의 공식(220-연령)을 사용해서는 안 된다.

상세한 내용은 필자의 강의를 통해서 빠르게, 쉽게 다가갈 수 있을 것이다.

18. <보기>는 심근경색으로 퇴원한 환자의 운동부하검사 결과이다. 이 내용에 대한 설명으로 옳지 <u>않은</u> 것은?

〈보기〉
〈과거력 및 의학적 정보〉
• 남성(55세)으로 30년간 흡연 경력, 최근 심근경색으로 관상동맥 성형술을 받음
• 약물복용 : 베타차단제(β-blocker), 혈관확장제(vasodilator), 항응고제(anticoagulant), 안지오텐신변환효소억제제(angiotensin converting enzyme inhibitor)를 복용 중
• 좌심실 구출률(ejection fraction : EF) : 35%

〈운동부하검사 결과〉
• 도달시간 : 수정된 브루스 프로토콜 4단계(10분 23초)
• 안정 시 심박수 : 60회/분
• 최대심박수 : 120회/분
• 안정 시 혈압 : 130/80mmHg
• 최대혈압 : 215/90mmHg
• ST분절의 변화 : 없음
• 흉통 : 없음
• 운동자각도(RPE) 최고치 : 17(매우 힘들다)
• 검사중단요인 : 증상제한(호흡곤란)
• VO2peak : 15㎖/kg/min

① 좌심실 구출률이 35%이기 때문에 고위험군이다.
② 수축기 혈압이 210mmHg 이상 증가하여 과도한 혈압상승
이다.
③ VO₂peak가 15㎖/kg/min로 예후가 좋지 않다.
④ 최대심박수가 120회/분이기 때문에 심박수변동부전
(chronotropic incompetence)으로 진단된다.

정답 ④

↳ 저자촌평 이 문제는 까다로운 운동부하 검사과목의 문제 중
상위수준의 내용이다.

제시된 심박수가 연령기반에 도달하지 못하기 때문에 심박수변
동부전의 징후와 이환율이나 사망률의 증가와 독립적이다.

나머지 항목의 관련 내용은 필자의 강의를 통해서 전달할 수 있
을 것이다.

19. 운동부하검사 시 <보기>의 심전도에 대한 설명으로 옳지 않은 것은?

─〈보기〉─

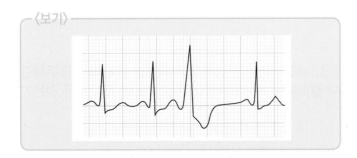

① 규칙적으로 운동을 실시하는 건강한 성인에게도 나타날
수 있다.
② 조기심실수축의 빈도나 복잡성이 증가하면 심근경색을
의미한다.
③ 심실기능상실 증상이 없는 사람들에게서 운동 중보다
회복기에 많이 나타날 수 있다.
④ 조기심실수축이 연속적으로 지속되거나, 다원성으로 나
타날 경우 운동중단의 기준이 된다.

정답 ②

↳ 저자촌평 이 문제 역시 5번과 더불어 본 교육원의 강의를 통
해서 확인하기 바란다.

20. 운동부하검사 중 ST분절 하강에 대한 설명으로 옳지 않은 것은?

① 검사 직후 회복기에 의미있는 하강이 있을 경우에도 심
근허혈의 징후이다.
② 수평으로 1㎜ 이상이거나 J점 이후 80msec 지점에서 하
향경사를 나타내면 심근허혈의 강력한 징후이다.
③ ST분절의 의미있는 하강 리드(lead)가 많을수록 심각한
질환이며, 하강된 리드로 허혈부위를 명확하게 판단할
수 있다.
④ ST분절 하강에서 하향경사(downsloping)는 상향경사
(upsloping)보다 명확한 심근허혈의 지표이다.

정답 ③

허혈은 보통 ST분절 하강의 정도, 비정상유도 수, 그리고 회복기
에 ST분절 하강의 기간 등에 비례한다.

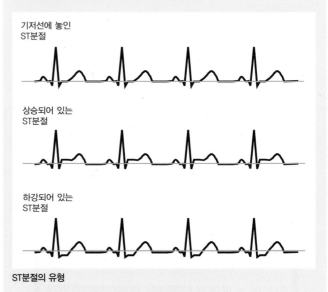

ST분절의 유형

건강운동관리사
필기시험
2교시

2018

건강운동관리사

운동상해

01. 큰돌기(대전자, greater trochanter)의 윤활주머니염(trochanteric bursitis)에 관한 내용으로 옳지 **않은** 것은?

① 통증은 무릎까지 전이 될 수 있다.
② Q-각 증가 또는 다리길이가 불일치 할 경우 발생빈도가 높다.
③ 주로 엉덩관절 안쪽면에서 통증을 호소한다.
④ 남자달리기 선수보다 여자달리기 선수에게 많이 발생한다.

정답 ③

무리한 운동으로 대전자 주변의 힘줄과 인대들이 대전자를 스쳐 지나면서 점액낭이 붓고 염증이 생겨 발생하는 통증을 말한다.

다음과 같이 수정할 수 있다.
③ 통증은 주로 엉덩이나 허벅지 옆(외측)으로 뻗쳐나간다.

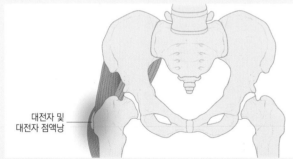

대전자 및
대전자 점액낭

대전자 통증

통증부위는 주로 엉치부위지만 허리아래 혹은 종아리, 발등까지 연장되기도 하여 디스크질환과 혼돈을 일으킬 수도 있다. 통증은 보통 한쪽만 느껴지며 환측의 부위에 체중이 실리거나 압력이 가해질 때 발생한다.

통증의 호발부위

02. 손목굴증후군(carpal tunnel syndrome)과 관련된 이학적 검사로 바르게 묶인 것은?

① 설커스(Sulcus) 검사－왓슨(Watson) 검사
② 팰런(Phalen) 검사－티넬(Tinel) 검사
③ 핀켈스타인(Finkelstein) 검사－알렌(Allen) 검사
④ 예거슨(Yergason) 검사－밀그램(Millgram) 검사

정답 ②

저자촌평 이 문제는 검사법을 알아야 쉽게 해결할 수 있다.

정중신경의 통증을 확인하는 검사법이다. 손목굴에는 정중신경, 얕은손가락굽힘근, 깊은손가락굽힘근, 긴엄지굽힘근이 통과한다.

① 설커스(Sulcus) 검사 : 전방어깨탈구/위팔어깨관절 아래쪽 느슨함 검사
② 왓슨(Watson) 검사 : 손배뼈 이동검사
③ 핀켈스타인(Finkelstein) 검사 : de Quervian's disease 검사
④ 알렌(Allen) 검사 : 반달세모뼈 부구검사라고도 하며, 손으로 공급되는 노동맥, 자동맥의 순환기능 평가 검사
⑤ 예거슨(Yergason) 검사 : 위팔두갈래근 자극 검사
⑥ 밀그램(Millgram) 검사 : 허리뼈를 위한 검사로써 주로 앙와위에서 하는 검사법

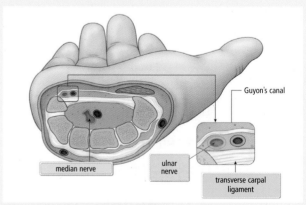

Guyon's canal

median nerve

ulnar nerve

transverse carpal ligament

말초신경손상 시 우측 엄지손가락의 굽힘 불능

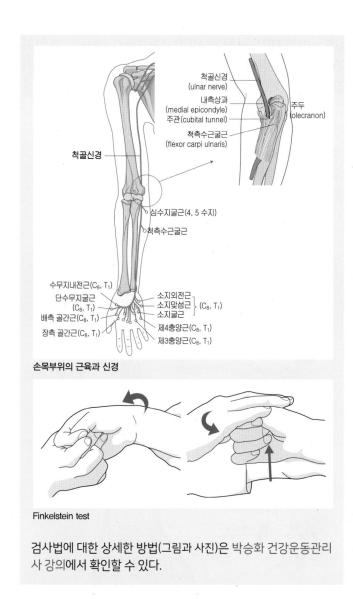

척골신경 (ulnar nerve)
내측상과 (medial epicondyle)
주관 (cubital tunnel)
척측수근굴근 (flexor carpi ulnaris)
주두 (olecranon)

척골신경

심수지굴근(4, 5 수지)
척측수근굴근

수무지내전근(C₈, T₁)
단수무지굴근 (C₈, T₁)
배측 골간근(C₈, T₁)
장측 골간근(C₈, T₁)
소지외전근
소지맞섬근
소지굴근 } (C₈, T₁)
제4충양근(C₈, T₁)
제3충양근(C₈, T₁)

손목부위의 근육과 신경

Finkelstein test

검사법에 대한 상세한 방법(그림과 사진)은 박승화 건강운동관리사 강의에서 확인할 수 있다.

03. <보기> 중 안쪽정강이피로증후군(medial tibial stress syndrome)에 대한 설명으로 바르게 묶인 것은?

─〈보기〉─

㉠ 과사용 및 반복되는 스트레스로 발생
㉡ 목말밑관절(거골하관절, subtalar joint)의 과도한 엎침(회내, pronation)이 손상의 위험인자
㉢ 아킬레스건(Achilles tendon)을 촉진(palpation)하면 통증이 발생
㉣ 오베르검사(Ober's test)를 이용해 진단

① ㉠, ㉡   ② ㉢, ㉣
③ ㉠, ㉡, ㉢   ④ ㉡, ㉢, ㉣

정답 ①

다음과 같이 수정할 수 있다.

㉢ 아킬레스건(Achilles tendon)을 촉진(palpation)하면 통증의 발생은 안쪽정강이피로증후군보다는 아킬레스힘줄 좌상이나 파열과 관련되어 있다.

㉣ 오베르검사(Ober's test)를 이용한 진단은 넙다리근막긴장근, 엉덩정강인대 검사

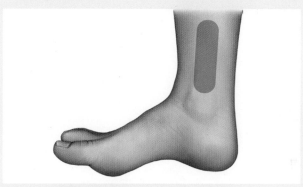

정강뼈스트레스증후군(MTSS)

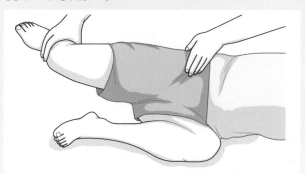

Ober's test

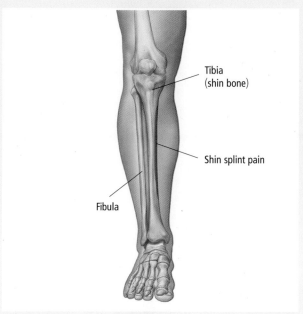

Tibia (shin bone)
Shin splint pain
Fibula

안쪽정강이피로증후군

04. <보기> 중 안쪽곁인대(내측측부인대, medial collateral ligament) 손상 발생 시 손상이 동반될 수 있는 부위로 바르게 묶인 것은?

<보기>

ㄱ 앞십자인대(전방십자인대, anterior cruciate ligament)
ㄴ 가쪽곁인대(외측측부인대, lateral collateral ligament)
ㄷ 무릎힘줄(슬개건, patellar tendon)
ㄹ 반달(반월상연골, meniscus)

① ㄱ, ㄴ   ② ㄴ, ㄷ   ③ ㄱ, ㄹ   ④ ㄴ, ㄹ

정답 ③

저자촌평 이 문제는 전년도 기출문제에서 유추한 문제이다.

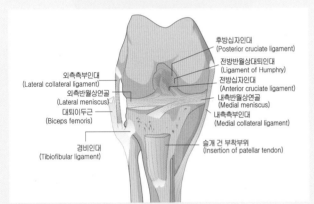

전방십자인대와 주변 구조물

후방십자인대 (Posterior cruciate ligament)
전방반월상대퇴인대 (Ligament of Humphry)
외측측부인대 (Lateral collateral ligament)
전방십자인대 (Anterior cruciate ligament)
외측반월상연골 (Lateral meniscus)
내측반월상연골 (Medial meniscus)
대퇴이두근 (Biceps femoris)
내측측부인대 (Medial collateral ligament)
경비인대 (Tibiofibular ligament)
슬개 건 부착부위 (Insertion of patellar tendon)

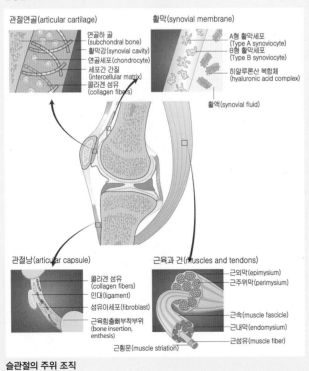

관절연골(articular cartilage)
연골하 골 (subchondral bone)
활막강(synovial cavity)
연골세포(chondrocyte)
세포간 간질 (intercellular matrix)
콜라겐 섬유 (collagen fibers)

활막(synovial membrane)
A형 활막세포 (Type A synoviocyte)
B형 활막세포 (Type B synoviocyte)
히알루론산 복합체 (hyaluronic acid complex)

활액(synovial fluid)

관절낭(articular capsule)
콜라겐 섬유 (collagen fibers)
인대(ligament)
섬유아세포(fibroblast)
근육힘줄부착부위 (bone insertion, enthesis)

근육과 건(muscles and tendons)
근외막(epimysium)
근주위막(perimysium)
근속(muscle fascicle)
근내막(endomysium)
근섬유(muscle fiber)
근횡문(muscle striation)

슬관절의 주위 조직

05. 반복적인 팔꿈치 바깥굽음(외반, valgus) 부하가 가해지거나 밖굽이팔꿈치(외반주, cubitus valgus)를 가졌을 경우 가장 손상받기 쉬운 것은?

① 자신경(척골신경, ulnar nerve)
② 정중신경(median nerve)
③ 자동맥(척골동맥, ulnar artery)
④ 노동맥(요골동맥, radial artery)

정답 ①

저자촌평 ☞ 2016년 기능해부학 5번 해설 참고

신경그림을 통해 자신경의 경로와 손상의 관계를 확인할 수 있다.

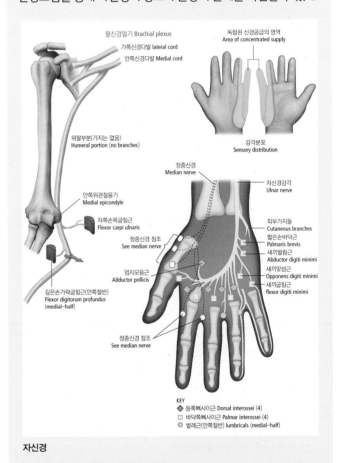

팔신경얼기 Brachial plexus
가쪽신경다발 lateral cord
안쪽신경다발 Medial cord
독립된 신경공급의 영역 Area of concentrated supply
위팔부분(가지는 없음) Humeral portion (no branches)
감각분포 Sensory distribution
안쪽위관절융기 Medial epicondyle
자쪽손목굽힘근 Flexor carpi ulnaris
깊은손가락굽힘근(안쪽절반) Flexor digitorum profundus (medial-half)
정중신경 Median nerve
자신경감각 Ulnar nerve
피부가지들 Cutaneous branches
짧은손바닥근 Palmaris brevis
새끼벌림근 Abductor digiti minimi
새끼맞섬근 Opponens digiti minimi
새끼굽힘근 flexor digiti minimi
엄지모음근 Adductor pollicis
정중신경 참조 See median nerve
정중신경 참조 See median nerve

KEY
◆ 등쪽뼈사이근 Dorsal interossei (4)
□ 바닥쪽뼈사이근 Palmar interossei (4)
○ 벌레근(안쪽절반) lumbricals (medial-half)

자신경

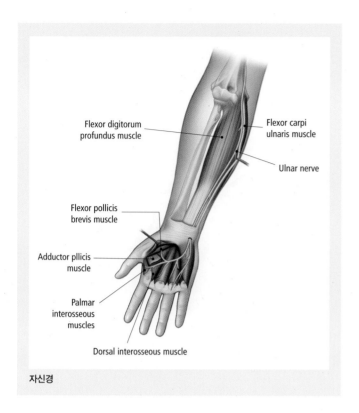

자신경

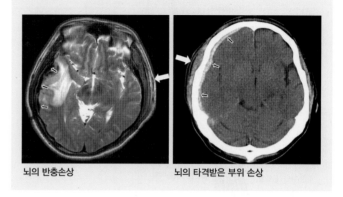

정답 ③

저자촌평 신경에 대한 문제는 본 교재의 앞 부분을 참고하면 쉽게 답을 찾을 수 있다. ☞ 2016년 기능해부학 5번 표 참고

①, ④는 기능이, ②는 번호가 틀렸다.

뇌의 반충손상   뇌의 타격받은 부위 손상

06. 아이스하키 선수가 상대방 선수와 충돌로 쓰러져 신경학적 검사(neurological examination)를 실시하려고 한다. 검사해야 할 뇌신경(cranial nerve : CN) 중 뇌신경 번호, 신경, 기능이 바르게 묶인 것은?

	뇌신경 번호	신경	기능
①	CN VI	갓돌림 (외전, abducens)	후각
②	CN VII	속귀 (전정와우, vestibulocochlear)	듣기, 균형
③	CN XI	더부 (부, accessory)	삼키기, 목빗근 (흉쇄유돌근, sternocleidomastoid) 신경지배
④	CN XII	혀밑 (설하, hypoglossal)	타액분비, 구역질반사

07. <보기> 중 가슴문증후군(흉곽탈출증후군, thoracic outlet compression syndrome)의 발생과 관련된 것으로 바르게 묶인 것은?

〈보기〉

ⓐ 팔신경얼기(상완신경총, brachial plexus)
ⓑ 견갑밑신경(견갑하신경, subscapular nerve)
ⓒ 빗장밑정맥(쇄골하정맥, subclavian vein)
ⓓ 빗장밑동맥(쇄골하동맥, subclavian artery)

① ⓐ, ⓑ   ② ⓐ, ⓑ, ⓒ
③ ⓐ, ⓒ, ⓓ   ④ ⓐ, ⓑ, ⓒ, ⓓ

정답 ③

가슴문증후군은 ⓐ, ⓒ, ⓓ의 압박을 의미한다. 이러한 신경혈관의 압박은 다음과 같은 이유 때문이다.

① 앞갈비 근육과 중간갈비근 근육의 압박
② 제 1번 갈비뼈와 빗장뼈 사이의 좁아진 공간 안에서 신경혈관다발의 압박
③ 목갈비뼈(목뼈와 등뼈에서 생긴 비정상적인 갈비뼈)의 이상
④ 신경혈관다발이 부리돌기 아래나 빗장뼈와 제 1번 갈비뼈 사이를 지날 때 작은가슴근의 압박

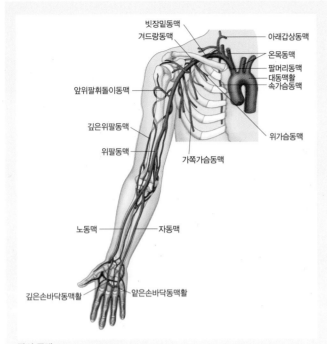

팔의 동맥

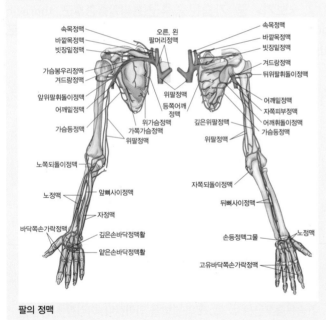

팔의 정맥

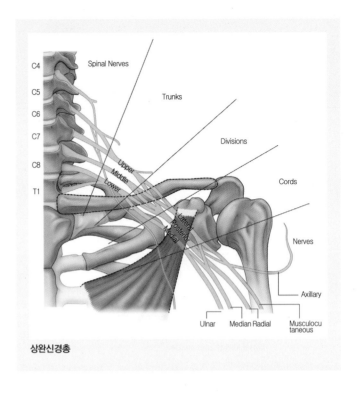

상완신경총

08. 〈보기〉 중 통증에 관한 설명으로 바르게 묶인 것은?

〈보기〉

㉠ Aδ 신경섬유는 C 신경섬유보다 통증을 전달하는 속도가 빠르다.
㉡ 관문조절이론(gate control theory)에 따르면 통증억제는 척수에서 일어난다.
㉢ Aβ 신경섬유는 피부 통각수용기(nociceptor)로부터 시작된 통증을 빨리 전달한다.
㉣ 통증의 형태를 알아보기 위해 시각적상사척도(visual analogue scale)를 측정한다.

① ㉠, ㉡   ② ㉠, ㉢   ③ ㉡, ㉢   ④ ㉢, ㉣

정답 ①

저자촌평 ☞ 2016년 운동상해 6번 참고

다음과 같이 수정할 수 있다.
통증 전달에 직접 관여하는 신경은 Aδ 신경섬유와 C 신경섬유이다. 통증 기전에 대한 가설은 관문조절 이론 외에 3가지가 더 있다.

ⓒ Aβ 신경섬유는 직경이 큰 편이고, 피부 수용기로 들어 온 Aβ구심성 상행신경으로 입력되어 척수 후각에 있는 교양질로 전달된다. 통증을 빨리 전달하는 섬유는 Aδ섬유이다.

ⓔ 통증의 범위를 알아보기 위해 시각적상사척도(visual analogue scale)를 측정한다.

통증의 측정은 통증의 주관적, 생리적, 행동적 요소 등 3가지 측면에서 가능한데 주관적 측면의 검사는 평가척도, 설문지 및 일기를 이용한다.

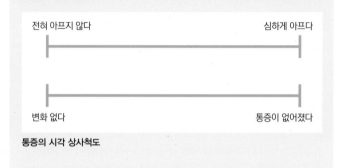

통증의 시각 상사척도

---

09. 다음은 환경적 요인에 의한 질병 및 상해에 관한 표이다. A~D에 들어갈 내용으로 옳지 <u>않은</u> 것은?

열손상	기준치	기전	증상 및 징후	처치
열사병(heatstroke)		A		
근육경련(muscle cramp)				B
열실신(heat syncope)			C	
저나트륨혈증(hyponatremia)	D			

① A - 인체 체온조절기능 상실
② B - 피클주스(pickle juice) 섭취
③ C - 어지러움, 기절, 체온상승, 정신혼란
④ D - 혈중 나트륨 80 mmol/L 이하

정답 ④

저나트륨혈증은 수분과 전해질의 질환상태로써 혈액 내 나트륨의 농도가 비정상적으로 낮아 발생한다. 이 증세는 지속적으로 증가하는 두통, 구토 및 메스꺼움, 손발의 부종, 무감각 등이다.

다음과 같이 수정한다.
D - 피로성 혈중 나트륨 130mmol/L 이하

---

10. <보기> 중 만성발목불안정성(chronic ankle instability)의 원인이 되는 기능적 부전(functional insufficiency)의 요소로 바르게 묶인 것은?

〈보기〉

ⓐ 근력 약화(strength deficits)
ⓑ 윤활 변화(synovial changes)
ⓒ 관절운동형상학적 제한(arthrokinematic restriction)
ⓓ 신경근조절 장애(neuromuscular control impairments)

① ㉠, ㉡   ② ㉠, ㉣   ③ ㉡, ㉢   ④ ㉢, ㉣

정답 ②

만성발목불안정성 요인은 문제에서 묻는 기능적 요인과 역학적 요인 두 가지로 나눌 수 있다.

기능적 요인으로 ㉠, ㉣ 외에도 고유수용기 감각의 장애, 자세조절능력 결여, 발목 근력의 부족 등이 있다.

ⓑ 윤활 변화(synovial changes)는 종골의 변화를 유발하는 퇴행성 변화와 함께 기능적 부전이 아니고, 역학적인(ⓒ) 요인에 해당된다. 관절운동형상학은 관절면들 사이에서 일어나는 운동을 말한다. 연결된 관절면들 사이에서 발생하는 움직임에 초점을 맞춘다. 예컨대 고층의 건물 매달려 창문을 청소하는 사람이 이마면에서 위팔뼈를 움직일 때(골운동형상학), 위팔뼈머리는 관절오목 내에서 회전(관절운동형상학)한다.

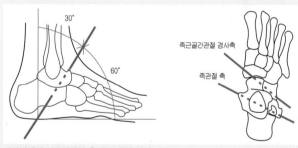

시상면에서 거골하관의 축, 족근골간 관절

다리굽히기, 균형판에서 균형잡기 등이 고유수용기들을 향상시키는데 도움이 된다.

앞쪽끌림 검사

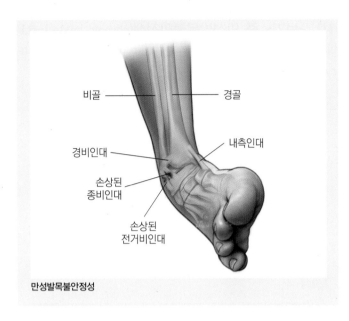

만성발목불안정성

11. 주변에 대피할 건물이 없는 야외에서 축구시합 중 번개와 천둥이 친다. 위험을 최소화하기 위한 대처 방법과 플래시-투-뱅 방법(flash-to-bang method)에 대한 <보기>의 설명으로 바르게 묶인 것은?

─〈보기〉─

㉠ 차가 있다면 차 안으로 대피한다.
㉡ 신체높이를 최소화 할 수 있도록 지면에 눕는다.
㉢ 플래시-투-뱅 방법은 소리가 3km 이동하는데 약 1초가 소요 되는 것을 가정한다.
㉣ 마지막 번개/천둥 이후 30분 동안 번개/천둥이 없다면 시합 을 재개할 수 있다.

① ㉠, ㉡   ② ㉡, ㉢   ③ ㉢, ㉣   ④ ㉠, ㉣

정답 ④

다음과 같이 수정할 수 있다.
㉡ 신체는 지면과 접촉면적을 적게 하여 무릎을 웅크리고 앉는다.
㉢ 1.6km/5초

12. 단추구멍변형(Boutonniere deformity)에 대한 설명 으로 옳은 것은?

① 상대방의 옷을 잡아당기는 동작에서 주로 발생하기 때 문에 '저지 핑거(Jersey finger)'라고도 한다.
② 손상되는 구조는 깊은손가락굽힘근(심지굴근, flexor digi-torum profundus)이다.
③ 먼쪽손가락뼈사이관절(원위지절간관절, distal interphalan-geal joint)을 펼(신전, extension) 수 없게 된다.
④ 몸쪽손가락뼈사이관절(근위지절간관절, proximal interpha-langeal joint)을 굽힌(굴곡, flexion) 상태로 고정시킨다.

정답 ③

①, ②는 저지 핑거에 대한 내용이며, ④는 다음과 같이 수정한다.
몸쪽손가락뼈사이관절(근위지절간관절, proximal interphalangeal joint)을 폄(신전) 상태로 고정시킨다.

저지손가락은 깊은손가락굽힘근의 힘줄이 파열되어 손가락의 굽힘 능력을 잃은 손상이다. 보통 네 번째 손가락에서 빈번하게 발생하며, 손가락 먼 쪽이 다 굽혀지지 않는 것이 특징이다.

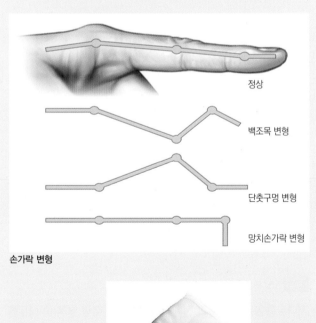

손가락 변형

손가락 변형

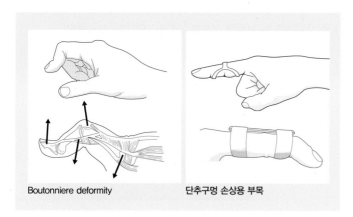

Boutonniere deformity

단추구멍 손상용 부목

13. 하지 손상평가에 대한 방법 및 결과에 대한 내용으로 옳은 것은?

① 젖힌무릎(전반슬, genu recurvatum)은 이마면(관상면, frontal plane)에서 평가된다.
② 장딴지근(비복근, gastrocnemius) 도수근력검사(manual muscle test) 시 근육이 수축하지 않으면 3등급으로 판정한다.
③ 바깥굽이엉덩관절(외반고, coxa valga)은 넙다리뼈(대퇴골, femur) 경사각(angle of inclination)이 105~125°일 때를 말한다.
④ 발뒤꿈치 안/가쪽번짐(후족 내/외반, rearfoot in/eversion) 평가를 위해 각도기의 움직이는 팔(movable arm)을 발꿈치뼈(종골, calcaneus)의 중심에 위치시킨다.

정답 ④

🎵 저자촌평 이 문제는 기출문제에서 유추한 내용도 있고, 공부를 한 수험생이 답을 고를 수 있는 내용이다.

다음과 같이 수정할 수 있다.
① 젖힌무릎(전반슬, genu recurvatum)은 시상면(전후면, sagittal plane)에서 평가된다.
② 장딴지근(비복근, gastrocnemius) 도수근력검사(manual muscle test) 시 근육이 수축하지 않으면 0등급으로 판정한다.
③ 바깥굽이엉덩관절(외반고, coxa valga)은 넙다리뼈(대퇴골, femur) 경사각(angle of inclination)이 135° 이상일 때를 말한다.

📖 보충학습
밖굽이 엉덩관절의 경우 엉덩관절 벌림근육 힘을 위한 감소된 모멘트와 관절의 탈구를 유발하는 정렬로 부정적 요소를 갖게 된다.

MMT에 대한 grade는 필자의 강의를 통해서 학습이 가능하다.

14. <보기>의 손상 중 압력(compression)이 주요 원인인 것으로 바르게 묶인 것은?

〈보기〉

㉠ 발가락 물집(blisters)
㉡ 허벅지 타박상(contusion)
㉢ 어깨 말초신경손상(neuropraxia)
㉣ 엉덩뼈 찢김골절(avulsion fracture)

① ㉠, ㉡   ② ㉡, ㉢   ③ ㉢, ㉣   ④ ㉠, ㉣

정답 ②

㉠은 마찰과 압력, ㉣은 장력/비틀림에 의해서 발생한다.

㉢의 경우 여러 원인이 될 수 있는데 말초신경 자체가 눌리거나 외상을 입을 때, 혈관염에 의해 신경에 영양을 공급하는 미세혈관에 장애가 생길 때, 당뇨병, 신부전증, 갑상선 기능 저하증과 같은 대사성 질환에 의한 경우, 비타민 부족이나 알코올 중독 등 영양결핍에 의한 경우, 자가면역병, 결합조직병 등 중 하나이다.

찢김골절은 건이나 인대의 강한 당김에 의해 발생하는데, 근육이나 인대가 붙는 뼈부분에서 갑작스런 힘에 의해 피층(cortex)으로부터 뼈의 파편이 떨어져 나가는 경우를 말한다. 어린이의 경우나 손가락 같은 작은 뼈에 많이 발생하지만 큰 힘이 가해지는 경우 성인이나 큰뼈에서도 발생한다. 인대성과 건성으로 나눌 수 있다.

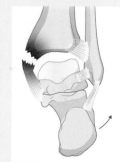

찢김골절

상세한 내용은 박승화 건강운동관리사 강의에서 확인할 수 있다.

15. 관절가동범위(range of motion: ROM) 평가에 대한 <보기>의 설명으로 바르게 묶인 것은?

〈보기〉

㉠ 수동적(passive) ROM 평가 후 능동적(active) ROM을 평가한다.
㉡ 팔꿈치 완전폄(완전신전, full extension)의 정상적인 관절 끝 느낌은 부드러움(soft end feel)이다.
㉢ 수동적 ROM 평가를 통해 관절 끝 느낌(end feel)을 알 수 있다.
㉣ 능동적 ROM은 수의적인 근수축에 의해 발생되는 움직임을 평가한다.

① ㉠, ㉡　　② ㉡, ㉢　　③ ㉢, ㉣　　④ ㉠, ㉣

정답 ③

다음과 같이 수정할 수 있다.
㉠ 수동적(passive) ROM 평가를 원칙으로 하고 능동적(active) ROM과 비교 평가한다.
㉡ 팔꿈치 완전폄(완전신전, full extension)의 정상적인 관절 끝 느낌은 잠김(뼈와 뼈의 접촉)이다.

관절 가동범위의 유형

---

16. 다음 표의 수중재활운동에 관한 각 항목의 설명 중 옳은 것으로 바르게 묶인 것은?

물의 물리적 특성	㉠ 비중(specific gravity)은 부력(buoyancy) 이라고도 한다. ㉡ 체중이 동일하다면 근육량이 많은 사람의 비중이 크다.
체중부하	㉢ 위앞엉덩뼈가시(상전장골극, anterior superior iliac spine)까지 침수 : 약 50% 체중부하 ㉣ 일곱째목뼈(제7경추, C7)까지 침수 : 약 33% 체중부하
수중장비	㉤ 장비는 수중운동 시 동작을 보조하는 역할을 하지만 부하로 작용하기도 한다.

① ㉠, ㉢　　② ㉡, ㉢, ㉤　　③ ㉠, ㉣　　④ ㉡, ㉣, ㉤

정답 ②

🖋 저자촌평 이 문제는 평소 필자가 강의한 내용을 수강한 수험생이면 쉽게 해결이 가능한 내용이다.

밀도 = 질량/체적
비중 = 물체의 무게/동일 부피의 물의 무게(4℃)
부력 = 물체가 액체에 잠신 부피×액체의 밀도×중력 가속도

파스칼의 법칙에 의하면 수중에서 부력과 중력은 반대되는 힘으로 작용하기 때문에 물속에 더욱 깊이 잠길수록 하지의 무게는 감소하게 된다.

㉣ 일곱째목뼈(제7경추, C7)까지 침수 : 약 10% 체중부하

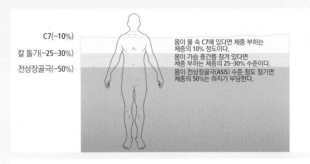

C7(~10%)　　몸이 물 속 C7에 있다면 체중 부하는 체중의 10% 정도이다.
칼 돌기(~25~30%)　　몸이 가슴 중간쯤 잠겨 있다면 체중 부하는 체중의 25~30% 수준이다.
전상장골극(~50%)　　몸이 전상장골극(ASIS) 수준 정도 잠기면 체중의 50%는 하지가 부담한다.

→ 목
10%

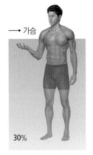
→ 가슴
30%

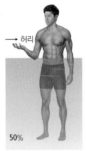
→ 허리
50%

수위에 따른 체중부하율

고령화 사회에 뜨는 직업 건강운동관리사의 수중재활운동
수중운동+운동처방=수중재활운동

17. <보기>에서 설명하고 있는 가슴 및 복부의 상해로 가장 옳은 것은?

〈보기〉

태권도 겨루기 선수인 김 씨는 가슴보호대 없이 상대방과 겨루기 연습 중에 등 쪽 부위를 심하게 가격 당했다. 이후 김 씨는 메스꺼움(nausea), 구토(vomit), 등근육의 경직, 혈뇨(hematuria)의 증상을 보였으며 통증은 뒤쪽의 갈비척추각(늑골척추각, costo-vertebral angle)에서 가장 많이 느꼈고 하복부에서 몸통주위로 방사통(referred pain)을 느꼈다.

① 갈비선단증후군(rib tip syndrome)
② 복장뼈골절(흉골골절, sternum fracture)
③ 탈장(hernia)
④ 신장좌상(kidney contusion)

정답 ④

저자촌평 이 문제 역시 평소 필자가 강조하는 내용이다.

신장좌상은 직접적인 충격 또는 고속충격으로 내측손상과 손상이 유발될 수 있다. 팽창의 정도, 충격의 크기와 각도에 따라 결정된다. 치료는 우선 얼음을 적용하고, 가장 가까운 의료시설로 이송한다. 그래서 태권도나 접촉스포츠에서 보호대를 착용해야 하며 방탄조끼 또는 다른 패딩자켓의 사용은 접촉스포츠의 충격을 줄일 수 있다.

보충학습

① 좌상(Strain) = 근육 또는 힘줄이 늘어나거나 찢어져 발생하는 근육 손상
② 염좌(Sprain) = 뼈와 뼈 사이를 연결하는 인대가 늘어나거나 찢어져 발생하는 인대 손상

18. <보기>는 손상의 설명이다. 옳지 않은 것으로 묶인 것은?

〈보기〉

㉠ 말초신경손상(neuropraxia) : 영구적으로 감각이나 움직임 기능이 상실되는 손상이다.
㉡ 뼈되기근육염(골화근염, myositis ossificans) : 동일한 부분에 반복적인 타박상으로 인해 근육에 칼슘침전물이 생기는 손상이다.
㉢ 손허리뼈(중수골, metacarpal bone)골절 : 베이스볼 핑거(baseball finger) 또는 바스켓볼 핑거(basketball finger)라고도 불린다.
㉣ 지연성근통증(delayed onset muscle soreness) : 근섬유 미세조직의 파열로 일어나며 운동 중에 통증이 발생하는 특성을 가진 손상이다.

① ㉠, ㉡   ② ㉢, ㉣
③ ㉠, ㉢, ㉣   ④ ㉡, ㉢, ㉣

정답 ③

일단은 다음과 같이 수정할 수 있다.
㉠ 말초신경손상(neuropraxia) : 일시적으로 감각이나 움직임 기능이 상실되는 손상이다.
㉢ 망치손가락 골절 : 베이스볼 핑거(baseball finger) 또는 바스켓볼 핑거(basketball finger)라고도 불린다.

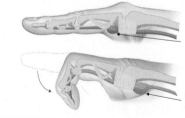

손가락폄 시 결절은 도르래의 먼쪽으로 이동

손가락굽힘 시 도르래의 몸쪽으로 이동

방아쇠손가락

2018

말초신경손상의 유형

① 생리적 신경차단(neurapraxia) : 신경섬유의 연속성은 유지되고 있으나 장애부위에서 일시적인 전도장애를 일으킨 상태이며, 자연치유 된다.

② 축색절단 : 축색이 손상되어 변성하지만 신경초는 연속성을 유지하고 있는 상태여서 완전마비를 나타내지만 축색은 신경초를 거쳐 재생되므로 예후는 나쁘지 않다.

③ 신경단열 : 축색 및 신경초가 단열된 것으로 자연치유를 기대할 수 없다.

야구손가락

백조목 변형

파열

먼쪽손가락뼈 관절에 강한 힘으로 굽힘력을 받을 때 손가락폄근의 먼쪽 부착점이 단열되면서 발생하며, 이로 인해 끝마디뼈가 펴지지 않아 굽힘 변형을 초래한다. 이 것을 일명 베이스볼 핑거라고 부른다. 심하면 펴짐기저의 불균형으로 몸쪽손가락뼈 관절이 2차 과다젖힘 되어 "백조목 변형"이 일어난다.

19. 평가와 진단에 관한 용어 설명으로 옳은 것은?

① 후유증(sequela) : 상해(질병)의 원인

② 징후(sign) : 대상자가 느끼는 주관적인 상태

③ 예후(prognosis) : 상황에 대한 결정적이고 확실한 객관적 표시

④ 증상(symptom) : 통증이나 현기증과 같은 상해(질병) 발생 후 나타나는 변화

정답 ④

🎵 저자촌평 평소에 운동상해에서 강의한 내용이다.

다음과 같이 수정한다.

① 후유증(sequela) : 질병 혹은 손상으로 나타나는 상태

② 징후(sign) : 질병의 척도

③ 예후(prognosis) : 손상의 예상 결과

20. 엄지발허리발가락관절(제1중족지관절, 1st metatarsophalangeal joint) 삠(염좌, sprain)에 대한 설명으로 옳지 않은 것은?

① 잔디발가락(turf toe)으로 불려진다.

② 천연잔디보다 인조잔디에서 빈번히 발생한다.

③ 발허리발가락관절의 과다폄(과신전, hyperextension)에 의해 발생한다.

④ 족저근막염(plantar fasciitis)으로 진행된다.

정답 ④

🎵 저자촌평 기출문제 강의를 성실하게 공부한 수험생이면 쉽게 답을 찾을 수 있다.

엄지발허리발가락관절 삠은 엄지발가락의 단순 외상이나 반복적인 과사용 손상으로서 발허리뼈지골 주변이 붓는다. 족저근막염은 발가락이 아닌 발바닥의 염증과 관련있으며, 부위는 발바닥에 넓게 작용한다.

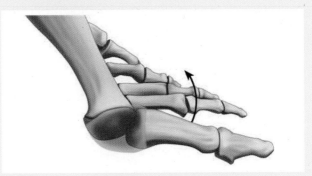

잔디발가락

엄지발가락염좌(turf toe)는 엄지발가락의 과신전에 의해 발허리발가락의 염좌이다. 사진에서 화살표는 "엄지발가락의 과진전"을 의미한다.

기능해부학(운동역학 포함)

01. 하프스쿼트 운동 시 하지 움직임에 대한 설명으로 옳지 <u>않은</u> 것은?

① 하지의 닫힌사슬(closed kinetic chain) 운동이다.
② 무릎관절이 굴곡됨에 따라 무릎관절의 토크는 증가한다.
③ 내려갈 때 장딴지근(비복근, gastrocnemius)은 단축성(구심성, concentric) 수축을 한다.
④ 올라갈 때 발목은 발바닥굽힘(저측굴곡, plantar flexion)을 실시한다.

정답 ③

내려갈 때 장딴지근(비복근, gastrocnemius)은 신장성(원심성)수축을 한다.
스쿼트의 주동근은 대둔근, 대퇴사두근, 슬굴곡근이며, 비복근은 안정화 근육이다. 스쿼트(squat)는 웨이트 트레이닝의 가장 대표적인 운동 중 하나이다. 데드리프트, 벤치 프레스와 함께 웨이트 트레이닝의 'Big 3'로도 불리며, 중량을 겨루는 스포츠인 파워리프팅 중 하나이다. "하반신 운동의 왕도"라고도 불리는 기본 중에 기본 운동이다.
스쿼트에는 여러 가지 종류가 있다.
자신의 체중으로 실시하는 **노멀 스쿼트**에는

① Full bottom squat : 완전히 앉는 스쿼트. 무릎의 부담이 크기에 상급자용이다.
② Full squat : 평행상태보다 좀더 굽히는 스쿼트. 파워리프팅 대회에서는 이것만 인정한다.
③ Half squat : 무릎의 각도를 90도까지만 굽히는 스쿼트.
④ Quarter squat : 지면과 30~45도까지만 굽히는 스쿼트.
⑤ Hindu squat : 발끝으로 서서 팔을 치켜들어 반동을 준다.

싱글 레그 스쿼트(Single leg squat) : 한 발만으로 실시한다.
점핑 스쿼트(Jumping squat) : 무릎을 뻗을 때 점프한다.

하프스쿼트

02. 근력과 근파워를 결정하는 생체역학적 특성에 대한 설명으로 옳지 <u>않은</u> 것은?

① 근육이 수행한 일(work)을 소요된 시간으로 나눈 것이 파워이다.
② 속근섬유(fast twitch fiber)의 비율이 높으면 빠른 근 수축 속도에서 큰 근파워를 발생시킬 수 있다.
③ 단축성(구심성, concentric) 수축속도가 빨라지면 근력은 증가한다.
④ 모멘트 팔(moment arm)의 길이가 길어지고 근육의 가로 단면적(횡단면적, cross sectional area)이 커지면 더 큰 무게를 들 수 있다.

정답 ③

↳ 저자촌평 이 문제는 필자가 평소 강의한 내용이다.
☞ 2018년 운동생리학 12번 해설 그림 참고

③의 증가 ⇨ 감소로 수정한다.

03. 태클에 의해서 어깨충돌로 빗장뼈(쇄골, clavicle)의 안쪽(내측, medial) 1/3 부위에서 골절이 관찰되었다. 골절 후 그림과 같이 안쪽 부위가 올라갔다면 그 원인이 되는 근육은?

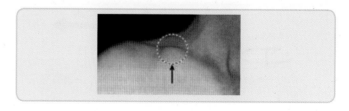

① 등세모근(승모근, trapezius)
② 목빗근(흉쇄유돌근, sternocleidomastoid)
③ 큰가슴근(대흉근, pectoralis major)
④ 가시위근(극상근, supraspinatus)

정답 ②

🎵 저자촌평 ☞ 2017년 기능해부학 9번 참고

목빗근의 기점과 착점에 유의하기 바란다.

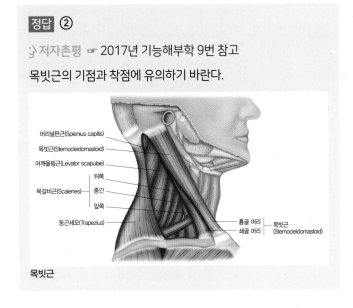

목빗근

04. 동작에서 관절면의 움직임(arthrokinematic) 중 미끄러짐(슬라이딩, sliding)과 굴림(회전, rolling)의 방향이 같은 것은?

① 팔 벌려 뛰기 시 어깨관절
② 축구 킥 시 차는 발의 무릎관절
③ 수영 평형 발차기 시 엉덩관절
④ 발뒤꿈치 들기 운동 시 발목관절

정답 ②

신체의 가동관절은 대부분은 오목면과 볼록면으로 구성되어 있기 때문에 굴림과 활주는 어느 정도 반드시 함께 발생한다. 전형적인 예는 무릎관절의 굽힘과 폄 동안에 볼 수 있다. 무릎관절에서 굽힘과 폄이 일어날 때 스핀은 함께 자동적으로 일어나며, 펴기의 일차적 동작과 관련이 있다.

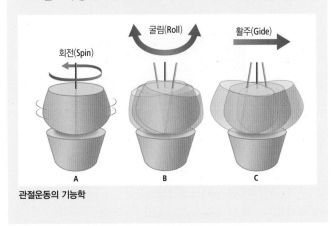

관절운동의 기능학

A(회전) : 하나의 관절면 위의 하나의 점이 다른 관절면 위의 하나의 점에 대하여 회전하는 것
B(굴림) : 하나의 관절면 위의 일련의 점들이 다른 관절면 위의 일련의 점들과 접촉하는 것
C(활주) : 하나의 관절면 위의 특정 점이 다른 면위의 일련의 점들과 접촉하는 것

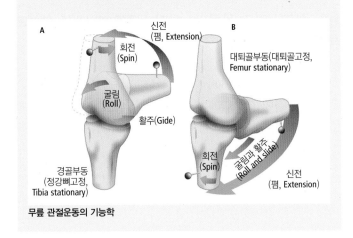

무릎 관절운동의 기능학

05. <보기>는 동일한 사람이 수직점프 동작을 실시할 때 시간 경과에 따른 수직 지면반력의 변화를 나타낸 것이다. A와 B의 점프 높이에 대한 설명으로 가장 적절한 것은?

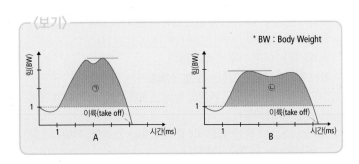

① A의 최대힘은 B보다 크므로 A의 점프 높이가 높다.
② B의 최대힘이 A보다 작지만 긴 시간 힘이 발생했으므로 B의 점프 높이가 높다.
③ ㉡면적이 ㉠면적보다 크다면 B의 점프 높이가 높다.
④ 주어진 정보로는 점프 높이를 판단할 수 없다.

정답 ④

🐾 **저자촌평** 이 문제에 대한 상세한 해설은 본원의 카페에서 해결이 가능하다.

그래프의 전반부의 극값은 최대추진력(힘), 후반부의 극값은 최대충격력(상해와 관련)을 의미한다.

지면반력은 인체의 추진과 관련되어 해석할 수 있다.

④의 이유는 점프하는 순간의 초기속도가 제시되지 않았기 때문이다.

상세한 해설은 강의를 통해서 가능하다.

---

06. 앞(전방)십자인대(anterior cruciate ligament)에 가해지는 장력(tension)이 커질 수 있는 특성으로 옳지 <u>않은</u> 것은?

① 정강뼈(경골, tibia)의 안쪽돌림(내회전, internal rotation)
② 무릎 폄근(신전근, extensor)과 함께 굽힘근(굴곡근, flexor)의 동시수축(co-contraction)이 발생하지 않는 착지
③ 목말밑관절(거골하관절, subtalar joint)의 가쪽번짐(외번, eversion)과 목말밑관절축의 시상면(sagittal plane) 기울기 증가
④ 정강뼈 고원(tibial plateau)의 앞(전방, anterior) 경사

정답 ④

다음과 같이 수정할 수 있다.
④ 정강뼈 고원(tibial plateau)의 뒤(후방, posterior) 경사

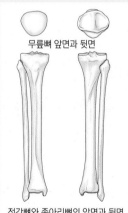

무릎뼈 앞면과 뒷면

정강뼈와 종아리뼈의 앞면과 뒷면

정강뼈 고원

정강뼈의 일차적인 기능은 체중을 무릎에서 발목으로 전달하는 것이다. 정강뼈의 몸쪽 끝부위는 안쪽관절융기와 가쪽관절융기의 의해 돌출되어 있으며, 이 부위는 먼쪽 넙다리뼈와 관절을 형성한다. 관절융기의 위면은 편평하고 넓은 영역을 형성하고 있는데 이를 정강뼈 고원이라고 한다.

---

07. <보기>에서 견갑골의 하방회전(downward rotation)에 작용하는 근육으로 바르게 묶인 것은?

〈보기〉

㉠ 앞톱니근(전거근, serratus anterior)
㉡ 어깨올림근(견갑거근, levator scapula)
㉢ 마름모근(능형근, rhomboids)
㉣ 위등세모근(상승모근, upper trapezius)
㉤ 작은가슴근(소흉근, pectoralis minor)

① ㉠, ㉡, ㉤   ② ㉡, ㉢, ㉤
③ ㉡, ㉢, ㉣   ④ ㉠, ㉢, ㉣

정답 ②

㉠은 상방회전과 내밈
㉣은 상방회전과 올림, 뒤로 당김과 관련이 깊다.

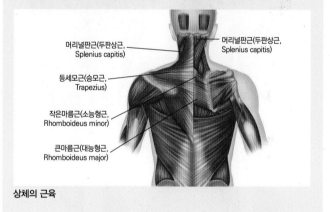

머리널판근(두판상근, Splenius capitis)
머리널판근(두판상근, Splenius capitis)
등세모근(승모근, Trapezius)
작은마름근(소능형근, Rhomboideus minor)
큰마름근(대능형근, Rhomboideus major)

상체의 근육

---

08. 트렌델렌버그(Trendelenburg) 보행의 생체역학적 특징으로 옳지 <u>않은</u> 것은?

① 골반이 상승된 다리의 벌림근(외전근, abductor)이 약화되어 발생한다.
② 보상작용으로 몸통은 골반이 하강된 쪽으로 기울어진다.
③ 입각기(stance phase)에서 나타나는 특성이다.
④ 위볼기신경(상둔신경, superior gluteal nerve)의 기능 이상이 원인일 수 있다.

정답 ②

🔖 저자촌평 ☞ 2015년 운동상해 9번 참고

다음과 같이 수정할 수 있다.
보상작용으로 몸통은 골반이 상승된 쪽으로 기울어진다.
약화된 쪽으로 몸통을 기울이는 것은 외적인 모멘트팔의 길이를 감소시킴으로써 벌림근들에 대한 외적인 토크요구를 감소시키기 위한 것이다. 중간볼기근의 단축과 골반에의 넙다리뼈 머리의 피스톤 운동, 벌림근의 약화로 인한 골반의 반대쪽 경사 때문이다. 정상쪽부터 시작한다. 그 후 바꿔서 환측다리로 서게 하고 건측 골반이 환측보다 내려가면 양성이다. 양측의 엉덩관절 벌림근이 약화되어 있다면 오리걸음이 나타난다.

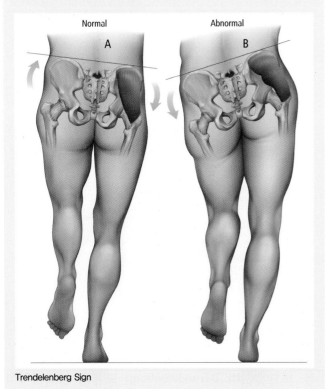

Trendelenberg Sign

09. 표의 어깨관절 움직임과 어깨뼈(견갑골, scapula) 의 움직임이 바르게 묶인 것은?

	어깨관절	어깨뼈
㉠	굽힘(굴곡, flexion)	상방회전(upward rotation)
㉡	폄(신전, extension)	내림(하강, depression)
㉢	안쪽돌림 (내회전, internal rotation)	뒤당김(후인, retraction)
㉣	수평벌림 (수평외전, horizontal abduction)	내밈(전인, protraction)
㉤	벌림(외전, abduction)	상방회전

① ㉠, ㉡, ㉤   ② ㉡, ㉢, ㉣

③ ㉢, ㉣, ㉤   ④ ㉠, ㉢, ㉣

정답 ①

🔖 저자촌평 이 문제는 기능해부학의 기본지식을 평소 탄탄하게 공부한 수험생이면 쉽게 해결이 가능하다고 본다.

다음과 같이 수정할 수 있다.
㉢ 안쪽돌림 : 내밈
㉣ 수평벌림 : 뒤당김

10. 어깨관절의 동적안정성을 증가시키기 위한 근육의 작용에 대한 설명으로 옳지 않은 것은?

① 어깨세모근(삼각근, deltoid)과 가시아래근(극하근, infraspinatus), 가시아래근과 어깨밑근(견갑하근, subscapularis) 사이의 짝힘은 동적안정성을 증가시킨다.

② 초기(0~10도)의 벌림(외전, abduction)은 어깨세모근에 의하여 발생하며, 위쪽전단력(superior shear force)을 최소화하기 위해 가시위근(극상근, supraspinatus)의 수축이 동시에 발생한다.

③ 어깨관절의 안정성을 위하여 어깨뼈(견갑골, scapula)의 가동성과 동적안정성이 확보되어야 한다.

④ 앞톱니근(전거근, serratus anterior)과 작은가슴근(소흉근, pectoralis minor)은 어깨뼈의 동적안정성을 증가시키는 역할을 한다.

정답 ②

벌림의 주동근은 극상근, 삼각근 대흉근(상부)이며, 협력근은 어깨세모근, 위팔두갈래(긴갈래)근이며, 대항근은 큰가슴근, 넓은등근, 큰원근, 위팔세갈래(긴갈래)근이라고 할 수 있다.

11. 근육이 닿는곳(정지, insertion)에서 이는곳(기시, origin)으로 수축할 때 힘 벡터(vector)의 방향이 가장 다른 것은?

① 큰마름모근(대능형근, rhomboid major muscle)
② 작은마름모근(소능형근, rhomboid minor muscle)
③ 위뒤톱니근(상후거근, serratus posterior superior muscle)
④ 아래뒤톱니근(하후거근, serratus posterior inferior muscle)

정답 ④

🎵 저자촌평 이 문제는 필자가 강의한 내용으로서 쉽고, 재미있게 강의한 내용이다.

①, ②, ③은 바지포켓 주머니에 손을 집어넣는 방향이며, ④는 위자켓 사선 주머니에 손을 집어넣는 방향이다. 따라서 벡터의 방향이 다르다.

①, ②는 표피층 근육이며, ③, ④는 등근육의 중간층으로서 보조 호흡근육이며 갈비뼈에 부착한다.

아래 그림을 참조하면 쉽게 해결할 수 있다.

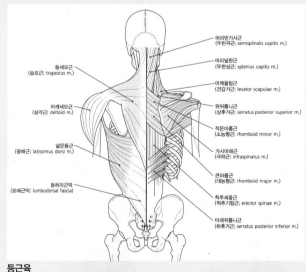

등근육

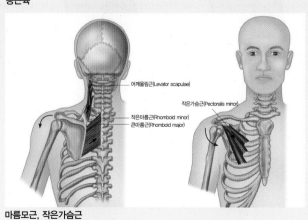

마름모근, 작은가슴근

12. <보기>에서 양쪽골반의 전방경사(anterior tilt)의 특징으로 바르게 묶인 것은?

〈보기〉

㉠ 허리엉치각(요천추각, lumbosacral angle)이 증가된다.
㉡ 위앞엉덩가시(상전장골극, anterior superior iliac spine)가 두덩결합(치골결합, pubic symphysis)보다 뒤로 간다.
㉢ 몸이 똑바로 섰을 때 척주의 허리뼈 부위가 과신전된다.
㉣ 엉덩갈비근(장늑근, iliocostalis)과 엉덩관절 폄근(고관절 신전근, hip extensor)이 수축하면 발생한다.
㉤ 엉덩관절 굽힘 구축(contracture)이 있는 경우 똑바로 섰을 때 발생한다.

① ㉠, ㉡, ㉤   ② ㉡, ㉢, ㉣
③ ㉢, ㉣, ㉤   ④ ㉠, ㉢, ㉤

정답 ④

다음과 같이 수정할 수 있다.

㉡ 위앞엉덩가시(상전장골극, anterior superior iliac spine)가 두덩결합(치골결합, pubic symphysis)보다 앞으로 간다.
㉣ 엉덩갈비근(장늑근, iliocostalis)과 엉덩관절 굽힘근(고관절 굽힘근, hip flexor)이 수축하면 발생한다.

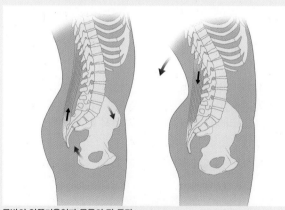

골반의 앞쪽기울임과 몸통의 폄 동작

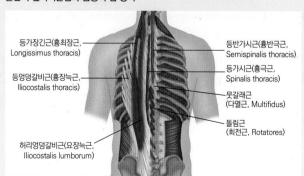

장늑근

13. 하지 부정렬(abnormal alignment)과 주행패턴에 의해 발생 가능한 상해의 연결로 옳지 <u>않은</u> 것은?

	하지 부정렬	주행패턴	상해
①	직립 시 후족(rearfoot) 바깥굽음(외반, valgus)	초기접지(initial contact)~중간입각기(midstance) 시 목말밑관절의 과도한 엎침(회내, pronation)	발바닥근육막염(족저근막염, plantar fasciitis)
②	Q-각의 증가	중간입각기 시 정강뼈(경골, tibia)의 과도한 안쪽돌림(내회전, internal rotation)	무릎넙다리뼈 통증증후군(슬개대퇴골통증증후군, patellofemoral pain syndrome)
③	목말밑관절(거골하관절, subtalar joint) 중립의 안굽음(내반, varus)	초기접지 시 압력중심의 안쪽이동	가쪽발목삠(lateral ankle sprain)
④	낮은 안쪽세로활(내측 종족궁, medial longitudinal arch)	초기접지~중간입각기 시 정강뼈의 과도한 안쪽돌림	안쪽정강뼈 피로증후군(medial tibial stress syndrome)

정답 ③

↳ **저자촌평** 이 문제에 대한 부족한 해설은 본원의 카페에서 해결이 가능하다.

목발밑관절은 목말뼈와 발꿈치뼈 사이의 관절이다. 목발밑관절에서 일어나는 발목의 움직임은 안쪽번짐, 가쪽번짐, 엎침, 뒤침이 있다. 넙다리뼈와 정강이뼈의 해부학적 축의 각이 정상 180° 이상일 때 내반슬(안짱다리)라고 한다.

	주행패턴	상해
③	초기접지 시 압력중심의 가쪽 이동	

14. 동일한 선수가 그림과 같이 수직축(vertical axis)에 대하여 회전을 할 때 동일한 각속도를 나타낸다면 수직축에 대해서 큰 각운동량을 발휘한 순서로 올바른 것은?

① ㄹ>ㄴ>ㄱ>ㄷ   ② ㄷ>ㄱ>ㄴ>ㄹ

③ ㄴ>ㄹ>ㄱ>ㄷ   ④ ㄷ>ㄱ>ㄹ>ㄴ

정답 ②

↳ **저자촌평** 이 문제는 필자가 강의한 내용으로서 각속도와 관성모멘트는 반비례이다. 쉬운 문제이다.

15. <보기>는 무릎뼈(슬개골, patella) 주행(tracking)에 대한 설명이다. 옳지 <u>않은</u> 것은?

─〈보기〉─

열린사슬(open kinetic chain)에서 무릎의 완전한 폄(신전, extension)에서 130도까지 굽힘(굴곡, flexion) 시 ① **점차 가측(외측, lateral)으로 이동**하며, 보행 시 무릎뼈 주행에서 과도한 ② **넙다리뼈(대퇴골, femur)의 안쪽돌림**(내회전, internal rotation), ③ **무릎관절 바깥굽힘(외반, valgus)**, ④ **목말밑관절 엎침(거골하관절 회내, subtalar joint pronation)**은 무릎넙다리 통증(patellofemoral pain)을 발생시킬 수 있다.

정답 ①

↳ **저자촌평** 이 문제에 대한 부족한 해설은 본원의 카페에서 해결이 가능하다. 점차 안측으로 이동하며, 아래쪽으로 미끄러진다.

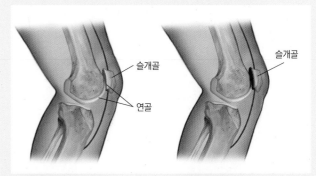

무릎뼈 주행

16. <보기>에서 체중지지 시 무릎의 O자형 다리(내반슬, genu varum)에서 발생하는 하지의 보상기전에 대한 설명으로 바르게 묶인 것은?

〈보기〉

㉠ 정강뼈(경골, tibia)의 가쪽돌림(외회전, external rotation)이 발생한다.
㉡ 안쪽반달(내측반월, medial meniscus)의 손상이 나타날 수 있다.
㉢ 목말밑관절(거골하관절, subtalar joint)의 가쪽번짐(외번, eversion)이 나타난다.
㉣ 발꿈치종아리인대(종비인대, calcaneofibular ligament)가 늘어난다.

① ㉠, ㉡   ② ㉡, ㉢   ③ ㉢, ㉣   ④ ㉠, ㉣

정답 **모두 맞음**

🦴 **저자촌평** 이 문제에 대한 부족한 해설은 본원의 카페에서 해결이 가능하다.

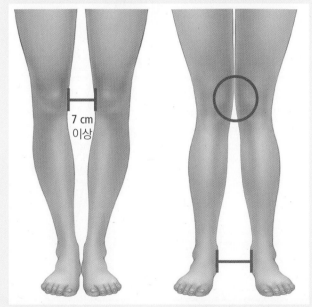

O자형 다리

양 발의 발목을 붙이고 서 있는 자세에서 벌어진 무릎 사이로 주먹 한 개가 들어 갈 만한 7 cm 이상의 공간이 있다면 O자형 휜다리를 의심해볼 수 있고, 이와 반대로 무릎을 붙였을 때 발목이 떨어진다면 X자형 다리를 의심할 수 있다.

17. 닫힌운동사슬(closed kinetic chain)에서 목말밑관절(거골하관절, subtalar)의 엎침(회내, pronation)을 발생시키는 세 평면의 동작에 대한 설명으로 옳은 것은?

	시상면 (sagittal plane)	이마면 (관상면, frontal plane)	가로면 (수평면, transverse plane)
①	발꿈치뼈 (종골, calcaneus) 발등굽힘 (배측굴곡, dorsi-flexion)	발꿈치뼈 가쪽번짐 (외번, eversion)	발꿈치뼈 벌림 (외전, abduction)
②	발꿈치뼈 발등굽힘	발꿈치뼈 가쪽번짐	목말뼈 안쪽돌림 (내회전, internal rotation)
③	목말뼈(거골, talus) 발바닥굽힘 (저측굴곡, plantar flexion)	발꿈치뼈 가쪽번짐	목말뼈 안쪽돌림
④	목말뼈 발등굽힘	발꿈치뼈 가쪽번짐	발꿈치뼈 벌림

정답 ③

이 문제는 13번 문제와 더불어서 목말밑관절의 동작이나 움직임에 대한 이해와 해부학적인 지식을 요구하는 문제로서 상위수준의 문제이다.

목말밑관절에서 엎침은 발의 가쪽번짐, 발등굽힘과 가쪽돌림이 복합된 것이다. 체중부하 상태에서 발이 엎침 시, 목말뼈는 고정된 발꿈치뼈에 돌림을 허용하지 않기 때문에 종아리는 반드시 목말뼈와 상대적으로 안쪽으로 돌림되어 있다.

📖 **보충학습**
목말뼈는 여러 면에서 조망해볼 때 평범하지 않고, 기묘한 형태로 다리와 발을 연결하고 있는 뼈이다. 우선 근육의 부착점을 가지고 있지 않는 몇 개의 뼈 중 하나이다. 위쪽/아래쪽, 안쪽/가쪽, 앞쪽으로 다른 뼈와 관절을 이루고 있다. 몸통 앞쪽부분은 짧은 목과 머리가 있고, 머리는 시상면에 대해 약간 안쪽으로 30°의 각이 져 있고, 발배뼈와 마주보고 있다. 몸통의 위쪽면은 목말뼈의 돔이다. 돔야구장을 연상하는 목말뼈의 돔은 정강뼈 아래쪽의 안장 모양과 일치하는 형태이고, 돔은 앞·뒤쪽으로 볼록하고, 안가쪽으로 오목하다. 돔은 앞쪽이 뒤쪽보다 약간 더 넓다.

2018

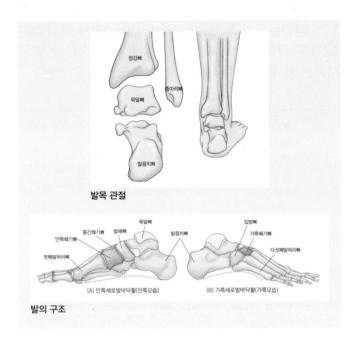

발목 관절

발의 구조

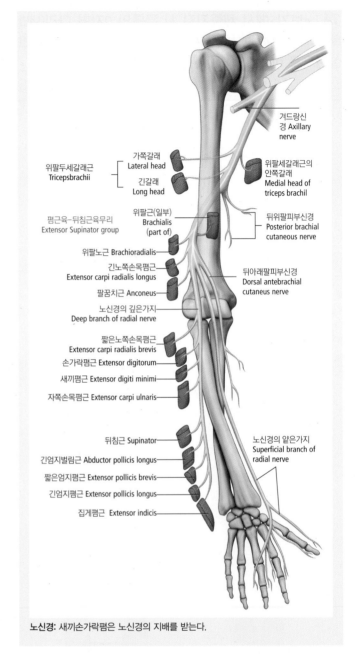

- 겨드랑신경 Axillary nerve
- 위팔두세갈래근 Tricepsbrachii
  - 가쪽갈래 Lateral head
  - 긴갈래 Long head
- 위팔세갈래근의 안쪽갈래 Medial head of triceps brachil
- 폄근육-뒤침근육무리 Extensor Supinator group
- 위팔근(일부) Brachialis (part of)
- 뒤위팔피부신경 Posterior brachial cutaneous nerve
- 위팔노근 Brachioradialis
- 긴노쪽손목폄근 Extensor carpi radialis longus
- 팔꿈치근 Anconeus
- 뒤아래팔피부신경 Dorsal antebrachial cutaneous nerve
- 노신경의 깊은가지 Deep branch of radial nerve
- 짧은노쪽손목폄근 Extensor carpi radialis brevis
- 손가락폄근 Extensor digitorum
- 새끼폄근 Extensor digiti minimi
- 자쪽손목폄근 Extensor carpi ulnaris
- 뒤침근 Supinator
- 긴엄지벌림근 Abductor pollicis longus
- 짧은엄지폄근 Extensor pollicis brevis
- 긴엄지폄근 Extensor pollicis longus
- 집게폄근 Extensor indicis
- 노신경의 얕은가지 Superficial branch of radial nerve

노신경: 새끼손가락폄은 노신경의 지배를 받는다.

---

18. 운동을 하다가 손을 다친 후 새끼손가락 신전만 되지 않을 때 의심할 수 있는 손상신경은?

① 노신경(요골신경, radial nerve)

② 자신경(척골신경, ulnar nerve)

③ 정중신경(median nerve)

④ 겨드랑신경(액와신경, axillary nerve)

정답 ①

♪ **저자촌평** 이 문제의 정답은 신경을 꼼꼼하게 공부하지 않을 경우 정답을 자신경으로 생각할 수도 있겠지만 노신경이 손상되면 손목과 손가락의 폄동작이 어렵고, 손등의 감각 이상이 생길 수 있다. 노신경은 손가락의 외재성 폄근육을 지배한다.
본서의 앞장에서 제시한 유인원손, 까마귀손, 백조목 변형에 대해서도 잘 숙지하기 바란다.

신경의 분포

19. <보기>에서 손목굴(수근관, carpal tunnel)에 대한 설명으로 바르게 묶인 것은?

⎯⟨보기⟩⎯

ㄱ 손목굴은 손목뼈(수근골, carpal bone)들과 깊은손가락굽힘근 힘줄(심지굴근건, flexor digitorum profundus tendons)들 사이의 공간을 의미한다.
ㄴ 손목굴의 자신경(척골신경, ulnar nerve)이 눌릴 때 손목굴증후군(수근관증후군, carpal tunnel syndrome)이 나타난다.
ㄷ 손목굴증후군이 나타나면 엄지와 집게, 가운데 손가락의 약화가 나타난다.
ㄹ 손목중립자세는 손목굴의 정중신경(median nerve)눌림을 완화시킨다.

① ㄱ, ㄴ   ② ㄴ, ㄷ   ③ ㄷ, ㄹ   ④ ㄱ, ㄹ

정답 ③

♪ 저자촌평 이 문제는 기출문제보다 좀 더 진화한 문제이다.

손목굴은 손목의 앞쪽에 있다. 섬유골 구조인 관의 바닥은 몸쪽 손목뼈에 의해서 형성되고 그 덮개는 가로손목인대에 의해 형성된다. 10개의 구조물(정중신경, 긴엄지굽힘근힘줄, 네 개의 얕은손가락굽힘근힘줄 및 깊은손가락굽힘근힘줄 등)이 있다.
다음과 같이 수정할 수 있다.
ㄱ 깊은손가락굽힘근힘줄→가로손목인대
ㄴ 손목굴의 정중신경이 눌릴 때 손목굴증후군(수근관증후군, carpal tunnel syndrome)이 나타난다.

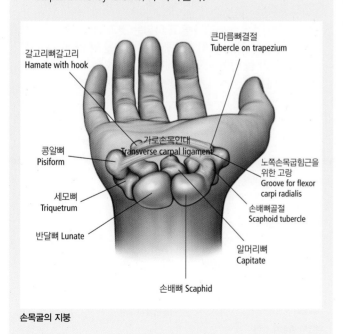

갈고리뼈갈고리
Hamate with hook

큰마름뼈결절
Tubercle on trapezium

콩알뼈
Pisiform

가로손목인대
Transverse carpal ligament

세모뼈
Triquetrum

노쪽손목굽힘근을 위한 고랑
Groove for flexor carpi radialis

반달뼈 Lunate

손배뼈골절
Scaphoid tubercle

알머리뼈
Capitate

손배뼈 Scaphid

손목굴의 지붕

20. <보기>는 던지기 시 어깨관절의 특성에 대한 설명이다. 바르게 묶인 것은?

⎯⟨보기⟩⎯

어깨의 동작을 발생시키는 지레는 3종 지레이며, 2종 지레에 비해 역학적 효율이 (ㄱ). 동일한 근력을 사용할 때 회전반경이 (ㄴ) 하면 회전속도가 증가되고, 릴리즈 시 회전반경을 (ㄷ) 시키면 릴리즈 된 공의 속도는 증가한다.

	ㄱ	ㄴ	ㄷ
①	낮다	감소	증가
②	높다	감소	증가
③	낮다	증가	감소
④	높다	증가	감소

정답 ①

♪ 저자촌평 이 문제는 필자가 평소 운동역학에서 많이 강의한 내용이다. 쉬운 문제이다.

ㄱ은 지레의 유형, ㄴ은 각속도와 관성모멘트, ㄷ은 선속도에 대한 내용이다.

2018

병태생리학

01. 골절 후 뼈 치유 과정 및 특성에 대한 설명으로 옳지 <u>않은</u> 것은?

① 소년기의 골절 치유기간은 성인기보다 길다.
② 골수염(osteomyelitis)은 뼈와 골수에 박테리아가 감염된 질환이다.
③ 과량의 코르티코스테로이드(corticosteroids) 사용은 골괴사(osteonecrosis)를 유발한다.
④ 골절부위의 혈종(hematoma)은 육아조직(granulation tissue)의 생성에 도움을 준다.

정답 ①

소년기의 골절 치유기간은 성인기보다 짧다.
짧은 이유는 소년기 골절은 급속히 치유되는데 간엽세포에서 뼈 발생세포로 분화가 성인보다 더욱 빠르게 일어나기 때문이다.
골절치유 기간에 영향을 미치는 영향인자는 연령 외에도 호르몬 분비, 감염여부, 손상의 정도, 혈액질환, 신경마비, 개방이냐 분절이냐, 뼈괴사 등이 있다.

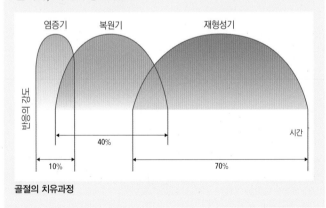

골절의 치유과정

02. 악성종양의 병태와 검사에 대한 설명으로 옳은 것은?

① 원인 모를 체중증가는 암 경고 징후이다.
② 헤모글로빈 농도가 감소하고, 적혈구와 백혈구 수가 증가하는 것은 암의 일반적인 징후이다.
③ 통상 종양세포는 정맥과 림프순환을 통해 전이되므로 폐와 간에 이차종양이 발생하기 쉽다.
④ 악성종양을 일으키는 체세포 돌연변이는 나이와 함께 급격히 증가하기 때문에 75세 이후 암 사망률이 높다.

정답 ③

🔖 **저자촌평** 이 문제는 암에 관련된 지식을 묻는 문제이다.

다음과 같이 수정할 수 있다.
① 원인 모를 체중 감소는 암 경고 징후이다.
②, ④는 암의 일반적인 징후나 증상이 아니다.

📖 **보충학습**
많은 암 환자들은 몸무게가 줄고 야위는 것과 식욕부진, 연약해짐, 활력결핍을 겪는다. 이 황폐해지는 증상을 악액질이라고 한다. 암 세포가 몸 안에 있으면, 에너지 소비의 증가뿐만 아니라, 암의 부위에 따라 식욕이 저하 될 수도 있어 체중이 줄어든다.

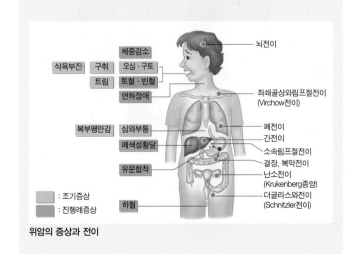

위암의 증상과 전이

03. 쇼크(shock)와 같이 떨어진 혈압에 대한 보상기전의 설명으로 옳지 <u>않은</u> 것은?

① 부교감신경계와 부신피질이 자극되어 심박수와 심근수축력이 증가한다.
② 글루코코르티코이드(glucocorticoids)가 분비되어 혈관계를 안정시킨다.
③ 레닌-안지오텐신(renin-angiotensin) 시스템의 활성화로 혈관이 수축한다.
④ 산증(acidosis)에 의해 호흡이 자극되어 이산화탄소 수치가 감소하고 산소공급이 증가한다.

정답 ①

저자촌평 다음과 같이 수정할 수 있다.

교감신경계와 부신수질이 자극되어 심박수와 심근수축력이 증가한다. 혈압이 떨어지면 더 이상 조직으로 적절하게 혈액이 순환되도록 유지할 수 없는데 이를 순환성 쇼크라고 한다. 순환성 쇼크는 네 가지 형태로 분류된다.
① 저용량성 쇼크 : 과다출혈에 기인한 혈액량 감소로 기인
② 혈관성 쇼크 : 히스타민 과량분비로 인한 알레르기 반응과 같은 혈관 확장성 물질에 기인한 광범위한 혈관이완에 의해 발생
③ 심원성 쇼크 : 혈액을 충분하게 공급하기 위해 펌프작용을 하느라 악화된 심부전에 의해 발생
④ 신경성 쇼크 : 신경결함이 있는 혈관 수축 긴장도에 의해 발생

쇼크의 결과와 보상에 대한 추가적인 내용은 박승화 체육스포츠의 강의를 통해서 학습할 수 있다.

보충학습

혈압의 일시적인 감소에 대한 반응으로 목동맥궁과 대동맥궁에 있는 콩팥수용기로부터 제 9번과 10번 뇌신경을 통해 자극이 뇌로 전해진다. 이 자극은 교감신경계 활동을 증가시켜 세동맥 수축에 의한 말초혈관 저항의 증가와 심장박동수와 심장 수축력의 상승에 의한 심장 박출량 증가를 일으킨다. 증가한 정맥의 탄성은 순환혈액량을 늘린다. 이 반응은 팔다리의 청색증, 소변배출량의 감소, 창자의 관류감소를 일으킨다.

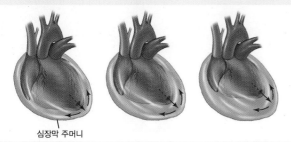

심장막 주머니
심장성 쇼크(심장눌림증)

04. 급성염증(acute inflammation)에 대한 설명으로 옳지 <u>않은</u> 것은?

① 내피세포(endothelial cell) 장벽의 투과성 증가로 인해 부종(edema)을 초래한다.
② 손상부위 세동맥(arteriole)의 일시적인 수축은 가벼운 피부손상에서의 초기 혈관 반응이다.
③ 모세혈관전세동맥(precapillary arteriole)의 혈관 확장으로 손상 부위에 혈류가 증가되며, 그 상태를 충혈(hyperemia)이라 한다.
④ 다핵형 백혈구(polymorphonuclear leukocyte)는 조직에서 미생물(병원균)에 대한 식작용(phagocytosis)을 한 뒤 염증 반응이 종료되면 혈액으로 순환된다.

정답 ④

다음과 같이 수정할 수 있다.
다핵형 백혈구(polymorphonuclear leukocyte)는 조직에서 미생물(병원균)에 대한 식작용(phagocytosis)을 한 뒤 염증반응이 종료되면 혈액으로 재순환되지 않는다.
백혈구는 총 6가지가 있는데 수지상세포는 혈액 중에 잘 발견되지 않기 때문에 종종 생략하기도 한다. 다핵형, 단핵무과립구로 나눈다. 백혈구의 변연화, 부착, 이행, 화학주성에 대한 상세한 내용은 박승화의 강의를 통해서 학습할 수 있다.

05. <보기>의 괄호에 들어갈 적절한 것으로 묶인 것은?

〈보기〉

• 청색증(cyanosis)은 혈액 내에 산소화되지 못한 헤모글로빈의 (㉠) 때문이다.
• 폐공기증(폐기종, emphysema)은 들숨 동안 저산소증이 나타나며, 폐순환의 압력이 증가함에 따라 (㉡)의 저항이 증가하고 심실 기능 장애를 초래한다.
• 만성기관지염(chronic bronchitis) 환자를 위한 호흡 재활로는 입을 (㉢) 상태로, 천천히 들이마시고 내쉬는 훈련으로 호흡근 강화 운동을 실시한다.

	㉠	㉡	㉢
①	감소	좌심실	벌린
②	증가	우심실	모은
③	증가	좌심실	모은
④	감소	우심실	벌린

2018

정답 ②

🔖 **저자촌평** 호흡기 질환에 대한 문제로서 필자가 평소에 모두 다룬 내용이다.

청색증은 의식있는 손상을 입은 선수나 노력성 호흡(허파꼬리가 확장해도 환기량이 충분치 않다면 다호흡을 하게 됨)에서도 나타난다. 즉 산소의 흡입이 불충분하기 때문에 나타난다. 창백하고 차갑고 끈적끈적한 피부는 혈압이 낮음을 나타낸다.

폐기종은 풍선을 처음 불 때는 힘이 들지만 일단 풍선이 커지면 쉽게 불 수 있는 것처럼, 일단 확장된 허파꽈리(폐포)는 허파꽈리 내압이 저하되고 또 팽창하기 쉬워 허파공기증이 된다. 즉 허파꽈리벽이 파괴되어 호흡세기관지 이하의 기강, 즉 호흡영역이 비정상적으로 확장된 상태를 말한다.

만성기관지염은 염증세포의 침입과 점액선 비대의 영향으로 기도벽에 손상이 생기는 질환으로써 환자들에 대한 호흡근육에 의해 생성되는 가슴우리 내압과 허파의 탄성회복이 요구된다.

06. 세포괴사에 대한 설명으로 옳지 <u>않은</u> 것은?

① 지방괴사(fat necrosis) : 조직에서 칼슘침착으로 호염기성을 띠며, 급성췌장염과 관련한다.
② 건락괴사(caseous necrosis) : 결핵의 육아종(granuloma) 안에서 보이는 괴사이다.
③ 응고괴사(coagulative necrosis) : 혈관과 관련된 면역 반응의 괴사로, 뇌와 심장조직의 경색과 관련한다.
④ 액화괴사(liquefaction necrosis) : 급성염증에 의한 농(pus)과 관련하며, 중추신경계에서 발생하면 낭포(cyst)가 생길 수 있다.

정답 ③

🔖 **저자촌평** 괴사는 세포나 조직이 죽음을 의미한다. 강의시간에 많이 다룬 내용이다.

응고괴사(coagulative necrosis) : 괴사조직에 함유된 단백질이 응고하여 수분상실이 두드러지는 것으로 날달걀과 삶은 달걀에 비유해 보면 쉽게 비교가 된다. 심근경색증으로 심근괴사가 대표적인 예이다. 심장, 지라, 콩팥의 경색처럼 혈액공급의 부족으로 인해 일어나는 가장 흔한 형태이다.

07. 비만은 다양한 질환과 연관되어 있다. <보기>에서 비만과 관련있는 질환으로 바르게 묶인 것은?

〈보기〉
㉠ 대장암(colorectal cancer)
㉡ 폐쇄성 수면 무호흡증(obstructive sleep apnea)
㉢ 통풍(gout)
㉣ 뼈다공증(골다공증, osteoporosis)

① ㉠, ㉡, ㉣   ② ㉠, ㉡, ㉢
③ ㉠, ㉢, ㉣   ④ ㉠, ㉡, ㉢, ㉣

정답 ②

비만이란 전신의 지방조직이 과도한 상태를 말하며, 그 기준으로 신체비만지수(BMI) 25 이상이면 과체중으로 판정된다.

내장지방형 지방이 있는 경우 이상지질혈증, 고혈압, 인슐린저항성 등의 다양한 병태가 합병되기 쉬워 동맥경화성 질환을 잘 일으킨다. 내장지방의 축적을 토대로 이들이 모두 복합된 형태를 대사증후군이라고 부른다.

㉠은 대장에 생긴 암세포로 이루어진 악성종양을 말한다. 높은 열량의 섭취, 동물성 지방 섭취, 섬유소 섭취 부족, 비만 등과 대장암의 발생이 관련있는 것으로 알려져 있다.

㉡은 폐쇄성 수면무호흡증은 수면 중 호흡기 내 공기 흐름이 막히면서 코골이가 심해지고, 호흡이 일시적으로 10초 이상 멈추는 것을 말한다. 특히 오랜 기간에 걸쳐 조금씩 심혈관계를 망가뜨리면서 뇌졸중 등 심각한 질환을 발병시킬 수 있다. 체질량지수(BMI) 25kg/m² 이상으로 과체중인 사람은 그렇지 않은 사람보다 폐쇄성 수면무호흡증 위험이 10.75배나 높다. 하지만 일주일에 3일 이상 규칙적으로 운동하는 사람은 일주일에 한 번도 운동하지 않은 사람보다 폐쇄성 수면무호흡증이 30% 감소되는 것으로 보고되고 있다.

㉢은 관절이 갑자기 벌겋게 부어오르면서 심한 통증이 생기는 질환이다. 간혹 유전적인 원인에 의하여 통풍이 생기기도 하며, 비만, 음주, 음식물도 통풍이 생기는 데 중요한 역할을 한다.

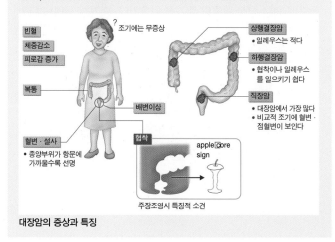

대장암의 증상과 특징

08. 심장질환의 치료법에 대한 설명으로 옳지 <u>않은</u> 것은?

① 아드레날린차단제(adrenergic-blocking drugs)는 혈관확장 역할도 한다.

② 이뇨제(diuretics)는 고혈압을 동반한 울혈성 심장기능부전(congestive heart failure) 환자에게 유용하다.

③ 베타차단제(β-blocker)는 골격근으로의 칼슘이온 이동을 촉진하여 세동맥 확장과 심장수축력 증가를 가져온다.

④ 혈관확장제(vasodilator)는 혈압을 감소시켜 어지러움이나 실신 등이 우려되므로 투약 후 모니터링이 필요하다.

정답 ③

다음과 같이 수정할 수 있다.

베타차단제(β-blocker)는 심장 박동수(맥박수) 및 심근 수축력을 감소시키는 약물을 말한다. ③에서 골격근이라고 하면 안 된다. 베타차단제는 교감신경의 베타수용체를 차단하여 심근 수축력과 심장 박동수를 감소시키는 약물이다. 혈압을 낮추고 심장의 부담을 줄여주므로 고혈압, 관상동맥질환, 심부전, 부정맥 등의 치료에 사용된다. 갑자기 투약을 중단하면 증상이 악화될 수 있으므로, 투여를 중단할 경우에는 천천히 감량해야 한다. 천식 등 호흡기 질환 환자는 사용 시 주의가 필요하다. 일반적으로 베타차단제라고 하면 노르에피네프린, 에피네프린이 심장의 베타-1 수용체에 작용하는 것을 차단하여 심장 박동수(맥박수) 및 심근 수축력을 감소시키는 약물을 말한다. 심장의 부담을 줄여주고 혈압을 저하시켜 심부전, 관상동맥질환, 부정맥과 같은 심장질환과 고혈압의 치료에 사용된다. 심부전이나 협심증 환자에서는 증상을 감소시키고 생존기간을 연장시키는 효과가 입증되어 사용이 권장되지만, 고혈압 합병증 예방 효과는 다른 고혈압 치료제에 비해 상대적으로 낮은 편으로 심장질환이 없는 경우에는 고혈압 치료를 위한 1차 약제로 권고되지 않는다.

09. 부정맥 심전도 판독의 리듬(rhythm)과 축(axis)에 대한 설명으로 옳은 것은?

① 좌축편위(left axis deviation)는 대동맥 협착과 우심실 비대에서 보인다.

② 정상 전기축(electric axis)은 lead I 양성과 aVF 음성을, 폐성고혈압은 lead I 과 aVF 모두 양성을 보인다.

③ 심실세동(ventricular fibrillation)은 심실 박동수가 110~250회/분이며, 지속적인 P파와 QRS군 출현이 나타난다.

④ 우각차단(RBBB)과 좌각차단(LBBB) 모두 QRS군이 넓어진다(0.12초 이상).

정답 ④

↳ **저자촌평** 이 문제에 대한 부족한 해설은 본원의 카페에서 해결이 가능하다.

부정맥이란 동방결절에서 시작된 규칙적인 심박동이 아닌 모든 종류의 심율동을 일컫는데 심장박동이 비정상적으로 빠르거나 늦어지거나 불규칙하게 이루어진다.

다음과 같이 수정할 수 있다.
① 좌축편위(left axis deviation)는 좌전각반차단과 좌심실 비대에서 보인다.
③ 심실세동(ventricular fibrillation)은 심실 박동수가 300~350회/분이며, P파와 QRS군 출현이 나타나지 않는다.

심실세동은 심실 내에서 발생하는 다소성으로 발생하는 치명적인 부정맥이다. 심방이나 심실 모두 탈분극되지 않는다. 심실세동은 거친 또는 가는 심실세동으로 나눌 수 있다.

전기축

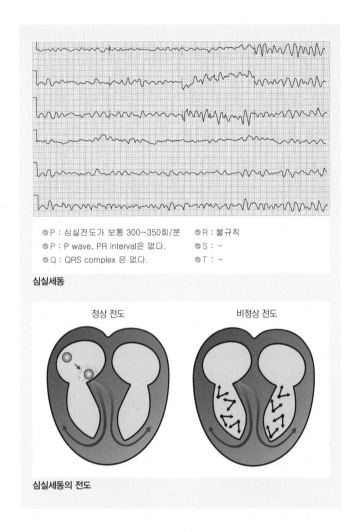

- ◎ P : 심실전도가 보통 300~350회/분
- ◎ P : P wave, PR interval은 없다.
- ◎ Q : QRS complex 은 없다.
- ◎ R : 불규칙
- ◎ S : -
- ◎ T : -

심실세동

정상 전도   비정상 전도

심실세동의 전도

10. <보기>의 호흡기 질환과 관련된 소리, 가래 및 점액성 분비물의 특성으로 바르게 묶인 것은?

〈보기〉

- ㉠ 쌕쌕거림(천명, wheezing)이나 휘파람 소리가 나는 환자는 주로 세기관지(bronchiole) 폐쇄와 관련이 있다.
- ㉡ 그렁거림(협착음, stridor)은 높은 음의 우는 듯한 소리이며, 주로 하기도(lower respiratory tract) 폐쇄와 관련이 있다.
- ㉢ 많은 양의 악취성 고름이 포함된 화농성(purulent) 가래는 주로 기관지확장증(bronchiectasis)과 관련이 있다.
- ㉣ 혈액색(선홍색) 거품이 있는 가래의 객혈(hemoptysis)은 주로 기관지염(bronchitis)과 관련이 있다.

① ㉠, ㉡   ② ㉠, ㉢   ③ ㉡, ㉣   ④ ㉢, ㉣

정답 ②

다음과 같이 수정할 수 있다.
- ㉡ 그렁거림(협착음, stridor)은 저음역의 우는 듯한 소리이며, 주로 상기도 폐쇄와 관련이 있다.
- ㉣ 혈액색(선홍색) 거품이 있는 가래의 객혈(hemoptysis)은 주로 결핵과 관련이 있다.

천명은 이상 폐청진음 중 하나로, 숨을 쉴 때 좁아진 기관지를 따라 공기가 통과할 때 들리는 특징적인 호흡음을 뜻한다. 흔히 '쌕쌕거리다(high-pitched whistling sound)'라고 표현하며, 주로 들숨 때보다는 날숨 때 발생하는 숨소리로 기관지 천식의 대표적인 증상이다. 천식이 악화되어 기관지가 심하게 좁아진 경우에는 오히려 천명이 들리지 않는 경우도 있어 진단 시 주의해야 한다. 협착음 혹은 그렁거림으로 번역되는 'stridor'는 천명과 유사하지만 천명에 비해 음역대가 저음역(low-pitched)에 가깝고 들숨과 날숨(주로 들숨 때)에 상관없이 지속적으로 들리며, 이는 고정적인 상부 기관지 폐쇄가 있음을 뜻하는 증상이다.

천명이 있는 환자에서 폐기능 검사를 시행하면 특징적인 기도 폐쇄 소견을 확인할 수 있으며, 협착음과 감별이 어려운 경우 역시 폐기능 검사를 통해 상부 기관지 폐쇄 소견 여부를 확인할 수 있다. 천명이 특징적인 한 부위에서만 들리는 경우에는 기관지 결핵이나 기관지 종양의 증상일 가능성이 있으며, 이때에는 기관지내시경을 시행하여 반드시 확인해야 한다.

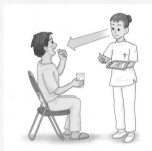

환자 확인

11. 관절염의 설명으로 옳은 것은?

① 강직(성)척추염은 노년기 남자에서 흔하며, 척추뿐 아니라 말초관절도 침범한다.
② 통풍성관절염은 요산이 천천히 증가하면서 발생하기 때문에 관절 붓기는 심하지 않다.
③ 류마티스관절염은 가족력이 있으며 초기에 연골 염증으로 관절이 붓고 통증이 발생한다.
④ 뼈관절염(퇴행성관절염)은 체중 부하, 외상 등의 기계적인 작용에 의해 발생할 뿐만 아니라 유전적인 요인도 관련된다.

정답 ④

↳ 저자촌평 관절염의 유형에 대한 내용이다.

다음과 같이 수정할 수 있다.

① 강직(성)척추염은 주로 20~40대 남자에서 흔하며, 척추뿐 아니라 말초관절의 침범은 여성에게서 더 많다.

② 통풍성관절염은 요산이 빠르게 증가하면서 발생하기 때문에 급성윤활막염이다.

③ 류마티스관절염은 비정상적 면역반응으로 만성 염증성 질환으로 관절의 활막에 염증이 생겨 발생하며, 결국 부어오르고, 강직, 통증, 가동범위 제한을 가져온다.

②는 요산결정이 관절주변 조직에 들러붙어 관절에 심한 염증을 일으키는 질병이다.

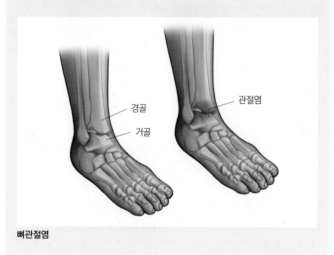

경골

거골

관절염

뼈관절염

12. <보기>의 대학생과 관련이 가장 적은 것은?

─〈보기〉─

25세 남자 대학생이 요통을 호소하며 내원하였다. 외상없이 6개월 전부터 통증이 시작되었다고 하며, 특히 새벽에 심해져 잠을 깬다고 하였다. 통증은 기상 후 활동하면 호전된다고 하였다. 신체검사에서 근력약화, 감각이상 등은 없었다. 환자의 아버지도 20대에 비슷한 증상이 생겨 지금까지 치료를 받는다고 한다.

① 포도막염 동반

② HLA B27 : 양성(+)

③ 류마티스 인자(rheumatoid factor) : 양성(+)

④ 방사선 검사에서 천장관절염(sacroilitis) : 양성(+)

정답 ③

↳ 저자촌평 이 문제는 질환에 대하여 깊게 공부하지 않으면 쉽지 않은 병명에 관련된 내용이다.

류마티스 인자(rheumatoid factor) : 양성(+)은 정상인에서도 약 5% 정도에서 류마티스 인자가 나올 수 있으므로 류마티스 인자가 나왔다고 해서 류마티스 관절염으로 진단할 수는 없다.

①은 강직성 척추염이 포도막염에서 비롯될 수 있다. ②는 강직성척추염과 관련이이 있으며, ④의 천장관절은 천골과 장골이 만나는 곳이라 천장관절이라 부른다. 이 천장관절은 상체에서 오는 힘들을 하지로 전달하여 뛰거나 걷기, 앉아있는 자세에 대한 압박들을 견뎌야 하는 관절이다.

이 관절이 다양한 원인들로 인해 손상되면 천장관절염으로 진행되어 오른쪽 또는 왼쪽 엉덩이 통증을 유발하게 되고 다른 증상들이 나타나게 된다.

류마티스 인자는 류마티스 관절염을 진단하는데 도움이 되지만, 건강인의 3~25%에서 나타날 수 있고 다른 류마티스 질환, 만성 간질환, 만성 폐질환, 세균감염, 악성 종양에서도 양성으로 나타난다. 이러한 이유로 류마티스 인자 검사의 예측도(류마티스 인자가 양성일 때 관절염 환자일 확률)는 그렇게 높지 않다. 그래서 일반인에서 류마티스 인자를 류마티스 관절염의 검색 목적으로 사용하지 않도록 권고하고 있으며 관절증상이 없을 때 류마티스 인자가 양성이라는 것만으로 류마티스 관절염을 진단할 수 없다.

13. 뇌졸중에 관한 설명으로 옳은 것은?

① 대부분 뇌졸중 초기 경직성 마비가 있고, 회복이 되면서 수주 후에는 이완성 마비로 진행한다.

② 심근경색증, 심방세동, 심내막염과 같은 심장 질환에 의해 발생하는 뇌색전증은 뇌졸중의 가장 흔한 원인이다.

③ 대부분 대뇌반구 중 왼쪽 반구(hemisphere) 손상은 언어 상실증을 일으키며, 오른쪽 반구가 손상되면 공간 지각 손상을 일으킨다.

④ 일과성 허혈 발작이 발생하면 의식 소실과 함께 팔다리 마비와 감각 이상 증상을 수 분(several minutes) 이내 경험하며, 24시간 이내에 회복되지만 약간의 후유 증상이 남게 된다.

2018

정답 ③

① 대부분 뇌졸중 초기 이완성 마비가 있고, 회복이 되면서 수주 후에는 경직성 마비로 진행한다.
② 심근경색증, 심방세동, 심내막염과 같은 심장 질환에 의해 발생하는 뇌색전증은 허혈성 뇌졸중의 하나로써 뇌졸중의 가장 흔한 원인이 아니다.
④ 일과성 허혈 발작이 발생하면 의식 소실과 함께 팔다리 마비와 감각이상 증상을 수 분(several minutes) 이내 경험하며, 24시간 이내에 후유 증상 없이 회복되게 된다.

☞ 2015년 병태생리학 16번 그림 참고

재경색의 예방

뇌색전증은 심장에서 생긴 혈전(血栓)이 벗겨져 혈중(血中)에 흘러들어 그것으로 뇌혈관이 막힘으로써 발생되는 질환이다.

마비에는 '경직성 마비'와 '이완성 마비'가 있다.
'경직성 마비'는 불필요하게 신경이 극도로 긴장하면서 온 몸이 뻣뻣하게 되는 것이고, '이완성 마비'는 몸이 외부의 어떤 자극에도 반응하지 못한 채 축 늘어져 버리는 것이다.
뇌졸중은 뇌혈관이 막혀서 생기는 뇌경색(허혈성 뇌졸중)과 뇌혈관이 터져서 생기는 뇌출혈(출혈성 뇌졸중)이 있으나, 생활 패턴의 변화로 뇌경색이 점차 증가하고 있다. 혈전이 떨어져 나와 뇌의 혈관을 막는 '뇌색전증'에 의해서도 발생하기도 한다.

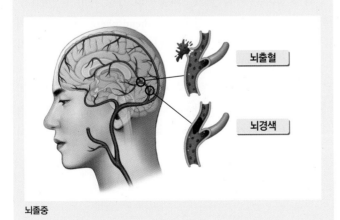

뇌졸중

---

14. 평소 간헐적으로 요통이 있던 40세 주부가 시장에서 장을 보고 차 트렁크에서 물건을 꺼내던 중 발생한 요통과 함께 오른쪽 엉덩이와 다리의 통증으로 내원하였다. 신체검사에서 오른쪽 엄지발가락 폄(신전, extension) 근력이 왼쪽과 비교해서 감소해 있었다. 오른쪽 다리의 추가 신체검사에서 <보기> 중 관찰되는 증상과 징후로 바르게 묶인 것은?

<보기>

㉠ 엉덩이 벌림(외전, abduction) 근력 약화
㉡ 발 등(dorsum of foot) 감각 저하
㉢ 무릎 뒤쪽(오금 부위, popliteal area) 감각 저하
㉣ 무릎힘줄반사(patellar tendon reflex) : 양성(+)

① ㉠, ㉡   ② ㉠, ㉢   ③ ㉡, ㉣   ④ ㉢, ㉣

정답 ①

🗣 **저자촌평** 이 문제를 해결하기 위해서는 근력검사, 감각검사, 반사검사에 대한 이해가 필요하다. 몇 번의 요추에 해당하는지를 파악해야 해결할 수 있는 상위 수준의 문제이다.

문제에서 제시된 엄지폄근은 L5의 깊은 종아리신경과 또한 중간볼기근의 위볼기신경과 관련있는 근력검사에서 강조된다.
L5의 피부절은 정강뼈 가쪽과 발등을 덮고 있으며, 정강뼈능선에 서 L5와 L4의 피부절이 나누어진다.
일반적으로 제 4-5요추의 경우 허벅지 및 종아리 바깥부분, 발등저림이 발생하고, 제5요추-천추1번의 경우 허벅지 및 종아리 뒷부분, 발바닥저림이 발생하는 경우가 많다.

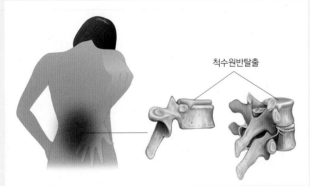

추간판탈출증

㉢의 무릎의 위쪽은 L3, 아래쪽은 L4의 피부절로 나누어져 있다. 정강이 앞면에서는 정강뼈의 능선의 위치에서 나누어져 안쪽은 L4, 가쪽은 L5의 피부절이다. 뒤쪽은 S1이다.

ⓔ의 반사중추는 2~4번의 지배를 받지만 L4가 가장 우세하다. 무릎반사의 경우, 건을 두들기는 자극에 의해 대퇴사두근이 순간적으로 신장되고 근육 내의 신장수용기가 흥분한다. 반사중추는 척수에 있으며, 수축하는 근육은 대퇴사두근이다.

각 신경뿌리에 눌림 시 나타나는 방사통과 감각 이상에 대한 학습은 박승화의 강의를 통해서 확실하게 완성시킬 수 있다.

15. 경추부 추간판탈출증에 대한 설명으로 옳지 <u>않은</u> 것은?

① 경추 1~2번 추간판탈출증은 두통을 유발한다.
② 경추 4~5번 추간판탈출증은 팔꿈치 굽힘(굴곡, flexion) 근력 약화를 유발한다.
③ 경추 5~6번 추간판탈출증은 엄지손가락 감각 저하를 유발한다.
④ 경추부 추간판탈출증이 심한 경우 보행 장애를 유발할 수 있으며, 수술 치료가 필요하다.

정답 ①

①은 목의 굽힘을 약화시킨다.
목의 굽힘과 관련된 근육은 목긴근, 목빗근, 머리곧은근 등이다.

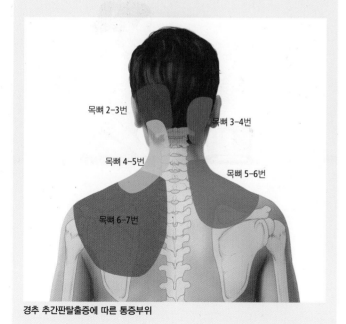

경추 추간판탈출증에 따른 통증부위

16. 뼈다공증과 관련된 설명 중 옳지 <u>않은</u> 것은?

① 폐경, 나이뿐만 아니라 유전적인 요인에 의해서도 발생한다.
② 조절 가능한 위험요인은 흡연, 운동부족, 칼슘 섭취 감소 및 과다한 카페인 섭취 등이다.
③ 폐경으로 인한 일차성 뼈다공증은 뼈모세포(조골세포, osteoblast)의 활성도 감소가 주된 원인이다.
④ 폐경 후 뼈다공증의 예방 및 치료를 위해 에스트로겐(estrogen) 보충요법을 하는 것은 추천되지 않는다.

정답 ③, ④

다음과 같이 수정할 수 있다.
③ 폐경으로 인한 일차성 뼈다공증의 제 1형은 폐경 후 파골작용이 증가하기 때문이다.
④ 폐경 후 뼈다공증의 예방 및 치료를 위해 에스트로겐(estrogen) 보충요법을 하는 것도 권장된다.

골다공증은 크게 일차성과 이차성 골다공증으로 분류된다. 일차성 골다공증은 특별한 원인질환이 없는 경우로 폐경 후 골다공증, 노인성 골다공증으로 분류된다. 일반적으로 폐경 후 골다공증이 가장 많은 수를 차지한다. 이차성 골다공증은 특정한 질병이나 약제 등의 원인에 의해 일어나는 골다공증이다.

건강한 뼈 유지를 위해서는 집을 재건축하듯 지속적으로 오래된 뼈를 새로운 뼈로 교체하는 과정이 필요하다. 일정량의 뼈가 파괴되면 다시 이 뼈를 보충하는 것인데, 파괴된 양보다 보충된 양이 적으면 뼈의 양이 점차 줄면서 골다공증이 발생하게 된다.

골다공증은 뼈를 이루고 있는 물질의 전반적인 감소와 구조 변화가 함께 일어나서 작은 충격에 의해서도 쉽게 뼈가 부러지는 질환을 말한다. 발생 원인에 따라 일차성, 이차성으로 구분되며, 폐경기 여성에게 발생하는 폐경 후 골다공증과 노인성골다공증이 일차성에 속하는데, 특히 여성은 폐경에 의한 호르몬 변화로

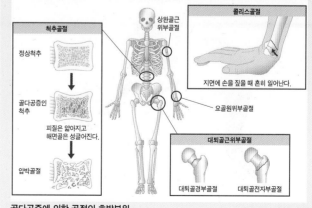

골다공증에 의한 골절의 호발부위

뼈감소가 진행되면서 5~10년 내에 급격하게 뼈가 약해진다. 골다공증의 주요 증상은 골절이라고 할 수 있다. 손목, 고관절, 척추 골절 등이 흔히 발생하며 척추골절은 대부분 증상이 없다가 검사 중 우연히 발견되기 때문에 등쪽에 통증이 있거나 키가 줄어든 경우 척추 골절을 의심해야 한다.

골다공증의 50% 이상은 유전적인 성향을 가지고 있다. 부모가 뼈가 약하면 자녀들에서도 약한 뼈가 관찰된다. 유전적인 영향을 많이 받는 편이다. 하지만, 골다공증은 후천적인 요인이 더욱 중요하다. 카페인과 흡연은 칼슘이 뼛속으로 흡수되는 것을 방해하는 요인이다. 폐경으로 인한 호르몬 감소, 노화, 저체중, 무리한 다이어트, 갑상선질환 및 성선호르몬 기능저하, 운동부족 등은 후천적으로 골밀도를 낮추는 요인이다.

17. 파킨슨병에 관한 설명으로 옳은 것은?

① 흑색질(흑질, substantia nigra)에서 도파민이 증가한다.
② 질환이 진행되면 변비, 기립성 저혈압 등의 자율신경계 기능장애가 나타난다.
③ 안정 시 떨림이 있으며, 수의 운동 시 떨림 증상이 더 심해지는 것이 특징이다.
④ 근 강직, 마비 등의 피라미드계(추체계, pyramidal system) 증상이 주 증상이다.

정답 ②

다음과 같이 수정할 수 있다.
① 흑색질(흑질, substantia nigra)에서 도파민이 결핍이 나타난다.
③ 안정 시 떨림이 있으며, 수의 운동 시 떨림 증상이 감소하거나 순간 멈춤의 특징이 있다.
④ 근강직, 마비 등의 바깥 피라미드계(추체외로계, extra pyramidal system) 증상이 주 증상이다.

파킨슨병

18. <보기>에서 치매에 관한 설명으로 옳은 것은?

─〈보기〉─

ㄱ 알츠하이머병은 루이바디(Lewy body)와 관계가 있다.
ㄴ 혈관성 치매는 신경원섬유매듭(neurofibrillary tangle)과 관계가 있다.
ㄷ 알츠하이머병은 혈관성 치매와 비교해서 서서히 발병하고 예방이 어렵다.
ㄹ 혈관성 치매는 알츠하이머병과 비교해서 고혈압과 관계가 많다.

① ㄱ, ㄴ   ② ㄱ, ㄹ   ③ ㄴ, ㄷ   ④ ㄷ, ㄹ

정답 ④

다음과 같이 수정할 수 있다.
ㄱ 파킨슨병은 루이바디(Lewy body)와 관계가 있다.
ㄴ 알츠하이머성 치매는 뇌의 다발성 경색과 관계가 있다.

루이소체 치매는 알츠하이머 치매의 원인인 베타 아밀로이드가 아닌 루이소체(Lewy bodies)라는 물질이 대뇌피질에 쌓이면서 뇌세포가 파괴되는 질환이다. 또 다른 치매인 '파킨슨 병'은 운동장애로 간주되며, 루이소체(Lewy bodies)라는 독성 단백질이 뇌세포내에 축적되는 신경 퇴행성 질환이다.
뇌 세포 내 루이소체(Lewy bodies)라는 독성 단백질이 쌓이는 것이 파킨슨병 발병의 표지자로 간주되고 있다.

치매

19. 그림과 같은 질병을 설명한 것으로 옳지 <u>않은</u> 것은?

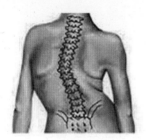

① 노인의 경우 퇴행성 변화에 의해서도 발생한다.
② 콥스 각(Cobb's angle) 15°의 청소년 남자는 추적 관찰한다.
③ 콥스 각 50°의 청소년 여자는 수술 치료한다.
④ 뇌성마비, 근이영양증 등의 심각한 신경근육계 질환에 의해 대부분 발생한다.

> 정답 ④
>
> 🔖 저자촌평 이 문제는 구조적/비구조적 옆굽음증에 대해 이해를 하고 있으면 좋다.
>
> 다음과 같이 수정할 수 있다.
> 나쁜자세, 신경뿌리의 압박, 척추의 염증 등의 불균형에 의해 대부분 발생한다.

20. 당뇨병 환자의 최근 3개월 혈당 조절이 잘 이루어졌는지 알아보기 위한 검사로 가장 적절한 것은?

① 공복 혈당(fasting glucose)
② 당화혈색소(HbA1c)
③ 요 당(urine glucose)
④ 요 단백질(urine protein)

> 정답 ②
>
> 당화혈색소(HbA1c) 검사라는 것은 혈액 내에서 산소를 운반해주는 역할을 하는 적혈구 내의 혈색소가 어느 정도로 당화(糖化)되었나를 보는 검사이며, 적혈구의 평균 수명기간에 따라 최근 2~3개월 정도의 혈당 변화를 반영한다. 정상인에서도 당연히 포도당이 존재하므로 우리의 혈액 내에는 혈색소가 어느 정도 당화되어 있는데, 검사 방법에 따라 정상치의 차이가 있으나 대개 5.6%까지가 정상이다.
>
>
>
> 당화혈색소(HbA1c) 검사
>
>
>
> 당뇨병 진단

스포츠심리학

01. 성장시기별 운동발달 특징에 대한 설명으로 적절한 것은?

① ~출생 : 유전적인 요인에 의해서만 발달이 이루어진다.
② 0~24개월 : 발에서 머리 방향으로 운동발달이 진행된다.
③ 2~6세 : 신체 인식, 균형 유지 등과 같은 지각운동능력이 발달한다.
④ 6~12세 : 심폐기능 및 정보처리 능력이 최고조에 도달한다.

정답 ③

↳ **저자촌평** 이 문제는 발달에 관련된 내용이다.
다음과 같이 수정할 수 있다.
① ~ 출생 : 유전적인 요인뿐만 아니라 환경적 요인에 의해서도 발달이 이루어진다.
② 0 ~ 24개월 : 머리에서 발 방향으로 운동발달이 진행된다 (두미의 법칙).
③ 2 ~ 6세 : 신체 인식, 균형 유지 등과 같은 지각운동능력이 발달한다.
④ 18 ~ 40세 : 심폐기능 및 정보처리 능력이 최고조에 도달한다 (성인초기).

운동발달

02. 표는 젠타일(A. M. Gentile)의 운동기술 분류표의 일부이다. ⓓ에 들어갈 연습 활동으로 적절한 것은?

구분		신체이동 있음	
		물체조작 없음	물체조작 있음
운동 상태 조절 조건 있음	동작(시기) 간 가변성 없음	ⓐ	ⓑ
	동작(시기) 간 가변성 있음	ⓒ	ⓓ

① 농구 자유투하기
② 장애물 피해 달리기
③ 수비수의 태클을 피해 드리블하기
④ 골키퍼 없는 골대에 페널티킥 연습하기

정답 ③

↳ **저자촌평** 필자가 강의시간에 다룬 내용이다.
Gentile은 조절상황과 동작 간 가변성을 덧붙여 설명했다.

Gentile의 운동기술 분류

03. 운동제어 연구에서 정보처리 과정에 대한 설명 중 적절한 것은?

① 감각지각 단계에서 감각 정보가 병렬적으로 처리되는 것은 스트룹 효과(stroop effect)를 통해 알 수 있다.
② 반응선택 단계에서 운동 숙련성과 상관없이 정보를 자동적으로 처리한다.
③ 반응실행 단계에서 제시된 자극에 대한 반응을 수행하고 있을 때 또 다른 자극을 제시하면, 두 번째 자극에 대한 반응시간이 빨라지는 심리적 불응기가 발생한다.
④ 히크의 법칙(Hick's law)에 따르면 자극-반응의 적합성 (stimulus-response compatibility)이 증가할 때 선택반응 시간은 증가한다.

정답 ①

↳저자촌평 ☞ 2015년 스포츠심리학 4번 참고

다음과 같이 수정한다.

② 반응선택 단계에서 운동 능력의 숙련자는 정보를 자동적으로 처리한다.
③ 반응실행 단계에서 제시된 자극에 대한 반응을 수행하고 있을 때 또 다른 자극을 제시하면, 두 번째 자극에 대한 반응시간이 느려지는 심리적 불응기가 발생한다.
④ 히크의 법칙(Hick's law)에 따르면 자극-반응의 적합성(stimulus-response compatibility)이 증가할 때 선택반응시간은 감소한다.

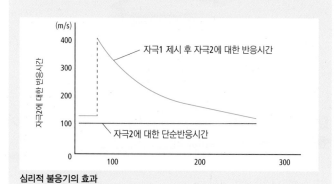

심리적 불응기의 효과

04. <보기>의 상황에서 다이내믹 시스템 이론의 비선형적 특성을 나타내게 하는 제어 변수(control parameter)로 가장 적절한 것은?

─〈보기〉─

A씨는 체중 조절을 위해 트레드밀 걷기 운동을 실시하였다. A씨는 초반에 걷기 동작을 하였으나 트레드밀 속도가 빨라짐에 따라 어느 시점에 달리기 동작을 하고 있었다.

① 체중　　　② 속도　　　③ 시점　　　④ 동작

정답 ②

↳저자촌평 강의시간에 필자가 다룬 내용이다.

협응의 생성은 자기조직의 원리를 따르고, 협응의 변화는 비선형성의 원리를 따른다. 비선형성의 원리는 질서변수(근육의 강직성, 상대적 위상)와 제어변수(속도, 무게 등)으로 분류된다.

2018

05. 파지 및 전이 검사에 대한 설명으로 옳지 <u>않은</u> 것은?

① 연습량은 운동기술의 파지에 영향을 준다.
② 절대 파지 점수는 차이 점수로 얻을 수 있다.
③ 운동기술 요소와 처리과정의 유사성 정도에 따라 전이 효과가 달라질 수 있다.
④ 걸음걸이가 불편한 사람들에게 걷기 재활 훈련을 실시한 후 실생활에서 얼마나 잘 적응할 수 있는지를 평가하는 것은 과제 내 전이 검사이다.

정답 ②

♪ **저자촌평** 이 문제는 필자의 상세한 스포츠심리학 강의에서 다룬 내용이다.

절대파지 점수는 연습시행이 끝나고 일정한 파지기간이 지난 후 실시되는 파지검사에서 얻은 점수이다.

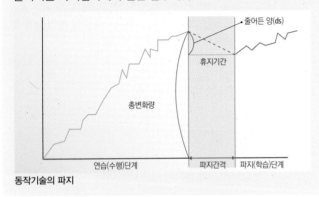

동작기술의 파지

06. 운동기술 학습을 위한 연습법의 설명 중 적절한 것은?

① 운동기술의 조직화와 복잡성 수준은 집중연습 또는 분산연습을 선택하는 판단 기준이 된다.
② 계열연습(serial practice)은 구획연습(blocked practice)보다 맥락간섭 수준이 높다.
③ 가이던스(guidance) 기법은 학습자의 수행 오류를 줄여 주거나 위험한 동작에 대한 두려움을 없애 주기 때문에 의존성을 높여 주는 것이 좋다.
④ 개방운동기술을 연습 할 때 반복적이고 변화하지 않는 환경을 경험하게 하는 것이 바람직하다.

정답 ②

♪ **저자촌평** 이 문제 역시 강의시간에 필자가 다룬 내용이다.

다음과 같이 수정할 수 있다.
① 운동기술의 조직화와 복잡성 수준은 전습연습 또는 분산연습을 선택하는 판단 기준이 된다.
③ 가이던스(guidance) 기법은 학습자의 수행 오류를 줄여 주거나 위험한 동작에 대한 두려움을 없애 주며, 부상을 예방하기 위해 사용된다.
④ 폐쇄운동기술을 연습 할 때 반복적이고 변화하지 않는 환경을 경험하게 하는 것이 바람직하다.
③의 경우 과도하게 사용될 경우 의존성을 높일 수 있다.

07. 학습자가 제공받는 피드백에 대한 설명으로 적절한 것은?

① 감각(내재적) 피드백은 결과지식과 수행지식으로 구분된다.
② 100회의 시행 중 25회의 피드백을 제공할 때 절대 빈도는 25%이다.
③ 자기통제피드백은 지도자의 결정에 따라 제공되는 정보이다.
④ 수용범위 결과지식은 학습자의 수행 오류가 수용범위를 벗어났을 때 제공되는 피드백의 일종이다.

정답 ④

♪ **저자촌평** 강의시간에 필자가 다룬 내용이다.

다음과 같이 수정할 수 있다.
① 보강 피드백은 결과지식과 수행지식으로 구분된다.
② 100회의 시행 중 25회의 피드백을 제공할 때 상대 빈도는 25회이다.
③ 자기통제피드백은 학습자의 요구에 따라 제공되는 정보이다.

피드백

08. 반두라(A. Bandura)의 자기효능감 이론에서 자기효능감의 원천(정보원)에 해당되지 <u>않은</u> 것은?

① 수행 성취(성공 경험, performance accomplishment)
② 간접 경험(대리 경험, vicarious experience)
③ 언어적 설득(verbal persuasion)
④ 자기 개념(self concept)

저자촌평 변별력이 떨어지는 쉬운 문제이다.

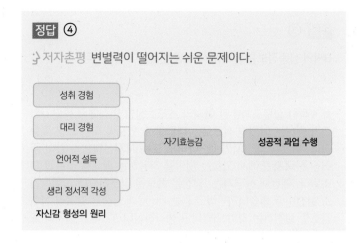

자신감 형성의 원리

---

09. <보기>는 운동부 집단속에서 개인이 게을러지는 사회적 태만(social loafing) 현상에 대처하는 방법으로 하디(C. J. Hardy)가 제시한 것을 나열한 것이다. 바르게 묶인 것은?

〈보기〉

ㄱ 누가 얼마나 노력했는지 확인할 수 있도록 한다.
ㄴ 팀 내의 상호작용을 촉진시켜 개인의 경쟁심을 높인다.
ㄷ 개인의 독특성보다 팀을 우선시한다.
ㄹ 팀 목표와 개인 목표를 모두 설정한다.
ㅁ 일시적인 동기저하는 누구나 일어날 수 있다고 생각한다.

① ㄱ, ㄴ, ㄹ   ② ㄴ, ㄷ, ㄹ
③ ㄷ, ㄹ, ㅁ   ④ ㄱ, ㄹ, ㅁ

정답 ④

저자촌평 쉬운 문제이다.

사회적 태만을 방지하는 방법

① 누가 얼마나 노력했는지를 확인할 수 있도록 한다.
② 팀 내의 상호작용을 촉진시켜 개인의 책임감을 높인다.
③ 목표설정을 할 때 팀 목표와 개인 목표를 모두 설정한다.
④ 사회적 태만이 일어나지 않도록 대화의 창을 열어둔다.
⑤ 개인의 독특성이나 창의성을 발휘하여 팀에 공헌하도록 한다.
⑥ 일시적으로 동기가 떨어지는 것은 누구에게나 일어날 수 있다고 생각한다.
⑦ 포지션을 바꾸어 연습시켜 태만이 팀 전체에 미치는 영향을 깨닫게 한다.
⑧ 재충전을 할 수 있도록 강도 높은 훈련 뒤에는 휴식시간을 준다.

사회적 태만의 극복

---

10. 운동의 심리적 효과에 대한 생리적 강인함 가설(physiological toughness hypothesis)의 설명으로 적절한 것은?

① 운동을 하면 체온이 상승하고 뇌가 근육에 이완 반응을 명령해 불안이 감소된다.
② 운동을 하면 세로토닌, 도파민 등 신경전달물질의 분비로 인해 감정과 정서가 개선된다.
③ 운동을 하면 기분이 좋아질 것이라는 기대를 갖고 있기 때문에 운동 후 심리적 효과가 나타난다.
④ 운동을 규칙적으로 하면 스트레스를 규칙적으로 가하는 것과 유사해서 대처능력이 좋아지고 정서적으로 안정되기 때문에 불안이 줄어든다.

정답 ④

저자촌평 ☞ 2017년 스포츠심리학 17번 참고

①은 뇌변화 가설
②는 모노아민 가설
③은 기대 가설이다.

운동에 대한 올바른 정보 제공

---

11. <보기>는 운동수행과 불안(각성)을 설명하는 이론(가설)이다. 바르게 설명한 것으로 묶인 것은?

〈보기〉

ㄱ 역-U 가설(inverted-U hypothesis) : 각성이 증가함에 따라 운동 수행도 계속 증가한다.
ㄴ 전환(반전)이론(reversal theory) : 낮은 각성을 지루함으로 느낄 수도 있고 편안한 상태로 느낄 수도 있다.
ㄷ 욕구(추동)이론(drive theory) : 인지불안과 신체불안은 서로 다른 수행 결과를 발생시킨다.
ㄹ 격변이론(catastrophe theory) : 인지불안이 높을 때 신체(생리적) 불안이 증가하여 적절한 수준을 넘어서면 운동수행이 급격하게 추락한다.
ㅁ 적정기능지역이론(zone of optimal functioning theory) : 개인마다 최고 수행을 발휘할 수 있는 불안 수준의 범위가 있다.

① ㄱ, ㄴ, ㄷ   ② ㄴ, ㄷ, ㄹ
③ ㄱ, ㄷ, ㅁ   ④ ㄴ, ㄹ, ㅁ

2018

정답 ④

👉 **저자촌평** 강의시간에 필자가 다루는 쉬운 내용이다.

㉠은 욕구이론, ㉡은 다차원 이론에 해당된다.

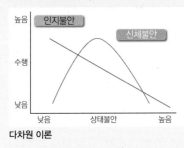

다차원 이론   불안

12. <보기>에서 설명하는 심상이론으로 옳은 것은?

─〈보기〉─

심상은 동작에 대한 청사진을 그리거나 동작을 기호화하여 운동 수행을 원활하게 하고 이를 통해 동작을 잘 이해하게 만들거나 자동화시키게 한다.

① 심리신경근이론   ② 상징학습이론
③ 생체정보이론   ④ 상황부합이론

정답 ②

👉 **저자촌평** ☞ 2017년 스포츠심리학 13번 해설 참고

13. 건강운동관리사 A씨는 운동참가자 B씨와 가끔 운동심리상담을 한다. 효과적인 상담관계 형성을 위한 A씨의 태도로 적절하지 <u>않은</u> 것은?

① B씨가 경험하고 있는 사고나 감정 등을 정확히 이해하는 것이 필요하다.
② B씨의 문제를 진솔하게 바라보는 태도가 필요하다.
③ B씨의 심층정보를 얻기 위해 폐쇄형 질문이 필요하다.
④ B씨를 한 인간으로 존중하고 수용하는 것이 필요하다.

정답 ③

B씨의 심층정보를 얻기 위해 개방형 질문이 필요하다.

📖 **보충학습**

체계적인 설문조사뿐만 아니라 스포츠상담 면접에서 응답자가 그가 원하는 어떤 방식으로든 대답할 수 있도록 하는 질문 유형이다. 이것은 내담자가 예-아니오 또는 사지선택형과 같이 주어진 선택지 중에서 고르는 것만을 허용하는 폐쇄형 질문과 대조된다. 예컨대 상담자는 "당신은 체중을 감소하는데 섭취량감소 실천이 어렵습니까?"라고 묻는 대신 "왜 당신은 칼로리 섭취 감소를 실천하는 것이 어렵다고 생각하십니까?"라고 묻거나 또는 "그것에 대해 당신은 어떻게 생각하십니까?"라고 물을 수 있다. 물론 두 가지 유형 모두 목표 체중의 실천행동에 따라 유용하게 사용된다. 그러나 개방적 질문을 하게 되면 내담자는 자연적으로 자신의 평소의 생각을 말하게 되며, 특히 집단 내에서 구성원에게 이 질문을 사용하면 많은 사람이 자기의 말에 귀를 기울이고 있음을 알게 됨으로써 자기 가치를 새삼 발견할 수 있게 된다.

14. 운동실천에 대한 중재전략 중 행동수정전략으로 가장 적절한 것은?

① 운동을 실천하는데 도움이 되는 단서인 포스터나 슬로건 등을 눈에 띄는 곳에 붙여둔다.
② 운동을 시작함에 따라 얻을 수 있는 혜택과 손실을 표로 만들어 비교하게 한다.
③ 운동일지를 통해 운동시간과 강도 등을 모니터링하고 목표를 설정하게 한다.
④ 운동 중 피로감을 줄이기 위해 음악을 듣거나 창밖의 경치를 보는 등 외적집중을 하게 한다.

정답 ①

👉 **저자촌평** 행동수정전략과 가장이라는 출제자의 의도를 파악하기 바란다.

②는 의사결정 균형, ③은 목표설정, ④는 주의집중과 관련된 내용이다.

15. 표는 밸러랜드와 로지어(R.J.Vallerand & G.F.Losier)가 제시한 자기결정성의 수준에 따른 동기요인을 배열한 것이다. 괄호 안에 들어갈 내용이 바르게 묶인 것은?

무동기	외적동기			내적동기		
	외적 규제	(㉠)	확인 규제	(㉡)	과제 성취	(㉢)

	㉠	㉡	㉢
①	의무감규제	지식습득	감각체험
②	지식습득	의무감규제	감각체험
③	감각체험	의무감규제	지식습득
④	의무감규제	감각체험	지식습득

정답 ①

↳ 저자촌평
☞ 2017년 스포츠심리학 9번 해설 참고

자결성 이론의 연속체를 참조하기 바란다.

감각체험

16. 운동행동을 예측하는 운동심리 이론(모형)으로 <보기>가 설명하는 것은?

〈보기〉

• 운동실천과 지속에 영향을 미치는 환경적 중재를 강조한다.
• 운동실천을 위해 개인과 지역사회, 정부의 노력과 책임이 중요하다.
• 주택패턴이나 인도, 산책길 등과 같은 환경 및 공공 정책에 초점을 둔다.

① 건강신념모형 ② 합리적행동이론
③ 계획행동이론 ④ 사회생태이론

정답 ④

환경과 관련된 이론으로서 샌디에이고의 미군기지 주변의 환경을 조성했더니 운동에 참가한 사람들이 증가했다.

17. <보기>의 괄호 안에 들어갈 심리 기술(방법)로 적절하게 묶인 것은?

〈보기〉

• (㉠) : A씨는 농구 자유투를 할 때 공을 바닥에 두 번 바운드 하고 골대를 1초간 본 후 슛을 던지는 자신만의 고유한 동작과 행동절차를 따른다.
• (㉡) : A씨는 잠자기 전 10분 정도 농구 자유투의 성공적 장면을 상상한다.
• (㉢) : A씨는 농구 자유투를 할 때 '할 수 있어'라고 말하며 자신감을 높인다.

	㉠	㉡	㉢
①	주의집중	이완	자화
②	주의집중	심상	루틴
③	루틴	심상	자화
④	루틴	이완	자생훈련

정답 ③

↳ 저자촌평 강의시간에 필자가 다룬 내용으로서 쉬운 문제이다.

심리기술

18. 챌라드라이(P. Chelladerai)의 다차원리더십 모델의 설명으로 적절하지 않은 것은?

① 상황특성은 리더의 실제행동에 영향을 미친다.
② 구성원의 특성은 리더의 선호행동에 영향을 미친다.
③ 리더의 특성은 리더의 실제행동에 영향을 미친다.
④ 리더의 규정행동과 실제행동, 선호행동이 일치할수록 팀 수행과 선수만족도가 높아진다.

정답 ①

상황특성은 요구된 행동과 선호된 행동에 영향을 미친다.

원인변인	리더행동	결과변인
상황요인 → 규정행동		
리더특성 → 실제행동		수행결과 선수만족
성원특성 → 선호행동		

지도자 행동 다차원 모형

19. <보기>에서 설명하는 공격성 이론(가설)으로 적절한 것은?

─〈보기〉─

2018 러시아 월드컵 축구 경기에서 우리나라 국가대표팀의 A 선수는 멕시코 선수에게 심각한 부상을 입힐 정도의 공격적 행동이 분명한 깊은 태클을 한 후 볼을 얻어냈고 곧이어 득점을 성공시켰다. 우리나라 관중들은 환호했고 코치진은 칭찬을 아끼지 않았다. 심판은 경고가 주어질만한 상황임에도 불구하고 반칙을 선언하지 않았고 경기는 우리나라 대표팀의 승리로 끝났다. 이 경기 후 축구를 좋아하는 아이들은 A선수의 공격적 태클을 모방하는 경향이 증가했고, 비슷한 상황에서 공격행위를 할 가능성이 높아졌다.

① 스타이너이론　　② 본능이론
③ 좌절-공격가설　　④ 사회학습이론

정답 ④

저자촌평 강의시간에 필자가 다룬 내용으로서 쉬운 문제이다. 본문에 "모방하는 경향"이라는 어휘만으로도 쉽게 답을 찾을 수 있다.

20. 표는 프로차스카(J. O. Prochasca)가 제시한 변화단계이론을 적용한 운동행동변화단계이다. 바르게 묶인 것은?

1단계	2단계	3단계	4단계	5단계
㉠	㉡	㉢	㉣	㉤

① ㉠-분석단계, ㉡-준비단계
② ㉡-준비단계, ㉢-관심단계
③ ㉢-준비단계, ㉣-실천단계
④ ㉣-실천단계, ㉤-평가단계

정답 ③

저자촌평 강의시간에 필자가 다룬 내용으로서 쉬운 문제이다.

건강운동관리사 기출 바이블

전과목 수록

PART 02

2019년
건강운동관리사
필 기 시 험

건강운동관리사 필기시험 1교시

2019 건강운동관리사

운동생리학

01. 물질대사와 인체 세포에 대한 설명으로 옳지 않은 것은?

① 모든 물질은 세포막을 자유롭게 통과한다.
② 세포 활동을 조절하는 유전자는 핵 안에 존재한다.
③ 세포질은 핵을 제외한 세포 내부의 모든 물질로 구성된다.
④ 세포 내에는 각종 효소, 대사 중간산물, 글리코겐 등이 있다.

정답 ①

이 문제는 운동생리학의 기초적인 상식을 묻는 쉬운 내용이다.
다음과 같이 수정할 수 있다.
① 세포막은 물질을 선택적으로 통과한다.

세포막은 고대 도시를 둘러싼 거대한 유럽의 성벽과도 같다. 세포를 에워싸는 이 장벽은 수용성 분자로 구성될 수 없고, 주로 지질성분으로 이루어져 있고, 단백질이 박혀있다. 세포 외부의 세포외액(ECF)과 세포내액(ICF)섞이는 것을 막는다. 막의 전문화된 기능과 선택적 수송은 주로 막의 단백질 함량에 의해 이루어진다.
세포막은 물질의 출입을 조절하는데 원형질막이라고도 부른다.

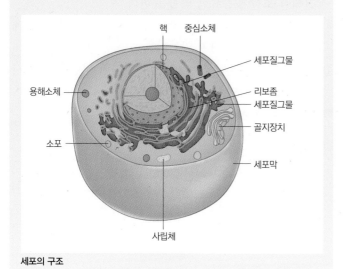

세포의 구조

02. 지근섬유와 비교되는 속근섬유의 특성에 대한 설명으로 옳은 것은?

① 미토콘드리아(mitochondria)의 수가 많다.
② 높은 수준의 유산소성 지구력을 발휘한다.
③ 에너지 효율성이 낮다.
④ 최대수축속도가 느리다.

정답 ③

비교적 쉬운 문제이다.
☞ 2014년 운동생리학 16번 참고

다음과 같이 수정할 수 있다.
③ 에너지 효율성이 높다.

03. 유산소성 트레이닝을 통한 근육 내 미토콘드리아의 변화에 대한 설명으로 옳지 않은 것은?

① 미토콘드리아 생성을 촉진하는 유전자의 발현이 증가한다.
② 미토콘드리아 기능이 향상되며 최대산소섭취량이 높아진다.
③ 미토콘드리아는 크기의 변화없이 수가 증가한다.
④ 전자전달계 효소 활성도가 높아져 산화적 인산화 능력이 향상된다.

정답 ③

아래 그림은 최대하운동 동안 세포질 ADP 농도의 변화에 의해서 미토콘드리아 크기에 영향을 나타낸다.
훈련 전과 훈련 후의 미토콘드리아 크기의 생화학적 적응현상은 적은 산소의 소모, 적은 크레아틴인산 소모, 젖산 및 수소이온의 감소이다. 따라서 크기와 수가 증가한다.

낮은 ADP농도는 적은 크레아틴의 고갈을 가져오는데 ADP+PC→ATP+C에 대한 반응에 기인한다.

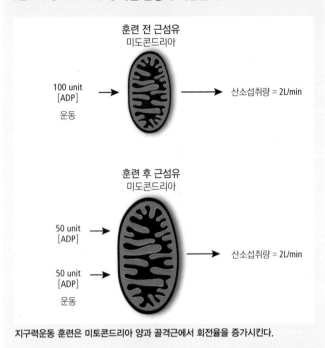

훈련 전 근섬유
미토콘드리아

100 unit [ADP]
운동

산소섭취량 = 2L/min

훈련 후 근섬유
미토콘드리아

50 unit [ADP]

50 unit [ADP]
운동

산소섭취량 = 2L/min

지구력운동 훈련은 미토콘드리아 양과 골격근에서 회전율을 증가시킨다.

피로의 유형은 중추피로와 말초피로로 구분할 수 있다.

중추신경계를 피로와 굳이 연관시킨다면 다음 두 가지 경우가 해당된다. ① 운동을 할 때 사용되는 기능적 운동단위 수의 감소 ② 운동단위를 활성화 시키는 빈도의 감소이다.

근육피로는 ① 세포질에서 크레아틴인산의 분해로부터 유래한 PO_4^{-3} 농도의 증가 ② 가로세관과 근형질 세망의 이음부 주위의 ATP 감소는 Ca^{++}펌프작용의 방해 ③ 근육글리코겐의 감소 ④ 세포질에서 ADP 증가 등이다.

운동 중의 자유라디칼 생성과 근피로와의 관계
① 과도한 운동 중 골격근에서 생성된 자유라디칼은 근형질세망과 근수축에 관련하는 중요한 단백질 분자들을 손상시킬 수 있다. 근형질세망의 손상은 근육의 탈분극 기간 동안 방출되는 칼슘의 민감도를 떨어뜨려 적은 마이오신 십자형가교와 액틴의 부착을 감소시킴으로써 힘의 생성을 약화시킨다.
② 높은 라디칼 생성은 골격근 내 칼륨/나트륨 펌프 기능을 활성화(흥분-수축결합)하는데 문제가 될 수 있다.

04. 운동 중 피로에 의해 근육의 힘이 감소되는 원인을 <보기>에서 모두 고른 것은?

─〈보기〉─
㉠ 운동 시 동원되는 운동단위 수 감소
㉡ 장시간 지속적인 운동 시 활동하는 근섬유 내 글리코겐 양의 증가
㉢ 단시간 최대운동 시 산소 결핍 및 혈중과 근육의 젖산 감소
㉣ 신경근연접(neuromuscular junction)에서 운동신경세포로부터 근섬유로의 신호 전달 감소

① ㉠, ㉡
② ㉠, ㉣
③ ㉡, ㉢
④ ㉢, ㉣

정답 ②
👇저자촌평 글리코겐 양의 증가나 젖산 감소라는 항목이 있어서 역시 쉽게 정답을 고를 수 있는 문제이다.

05. 운동에 대한 호르몬의 반응에 대한 설명으로 옳은 것은?

① 운동 시 성장호르몬의 분비량은 모든 연령에서 비슷하게 나타난다.
② 알도스테론은 스테로이드성 호르몬으로 운동 중 체액과 전해질 조절에 중요한 역할을 한다.
③ 카테콜라민 분비는 운동강도에 영향을 받지만, 연령에 따른 차이는 나타나지 않는다.
④ 테스토스테론은 남성에게서만 분비되며 저항성 운동 시 증가되는 경향이 나타난다.

정답 ②
이 문제는 운동 전·후가 아닌 중이다. 쉽게 해결할 수 있었는데 빠르게 훑어 봐도 ①의 모든 연령, ③의 연령에 대한 무차별, ④의 남성에게서만 등이 적절한 답으로 고르지 않게 큰 암시를 하고 있는 내용들이다.

06. 운동으로 인한 근육세포의 변화에 대한 설명으로 옳지 <u>않은</u> 것은?

① 장시간 지구성 훈련으로 인체 내 근육세포 증식(hyperplasia)이 활발히 일어난다.

② 저항성 운동은 세포 내 단백질 합성을 증가시켜 근비대를 촉진할 수 있다.

③ 운동 중 발생한 반응성산소종(reactive oxygen species)이 근섬유 비대를 유도하기도 한다.

④ 운동으로 인한 인산 및 에너지 수준의 변화는 AMPK (AMP activated protein kinase)와 같은 신호전달 단백질 발현을 자극한다.

정답 ①

찬반의 여지로 남아 있는 근증식은 인간에게서 발생함에도 불구하고, 현재의 학계의 논리는 저항성 운동의 근육의 크기 증가는 대부분(90~95%)이 근비대 때문이라는 것이 설득력 있다.

♪ 저자촌평 지방세포와 근세포의 차이점을 알아두자.

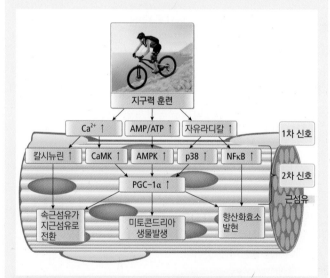

저항성 훈련에 따른 근비대가 근섬유, 근핵, 단백질, 근섬유 횡단면적을 평행하게 증가시킨다.

07. 근력 향상에 영향을 주는 요인으로 옳지 <u>않은</u> 것은?

① 동원되는 운동단위 수의 증가

② α-운동뉴런의 신경 자극 전달 증가

③ 근섬유횡단면적의 증가에 의한 근비대더 크게 나타난다.

④ 골지건기관(Golgi tendon organ) 등에 의한 자가 억제(autogenic inhibition) 강화

정답 ④

다음과 같이 수정할 수 있다.
④ 골지건기관(Golgi tendon organ) 등에 의한 자가 억제(autogenic inhibition) 강화는 거리가 먼 내용이다.

📖 보충학습

골지힘줄기관의 억제작용은 근력 트레이닝을 통해서 점증적으로 감소될 수 있다.

① 골지건기관은 증가하는 장력을 감지한다.
② 감각신경은 이 신호를 척수에 보낸다.
③ 감각신경은 알파 운동신경과 연접해 있는 억제성 개재신경원과 연접해 있다.
④ 알파 운동신경의 억제로 근육은 이완되고 건의 장력이 감소한다.

근비대

08. 도피반사(withdrawal reflex)에 대한 설명으로 옳은 것은?

① 고통의 원인으로부터 빠르게 사지를 회피하기 위해 발생하는 조건반사(conditioned reflex)이다.
② 수용체의 감각 신호가 반사궁(reflex arc)을 거쳐 상위중추로 전달됨으로써 유발된다.
③ 도피반사로 인해 굽힘근(굴곡근, flexor)이 수축하면, 길항근인 폄근(신전근, extensor)에서는 억제성 시냅스후 전위(IPSP, inhibitory postsynaptic potential)가 발생한다.
④ 도피반사에 의해 오른 팔꿈치 관절의 굴곡이 일어나는 동안 동시에 왼 팔꿈치 관절이 굴곡하는 상호억제(reciprocal inhibition)가 일어난다.

정답 ③

☞2016년 운동생리학 16번 참고
다음과 같이 수정할 수 있다.

① 무조건반사(autonomic reflex)
② 하위중추
④ 굴곡→신전(왼팔꿈치 관절)

📖보충학습
① 조건반사는 학습에 의해서 익히는 후천적인 반응 방식. 특정한 자극에 대해서 무의식적으로 반응하는 것을 가리킨다. 1900년경에 파블로프(I.P. Pavlov)의 연구에 의해 만들어진 개념이며 처음에는 정신반사라는 용어가 사용되기도 했다.

09. <보기>는 크렙스회로(Krebs cycle) 관련 화합물의 작용 순서이다. 괄호 안에 알맞은 용어를 순서대로 바르게 나열한 것은?

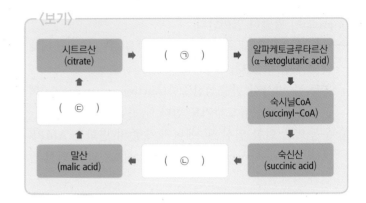

	㉠	㉡	㉢
①	이소시트르산 (isocitrate)	푸마르산 (fumarate)	옥살로아세트산 (oxaloacetate)
②	이소시트르산 (isocitrate)	옥살로아세트산 (oxaloacetate)	푸마르산 (fumarate)
③	옥살로아세트산 (oxaloacetate)	푸마르산 (fumarate)	이소시트르산 (isocitrate)
④	푸마르산 (fumarate)	이소시트르산 (isocitrate)	옥살로아세트산 (oxaloacetate)

정답 ①

이 문제는 평소 운동생리학을 꼼꼼하게 공부하는 수험생에게 주는 선물이다.

☞2015년 운동생리학 1번 참고

크렙스회로는 생화학자 한스크렙스(Hans Krebs)의 이름에서 명명되었으며, 크렙스회로의 주요 기능은 대사과정에 관여하는 여러 종류의 기질로부터 수소 이온을 제거하고 이 과정에서 발생한 에너지를 활용하는 것이다.

📖보충학습
크렙스회로는 탄수화물, 지방, 단백질을 산화하며 전자전달체계를 통과하면서 이산화탄소와 전자를 생산하여 유산소성 ATP를 생산하는 데 필요한 에너지를 공급한다. 크렙스회로 반응을 촉진하는 효소들은 미토콘드리아 내에 위치하고 있다.

10. 운동강도와 운동시간에 따라 에너지 생성에 동원되는 기질의 변화에 대한 설명으로 옳은 것은?

① 고강도 운동(85%$\dot{V}O_2$max)시 근글리코겐 이용 비율은 혈당의 이용 비율보다 높다.
② 저강도 운동(25%$\dot{V}O_2$max)시 근중성지방의 이용 비율과 혈장 유리지방산의 이용 비율은 비슷한 수준이다.
③ 장시간 최대하 운동 초기에는 근글리코겐의 이용 비율과 혈당의 이용 비율은 비슷한 수준이다.
④ 최대하 운동이 장시간(1시간 이상)지속될 경우 근중성지방의 이용 비율은 혈장 유리지방산의 이용 비율보다 높다.

정답 ①

아래 그림에서 확인할 수 있듯이 다음과 같이 수정할 수 있다.

② 근중성지방의 이용 < 혈장유리지방산의 이용
③ 근글리코겐의 이용 비율 > 혈당의 이용 비율
④ 근글리코겐의 이용 비율 < 혈장의 유리지방산 이용 비율

그림에서 나타난 비율은 고도로 훈련된 운동선수의 것이다.

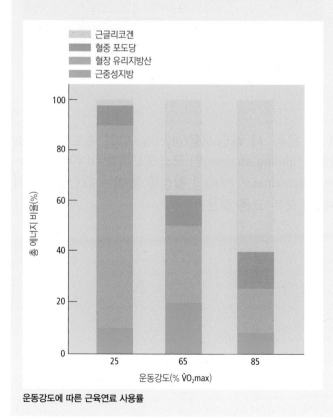

운동강도에 따른 근육연료 사용률

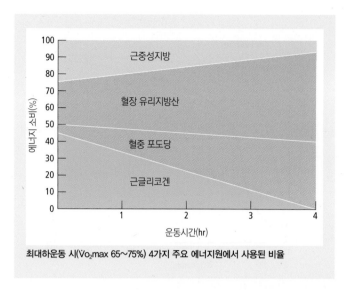

최대하운동 시($\dot{V}O_2$max 65~75%) 4가지 주요 에너지원에서 사용된 비율

11. 운동 시 혈액 내 산소 운반과 산소포화도(%O_2 saturation)에 대한 옳은 설명을 <보기>에서 모두 고른 것은?

〈보기〉

㉠ 산소분압이 20mmHg 일 때, 마이오글로빈(myoglobin)의 산소포화도는 헤모글로빈(hemoglobin)의 산소포화도보다 낮다.
㉡ 산소분압이 40mmHg 일 때, pH 7.45 보다 pH 7.35의 헤모글로빈 산소포화도가 더 높다.
㉢ 폐조직 내 가스 교환 직후 동맥혈 산소분압은 약 100mmHg 이다.
㉣ 산소분압이 40mmHg 일 때, 혈액 온도가 37℃일 때 보다 42℃일 때 헤모글로빈 산소포화도가 더 낮다.

① ㉠, ㉡   ② ㉡, ㉢
③ ㉢, ㉣   ④ ㉠, ㉣

정답 ③

☞2015년 운동생리학 16번 참고
다음과 같이 수정할 수 있다.
㉠ 높다. ㉡ 낮다.

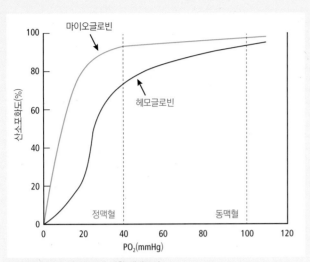

마이오글로빈과 헤모글로빈 대한 해리곡선

📖 **보충학습**

마이오글로빈(myoglobin)은 골격근과 심장근에서 볼 수 있는 산소와 결합하는 단백질로써 근육세포막에서 미토콘드리아로 산소를 운반하는 역할을 한다. 미오글로빈은 헤모글로빈보다 산소친화도가 크며 미오글로빈-산소 해리곡선은 산소의 분압이 20mmHg 이하일 때 헤모글로빈보다 더욱 급경사를 이룬다. 미오글로빈-산소 해리곡선의 모양은 매우 낮은 수준의 산소분압 값에서도 미오글로빈이 산소를 내 놓는다.

12. 신경전달물질과 시냅스에 대한 옳은 설명을 <보기>에서 모두 고른 것은?

─〈보기〉─

㉠ 신경전달물질 중 아세틸콜린(acetylcholine)은 억제성과 흥분성 전위에 모두 관여한다.
㉡ 아세틸콜린이 시냅스후 신경(post-synaptic neuron)의 수용체와 결합하면 세포 바깥쪽 칼륨이 신경이나 근육세포 안으로 들어간다.
㉢ 억제성 시냅스후 전위(IPSP)는 아세틸콜린에스테라아제(acetylcholinesterase)의 작용에 의해 발생한다.
㉣ 흥분성 시냅스후 전위(EPSP)수와 억제성 시냅스후 전위 수의 비율에 따라 흥분성, 억제성 신경전달이 나타난다.

① ㉠, ㉡   ② ㉡, ㉢
③ ㉢, ㉣   ④ ㉠, ㉣

정답 ④

다음과 같이 수정할 수 있다.
㉡ 아세틸콜린이 시냅스후 신경(post-synaptic neuron)의 수용체와 결합하면 세포 바깥쪽 나트륨이 신경이나 근육세포 안으로 들어간다.
㉢ 억제성 시냅스후 전위(IPSP)는 감마아미노뷰티르산(GABA)의 작용에 의해 발생한다.

💡 **저자촌평** 이 문제는 운동생리학을 공부한 수험생이라면 ㉠이 맞는 문항이기 때문에 ①번과 ④으로 압축된다.

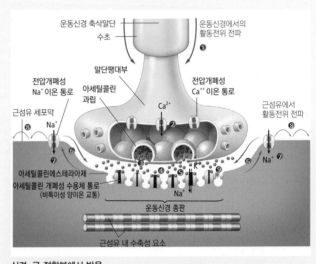

신경-근 접합부에서 반응

13. 운동 시 해당작용(glycolysis)의 속도제한효소(rate-limiting enzyme)인 포스포프록토키나아제(phosphofructokinase, PFK)의 활성을 높이는 요인을 <보기>에서 모두 고른 것은?

─〈보기〉─

㉠ 시트르산염(citrate)증가   ㉡ ADP 증가
㉢ pH 증가   ㉣ H^+ 증가

① ㉠, ㉡   ② ㉡, ㉢
③ ㉢, ㉣   ④ ㉠, ㉣

정답 ②

이 문제는 에너지대사 과정에서 필자가 항상 들려주는 효소에 대한 문제로서 해당작용의 자극물질을 찾으면 된다.

생체에너지학에 관련된 대사적 과정 중 속도조절 효소의 활동에 영향을 미치는 요인들			
대사경로	속도조절 효소	자극물질	억제물질
ATP–PC체계	크레아틴 키나아제	ADP	ATP
해당 작용	인산과당 분해효소	AMP, ADP, P, pH↑	ATP, CP, 시트르산염. pH↓
크렙스 회로	이소구연산 탈수소효소	ADP, Ca^{++}, NAD	ATP, NADH
전자전달체계	산화효소	ADP, Pi	ATP

📖 **보충학습**

ⓒ과 ⓔ은 항상 반비례관계임을 기억해야 한다.

14. 운동단위에 대한 설명 중 옳은 내용을 <보기>에서 모두 고른 것은?

─〈보기〉─

ⓐ 근육의 움직임과 기능은 동원되는 운동단위의 근섬유 수에 영향을 미치지 않는다.
ⓑ 운동뉴런의 세포체는 척수 내에 위치하고, 축삭은 신경정보를 전달할 근육과 연결되어 있다.
ⓒ 역도 선수와 사이클링 선수가 운동할 때 동원하는 운동단위의 적용 형태는 같다.
ⓓ 단시간 고강도 운동 수행 시에는 크기원리(size principle)에 대한 예외가 발생한다.

① ⓐ, ⓑ   ② ⓐ, ⓒ
③ ⓑ, ⓓ   ④ ⓒ, ⓓ

정답 ③

비교적 쉬운 문제로서 운동단위란 1개의 운동신경에 연결되는 근섬유를 말한다.

📖 **보충학습**

운동단위(motor unit)는 각 몸운동 신경세포와 그 신경이 지배하는 근섬유 모두를 말하는데 생체에서 활성화되는 운동단위들을 변화시켜 근육의 차등적인 수축이 이루어진다.

예를들어 섬세한 안구운동을 요구할 때는 신경지배비(근섬유수/운동신경)가 낮고, 역도나 사이클링 같은 다리근육과 같은 자극비율은 크다.

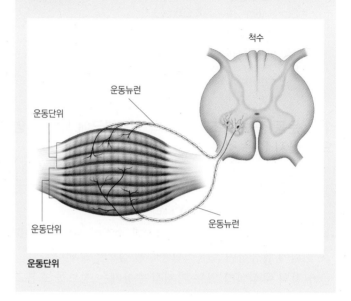

운동단위

15. 체중이 70kg인 운동선수가 <보기>의 조건으로 고정식 자전거 에르고미터(6m/rev)운동을 할 때, 일량(work)과 파워(power)의 값으로 알맞은 것은?

─〈보기〉─

분당 50rpm의 속도, 10분 운동, 마찰저항 2kp

	일량(kgm)	파워(kgm/min)
①	1,000	100
②	6,000	600
③	8,400	840
④	70,000	7,000

정답 ②

10분간의 운동시간 동안 저항을 2kp로, 분당 페달회전수를 분당 50회의 운동했으니 이때의 일량은 다음과 같은 방법으로 구할 수 있다.

- 10분 동안 운동했으니 총 회전수 :
  10min × 50rev. · min⁻¹ = 500rev.
- 따라서 전체 일은
  = 2kp × (6m · rev⁻¹ × 500rev.)
  = 6,000kpm or 98W
  파워(P) = 6000kpm ÷ 10s

16. 운동 중 호흡조절 중추의 신경자극에 대한 설명으로 옳지 <u>않은</u> 것은?

① 운동 중 관절, 힘줄 및 근육의 말초수용체로부터 호흡조절 중추로의 정보 전달이 나타난다.
② 근육 내 화학수용체는 칼륨(K^+)과 수소이온(H^+)의 농도 변화에 반응하여 호흡조절중추에 정보를 보낸다.
③ 심장의 우심실에 있는 기계적 수용체는 정보를 호흡조절 중추로 보내 운동 중 심박출량을 증가시킨다.
④ 동맥의 산소 분압 증가는 중추화학수용체와 대동맥 소체를 자극하여 환기량을 증가시킨다.

정답 ④

호흡조절 체계와 호흡을 조절하는 수용체를 정리하기 바란다.
④ 동맥의 이산화탄소 분압 증가는 중추화학수용체와 대동맥 소체를 자극하여 환기량을 증가시킨다.

```
              대뇌              ← 운동 중 환기량
         (higher brain center)    증가의 주 원인
                  ↓
                              골격 근육
  말초화학수용체  →  호흡조절    →  화학수용체
                중추: 연수(延髓)  →  기계수용체
                  ↓
               호흡근
         (respiratory muscle)
```

최대하운동 시 호흡조절 체계

📖 **보충학습**

호흡조절 중추에 자극을 부여해서 운동 동안 호흡을 조절하는 수용체

연수에 위치한 화학수용체(중추화학수용체)	$PCO_2\uparrow$
경동맥소체(말초화학수용체)	$PCO_2\uparrow$, $pH\downarrow$, $PO_2\downarrow$
대동맥소체(말초화학수용체)	$PCO_2\uparrow$, $pH\downarrow$
근육 기계수용체	근수축활동↑
근육 화학수용체(대사적수용체)	$pH\downarrow$, 칼륨↑

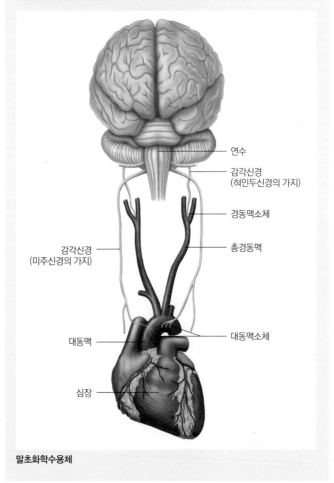

연수
감각신경
(혀인두신경의 가지)
경동맥소체
총경동맥
감각신경
(미주신경의 가지)
대동맥소체
대동맥
심장

말초화학수용체

17. <보기>에서 괄호 안의 용어를 순서대로 바르게 나열한 것은?

〈보기〉

흉곽 내부 압력의 (㉠)는 흡기를, (㉡)는 호기를 유발시킨다. 이를 통해 복강의 압력을 변화시켜 심장으로 향하는 정맥혈회귀(venous return)를 증가시키는 것을 (㉢)라고 한다.

	㉠	㉡	㉢
①	감소	증가	호흡펌프(respiratory pump)
②	증가	감소	호흡펌프(respiratory pump)
③	증가	감소	근육펌프(muscle pump)
④	감소	증가	근육펌프(muscle pump)

정답 ④

호르몬을 공부한 수험생에게 쉬운 문제이다.

④ 부신피질은 알도스테론, 코티솔, 부신수질은 에피네프린을 분비한다.

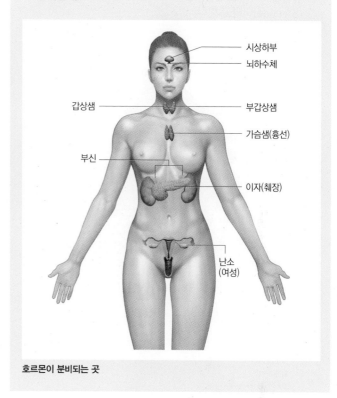

호르몬이 분비되는 곳

정답 ①

쉽게 정답을 고를 수 있는 문제이다.

운동 중 정맥혈 회귀의 증가에 대한 세 가지 주요 기전들은
① 정맥의 수축(venoconstriction),
② 골격근 수축에 의한 펌프작용(muscle pump),
③ 호흡계의 펌프작용(respiratory pump)이다.

보조적인 흡기 근육
(오직 강제 흡기 동안만 수축)
흉쇄유돌근
사각근
내늑간근
흉골
갈비뼈
외늑간근
횡격막
강제 호기 근육
(오직 강제 호기 동안만 수축)
주요 흡기 근육
(매 흡기에서 수축,
이완은 수동적 호
기를 야기)
복부 근육

호흡계의 펌프작용

18. 내분비계에 대한 설명으로 옳지 <u>않은</u> 것은?

① 혈장 호르몬 농도는 세포 수준에서의 효과를 결정하는 중요한 요인이다.
② 내분비계는 선(분비샘, gland), 호르몬, 목표기관 또는 수용 기관으로 구성된다.
③ 호르몬은 화학적인 구조에 따라 펩티드호르몬, 스테로이드호르몬, 아민호르몬으로 분류된다.
④ 부신피질은 알도스테론, 코티솔, 에피네프린을 분비한다.

19. 순환계의 구조와 기능에 대한 설명으로 옳지 <u>않은</u> 것은?

① 순환계는 산소와 영양소를 조직에 전달하고, 체온을 조절한다.
② 정상상태에서 심장주기를 조절하는 박동기를 방실결절(AV node)이라고 한다.
③ 운동 중 근육 혈류량은 산화질소, 아데노신 등의 증가에 의해 자율조절 된다.
④ 혈류에서 가장 큰 혈관 저항이 일어나는 곳은 세동맥(arteriole) 이다.

정답 ②

평소 필자가 강조하는 심장의 자극전도계를 알고 있다면 빠르게 답을 찾을 수 있다.

② 정상상태에서 심장주기를 조절하는 박동기를 동방결절 (SA node)이라고 한다.

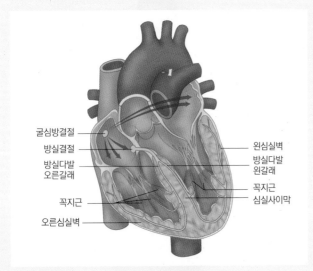

심장의 전도계통

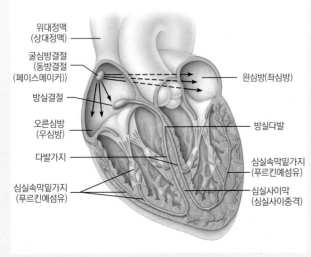

심장의 내인성 전도계

20. 건강 및 체력과 관련된 용어에 대한 설명으로 옳지 <u>않은</u> 것은?

① 신체활동(physical activity) – 에너지 소비를 증가시키는 근육에 의한 신체 움직임
② 체력(physical fitness) – 피로감 없이 신체활동 및 일상생활을 수행하는데 필요한 능력
③ 운동(exercise) – 체력의 향상과 유지를 목표로 하는 계획된 신체활동
④ 건강관련체력(health-related physical fitness) – 신체구성 및 순발력을 포함하는 체력

정답 ④

④ 건강관련체력(health-related physical fitness) - 신체구성 및 유연성을 포함하는 체력

체력	
건강관련 체력	운동관련 체력
신체조성	민첩성
유연성	협응성
심폐기능	평형성
근지구력	스피드
근력	순발력
	반응시간

자전거 타기는 유산소운동이다.

건강 · 체력평가

01. 동일한 체력요인을 측정하기 위한 방법으로 옳지 <u>않게</u> 묶인 것은?

① 하버드 스텝검사, 2.4km 달리기, 6분 걷기
② 피부두겹법, 인체둘레측정, 수중체중법
③ 앉아서 윗몸 앞으로 굽히기, 외발서기, 사이드 스텝
④ YMCA 벤치 프레스 검사, 팔굽혀펴기, 윗몸 일으키기

정답 ③

운동생리학 20번 문제와 맥락을 같이하는 문제여서 쉽게 해결이 가능하다.

02. 규칙적인 신체활동에 의한 이점으로 옳지 <u>않은</u> 것은?

① 안정 시 수축기 혈압과 이완기 혈압의 감소
② 고밀도지단백콜레스테롤 증가와 중성지방 감소
③ 혈액 내 젖산축적 시점에 대한 운동역치 증가
④ 절대적 최대하 운동강도에서 심근산소소비량의 증가

정답 ④

☞2016년 건강체력평가
1번 참고
다음과 같이 수정할 수 있다.
④ 절대적 최대하 운동강도에서 심근산소소비량의 감소

Cycling

03. 각 현장검사(field test)의 특성에 대한 설명으로 옳지 <u>않은</u> 것은?

① 12분 달리기 검사는 주어진 시간 내에 가능한 먼 거리를 달려야 한다.
② 락포트(Rockport) 1 마일 걷기 검사는 가능한 빨리 걷고 회복기 3분간의 심박수를 측정한다.
③ 2.4km 달리기는 최소 시간에 가능한 빨리 완주해야 한다.
④ 6분 걷기는 울혈성 심부전증 환자나 폐질환자의 심폐체력을 평가하는데 이용할 수 있다.

정답 ②

다음과 같이 수정할 수 있다.
② 락포트(Rockport) 1 마일 걷기 검사는 가능한 빨리 걷고 마지막 1분간의 심박수를 측정한다.

러닝

04. 체중이 60kg인 A씨는 1주일에 4회, 회당 30분씩 8METs의 강도로 달리기를 한다. 달리기에 의한 A씨의 주당 순 에너지 소비량은? (달리기 시 순에너지 소비량은 7METs임. 산소 1L = 5kcal)

① 860kcal/주   ② 880kcal/주
③ 882kcal/주   ④ 890kcal/주

정답 ③

아래와 같이 계산하면 답을 고를 수 있다.

7METs X 30min X 4일/wk = 840METs−min · wk⁻¹

[(7METs X 3.5mL · kg⁻¹ · min⁻¹ X 70kg/1000)] X 5

7.35Kcal · min⁻¹X 30min X 4일/wk = 882Kcal · wk⁻¹

---

05. <보기> 중 노인체력검사(senior fitness test; SFT)의 요인과 검사항목을 바르게 묶은 것은?

─〈보기〉──
ㄱ 유연성 – 의자 앉아 윗몸 앞으로 굽히기(chair sit and reach)
ㄴ 심폐지구력 – 1 마일 달리기(1 mile run)
ㄷ 하지근력 – 30초 의자 앉았다 일어서기(30s chair stand)
ㄹ 상지근력 – 런지(lunge)
ㅁ 이동 및 기능성 – 2.4m 일어서서 돌아오기(2.4m up and go)

① ㄱ, ㄷ, ㅁ   ② ㄱ, ㄹ, ㅁ
③ ㄴ, ㄷ, ㄹ   ④ ㄴ, ㄷ, ㅁ

정답 ①

SFT는 매년 약방의 감초처럼 출제되고 있다. 2019년 실기문제에도 출제된 영역이다.

다음과 같이 수정할 수 있다.
ㄴ 심폐지구력 – 6분 걷기(2분 제자리걷기)
ㄹ 상지근력 – 덤벨들기(악력)

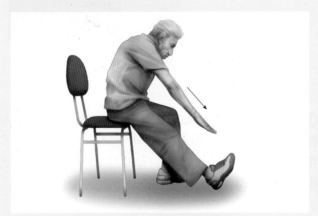

의자에 앉아서 손뻗기

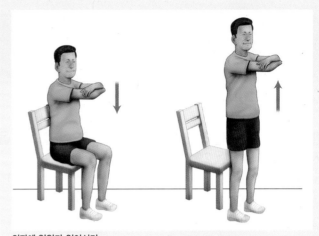

의자에 앉았다 일어서기

의자에 앉았다 일어서기

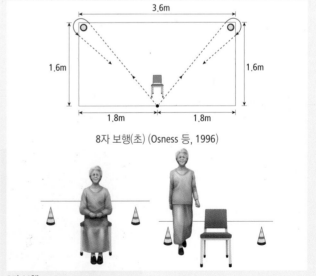

8자 보행(초) (Osness 등, 1996)

8자 보행

06. <보기>는 ACSM에서 제시한 최대근력 추정을 위한 1RM(repetition maximum)의 측정순서이다. 바르게 나열한 것은?

Seated two-arm dumbbell curl

―〈보기〉―

㉠ 피검자는 1RM을 결정하기 위해 최대하 수준으로 몇 차례 반복하는 준비운동을 실시한다.
㉡ 더 이상 반복수행을 하지 못할 때까지 상체는 5~10%씩, 하체는 10~20%씩 지속적으로 증가시킨다.
㉢ 최초 중량은 피검자의 인지된 능력(50~70%)내에서 선택한다.
㉣ 마지막으로 들어 올린 중량을 1 RM으로 기록한다.

① ㉠ → ㉡ → ㉣ → ㉢　　② ㉠ → ㉢ → ㉡ → ㉣
③ ㉠ → ㉡ → ㉢ → ㉣　　④ ㉠ → ㉢ → ㉣ → ㉡

정답 ②

이 문제는 준비운동이라는 ㉠이 가장 먼저 진행되는 순서이며, 1 RM으로 기록하게 된다. 따라서 ①과 ④는 정답이 아니다.

📖 보충학습

ACSM의 근력측정을 위한 6단계의 RM 및 다중 RM 검사 절차를 요약해서 출제한 문제이다.

① 피검사자가 익숙함/연습 세션에 참여한 후 검사가 이루어지도록 한다.
② 피검사자는 1RM을 결정하려고 이용하는 특정 운동의 최대하 수준으로 몇 차례 반복하는 준비운동을 실시한다.
③ 시험 사이의 간격이 3~5분인 4회 시험 내에서 1RM(또는 다중 RM)으로 결정한다.
④ 최초 무게는 피검사자의 인지된 능력(~50~70%) 내에서 선택한다.
⑤ 저항무게는 이전에 성공했던 무게부터 더 이상 반복 수행을 하지 못할 때까지 상체는 5~10%씩, 하체는 10~20%씩 지속적으로 증가시킨다. 모든 반복 수행은 동일한 속도로 실시하고 측정 간 ROM은 일정하게 유지한다.
⑥ 마지막으로 들어 올린 중량을 절대적 1RM 혹은 다중 RM으로 기록한다.

07. <보기>의 최신 ACSM에서 제시한 아네로이드식 혈압계 측정절차의 순서를 옳게 나열한 것은?

―〈보기〉―

㉠ 첫 번째 코르트코프음(korotkoff sound)보다 20mmHg정도 높을 때까지 빠르게 커프압력을 높인다.
㉡ 수축기혈압은 2회 이상의 코르트코프음(korotkoff sound)이 들릴 때 첫 번째 음이 들리는 시점으로 기록한다.
㉢ 초당 2~3mmHg 비율로 압력을 천천히 푼다.
㉣ 이완기혈압은 코르트코프음(korotkoff sound)이 사라지기 전의 시점으로 기록한다.

① ㉠ → ㉡ → ㉣ → ㉢　　② ㉠ → ㉢ → ㉡ → ㉣
③ ㉢ → ㉠ → ㉣ → ㉡　　④ ㉢ → ㉠ → ㉡ → ㉣

정답 ②

ACSM의 안정 시 혈압측정 절차 11단계를 요약한 문제이다.

① 환자는(검사 테이블에 숙이지 말고)의자에 등을 기대고 발을 바닥에 대고 팔을 심장 높이로 지지한 채 최소 5분 동안 가만히 앉아 있어야 한다. 환자는 측정 전 30분 동안 흡연 및 카페인 섭취를 삼간다.
② 특별한 상황에서 눕거나 선 자세에서 측정이 필요할 수 있다.
③ 커프를 심장 높이에서 위팔(upper arm)주위에 단단히 감는다. 커프는 위팔동맥(상완동맥)에 일직선으로 맞춘다.

④ 정확한 측정을 위해서는 적당한 크기의 커프를 사용하는 것이 중요하다. 커프 내 공기주머니는 상완의 최소 80% 정도를 감아야 한다. 대부분의 성인은 크기가 큰 성인용 커프를 이용해야 한다.

⑤ 청진기를 상완동맥 주전 부위에 놓는다. 벨형과 판형은 혈압 측정 시 같은 효과를 나타낸다.

⑥ 첫 번째 코로트코프(korotkoff) 소리보다 20mmHg 정도 높을 때까지 빠른 속도로 커프의 압력을 부풀린다.

⑦ 초당 2~3mmHg 비율로 압력을 천천히 푼다.

⑧ 수축기혈압은 2회 이상의 코로트코프음이 들리는 시점(1단계)이고, 이완기혈압은 코로트코프음이 사라지기 전의 시점(5단계)이다

⑨ 측정은 최소한 2회(최소 1분 간격 이상)해야 하고 평균치를 얻는다.

⑩ 혈압은 처음 측정 시 양팔에서 측정해야 한다. 양팔의 측정치가 계속 다르다면 더 높은 혈압 측정치를 사용한다.

⑪ 환자에게 명확한 혈압수치와 목표 혈압수치를 말해주고 그 기록을 전해준다.

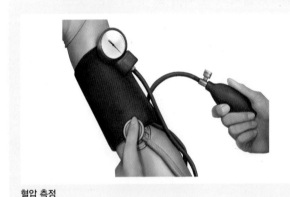

혈압 측정

08. <표>는 NCEP-ATP Ⅲ(National Cholesterol Education Program-Adult Treatment Panel Ⅲ)에서 제시한 대사증후군 기준이다. 괄호 안에 들어갈 수치로 옳은 것은?

항목	NCEP-ATP Ⅲ의 기준
허리둘레	남 > (㉠) cm, 여 > 88 cm
중성지방	≥ (㉡) mg/dL
고밀도 지단백 콜레스테롤	남 < 40 mg/dL, 여 < (㉢) mg/dL
혈압	수축기 ≥ 130 mmHg 혹은 이완기 ≥ 85 mmHg
공복 시 혈당	≥ (㉣) mg/dL

	㉠	㉡	㉢	㉣
①	100	140	35	100
②	102	140	50	110
③	100	150	45	110
④	102	150	50	100

정답 ④

ACSM 가이드라인을 숙지한 수험생이면 쉽게 해결할 수 있는 문제이다.

인바디 측정

📖 보충학습

기준	NCEP/ATP Ⅲ
체중	허리둘레
남	>102cm (>40in)
여	>88cm (>35in)
HDL	남 < 40mg · dl⁻¹
	여 < 50mg · dl⁻¹
중성지방	≥150mg · dl⁻¹

09. 운동부하검사에서 얻은 심박수 반응을 통해 최대산소섭취량을 추정하기 위한 가정으로 옳지 <u>않은</u> 것은?

① 최대심박수의 실측값과 예측값의 차이는 매우 작아야 한다.

② 심박수와 운동량의 변화는 선형적인 관계를 갖는다.

③ 심박수 변화를 유발하는 약물을 복용하는 것은 영향을 미치지 않는다.

④ 정해진 운동량에 대한 기계적 효율은 모든 대상자들이 동일해야 한다.

정답 ③

③ 약물을 복용하는 것은 심박수 변화를 유발할 수 있다.

10. 등속성 근관절 검사에 관한 설명으로 옳은 것을 <보기>에서 모두 고른 것은?

─〈보기〉─

㉠ 단축성 수축(concentric contraction)과 신장성 수축(eccentric contraction) 모두 측정 가능하다.
㉡ 각속도에 따라 운동강도를 조절할 수 있다.
㉢ 다른 검사에 비해 검사시간이 상대적으로 짧다.
㉣ 전체 관절가동범위 내 최대 근수축이 가능하다.
㉤ 근손상의 위험이 높다.

① ㉠, ㉡, ㉢
② ㉠, ㉡, ㉣
③ ㉡, ㉢, ㉤
④ ㉡, ㉣, ㉤

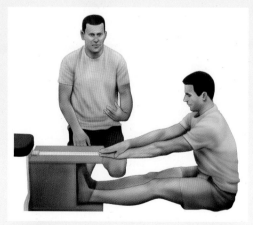

무릎 최대운동 측정 결과

> 88°에서 60 ton Newtons (최고치)
> 20°에서 12 ton Newtons
> 힘(ton Newtons)
> 관절각도

정답 ②

다음과 같이 수정할 수 있다.
㉢ 다른 검사에 비해 검사시간이 상대적으로 짧지 않다.
㉤ 근손상의 위험이 낮다.

📖 보충학습
㉢의 이유는 장비가 일정한 운동속도로 제어되기 때문에 대부분의 경기에서 수행되는 운동방식 즉 가속도가 계속 증가하는 운동과 근수축 양식이 다르기 때문이다.

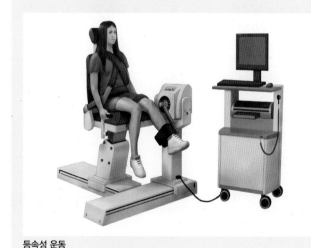

등속성 운동

11. 체력 검사 도구를 선택할 때 고려할 사항으로 옳지 <u>않은</u> 것은?

① 똑같은 검사 도구라도 측정 대상에 따라 타당도는 달라지므로 대상자의 특성에 맞는 도구를 선택해야 한다.
② 검사 도구의 신뢰도가 높다고 해서 반드시 타당도가 높은 것은 아니므로 신뢰도와 타당도 모두를 고려한다.
③ 절대평가기준이 있는 검사 도구가 없는 검사 도구에 비해 더 타당하므로 절대평가기준이 있는 도구를 선택한다.
④ 신뢰도가 낮은 검사 도구의 타당도는 높을 수 없으므로 신뢰도가 낮은 도구는 제외한다.

정답 ③

🔗 저자촌평 cafe.naver.com/healthtrainer에서 해설을 참조하기 바란다.

체력검사도구

12. 오래달리기/걷기 기록과 최대산소섭취량($\dot{V}O_2max$)의 상관 관계를 검증함으로써 오래달리기/걷기 측정 방법의 타당도를 검증하였다. 이 타당도를 설명하는 것으로 옳은 것은?

① 같은 속성을 반복 측정하고 비교함으로써 오차분산의 크기를 검증한다.
② 두 개 검사가 측정하는 세부 요인들의 내용적 일치도를 검증한다.
③ 능력이 명확히 다르다고 알려진 두 대상자 집단을 비교하여 통계적 차이를 검증한다.
④ 타당도가 높다고 알려진 검사 도구 점수와의 비교를 통해 공유한 분산의 양을 검증한다.

정답. ④

예측타당도에 관련된 문제로서 ①, ②는 신뢰도에 관련된 내용이며, ③은 능력이 유사한 집단으로 수정해야 한다.

📖 **보충학습**
검사의 예측타당도를 추정하려면 다음과 같은 절차를 통해서 가능하다(Safrit & Wood).
① 200명 이상 정도의 충분한 표본 크기로 표본을 무선 표집한다.
② 현장 검사(오래달리기-걷기)와 준거 검사($\dot{V}O_2max$)를 실시한다.
③ 현장 검사의 점수와 준거 검사의 점수 간 상관을 산출하고, 그 상관 정도가 높은 것으로 나타나면 다음 단계로 간다. 즉, 두 검사 점수 간에 선형관계가 있다면 다음 단계로 간다.
④ 교차타당화 절차를 수행한다.

13. 한 집단의 대상자로부터 악력을 측정한 후 측정값들을 z-점수, T-점수, 백분위수 등과 같은 표준점수로 변환하였다. 다음 중 표준점수에 대한 설명으로 옳지 **않은** 것은?

① 한 집단 내에서 z 점수로 변환한 점수들의 평균은 0, 표준편차는 1.0 이다.
② 분포의 모양이 정적 편포(positively skewed distribution) 일 때 z 점수 0과 백분위수 50은 원점수(raw score)가 같다.
③ 백분위수 70은 집단 내에 이 점수보다 낮은 점수를 기록한 사람이 70%라는 의미이다.
④ 표준점수는 집단에 속한 다른 대상자들의 점수와 비교하여 각 점수의 상대적인 위치를 나타내기 위하여 사용한다.

정답. ②

② 분포의 모양이 정규편포(normal distribution) 일 때 z 점수 0과 백분위수 50은 평균치가 같다.

📖 **보충학습**
① 표준 점수 :
표준 점수는 개인의 점수에서 평균을 뺀 점수 즉, 편차 점수를 그 개인이 속한 집단의 표준편차로 나누어준 값으로, Z점수라고도 한다. 점수 분포가 정규분포 한다면 Z점수는 원점수의 분포를 평균이 0이고 표준편차가 1인 점수 분포로 변환한 점수이다. Z점수를 계산하는 공식은 다음과 같다.

표준점수=원점수-평균/표준편차

② 백분위수 :
백분위수는 백분위점수라고도 하며, 측정치를 크기에 따라 백 등분 했을 때 각 등분에 해당하는 점수를 의미한다. 중앙값은 50 백분위수이며, 주의 할 것은 백분위수는 어떤 측정치를 백등분 했을 때 그 등분에 해당하는 원점수이다.

14. 그래프에 제시된 결과는 3개의 서로 다른 집단 A, B, C (각 집단 100명)에 대한 악력(kg)검사 자료의 통계치를 나타낸 것이다. 자료에 극단치(outlier)는 없었으며, 그래프에는 25 백분위수와 75 백분위수가 제시되어 있다. 아래 결과에 대한 해석으로 옳은 것은?

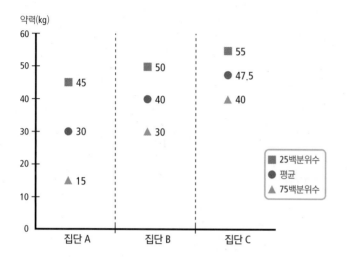

① 집단 C가 집단 A와 B에 비하여 악력이 우수한 집단이다.
② 악력에 있어서 집단 A가 집단 C에 비하여 대상자들이 더 동질적이다.
③ 집단 B에 속한 약 50%의 대상자들의 악력이 약 50kg 또는 그 이상이다.
④ 집단 C에 속한 약 50%의 대상자들의 악력이 40kg 또는 그 이하이다.

정답 ①

분산도에 대하여 공부한 수험생이면 쉽게 해결이 가능한 문제이다. 다음과 같이 수정할 수 있다.
② 악력에 있어서 집단 A가 집단 C에 비하여 대상자들이 더 이질적이다.
③ 집단 B의 75백분위는 50이다.
④ 집단 C의 25백분위는 40이다.

📖 **보충학습**
사분위편차는 75백분위수에서 25백분위수를 뺀 범위이다. 사분위편차는 중앙값으로부터 동일한 백분율을 가진 좌우의 두 점간의 거리에 의해 분석한 분산도 지수이다. 사분위편차는 범위에 비해 극단 값의 영향을 적게 받으며 범위 내에 있는 많은 값들을 고려하므로 범위보다 정밀한 분산도 지수이다.

15. 심폐지구력을 측정하는 검사인 하버드 스텝검사 (Harvard step test)를 한국인에게 적용하였을 때 타당도는 0.4~0.6 정도로 높지 않게 나타난다. 타당도를 높이기 위하여 키(cm)와 체지방률(%)을 예측 변인으로 추가하여 최대산소섭취량($\dot{V}O_2max$; ml/kg/min)을 예측하는 공식을 <보기>와 같이 도출하였다. 이 결과에서 R^2은 0.70이었으며, 모든 추정치는 $\alpha = 0.05$에서 통계적으로 유의하였다. 이 결과에 대한 설명 중 옳지 <u>않은</u> 것은?

〈보기〉

$$\dot{V}O_2max = 2.5 + 0.32 \times (\text{스텝검사 점수}) - 0.40 \times (\text{체지방률}) + 0.18 \times (\text{키})$$

① <보기>의 공식에서 스텝검사 점수와 $\dot{V}O_2max$는 정적 관계를 보이고 있다.
② 평균적으로 체지방률이 1% 증가할 때마다 $\dot{V}O_2max$는 0.40ml/kg/min 낮아진다.
③ 스텝검사 점수, 키, 몸무게로부터 $\dot{V}O_2max$ 분산의 약 49%를 설명할 수 있다.
④ <보기>의 공식에 의한 타당도가 하버드 스텝검사의 타당도보다 높다.

정답 ③

☞ 2017년 건강운동체력평가 11번 참고
③ 몸무게→체지방률

16. '체력'이라는 복합적 특성을 측정하기 위해서 흔히 여러 개의 세부 항목(종목)으로 구성된 체력 검사장(fitness test battery)을 개발·적용한다. 체력 검사장에 대한 설명으로 옳은 것은?

① 체력 검사장을 구성하는 세부 종목들 간의 상관관계가 높을수록 효율성이 높은 검사장으로, 다양한 요인을 비교적 독립적으로 측정해 낼 수 있다.

② 일반적으로 현장(field)에서 사용되는 항목은 실험실 검사 항목에 비해 타당도가 낮으나 측정의 효율성이 높은 종목들로 구성되어 있다.

③ 타당도가 높은 종목과 낮은 종목들이 혼합되어 체력장 전체의 타당도 계수가 0.5 내외로 유지되도록 해야 한다.

④ 검사의 종목이 많을수록 더 객관적이고 효율적인 측정치를 얻을 수 있으나, 검사의 종목 수가 적을수록 전체 체력장의 신뢰도는 높아진다.

정답 ②

다음과 같이 수정할 수 있다.
① 상관계수가 낮을수록
③ 타당도 계수 0.8

조정

17. 자가기입 질문지를 사용하여 일상생활 중의 신체활동량을 측정하고 에너지대사당량(metabolic equivalent: MET)으로 환산하고자 할 때 <보기>에서 질문지에 반드시 포함되어야 하는 사항으로만 묶은 것은?

〈보기〉

㉠ 신체활동 강도   ㉡ 성별과 체중
㉢ 신체활동 지속시간   ㉣ 최대근력
㉤ 신체활동 빈도

① ㉠, ㉡, ㉢, ㉣   ② ㉠, ㉡, ㉢, ㉤

③ ㉠, ㉡, ㉣, ㉤   ④ ㉡, ㉢, ㉣, ㉤

정답 ②

최대근력은 1RM이나 상대적 근지구력 측정 시 고려되는 요소이다.

18. 건강증진을 위해 운동을 실행하는 일반 성인에 대한 체력검사의 목적으로 적절하지 <u>않은</u> 것은?

① 현 체력상태 진단과 처방
② 운동참여에 대한 동기유발
③ 운동프로그램의 효과성 검증
④ 천정효과(ceiling effect)증진

정답 ④

저자촌평 이 문제는 검사의 목적이 ①, ②, ③외에 향상도 측정이라는 항목도 있는데 천정효과를 몰라도 정답을 ④번으로 선택할 수 있다.
천정효과는 처치가 매우 효과적이거나 검사의 난이도가 너무 낮아서 검사에 응한 모든 피험자가 매우 높은 점수를 얻는 경우이다.

📖 보충학습

통계학의 경우
통계학에서 천정효과가 나타나는 또 다른 경우는, 변수가 특정 지점 이상을 상회하여 더 이상 측정되지 않을 때다.

약학의 경우

약학에서는 약물 투여량과 관련하여, 특히 진통제와 같은 약물의 경우 일정량까지는 고통이 감소하는 정도가 증가하지만 일정량에 도달하면 투여량을 늘려도 더 이상 진통효과가 늘어나지 않는다. 이런 경우 더 이상 진통효과가 증가하지 않는 시점이 바로 천정효과가 나타나는 지점이라고 볼 수 있다.

마케팅의 경우

마케팅 분야에서는 특정 브랜드가 부동의 1위 자리를 점하고 있어서 더 이상 올라갈 곳이 없을 때, 해당 브랜드가 천정에 도달하였으며, 후발 브랜드들로부터 추격을 당한다고 본다.

반대개념

반대로 바닥효과(Floor Effect)에서는 종속변수가 낮은 점수 범위에 몰려 있어서 독립변수의 영향력을 확인하기 어려운 경우를 의미한다. 예를 들어, 시험문제가 너무 어려워서 대부분의 학생들이 10~20점을 받았을 경우, 학생들 간의 학업 성취도 차이를 확인하기 어렵다. 또, 약물에 대하여 대부분의 사람들에게서 효과가 나타나지 않거나 그 정도가 매우 미미할 경우, 약물 투여로 인한 효과를 확인하기 어렵다. 천정효과와 바닥효과를 아울러 척도 희석화 효과(scale attenuation effects)라고 한다.

달리기

19. 체력측정의 오차에 영향을 주는 요인으로 옳지 않은 것은?

① 측정 대상자의 체력 증진
② 측정 대상자의 피로도
③ 측정도구(기기)의 정확도
④ 대상자별로 적용되는 측정 절차의 차이(다양성)

정답 ①

누구나 쉽게 풀 수 있는 문제이다.

대퇴 바깥쪽 폼롤링

20. 타당한 측정과 평가를 위한 일반적인 체력검사의 실행 방법으로 적절하지 <u>않은</u> 것은?

① 모든 대상자들이 표준적인 절차를 따라 측정되도록 한다.
② 근력 · 근지구력은 5분 간격으로 2회 측정하여 나중에 측정한 수치를 기록한다.
③ 직전에 실시한 검사로부터 생긴 피로감이 완전히 회복된 후 실시하도록 한다.
④ 측정자들이 많을 경우 측정 절차의 일관성을 위해 교육/협의하는 시간을 갖는다.

정답 ②

② 근력(배근력, 악력 등)은 5분 간격으로 2회 측정하여 좋은 수치를 기록한다.

운동처방론

01. 운동 초보자의 심폐체력 단련 단계에서 가장 먼저 증가시켜야 할 요소로 적절한 것은?

① 운동시간(time)
② 운동강도(intensity)
③ 운동빈도(frequency)
④ 운동형태(type)

정답 ①

운동프로그램에서 전진 단계는 초기·향상·유지 단계가 설계된다. 운동처방의 개선은 운동 지속시간(세트당, 하루당, 주당 시간)을 먼저 증가시킴으로써 피검자가 서서히 진전하도록 하며, 적은 양의 운동강도가 뒤따르도록 한다.

📖 **보충학습**

신체활동이 결여된 사람의 경우 저강도에서 중강도 수준으로 운동을 시작하고 견딜 수 있을 만큼의 운동시간(즉, 세션당 분)을 증가시키는 것이 권고된다. 세션당 운동시간은 운동프로그램의 최초 4~6주에 매 1~2주마다 5~10분씩 증가시키는 것은 성인들에게 적절하다.

심폐체력 향상 운동

02. <보기>에 해당하는 대상자의 여유심박수(HRR)를 활용하여 산출한 목표심박수로 가장 적절한 것은?

─〈보기〉─

40세 비만 남성(체중 85kg, 체지방율 35%, 좌업생활자)의 운동 시 최대심박수는 170bpm이며, 안정 시 심박수는 80bpm이었다. 체지방 감소를 위해 1일 30분, 주당 3회, 60~70% 운동강도의 고정식 사이클 운동프로그램을 구성하였다.

① 54~63bpm
② 102~119bpm
③ 134~143bpm
④ 152~161bpm

정답 ③

☞2016년 운동처방론 13번 참고
Karvonen Index로 다음과 같이 계산할 수 있다.

(1) 최대심박수 : (220-자기 나이) 즉, 220-40=180
(2) 최대예비심박수 : (220-자기 나이-안정 시 심박수) 즉,
　　　　　　　　　　180-80=100
(3) 목표심박수(THR) : (220-자기 나이-안정 시 심박수)
　　　　　　　　　　×운동강도+안정 시 심박수
　즉, (170-80)×0.6+80=134회/분

🏃 **저자촌평** 이런 문제는 운동강도를 모두 계산하지 말고, 하나만을 환산한 다음 답을 빠르게 고른 후 다음 문제를 풀어야 한다.

유산소 운동

03. 최신 ACSM이 제시한 제1형 당뇨병 환자의 운동 시 고려사항으로 옳지 <u>않은</u> 것은?

① 운동 시작 시 혈당 수준이 250mg/dl 이상일 때, 케톤뇨를 확인한다.
② 유산소 운동은 췌장의 인슐린 분비를 증가시켜 혈당을 감소시킨다.
③ 혈당이 100mg/dl 미만인 경우 운동 참여 전에 탄수화물 15g을 부가적으로 섭취해야 한다.
④ 규칙적인 운동은 인슐린 주사 요구량을 낮출 수도 있다.

정답 ②

☞2018년 운동처방론 14번 참고
운동으로 인한 혈중 인슐린 농도는 휴식 시 수준의 50% 이하로 감소하며, 운동강도와 시간이 증가할수록 그 감소폭은 커진다. 운동 시 혈중 인슐린 농도가 감소하는 것은 교감신경계의 흥분도가 증가되어인슐린 분비를 억제하기 때문이다.
장기간의 트레이닝은 인슐린에 대한 민감도를 향상시킨다. 혈당을 조절하는 인슐린에 대한 필요량이 감소하는 것을 말한다. 따라서 이는 당뇨병환자에게 운동이 아주 훌륭한 치료수단이 될 수 있다. 또한 인슐린 저항성은 고혈압 발생과 관계되어 있으며 운동에 의해 인슐린 저항성의 개선은 근육조직에서 인슐린에 대한 감수성을 높이고 대사개선을 가져와 결과적으로 고혈압도 호전될 수 있다.

정답 ①

♫ 저자촌평 문제 자체에 이미 정답이 제시되어 있다. 설득(persuade)은 A로 시작되는 모형의 요소가 아니다.

📖 보충학습
5A 중 나머지 두 개는 다음과 같다.

① 고객이 문제해결기법, 사회적, 환경적 지원 및 자원을 사용하여 장벽을 확인하고 극복하도록 지원한다(Assist).
② 뒤따르는 피드백, 평가, 지원을 위한 구체적인 계획을 마련한다(Arrange).

아침 인사 운동

04. 건강운동관리사는 고객의 신체활동 촉진을 위해 동기부여 면담을 시행할 수 있다. 이때 주로 적용되는 고객–중심 신체활동 상담모형(5A모형)의 내용으로 볼 수 <u>없는</u> 것은? (5A: Assess, Advise, Agree, Assist, Arrange)

① 신체활동을 시작할 필요가 있다고 설득한다.
② 신체활동의 행동, 신념, 지식, 변화에 대한 준비도를 평가한다.
③ 신체활동의 이점과 비활동성의 건강위험에 대해 고객에게 조언한다.
④ 고객의 준비도에 근거하여 신체활동 목표에 대해 협조적으로 합의한다.

05. 최신 ACSM이 제시한 근거기반 유연성 운동에 대한 권고사항으로 옳지 <u>않은</u> 것은?

① 유연성 운동의 목적은 관절가동범위를 증가시키는 것이다.
② 습열 팩이나 온욕은 유연성 운동의 효과를 높일 수 있다.
③ 성인들의 유연성 운동은 동작별로 10~30초의 정적 스트레칭을 권고한다.
④ 고유수용성신경근촉진법(proprioceptive neuromuscular facilitation) 스트레칭은 노인에게 추천하지 않는다.

유연성 운동

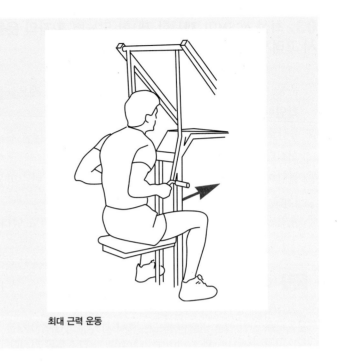

최대 근력 운동

06. 아래 <표>를 이용하여, <보기>의 대상자가 최대 근력(1RM)의 50~60% 운동강도로 근력운동을 하고자 할 때 가장 적절한 중량의 범위는? (소수점 반올림)

〈반복 횟수와 최대근력 백분율 표〉

최대 반복 횟수(RM)	1	2	3	4	5
최대근력 백분율(%)					
최대 반복 횟수(RM)	6	7	8	9	10
최대근력 백분율(%)					

〈보기〉

- 성별 : 남성
- 체중 : 70kg
- 실시한 벤치프레스 중량 : 50kg
- 최대 반복 회수 : 8회

① 약 25~31kg
② 약 32~38kg
③ 약 39~44kg
④ 약 45~50kg

07. 다운증후군인 대상자의 운동처방 시 고려사항으로 옳지 <u>않은</u> 것은?

① 유산소 운동의 권장 목표운동량은 주당 2,000kcal이다.
② 유연성 운동을 처방할 때는 목의 고리중쇠관절(atlantoaxial joint)불안정을 고려하여야 한다.
③ 유산소 운동 능력은 연령과 성별에 따라 예상되는 수준보다 낮은 경우가 대부분이다.
④ 운동에 대한 카테콜라민 반응이 항진되어 높은 최대 심박수를 나타낸다.

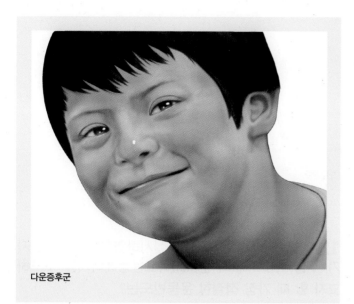

다운증후군

08. 최신 ACSM이 제시한 입원 중인 심장질환자의 운동 시 고려사항으로 옳지 <u>않은</u> 것은?

① 저항운동은 격일로 주 2~3일, 8~10종류의 대근육 운동을 중강도로 실시한다.
② 안정 시 조절되지 않는 동성 빈맥(sinus tachycardia, 120bpm 초과)은 운동 참가의 금기사항이다.
③ 운동 중 이완기 혈압이 110mmHg에 도달할 경우 운동을 중단한다.
④ 유산소 운동강도는 운동자각도(RPE 6~20척도)13 이하에서 실시한다.

정답 ①

①은 입원 중인 심장질환자의 운동이 아니고 외래 환자의 경우에 해당된다.

📖 보충학습
입원 중인 환자에게는 가벼운 유산소 운동이나 유연성 운동이 처방된다. 간헐적 걷기부터 매우 낮은 강도의 스트레칭 등이 실시될 수 있다.

09. 골다공증 환자의 운동처방 시 고려사항으로 옳지 <u>않은</u> 것은?

① 비틀기와 같은 동작을 포함하는 운동을 주로 권고한다.
② 운동은 골다공증 예방을 위해 우선적 처치로 고려할 수 있다.
③ 유연성 향상을 위해 모든 주요 관절의 정적 스트레칭을 권고한다.
④ 일반적인 지침은 통증을 유발하거나 악화시키지 않는 중강도의 체중지지 운동을 권고한다.

정답 ①

① 비틀기와 같은 동작을 포함하는 운동은 바람직하지 않다.

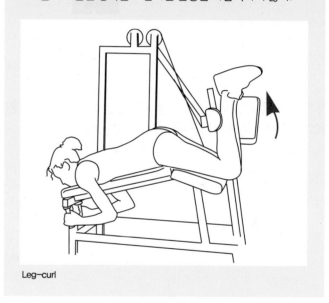

Leg-curl

10. 최신 ACSM이 제시한 건강한 아동 및 청소년을 위한 운동 처방 시 권장사항으로 옳지 <u>않은</u> 것은?

① 유산소 운동은 매일 60분 이상 중강도에서 고강도 사이로 실시해야 한다.
② 저항성 운동은 주 3일 이상, 중간 정도의 피로 수준이 느껴지는 지점까지 체중 부하를 이용할 수 있다.
③ 건강한 아동일지라도 의학적 검사 후, 중강도 운동에 참여하여야 한다.
④ 중·고강도 신체 활동을 포함하며, 짧은 휴식이 번갈아 수행되는 비구조화된 활동적 놀이를 포함해야 한다.

③ 건강한 아동의 경우 의학적 검사 없이, 중강도 운동에 참여할 수 있다.

아동 및 청소년의 운동처방

11. 최신 ACSM이 제시한 중증 만성폐쇄성폐질환(COPD)자의 운동처방으로 옳지 않은 것은?

① 유산소성 운동강도는 여유심박수(HRR)법을 이용하는 것이 적합하다.

② 낙상 예방을 위해 하체 강화 및 균형 훈련을 고려해야 한다.

③ 상지를 포함한 일상활동을 수행하는 동안 호흡곤란을 겪을 수 있으므로, 상체 근육을 위한 저항성 운동을 포함해야 한다.

④ 중증 만성폐쇄성 폐질환자일지라도 유산소 운동 수행이 가능하다면 권장한다.

① 유산소성 운동강도는 Borg CR10 척도에서 3과 6사이의 호흡곤란 척도를 사용할 수 있다.

📖 보충학습

Borg CR10 척도에서 3과 6사이의 호흡곤란 점수는 VO₂max 53~80% 수준에 해당된다.

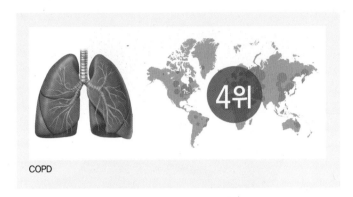

COPD

12. <보기>와 같은 운동을 실시하였을 경우, 대상자가 주당 1,100kcal의 순(net)목표운동에너지를 소모하고자 할 때 가장 적절한 운동빈도는?

─〈보기〉─

• 성별 : 여성　　　• 연령 : 30세　　　• 체중 : 70kg
• 체지방률 : 30%　　　• 최대산소섭취량 : 11METs
• 운동강도 : 60%　　　• 운동시간 : 30분/일
• 1주간 운동에너지 소모 목표 : 1,100kcal

※ O₂ 1L : 약 5kcal, 소수점 반올림

① 3일/주　　　② 4일/주　　　③ 5일/주　　　④ 6일/주

박승화 체육스포츠 강좌에서 확인

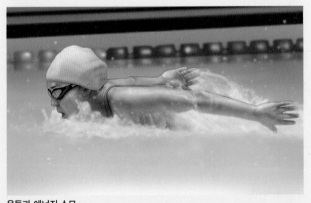

운동과 에너지 소모

13. 파킨슨 환자에 대한 운동처방 시 고려사항으로 옳지 <u>않은</u> 것은?

① 시각적, 청각적 격려(cueing)는 운동 시 환자의 보행을 향상시키는데 도움이 된다.

② 낙상을 경험한 환자는 3개월 내 재발위험 가능성을 고려해야 한다.

③ 척추의 가동성과 축성 회전 운동(axial rotation exercise)들은 파킨슨병의 모든 단계에서 제한되어야 한다.

④ 신체활동 수준이 낮기 때문에 운동 전 심혈관계 위험을 평가하여야 한다.

정답 ③

다음과 같이 수정할 수 있다.
③ 척추의 가동성과 축성 회전 운동(axial rotation exercise)들은 파킨슨병의 모든 심각한 단계에서 권고된다.

📖 보충학습
파킨슨병 환자를 위한 4가지 핵심적인 기능적 향상은 ① 보행, ② 이동, ③ 균형, ④ 관절가동성과 근파워를 향상시키는 것이다.

악력계

14. 비만인의 체중 감량을 촉진하고 지속시키기 위한 생활습관 중재에 대한 설명으로 옳지 <u>않은</u> 것은?

① 주당 최소 2,000kcal 이상 소비되도록 중강도 또는 고강도 운동을 실시해야 한다.

② 규칙적인 운동과 함께 일상생활에서 신체활동량을 늘리도록 한다.

③ 신체활동 수준과 체중감소 사이에 양-반응(dose-response) 관계가 있다.

④ 극소열량식이(very low calorie diet)는 1일 2,000kcal 정도로 설정해야 한다.

정답 ④

♪ 저자촌평 이런 문제들은 공부를 해야 정답을 고를 수 있다. 다음과 같이 수정할 수 있다.
④ 의학적으로 극소열량식이(very low calorie diet)는 1일 1,500 kcal 정도로 설정해야 한다.

📖 보충학습
체중감소는 단기와 장기 목표를 설정하되 3~6개월 정도 처음 체중의 3~10%의 감소를 목표로 하는 것이 바람직하다.

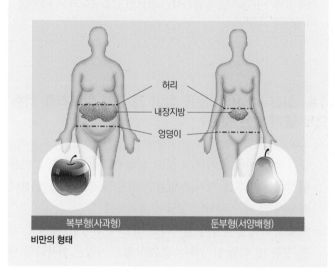

허리
내장지방
엉덩이

복부형(사과형)　　　　둔부형(서양배형)

비만의 형태

15. 척수손상 환자에 대한 운동처방 시 고려사항을 <보기>에서 모두 고른 것은?

〈보기〉

㉠ 팔의 과사용증후군이 나타나지 않으면 근력 향상 목적으로 저항을 5~10RM으로 증가시킬 수 있다.
㉡ 운동 시 자율신경성 반사부전증(autonomic dysreflexia)으로 인해 카테콜라민의 분비를 증가시킨다.
㉢ 근육의 불균형과 경직이 있는 관절은 피하고, 정상 근육군 위주로 운동을 실시한다.
㉣ 가득 찬 방광이나 확장된 장에 의해 자율신경성 반사부전증이 유발될 수 있기 때문에 장과 방광 또는 소변주머니를 운동에 앞서 반드시 비워야 한다.
㉤ 지구력 운동 시 정상인보다 낮은 심부체온에서 잘 견디고, 땀 분비량이 증가되어 있다.

① ㉠, ㉡, ㉢　　　　② ㉠, ㉡, ㉣
③ ㉡, ㉣, ㉤　　　　④ ㉢, ㉣, ㉤

정답 ②

♪ **저자촌평** 이런 문제들은 공부를 해야 정답을 고를 수 있다.
다음과 같이 수정할 수 있다.
ⓒ 치료적인 운동은 근육의 불균형과 경직이 있는 관절에서 실시한다.
ⓓ 지구력 운동 시 정상인보다 높은 심부체온에서 잘 견디고, 낮은 땀 분비량을 나타낸다.

📖 **보충학습**
척추질환자 운동처방의 일차적인 목표는 관절구축과 ROM손실의 예방과 교정이다.

16. 최신 ACSM의 '운동 참여 전 검사 알고리즘 기준'으로 옳지 <u>않은</u> 것은?

① 규칙적 운동에 참여하지 않고 심혈관, 대사 질환 및 이를 암시하는 징후를 가지고 있는 사람은 중강도 운동에 참여하고자 할 때 의사와의 상담이 필요하다.
② 현재 규칙적인 운동에 참여하고 있으며, 심혈관, 대사성, 신장 질환 및 이를 암시하는 징후가 없는 사람은 의사와의 상담 없이 중강도 운동에 참여할 수 있다.
③ 현재 규칙적 운동에 참여하지 않고, 신장질환을 판정받았으나 관련 증상이 없는 사람은 의사와의 상담 없이 저강도 운동에 참여할 수 있다.
④ 현재 규칙적인 운동에 참여하고 있으며, 대사성 질환을 가지고 있으나 관련 증상이나 징후가 없는 사람은 고강도 운동에 참여하고자 할 때 의사와의 상담이 필요하다.

정답 ③

☞ 2018년 운동처방론 6번 참고
다음과 같이 수정할 수 있다.
③ 현재 규칙적 운동에 참여하지 않고, 신장질환을 판정받았으나 관련 증상이 없는 사람은 의사의 허락하에 저강도에 중강도 운동에 참여할 수 있다.

17. 임산부를 위한 운동처방 시 고려사항으로 옳지 <u>않은</u> 것은?

① 임신 중에는 심박수 변동성이 크게 나타날 수 있으므로, 운동강도 설정은 운동자각도(RPE)를 활용하는 것이 적절하다.
② 임신 16주경부터 장시간 누운 자세에서의 신체활동은 정맥회귀를 촉진시켜 심박출량을 증가시킬 수 있다.
③ 케겔(Kegel)운동과 골반저부 운동은 임신과 출산 후 요실금의 위험을 감소시키기 위해 권장한다.
④ 신체활동은 임신 초기에도 재개될 수 있지만, 건강상태를 고려하여 조심스럽게 점진적으로 진행되어야 한다.

정답 ②

☞ 2017년 운동처방론 18번 참고
② 임신 3개월 후 태아의 정맥폐색이 발생하지 않도록 누운 자세에서 운동은 피한다.

♪ **저자촌평** 기출바이블로 공부한 수험생이면 쉽게 해결할 수 있는 문제이다.

📖 **보충학습**
태아가 성장하면서 체중이 증가함에 따라 장시간 지속되는 누운 자세는 정맥회귀량과 심박출량을 감소시킬 수 있다.

임산부 운동

18. 최신 ACSM이 제시한 기준으로 <보기>의 괄호 안에 알맞은 수치와 용어를 바르게 묶은 것은?

─ <보기> ─

고혈압 환자의 운동 시 수축기 혈압이 (㉠)이하, 또는 이완기 혈압은 (㉡) 이하를 유지하여야 하며, 알파차단제, 칼슘통로차단제, 혈관확장제와 같은 항고혈압제는 운동부하 후 혈압의 과도한 (㉢)를 야기할 수 있다.

	㉠	㉡	㉢
①	220mmHg	105mmHg	증가
②	220mmHg	105mmHg	감소
③	250mmHg	110mmHg	증가
④	250mmHg	110mmHg	증가

정답 ②

♪저자촌평 이런 문제들은 공부를 해야 정답을 고를 수 있다.

📖보충학습

운동부하 후 혈압의 과도한 감소가 나타나지 않기 위해서 운동을 급작스럽게 마치지 말고 서서히 마치도록 하고, 혈압과 심박수가 안정 수준으로 돌아올 때까지 정리운동 시간을 갖고, 신중히 관찰하고 시간을 가능한 길게 가져야 한다.

19. 최신 ACSM이 제시한 건강한 성인의 근거기반 저항운동에 대한 권고사항으로 옳지 <u>않은</u> 것은?

① 각 주요 근육군의 운동은 주당 2~3일 실시해야 한다.
② 근지구력 개선을 위해서는 1 RM의 50%(저강도에서 중강도) 미만 운동강도를 권고한다.
③ 단일세트의 저항운동은 노인과 초보자에게 효과적일 수 있다.
④ 단일 근육군을 위한 운동 간 휴식 간격은 24시간 이하로 권고한다.

정답 ④

④ 단일 근육군을 위한 운동 간 휴식 간격은 48시간 이하로 권고한다.

📖보충학습

ACSM의 저항운동 빈도는 모든 성인들에게 주요 근육군이 최소한 48시간의 간격을 두고, 주당 2~3일을 참여할 것을 권장하고 있다.

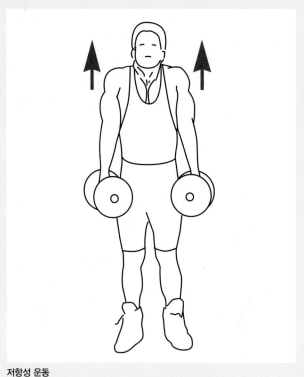

저항성 운동

20. 등척성 운동에 관한 설명으로 옳지 <u>않은</u> 것은?

① 등척성 근력운동은 훈련된 관절 각도에 근력 향상이 나타난다.

② 등척성 운동은 장소에 구애받지 않고 장비 없이 실시할 수도 있다.

③ 등척성 운동은 근력손실 및 근육 위축 시 재활운동으로 빈번히 처방된다.

④ 등척성 운동은 관절각의 변화가 일정한 속도로 이루어지는 동적 근수축이다.

정답 ④

다음과 같이 수정할 수 있다.
④ 등속성 운동은 관절각의 변화가 일정한 속도로 이루어지는 동적 근수축이다.

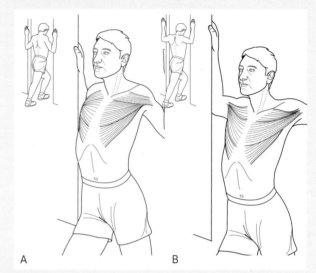

A　　　　　　　B

등척성 운동

등척성 운동

STEP 04   STEP 03 STEP 02 STEP 01

운동부하검사

01. 운동부하검사(graded exercise test)의 일반적인 목적으로 옳은 것은?

① 신장질환(콩팥병)의 진단 및 평가
② 허혈성심장질환의 진단 및 평가
③ 뇌혈관질환의 진단 및 평가
④ 대사성질환의 진단 및 평가

정답 ②

②는 심전도의 목적이다.

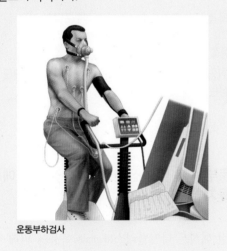
운동부하검사

02. 심폐운동부하검사(cardiopulmonary exercise test) 중 주요 측정 변인을 <보기>에서 모두 고른 것은?

─〈보기〉─

ㄱ 체온   ㄴ 혈압   ㄷ 산소섭취량
ㄹ 근전도   ㅁ 심전도

① ㄱ, ㄴ, ㄷ   ② ㄱ, ㄷ, ㄹ
③ ㄴ, ㄷ, ㄹ   ④ ㄴ, ㄷ, ㅁ

정답 ④

☞ 2017년 운동부하검사 1번 참고
다음과 같이 수정할 수 있다.

최소한 운동검사 중에 심박수, 혈압, 운동자각도는 측정해야 한다.
심전도는 운동부하검사이기 때문에 포함이 되어야 한다.

03. 건강한 성인 남성의 운동부하검사에 대한 혈압 반응으로 옳은 것은?

① 운동량이 증가할수록 수축기 혈압과 이완기 혈압은 모두 증가한다.
② 맥압(pulse pressure)은 운동량이 증가할수록 점차 증가한다.
③ 수축기 혈압이 200mmHg 이상으로 증가하면 운동 중단의 절대적 사유가 된다.
④ 운동강도가 1 MET 증가할수록 수축기 혈압은 약 30± 2mmHg 정도 증가한다.

정답 ②

☞ 2015년 운동부하검사 16번 참고
다음과 같이 수정할 수 있다.

① 운동량이 증가할수록 수축기 혈압은 증가하지만, 이완기 혈압은 거의 변화가 없다.
③ 수축기 혈압이 200mmHg 이상으로 증가하면 운동 중단의 상대적 사유가 된다.
④ 운동강도가 1MET 증가할수록 수축기 혈압은 약 10±2 mmHg 정도 증가한다.

04. 허혈성심장질환 진단을 위한 운동부하검사에서 가양성(false positive)의 원인이 되는 것은?

① 좌심실 비대(left ventricular hypertrophy)가 있는 경우
② 운동강도가 허혈 역치(ischemic threshold) 수준에 도달하지 못한 경우
③ 심전도 이외의 심혈관질환과 관련이 있는 징후와 증상을 인지하지 못한 경우
④ 심근허혈 변화를 감지하기에 충분하지 못한 심전도 유도(ECG leads)를 사용한 경우

정답 ①

나머지는 모두 가음성 증상에 해당한다.

저자촌평 가음성에 대한 6가지, 가양성에 대한 12가지에 대해 공부를 해야 풀 수 있는 문제이다.

05. 정상 및 심장질환자의 환기반응 기울기(VE/VCO₂ slope) 그래프에 대한 설명으로 옳은 것은?

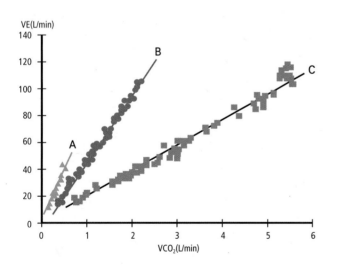

① ACSM(9ᵗʰ)에 따르면 환기반응 기울기가 30 이상부터 정상으로 간주한다.
② C는 B에 비해 예후가 좋지 않을 수 있다.
③ C는 환기반응의 효율이 가장 낮다.
④ A는 심부전 환자들에게 주로 나타날 수 있다.

정답 ④

cafe.naver.com/healthtrainer에서 확인

06. 운동부하검사 중 최대 운동 수행능력에 도달한 기준으로 옳지 <u>않은</u> 것은?

① 운동부하가 증가해도 심박수가 더 이상 증가하지 않는 경우
② 자각인지도(RPE)가 6~20 척도에서 17 이상 또는 0~10 척도에서 7 이상인 경우
③ 정맥의 젖산 농도가 $4.0 \text{ mmol} \cdot \text{L}^{-1}$에 도달한 경우
④ 호흡교환율(RER)이 1.10 이상인 경우

정답 ③

③ 정맥의 젖산 농도가 $8.0 \text{ mmol} \cdot \text{L}^{-1}$에 도달한 경우

보충학습
"산소섭취량이 150㎖/min 이상 증가하지 않을 때"에도 도달 기준으로 삼는다.

07. 운동부하검사 시 심전도 ST 분절 변화에 대한 설명으로 옳지 <u>않은</u> 것은?

① ST 분절 해석은 디지털리스(digitalis)복용에 의해 영향을 받는다.
② 낮은 운동강도에서 ST 분절 하강(depression)은 심근허혈과 관련이 있다.
③ 운동검사 직후 회복기에 발생하는 ST 분절 하강은 심근허혈과 관련이 있다.
④ ST 분절 하강 정도가 비슷하더라도 기울기 상향(upsloping)은 수평(horizontal)이나 하향(downsloping)하강보다 심근허혈을 더 의심할 수 있다.

정답 ④

☞2017년 운동부하검사 18번 ②참고
다음과 같이 수정할 수 있다.

④ ST 분절 하강 정도가 비슷하더라도 기울기 상향(upsloping)보다 수평(horizontal)이나 하향(downsloping) 하강이 확실한 심근내막 허혈의 지표이다.

🎵 저자촌평 기출 바이블을 성실하게 공부한 수험생이면 답을 쉽게 찾을 수 있다.

📖 보충학습

ST 분절 하강은 심장속막의 심장근육이 먼저 재분극되어 손상된 심장속막 근육과 정상 심장근육 사이에 전류가 흐르게 되어 일어난다. J점으로부터 0.08초에 1mm이상 ST 분절 하강이 나타나는데 하강의 주요 모양은 수평형과 하강형이다.

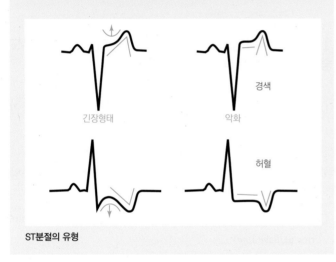

ST분절의 유형

---

08. 심장이식 환자의 운동부하검사 반응을 <보기>에서 모두 고른 것은?

─〈보기〉─

㉠ 심장이식 후 최대 심박출량은 20~35% 정도 감소한다.
㉡ 심장이식 후 운동 시 최고심박수는 증가한다.
㉢ 일반적으로 심장이식 후에는 동일 성별 및 연령대에 비해 운동능력이 감소한다.
㉣ 일반적으로 심장이식 후 안정 시 심박수는 높아진다.
㉤ 심장이식 후 일부 신경의 재생이 있으며, 카테콜라민은 교감신경 말단에서 분비된다.

① ㉠, ㉡, ㉢   ② ㉠, ㉢, ㉣
③ ㉡, ㉣, ㉤   ④ ㉢, ㉣, ㉤

정답 ②

다음과 같이 수정할 수 있다.

㉡ 심장이식 후 운동 시 최고심박수는 감소한다.
㉣ 심장에 직접적인 신경지배가 차단되기 때문에, 심박수를 이용하여 운동강도를 설정하기 어렵다.

📖 보충학습

심장 이식 후 자율신경계가 재생이 된다는 보고가 있는데, 그 시기와 분포, 정도에 따라서는 다양한 견해들이 있으며, 자율신경계의 재생은 교감신경부터 일어나며, 부교감신경의 회복기간과 정도는 다양한 견해들이 있다.

---

09. 운동 중 수축기 혈압 상승을 완화시키는 약물을 <보기>에서 모두 고른 것은?

─〈보기〉─

㉠ 항부정맥제 Class Ⅲ (antiarrhythmic agents Class Ⅲ)
㉡ 항콜린제(anticholinergics)
㉢ 안지오텐신전환효소억제제(ACE inhibitor)
㉣ 알파차단제(α-blocker)
㉤ 베타차단제(β-blocker)

① ㉠, ㉡, ㉢   ② ㉠, ㉢, ㉣
③ ㉡, ㉣, ㉤   ④ ㉢, ㉣, ㉤

정답 ④

㉠, ㉡은 혈압을 올리는 약물이다.

📖 보충학습

㉠ 항부정맥 약물요법이란 항부정맥 약을 투여하여 심장박동을 비정상적으로 빠르게 만들어 내는 비정상 심장조직을 억제하여 부정맥을 정상으로 전환시키거나 부정맥이 재발하지 않도록 하는 것을 말한다. 항부정맥 약에는 여러 가지 종류가 있는데 부정맥의 종류와 환자의 상태에 따라 사용하는 약제의 종류가 다르다. 대부분의 항부정맥 약물은 빈맥의 경우에 해당하며 서맥의 경우에는 약제의 효과가 제한적이다.
㉡ 항콜린제는 심장박동수를 빠르게 하고 혈압을 올려준다. 신경전달물질인 아세틸콜린의 작용을 방해하는 약물이다. 작용 기전에 따라 여러 종류가 있지만, 일반적으로 무스카린 수용체 차단을 통해 부교감신경을 억제하는 약물을 말한다.

10. 운동부하검사 직후 회복기에 대한 설명으로 옳지 <u>않은</u> 것은?

① 갑작스런 운동 중단은 정맥회귀의 일시적 감소로 인해 저혈압을 초래할 수도 있다.
② 운동 후 느린 회복기 심박수(1분≤12회또는 2분≤22회)는 허혈성 심장질환 환자의 사망률 증가의 위험과 관련이 있다.
③ 최대운동에서 허혈성심장질환이나 심전도 변화가 의심된다면 진단의 민감도를 올리기 위해 누운회복(supine recovery)보다 동적회복(active recovery)을 고려해야 한다.
④ 운동 중 상승하였던 수축기 혈압은 일반적으로 회복기 6분 이내에 안정 시 수준으로 회복된다.

정답 ③
③ 최대운동에서 허혈성심장질환이나 심전도 변화가 의심된다면 진단의 민감도를 올리기 위해 활동적인 회복없이 즉각적인 누운회복(supine recovery)을 고려해야 한다.

📖 **보충학습**
허혈성심장질환이나 심전도 변화가 의심되는 경우를 제외하고는 정맥혈회귀와 혈역학적 안정성을 위해 동적회복(active recovery)을 권장한다.

11. 운동부하검사 종류에 대한 설명으로 옳지 <u>않은</u> 것은?

① 자전거 에르고미터의 최고산소섭취량(VO2peak)은 국소 근피로 때문에 트레드밀에 비해 낮다.
② 자전거 에르고미터는 트레드밀에 비해 심전도와 혈압측정이 용이하다.
③ 균형감각에 문제가 있는 환자에게 팔에르고미터 운동부하 검사가고려될 수 있다.
④ 환자의 반응을 시간 경과에 따라 평가하기 위해 매번 다른 종류의 운동부하검사를 실시한다.

정답 ④
④ 운동검사 방식은 장비나 환경, 검사자에 의해 달라지기 때문에 검사 방식의 장·단점을 알고 있어야 한다.

12. 최대산소섭취량(VO2max)에 대한 설명으로 옳지 <u>않은</u> 것은?

① 최대환기량과 반비례한다.
② 상대값의 단위는 ml/kg/min이다.
③ 최대심박출량과 동-정맥 산소차로 산출된다.
④ 심혈관질환자의 예후(prognosis)를 알 수 있는 지표에 포함된다.

정답 ①
① 최대환기량과 함수관계이다.

13. 운동부하검사를 실시하려고 한다. 심전도 유도 중 V4 전극의 부착 위치로 옳은 것은?

① 복장뼈(sternum)오른쪽 가장자리 세 번째 갈비뼈 사이 공간
② 복장뼈 왼쪽 가장자리 세 번째 갈비뼈 사이 공간
③ 왼쪽 다섯 번째 갈비뼈 사이 공간과 빗장뼈(clavicle)중앙선의 교차점
④ 왼쪽 다섯 번째 갈비뼈 사이 공간과 앞 겨드랑이선(anterior axillary line)

정답 ③
☞본 교재 앞부속 참고

① Lead V_1 : 제 4 늑간의 우측 흉골연(네째 갈비사이와 복장뼈 오른쪽 경계가 만나는 지점)
② Lead V_2 : 제 4 늑간의 좌측 흉골연(네째 갈비사이와 복장뼈 왼쪽 경계가 만나는 지점)
③ Lead V_3 : V_2와 V_4 연결 직선의 중간점
④ Lead V_4 : 제 5 늑간과 좌측쇄골의 중간점에서 내린 수직선과의 교차점
⑤ Lead V_5 : V_4의 수준에서 액와의 전면을 지나는 수직선과의 교차점
⑥ Lead V_6 : V_4의 수준에서 액와의 중앙 점에서 내리니 수직선과의 교차점

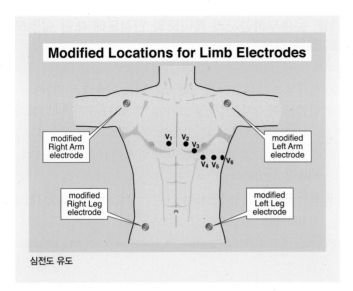

Modified Locations for Limb Electrodes

modified
Right Arm
electrode

modified
Left Arm
electrode

modified
Right Leg
electrode

modified
Left Leg
electrode

V_1 V_2 V_3 V_4 V_5 V_6

심전도 유도

14. <보기>에서 운동부하검사의 금기사항과 그 유형이 바르게 짝지어진 것은?

─〈보기〉─

㉠ 절대적 금기사항 – 2일 이내의 급성심근경색증
㉡ 상대적 금기사항 – 심내막염
㉢ 절대적 금기사항 – 조절되지 않는 심장부정맥
㉣ 상대적 금기사항 – 급성폐경색증
㉤ 상대적 금기사항 – 최근 뇌졸중

① ㉠, ㉡, ㉢   ② ㉠, ㉢, ㉤
③ ㉡, ㉢, ㉣   ④ ㉡, ㉣, ㉤

정답 ②

다음과 같이 수정할 수 있으며, 많은 기출문제를 통해서 숙지가 가능하다.

㉡ 절대적 금기사항 – 심내막염
㉣ 절대적 금기사항 – 급성폐경색증

↳ 저자촌평 필자의 강의를 통해서 금기사항 분류를 잘 정리할 수 있다.

15. 최신 ACSM 운동부하검사 프로토콜에 대한 설명으로 옳지 않은 것은?

① 신체적으로 활동적인 사람은 3분마다 속도와 경사도가 증가하는 브루스(Bruce)프로토콜을 사용한다.
② 수정된 브루스(modified Bruce)프로토콜은 경사도 0%, 속도 1.7MPH로 시작된다.
③ 만성질환자와 노인에게는 노튼(Naughton)이나 발케-웨어(Balke-Ware)프로토콜이 적합하다.
④ 트레드밀을 이용한 램프(ramp)프로토콜은 단계별 속도 증가 없이 경사도만 3분마다 증가한다.

정답 ④

☞ 본 교재 앞부속 참고

④ 트레드밀을 이용한 램프(ramp) 프로토콜은 3분마다 갑작스럽게 증가하는 것이 아니라 20초마다 경사도는 1.2% 정도씩, 속도는 1.7mph로 증가한다.

↳ 저자촌평 필자의 강의를 통해서 모든 프로토콜을 쉽게 공부할 수 있다.

📖 보충학습

전통적인 운동부하검사 프로토콜에서는 부하의 증가 단계가 2~3분마다 증가하게 되는데, 이러한 방법은 체력이 약하거나 다음 단계보다는 약하지만 현 단계보다는 좋은 체력을 가진 사람들에게는 최대의 능력을 유도하기 어렵다. 따라서 단계별 시간을 짧게 하고, 속도와 경사도 증가량을 감소시킴으로써 점증적으로 부하를 증가시키는 것이 램프프로토콜이다.

16. 운동부하검사 시 중단기준에 대한 설명으로 옳은 것은?

① 지속되는 심실성빈맥(ventricular tachycardia)은 상대적 중단기준이다.
② 관류부족에 의해 나타나는 청색증 또는 창백은 상대적 중단기준이다.
③ 만성질환자와 노인에게는 노튼(Naughton)이나 발케-웨어(Balke-Ware)프로토콜이 적합하다.
④ 허혈성 증상은 없지만 운동강도가 증가함에도 불구하고 10mmHg 이상의 수축기혈압 저하는 절대적 중단기준이다.

정답 ③

약방의 감초처럼 매년 출제되는 금기사항을 숙지하는 것은 필수이다.

①, ②는 절대적 금기사항, ④는 상대적 금기사항

17. 만성폐쇄성폐질환의 운동검사에 대한 설명으로 옳지 <u>않은</u> 것은?

① 환자의 상태에 따라 최대하운동검사를 사용할 수 있다.
② 운동 전, 중, 후 호흡곤란을 측정하기 위해 수정된 Borg CR10 척도를 사용한다.
③ 심한 동맥 산소 헤모글로빈 불포화($SaO2 \leq 80\%$)로 인해 검사가 종료될 수 있다.
④ 6분 걷기 및 셔틀 보행 검사는 만성폐쇄성폐질환 환자에게 사용할 수 없다.

정답 ④

다음과 같이 수정할 수 있다.
④ 6분 걷기 및 셔틀 보행 검사는 심각한 폐질환자 및 만성폐쇄성폐질환 환자에게 사용할 수 있다.

📖 보충학습

④는 운동검사 장비가 없는 환경에서 기능적 운동능력을 평가할 수 있다.

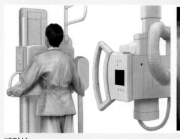 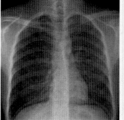

폐검사

18. 운동부하검사의 특이도와 민감도에 대한 설명으로 옳은 것은?

① 민감도는 정상인이 양성판정을 받는 비율을 의미한다.
② 민감도 예측치는 [진양성(TP)/(진양성(TP)+가음성(FN))] ×100이다.
③ 특이도는 허혈성심장질환자가 양성이라고 판정을 받는 비율을 의미한다.
④ 특이도 예측치는 [진음성(TN)/(가양성(FP)+진양성(TP))] ×100이다.

※TP : true positive, FP : false positive, TN : true negative, FN : false negative

정답 ②

다음과 같이 수정할 수 있다.

① 민감도는 IHD환자가 양성검사가 나온 백분율을 의미한다.
③ 특이도는 IHD환자가 음성검사가 나온 백분율을 의미한다.
④ 특이도는 [TN/(TN+FP)]×100 이다.

🎵 저자촌평 강의 시간에 필자가 여러 차례 판서한 내용이다.

19. 미국심폐재활협회(AACVPR)에서 권고하는 심장재활을 위한 위험 분류 기준 중 고위험군에 속한 환자의 특성에 대한 옳은 설명을 <보기>에서 모두 고른 것은?

─〈보기〉─

㉠ 운동검사 또는 회복기 중 복합성 심실부정맥이 나타남
㉡ 임상적 우울증을 보임
㉢ 증상없이 기능적 능력이 5METs 미만임
㉣ 안정 시 박출률(EF)이 40~49% 사이로 나타남

① ㉠, ㉡   ② ㉡, ㉢
③ ㉢, ㉣   ④ ㉠, ㉣

정답 ①

ⓒ, ②은 중위험군에 해당된다.

↳ 저자촌평 이 문제 역시 빔강의 시간에 필자가 여러 차례 예상
문제라고 강조한 내용이다.

20. 운동부하검사 중 갑작스럽게 다음과 같은 심전도 파형이 나타났다. 이 파형이 의미하는 것은?

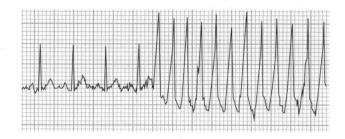

① 심방조기수축(atrial premature contraction)
② 심실조동(ventricular flutter)
③ 심방세동(atrial fibrillation)
④ 심실빈맥(ventricular tachycardia)

정답 ④

심실빈맥은 여러 가지 상이한 형태를 가진다. 심실조기박동이
3개 이상 연속적으로 100회/분 이상으로 발생한다. 규칙성, 방실
해리, PVC와 유사한 형태로 비지속성 단형 심실빈맥과 지속성
단형 심실빈맥, 다형성 심실빈맥 등이 있다.

↳ 저자촌평 이 문제는 저자의 강의를 통해서 상세하게 공부할
수 있다.

건강운동관리사
필기시험
2교시

2019

건강운동관리사

운동상해

01. <보기>는 상해 직후 20분간 냉찜질을 실시하였을 때의 결과이다. 괄호 안에 들어갈 용어를 바르게 묶은 것은?

―〈보기〉―

조직의 대사량은 (㉠)되고 통증인지는 (㉡) 된다.

	㉠	㉡
①	감소	감소
②	감소	증가
③	증가	증가
④	증가	감소

정답 ①

얼음찜질은 통증을 감소시키고 혈관의 국소적 표면수축을 촉진시키기 위해 일반적으로 가장 많이 사용된다.

📖 보충학습

급성손상에 얼음찜질을 함으로써 대사율과 조직의 산소 요구량을 낮추어 저산소증을 감소시킬 수 있다. 이런 이점은 손상을 입지 않은 주위의 조직에도 괴사가 발생하지 않도록 한다.

냉찜질

02. 근경련(muscle cramp)에 대한 설명으로 가장 적절한 것은?

① 관절의 퇴화
② 외부 충격에 의한 근손상
③ 통증을 동반하는 불수의적 근수축
④ 운동이 끝나고 24시간 이후 나타나는 근육통

정답 ③

근경련은 흔히 말하는 근육에 쥐가 나는 현상이다. 근육이 지속적으로 불수의적으로 수축하는 급성 근육 기능장애이다. 흔히 심한 통증을 동반한다.

①은 퇴행성질환, ④는 지연성근통증을 의미한다.

📖 보충학습

근경련은 불수의적 수축이기 때문에 마음만으로는 근육이 풀리지 않는다. 깊은 심호흡과 근이완 운동은 근육을 점차 이완시키는 데 도움이 될 수 있다. 통증이 있는 부위를 압박하고 근육을 수동적으로 스트레칭하여 이완시킨다. 근경련의 흔한 예로는 다리에 쥐가 나는 것이다.

03. 여성 운동선수에게 나타날 수 있는 세 가지 증후(female athlete triad syndrome)에 해당하는 것을 <보기>에서 모두 고른 것은?

―〈보기〉―

㉠ 우울증(depression)　　㉡ 무월경(amenorrhea)
㉢ 골다공증(osteoporosis)　㉣ 자궁내막증(endometriosis)

① ㉠, ㉡　　　　　　　② ㉡, ㉢
③ ㉠, ㉣　　　　　　　④ ㉢, ㉣

정답 ②

나머지 항목은 일반여성에도 나타나는 징후이다.

📖 보충학습

㉡ 무월경으로 인한 에스트로겐 결핍
㉢ 식이장애로 인한 부적절한 칼슘과 비타민 D결핍은 여성선수들의 골무기질 감소를 초래하여 골다공증 위험성을 높인다.

또 다른 질환으로 스포츠에서 상대적인 에너지 결핍은 낮은 에너지 섭취로 세포수준의 항상성을 유지하기 위한 에너지가 가용하지 않기 때문에 건강문제를 초래할 수 있다.

여성선수들의 세 가지 징후

여성의 징후

04. 무릎 퇴행성 관절염에 대한 설명으로 옳은 것을 <보기>에서 모두 고른 것은?

〈보기〉

㉠ 무릎관절 부상 병력은 퇴행성 관절염 발생확률을 증가시킨다.
㉡ 외측 구획(lateral compartment)의 발생률이 내측(medial) 구획보다 더 높다.
㉢ 넙다리네갈래근(대퇴사두근, quadriceps)의 근위축(atrophy) 혹은 근력저하가 나타난다.
㉣ 퇴행성 연골의 손상은 운동치료를 통해 완치될 수 있으며 일반적인 방법으로 체중감량과 유산소운동이 있다.

① ㉠, ㉡
② ㉠, ㉢
③ ㉡, ㉣
④ ㉢, ㉣

정답 ②

다음과 같이 수정할 수 있다.

㉡ 내측(medial)구획의 발생률이 외측 구획(lateral compartment)보다 더 높다.
㉣ 퇴행성 연골의 손상은 근력증가를 위해 관절에 무리를 주지 않는 범위에서 운동치료를 할 수 있다.

📖 보충학습

퇴행성관절염의 경우 손가락 관절은 헤버던 결절이나 보챠드 결절이 무릎관절에서는 내반슬의 기형이 발생한다.
퇴행성관절염은 완치될 수 없으며, 등척성운동부터 실시하는 것이 일반적이고, 지구력 증진을 위해 유산소 운동을 실시하며, 비만인 경우 체중감소가 중요하다.

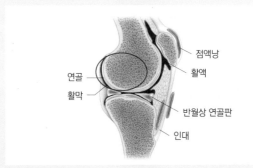

무릎관절의 구조

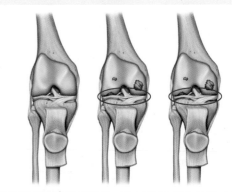

뼈관절염의 초기, 중기, 후기

슬관절의 퇴행성 변화과정

05. 도수근력평가(manual muscle test)의 등급을 결정하는 요소를 <보기>에서 모두 고른 것은?

─〈보기〉─

㉠ 최대근력 평가 시 통증 여부
㉡ 가동범위 평가 시 관절에서 나는 소리 여부
㉢ 중력(gravity)에 반하는 동작으로 전 가동범위의 움직임 가능 여부
㉣ 도수저항(manual resistance)을 견뎌내어 근수축에 의한 동작 유지 여부

① ㉠, ㉡　　　　　　② ㉡, ㉢
③ ㉠, ㉣　　　　　　④ ㉢, ㉣

정답 ④

㉠은 재활 마지막 단계의 확인이며,
㉡은 이학적 검사에 해당한다.

📖 보충학습

맨손 근력검사의 등급

등급	단계	%	임상소견
5	normal	100	중력과 최대의 저항에 대항할 수 있다.
4	good	75	중력과 중간의 압력에 저항할 수 있다.
3	fair	50	중력을 이기고 전 범위의 운동기능
2	poor	25	중력을 제거했을 때 부분적 운동기능
1	trace	10	수축은 촉진되나 관절운동은 불가능
0	gone	0	어떠한 수축도 촉진되지 않음

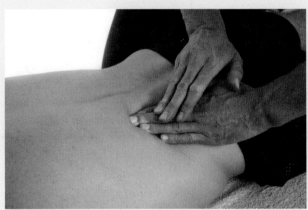

엎드린자세에서 척추기립근 이완기법

06. 환경적 요인에 의한 질병 및 상해에 관한 내용 중 ①~④에 들어갈 내용으로 옳지 않은 것은?

항목	기준치	기전	증상 및 징후	처치
저체온증 (hypothermia)	①			
급성 고산병 (acute altitude sickness)				④
잠수병 (decompression sickness)		②		
동상 (frostbite)			③	

① 심부온도 35℃ 이하
② 압력 차이로 만들어진 질소 기포로 인한 혈액순환 방해
③ 간지러움, 감각이상, 화끈거림, 피부변색, 수포생성
④ 수분 섭취 제한

정답 ④

고지대(보통 3,000m 이상)를 빠른 속도로 오를 때 생기는 증상으로 수분섭취를 제한해서는 안 된다.

📖 보충학습

고도가 높아지면 대기압이 낮아져서 공기 중에 있는 산소의 양도 함께 감소한다. 따라서 갑자기 고지대에 오르거나, 고지대에서 스키 같은 격렬한 활동을 하는 경우에 사람은 두통, 나른함, 식욕부진, 숨찬 증세 같은 가벼운 신체적 이상을 보이는데 이를 급성 고산병이라고 한다. 보통 약 3000m 이상 되는 곳에서 이런 증상이 나타나며 이보다 낮은 곳에서도 발생할 수 있다.
저지대로 내려오면 증상이 좋아지고 바로 회복된다. 급성고산병을 예방하기 위해서는 출발하기 전에 가능한 낮은 고도에서 충분히 잠을 자고, 과음과 과식, 흡연을 피한다. 또 천천히 고산지대를 올라가도록 한다. 이밖에도 수분을 충분히 섭취하는 것이 좋고, 식사 때 짠 음식을 피하며 고당질 저지방 식사를 하는 것이 좋다. 심장, 폐, 신장 이상자는 고지대에 오르기 전에 미리 의사와 상담을 하는 것도 도움이 된다.

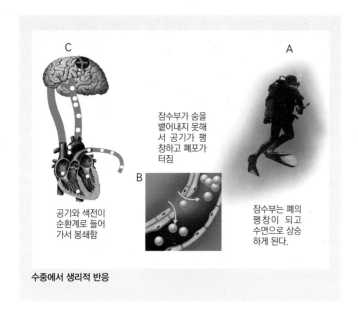

잠수부가 숨을 뱉어내지 못해서 공기가 팽창하고 폐포가 터짐

공기와 색전이 순환계로 들어가서 봉쇄함

잠수부는 폐의 팽창이 되고 수면으로 상승하게 된다.

수중에서 생리적 반응

왼쪽 하부의 늑골이 골절되면 비장이 손상될 가능성이 높으며 비장이 손상되면 출혈이 심하므로 허혈성 쇼크에 빠지는 경우가 있다(왼쪽 8번~12번 늑골 골절 시 비장 손상이 자주 동반된다). 좌측 늑골부위의 직접적 혹은 간접적 충격에 의해 혹은 비장의 병적 증대에 의해 비장에 종종 열창이 생기는 것으로 비장의 통증, 압통, 복막자극 증상을 보이고 다량의 내출혈 때문에 쇼크 증상을 수반한다. 말라리아 및 백혈병 등의 골수 증식성 질환으로 급격한 비장종대를 일으킬 때는 파열의 위험성이 있다. 치료는 응급으로 외과적 비장적출술을 실시한다.

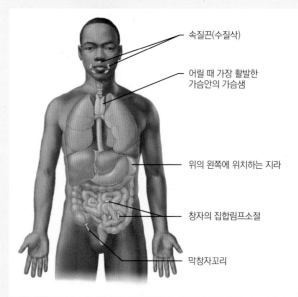

속질끈(수질삭)

어릴 때 가장 활발한 가슴안의 가슴샘

위의 왼쪽에 위치하는 지라

창자의 집합림프소절

막창자꼬리

지라의 위치

07. 축구 경기 도중 왼쪽 가슴 아랫부분에 심한 충돌이 있었다. 다음 중 <보기>와 같은 증상 및 징후를 보이는 선수에서 가장 가능성이 높은 손상은?

〈보기〉

• 외출혈은 보이지 않고 쇼크 증상도 나타나지 않는다.
• 왼쪽 어깨의 통증을 호소하고 있다(Kehr's sign).

① 충수염(appendicitis) ② 간 좌상(liver contusion)
③ 비장 파열(spleen rupture) ④ 서혜부 탈장(inguinal hernia)

정답 ③

비장 파열이란 배의 왼쪽 윗부분에 있는 장기인 비장이 외부의 충격에 의해 파열된 상태를 말한다. 외부압력이 왼쪽 위복부에 작용한 경우에 척추와 외력의 사이에 비장이 끼어서 압박에 의해 찢어지는 경우가 비장파열이다. 비장파열에 의해 복강 내가 출혈하고, 가벼운 경우는 수술하지 않는 경우도 있지만, 출혈량이 많을 때는 혈압이 내려가고 Shock에 빠지므로 수술치료가 필요하다.

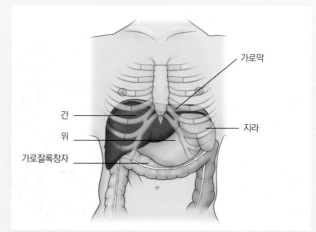

가로막

간

위

가로잘록창자

지라

주변의 장기와 지라

08. 지연성 근육통(delayed onset muscle soreness)에 대한 설명으로 옳은 것을 <보기>에서 모두 고른 것은?

〈보기〉

㉠ 지연성 근육통은 일시적인 칼슘 항상성의 변화를 동반한다.
㉡ 근통증 감각은 C 신경섬유와 Aβ 신경섬유가 전달한다.
㉢ 근육의 신장 정도(% strain)와 지연성 근육통의 크기는 반비례 한다.
㉣ 등척성(isometric) 수축 후 발생하는 지연성 근육통의 크기는 신장성 수축에 의한 것보다 작다.

① ㉠, ㉢   ② ㉠, ㉣
③ ㉡, ㉢   ④ ㉡, ㉣

정답 ②

㉡ 구심성 심경은 Aα, Aβ, Aδ, C 신경의 4가지가 있다. Aδ와 C 신경이 통각과 온각을 전달한다.
㉢ 반비례 → 비례

📖 보충학습

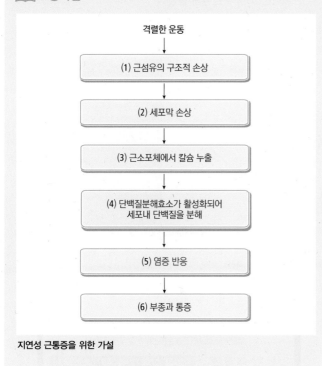

지연성 근통증을 위한 가설

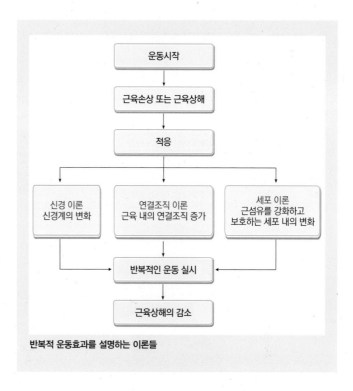

반복적 운동효과를 설명하는 이론들

09. 신경학적 검사 중 하나인 깊은 힘줄반사(deep tendon reflex)를 평가하는 것에 대한 설명으로 옳지 <u>않은</u> 것은?

① 척수에서 반응하는 무조건반사이다.
② 평가 결과는 0~4까지 다섯 등급으로, 정상등급은 2이다.
③ 신경 뿌리 수준(nerve root level) L1을 평가할 수 있다.
④ 신경 뿌리 수준 C5는 근육피부신경(musculocutaneous nerve)을 평가한다.

정답 ③

③ 신경 뿌리 수준 (nerve root level) L4를 평가할 수 있다.

이런 문제들은 공부를 해야 정답을 고를 수 있다.

📖 보충학습

1) 힘줄반사 정리
① 검사 신경 : 넙다리 신경 L2, L3, L4 또는 L4
② 검사 방법 : 환자는 발이 바닥에 닿지 않도록 충분히 높은 의자 나 검사대 끝에 걸터 앉고 검사자는 대상자의 무릎뼈 아래에 넓게 위치한 힘줄을 고무망치를 이용하여 가볍고 빠르게 두드 린다.

③ 검사 해석 : 넙다리네갈래근이 수축하면서 무릎이 펴지게 된다.

2) 힘줄반사 등급척도

단계	반응	설명
0	무반응	자극에 대한 반응이 전무
1+	저반사	자극에 대한 반응이 약간
2+	정상	자극에 대한 반응이 적절
3+	과반사	자극에 대한 반응이 과도
4+	비정상	자극에 대한 간대성 경련의 정도

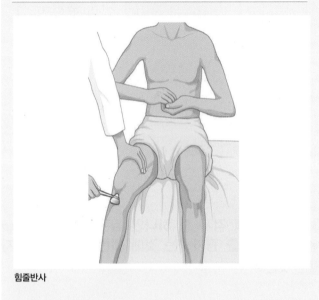

힘줄반사

10. <보기>는 외부 부하에 의한 조직의 기계적 손상을 나타내는 스트레스-스트레인(stress-strain)그래프이다. 이에 대한 설명으로 옳지 <u>않은</u> 것은?

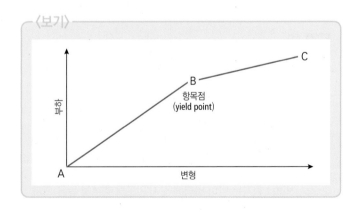

① A–B 구간에서 적용된 부하가 제거되면 조직은 원래의 길이로 돌아간다.
② A–B의 기울기는 경직(stiffness)을 의미하며 부하에 견디는 조직의 능력이다.
③ B 지점을 지나면 부하와 변형은 반비례 관계가 된다
④ B–C 구간에서는 적용된 부하로 인해 조직의 영구적인 변형이 나타난다.

정답 ③

조직의 특성을 나타내는 그래프로서 항복점을 벗어나서 어떤 변형은 부하가 제거된 이후에도 지속하며, 이 것은 조직에 영구적 또는 형식적 변화를 초래한다. 항복점을 벗어난 선형모형을 creep라고 한다.

📖 보충학습

① creep는 장시간 일정한 부하 적용으로 발생하는 조직의 변형을 말한다.
② 항복점은 조직의 탄성 한계이다.
③ B~C 구간을 형식적 한계라고 하며, 이는 부하가 제거된 후에 존재하는 조직의 변형을 말한다.

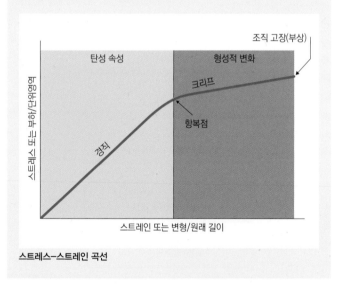

스트레스-스트레인 곡선

11. 어깨뼈 벌림(견갑골 외전, scapular abduction)동 작 시 어깨위팔리듬(견갑상완리듬, scapulohumeral rhythm)에 대한 설명으로 옳지 <u>않은</u> 것은?

① 어깨뼈 위팔리듬에서 오목위팔관절(어깨관절, glenohu-meral joint)의 가동범위는 대략 120°이다.
② 0°~30° 범위에서는 주로 오목위팔관절에서 일어난다.
③ 30°~120° 범위에서는 어깨뼈와 위팔뼈(humerus)의 운동 비율이 2:1 정도로 이루어진다.
④ 어깨뼈는 상방회전(upward rotation)을 한다.

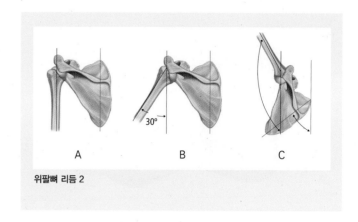

위팔뼈 리듬 2

정답 ③

필자가 예상문제 강의 시에 다룬 내용이 그대로 출제된 문제이다.
어깨위팔뼈 리듬은 위팔뼈를 옆으로 벌리는 각도에 대한 어깨뼈 의 움직임을 말한다.

 보충학습

A : 출발지점
B : 위팔뼈 30도 벌림-어깨뼈 움직임 없음
C : 30~90도-위팔뼈 벌림 2도 vs 어깨뼈 벌림 1도
D : 90도 이상-위팔뼈 벌림 1도 vs 어깨뼈 벌림 1도

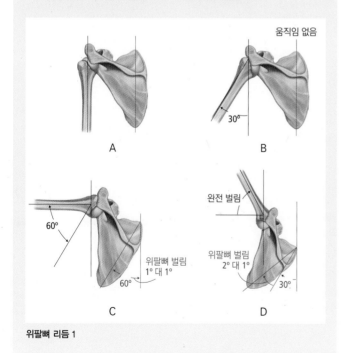

위팔뼈 리듬 1

12. 뒤정강힘줄 기능부전(posterior tibial tendon dys-function)에 대한 설명으로 옳은 것은?

① 대부분 통증 없이 양측성으로 발생한다.
② 기능을 상실하면 발이 경직되어 뒤꿈치가 들릴 때(heel-off) 발뒤쪽(후족부, hindfoot)이 안쪽번짐(내번, inversion)된다.
③ 기능을 상실하면 발뒤쪽(후족부, hindfoot)이 불안정해지고, 안쪽 세로활(medial longitudinal arch)을 유지하지 못한다.
④ 기능부전을 확인하기 위한 능동적(active)근력검사는 중 립위치 또는 안쪽번짐(내번, inversion)된 위치에서 가쪽 번짐(외번, eversion)하여 평가한다.

정답 ③

뒤정강근힘줄염은 회내된 발 또는 과운동성을 가진 선수가 과다 하게 운동을 하는 경우 발생되는 질환으로 러닝, 점핑, 커팅과 같 은 동작에서 회내동작이 반복적으로 행해질 때 발생한다.

① 양측성 → 단측성(내측)
② 안쪽번짐 → 가쪽번짐
④ 안쪽번짐 ↔ 가쪽번짐

저자촌평 필자의 강의 해설을 참조하기 바란다.

보충학습

뒤정강근 먼쪽힘줄은 안쪽다리의 아래 정강뼈 바로 뒤쪽에 표재 성으로 위치한다. 환자의 발을 발바닥굽힘과 안으로 뒤집고 긴장 된 뒤정강근의 힘줄을 촉진할 수 있다. 뒤정강뼈의 힘줄의 변성 은 통증의 일반적인 원인이며, 보행장애와 편평발 기형을 얻게 된다. 전·후방 정강뼈힘줄 또는 종아리힘줄의 증상은 달리기, 농구, 테니스 등의 스포츠활동과 연관되어 있다.

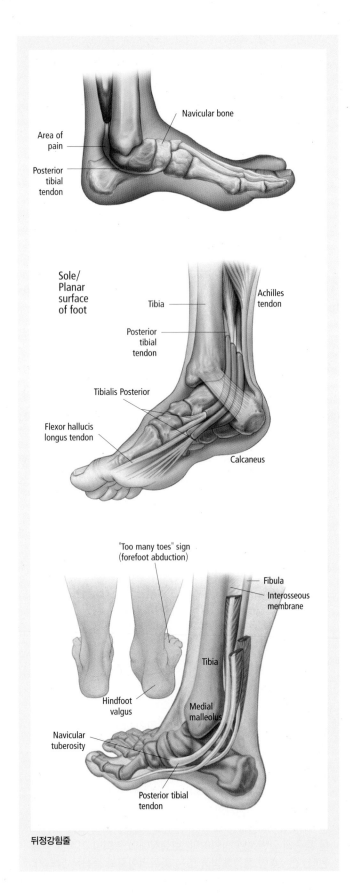

Navicular bone

Area of
pain

Posterior
tibial
tendon

Sole/
Planar
surface
of foot

Tibia

Achilles
tendon

Posterior
tibial
tendon

Tibialis Posterior

Flexor hallucis
longus tendon

Calcaneus

"Too many toes" sign
(forefoot abduction)

Fibula

Interosseous
membrane

Tibia

Hindfoot
valgus

Medial
malleolus

Navicular
tuberosity

Posterior tibial
tendon

뒤정강힘줄

13. 스포츠 손상으로 나타날 수 있는 경우와 그에 따른 잠재적 병변을 바르게 묶은 것은?

① 느리고 강한 맥박 – 열사병
② 느린 동공 반응 – 뇌손상
③ 눈 주위의 멍(raccoon eyes) – 발작성 간질
④ 입술과 손톱의 청색증(cyanosis) – 인슐린 쇼크

정답 ②

① 고전적인 열사병의 정의는 40℃ 이상의 심부체온, 중추신경계 기능 이상, 무한증
③ 발작성 간질 : 부적절한 행동이 특징이며, 경쟁적 스포츠에 참가할 때 개별적으로 고려해야 한다.
④ 인슐린 쇼크 : 입, 손 등이 욱신거림, 두통, 신체적 허약 복통 등 저혈당증으로 초래된다.

14. 손상에 대한 조직 반응 중 염증단계(inflammatory phase)의 특성을 <보기>에서 모두 고른 것은?

〈보기〉
㉠ 혈류량변화
㉡ 육아조직(granulation tissue)생성
㉢ 섬유증식(fibroplasia)
㉣ 포식작용(phagocytosis)

① ㉠, ㉡   ② ㉡, ㉢
③ ㉢, ㉣   ④ ㉠, ㉣

정답 ④

㉡, ㉢은 섬유아세포 회복 단계에 해당된다.

📖 보충학습
육아조직은 모세혈관, 섬유아세포, 콜라겐으로 되어 있다.

15. 무릎넙다리관절 통증증후군(patellofemoral pain syndrome)의 위험요인으로 옳지 <u>않은</u> 것은?

① 넙다리네갈래근(대퇴사두근, quadriceps)의 근력약화
② 엉덩정강띠(장경인대, iliotibial tract)의 긴장(tightness)
③ 무릎뼈(슬개골, patella)의 비정상 활주(abnormal tracking)
④ 좁은 융기사이부위(intercondylar notch)

정답 ④

넙다리통증증후군(PFPS)은 무릎을 피고 구부리는 동작을 할 때 슬개골이 정상적인 홈에 위치하지 않고 외측 방향으로 당겨지면서 무릎 통증을 일으키는 증상을 말한다.

다음과 같은 증상이 있을 때 확인해 볼 필요성이 있다.
① 달리기, 걷기, 점프, 무릎 꿇는 자세, 앉아있는 자세 등 여러 가지 동작을 취할 경우 통증이 발생하는 경우
② 1~2개월 이상 무릎관절 주변에서 통증이 지속되는 경우
③ 허벅지 앞쪽 근육을 수축시켜 정적으로 유지할 때 통증이 발생하는 경우

📖 보충학습

운동을 통해서 PFPS를 예방할 수도 있다. 갑자기 무리한 운동을 하거나 강도가 높은 운동을 하는 것은 자제하고 체력 및 신체에 맞게 점진적으로 증가시켜 나가고, 무릎의 스트레스를 줄이기 위해서 가파른 산을 등산한다거나 오르막길을 다니는 것보다는 걷기나 수영 등 무릎에 부담이 적은 운동을 하는 것이 권장된다. 무리한 달리기 및 내리막길을 뛰는 것은 무릎에 부담을 많이 주기 때문에 권장되지 않는다.

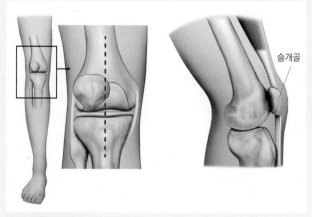

무릎넙다리통증증후군

16. 무릎관절 불안정성(instability)을 평가하는 이학적 검사로 옳지 <u>않은</u> 것은?

① 클락 사인 검사(Clarke sign test)
② 앞쪽 당김 검사(anterior drawer test)
③ 회전 이동 검사(pivot shift test)
④ 바깥굽이 부하 검사(valgus stress test)

정답 ①

①은 무릎연골연화증에 관련된 이학적 검사이다.

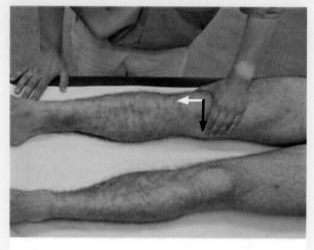

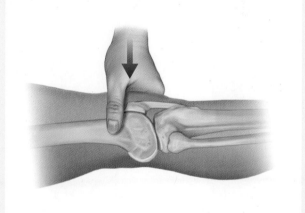

Clarke's sign test

17. 요통(low back pain)환자의 운동관리에 대한 설명으로 옳지 <u>않은</u> 것은?

① 요추부 불안정성을 낮추기 위해 허리 폄(extension)과 굽힘(flexion)운동을 권장한다.
② 척추분리증(spondylolysis)은 과사용 손상의 원인을 제거하거나 척추의 과폄(hyperextension)정도를 제한해야 한다.
③ 수핵탈출증(herniated of nucleus pulposus)시 허리 폄 운동을 권장한다.
④ 척추전방전위증(spondylolisthesis)은 허리 폄 운동을 권장한다.

정답 ④

④ 척추전방전위증(spondylolisthesis)은 위쪽 척추뼈가 앞쪽으로 이동하는 것이며, 방사선 촬영으로 보면 "목이 잘린(Scotty dog)" 변형이 나타난다.

📖 보충학습

척추전방전위증의 경우 허리보호대 착용과 서서무릎들어올리기, 짐볼을 이용한 허리스트레칭, 짐볼들고 옆구리운동 등을 권장한다. 허리 안정화 운동은 통증의 경감에 도움을 준다.

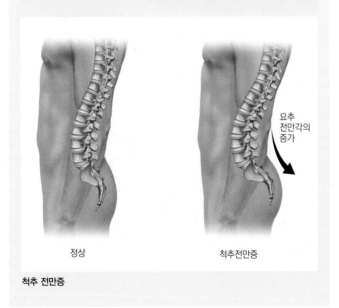

척추 전만증

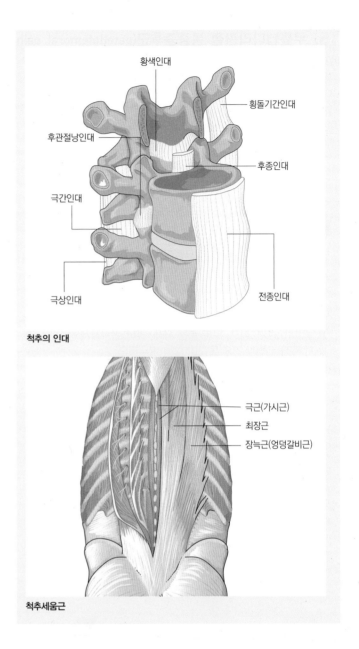

척추의 인대

척추세움근

18. 안쪽 정강뼈 스트레스 증후군(medial tibial stress syndrome)에 대한 옳은 설명을 <보기>에서 모두 고른 것은?

〈보기〉

㉠ 정강이 안쪽에 통증을 느낀다.
㉡ 정강뼈 피로 골절(tibia stress fracture)에 의해 일어난다.
㉢ 운동구획증후군(exertional compartment syndrome)으로 진행될 수 있다.

① ㉠, ㉡　　　　　② ㉡, ㉢
③ ㉠, ㉢　　　　　④ ㉠, ㉡, ㉢

정답 ④

안쪽 정강뼈 스트레스 증후군(MTSS)은 러닝과 같은 반복적인 과사용으로 인해 발생한다. 총 러닝의 15%를 차지하는 것으로 추측되며 지속적인 엎침, 정적인 관찰을 통하여 측정되거나 과도한 발배뼈 떨어뜨림 또는 정교한 보행 측정으로 평가되며 MTSS는 뼈의 스트레스 반응이며 피로골절에 의해 나타난다.

♪ 저자촌평 이런 문제들은 공부를 해야 정답을 고를 수 있다.

📖 보충학습

MTSS의 점증적인 증상의 발병에 대한 설명은 과사용 손상과 일치한다. 긴발가락굽힘근, 뒤정강근 또는 가자미근의 반복검사는 근육의 피로와 함께 나타나 증상이 반복된다.

보존적인 치료와 적절한 신발이나 깔창은 과도한 엎침을 조절해주고 통증을 경감시킨다.

구획증후군은 구획 내에 근육과 신경혈관의 압력의 원인으로 하지의 4개 구획 중 1개의 압력이 증가되어 나타나는 손상을 말한다.

만성구획증은 달리기 선수에게서 급성구획증은 축구선수들에게서 발생한다.

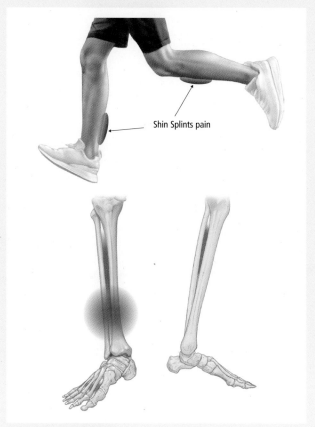

Shin Splints pain

안쪽 정강뼈스트레스증후군

19. 운동 참가 전 실시하는 사전검사에 대한 설명으로 옳지 <u>않은</u> 것은?

① 사전검사는 병력, 이학적 검사, 근골격계 검사, 건강검진 등으로 구성될 수 있다.
② 사전검사 결과는 손상 발생 후 비교할 수 있는 기초 자료로 제공할 수 있다.
③ 사전검사 결과는 요청하면 누구나 볼 수 있다.
④ 사전검사 결과로 운동 손상에 대한 예방대책을 세울 수 있다.

정답 ③

사전검사 결과는 개인의 현재 신체활동 수준, 징후 또는 증상의 존재로 알려진 심혈관, 신장질환 및 대사질환, 예상되는 운동강도 등이 요구된다.

따라서 의료적 허가를 필요로 하는 전문요원(의사, 건운사 등)에 의해 열람이 가능하다.

20. 재활운동프로그램 구성과 운영에서 고려해야 할 내용으로 옳은 것은?

① 통증과 부종의 감소는 관절가동범위(range of motion)의 증가에 도움이 된다.
② 근력이 증가할 경우 근지구력은 감소하며, 근지구력이 증가할 경우 근력은 감소한다.
③ 유연성과 근력 향상을 위해서는 민첩성(agility)과 협응력(coordination)을 우선적으로 발달시켜야 한다.
④ 유연성, 근지구력, 민첩성이 회복되면 격렬한 운동경기에 바로 복귀할 수 있다.

정답 ①

② 근력이 증가할 경우 근지구력도 따라서 증가한다.
③ 근력의 단계를 거친 후 민첩성을 발달시키는 것이 바람직하다.
④ 운동경기에 복귀할 수 있는 결정의 요소는 생리적 회복과정, 통증, 부종, 신경근 조절, 심폐체력, 기능검사, 심리적 요인 등 다양하다.

저자촌평 필자가 평소 강의한 내용들이다.

보충학습
근력 발달에 앞서 힘줄 · 인대를 먼저 발달시켜라.

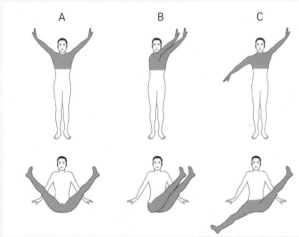

A 대칭, B 비대칭, C 상반 패턴

기능해부학(운동역학 포함)

01. 거위발(pes anserineus)을 구성하는 근육들을 바르게 묶은 것은?

① 넙다리빗근(봉공근, sartorius), 두덩정강근(박근, gracilis), 반힘줄근(반건형근, semitendinosus)

② 넙다리빗근(봉공근, sartorius), 두덩정강근(박근, gracilis), 반막모양근(반막상근, semimembranosus)

③ 넙다리두갈래근(대퇴이두근, biceps femoris), 두덩정강근(박근, gracilis), 반힘줄근(반건형근, semitendinosus)

④ 넙다리근막긴장근(대퇴근막장근, tensor fascia latae), 넙다리빗근(봉공근, sartorius), 반막모양근(반막상근, semimembranosus)

정답 ①

이들 근육들은 거위발힘줄염을 유발할 수 있으며, 또한 거위발힘줄윤활낭염의 염증은 과도한 무릎 안쪽번짐과 안쪽넓은근육의 약화 때문이다. 한쪽의 다리를 더 높게 한 채로 경사로를 달리는 스포츠동작에서 발생한다.

📖 보충학습

거위발은 넙다리빗근, 두덩정강근, 반힘줄근의 힘줄이 부채꼴로 부착된 부위를 총칭한다. 이 부착부위의 형태가 거위의 발과 비슷하여 거위발이라 명명되었다.

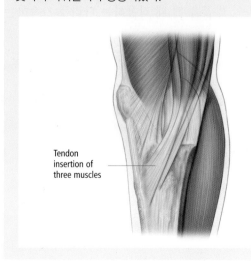

Tendon insertion of three muscles

Bursa lies below pes anserine

Pes anserine

거위발 건염

02. 투수의 투구 동작 5단계에 대한 설명으로 옳지 않은 것은?

① 코킹단계에서는 앞발을 지면에 접촉하지 않는다.
② 가속단계에서는 어깨안쪽돌림(내측회전, internal rotation)을 담당하는 근육들을 사용한다.
③ 감속단계에서는 어깨가쪽돌림(외측회전, external rotation)을 담당하는 돌림근띠(회전근개, rotator cuff)의 수축이 활발하다.
④ 투구 동작은 '와인드업-코킹-가속-감속-팔로우드로우'의 5단계로 구분된다.

와인드업
Windup

초기 콕킹
Early cocking

말기 콕킹
Late cocking

팔 가속기
Arm acceleration

팔로우-스로우
follow-through

투구동작 5단계

정답 ①

투구의 동작은 필자의 분석처럼 단계를 나누기도 한다.

투수의 투구 동작 5단계
1) 와인드업 단계(wind up phase)
2) 초기 코킹 단계(early cocking phase)
3) 후기 코킹 단계(late cocking phase)
4) 가속 단계(acceleration phase)
5) 팔로우드로우(follow-through phase)

저자촌평

2)의 초기 코킹 단계 : 이 단계는 와인드업 단계의 마지막에서 앞부분 내지 벌림 상태의 발이 땅과 접촉하는 때까지를 말하며, 신체는 목표물을 향하여 동작을 앞쪽에서 시작하며 체중을 앞다리로 이동한다.

3)의 후기 코킹 단계 : 이 단계는 앞발이 땅에 닿으면서 시작되고 던지는 동작 시 어깨가 최대로 가쪽돌림 자세가 이루어졌을 때까지의 시기이고, 발이 땅에 닿게 되면 축의 어깨가 약간 굽힘되면서 목표물과 마주하게 된다.

보충학습

골프에서 코킹이란 손목 사용을 의미 하는데 백스윙 탑에서 왼팔과 샤프트의 각도가 꺾였다가 다시 풀어 주는 동작을 말한다.
투구에서 코킹은 와인드업에 이어서 투구하는 쪽이 아닌 손에서 공이 떠나고 투구하는 쪽의 어깨가 최대로 뒤쪽에 위치하기까지를 말한다. 내딛는 발이 지면에 닿기까지를 early cocking, 그 후를 late cocking으로 나누는 경우도 있다.

03. 장딴지근(비복근, gastrocnemius)에 대한 설명으로 옳지 않은 것은?

① 발목과 무릎의 자세유지에 관여한다.
② 장딴지근 스트레칭을 위해 무릎을 굽히고 발등굽힘(배측굴곡, dorsiflexion)을 시켜야 한다.
③ 보행주기 동안 발끝을 뗄 때 작용하는 다리를 가속하는 데 도움을 준다.
④ 가자미근(soleus)과 합쳐져서 아킬레스힘줄을 형성한다.

정답 ②

② 장딴지근 스트레칭을 위해 무릎을 펴고 발등굽힘(배측굴곡, dorsiflexion)을 시켜야 한다.

04. 어깨벌림(어깨외전, shoulder abduction) 시 모멘 트팔 길이에 근거하여 어깨세모근(삼각근, deltoid)의 외전 회전력이 감소하는 동작 구간을 <보기>에서 모 두 고른 것은?

─〈보기〉─

㉠ 초기 30° 이하   ㉡ 30° 초과 80° 이하
㉢ 80° 초과 110° 이하   ㉣ 110° 초과

① ㉠, ㉡   ② ㉠, ㉢
③ ㉡, ㉢   ④ ㉡, ㉣

정답 ②

어깨세모근의 해부학적 구조상 ㉠의 구간에서는 토크가 발생하지 않으며, ㉢의 구간에서는 모멘트 길이가 커서 회전력이 감소한다.

🎵 저자촌평 필자의 강의 해설을 참조하기 바란다.

05. 목말밑관절(거골하관절, subtalar joint)에서의 가 쪽번짐(외번, eversion)에 대한 설명으로 옳은 것은?

① 정상적인 관절의 구조에서 가쪽번짐(외번, eversion)은 정 강뼈(경골, tibia)의 안쪽돌림(내회전, internal rotation)과 1:2의 비율로 나타난다.
② 가쪽번짐(외번, eversion)의 원인은 요족(pes cavus)이 될 수 있다.
③ 과도한 가쪽번짐(외번, eversion)을 방지하는 주된 근육은 앞정강근(전경골근, tibialis anterior)이다.
④ 반복적이고 과도할 경우 정강뼈(경골, tibia) 안쪽과 무릎 통증의 원인이 될 수 있다.

정답 ④

엎침의 세 요소는 발이 엎어질 때 목말밑관절에서 일어나야 하고, 뒤침이 세 요소는 발이 뒤칠 때 목말밑관절에서 일어나야 한다.

☞2018년 기능해부학 13번 참고

② 요족 → 편평족
③ 앞정강근 → 뒤정강근

📖 보충학습

① 발의 엎침은 발의 가쪽번짐, 발등굽힘과 가쪽돌림이 복합된 것이다.
② 발의 뒤침은 발의 안쪽번짐, 발바닥굽힘과 안쪽돌림이 복합된 것이다.

06. <보기>는 근수축의 특징을 설명한 것이다. 괄호 안에 들어갈 근수축 형태로 옳은 것은?

─〈보기〉─

가장 큰 힘을 발생시킬 수 있는 근수축의 형태는 (㉠)수축이 고, 근육의 수축속도가 빠르면 근력이 증가하는 근수축의 형태 는 (㉡)수축이다.

	㉠	㉡
①	편심성(eccentric)	동심성(concentric)
②	등척성(isometric)	동심성(concentric)
③	편심성(eccentric)	편심성(eccentric)
④	동심성(concentric)	편심성(eccentric)

정답 ③

힘과 속도의 관계곡선을 이해하면 쉽게 해결할 수 있다.

☞2015년 운동생리학 12번 참고

🎵 저자촌평 힘과 속도의 관계곡선을 잘 이해하고 있는 수험생이 라면 쉽게 해결이 가능하다. 필자가 여러 차례 강의한 내용이다.

2019

편심성 수축의 힘은 속도의 영향을 동심성수축보다 덜 받으며, 상대적으로 지속적으로 유지된다. 편심성 수축의 힘은 지속적으로 높다는 것을 볼 수 있다. 이러한 힘의 대부분은 근막조직이 신장에 저항하는 수동장력이 더해진 결과이다.

07. <보기>에서 설명하는 손목 뼈를 바르게 묶은 것은?

〈보기〉

㉠ 두 뼈 사이로 자동맥(척골동맥, ulnar artery)과 자신경(척골신경, ulnar nerve)이 지나감
㉡ 굽힘근육지지띠(flexor retinaculum)를 위한 부착 부위를 제공함
㉢ 자쪽손목굽힘근(척측수근굴근, flexor carpi ulnaris)의 부착 부위를 제공함
㉣ 기용굴(기용관, Guyon's canal)을 이룸

① 갈고리뼈(유구골, hamate), 콩알뼈(두상골, pisiform)
② 세모뼈(삼각골, triquetrum), 콩알뼈(두상골, pisiform)
③ 갈고리뼈(유구골, hamate), 손배뼈(주상골, scaphoid)
④ 콩알뼈(두상골, pisiform), 손배뼈(주상골, scaphoid)

정답 ①

뼈의 해부학적 구조와 신경의 경로를 아는 수험생은 정답을 쉽게 고를 수 있는 문제이다.

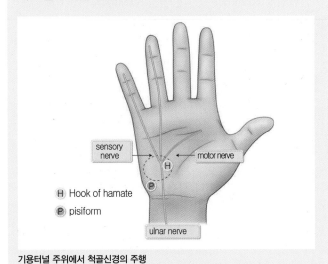

기용터널 주위에서 척골신경의 주행

08. 야구 배트 스윙 시 파워를 증가시키기 위한 방법으로 가장 적절한 것은?

① 백스윙에서 임팩트까지의 스윙구간에서 관성모멘트를 최대한 줄여 배트의 직선속도를 증가시킨다.
② 근력운동은 스윙메커니즘에 영향을 주지 않으며 스윙속도 증가에도 영향을 미치지 않는다.
③ 배트 스윙 속도 및 배트 끝의 속도를 동일하게 유지할 수 있다면 무거운 배트를 사용하여 파워를 증가시킬 수 있다.
④ 백스윙에서 임팩트까지의 스윙구간에서 팔을 펴고 스윙하여 직선 속도를 증가시킨다.

정답 ③

다음과 같이 수정할 수 있다.

① 백스윙에서 임팩트까지의 스윙구간에서 관성모멘트를 최대한 키워 배트의 직선속도를 증가시킨다.
② 근력운동은 스윙메커니즘에 영향을 주지 않지만 스윙속도 증가에 영향을 미친다.
④ 백스윙에 때는 관성모멘트를 줄였다가 임팩트 시에는 팔을 펴고 스윙하여 직선 속도를 증가시킨다.

♪저자촌평 비교적 쉬운 문제이다.

야구경기에서 투수가 던진 공을 타자가 칠 때, 공의 속도를 결정하는 역학적 요인 5가지
공의 질량, 배트의 질량, 배트의 충돌 전 속도, 공의 충돌 전 속도, 충돌 각도
충격량(I) = 힘(F) × 시간(△t)

야구 배트 스윙

09. <보기>는 발목관절복합체(ankle joint complex)에서 발생하는 동작에 대한 설명이다. 괄호 안에 들어갈 용어로 옳은 것은?

〈보기〉

- (㉠) 동작을 통해 지면을 차고 나갈 때 발이 고정된 지레 역할을 수행한다.
- (㉡) 동작을 통해 발목관절의 안정성을 높인다.

	㉠	㉡
①	엎침(회내, pronation)	발등굽힘(배측굴곡, dorsiflexion)
②	뒤침(회외, supination)	발등굽힘(배측굴곡, dorsiflexion)
③	엎침(회내, pronation)	발바닥굽힘(저측굴곡, plantarflexion)
④	뒤침(회외, supination)	발바닥굽힘(저측굴곡, plantarflexion)

정답 ②

발목관절에서 다리의 발등굽힘은 일반적인 운동으로 걷기 동작에서 발뒤꿈치 딛기에서 발끝 떼기 동안에 작용한다.
발목관절에서 다리의 발바닥굽힘은 관절이 발의 등으로부터 뒤쪽으로 이동하는 것을 말한다.

↳저자촌평 공부를 해야 정답을 고를 수 있다.

발목관절에서 근육과 작용	
발목관절에서 발등굽힘 근육	앞정강근, 긴발가락폄근, 셋째종아리근
	앞정강근이 단독으로 작용하면 목말밑관절에서는 뒤침·모음에 작용한다. 그리고 긴발가락폄근은 둘째 ~ 다섯째발가락의 발등굽힘에 작용한다.

📖보충학습

걸음주기 후기 디딤기에서 뒤침된 목말밑관절과 높이가 높아지고 긴장된 발의 안쪽세로 아치는 발중간부(궁극적으로 발앞부)가 단단한 지레가 되도록 전환시켜 안정성을 높여준다. 이러한 안정성은 크게 형태폐쇄(Form closure)와 힘폐쇄(Force closure)로 나눌 수 있으며, 재활운동에서 활용되기도 한다.
상세한 해설은 박승화 스포츠 강의를 통해서 확인할 수 있다.

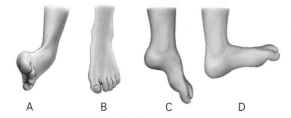

발목의 움직임

A   B   C   D

10. 왼쪽 손에 케틀벨(kettle bell)을 들고 오른쪽 한 다리 지지로 평행을 이루는 동안 오른쪽 엉덩관절(고관절, hip joint)벌림근육(외전근, abductor)에 발생하는 토크값과 방향으로 옳은 것은?
(오른손 법칙을 따름, 엉덩관절 전후축 전방으로 향함)

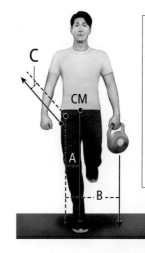

- CM : 무게중심
- A (무게중심에서 관절 중심까지 수직거리) = 0.10m
- B (케틀벨 중심에서 관절중심까지 수직거리) = 0.35m
- C (엉덩관절 벌림근육 힘작용점에서 관절중심까지 수직거리) = 0.05m
- 체중 = 680N
- 케틀벨 무게 = 130N

① 2,270Nm, 반시계방향   ② 2,270Nm, 시계방향
③ 113.5Nm, 반시계방향   ④ 113.5Nm, 시계방향

정답 ④

↳저자촌평 필자의 강의 해설을 참조하기 바란다.

11. 가로돌기(횡돌기, transverse process)와 연결되는 근육으로 옳지 <u>않은</u> 것은?

① 머리널판근(두판상근, splenius capitis)
② 머리반가시근(두반극근, semispinalis capitis)
③ 돌림근(회전근, rotatores)
④ 뭇갈래근(다열근, multifidus)

2019

머리널판근의 기시점은 C3~T3까지의 가시돌기, 착지점은 관자뼈의 꼭지돌기와 뒤통수뼈이다. 이 문제는 근육의 기점과 착점을 묻는 문제이다.

📖 **보충학습**

뭇갈래근은 아래 허리에서 가장 큰 근육이고 가로가시근군의 일부이다. 돌림근과 반가시근과 함께 다른 척추뼈의 가로돌기를 연결하는 네트워크를 형성한다. 이들 근육들은 척추뼈를 안정화시키고 조종함으로써 척주를 움직이도록 한다. 반가시근은 목에서 가장 큰 근육이다.

돌림근들은 아래쪽 부착점으로부터 위쪽으로 5개 또는 그 이상의 척추뼈 수준에 붙어 있다.

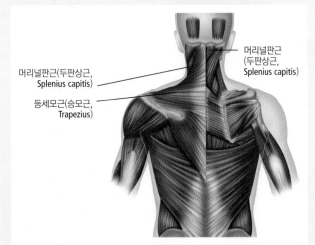

머리널판근(두판상근, Splenius capitis)

등세모근(승모근, Trapezius)

머리널판근(두판상근, Splenius capitis)

머리널판근

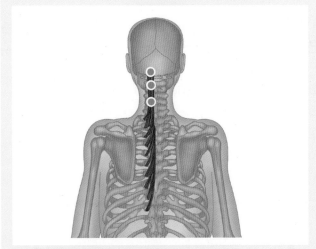

머리/목 반가시근

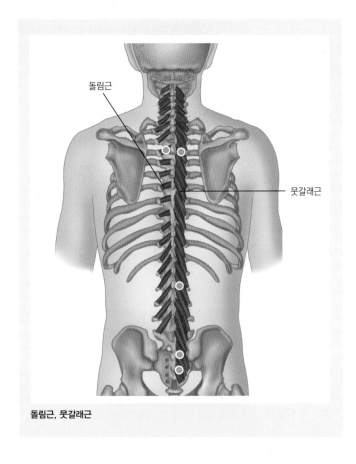

돌림근

뭇갈래근

돌림근, 뭇갈래근

12. 엉덩관절(고관절, hip joint)의 정렬에 대한 설명으로 옳은 것은?

① 큰돌기(대전자, greater tronchanter)가 골두(head of femur)보다 전방에 위치하며 두 지점을 연결한 선의 각도가 일반적으로 평균 15°를 유지하면 정상으로 간주한다.

② 과도한 밖굽이엉덩관절(coxa valga)은 넙다리목(대퇴경부, femoral neck)골절의 위험을 증가시킨다.

③ 앞굽음(anteversion)일 경우 관절의 일치성(관절의 안정성)을 개선하기 위해 서 있을 때 엉덩관절을 안쪽돌림(internal rotation)상태로 위치하게 된다.

④ 안굽이엉덩관절(coxa vara)은 정상 경사각(angle of inclination)보다 각도가 크며, 밖굽이엉덩관절(coxa valga)은 정상 경사각보다 각도가 작다.

정답 ③

다음과 같이 수정할 수 있다.

① 비틀림 각은 넙다리뼈 몸통이 골두(head of femur) 보다 후방에 위치하며 두 지점을 연결한 선의 각도가 일반적으로 평균 15°를 유지하면 정상으로 간주한다.

② 과도한 밖굽이엉덩관절(coxa valga)은 류머티스 관절염 혹은 무릎뼈 가쪽의 아탈구 위험을 증가시킨다.

④ 안굽이엉덩관절(coxa vara)은 정상 경사각(angle of inclination) 보다 각도가 작으며, 밖굽이엉덩관절(coxa valga)은 정상 경사각보다 각도가 크다.

↪ 저자촌평 넙다리경사각과 넙다리비틀림각에 대한 완전한 이해가 요구되는 문제이다.

넙다리경사각은 이마면 내에서 몸통과 연관되는 머리/목의 경사이며, 대략 125도가 정상이다.
넙다리비틀림각은 횡단면에서 넙다리뼈의 몸통과 연관된 머리/목의 경사이며 대략 15도가 정상이다.

📖 보충학습

① 넙다리비틀림각은 넙다리뼈 몸통은 넙다리뼈, 머리와 목과 연관되어 안쪽으로 비틀어지게 한다.

② Q각은 앞위엉덩가시(ASIS)에서 무릎뼈 중앙까지 선(해부학적 축)을 긋 고 정강뼈 거친면에서 무릎뼈 중앙 위쪽까지 또 다른 교차선(역학적 축)을 연결하여 만들어 진다.

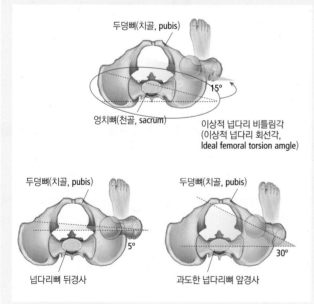

넙다리의 다양한 비틀림각

13. 하지 근육과 신경지배를 바르게 연결한 것은?

① 긴모음근(장내전근, adductor longus) − 폐쇄신경(obturator nerve)

② 짧은종아리근(단비골근, peroneus brevis) − 깊은종아리신경(심비골신경, deep peroneal nerve)

③ 셋째종아리근(제삼비골근, peroneus tertius) − 얕은종아리신경(표재비골신경, superficial peroneal nerve)

④ 앞정강근(전경골근, tibialis anterior) − 정강신경(경골신경, tibial nerve)

정답 ①

아래와 같이 정리하고 있어야 해결이 된다.

문항	기시점	착지점	작용	신경지배
②	종아리뼈 먼쪽의 가쪽 2/3지점	5번 발가락 발허리뼈 기저거친면	발목의 족저굴곡, 발의 가쪽번짐	얕은 종아리신경, L4~S1
③	종아리뼈 앞쪽면의 먼쪽 1/3지점 뼈사이막	5번 발허리뼈 기저등쪽면	발목의 배측굴곡, 발의 가쪽번짐	깊은 종아리신경, L4~S1
④	정강뼈가쪽관절융기와 뼈사이막의 몸쪽반	안쪽쐐기뼈 발바닥면, 첫째발허리뼈 밑	발목의 배측굴곡, 발의 안쪽번짐	깊은 종아리신경, L4~S1

↪ 저자촌평 한때는 12쌍의 뇌신경에서 출제가 빈번했지만 이제는 팔신경얼기나 허리신경얼기까지 범위가 확장되고 있다.

📖 보충학습

필자의 빔강의를 통해서 상세하고 쉽게 공부할 수 있다.

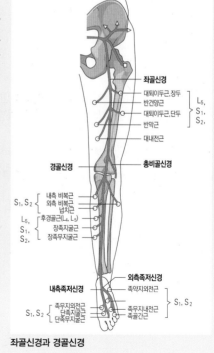

좌골신경과 경골신경

2019

14. 부리봉우리어깨인대(오훼견봉인대, coracoacromial ligament)에 대한 설명으로 옳지 <u>않은</u> 것은?

① 위팔뼈머리(상완골두, humeral head)가 상향변위(upward displacement) 되는 것을 방지한다.

② 장력띠(tension band)로서 근육에 의해 부리돌기(coracoid process)에 발생한 과도한 장력을 분산시킨다.

③ 오목위팔관절(상완관절, glenohumeral jont)의 기능적 지붕역할을 하는 부리봉우리어깨활(coracoacromial arch)을 구성한다.

④ 봉우리빗장관절(견봉쇄골관절, acromioclavicular joint)의 안정성에 관여한다.

정답 ④

부리봉우리어깨인대는 어깨뼈의 부리돌기와 봉우리돌기를 연결한다. 이 인대는 머리위로 움직일 때 위팔뼈머리를 안정화시킨다. 봉우리빗장관절은 어깨뼈의 봉우리와 빗장뼈의 봉우리끝 사이의 관절로 관절원반이 있으며 평면관절로 자유도 3이다. 위아래관절주머니인대에 의해 직접적으로 보강되며, 봉우리빗장인대와 부리빗장인대에 의해 안정된다. 부리빗장인대는 마름인대와 원뿔인대로 나누어진다.

①은 부리봉우리인대, ②는 부리위팔인대, ③은 오목위팔인대에 대한 내용이다.

ᘒ **저자촌평** 어깨관절 복합체에는 일반적으로 4~5개의 관절이 존재하는데 중요하기 때문에 이들 구조물의 특징이나 역할을 충분히 숙지하고 있어야 한다.

📖 **보충학습**

어깨뼈가 단지 작은 봉우리빗장관절에서만 몸통뼈대와 관절을 이루는 것은 어깨에서 가능한 넓은 가동범위를 이루기 위함이다.

원뿔인대는 빗장뼈가 장축을 중심으로 돌림하기 때문에 약간 느슨하게 움직일 수 있도록 되어 있고, 봉우리빗장관절에서 어깨뼈가 움직일 수 있도록 되어 있다.

마름인대는 빗장뼈 가쪽 움직임을 제한하고, 원뿔인대는 빗장뼈의 위 움직임을 제한한다.

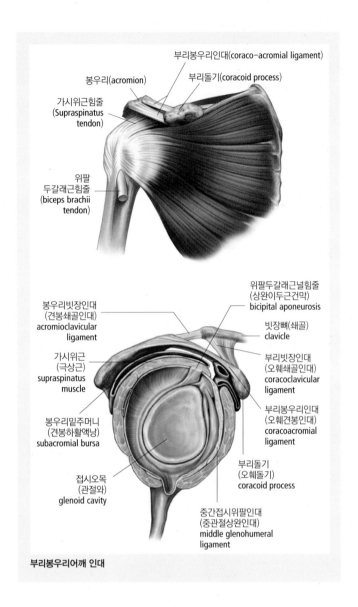

부리봉우리어깨 인대

15. 넙다리 삼각(femoral triangle)에 대한 설명으로 옳은 것을 <보기>에서 모두 고른 것은?

〈보기〉

㉠ 위쪽은 샅고랑인대(서혜인대, inguinal ligament)로 경계를 이룬다.
㉡ 안쪽은 두덩근(치골근, pectineus)으로 경계를 이룬다.
㉢ 가쪽은 넙다리빗근(봉공근, sartorius)으로 경계를 이룬다.
㉣ 궁둥구멍근(이상근, piriformis)이 공간을 지난다.
㉤ 넙다리동맥(대퇴동맥, femoral artery)이 공간을 지난다.
㉥ 넙다리정맥(대퇴정맥, femoral vein)이 공간을 지난다.

① ㉠, ㉡, ㉢, ㉥
② ㉠, ㉡, ㉤, ㉥
③ ㉡, ㉢, ㉣, ㉤
④ ㉠, ㉢, ㉤, ㉥

정답 ④

긴모음근의 안쪽 가장자리는 넙다리삼각형의 안쪽 가장자리이다. 넙다리삼각형은 넙다리빗근과 긴모음근 사이에 위치하며, 넙다리신경, 동맥, 정맥을 포함한다.

넙다리삼각은 샅고랑 인대, 넙다리빗근의 안쪽모서리, 긴모음근의 안쪽모서리로 이루어진다.

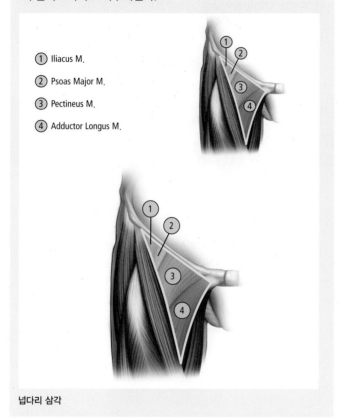

① Iliacus M.

② Psoas Major M.

③ Pectineus M.

④ Adductor Longus M.

넙다리 삼각

	엉덩관절	목말밑관절
①	벌림 (외전, abduction)	가쪽번짐(외번, eversion)
②	모음 (내전, adduction)	가쪽번짐(외번, eversion)
③	모음 (내전, adduction)	안쪽번짐(내번, inversion)
④	벌림 (외전, abduction)	안쪽번짐(내번, inversion)

정답 ②

☞ 2015년 운동상해 9번 그림을 참고하되 <보기>의 특성을 고려해야 문제의 정답을 찾을 수 있다.

엉덩관절에서의 보행이상으로 이러한 움직임은
엉덩관절 폄근의 약화를 보상하기 위한 것이기 때문에
보상성트렌델렌버그 보행이라고 부른다.

발목관절의 발의 관절운동형상학		
생리학적 운동	구르기	활주
목말밑관절[발꿈치뼈 운동(뒤쪽관절면)]		
안쪽번짐에서 뒤침	안쪽	가쪽
가쪽번짐에서 뒤침	가쪽	안쪽

♪ 저자촌평 필자의 강의 해설을 참조하기 바란다.

📖 보충학습

양쪽에 약화가 있다면 오리걸음 보행이 된다.
고관절의 내회전을 일으키는 중둔볼기근의 전방섬유 단축과 외회전을 일으키는 후방섬유의 신장성 약화는 고관절의 정렬을 내회전으로 만들어서 외반슬 무릎과 이로 인해서 유발된 발의 과도한 내번토크로 인해서 발의 아치가 소실되는 평발로 이어질 수 있다.

16. <보기>와 같은 하지의 특성을 가지고 있는 경우 보행 입각기 시 엉덩관절(고관절, hip joint)과 목말밑관절(거골하관절, subtalar joint)에서 나타나는 특성을 바르게 묶은 것은?

〈보기〉

㉠ 엉덩관절에서의 트렌델렌버그 사인(Trendelenburg sign)
㉡ 무릎관절에서의 밖굽이무릎(외반슬, genu valgum)

17. 기능적 다리길이 검사(functional leg length test)에 대한 설명으로 옳지 않은 것은?

① 해부학적 구조보다는 자세문제로 발생하는 다리길이 차이를 알아보기 위한 방법이다.

② 검사자는 기능적 다리길이 검사를 하기 전에 실제적인 다리 길이(true leg length)차이를 먼저 확인한다.

③ 선 자세에서 위앞엉덩뼈가시(전상장골극, anterior superior iliac spine)에서부터 발목관절의 안쪽복사뼈(안쪽과, medial malleolus)까지를 측정한다.

④ 누운 자세에서 배꼽부터 발목관절의 안쪽복사뼈까지를 측정한다.

정답 ③

☞2015년 기능해부학 06번 그림 참고

③은 실제다리길이 검사로서 누운자세에서 측정한다.

↪ **저자촌평** 필자가 강의에서 언젠가 실기/구술문제로도 출제 가능성이 있다고 강조한 내용이다.

📖 **보충학습**

선 자세에서는 엉덩뼈능선과 위앞엉덩뼈가시의 높이 수준과 촉지를 검사하는 촉진이다.

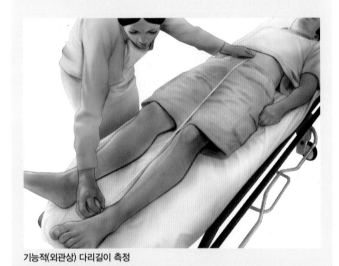

기능적(외관상) 다리길이 측정

↪ **저자촌평** 필자가 빔강의를 통해서 강조한 내용이 그대로 출제되었다.

📖 **보충학습**

이 문제는 봉우리빗장관절에 대한 인대를 묻는 내용이고 ④는 오목위팔관절과 연결된 인대이다.
④ + ⑤ = 부리빗장인대를 기억하라.

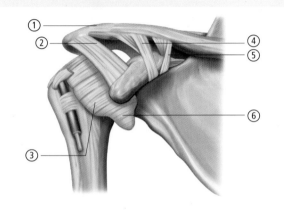

① 봉우리빗장인대(견봉쇄골인대) Acromioclavicular ligament
② 부리어깨봉우리인대(오훼견봉인대) Coracoacromial ligament
③ 중간접시위팔인대 Middle glenohumeral ligament
④ 마름인대(능형인대) Trapezoid ligament
⑤ 원뿔인대(원추인대) Conoid ligament
⑥ 아래접시위팔인대 Inferior glenohumeral ligament

어깨 인대

---

18. 팔이음뼈(shoulder girdle)와 빗장뼈(쇄골, clavicle)를 연결하는데 관여하는 인대로 옳지 <u>않은</u> 것은?

① 마름인대(능형인대, trapezoid ligament)
② 봉우리빗장인대(견봉쇄골인대, acromioclavicular ligament)
③ 원뿔인대(원추인대, conoid ligament)
④ 부리위팔인대(오훼상완인대, coracohumeral ligament)

정답 ④

④와 어깨뼈봉우리는 위팔뼈의 위방향 초과탈구를 방지하기 위한 아치형태이다. 어깨뼈의 부리돌기와 위팔뼈 큰결절 사이에 위치한다.

---

19. <보기>와 같은 특성을 지닌 뼈는?

─〈보기〉─

보호기능을 제공하는 근·건 단위에 둘러싸여 있을 뿐 아니라 근·건 단위의 기계적 이점(mechanical advantage)을 높일 수 있다. 그 예로 무릎뼈(슬개골, patella)등이 이에 속한다.

① 납작뼈(편평골, flat bones)
② 종자뼈(종자골, sesamoid bones)
③ 긴뼈(장골, long bones)
④ 짧은뼈(단골, short bones)

정답 ②

②는 우리 몸에서 가장 큰 종자뼈이다.

종자뼈는 넙다리네갈래근힘줄 안에 있다.
넙다리네갈래근힘줄이 넙다리와 부딪혀서 찢어지는 것을
방지하는 역할을 하기도 한다.

♪ 저자촌평 이런 문제를 놓치게 되면 기능해부학 과락을 초래
한다. 이런 수준의 문제는 절대 실수하지 않도록 기능해부학에
대한 안목과 실력을 키워라.

📖 보충학습

종자뼈는 엄지손가락과 발가락에서도 발견되며, sesamoid는 라
틴어로 '참깨씨앗'이라는 뜻에서 유래되었다. 무릎뼈는 무릎관절
주머니 내에 위치한 인체에서 가장 큰 종자뼈이다. 넙다리네갈래
근의 수축은 무릎뼈를 들어 올려 무릎인대를 견인하며, 최종적으
로 무릎관절을 폄시킨다. 무릎뼈가 있음으로써 넙다리네갈래근
힘줄이 앞쪽으로 이동하고, 무릎인대가 정강뼈를 견인하는 힘이
방향을 폄 방향으로 더 변화시키는 것이다. 무릎뼈가 존재하지
않는 다면 동일한 폄 회전력을 발생시키려면 20% 이상의 강한 수
축이 필요하며, 근력이 20% 이상 저하될 것이다.

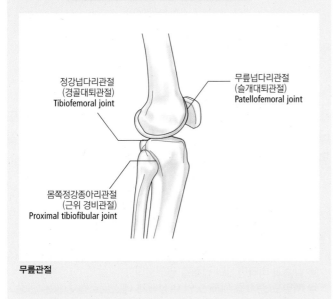

정강넙다리관절
(경골대퇴관절)
Tibiofemoral joint

무릎넙다리관절
(슬개대퇴관절)
Patellofemoral joint

몸쪽정강종아리관절
(근위 경비관절)
Proximal tibiofibular joint

무릎관절

20. 어깨관절 복합체(shoulder complex)에서 약 180°의 최대 어깨벌림(외전, abduction)동작이 일어날 때 관절 가동범위(range of motion)가 가장 큰 관절은?

① 어깨가슴관절(견갑흉부관절, scapulothoracic joint)

② 봉우리빗장관절(견봉쇄골관절, acromioclavicular joint)

③ 오목위팔관절(상완관절, glenohumeral joint)

④ 복장빗장관절(흉쇄관절, sternoclavicular joint)

정답 ③

☞ 2015년 운동상해 13번 그림 참고

③은 3면에서 모두 움직임이 가능한 자유도 3에 해당한다.

♪ 저자촌평 어깨관절을 심도있게 파악하는 방법을 알아야 한
다. 어깨관절은 해부학적 관절(3), 기능적 관절(2)로 구분해서 공
부를 하기 바란다. ②, ③, ④는 해부학적 관절에 해당된다.

필자의 강의를 통해서 기능해부학 60점 이상 취득할 수 있다.

📖 보충학습

① 은 기능적 관절로 ③다음으로 가장 가동성이 크다.
②, ④는 자유도는 3이지만 그 가동범위는 작다.

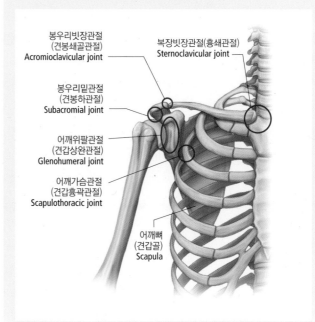

봉우리빗장관절
(견봉쇄골관절)
Acromioclavicular joint

복장빗장관절(흉쇄관절)
Sternoclavicular joint

봉우리밑관절
(견봉하관절)
Subacromial joint

어깨위팔관절
(견갑상완관절)
Glenohumeral joint

어깨가슴관절
(견갑흉관절)
Scapulothoracic joint

어깨뼈
(견갑골)
Scapula

어깨관절

병태생리학

01. 근육 타박상에 의한 급성염증의 국소증상을 <보기>에서 모두 고른 것은?

─〈보기〉─

| ㉠ 발적(redness) | ㉡ 종창(swelling) |
| ㉢ 감염(infection) | ㉣ 발열(heat) |

① ㉠, ㉡, ㉢
② ㉠, ㉡, ㉣
③ ㉠, ㉢, ㉣
④ ㉡, ㉢, ㉣

정답 ②

감염은 미생물이 숙주(host) 내로 침입하여 증식하는 상태이다.

↳ 저자촌평 감염이 빠진 번호를 답으로 찾을 수 있다.

정답 ②

심근허혈에 대한 메카니즘을 알고 있는 수험생이면 쉽게 답을 찾을 수 있는 문제이다.

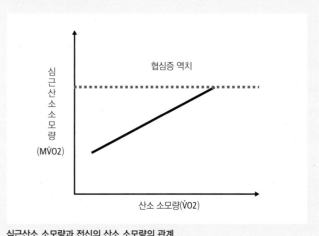

심근산소 소모량과 전신의 산소 소모량의 관계

02. <보기>는 관상동맥질환에 의한 심근허혈과 관련된 설명이다. 괄호 안에 들어갈 용어로 옳은 것은?

─〈보기〉─

심장근육의 (㉠)이 (㉡)을 초과하는 상태가 지속되면 심장근육의 허혈이 발생한다. 즉, 관상동맥의 혈류가 (㉢)하게 되면 심장기능이 저하될 수 있다.

	㉠	㉡	㉢
①	산소공급량	산소요구량	증가
②	산소요구량	산소공급량	감소
③	산소공급량	산소요구량	감소
④	산소요구량	산소공급량	증가

03. 뼈엉성증(골다공증, osteoporosis)환자의 뼈밀도(골밀도) 증가를 위한 운동 및 약물 처방으로 옳은 설명을 <보기>에서 모두 고른 것은?

─〈보기〉─

㉠ 기계적부하(mechanical loading)가 적용되는 운동을 권장한다.
㉡ 등골뼈의 강화를 위해 동적인 복근운동(sit-up)을 권장한다.
㉢ 걷기와 같은 체중지지를 포함하는 전신운동을 권장한다.
㉣ 칼슘과 비타민 D의 섭취를 권장한다.
㉤ 뼈밀도 증가를 위해 노인 여성에게 에스트로겐 처방은 권장하지 않는다.

① ㉠, ㉡, ㉢
② ㉠, ㉡, ㉤
③ ㉠, ㉢, ㉣
④ ㉡, ㉣, ㉤

정답 ③

ⓒ 등골뼈의 강화를 위해 동적인 복근운동(sit-up)을 골절의 위험이 있어 권장하지 않는다.

ⓓ 뼈밀도 증가를 위해 노인 여성에게도 에스트로겐 처방을 권장할 수 있다.

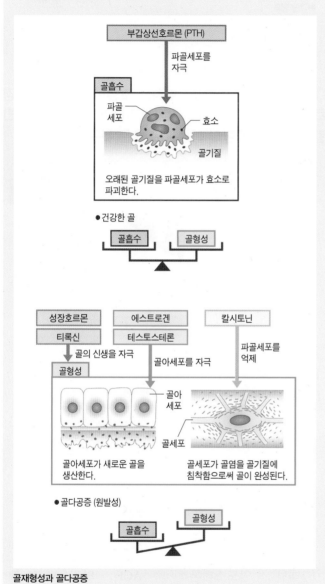

골재형성과 골다공증

04. <보기>에 제시된 내용과 관련이 있는 질환으로 옳은 것은?

〈보기〉

- 급성관상동맥증후군(acute coronary syndrome)
- 안정 시 흉통(chest pain)
- 관상동맥의 플라크(plaque)파열과 함께 발생한 혈전증
- 심근경색으로 진행될 가능성이 높다.

① 안정형 협심증　　② 불안정형 협심증
③ 심판막질환　　　④ 심내막염

정답 ②

①은 안정 상태에서 증상이 없다가 신체적 · 감정적 스트레스 시에 흉통이 일과성으로 나타나며 안정을 취하면서 다시 통증이 사라지는 형태를 말한다.

📖 보충학습

②는 만성안정형협심증이 악화되어 이행될 수 있다. 시간이 흐를수록 증상의 지속시간, 빈도 정도가 증가되고, 예전보다 약한 정도의 운동 시에도 흉통이 발생한다. 죽상경화반이 파열되고 이로 인해 혈전이 생겨 갑자기 관상동맥이 좁아져서 발생한다. 급성심근경색증의 전조증의 형태로도 간주된다.

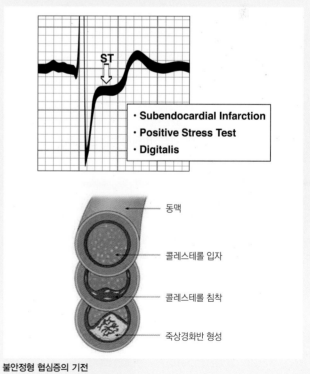

불안정형 협심증의 기전

협심증(흉통)

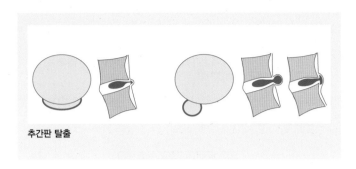

추간판 탈출

05. 허리원반탈출증(요추 추간판탈출증, herniation of lumbar disc)에 대한 설명으로 옳지 <u>않은</u> 것은?

① 가장 흔한 원인은 비틀림과 압박으로 인한 원반의 전방 돌출(protrusion)이다.
② 디스크탈출은 L4–L5와 L5–S1에서 주로 나타난다.
③ 섬유륜(annulus fibrosus)의 변형과 결합력 저하로 인한 균열 및 근력 약화에 의해 발생한다.
④ 장시간 움직이지 않으면 혈액공급 제한으로 디스크의 변성을 초래하여 발생할 수 있다.

정답 ①

병인은 잘못된 신체기전, 외상, 비정상적인 스트레스 또는 퇴행성이다.

📖 보충학습

디스크탈출은 L4~L5, → L5~S1, → L3~L4, → L2~L3 순으로 잘 발생한다.

06. 혈압과 세포외액의 부피를 조절하는 내분비계 경로를 나타낸 그림이다. 그림의 기관과 경로에 맞게 빈 칸에 들어갈 물질의 이름으로 옳은 것은?

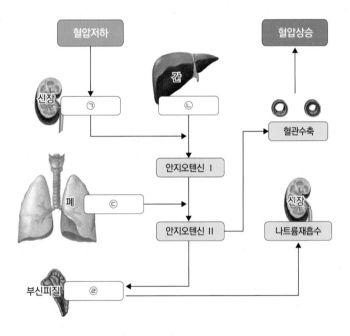

※레닌: renin, ACE: angiotensin converting enzyme, 안지오텐시노겐: angiotensinogen
안지오텐신 I : angiotensin I , 안지오텐신 II : angiotensin II, 알도스테론: aldosterone

	㉠	㉡	㉢	㉣
①	레닌	알도스테론	ACE	안지오텐시노겐
②	ACE	안지오텐시노겐	레닌	알도스테론
③	레닌	안지오텐시노겐	ACE	알도스테론
④	ACE	알도스테론	레닌	안지오텐시노겐

정답 ③

☞2015년 운동생리학 13번 참고

07. 급성심근경색에 대한 설명으로 옳지 않은 것은?

① 대표적인 위험요인으로 흡연, 고혈압, 당뇨, 고지혈증 등이 있다.
② 심전도 상 ST 분절 상승과 T파 역위가 진단에 도움이 된다.
③ cTnI(cardiac troponin I)와 cTnT(cardiac troponin T)의 비정상적인 상승이 진단에 도움이 된다.
④ 증상으로는 활동 시 흉통이 악화되고 안정 시 감소된다.

정답 ④

④는 안정형협심증에 해당한다. 문제 4번을 참조하기 바란다.

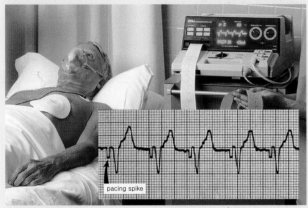

외부형 심박동 장치

냉한, 실신, 호흡곤란이 있는 경우는 중증 협심증일 가능성이 있다.

가슴의 흉통

08. <보기>는 공기가슴증(기흉, pneumothorax)의 종류에 대한 설명이다. 괄호 안에 들어갈 용어로 옳은 것은?

〈보기〉

- 건강인에게 특별한 원인이 없어도 (㉠) 공기가슴증은 발병한다.
- 흉곽에 발생한 상처(외상)로 공기가 유입되면 (㉡) 공기가슴증으로 진행된다.
- (㉢) 공기가슴증은 흉강 내에 있는 공기를 배출하지 못해 흉강 내 압력이 점차 높아져 발생된다.

	㉠	㉡	㉢
①	1차성	개방성	폐쇄성
②	2차성	개방성	긴장성
③	1차성	개방성	긴장성
④	2차성	긴장성	폐쇄성

정답 ③

외상성기흉은 대개 흉벽이 천공되는 어떠한 손상에 의해 야기되지만, 때로는 외상이 폐를 관통하고 따라서 흉막강 내에 공기가 축적되는 두 개의 통로를 제공하게 된다. 특발성 자연기흉은 어린 사람에게 발생하며 첨부흉막밑 말단의 작은 수포가 파열되어 발생하며, 공기가 흡수되면서 대개 자연히 가라앉게 된다.

폐쇄성으로 간주되는 자발성 기흉은 1차성과 2차성으로 분류될 수 있다.

🖉 저자촌평 이 문제는 공부를 해야 풀 수 있다.

📖 보충학습

기흉은 자발성 혹은 외성성으로 분류된다. 외상성기흉은 개방성과 폐쇄성으로 분류된다.

2019

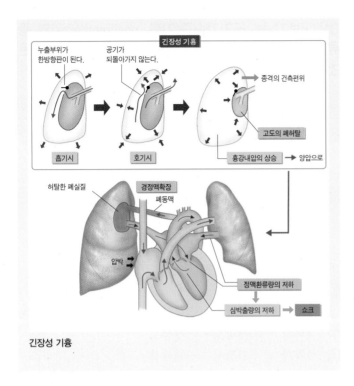

긴장성 기흉

📖 보충학습

대표적인 증상 완화제로 베타2 항진제(작용제), 테오필린(theoph-ylline)으로 대표되는 잔틴(xanthine)계 약물, 부교감신경 차단제(anticholinergics; 항콜린제) 등이 널리 사용되고 있다.

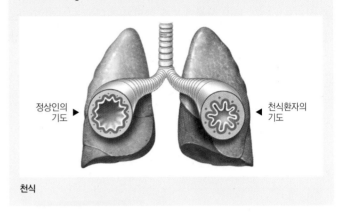

천식

09. 천식(asthma)에 대한 설명으로 옳은 것은?

① 비정상적인 점액성 분비물에 의한 폐쇄와 감염에 의한 광범위한 기관지 확장이 나타난다.

② 호흡곤란으로 인해 폐내 잔기량 증가와 산증(acidosis)이 나타난다.

③ 천식발작 시 기관지를 확장시키기 위해 베타-2 차단제가 필요하다.

④ 천식의 주요 원인은 내인성 혹은 비아토피성(non-atopic)이며 특히 밤에 증상이 잘 나타난다.

정답 ②

①은 천식에 대한 설명이 아니고 기관지확장증에 대한 내용이라고 할 수 있다.

③과 ④는 다음과 같이 수정할 수 있다.

③ 천식발작 시 기관지를 확장시키기 위해 기관지확장제(베타-2 수용체항진제)가 필요하다.

④ 천식의 주요 원인은 외인성 혹은 아토피성(atopic)이며 특히 밤에 증상이 잘 나타난다.

10. <보기>에서 파킨슨병과 관련된 내용으로 옳은 것은?

〈보기〉

㉠ 운동경로 중 피질척수로(corticospinal tract)의 기능장애로 나타난다.
㉡ 동작을 처음 시작할 때 어려움이 있으며, 떨림(tremor) 증상은 수의적 운동 시 사라진다.
㉢ 도파민은 혈액뇌장벽(blood-brain-barrier)을 통과할 수 없으므로 치료제로 전구물질인 L-dopa를 투여한다.
㉣ 흥분성 신경전달물질인 도파민의 과다분비로 근긴장도가 증가한다.
㉤ 자율신경계 기능장애가 나타나며 일부 환자에서 치매가 동반될 수 있다.

① ㉠, ㉡, ㉢　　　　② ㉡, ㉢, ㉣
③ ㉡, ㉢, ㉤　　　　④ ㉢, ㉣, ㉤

정답 ③

☞ 2015년 병태생리학 17번, 2016년 병태생리학 19번, 2018년 병태생리학 17번 해석 참고

다음과 같이 수정할 수 있다.

㉠ 운동경로 중 추체외로(Extrapyramidal tract)의 기능장애로 나타난다.

㉣ 억제성 신경전달물질인 도파민의 결핍으로 휴식 시 진전, 근경직, 운동실조 등이 나타난다.

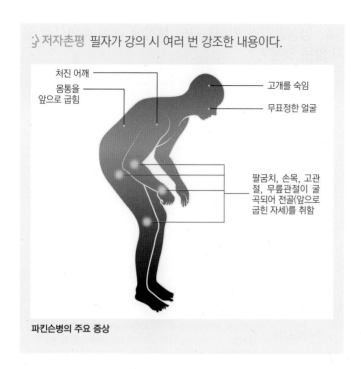

저자촌평 필자가 강의 시 여러 번 강조한 내용이다.

처진 어깨
몸통을 앞으로 굽힘
고개를 숙임
무표정한 얼굴
팔굼치, 손목, 고관절, 무릎관절이 굴곡되어 전골(앞으로 굽힌 자세)를 취함

파킨슨병의 주요 증상

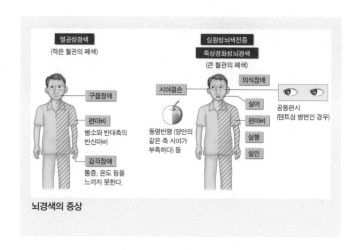

열공성경색 (작은 혈관의 폐색)
심원성뇌색전증
죽상경화성뇌경색 (큰 혈관의 폐색)

구음장애
편마비 병소와 반대측의 반신마비
감각장애 통증, 온도 등을 느끼지 못한다.

시야결손
동명반맹 (양안의 같은 측 시야가 부족하다) 등
의식장애
실어
편마비
실행
실인
공동편시 (텐트상 병변인 경우)

뇌경색의 증상

11. 허혈성뇌졸중에 관한 설명으로 적절하지 <u>않은</u> 것은?

① 색전은 큰 동맥의 죽종, 심근경색증, 심방세동, 심내막염, 인공판막 등에 의해 발생할 수 있다.

② 일과성뇌허혈(transient ischemic attack)은 안면감각이상, 저림증, 일시적 언어상실증 등이 나타난다.

③ 뇌경색 손상 후 신경계가 회복됨에 따라 초기에는 이완마비가 나타나고 점차 경련성 마비로 진행된다.

④ 대부분 출혈성뇌졸중보다 뇌에 더 광범위한 손상을 주고 급성기 사망률이 높으며 심각한 2차 손상으로 이어진다.

정답 ④

④ 출혈성뇌졸중은 뇌에 더 광범위한 손상을 주고 급성기 사망률이 높으며 심각한 2차 손상으로 이어진다.

📖 보충학습

허혈성 뇌졸중은 뇌경색과 일과성 허혈성 발작을 모두 통틀어서 일컫는 용어이다.
뇌졸중은 혈전(50%), 색전(25%), 출혈(20%) 등이 원인이다.

12. <보기>는 한국 성인 여성의 공복 시 건강검진 결과이다. 최신 ACSM에서 제시하는 지침에 근거한 설명으로 옳지 <u>않은</u> 것은?

《보기》

- 연령 : 58세
- 복부둘레 : 89cm
- 혈당 : 128mg/dl
- 저밀도지단백콜레스테롤 : 200mg/dl
- 당화혈색소 : 7%
- 운동을 하지 않는 좌업식 생활 습관
- 체지방률 : 28%
- 혈압 : 130mmHg/94mmHg
- 중성지방 : 140mg/dl

① 당뇨병 전단계를 의심할 수 있다.

② 죽상경화증 심혈관질환의 위험요인은 6개 이상이다.

③ 저밀도지단백콜레스테롤이 기준치를 초과하므로 이상지질혈증에 해당된다.

④ 복부비만과 고혈압에 해당된다.

정답 ①

보기는 최근 ACSM 가이드라인에 따르면 고혈압 1단계이며, 당뇨병은 심혈관질환 위험단계이다.

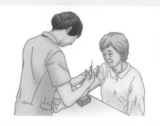

- 지질관리
  LDC-C 130mg/dL 미만
  HDL-C 40mg/dL 이상
  TG 150mg/dL 미만

공복 시 검진

2019

13. 울혈성심장기능상실(심부전, congestive heart fail-ure)에 관한 설명으로 옳은 것은?

① 심부전환자는 심근수축력이 저하되어 있어 안정 시 심박수가 낮다.
② 호흡곤란이 있을 때는 편안하게 누운 자세를 취해준다.
③ 우심실 울혈성심장기능상실 초기에는 폐울혈과 전신정맥계 울혈이 나타난다.
④ 좌심실 울혈성심장기능상실에서의 가장 중요한 증상은 호흡곤란이다.

정답 ④

☞2017년 병태생리학 08번 참고

다음과 같이 수정할 수 있다.

① 심부전환자는 심근수축력이 저하되어 있어 안정 시 심박수가 높다.
② 호흡곤란이 있을 때는 앉은 자세를 취해준다.
③ 좌심실 울혈성심장기능상실 초기에는 폐울혈과 전신정맥계 울혈이 나타난다.

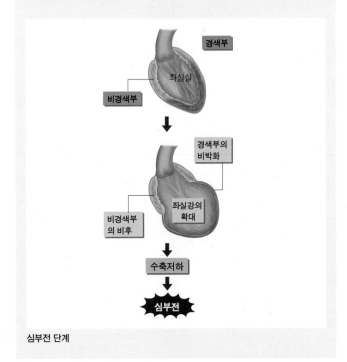

심부전 단계

14. 양성종양과 악성종양의 특징에 대한 설명으로 옳지 <u>않은</u> 것은?

	양성종양	악성종양
①	잘 분화된 세포로 구성	세포의 분화 정도가 다양함
②	피막이 없음	대부분 피막이 있음
③	국소적으로 존재	주변 조직으로 침투
④	촉진 시 자유롭게 움직임	조직으로 침윤

정답 ②

☞2015년 병태생리학 15번, 2017년 병태생리학 06번 참고

특성	양성 종양	악성 종양
피막 형성 여부	피막이 있어 종양이 주위 조직으로 침윤하는 것을 방지함 피막이 있음	피막이 없으므로 주위 조직으로의 침윤이 잘 일어남
세포의 특성	분화가 잘 되어 있음 분열상은 없거나 적음 세포가 성숙함	분화가 잘 안 되어 있음 정상 또는 비정상의 분열상이 많음 세포가 미성숙함
인체에의 영향	인체에 거의 해가 없음	항상 인체에 해가 됨
예후	좋음	종양의 크기, 림프절 침범 여부, 전이 유무에 따라 달라짐

📖 보충학습

양성종양은 피막이 있으므로 수술적 절제가 쉽다.

15. <보기>에서 죽상경화증의 병리학적 진행 과정을 올바른 순서대로 나열한 것은?

〈보기〉

㉠ 지방선조(fatty streak)의 형성
㉡ 플라크(plaque)로 인한 혈관 직경의 감소
㉢ 산화된 저밀도지단백콜레스테롤의 동맥내벽 침착
㉣ 대식세포 증가
㉤ 내피세포 손상

① ㉢→㉡→㉠→㉣→㉤
② ㉢→㉤→㉣→㉠→㉡
③ ㉤→㉢→㉣→㉠→㉡
④ ㉤→㉣→㉢→㉠→㉡

정답 ③

☞2017년 병태생리학 07번 참고

♪저자촌평 죽상경화증의 병리학적 진행 과정을 기존의 기출문제를 응용해서 출제한 내용이다.

📖 보충학습
죽상경화의 변인의 순서
① 혈관내피 손상
② 지질유입
③ 혈관 내 지질 축적
④ 죽종형성

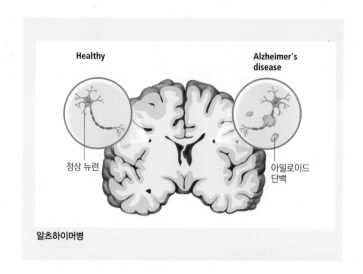

알츠하이머병

16. 알츠하이머 치매의 병태생리학적 설명으로 옳지 않은 것은?

① 대뇌피질과 해마 부위가 현저하게 위축되어 있다.
② 뇌에 베타-아밀로이드(beta-amyloid)가 과도하게 축적되어 있다.
③ 뇌에 노인반(senile plaque)과 신경섬유매듭(neurofibrillary tangle)이 나타난다.
④ 아세틸콜린을 생성하는 신경세포수의 수가 증가하고 도파민을 분비하는 신경세포의 수는 감소한다.

정답 ④

④ 아세틸콜린을 생성하는 신경세포수의 수가 감소하고 베타 아밀로이드(beta-amyloid)의 세포내 혈관침착이 원인이다.

📖 보충학습
베타 아밀로이드(beta-amyloid)라는 작은 단백질이 과도하게 만들어져 뇌에 침착되면서 뇌 세포에 유해한 영향을 주는 것이 발병의 핵심 기전으로 알려져 있으나, 그 외에도 뇌 세포의 골격 유지에 중요한 역할을 하는 타우 단백질(tau protein)의 과인산화, 염증반응, 산화적 손상 등도 뇌 세포 손상에 기여하여 발병에 영향을 미치는 것으로 보인다. 대표적인 뇌 병리 소견인 신경반(혹은 노인반)은 베타 아밀로이드 단백질의 침착과 관련되며, 신경섬유다발은 타우 단백질 과인산화와 연관이 있다.

17. 류마티스성관절염의 증상에 관한 특징으로 옳지 않은 것은?

① 골관절염과는 달리 유전적인 요인이 없다.
② 주로 대칭적으로 관절이 붓고 열이 나거나 피로한 증상이 나타난다.
③ 자가면역 질환이며 아침에 관절강직이 나타난다.
④ 시간이 경과 할수록 전신 관절의 변형으로 운동이 제한된다.

정답 ①

이 문항을 굳이 수정한다면 다음과 같이 수정할 수 있다.
① 골관절염처럼 유전적인 소인이 있다.

♪저자촌평 정답을 쉽게 고를 수 있는 문제이다.

📖 보충학습
류마티스 질환은 유전인자(약 50%)가 이 질환의 발생과 관련이 있는 것으로 알려졌다.

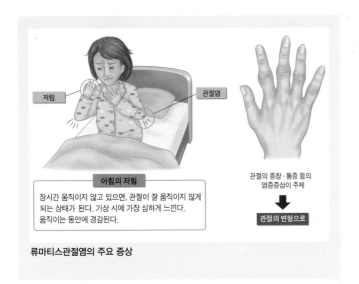

류마티스관절염의 주요 증상

①은 불완전 차단에 해당되며, 심전도 모양 차이에 따라 Ⅰ형과 Ⅱ이 있다.

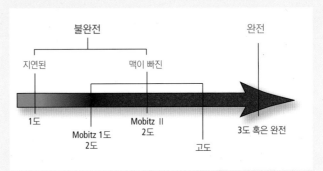

방실차단의 형태

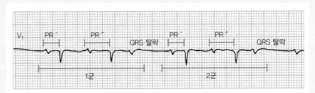

ECG 9-12

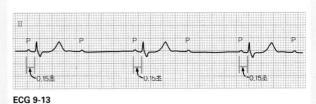

ECG 9-13

2도 방실차단

18. 서맥(bradycardia)이 나타날 수 있는 가능성이 가장 높은 부정맥은?

① 2도 방실차단(second degree AV block)

② 우각차단(right bundle branch block)

③ 심방조동(atrial flutter)

④ 울프-파킨슨-화이트 증후군(Wolff-Parkinson-White syndrome)

정답 ①

①은 심방의 신호의 일부가 심실로 전달되지 않는 상태를 말한다.

②는 심실로 가는 자극전도계 중 오른심실로 향하는 전도로가 차단되는 부정맥을 말한다.

③은 심박수가 250회/분당 이상을 말한다.

④는 조기흥분증후군으로서 정상전도로 외에 부전도로가 있어서 빠른맥을 일으키는 증후군이다.

👉 저자촌평 심전도의 강의를 수강했거나 심전도의 기본지식을 아는 수험생은 답을 고를 수 있는데 ③과 ④는 빈맥에 해당되므로 ①, ②를 고민해야 한다. 우심실로 가는 전기의 공급이 신속하게 이루어지지 않아도 좌각을 통해서 좌심실로 들어간 전기가 우심실로도 공급받을 수 있다.

19. 제2형 당뇨병 환자의 혈당 조절을 위한 생활습관 및 약물복용에 대한 옳은 설명을 <보기>에서 모두 고른 것은?

<보기>

㉠ 전신운동보다는 소근육 위주의 운동을 권장한다.
㉡ 저혈당을 예방하기 위해 혈당수준에 따라 운동 전·후 추가적인 탄수화물섭취를 권장한다.
㉢ 경구혈당강하제는 췌장에서 인슐린 분비를 촉진하거나 인슐린 민감도를 높여주는 역할에 따라 복용 시기가 달라진다.
㉣ 탄수화물 대사의 이상으로 지질대사가 증가하므로 고지방식이를 섭취하도록 권장한다.

① ㉠, ㉡   ② ㉠, ㉢
③ ㉡, ㉢   ④ ㉢, ㉣

정답 ③

다음과 같이 수정할 수 있다.

㉠ 소근육보다는 전신운동 위주의 운동을 권장한다.

㉣ 지질대사의 이상으로 중성지방, 콜레스테롤 등이 증가하므로 고지방식이 섭취 제한하도록 권장한다.

📖 보충학습

지질대사 이상으로 케톤체가 혈액 중에 증가하면 당뇨병성 케톤산증이 발생하고 심하면 당뇨병성 혼수상태가 된다.

매일 계속한다.
목표
1일
15 ~ 20분

산책

당뇨병환자의 운동

20. 목뼈 추간판탈출증(cervical nucleus pulposus extrusion)에 관한 설명으로 옳지 <u>않은</u> 것은?

① 거북목은 목디스크를 유발시키는 원인이 될 수 있다.
② 목근육의 과긴장이나 경직은 추간판에 영향을 주지 않는다.
③ 손저림, 뒷목 뼈근함, 두통 등의 증상이 나타난다.
④ 심할 경우 전신마비를 유발할 수 있다.

정답 ②

② 목근육의 과긴장이나 경직은 추간판에 영향을 준다.

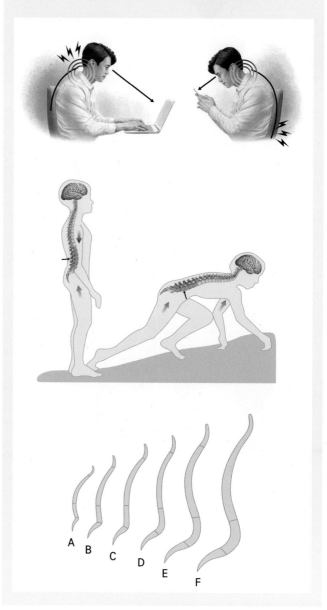

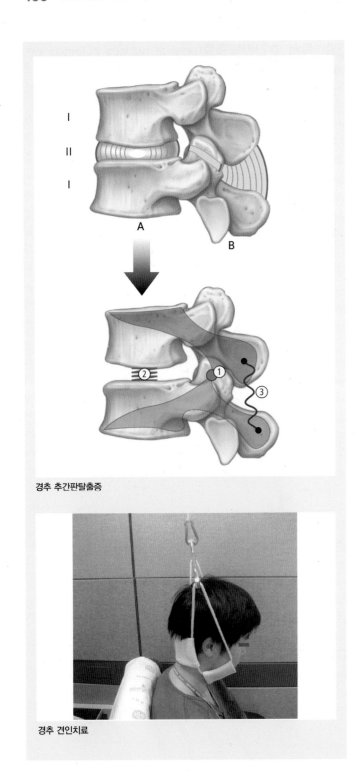

경추 추간판탈출증

경추 견인치료

스포츠심리학

01. 노화와 관련된 보행 형태의 변화에 대한 설명으로 옳지 <u>않은</u> 것은?

① 보행 속도의 감소
② 양(두)발 지지기의 감소
③ 걸음 길이(보폭)의 감소
④ 팔 앞뒤 흔들림(swing)의 감소

> **정답** ②
>
> ②는 노화로 근력이 감소하고, 불안정한 균형을 유지하려고 보폭이 감소하기 때문에 양(두)발 지지기의 증가로 해야 한다.

양발지지기

02. 코치가 테니스 서브를 수행한 학생에게 제시하는 보강적 피드백 중, 수행지식(knowledge of performance) 제시의 예로 가장 적절한 것은?

① "이 서브는 목표지점에서 우측으로 20cm 벗어났어."
② "임팩트 때 팔꿈치가 굽혀졌어."
③ "공이 네트를 건드리고 넘어갔어."
④ "잘했어, 바로 그거야."

> **정답** ②
>
> 수행지식은 동작 중 폼이나 자세에 대한 묘사이다. ①, ③은 결과지식이며, ④는 긍정적피드백이라고 할 수 있다.

테니스와 피드백

03. 데시(Deci, 1975)의 인지평가이론(Cognitive Evaluation Theory)에 따르면, 특정한 상황을 통제적 측면 또는 정보적 측면으로 인식하는가에 따라 내적동기 수준은 변화한다. 그 과정을 순서대로 바르게 나열한 것은?

① 사건 → 통제적 측면 → 외적 → 유능성 감소 → 내적동기 증가
② 사건 → 정보적 측면 → 내적 → 자결성 증가 → 내적동기 감소
③ 사건 → 통제적 측면 → 부정적 → 자결성 감소 → 내적동기 감소
④ 사건 → 정보적 측면 → 긍정적 → 유능성 증가 → 내적동기 증가

정답 ④

아래 틀을 이해하면 쉽게 해결할 수 있다.

인지평가 이론

04. 대뇌 특정 영역의 활성화를 기록하는 측정 방법으로 옳지 않은 것은?

① 뇌전도(electroencephalogram)
② 뇌자도(magneto-encephalogram)
③ 기능성자기공명영상(functional magnetic resonance imaging)
④ 경두개자기자극(transcranial magnetic stimulation)

정답 ④

④는 전도 전자기 코일로 발생시킨 자기장으로 뇌의 특정 부위를 자극하여 신경세포를 활성화시키는 비수술적 뇌자극의 한 방법을 말한다.

저자촌평

①, ③은 알려진 방법이며, ②와 ④를 놓고 고민해야 하는 문제이다.
④는측정방법이 아니고, 뇌졸중환자의 재활치료 중 하나이다.

뇌자도

05. 개인의 신체활동은 개인적, 사회적, 환경적 요인들에 의해 영향을 받거나, 이들 요인 간의 상호작용에 의해 영향을 받는다고 보는 이론(모형)은 무엇인가?

① 사회생태모형(Social Ecological Model)
② 합리적행동이론(Theory of Reasoned Action)
③ 자결성이론(Self-determination Theory)
④ 변화단계모형(Transtheoretical Model)

정답 ①

☞2019 스포츠심리학 16번 참고

저자촌평 운동실천 중재전략은 필자가 여러 차례 강의에서 강조한 이론이다.

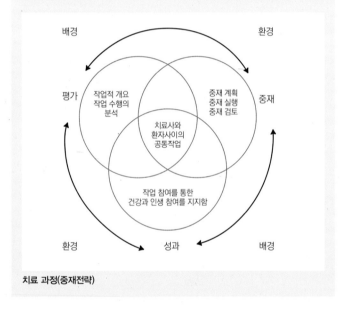

치료 과정(중재전략)

06. 심상훈련(imagery training)의 준비와 실행에 대한 설명으로 옳지 않은 것은?

① 심상훈련이 효과가 있다는 믿음을 가지고 실시한다.
② 조용하고 편안한 장소에서 진행한다.
③ 특정기술에 소요되는 실제 시간보다 짧게 요약하여 시행한다.
④ 선명하고 구체적인 상(image)을 만든다.

정답 ③

③ 특정기술에 소요되는 실제 시간과 같게 시행한다.

심상의 단계

📖 **보충학습**

회상(recall)도식은 빠른 움직임을 조절하며, 과거의 반응명세를 실제결과에 비교하여 초기조건에 맞추어 형성한 계획으로 운동 반응의 시작과 실행을 제어하는 역할을 한다.

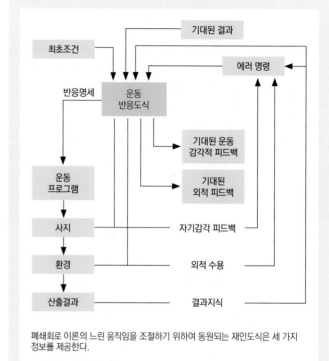

폐쇄회로 이론의 느린 움직임을 조절하기 위하여 동원되는 재인도식은 세 가지 정보를 제공한다.

① 운동을 시작하기 전 : 운동체계의 처음 상태에 관한 정보
② 운동 중 : 동작의 정확성을 감시하는 역할 수행에 관한 정보
③ 운동 후 : 동작이 정확한지 아닌지 알리는 근거를 제공한다.

도식 이론

07. 도식이론(Schema Theory; Schmidt, 1975)에 따른 운동학습 과정에 대한 설명으로 옳지 <u>않은</u> 것은?

① 움직임의 오류 탐지를 위해서는 정확성 참조 준거가 필요하다.
② 결과지식은 움직임의 오류에 관한 정보처리와 상관이 있다.
③ 회상(recall)도식은 직전에 수행한 움직임을 회상해서 움직임 오차를 계산한다.
④ 재인(recognition)도식은 정확성 참조 준거와 유사한 개념이다.

정답 ③

③은 재인도식에 대한 내용이라고 할 수 있다.

🐾 저자촌평 이 문제는 운동학습과 제어 영역의 공부가 필요하다.

08. 운동행동을 설명하는 계획된 행동이론(Theory of Planned Behavior; Fishbein & Ajzen, 1975)의 주요 구성 개념으로 옳지 <u>않은</u> 것은?

① 태도(attitude)
② 의도(intention)
③ 동기(motivation)
④ 행동통제인식(perceived behavioral control)

정답 ③

☞2015년 스포츠심리학 12번 해설 참고
계획된 행동이론의 요소에서 출제된 문제이다.

09. 정보처리 3단계의 관점에서 100m 달리기 스타트의 반응시간이 배구 서브 리시브 상황에서의 반응시간보다 짧은 이유를 옳게 설명한 것은?

① 배구 서브 리시브 상황에서는 자극선택(욕구 구분, stimulus selection)단계의 소요시간이 상대적으로 길기 때문이다.

② 100m 스타트에서는 자극확인(감각-지각, stimulus identification) 단계의 소요시간이 상대적으로 짧기 때문이다.

③ 배구 서브 리시브 상황에서는 의사결정(반응선택, response selection)단계의 소요시간이 상대적으로 짧기 때문이다.

④ 100m 스타트에서는 반응계획/준비(운동 프로그래밍, motor programming)단계의 소요시간이 상대적으로 길기 때문이다.

정답 ②

① 배구 서브 리시브 상황에서는 자극확인 단계의 소요시간이 상대적으로 길기 때문이다.

④ 100m 스타트에서는 반응계획/준비(운동 프로그래밍, motor programming) 단계의 소요시간이 상대적으로 짧기 때문이다.

보충학습

반응선택 단계에서 다양한 자극에 대하여 수행해야 할 반응의 수가 많아 선택해야 하는 대안 수가 많을수록 그리고 적합성이 약할수록 처리과정 속도는 늦어진다.

Hick의 법칙에 따르면 자극과 반응의 적합성 정도가 낮은 경우보다 높을 때 선택반응시간이 짧아진다.

10. <보기>에서 설명하는 자결성이론(Self-determination Theory; Deci & Ryan, 1975)의 하위 구성개념으로 옳은 것은?

〈보기〉

현우는 농구를 좋아해서 동아리에 가입하였다. 그러나 얼마 지나지 않아 점점 흥미가 없어져서 동아리 활동을 그만두고 싶었지만, 가족과 동아리 친구들로부터 부정적인 평가를 받기 싫어서 그 활동을 계속하고 있다.

① 의무감규제(introjected regulation)

② 행동규제(behavioral regulation)

③ 무동기(amotivation)

④ 확인규제(identified regulation)

정답 ①

☞2016년 스포츠심리학 07번 해설 참고
자결성의 연속체에서 출제된 문제이다.

보충학습

〈보기〉는 자기 스스로 압력을 느껴서 실천하는 것을 말한다. 의무감 때문에 운동을 할 뿐이다. 외적이었던 규제가 불완전하지만 내적으로 받아들이기 시작하는 시점이다.

11. 운동심리상담 기법에 대한 설명으로 옳지 **않은** 것은?

① 상담자는 내담자와 공감하고, 내담자의 이야기를 경청하여야 한다.

② 상담자는 내담자의 문제에 대하여 즉각적으로 명확한 해결책을 제시해야 한다.

③ 상담자는 내담자와 신뢰를 형성하여야 한다.

④ 상담자는 내담자의 언어적, 비언어적 메시지 모두에 관심을 기울여야 한다.

정답 ②

② 상담자는 전문가라 하더라도 내담자가 말한 의미를 찾기 위해 시간이 필요하다.

스포츠 상담

12. 반두라(Bandura, 1986)의 자기효능감 이론(Self-efficacy Theory)에서 자신감을 높이는 방법으로 옳지 <u>않은</u> 것은?

① 외적동기를 제공한다.
② 간접경험 또는 롤모델을 제공한다.
③ 언어적으로 지지 또는 격려를 해준다.
④ 수행 및 성공경험을 제공한다.

정답 ①

① "과거의 성공경험을 제공한다"

자신감

13. 무선(무작위, random)연습이 운동학습을 촉진하는 과정에서 발생하는 맥락간섭 효과를 해석하는 두 가지 가설에 대한 설명으로 옳은 것은?

① 정교화(elaboration)가설은 연습하고 있는 여러 기술들이 작업기억 안에 동시에 존재한다는 점을 강조한다.
② 정교화 가설은 연습자가 주어진 문제에 대한 해법을 만들어내는 횟수를 강조한다.
③ 망각–재구성(forgetting–reconstruction)가설은 각각의 기술들이 가진 독특한 특징을 기억하는 것을 강조한다.
④ 망각–재구성 가설은 학습자가 더 많은 휴식을 통해 기억을 재구성할 수 있음을 강조한다.

정답 ①

망각 → 재구성 가설은 연습 중에 수행했던 기술들이 간섭으로 인해서 수행자가 망각하는데, 이를 재구성하여 학습에 도움이 된다는 가설이다.

♪ 저자촌평 필자의 강의를 통해서 해결할 수 있다.

축구에서 1주차 드리블, 2주차 패스, 3주차 킥을 순차적으로 연습하는 것이다.

무선연습 : 과제를 무작위로 연습하는 방법이다. 축구에서 ❶ 드리블, ❷ 패스, ❸ 킥의 기술을 시간을 정하지 않고 연습하는 방법이다.

1주차: ❶ → ❷ → ❸ → ❷ → ❸ → ❶ → ❸ → ❶ → ❷
2주차: ❷ → ❶ → ❸ → ❶ → ❷ → ❸ → ❷ → ❸ → ❶
3주차: ❸ → ❶ → ❷ → ❶ → ❷ → ❸ → ❷ → ❸ → ❶

무선연습

📖 보충학습

맥락간섭 효과를 해석하는 두 가지 가설

Ⓐ 정교화 가설 : 다양한 테크닉들이 작업기억 안에 동시에 존재하기 때문에 매 연습마다 많은 의미와 특성을 부여해서 비교, 대조하여 더 오래 기억하자고 하는 것
Ⓑ 망각-재구성 가설 : 시간이 지나면 기억이 사라지기 때문에 잊지 않기 위해 더 학습하는 것
따라서 ②~④는 반대 개념의 이론에 해당된다고 할 수 있다.

14. 베커(Becker, 1984)의 건강신념모형(Health Belief Model)에 근거한 운동실천 중재전략으로 옳은 것은?

① 신체능력을 고려해야 한다.
② 동기상태를 파악해야 한다.
③ 질병발생의 가능성을 인식시켜야 한다.
④ 명확한 목표를 설정해야 한다.

정답 ③

아래의 틀을 이해하고 있으면 쉽게 정답을 고를 수 있다.

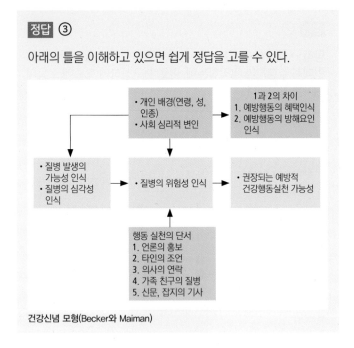

건강신념 모형(Becker와 Maiman)

15. 장기기억(long–term memory)의 특징으로 옳지 않은 것은?

① 절차적(procedural) 기억은 운동 상황에서 무엇을 해야 하는지에 관한 정보를 포함한다.

② 장기기억에 정보를 저장하기 위해서는 연습, 반복과 같은 과정이 필요하다.

③ 명제적(서술적, declarative) 기억에 저장된 정보는 인출(re-trieval) 과정을 거쳐 작업기억으로 보내진다.

④ 장기기억에 저장되는 정보는 부호화(encoding) 과정을 거친다.

정답 ①

다음과 같이 수정해야 한다.

① 명제적 기억은 운동 상황에서 무엇을 해야 하는지에 관한 정보를 포함한다.

📖 보충학습

절차적 기억은 어떠한 순서로 움직임을 수행해야 하는지에 대한 정보를 담고 있다.

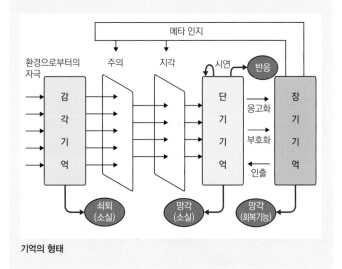

기억의 형태

16. 강화(reinforcement)에 대한 설명으로 옳지 않은 것은?

① 강화는 어떤 행동이 나타난 다음에 자극을 제시해줌으로써 미래에 그 반응이 나타날 확률을 높이거나 줄여주는 것을 의미한다.

② 강화는 정적강화와 부적강화로 구분한다.

③ 강화는 일반적으로 즉시 제시될수록 그 효과도 커진다.

④ 초보자에게는 강화의 빈도를 낮추고, 숙련자에게는 그 빈도를 높이는 것이 좋다.

정답 ④

다음과 같이 수정해야 한다.

④ 초보자에게는 강화의 빈도를 높이고, 숙련자에게는 그 빈도를 낮추는 것이 좋다.

강화

정답 ③

☞ 2015년 스포츠심리학 16번 해설 참고

의사결정 균형을 공부한 수험생이면 쉽게 해결할 수 있는 문제이다. 계단 모양처럼 변화를 시켜야 한다고 주장한다.

📖 보충학습

의사결정 균형이란 원하는 행동을 했을 때 기대되는 혜택과 손실을 평가하는 것이다.

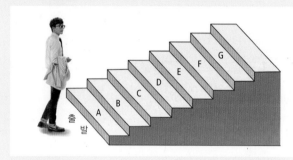

단계변화 이론

17. 운동행동의 변화를 설명하는 단계변화이론(단계적변화모형, Transtheoretical Model; Prochaska & DiClemente, 1983)에서 개인이 규칙적인 운동참여의 이득(pros)과 손실(cons)을 비교하고 평가하는 구성개념은?

① 자기효능감(self-efficacy)
② 변화의 단계(stage of change)
③ 의사결정균형(decisional balance)
④ 변화의 과정(processes of change)

18. <보기>에서 설명하는 운동제어-학습 이론은?

〈보기〉

이 이론은 대뇌 겉질에 저장되어있는 운동 프로그램(motor program)이 인간의 움직임을 생성한다고 주장한다. 그러나 이 이론은 인간이 이전에 경험해 보지 못한 움직임도 수행할 수 있다는 현상을 설명하지 못한다.

① 개방회로이론   ② 반사이론
③ 다이나믹 시스템 이론   ④ 생태학적 이론

정답 ①

①은 정보처리 이론 중 하나의 이론으로서 필자와 함께 공부한 수험생은 순식간에 풀 수 있는 문제이다.

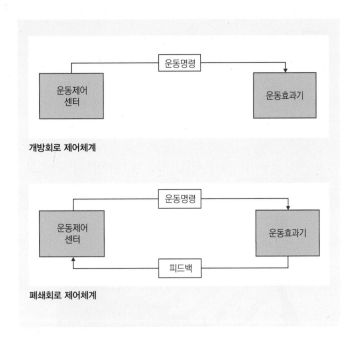

개방회로 제어체계

폐쇄회로 제어체계

19. 규칙적인 운동의 심리적 효과에 대한 설명으로 옳지 <u>않은</u> 것은?

① 삶의 만족도를 향상하는 데 도움이 된다.
② 근지구력 향상에 효과가 있다.
③ 자신감 및 자긍심을 높이는 데 도움이 된다.
④ 불안을 감소시키는 데 도움이 된다.

정답 ②

②는 생리적 효과이다.

유연성 운동

20. 첼라두라이와 살레(Chelladurai & Saleh, 1980)가 제시한 지도자 행동유형에 대한 설명으로 옳지 <u>않은</u> 것은?

① 권위적 행동 유형 – 선수에게 항상 일정한 거리를 두고 행동하며, 지도자 자신이 모든 의사를 결정한다.
② 사회적지지 행동 유형 – 지도자가 팀의 긍정적인 분위기를 조성하고, 선수들과 따뜻한 관계를 유지하려고 노력한다.
③ 긍정적 피드백 행동 유형 – 지도자가 선수들의 동기를 부여하는 방법으로 선수들의 성공적인 운동수행에 칭찬을 아끼지 않는다.
④ 훈련과 지시행동 유형 – 지도자가 게임의 전술과 전략, 연습방법, 팀 목표의 의사결정 시 선수에게 많은 참여를 허용한다.

정답 ④

다음과 같이 수정해야 한다.

④ 훈련과 민주행동 유형 – 지도자가 게임의 전술과 전략, 연습방법, 팀 목표의 의사결정 시 선수에게 많은 참여를 허용한다.

권위적 행동 유형

건강운동관리사 기출 바이블

전과목 수록

PART 02

2 0 2 0 년
건강운동관리사
필 기 시 험

건강운동관리사 필기시험 1교시

2020

건강운동관리사

운동생리학

01. 골격근 수축단계에서 아데노신삼인산(ATP)의 가수분해로 나타나는 과정은?

① 액틴(actin)의 결합위치(binding site) 노출
② 십자교(cross-bridge)가 결합위치에서 분리
③ 근형질세망(sarcoplasmic reticulum)에서 칼슘 분비
④ 마이오신 머리(myosin head)가 꺾이며 파워 스트로크(power stroke) 발생

정답 ④

①은 트로포마이오신의 변화에 의해 발생하는 과정이며, ②는 십자교가 분리되기 때문에 수축단계가 아니며, ③은 칼슘신호는 수축을 시작하게 된다.
④는 마이오신과 액틴의 결합이 교차다리로 하여금 파워스트로크를 하도록 자극한다.
아래 그림을 참조하면 쉽게 이해할 수 있다.

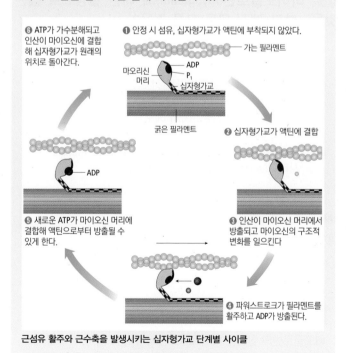

❻ ATP가 가수분해되고 인산이 마이오신에 결합해 십자형가교가 원래의 위치로 돌아간다.

❶ 안정 시 섬유, 십자형가교가 액틴에 부착되지 않았다.

가는 필라멘트
마이오신 머리
ADP
P₁
십자형가교
굵은 필라멘트

❷ 십자형가교가 액틴에 결합

❺ 새로운 ATP가 마이오신 머리에 결합해 액틴으로부터 방출될 수 있게 한다.

❸ 인산이 마이오신 머리에서 방출되고 마이오신의 구조적 변화를 일으킨다

❹ 파워스트로크가 필라멘트를 활주하고 ADP가 방출된다.

근섬유 활주와 근수축을 발생시키는 십자형가교 단계별 사이클

02. 간에서 포도당 신생합성(gluconeogenesis)의 주요 기질(substrate)이 아닌 것은?

① 콜레스테롤(cholesterol)
② 글리세롤(glycerol)
③ 아미노산(amino acid)
④ 젖산염(lactate)

정답 ①

쉬운 문제로서 아래의 당신생과정에 대한 내용을 알면 풀 수 있다.

당신생과정이란 간으로 운반된 알라닌이 다시 글리코겐으로 전환되는 과정을 당신생과정이라고 한다. 즉, 당신생과정이란 글루코스 이외의 물질로부터 글리코겐을 합성하는 과정으로서, 간에서 특징적으로 일어난다.

03. 체중이 70kg인 남성이 <보기>와 같은 호흡기능을 가지고 있을 때, 기능잔기용량(functional residual volume, FRV)은?

〈보기〉

- 폐활량(vital capacity) : 5,000mL
- 일회호흡량(tidal volume) : 500mL
- 총폐용량(total lung capacity) : 6,000mL
- 날숨예비량(expiratory reserve volume) : 1,000mL
- 들숨예비량(inspiratory reserve volume) : 3,500mL

① 1,000mL
② 1,500mL
③ 2,000mL
④ 2,500mL

폐용적과 폐용량에 대한 개념을 알면 쉽게 풀 수 있는 문제이다.
FRV=총폐용량(6000mL)−흡기용량(들숨예비량+일회호흡량)
으로 계산하면 즉시 2,000mL가 산출된다.

☞2015년 운동생리학 15번 참고

04. 일회박출량(stroke volume)에 대한 설명으로 옳지 <u>않은</u> 것은?

① 누운 자세에서 직립 자세로의 변화는 안정 시 일회박출량을 증가시킨다.
② 운동 중 이완기말 용적(end diastolic volume)의 증가가 일회박출량을 증가시킨다.
③ 운동 중 증가된 심실 수축력(ventricular contractility)이 일회박출량을 증가시킨다.
④ 운동 중 평균동맥혈압(mean arterial pressure)의 감소가 일회박출량을 증가시킨다.

직립자세에서는 중력에 의해 혈액이 하지에 고여, 정맥혈류량이 감소되어 1회 박출량이 감소한다.

05. 보어효과(Bohr effect)에 대한 설명으로 옳은 것은?

① 심부체온이 증가함에 따라 산소−헤모글로빈 해리곡선이 우측으로 이동
② 심부체온이 감소함에 따라 산소−헤모글로빈 해리곡선이 좌측으로 이동
③ 혈중 H^+이 증가함에 따라 산소−헤모글로빈 해리곡선이 우측으로 이동
④ 혈중 H^+이 감소함에 따라 산소−헤모글로빈 해리곡선이 좌측으로 이동

Bohr effect와 관련 있는 요인은 H^+, pH 이다.

☞2015년 운동생리학 16번 참고

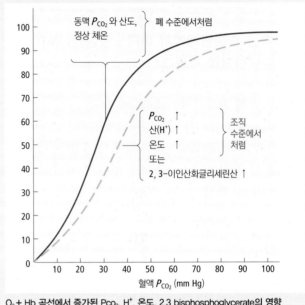

$O_2 + Hb$ 곡선에서 증가된 P_{CO_2}, H^+, 온도, 2,3 bisphosphoglycerate의 영향

06. 마이오글로빈(myoglobin)에 대한 설명으로 옳은 것을 <보기>에서 모두 고른 것은?

〈보기〉

㉠ 근세포막에서 미토콘드리아로 산소 운반
㉡ 헤모글로빈과 유사한 질량과 분자 구조
㉢ 동일한 정맥혈 산소분압에서 헤모글로빈보다 높은 산소포화도(oxygen saturation)를 가짐
㉣ 동일한 횡단면적의 장딴지근(gastrocnemius muscle)보다 가자미근(soleus muscle)에 많이 분포

① ㉠, ㉡, ㉢   ② ㉠, ㉡, ㉣
③ ㉠, ㉢, ㉣   ④ ㉡, ㉢, ㉣

헤모글로빈의 질량은 마이오글로빈의 1/4정도이며, 산소친화도가 다르다. ㉣ 장딴지근은 속근, 가자미근은 지근으로 속근보다 지근이 마이오글로빈 함량이 더 높다.
☞2019년 운동생리학 11번 참고

07. <보기>가 설명하는 호르몬은?

〈보기〉

- 운동 중 분비 감소
- 혈당 저하 시 분비 감소
- 췌장의 랑게르한스섬(islets of Langerhans)에서 분비

① 글루카곤(glucagon) ② 에피네프린(epinephrine)
③ 알도스테론(aldosterone) ④ 소마토스타틴(somatostatin)

정답 ④

췌장의 랑게르한스섬에서 어떤 호르몬이 분비되는 지만 알아도 풀 수 있는 문제이며, 30초 내에 OMR카드에 답안 작성까지 할 수 있다.
①은 운동 중 및 혈당 저하 시 분비 증가되며, ②와 ③은 분비되는 곳이 췌장의 랑게르한스섬이 아니다.
④는 랑게르한스섬에서 분비되는 호르몬 중 가장 세포수가 적고, GHRH(성장호르몬-분비호르몬)는 cAMP를 증가시키지만 somatostatin은 cAMP를 감소시킨다.

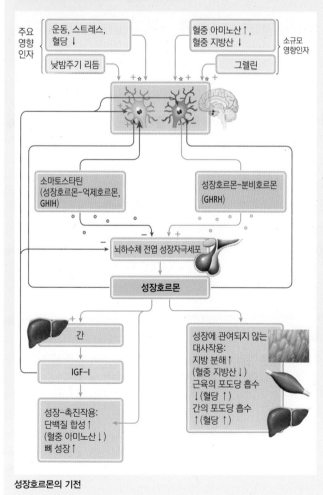

성장호르몬의 기전

08. 운동 중 분비되는 혈관확장 물질을 <보기>에서 모두 고른 것은?

〈보기〉

㉠ 산화질소(nitric oxide, NO)
㉡ 안지오텐신 I (angiotensin II)
㉢ 프로스타사이클린(prostacyclin)

① ㉠, ㉡ ② ㉠, ㉢
③ ㉡, ㉢ ④ ㉠, ㉡, ㉢

정답 ②

㉡은 혈관을 수축시키는 물질이다.
정상적인 내피세포는 세포막의 지질을 프로스타사이클린이라는 아이코사노이드의 일종으로 변환시킬 수 있는데 이 물질은 혈소판 부착과 응집을 방해하며, 정상적인 내피세포는 ㉢과 산화질소를 분비한다. 혈관 민무늬근의 이완은 혈관확장을 일으키는데 의학적으로 유용하다.

09. <보기>와 같은 운동 중 나타나는 심혈관 유동(cardiovascular drift)에 대한 설명으로 옳지 않은 것은?

〈보기〉

- 20℃에서 VO_2max의 65% 강도로 장시간 달리기
- 심부체온 상승으로 발한량 증가

① 심박수(heart rate) 증가
② 심박출량(cardiac output) 증가
③ 일회박출량(stroke volume) 감소
④ 평균동맥혈압(mean arterial pressure) 감소

심혈관 유동은 심혈관변이라고도 하며, 심박출량은 유지되지만 동맥혈압은 감소된다.

📖 보충학습

심혈관 유동은 체온 상승으로 인하여 피부혈관의 확장과 탈수가 원인으로 피부에서 혈류증가와 혈장량감소는 심장으로 돌아오는 정맥혈 회귀의 감소로 작용하고 1회 박출량을 감소시킨다.

10. <보기>의 안정 시 심전도 A구간에서 나타나는 특징으로 옳은 것을 모두 고른 것은?

─〈보기〉─

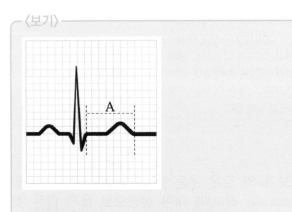

A

㉠ 심방압력(atrial pressure)은 감소 후 증가
㉡ 심실압력(ventricular pressure)은 증가 후 감소
㉢ 심실용적(ventricular volume)은 지속적으로 감소
㉣ 대동맥압력(aortic pressure)은 증가 후 대동맥판막(aortic valve)이 닫힐 때까지 감소

① ㉠
② ㉠, ㉡
③ ㉠, ㉡, ㉢
④ ㉠, ㉡, ㉢, ㉣

정답 ④

심장주기 동안의 물리적 변화를 묻는 문제로써 심전도(ST분절~T파형) 주기 동안 심실수축기와 심실이완기 일부의 구간을 가리킨다. 아래 그림에서 제시한 것처럼 동맥압(방출기), 좌심실압, 좌심방압, 좌심실 부피와의 관계 즉, 심실수축기와 심실이완기로 아래 그림 11에서 21번까지의 과정으로 그래프와 문제에서 제시한 4가지 항목을 잘 따져봐야 하는 요소들이다.
2016년 18번(등용성 심실수축)과 등용적 심실이완을 함께 학습하는 것이 효율적이며, 상세 내용은 박승화 체육스포츠 강의를 통해서 가능하다.

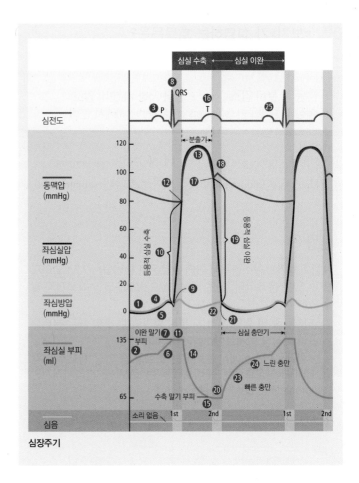

심장주기

11. 운동 중 발한에 의한 열손실을 설명한 것으로 옳지 <u>않은</u> 것은?

① 피부의 노출 면적이 넓을수록 열손실 증가
② 대기의 수증기압(vapor pressure)이 높을수록 열손실 증가
③ 바람(wind)은 대류(convection)와 증발에 의한 열손실 촉진
④ 동일한 기온에서 상대습도(relative humidity)가 높을수록 열손실 감소

정답 ②

대기의 수증기압(vapor pressure)이 높을수록 열손실은 감소된다. 사우나의 수중기압이 높을수록 열손실은 잘 되지 않는다.

12. 미토콘드리아에서 일어나는 대사과정을 <보기>에서 모두 고른 것은?

─〈보기〉─

⊙ 포스파전(phosphagen) 시스템
ⓛ 젖산시스템(lactic acid system)
ⓒ 시트르산 회로(citric acid cycle)
ⓔ 전자전달계(electron transport chain)

① ⊙, ⓛ   ② ⓒ, ⓔ
③ ⓛ, ⓒ   ④ ⊙, ⓔ

정답 ②

에너지대사를 공부한 수험생이면 누구나 쉽게 빠르게 풀 수 있는 문제이다.

⊙, ⓛ은 무산소과정이며 ⓒ, ⓔ은 유산소 대사과정에 해당한다.

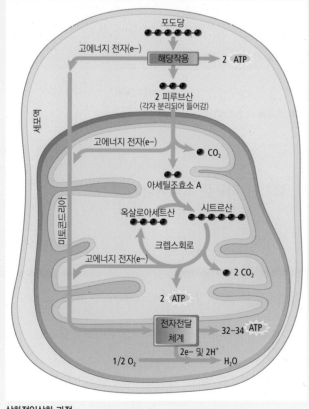

산화적인산화 과정

13. <보기>의 자율신경을 통한 혈당량 조절 경로에서 옳은 설명을 모두 고른 것은?

─〈보기〉─

⊙ ⓐ의 신경절이후(postganglionic) 신경섬유 말단에서 노에피네프린(norepinephrine)이 분비된다.
ⓛ ⓑ의 신경절이전(preganglionic) 신경섬유의 세포체는 척수의 백질(white matter)에 존재한다.
ⓒ ⓐ와 ⓑ의 신경절 이전(preganglionic) 신경섬유 말단에서 분비되는 신경전달물질은 같다.
ⓔ X호르몬은 췌장의 베타(β)세포에서, Y호르몬은 알파(α)세포에서 분비된다.

① ⊙, ⓛ   ② ⓛ, ⓒ
③ ⓒ, ⓔ   ④ ⊙, ⓔ

정답 ③

필자가 강의 시간에 수시로 강조한 내용이다.

신경절의 모양을 보면 ⓐ는 부교감신경, ⓑ는 교감신경임을 알 수 있다.
ⓛ ⓑ의 신경절이전(preganglionic) 신경섬유의 세포체는 척수의 회백질(gray matter)에 존재한다.

☞ 2017년 운동생리학 13번 해설 그림 참고

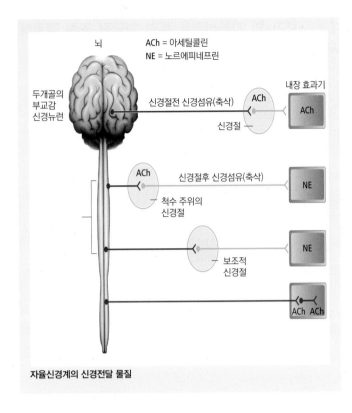

ACh = 아세틸콜린
NE = 노르에피네프린

자율신경계의 신경전달 물질

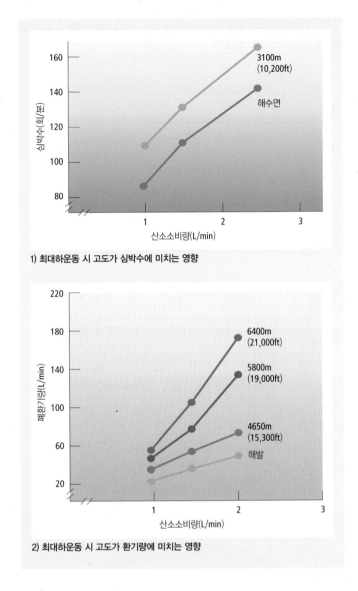

1) 최대하운동 시 고도가 심박수에 미치는 영향

2) 최대하운동 시 고도가 환기량에 미치는 영향

14. 해수면과 비교하여 해발 2,300m 환경에서 나타나는 생리적 반응으로 옳지 <u>않은</u> 것은?

① 동일한 최대하 절대 운동강도에서 심박수 증가
② 동일한 최대하 절대 운동강도에서 환기량 증가
③ 안정 시 동맥-정맥 산소 차이(a-$\dot{V}O_2$ diff) 증가
④ 안정 시 기초대사율(basal metabolic rate) 증가

정답 ③

동맥의 산소함량은 감소되고, 정맥의 산소함량은 증가하여 동·정맥산소 차이는 감소한다. ④의 이유도 고지의 경우 산소분압이 낮기 때문이다.

15. 장기간 지구성 트레이닝의 효과는?

① 항산화 능력 증가
② 안정 시 심박수 증가
③ 미토콘드리아의 수 감소
④ 최대하운동 시 지방대사(fat metabolism) 감소

정답 ①

쉬운 문제로서 ①을 제외한 나머지 내용은 반대이다.

16. 장기간 근력 트레이닝의 효과는?

① 근원섬유(myofibrils) 수의 증가로 근비대 발생
② 운동신경의 발화빈도(firing rate)가 지속적으로 증가
③ 골격근 내 항산화효소(antioxidant enzymes) 활성도 감소
④ mTOR(mammalian target of rapamycin)가 억제되어 근비대 발생

정답 ①

이 문제는 어렵지 않은 내용으로서 다음과 같이 수정할 수 있다.
② 운동신경의 발화빈도(firing rate)는 초기에 증가
③ 골격근 내 항산화효소(antioxidant enzymes) 활성도 증가
④ mTOR(mammalian target of rapamycin)가 증가되어 근비대 발생

mTOR은 포유류 등인 동물에서 세포 내 신호전달에 관여하는 단백질 인산화효소(세린; serine, 트레오닌 인산가수분해효소; threonine phosphatase)의 일종으로써 저항성운동 훈련이 전사를 증가시켜 단백질 합성을 촉진하는 전달경로를 활성화한다. mTOR는 단백질을 합성하고, 근육의 크기를 조절하는 주된 요소이다.

정확한 메커니즘은 아래 그림과 "박승화 체육스포츠의 강의"를 통해서 학습할 수 있다.

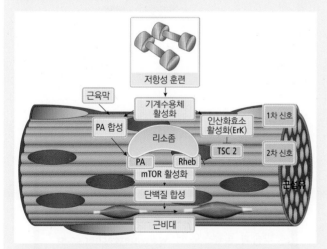

1) 저항성 트레이닝에 대한 운동성 골격근 반응을 조절하는 세포 내 신호망

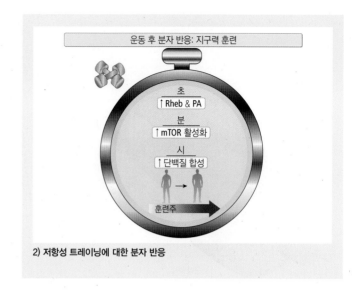

2) 저항성 트레이닝에 대한 분자 반응

17. <표>에서 근수축 시 골격근 섬유(fiber)의 미세구조 길이 변화에 대한 설명으로 옳지 <u>않은</u> 것은?

〈보기〉

구분	수축 전	수축 중
㉠-대(band)	1.0μm	0.5μm
㉡-대(band)	2.0μm	2.0μm

① ㉠-대에는 티틴(titin)이 존재
② ㉠-대에는 M선(M-Line)이 존재
③ ㉡-대에는 H구역(H-zone)이 존재
④ ㉡-대에는 액틴(actin)과 마이오신(myosin)이 모두 존재

정답 ②

이론 강의 시간에 수시로 언급한 내용으로서 "근세사활주설"의 기본을 묻는 문제이다.

H-zone은 사라지고, A-band는 변화가 없고, I-band는 줄어든다는 기본을 알고 있으면 해결할 수 있는 문제이다.

☞2018년 운동생리학 10번 그림, 해설 참고

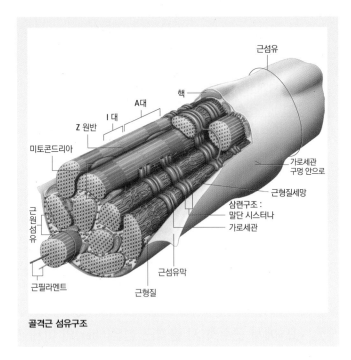

골격근 섬유구조

18. <보기>는 인체에서 포도당이 분해되는 과정이다. 옳은 것을 모두 고른 것은?

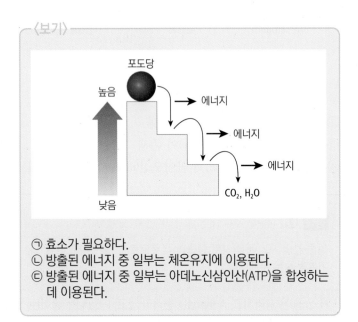

ㄱ. 효소가 필요하다.
ㄴ. 방출된 에너지 중 일부는 체온유지에 이용된다.
ㄷ. 방출된 에너지 중 일부는 아데노신삼인산(ATP)을 합성하는 데 이용된다.

① ㄱ, ㄴ   ② ㄴ, ㄷ
③ ㄱ, ㄷ   ④ ㄱ, ㄴ, ㄷ

정답 ④

포도당뿐만이 아니라 지방이 분해될 때에도 효소가 필요하며, 아래의 내용도 더불어서 학습하기 바란다.

유산소성 호흡을 통하여 생산된 ATP를 포도당에 포함된 잠재적 전체 에너지로 나누어 에너지 비율을 계산할 수 있다. 1g 분자 무게인 1몰의 ATP가 분해되면 7.3kcal의 에너지가 방출되며, 포도당 1몰의 산화과정으로 방출된 잠재적 에너지는 686kcal이다. 산소성 호흡을 위한 효율성 계산은 다음과 같다.

$$\text{호흡 효율성} = \frac{32\text{mole ATP/ mole 포도당} \quad 7.3\text{kcal/mole ATP}}{686\text{kcal/mole 포도당}}$$

그러므로 유산소성 호흡 효율성은 대략적으로 34%이며 나머지 66%는 포도당 산화로 열로 발산되는 자유에너지이다.

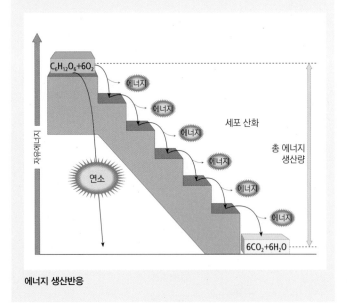

에너지 생산반응

19. <보기>가 설명하는 것은?

<보기>

출산 임박 시 태아의 머리가 자궁경부를 압박 ➡ 자궁경부의 압력 증가 ➡ 감각수용기 자극 ➡ 뇌하수체에서 옥시토신(Oxytocin) 분비 ➡ 더 강한 자궁수축 ➡ 출산

① 프랭크-스탈링 기전(Frank-Starling mechanism)
② 실무율 법칙(all-or-none law)
③ 양성되먹임(positive feedback)
④ 항정상태(steady state)

정답 ③

운동생리학을 공부하는 수험생이면 음성피드백과 더불어 양성피드백의 기전은 기본이다.

음성피드백의 원리에서는 조절 반응이 변화에 반대의 방향으로 일어나서 조절 가능한 변수가 비교적 안정되게 유지된다. 반대로 양성피드백 고리에서는 응답이 자극을 감소시키거나 없애는 것이 아니라 오히려 강화시킨다. 양성피드백 기전은 항상성을 나타내는 것이 아니고 효과기의 작용이 효과기를 자극했던 변화를 오히려 증폭시키는 것이다.

우리 몸에서 중요한 목표는 안정된 상태를 유지하는 것이고 양성피드백 기전은 항상성에 위배되는 것이므로, 음성되먹임 기전만큼 빈번하게 사용되지는 않는다.

☞ 2015년 운동생리학 08번 추가 해설 참고

20. <보기>의 정보를 이용하여 추정한 분당 폐포환기량(alveolar ventilation, VA)은?

<보기>

- 나이 : 25세
- 성별 : 남성
- 체중 : 70 kg
- 분당호흡수 : 20회
- 사강(dead space) : 150mL
- 1회호흡량(tidal volume) : 250mL
- 1초노력날숨폐활량(forced expiratory volume in 1 second, FEV_1) : 4,000mL

① 4,700mL ② 4,750mL
③ 4,800mL ④ 4,850mL

정답 ④

아래 계산식을 참고하기 바란다.
먼저 분당환기량을 산출한 후 가스교환에 미참여하는 사강환기량을 제외하면 바로 답이 보이는 문제이다.

분당환기량=1회호흡량 × 분당호흡수
250mL × 20회 = 5,000mL
5,000mL − 150mL = 4,850mL

건강 · 체력평가

01. 폐기능 검사 항목으로 적절하지 <u>않은</u> 것은?

① 최대수의환기량(maximal voluntary ventilation, MVV)
② 강제폐활량(forced vital capacity, FVC)
③ 안정 시 심박수(resting heart rate, HRrest)
④ 최대날숨유량(peak expiratory flow, PEF)

정답 ③

③은 심장의 기능이나 체력을 확인하는 검사항목이다.

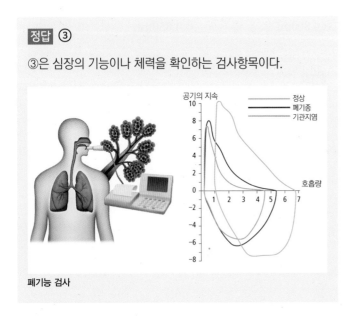

폐기능 검사

02. 운동관련 심장사고 예방 및 처치를 위한 설명으로 적절하지 <u>않은</u> 것은?

① 좌업생활인은 운동참여 전 검사에 참여해야 한다.
② 건강운동관리사는 심폐소생술 및 응급처치 능력을 갖추어야 한다.
③ 건강운동관리사는 운동관련 사고에 대한 병리적 상태를 숙지해야 한다.
④ 운동선수들은 대한체육회 선수등록 확인으로 사전 검사를 면제받을 수 있다.

정답 ④

선수등록과 사전 검사는 무관하다.

03. 최신 ACSM의 운동참여 전 검사 알고리즘 항목으로 적절하지 <u>않은</u> 것은?

① 규칙적인 운동 유무
② 저 · 중 · 고위험 분류
③ 운동참여 시 운동강도
④ 심혈관 질환 등의 증상 및 징후

정답 ②

이 문제는 ACSM의 흐름을 묻는 문제로서 운동참여 전 검사 알고리즘 항목은 규칙적인 운동 유무로 변경되었으며, 저 · 중 · 고위험 분류체계로 시작되지 않는다.

04. <보기>의 최신 ACSM에서 제시한 안정 시 혈압측정에 대한 설명으로 적절하지 <u>않은</u> 것을 모두 고른 것은?

〈보기〉

㉠ 통상적으로 최소한 2회 측정하고 높은 수치를 사용한다.
㉡ 3~5mmHg · sec^{-1}의 속도로 측정기의 압력을 천천히 내린다.
㉢ 가면고혈압(masked hypertension)은 병원에서만 고혈압 증상이 나타난다.
㉣ 측정 시 팔의 위치가 심장보다 높으면 혈압은 심장 위치에서의 측정값보다 낮게 나타난다.

① ㉠, ㉡, ㉢   ② ㉠, ㉡, ㉣
③ ㉡, ㉢, ㉣   ④ ㉠, ㉢, ㉣

아래와 같이 수정한다.
㉠ 통상적으로 최소한 2회 측정하고 평균 수치를 사용한다.
㉡ 2~3mmHg · sec⁻¹의 속도로 측정기의 압력을 천천히 내린다.
㉢ 가면고혈압(masked hypertension)은 집에서만 고혈압 증상이 나타난다.

백의 고혈압
실제로는 고혈압이 없으나 진료실에서 혈압을 측정하면 심리적 긴장 등으로 인해 혈압이 높게 측정되는 현상

05. <보기>의 최신 ACSM에서 제시한 1.5마일(2.4km) 달리기/걷기검사를 통해 산출되는 최대산소섭취량은?

〈보기〉

- 성별 : 남성
- 체중 : 78kg
- 체지방률 : 25%
- 1.5마일을 달리는데 걸린 시간 : 12분 30초
  최대산소섭취량(mL · kg⁻¹min⁻¹) = 3.5 + 483/1.5마일 소요시간(min)

① $42.14 \text{mL} \cdot \text{kg}^{-1} \cdot \text{min}^{-1}$
② $42.77 \text{mL} \cdot \text{kg}^{-1} \cdot \text{min}^{-1}$
③ $38.92 \text{mL} \cdot \text{kg}^{-1} \cdot \text{min}^{-1}$
④ $39.55 \text{mL} \cdot \text{kg}^{-1} \cdot \text{min}^{-1}$

계산문제치고는 비교적 쉬운 문제로서 아래와 같이 산출할 수 있다.

〈보기〉에 주어진 공식에 대입하면
483/12.5 = 38.64
38.64 + 3.5 = 42.14mL · kg⁻¹ · min⁻¹

06. 규칙적인 신체활동의 건강상 이점에 대한 설명으로 적절하지 <u>않은</u> 것은?

① 인지 기능 개선
② 혈소판 응집성 증가
③ 당 내성 증가
④ 암 발병률의 감소

혈소판은 손상 혈관으로부터 출혈을 멈추게 하는 지혈작용에 중요하다. 혈소판은 적혈구보다 크기가 작고 무색이며, 핵이 없다. 혈액의 손실을 막기 위해서는 혈소판이 활성화되어 상처 부위의 주변으로 사이토카인을 방출한다. 혈소판은 혈관손상 부위에 응집하여 마개를 형성한다. 혈소판 응집성 증가는 혈소판 활성화를 떨어뜨린다. 따라서 혈소판 응집성 감소로 수정해야 한다.

07. <보기>에서 체력검사에 대한 설명으로 적절한 것을 모두 고른 것은?

〈보기〉

㉠ 운동자각도(RPE)는 개인 편차가 크기 때문에 적용 시 주의가 필요하다.
㉡ 유방암 환자는 상체 운동 전에 팔과 어깨에 대한 건강 체력 검사를 권고한다.
㉢ 퀸스대학(Queens College)스텝검사는 분당 28스텝의 속도로 3분 동안 실시한다.
㉣ 척수 손상 환자는 사각형 코트를 도는 수정된 L'eger와 Boucher 셔틀검사를 권고한다.

① ㉠, ㉡, ㉢   ② ㉠, ㉡, ㉣
③ ㉡, ㉢, ㉣   ④ ㉠, ㉢, ㉣

㉢ 퀸스대학(Queens College)스텝검사는 남자는 분당 24스텝, 남자는 분당 22스텝의 속도로 3분 동안 실시한다. 실시한 후 5~15(10초 동안) 심박수를 구하고 공식에 넣어 계산한다.
L'eger와 Boucher 셔틀검사는 "박승화 체육스포츠" 강의를 통해서 학습할 수 있다.

2020

08. <보기>의 최신 ACSM에서 제시한 노인의 체력검사 측정 순서로 가장 적절한 것은?

〈보기〉

ⓐ 30초 의자 앉았다 일어서기(30-second chair stand)
ⓑ 체지방률(%fat) 측정
ⓒ 2분 제자리걷기(2-minute step in place)
ⓓ 의자앉아윗몸앞으로굽히기(chair sit and reach)

① ⓑ→ⓐ→ⓒ→ⓓ   ② ⓑ→ⓒ→ⓐ→ⓓ
③ ⓓ→ⓑ→ⓐ→ⓒ   ④ ⓓ→ⓑ→ⓒ→ⓐ

정답 ②

ACSM에서 제시한 체력검사 측정 순서는
안정 시 혈압→신체조성→심폐체력→근력→유연성 순으로 제시되어 있다.

09. <보기>에서 최신 ACSM 기준에 따른 심혈관질환 위험요인 개수는?

〈보기〉

- 49세 비흡연자 여성
- 규칙적인 운동을 하지 않음
- 현재 경구 피임약 복용
- 신장 : 165cm
- 체중 : 85kg
- 안정 시 심박수 : 73bpm
- 공복혈당 : 98mg · dL⁻¹
- 안정 시 혈압 : 수축기 124mmHg, 이완기 78mmHg
- 총콜레스테롤 : 211mg · dL⁻¹
- LDL-C : 132mg · dL⁻¹
- HDL-C : 63mg · dL⁻¹
- 어머니는 2형 당뇨병 질환이 있었으며 심장마비로 64세에 사망
- 아버지는 생존해있으며 심혈관질환은 없음

① 1개   ② 2개
③ 3개   ④ 4개

정답 ③

위험요인은 총 4개이다.
- 신장 : 165cm · 체중 : 85kg
- 규칙적인 운동을 하지 않음
- 총콜레스테롤 : 211mg · dL-1
- LDL-C : 132mg · dL

그러나 HDL-C : 63mg · dL-1 수치가 높기 때문에 위험 요인 하나를 제거한다.

10. A회원의 체력측정 검사 결과에서 상대적으로 가장 우수한 체력 요소는? (단, 정상분포를 가정함)

〈보기〉

〈체력측정 검사 결과〉

검사항목(단위)	A회원 측정값	회원전체 평균	회원전체 표준편차
1분간 윗몸일으키기(회)	40	28	5
앉아윗몸앞으로 굽히기(cm)	15	20	4
눈감고외발서기(초)	35	25	5
12분 달리기 혹은 걷기(m)	2,000	1,800	400

① 심폐지구력   ② 유연성
③ 근지구력   ④ 평형성

정답 ③

필자가 강의 시간에 정상분포를 그려서 쉽게 설명하는 방법과 표준점수로 전환해서 계산하는 방법을 제시했었다. 이런 유형의 문제는 향후에도 지속적으로 출제될 것으로 사료된다.
검사항목 간의 우수한 체력요소를 찾기 위해서는 표준점수(Z-score)로 전환해야 한다. 아래 공식을 이용하여 각 항목을 비교할 수 있다.

$$산출 : Z = \frac{(원점수-평균)}{표준편차}$$

☞ 2016년 건강체력평가 17번 해설 참고

11. <표>의 건강·체력 검사 결과에 대한 설명으로 가장 적절한 것은? (단, 정상분포를 가정함)

─ 〈보기〉 ─

자료형태	T점수			원점수	
검사항목(단위)	A회원	B회원	C회원	회원전체 평균	회원전체 표준편차
체질량지수(kg/㎡)	45	50	60	25	5
악력(kg)	45	45	50	42	6
앉아윗몸앞으로 굽히기(cm)	65	50	40	9	9

① A회원의 체질량지수 원점수는 20kg/㎡이다.
② A회원과 B회원의 악력 원점수는 평균보다 높다.
③ B회원의 앉아윗몸앞으로굽히기 원점수는 9cm이다.
④ 회원의 앉아윗몸앞으로굽히기 원점수는 평균보다 높다.

정답 ③

이 문제 역시 표준점수에 대해 아느냐를 묻는 문제로서 아래와 같이 수정해야 한다.

① A회원의 체질량지수 원점수는 22.5kg/㎡이다.
② A회원과 B회원의 악력 원점수는 평균보다 낮다.
④ 회원의 앉아윗몸앞으로굽히기 원점수는 평균보다 낮다.

☞2017년 건강체력평가 13번 해설, 그래프 참고

12. <보기>의 심폐지구력 검사에 관한 설명으로 적절한 것을 모두 고른 것은?

─ 〈보기〉 ─

㉠ 최근 뇌졸중이 발병했던 대상자의 경우 운동부하검사를 실시할 수 없다.
㉡ 심각한 폐질환자는 6분 걷기검사 및 셔틀 보행검사를 실시한다.
㉢ 급성염증이 있다면 발적이 사라질 때까지 운동부하검사를 연기한다.
㉣ 대사증후군 환자는 저강도로 운동을 시작할 때 운동부하검사를 실시하지 않는다.

① ㉠, ㉡, ㉢
② ㉠, ㉡, ㉣
③ ㉠, ㉢, ㉣
④ ㉡, ㉢, ㉣

정답 ④

㉠은 상대적 금기사항으로서 운동부하검사를 실시할 수 있다.

📖 보충학습
상대적 금기사항
- 폐쇄성 좌측(좌 주간부) 관상동맥 협착
- 증상이 불명확한 중등도에서 중증인 대동맥협착
- 조절되지 않는 심실 빈맥(빠른 부정맥)
- 중증이거나 완전 심장차단
- 최근 뇌졸중이나 일과성허혈발작
- 협조능력이 제한되는 정신장애
- 안정 시 수축기혈압 200mmHg 이상 혹은 이완기혈압 110mmHg 이상(초과 시)
- 심각한 빈혈, 전해질 불균형, 갑상선기능저하증과 같은 조절되지 않는 의학적 상태

2020

13. <보기>에 해당하는 심혈관질환자의 위험 분류 기준으로 옳은 것은? [최신 미국심폐재활협회(AACVPR) 기준]

<보기>

- 임상적 우울증세를 보임
- 기초선에서부터 2mm 이상의 ST 분절 하강
- 운동검사 중 또는 회복기 중 복합성 심실 부정맥이 있음
- 합병증이 있는 심근경색증 혹은 혈관 이식술 경험이 있음

① 절대 금기군　　② 저위험군
③ 중위험군　　　④ 고위험군

정답 ④

고위험

운동참여에 대한 고위험 환자의 특성(하나 혹은 두 가지 이상의 증상들이 복합적으로 나타날 경우)

- 운동검사 중 또는 회복기 중 복합성 심실부정맥이 있음
- 협심증 또는 다른 심각한 증상이 있음(5METs 미만의 운동강도나 휴식 시 비정상적인 호흡곤란, 가벼운 어지럼증, 현기증)
- 운동검사 중 또는 휴식 시 높은 수준의 무증상 허혈이 있음(기초선 에서부터 2mm 이상의 ST 분절의 하강)
- 운동검사 중 또는 휴식 시(예: 운동 후 극심한 저혈압) 비정상적인 혈역학 증상이 있음(예: 운동부하의 증가에도 불구하고 심박수 변동 기능부전 또는 일정하거나 수축기혈압의 감소) 혹은 회복기 중 비정상적인 혈역학 증상을 보일 경우

14. 국민체력100의 청소년 체력 검사 시 체력요인에 따른 검사항목과 측정값이 적절하지 않은 것은?

	체력 요인	검사 항목	측정값
①	근지구력	반복점프	30초 동안 허들 좌 · 우 반복 횟수
②	순발력	체공시간검사	체공 시간
③	민첩성	일리노이 민첩성검사	민첩하게 수행한 시간
④	근력	상대악력	동일집단 내 평균악력의 상대적인 값

정답 ④

동일집단 내 평균악력의 상대적인 값이 아니고, 연령과 성별에 따른 평가를 해야 한다.

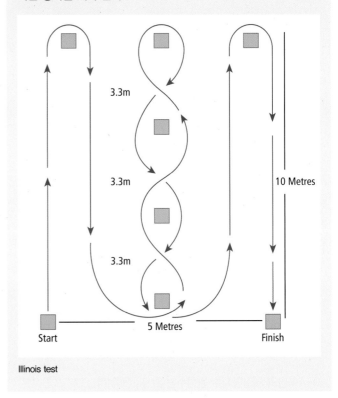

Illinois test

15. <보기>에서 운동 시간(X)이 40분일 때 에너지소비량의 예측값(Y)은?

<보기>

43세 여성, 체중 54kg, 체지방률 30%인 A회원의 운동시간(X, 분)과 에너지소비량(Y, kcal)의 관계에 대한 선형 회귀식을 추정한 결과 절편(β_0)은 40, 회귀계수(β_1)는 7로 추정되었다.

① 260kcal　　② 280kcal
③ 320kcal　　④ 340kcal

정답 ③

에너지소비량의 예측값(Y)을 알기 위해서는 "선형회귀식
(y = ax + b)"에 대한 공식을 알아야 한다.
a = 회귀계수 = 7
b = y 절편 = 40

운동시간(x) = 40분
따라서 y = 320(kcal)이다.

16. <보기>의 2분 스텝과 2분 제자리걷기 후 측정한 심박수 자료의 해석으로 가장 적절한 것은? (단, 동일 환경과 시간에 측정함)

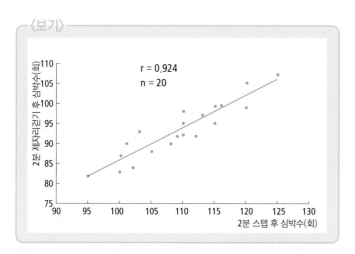

〈보기〉

r = 0.924
n = 20

① 2분 스텝으로 2분 제자리걷기 후 심박수를 추정할 수 있다.
② 2분 스텝과 2분 제자리걷기는 부적 상관관계이다.
③ 2분 스텝과 2분 제자리걷기 간에는 매우 낮은 상관이 있다.
④ 2분 스텝 후 심박수가 증가하면 2분 제자리걷기 후 심박수는 감소한다.

정답 ①

그래프를 보면서 푸는 문제로서 다음과 같이 수정해야 한다.

② 2분 스텝과 2분 제자리걷기는 정적 상관관계이다.
③ 2분 스텝과 2분 제자리걷기 간에는 높은 상관이 있다.
④ 2분 스텝 후 심박수가 증가하면 2분 제자리걷기 후 심박수는
  증가한다.

17. 최신 ACSM에서 제시한 체력측정 시 고려사항으로 가장 적절한 것은?

① 건강 위험 지표로 허리둘레 사용
② 검사실 온도 25~27℃, 습도 60% 이하 유지
③ 팔굽혀펴기 표준자세는 '올라간' 자세에서 시작
④ 신체둘레 측정 시 유연하고 신축성 있는 줄자 사용

정답 ①

② 검사실 온도 21~23℃, 습도 60% 이하 유지
③ 팔굽혀펴기 표준자세는 '엎드린' 자세에서 시작
④ 신체둘레 측정 시 유연성이 있는 줄자(테잎)를 사용하면서도
  늘어나지 않는 것이어야 한다.

팔굽혀펴기

18. <보기>의 괄호 안에 들어갈 적절한 용어는?

〈보기〉

(   )은 누운 자세에서 쉬고 있을 때 증상이 발현되며 바로
앉거나 서면 곧바로 회복된다.

① 기좌 호흡(orthopnea)
② 심계항진(palpitations)
③ 발목 부종(ankle edema)
④ 간헐성 파행(intermittent claudication)

정답 ①

기좌 호흡이란 앉아서 상반신을 앞으로 굽히지 않으면 호흡이 곤
란한 상태이다.

19. <보기>의 ACSM 지침에서 제시한 피하지방 측정 시 피부를 사선으로 집는(folding) 측정부위로만 모두 나열된 것은?

<보기>

㉠ 가슴(chest)
㉡ 넙다리(대퇴, thigh)
㉢ 위팔세갈래근(상완삼두근, triceps)
㉣ 어깨뼈아래(견갑골 하단, subscapular)
㉤ 복부(abdominal)
㉥ 엉덩뼈능선위(상장골능, suprailiac)

① ㉠, ㉡, ㉢
② ㉢, ㉣, ㉤
③ ㉠, ㉢, ㉥
④ ㉠, ㉣, ㉥

정답 ④

㉡ 넙다리(대퇴, thigh) : 수직
㉢ 위팔세갈래근(상완삼두근, triceps) : 세로
㉤ 복부(abdominal) : 가로

20. 임신 중 운동을 중단해야 하는 위험요인으로 적절하지 **않은** 것은?

① 질 출혈
② 태아 움직임 증가
③ 근육 약화
④ 종아리 통증

정답 ②

임신 중 운동의 이점
- 체력 유지
- 요실금의 위험 감소
- 임신성 당뇨병 예방
- 우울증의 예방/개선
- 전자간증의 위험 감소
- 산후 체중 유지의 예방
- 요통의 증상/ 발생률 감소
- 임신 중 과도한 체중 증가 예방

임신 중 운동을 중단해야 하는 경고 신호
- 양수 누출 또는 양막 파열을 포함한 질액 손실
- 종아리 통증 또는 부종
- 어지럼증, 실신 또는 해결되지 않는 현기증
- 가슴통증
- 두통
- 근육의 약화 또는 평형성에 영향을 미치는 근육의 약화
- 운동 전 호흡곤란 또는 휴식을 취해도 해결되지 않는 지속적이고 과도한 호흡곤란
- 주기적으로 발생하는 자궁 수축 통증
- 질출혈

운동처방론

01. 운동부하검사를 위한 동의서에 포함되는 내용이 **아닌** 것은?

① 사고에 대한 보상과 처벌
② 기대되는 이점과 질문
③ 검사의 목적과 설명
④ 참여자의 의무

정답 ①

쉬운 문제이므로 별도의 해설 없으며, 추가되는 항목으로 동의의 자유, 수반되는 위험과 불편감, 의무기록 이용 등이 있다.

02. <보기>의 괄호 안에 들어갈 최신 ACSM이 권장하는 비만자의 운동량이 바르게 나열된 것은?

〈보기〉

체중감량프로그램의(㉠)에서는 중강도에서 고강도 운동을 (㉡)min.week^{-1} 로, 2,000kcal · week^{-1} 이상으로 진행하여 주당 (㉢)일 정도가 권장된다.

	㉠	㉡	㉢
①	향상단계	200	5~7
②	향상단계	500	2~3
③	유지단계	250	5~7
④	유지단계	400	2~3

정답 ③

250분일 경우 고강도로 60% 이상으로 진행한다.

과체중 비만 환자를 위한 FITT권고

	유산소 운동
빈도	주당 5일 이상
강도	초기 운동강도는 중강도[$\dot{V}O_2R$과 HRR의 40~59%]로 : 보다 많은 건강 이점을 위해서는 고강도[$\dot{V}O_2R$과 HRR의 60% 이상]로 진행한다.
시간	1일 30분(주당 150분) : 1일 60분 이상(주당 250~300분)으로 증가시킨다.

03. <보기>의 괄호 안에 들어갈 용어가 바르게 나열된 것은?

〈보기〉

ACSM에서는 고혈압환자의 (㉠)운동 참여 시 발살바 메뉴버(Valsalva Maneuver)에 의한 손상을 줄이기 위해 단축성 수축기에(㉡)를 하고 신장성 수축기에 (㉢)를 하여 체내 압력과 혈압이 높아지지 않게 권장한다.

	㉠	㉡	㉢
①	저항성	호기(날숨)	흡기(들숨)
②	유산소	흡기(들숨)	호기(날숨)
③	유산소	호기(날숨)	흡기(들숨)
④	저항성	흡기(들숨)	호기(날숨)

정답 ①

Valsalva Maneuver는 환자가 크게 들이 쉰 상태에서 성대문을 폐쇄하고 배근육을 수축시키면서 저항운동이나 강한 등척성 근육 수축을 동반한 운동을 실시할 때 나타나는 현상이다. 뇌혈관 질환, 척추사이원판 수술환자, 심장동맥질환, 뇌혈관 질환, 고혈압 병력의 환자는 저항운동 시 나타나는 발살바 현상을 반드시 회피해야 한다. 높은 강도 등척성 수축이나 동적 근육 수축에서 가장 많이 발생한다.
임산부 역시 발살바 동작이 있는 운동은 피해야 한다.

04. 최신 ACSM이 제시한 말기신부전(ESRD)환자의 유산소운동 방법과 고려사항에 대한 지침으로 적절하지 <u>않은</u> 것은?

① 운동 초기에는 운동시간과 휴식시간의 비율을 1 대 1(예 : 5분 운동, 5분 휴식)로 한다.
② 목표 운동강도는 운동자각도로 9 ~ 11 (저강도)에서 12~13(중강도) 사이로 한다.
③ 지속적으로 30분 이상 운동이 가능하면 운동강도를 증가시킬 수 있다.
④ 투석 직전 운동은 저혈압 반응의 위험을 높인다.

정답 ④

투석 후 즉시 운동을 하면 저혈압 반응의 위험을 높인다.

05. <보기>의 괄호 안에 들어갈 값이 바르게 나열된 것은?

─〈보기〉─
최신 ACSM에서는 관절당 총 60초간의 유연성 운동이 권장되며, 한 번의 유연성 운동은 (㉠)초 동안 스트레칭을 유지하는 것이 좋다. 고유수용성신경근촉진(PNF)은 최대 수의적 근수축의 약(㉡)% 강도로 3~6초간 근수축을 유지하다가 보조자의 도움으로 (㉢)초간 스트레칭할 것을 권장한다.

	㉠	㉡	㉢
①	10~30	20~75	10~30
②	10~30	60~85	30~60
③	30~60	20~75	10~30
④	30~60	60~85	30~60

정답 ①

최신 ACSM에서는 유연성 운동의 양에 대한 권고사항을 살펴보면

관절 당 총 60초의 유연성 운동이 권장된다. 한 번의 유연성 운동은 10~30초간 당기는 듯한 느낌 또는 약간 불편한 감이 들도록 하는 것이 효과적이다. 노인들은 30~60초 동안 스트레칭을 유지하는 것이 좋다. PNF는 최대 수의적 근수축의 20~75% 정도의 강도로 3~6초간 근수축을 유지하다가 보조자의 도움으로 10~30초간 스트레칭 할 것을 권장한다. 매일 유연성 운동을 하는 것이 가장 효과가 좋지만, 주당 2~3회의 유연성 운동이 권고된다.

06. <보기>에서 최신 ACSM의 건강한 성인을 위한 유산소운동 시 근거기반 권고 사항에 대한 설명으로 적절한 것을 모두 고른 것은?

─〈보기〉─
㉠ 빈도(F) : 중강도 주당 5일 이상 또는 고강도 주당 3일 이상
㉡ 강도(I) : 중강도 또는 고강도 운동
㉢ 시간(T) : 중강도 하루 30~60분 또는 고강도 하루 20~60분
㉣ 형태(T) : 주요 근육군을 포함하는 규칙적이고 의도적인 운동
㉤ 양(V) : 주당 300MET-min · wk^{-1} 이하의 운동량

① ㉠, ㉡, ㉢
② ㉡, ㉢, ㉣
③ ㉠, ㉡, ㉢, ㉣
④ ㉡, ㉢, ㉣, ㉤

정답 ③

㉤은 다음과 같이 수정해야 한다.

양(V) : 주당 500~1000MET-min · wk^{-1}의 운동량(성인을 위한 합리적인 운동목표)

07. <보기>에서 최신 ACSM이 제시한 골다공증 운동처방 및 고려사항으로 적절한 것을 모두 고른 것은?

─〈보기〉─

ⓐ 높은 골밀도 수준을 가진 노인에게 골다공증성 골절이 발생할 수 있다.
ⓑ 청소년기의 체중부하 운동은 골량의 증가와 함께 최고 골밀도 수준에 도달하게 한다.
ⓒ 골다공증환자는 주당 4~5일, 일일 최대 30분, 중강도의 수영이나 자전거 운동이 권장된다.
ⓓ 저항성운동은 시작단계에서 비연속적으로 주당 1~2일, 1세트 8~12회, 가능한 고강도로 수행하는 것이 권장된다.

① ⓐ, ⓑ   ② ⓑ, ⓒ
③ ⓒ, ⓓ   ④ ⓐ, ⓓ

정답 ④

ⓑ, ⓒ은 다음과 같이 수정한다.

ⓑ 성장기와 성장기 직후의 체중부하 운동은 골량의 증가와 함께 최고 골밀도 수준에 도달하게 한다.
ⓒ 골다공증환자는 주당 4~5일, 일일 최대 30분, 중강도의 체중이 실리는 운동이 권장된다.

08. 암 환자의 운동처방에 대한 설명 중 적절하지 않은 것으로만 연결된 것은?

─〈보기〉─

ⓐ 말초신경병증의 유방암 환자는 체중부하운동보다 고정식 자전거를 권장한다.
ⓑ 중심정맥관(indwelling central line)을 삽입한 환자는 수영 운동이 권장된다.
ⓒ 유방암환자는 유산소운동 시 골절의 위험성을 인지해야 한다.
ⓓ 림프종 환자에게 저항운동은 권장하지 않는다.

① ⓐ-ⓑ   ② ⓑ-ⓓ
③ ⓒ-ⓓ   ④ ⓐ-ⓒ

정답 ②

ⓑ 면역체계 방사선치료 환자, 카테터 삽입, 영양튜브, 인공항문 등의 환자는 수영 운동을 권장하지 않는다.
ⓓ 림프종 환자에게 압박소매를 착용 후 16 session까지는 감독을 받는 program으로 시작하고 조금씩 저항운동을 증가 시킨다.

09. <보기>의 대상자에 대한 여유심박수(HRR)와 여유산소섭취량(VO₂R)으로 옳은 것은?

─〈보기〉─

- 나이 : 35세
- 성별 : 여성
- 신장 : 165 cm
- 체중 : 60kg
- 안정 시 심박수 : 75bpm
- 최대심박수 : 175bpm
- 최대운동강도 : 13METs
- 목표 운동강도 : 50~60%의 여유심박수와 여유산소섭취량으로 설정

	HRR	VO₂R
①	130 ~ 145 bpm	24.5~30.8 mL · kg⁻¹ · min⁻¹
②	125 ~ 135 bpm	24.5~28.7 mL · kg⁻¹ · min⁻¹
③	130 ~ 145 bpm	26.3~28.7 mL · kg⁻¹ · min⁻¹
④	125 ~ 135 bpm	26.3~30.8 mL · kg⁻¹ · min⁻¹

정답 ②

카보넨 공식에 의해 심박수는 쉽게 구할 수 있으며, 여유심박수와 여유산소섭취량은

$13\ MET_s \times 3.5 = 45.5$

$\{(45.5-3.5) \times 0.5+3.5\ mL/kg/min=21.5+3.5\ mL/kg/min\}$

10. <보기>에서 최신 ACSM이 제시한 섬유근육통 환자의 운동처방 권고사항 중 옳은 것을 모두 고른 것은?

─〈보기〉─

ⓐ 유산소운동은 주당 5~7회 실시한다.
ⓑ 유산소운동은 저강도의 달리기 또는 줄넘기를 실시한다.
ⓒ 저항성운동은 최소 48시간의 간격으로 주당 2~3일 실시한다.
ⓓ 유산소운동은 <30% VO_2R 혹은 HRR로 시작해서 중강도로 점진적으로 증가시킨다.
ⓔ 저항성운동은 1RM의 40~80%로 시작해서 1RM의 60~80%로 점진적으로 증가시킨다.

① ⓐ, ⓑ, ⓒ
② ⓑ, ⓒ, ⓓ
③ ⓒ, ⓓ, ⓔ
④ ⓐ, ⓓ, ⓔ

정답 ③

ⓐ 유산소운동은 주당 2~3회 실시한다.
ⓑ 유산소운동은 저강도의 걷기, 계단오르기, 의자 올라가기 등을 실시한다.

일립티컬 런닝머신

11. <보기>에서 제시된 내용을 기반으로 대상자의 질환, 운동 형태 및 운동 중 고려사항이 모두 옳은 것은?

─〈보기〉─

- 성별 : 여성
- 나이 : 59세
- BMI : 24.2
- 허리둘레 : 90cm
- 혈압 : 120/90mmHg
- 골밀도(T-Score) : −1.5
- 당화혈색소 : 6.2%
- 중성지방 : 145mg · dL^{-1}
- 콜레스테롤 : 125mg · dL^{-1}

	질환	운동형태	고려사항
①	당뇨병 −골감소증	체중부하	운동 후 저혈당 주의
②	고혈압 −당뇨병	비체중부하	스타틴 복용자의 근육통 주의
③	고혈압 −골감소증	체중부하	운동 후 혈압 저하 주의
④	대사증후군 −골감소증	비체중부하	높은 충격의 부하운동 주의

정답 ③

이 문제는 ACSM의 위험요인을 숙지하고, 골다공증의 수치를 알면 쉽게 해결할 수 있다.

위험요인은 나이와 허리둘레, 혈압으로 3개이므로 고혈압과 골감소증으로 체중부하가 정답이다.

12. 심장질환자의 재활운동 처방 시 고려 사항이 모두 옳은 것은?

	금기증 (contraindication)	적응증 (indication)	운동 중단 반응 (discontinuation)
①	안정협심증	당뇨병 고위험군	이완기혈압 ≥110 mmHg
②	비보상심부전 (uncompensated heart failure)	불안전협심증	2도 또는 3도 방실차단
③	활동성심막염	심장동맥우회술 (CABG)	협심증
④	심장판막술	안정협심증	저칼륨혈증

정답 ③

이 문제는 ACSM이 제시한 입원환자의 심장재활 프로그램 매뉴얼을 따라서 숙지해야 하는 문제이다.

13. <보기>에서 최신 ACSM이 권장하고 있는 임산부의 운동 시 고려사항으로 적절한 것을 모두 고른 것은?

〈보기〉

㉠ 운동처방은 임신동안의 증상과 운동능력에 따라 수정한다.
㉡ 운동 참여 전에 신체활동준비설문지(PAR-Q+)를 완료해야 한다.
㉢ 임산부에게는 대근육을 이용한 저항운동을 권장하지 않는다.
㉣ 산후 기간의 운동은 임신 전 체질량지수(BMI)로 돌아가는 것이 목표이다.
㉤ 일반적으로 정상 분만 후 4~6주 이후부터 운동을 시작할 수 있다.

① ㉠, ㉡, ㉢
② ㉡, ㉢, ㉣
③ ㉢, ㉣, ㉤
④ ㉠, ㉣, ㉤

정답 ④

다음과 같이 수정한다.
㉡ 운동 참여 전에 임산부를 위한 임신체활동준비설문지(PARmed-X)를 완료해야 한다.
㉢ 임산부에게는 대근육을 이용한 저항운동을 2~3회/주 연속되지 않는 형태로 권장한다.

14. <보기>와 같이 운동처방을 하였을 경우 일주일 동안의 에너지소비량은?

〈보기〉

- 성별 : 여성
- 체중 : 60kg
- 운동강도 : 6METs
- 운동시간 : 1시간
- 운동빈도 : 3일/주
- 운동형태 : 유산소운동

※ 산소소비량 1L당 5kcal의 소비를 기준으로 계산

① 945 kcal
② 1,134 kcal
③ 965 kcal
④ 1,154 kcal

정답 ②

단위는 생략하고, 계산식을 간략하게 제시하면 다음과 같다.
$6 \times 3.5 mg/kg/min \times 60 kg \times 60분 = 75,600 kcal$
$75.6 \times 5 = 378$
$378 \times 3 = 1,134$

15. <보기>에서 최신 ACSM이 제시한 당뇨병 환자의 운동 시 고려사항으로 적절한 것을 모두 고른 것은?

〈보기〉

㉠ 제1형 당뇨병 환자는 운동 시작 시 혈당 수준이 250mg · dL⁻¹ 이상일 때 케톤뇨를 확인한다.

㉡ 초기 혈당 수준이 100mg.dL⁻¹ 이하의 경우 운동 전 탄수화물을 섭취할 필요가 있다.

㉢ 망막증이 동반되는 경우 운동 중 초자체 출혈 위험이 있다.

㉣ 고혈당과 케톤증이 동반될 때 운동 강도를 낮추어 실시한다.

㉤ 고강도 운동 시 운동 전 · 후 혈압 검사는 필요 없다.

① ㉠, ㉡
② ㉠, ㉡, ㉢
③ ㉠, ㉡, ㉢, ㉣
④ ㉠, ㉡, ㉢, ㉣, ㉤

정답 ②

㉣ 고혈당과 케톤증이 동반될 때 운동을 연기해야 한다.
㉤ 고강도 운동 시 운동 전 · 후 혈압 검사를 해야 한다.

16. 노인의 운동처방 시 고려사항으로 옳지 <u>않은</u> 것은?

① 스트레칭은 근육의 긴장감과 약간의 불편감이 느껴질 정도까지 실시한다.
② 만성질환의 개선을 위해 최소 권장운동량을 초과하는 신체활동을 고려해야 한다.
③ 근감소증 노인은 근력증가 전에 유산소 트레이닝이 먼저 필요하다.
④ 인지능력이 감퇴 된 노인들은 중강도의 신체활동이 권장된다.

정답 ③

쉬운 문제이다.
③ 근감소증 노인은 유산소 트레이닝 실시 전 근력증가가 먼저 필요하다.

17. 최신 ACSM에서 제시한 대상자별 운동처방 시 고려사항으로 적절하지 <u>않은</u> 것은?

① 고혈압 환자는 저항성운동을 실시하지 않아야 한다.
② 천식 악화를 겪는 환자는 증상과 기도기능이 개선될 때까지 운동을 중단한다.
③ 노인운동프로그램은 신체활동의 강도와 시간을 낮은 수준으로 구성한다.
④ 어린이와 청소년은 유산소운동, 저항성운동, 뼈에 자극을 줄 수 있는 부하운동이 적합하다.

정답 ①

고혈압 환자는 저항성운동을 중 · 저강도로 실시할 수 있으며, 혈압이 상승할 수 있는 발살바메뉴버 호흡법을 사용하지 않도록 주의 하도록 해야 한다.

18. 최신 ACSM에서 제시한 생애주기별 운동처방 시 대상에 따른 강도와 형태가 적절하지 <u>않은</u> 것은?

	대상	강도	형태
①	건강한 성인	중–고강도 가능	모든 형태의 운동 가능
②	소아청소년	고강도 가능	즐겁고 발달에 좋은 모든 운동 가능
③	임산부	높은 체력 수준일 때 고강도 가능	하이킹 및 수영 가능
④	노인	고강도 금지	체중부하운동 불가능

정답 ④

노인의 유산소 운동 강도는 0~10까지의 운동자각도 척도에서 5~6은 중강도, 7~8은 고강도로 설정한다.
노인의 저항 운동 강도는 저항운동을 처음 시작하는 노인의 경우 저강도[1RM의 40~50%]와 중강도[1RM의 60~70%], 1RM을 측정할 수 없을 때는 운동자각도 0~10 범위에서 중강도(5~6)운동과 고강도(7~8)운동을 설정한다.

19. 최신 ACSM에서 제시한 건강한 성인 대상 운동프로그램 구성에 대한 설명으로 적절하지 <u>않은</u> 것은?

① 스트레칭 : 준비운동과 정리운동 시 관절가동범위(ROM) 이상의 동적 스트레칭, 최소 10분
② 준비운동 : 저강도에서 중강도의 심폐 및 근지구성 운동, 최소 5~10분
③ 본 운동 : 유산소운동, 저항성운동, 신경근운동 등의 신체활동, 최소 20~60분
④ 정리운동 : 중강도 이하의 심폐 및 근지구성 운동, 최소 5~10분

정답 ①
관절당 총 60초의 유연성 운동이 권장된다. 한 번의 유연성 운동은 10~30초간 당기는 듯한 느낌 또는 약간 불편감이 들도록 하는 것이 효과적이다.

20. 한국인의 비만 평가로 적절하지 <u>않은</u> 것은?

① 소아청소년의 성장곡선그래프에서 체질량지수 90백분위수는 비만이다.
② 노인 근감소증 비만의 평가는 체질량지수와 함께 사지골격 근량지수(ASMI)를 사용한다.
③ 비만의 평가는 체질량지수, 체질량지수 백분위수 등을 사용한다.
④ 성인의 허리둘레가 남자 ≥90cm, 여자 ≥85cm이면 복부비만이다(대한비만학회 기준).

정답 ①
소아청소년의 성장곡선그래프에서 체질량지수 95백분위수는 비만이다.
소아청소년은 만 2~18세를 의미한다.

2020

운동부하검사

01. 운동부하검사에 대한 설명으로 적절하지 <u>않은</u> 것은?

① 질병이나 비정상적인 생리적 반응을 진단한다.
② 일정한 운동량 증가에 대한 생리적 반응을 평가한다.
③ 심장질환자와 폐질환자의 예후는 진단 및 평가하지 않는다.
④ 심장발작 후 직장으로의 복귀시점과 운동처방 권고에 사용된다.

정답 ③

심장질환자와 폐질환자의 예후는 진단 및 평가는 운동부하검사의 중요한 목적 중 하나이다.

02. 운동부하검사의 운동 프로토콜에 대한 설명으로 적절하지 <u>않은</u> 것은?

① 프로토콜 선정은 환자의 의료기록과 신체활동 습관 등을 고려하여 선택한다.
② 운동부하검사 전, 중, 후에 나타나는 증상과 징후는 지속해서 관찰하고 기록한다.
③ 자전거 에르고미터 검사는 트레드밀 검사에 비해 최고 운동능력이 약 5~20% 높게 나타난다.
④ 증상 및 징후가 제한된 사람의 최대운동검사 시간은 6~12분 정도인 프로토콜 선택이 권고된다.

정답 ③

③은 다음과 같이 수정해야 한다.
자전거 에르고미터 검사는 트레드밀 검사에 비해 최고운동능력이 약 5~20% 낮게 나타난다.

03. <보기>의 심근산소요구량(RPP)에 대한 설명 중 옳은 것을 모두 고른 것은?

〈보기〉

㉠ 심근산소요구량은 심박수와 수축기 혈압 수치를 곱하여 계산한다.
㉡ 관상동맥 혈류 공급이 충분치 않으면 심근허혈 증상과 징후가 나타난다.
㉢ 최대 심근산소요구량의 정상범위는 25,000~40,000 mmHg · beats · min^{-1} 이다.
㉣ 관상동맥의 혈류 증가는 심박수 증가와 심근 수축에 따른 산소요구량 증가 때문이다.

① ㉠, ㉡
② ㉠, ㉢, ㉣
③ ㉡, ㉢, ㉣
④ ㉠, ㉡, ㉢, ㉣

정답 ④

평소 RPP에 대하여 공부를 한 수험생이면 쉽게 해결할 수 있는 문제로서 ㉠, ㉡, ㉣을 알고 있다면, 설령 ㉢항목을 잘 몰라도 정답을 ④로 선택할 수 있다.

04. 혈압 측정 시 오차를 유발하는 요인으로 옳지 <u>않은</u> 것은?

① 피검자의 체온
② 측정기구의 결함
③ 주변의 소음
④ 청진 위치와 압력

정답 ①

혈압 측정오차의 잠재적 요인에는 측정자의 숙련도, 부정확한 청진위치와 압력, 커프압력의 팽창과 수축비율 등도 해당된다.

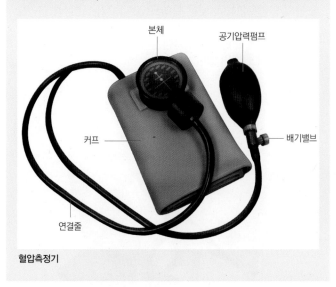

혈압측정기

05. <표>에서 미국심장협회(AHA)가 제시한 최대운동검사의 상대적 금기사항과 절대적 종료기준이 옳은 것을 모두 고른 것은?

〈보기〉

구분	최대운동검사의 상대적 금기사항	최대운동검사의 절대적 종료기준
㉠	최근 뇌졸중	피검자의 중단요구
㉡	심부정맥혈전증	심실빈맥과는 분별하기 어려운 각차단의 발생
㉢	조절되지 않는 빈맥	가슴통증 증가
㉣	심각하거나 완전 심장차단	중등도의 심한 협심증
㉤	증상이 불명확한 중증 이상의 심각한 대동맥 협착	운동강도의 증가에도 허혈성 증상과 수축기 혈압 10mmHg 이상 저하

① ㉠, ㉡　　　　　　② ㉡, ㉢
③ ㉠, ㉣, ㉤　　　　 ④ ㉢, ㉣, ㉤

정답 ③

매년 약방의 감초처럼 등장하는 절대적·상대적 금기사항은 건운사 시험에서 금과옥조(金科玉條)와 같다.

06. 운동부하검사 모니터링에 대한 설명 중 적절하지 않은 것은?

① 운동 후 회복기에는 최소 6분 동안 심박수, 혈압, 심전도를 측정한다.
② 운동강도 증가에도 불구하고 혈압이 변하지 않을 때 수축기혈압은 재측정하지 않는다.
③ 운동 중 비정상적인 심전도 변화가 나타나면 심박수와 혈압을 추가적으로 측정한다.
④ 운동 중 각 단계 또는 2~3분마다 심박수, 혈압, 심전도를 규칙적으로 기록한다.

정답 ②

재측정 해야 한다.

07. 심전도 기록지의 이동속도가 $25mm \cdot sec^{-1}$이고, 4개의 심장박동 사이의 간격이(R-R interval) 60mm로 나타났을 때 분당 심박수로 옳은 것은?

① $60beats \cdot min^{-1}$　　　　② $80beats \cdot min^{-1}$
③ $100beats \cdot min^{-1}$　　　 ④ $120beats \cdot min^{-1}$

정답 ③

60mm를 4로 나누면 15mm가 되는데 큰 네모 3칸이 되기 때문에 심박수는 $100beats \cdot min^{-1}$ 이다.

08. 심전도 파형에 관한 설명으로 적절하지 않은 것은?

① P파는 심방의 탈분극을 의미하며 방실결절(atrioventricular node)에서 시작된다.
② PR간격은 심방탈분극에서 심실탈분극까지의 시간을 의미한다.
③ QRS 복합체는 심실탈분극과 수축동안 발생하는 전류에 의해 발생한다.
④ T파는 심실재분극을 의미한다.

2020

기본적인 심전도를 공부한 수험생이면 누구나 쉽게 해결할 수 있는 문제이다.
P파는 심방의 탈분극을 의미하며 동방결절(sinoatrial node)에서 시작된다.

②는 심전도 판독 시 민감도는 높고 특이도는 낮다로 수정한다.

노인의 민감도(84%), 낮은 특이도(70%), 젊은 연령층 민감도(50%), 특이도(80%)이다.
이러한 이유는 노령층에서 좌심실비대 빈도가 잦고, 전도장애가 많은 것과 관련이 있다.

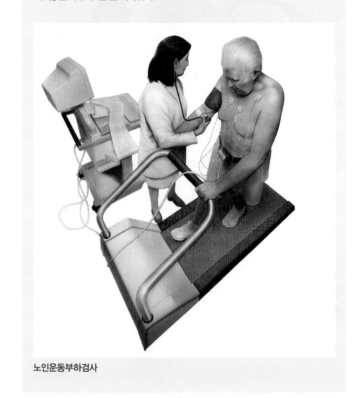

노인운동부하검사

09. <보기>의 괄호 안에 들어갈 용어가 바르게 나열된 것은?

─ <보기> ─

최대하 운동부하검사의 이론적 가정은 모든 검사자의 기계적 효율이 동일하다는 것이다. 그러나 실제로 자전거 에르고미터 검사 시 역학적 효율성이 낮은 검사자의 경우에는 주어진 운동부하에서 최대하 심박수가 (㉠), 최대산소섭취량은 (㉡) 평가된다. 따라서 최대하 검사로 예측된 최대산소섭취량은 평소 규칙적 운동 습관을 지닌 사람들에게는 (㉢) 평가되는 반면, 좌식생활 습관을 하는 사람들에게는 (㉣) 평가되는 경향을 보인다.

	㉠	㉡	㉢	㉣
①	높고	낮게	과대	과소
②	낮고	높게	과소	과대
③	높고	낮게	과소	과대
④	낮고	높게	과대	과소

최대하운동부하검사의 특징과 개념을 설명한 내용이다.
최대운동부하검사와 비교하여 숙지하기를 바란다.

10. 노인의 운동부하 검사에 대한 설명으로 적절하지 않은 것은?

① 트레드밀 검사 시 속도보다는 경사도를 증가시킨다.
② 심전도 판독 시 민감도는 낮고 특이도는 높다.
③ 여러 임상적 문제로 인하여 조기종료 가능성이 높다.
④ 운동부하 중 심전도의 좌심실 비대 파형이 빈번하게 관찰된다.

11. 벤치 스텝 운동검사에 대한 설명 중 옳지 않은 것은? (※ 운동량=일량)

① 목표 운동량 도달을 위한 스텝 빈도(step · min⁻¹)는 목표 운동량을 체중(kg)과 스텝의 곱으로 나눈 값이다.
② 체중 55kg의 여성이 30cm 높이 벤치에서 분당 24회의 스텝빈도로 운동했다면, 총운동량은 687.5kgm · min⁻¹이다.
③ 위 여성이 총 300kgm · min⁻¹의 운동량을 분당 20step · min⁻¹으로 실시하려면 스텝 높이는 약 27cm이어야 한다.
④ 스텝운동 동안에는 양성(단계상승), 음성(단계감소) 동작이 모두 수행되며 양성 동작에 비해 음성동작의 에너지 소비가 낮다.

정답 ②

운동량은 F x D 공식을 이용하여 계산할 수 있다.

$55kg \times 0.3m \times 24 = 396kgm \cdot min^{-1}$

12. 심장재활환자를 위한 운동검사 설명 중 적절하지 않은 것은?

① 운동강도 증가에도 불구하고 수축기 혈압 ≥10mmHg 감소하면 검사를 중단한다.
② 박출률 감소심부전(HFrEF) 환자는 운동 시 건강한 사람에 비해 최대 심박출량은 낮고 최대 심박수는 높다.
③ 심장재활을 받는 관상동맥성형술 환자는 주기적으로 운동검사를 시행한다.
④ 베타차단제 복용은 심박수 반응에 영향을 줄 수 있다.

정답 ②

② 박출률 감소심부전(HFrEF) 환자는 운동 시 건강한 사람에 비해 최대 심박출량은 낮고 최대 심박수도 낮다.

13. <보기>의 괄호 안에 들어갈 대상자가 바르게 나열된 것은?

〈보기〉

- (㉠)의 운동검사 시 최적의 심폐 능력 평가를 위해 검사 전 흡입성 기관지 확장제를 투여할 수도 있다.
- (㉡)의 전동 트레드밀 검사는 통증 없이 수행 가능한 최대 보행시간 측정을 위해 느린 속도로 시작하여 점진적으로 경사를 높여야 한다.
- (㉢)의 경우 최대운동검사 시 연령으로 예측된 최대심박수(HRmax)로 검사 종료 기준을 설정하더라도 검사 동안 이를 초과할 수 있으므로 주의한다.

	㉠	㉡	㉢
①	운동유발성 기관지 수축환자(exercise-induced bronchoconstriction)	말초동맥질환자(peripheral artery disease)	노인
②	폐기종질환자(emphysema)	뇌혈관질환자	임산부
③	운동유발성 기관지 수축환자	뇌혈관질환자	노인
④	폐기종질환자	말초동맥질환자	임산부

정답 ①

폐기종은 폐가 극도로 부풀어져 있는 현상으로 흡연이 주원인이다.
말초동맥질환자 운동프로그램 고려사항 중 하나는 일일 누적 운동시간이 15분이 되어도 가능하며, 운동시간은 2주마다 5분씩 점차 증가시킬 수 있다.

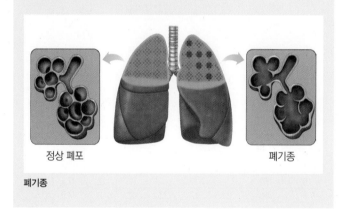

정상 폐포 폐기종

폐기종

14. 운동부하검사 결과 해석에 관한 설명 중 적절하지 않은 것은?

① 회복 시 심박수가 감소하지 않으면 부교감신경계의 문제로 고려할 수 있다.
② 조기전도장애(Wolf-Parkins-White)는 허혈성심장질환으로 진단한다.
③ 운동검사 중 이완기혈압이 운동 전보다 10mmHg 높아지면 비정상 반응이다.
④ 베타차단제, 질산염, 칼슘통로 차단제는 허혈성심장질환 진단의 민감도를 낮춘다.

15. 아래 표의 괄호 안에 들어갈 값이 바르게 나열된 것은?

〈보기〉

METs	자전거 에르고미터	트레드밀 프로토콜					METs
	1 WATT = 6.1 kpn/min	수정된 브루스 매 3분마다		브루스 매 3분마다			
		속도 (MPH)	경사도 (%)	속도 (MPH)	경사도 (%)	노튼 매 (ⓒ)분 마다	
	FOR 70 KG BODY WEIGHT kpm/min	6.0	22	6.0	22		
		5.5	20	5.5	20		
		5.0	18	5.0	18		
	1500						
16							16
15	1350	4.2	16	4.2	16		15
14	1350						14
13	1200						13
12	1050	3.4	14	3.4	14		12
11	900						11
10	750					속도 (MPH) / 경사도 (%)	10
9	600					2 / 17.5	9
8	450	2.5	12	2.5	12	2 / 14.0	8
7	300						7
6	150					2 / 10.5	6
5		1.7	10	1.7	10	2 / 7.0	5
4						2 / 3.5	4
3		1.7	ⓛ			2 / 0	3
2		㉠	0			㉣ / 0	2
1							1

	㉠	㉡	㉢	㉣
①	1.2	5	2	1
②	1.2	8	3	2
③	1.7	5	2	1
④	1.7	8	3	2

16. 건강한 체중 56kg 여성이 하체 에르고미터를 이용하여 840kgm · min^{-1}의 운동량으로 운동하였다. ACSM 방정식을 사용하여 추정된 산소섭취량으로 옳은 것은?

① 15.0mL · kg^{-1} · min^{-1}

② 27.0mL · kg^{-1} · min^{-1}

③ 30.5mL · kg^{-1} · min^{-1}

④ 34.0mL · kg^{-1} · min^{-1}

17. 〈보기〉에서 대상별 운동부하검사에 대한 설명 중 적절한 것을 모두 고른 것은?

〈보기〉

㉠ 심부전환자 : 운동 시작 강도와 증가폭이 낮은 강도의 프로토콜을 사용한다.
㉡ 뇌졸중환자 : 동일한 강도에서 일반인보다 최대하 산소 섭취량이 높다.
㉢ 만성신장질환자 : 의학적 허가 없이 실시 가능하다.
㉣ 만성폐쇄성폐질환자 : 동맥산소헤모글로빈 불포화 (SaO$_2$≤80%) 시 검사종료가 가능하다.

① ㉠, ㉡, ㉢   ② ㉡, ㉢, ㉣

③ ㉠, ㉡, ㉣   ④ ㉠, ㉢, ㉣

① ㄱ, ㄴ   ② ㄴ, ㄷ, ㄹ
③ ㄱ, ㄷ, ㄹ   ④ ㄱ, ㄴ, ㄷ, ㄹ

> **정답 ③**
>
> ㉢에 해당하는 환자들의 사망원인이 주로 심혈관질환이기 때문에 운동부하검사 전 의료적 허가를 필요로 한다.

18. <보기>에서 운동부하검사 시 심전도 변화에 대한 설명 중 옳은 것을 모두 고른 것은?

─〈보기〉─

㉠ ST분절의 해석은 안정 시 심전도와 디지털리스 복용에 영향을 받는다.
㉡ 낮은 운동량 또는 낮은 심근산소요구량(RPP)에서 ST분절 하강은 나쁜 징후나 다혈관질환의 위험성 증가를 의미한다.
㉢ 지속되는 심실성 빈맥이 나타나면 대상자의 반응을 관찰하면서 검사 종료를 결정한다.
㉣ 동일 리드(lead)에서 최소 3개 이상 ST분절의 변화는 임상적 의미가 있다.

① ㉠, ㉡, ㉢   ② ㉠, ㉢, ㉣
③ ㉠, ㉡, ㉣   ④ ㉡, ㉢, ㉣

> **정답 ③**
>
> ㉢ 지속되는 심실성 빈맥이 나타나면 대상자의 검사 종료를 결정한다.

19. <보기>에서 운동부하검사의 특징으로 적절한 것을 모두 고른 것은?

─〈보기〉─

㉠ 12분 달리기, 1마일 달리기와 같은 필드검사의 경우 심폐체력 수준이 낮은 사람에게는 거의 최대 또는 최대 검사가 될 수 있다.
㉡ 트레드밀 검사로 산소섭취량을 정확하게 측정하기 위해서는 손잡이를 잡아서는 안 된다.
㉢ 스텝검사 중 혈압은 모니터링하지 않는다.
㉣ 단일 단계 스텝검사는 7~9 MET_s 이상의 에너지 소비가 요구되어 검사 대상자의 최대운동능력을 초과할 수 있다.

> **정답 ④**
>
> 모든 항목이 ACSM에서 제시한 운동부하검사의 특징이다.

20. <보기>의 괄호 안에 들어갈 공식으로 옳은 것은?

─〈보기〉─

허혈성 심장 질환을 정확하게 판단하는(진양성) 양성 예측치는 [㉠/(㉡+㉢)]×100으로 계산한다.

	㉠	㉡	㉢
①	진양성 (true positive)	진양성	가양성 (false positive)
②	진양성	진양성	가음성 (false negative)
③	진음성 (true negative)	진음성	가양성
④	진음성	진음성	가음성

> **정답 ①**
>
> 필자가 강의 때마다 판서로 제시한 공식 4가지를 기억하자.

2020

2020

건강운동관리사 필기시험 2교시

운동상해

01. <보기>는 쇼크(shock)에 대한 설명이다. 괄호 안에 알맞은 용어를 바르게 나열한 것은?

〈보기〉

- (㉠)는 혈액의 상실이 있는 외상에 의해 발생하고, 혈액이 공급되지 않으면 혈압이 떨어진다.
- (㉡)는 폐가 순환 혈액에 충분한 산소를 공급할 수 없을 때 발생한다.
- (㉢)는 심한 박테리아 감염에 의해 발생하며, 박테리아로부터 생겨나는 독소는 신체의 작은 혈관을 확장한다.

	㉠	㉡	㉢
①	저혈량성 쇼크 (hypovolemic shock)	패혈성 쇼크 (septic shock)	호흡성 쇼크 (respiratory shock)
②	저혈량성 쇼크	호흡성 쇼크	패혈성 쇼크
③	패혈성 쇼크	호흡성 쇼크	저혈량성 쇼크
④	패혈성 쇼크	저혈량성 쇼크	호흡성 쇼크

정답 ②

<보기>의 지문을 통해서 쇼크에 대한 지식이 부족해도 정답을 쉽게 선택할 수 있는 문제였다. 향후 쇼크에 대한 문제가 간헐적으로 출제될 것으로 사료된다.

쇼크 발생기전에 따른 분류

쇼크	발생 원인
심장성 쇼크	심근경색증, 부정맥, 심장의 구조장애
저혈량성 쇼크	출혈, 구토, 설사, 심한화상, 탈수, 열사병, 중증염증
패혈성 쇼크	세균감염, 전신성 염증성, 반응증후군
신경성 쇼크	마취, 척수손상
당뇨병성 쇼크	케톤산증
과민성 쇼크	Anaphylaxis, 약물, 백신, 화학물질
부신피질 기능 저하성 쇼크	Addison 병
갑상선 기능 저하성 쇼크	점액수종 혼수

02. 반달연골(반월상연골, meniscus) 손상에 대한 설명으로 옳지 <u>않은</u> 것은?

① 무릎의 폄 또는 굽힘 시 회전력이 동반된 체중 부하가 발생할 때 손상된다.
② 손상을 예측하기 위해 니어 검사(Neer test)를 적용한다.
③ 무릎이 무너지는 느낌을 호소하고, 완전한 스쿼트 동작 시 불안함을 느낀다.
④ 안쪽 반달연골이 가쪽 반달연골보다 더 높은 손상 발생률을 보인다.

정답 ②

Neer's test는 견관절의 충돌증후군 검사방법이다.
반달연골 손상에 대한 손상평가를 구현하는 그림이나 설명은
☞ 2016년 운동상해 16번 참고

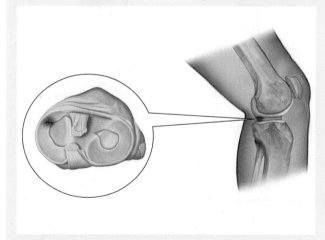

반달연골 손상이 진행되는 모습

03. <보기> 중 어깨 관련 손상평가 방법을 모두 고른 것은?

―〈보기〉―

ㄱ 라크만 검사(Lachman test)
ㄴ 호킨스-케네디 검사(Hawkins-Kennedy test)
ㄷ 엠프티 캔 검사(empty can test)
ㄹ 피벗 시프트 검사(pivot-shift test)

① ㄱ, ㄴ   ② ㄴ, ㄷ
③ ㄷ, ㄹ   ④ ㄱ, ㄹ

정답 ②

손상평가 방법은 부위와 연결 지어 공부하고, 머릿속에 그려야 한다.

ㄱ, ㄹ은 앞십자인대 손상평가 방법에 해당된다.

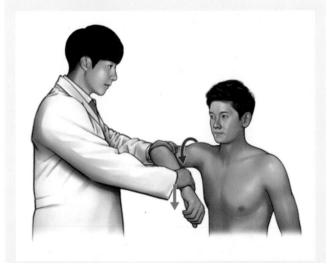

Hawkins-Kenedy test

04. 염증반응 시 발생하는 히스타민(histamine)에 대한 설명으로 옳은 것은?

① 혈관 외피 세포에 부종을 억제한다.
② 혈관의 세포 투과성을 낮춘다.
③ 혈관 확장을 유도한다.
④ 염증부위로 대식세포를 유도한다.

정답 ③

나머지 항목은 다음과 같이 수정할 수 있다.
히스타민은 ① 혈관 외피 세포에 부종을 촉진하고, ②는 높이며, ④의 대식세포 유도는 류코트리엔이나 프로스타그란딘에 해당한다.

05. <보기>는 운동 중 갑자기 쓰러져 맥박이 없는 사람에 대한 1차 응급처치 방법이다. 적용 순서를 바르게 나열한 것은?

―〈보기〉―

• 인공호흡(breathing)
• 기도확보(airway)
• 가슴압박(compression)

① 가슴압박-기도확보-인공호흡
② 가슴압박-인공호흡-기도확보
③ 기도확보-가슴압박-인공호흡
④ 기도확보-인공호흡-가슴압박

정답 ①

맥박이 있는 경우와 없는 경우 항상 골든타임(4분 정도)을 잘 인지하고 있어야 한다. 이 시간을 놓치지 않기 위해 건운사는 즉시 CPR을 실시해야 한다.
그래서 실기/구술시험에 필수과목이기도 하다.

☞2014년 체력 및 건강검사 51번, 심폐소생법04번 그림, 내용 참고

06. <보기>는 팔꿈치 후방 탈구에 대한 설명이다. 괄호에 들어갈 용어가 바르게 연결된 것은?

―〈보기〉――

팔꿈치 후방 탈구는 팔꿈치가 (㉠) 상태에서 땅에 떨어질 경우 일반적으로 발생하고, (㉡) 보다는 (㉢) 탈구가 흔하다.

	㉠	㉡	㉢
①	굽힘(flexion)	후방	전방
②	굽힘(flexion)	전방	후방
③	폄(extension)	후방	전방
④	폄(extension)	전방	후방

정답 ④

위팔자관절탈구는 팔꿉관절의 80~90%를 차지하고, 몸쪽노자관절의 탈구는 5세 이하의 소아에서 주로 발생한다. 이 경우 윤상인대 일부가 찢어져 노뼈머리가 아탈구되는 현상이다.
이 문제에 대한 이해는 그림을 참조하기 바란다.

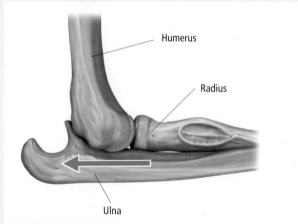

팔꿈치 후방탈구

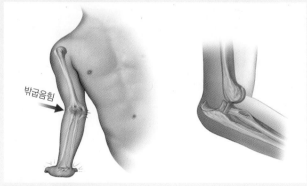

팔꿈치를 편 상태에서 골절

07. 엎드린 자세에서 목말뼈밑(거골하, subtalar) 중립을 평가하는 방법으로 옳지 <u>않은</u> 것은?

① 평가를 받는 사람 다리 길이의 1/3 정도가 테이블 밖으로 나오게 한 상태에서 평가한다.
② 아킬레스건(Achilles tendon)의 시작점으로부터 발꿈치(종골, calcaneus)의 원위부(distal)까지 선을 그어 이등분한다.
③ 목말뼈(거골, talus)가 목말뼈밑 관절 내에서 안쪽과 바깥쪽이 똑같이 만져지는 위치이다.
④ 목말뼈밑 관절이 중립 위치가 되었을 때 발허리뼈머리(중족골두, metatarsal head)가 보일 수 있도록 발바닥쪽굽힘(plantar flexion)을 한다.

정답 ④

목말뼈밑 관절이 중립 위치가 되었을 때 발허리뼈머리(중족골두, metatarsal head)가 보일 수 있도록 발등쪽굽힘(dorsi flexion)을 한다.

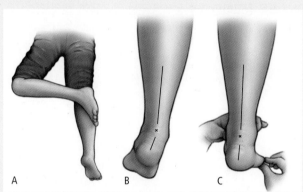

목말밑관절의 중립위치

목말밑관절의 중립위치를 알아보기 위해서는 2개의 이등분선이 필요하다. 하나는 발꿈치뼈의 주위 연부조직 때문에 정확하게 선을 그을 수 없으므로 양측 손의 검지 배측면으로 촉지하면서 발뒤꿈치뼈에 두 점을 찍어 긋는다. 두 번째 선은 하퇴의 원위 1/3에 내·외측 경계면을 기준으로 하여 중간이 되는 3개의 점을 찍어 연결시킨다.
목말밑관절의 중립위치는 앞발의 외측 특히 제 4, 5 발허리뼈 머리를 잡고 종아리세갈래근의 제한으로 인한 부드러운 끝 느낌이 느껴질 때까지 발등굽힘이 일어나도록 한다. 발은 목말뼈 머리와 목이 목말발배관절의 중앙에 위치할 때까지 목말뼈관절을 수동적으로 엎침 혹은 뒤침시킨다. 그 상태에서 발뒤꿈치뼈 혹은 앞발의 위치를 확인한다.

08. <표>에서 제시한 허리뼈(요추, lumbar)의 추간판 탈출증(herniated disc)과 관련된 설명 중 옳은 것은?

증상과 징후 \ 발생위치	L3 – L4	L4 – L5	L5 – S1
통증	허리뼈. 엉덩이 부위	허리뼈. 엉덩이. SI부위	허리뼈, 엉덩이. SI부위
근육분절 약화	㉠ 발등쪽 굽힘 (dorsi flexion)	㉢엄지 발가락 굽힘(hallux flexion)	발바닥쪽 굽힘 (plantar flexion)
하지거상 검사 시 (straight leg raise test) 관절가동 범위	㉡ 정상	㉣ 증가	감소

※ S, sacroiliac 엉치엉덩(천장)

① ㉠, ㉡   ② ㉡, ㉢

③ ㉢, ㉣   ④ ㉠, ㉣

정답 ①

아래 표를 참고하면 향후 문제를 푸는 데 도움이 될 것으로 사료된다.

증상과 징후 \ 발생위치	L3 – L4	L4 – L5	L5 – S1
통증	허리뼈. 엉덩이 부위	허리뼈. 엉덩이. SI부위	허리뼈, 엉덩이. SI부위
근육분절 약화	발등쪽 굽힘 (dorsi flexion)	엄지 발가락 폄 (hallux extension)	발바닥쪽 굽힘 (plantar flexion)
하지거상 검사 시 (straight leg raise test)	정상	감소	감소
말초신경	넙다리신경	깊은종아리신경	깊은종아리신경
근력 약화	앞정강근 넙다리네갈래근	중간·작은볼기근	장딴지근, 가자미근

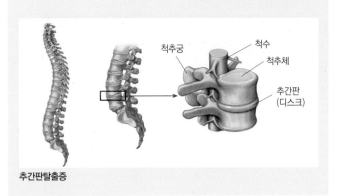

추간판탈출증

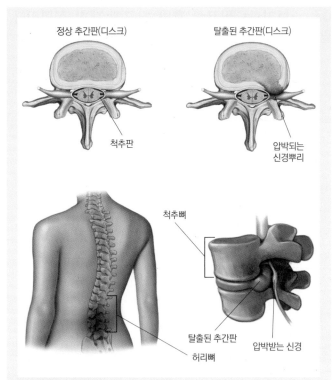

요추 추간판탈출증

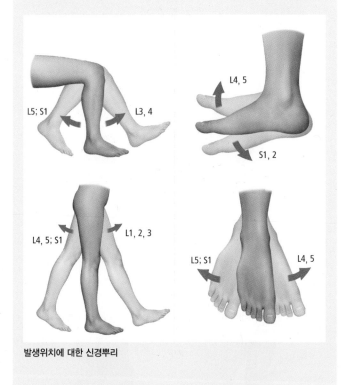

발생위치에 대한 신경뿌리

스펄링 검사

건운사의 저항에 대응하여 밀기를 한 다음 10초 간의 이완기를 가진 다음 새로운 관절각으로 다시 시작한다.
①, ②는 ④의 변형된 기법이다. 상세한 방법은 "박승화 체육스포츠" 강의를 통해서 숙련된 실기를 숙지할 수 있다.

고유수용기신경근 자극기법

09. <보기>에서 설명하는 고유수용기 신경근 자극 (proprioceptive neuromuscular facilitation, PNF) 기법은?

─〈보기〉─

- 주동근의 등장성 수축 후 길항근의 등척성 수축을 시행한다.
- 주동근이 수축하는 동안 길항근이 이완된다.
- 길항근의 유연성이 제한 요소일 때 사용된다.

① 정지−이완법(hold−relax)
② 수축−이완법(contract−relax)
③ 정지−정지−수축−이완법(hold−hold−contract−relax)
④ 느린 역자세−정지−이완법(slow reversal−hold−relax)

정답 ④

넙다리뒤근육 스트레칭의 "느린 역자세-정지-이완법"의 예를 들면 다음과 같이 실시할 수 있다.

환자는 무릎을 펴고 발목을 90도 굽히고 바로 눕는다. 건운사는 근육이 약간 불편한 지점까지 고관절을 수동적으로 굽혀준다.
이 상태에서 환자는 햄스트링군을 수축함으로써 건운사의 저항에 대하여 능동적으로 밀기 시작한다.
10초 동안 밀기를 한 후 뒤넙다리근은 이완되고, 건운사가 길항근인 슬괵근을 더 스트레칭하기 위하여 수동적 압박을 가하는 동안 주동근인 넙다리네갈래근은 능동적으로 수축된다.

10. 말초신경 손상 후 재생(regeneration)에 관한 설명으로 옳지 <u>않은</u> 것은?

① 말초신경의 세포체에 손상부위가 가까울수록 재생이 어렵다.
② 절단된 말초신경은 수술로 연결하면 축삭(axon) 재생이 가능하다.
③ 별아교세포(astrocyte)는 손상된 축삭 재생을 돕기 위한 신경성장인자를 분비한다.
④ 손상부위로부터 원위부(distal region) 쪽의 수초(myelin) 재형성은 말초신경 재생의 후반기 과정이다.

정답 ③

별아교세포는 신경세포의 대사와 뇌혈관 장벽을 만든다. ③에 해당하는 내용은 슈반세포에 관련된다.

2020

11. <보기>에서 스포츠 뇌진탕(진탕, concussion)에 관한 설명으로 옳은 것은?

〈보기〉

㉠ 펜싱 반응(Fencing response)이 나타날 수 있다.
㉡ 마우스 가드(mouth guard)의 착용은 뇌손상을 예방한다.
㉢ 5번 뇌신경(V. Trigeminal)의 손상으로 후각 기능 이상이 나타날 수 있다.
㉣ 충격(impact)을 받은 반대쪽 부위의 뇌손상을 칸추리쿠(contrecoup) 기전이라고 한다.

① ㉠, ㉡   ② ㉡, ㉢
③ ㉢, ㉣   ④ ㉠, ㉣

정답 ④

㉡은 치아와 안면부 보호와 관련이 있으며, ㉢은 혼합신경으로 후각과 무관한 삼차신경이다.

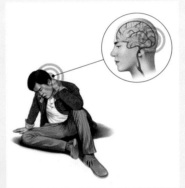

뇌진탕

12. 근골격계 부상에 대한 <보기>의 아이스(ice) 적용에 대한 설명으로 옳은 것을 모두 고른 것은?

〈보기〉

㉠ 형성된 부종 제거에 효과적이다.
㉡ 반대-자극 효과(counter-irritant effect)는 적용에 의한 통증 감소를 설명할 수 있다.
㉢ 관절부상에 의해 억제된 근기능(arthrogenous muscle inhibition)의 활성화를 위해 사용된다.

① ㉠, ㉡   ② ㉡, ㉢
③ ㉠, ㉢   ④ ㉠, ㉡, ㉢

정답 ②

이 문제는 표현의 차이로 부종감소라고 표현하는 것이 바람직하며, 제거는 거상의 방법이 효과적이다.

13. <그림>과 같이 하지는 이완된 상태로 스트레치 운동(passive stretch exercise)을 할 때, <보기>의 설명을 참 혹은 거짓으로 바르게 판단한 것은?

〈보기〉

㉠ 자발성(autogenic)보다 상호적(reciprocal) 억제(inhibition)에 의해 스트레치 된다.
㉡ 무릎관절의 관절낭(joint capsule)은 힘줄(tendon)보다 많은 장력(tension)을 받는다.
㉢ 스트레치 후 약 6초가 지나면 골지건기관(Golgi tendon organ)이 Ib 구심성신호(Ib afferent)를 보내기 시작한다.

	㉠	㉡	㉢
①	참	참	참
②	거짓	참	거짓
③	참	거짓	거짓
④	거짓	거짓	참

정답 ②

이 문제는 평소 필자가 강의 시간에 누차 강조한 내용으로서 다음과 같이 수정할 수 있다.

㉠ 상호적억제보다 자발성에 의해 스트레치 된다.
㉢은 "박승화 체육스포츠 강의"를 통해서 해결할 수 있다.

14. 양쪽 목발(crutches) 사용에 관한 설명으로 적절하지 <u>않은</u> 것은?

① 길이 맞춤(fitting) : 겨드랑이와 목발 사이에 손가락이 두세 개 정도 들어가게 목발을 끼고 선다.

② 두 발 걷기(two-point gait) : 부분적 체중 지지가 가능할 때 실시한다.

③ 세 발 걷기(three-point gait) : 계단을 내려갈 때 건강한 발을 먼저 딛고 내려간 다음 목발을 딛는다.

④ 네 발 걷기(four-point gait) : 양쪽 다리 부상일 때 사용하는 방법이다.

> **정답** ③
>
> 목발과 지팡이를 적절하게 맞추는 것은 신체가 비정상적인 스트레스를 피하는 데 필수적이다.
> 필자의 강의 시간에 언급한 "올건내환"을 기억하고 많은 수강생들이 잘 해결한 문제이다.
> 목발 사용 시 올라갈 때는 건측, 내려올 때는 환측을 강조하였다.
> 필자의 카페[https://cafe.daum.net/trainerpark]에 교수방법의 효율성을 칭찬한 댓글이 많다.

15. <보기>는 고강도 훈련과 회복의 불균형이 반복됨으로써 나타나는 운동상해의 단계이다. 단계별 진행순서와 회복시간이 짧은 것부터 나열한 것은?

> ─〈보기〉─
>
> ㉠ 오버트레이닝(overtraining)
> ㉡ 기능부적 오버리칭(nonfunctional overreaching)
> ㉢ 기능적 오버리칭(functional overreaching)

	진행순서	회복시간
①	㉠→㉡→㉢	㉠→㉡→㉢
②	㉠→㉡→㉢	㉢→㉡→㉠
③	㉢→㉡→㉠	㉠→㉡→㉢
④	㉢→㉡→㉠	㉢→㉡→㉠

> **정답** ④
>
> 이 문제는 각 항목에 대한 용어의 개념을 알아야 한다.
> 아래의 개념을 파악하고 정답으로 짝을 맞춰보기 바란다.
>
> ㉠은 운동수행력 감소 및 비정상적인 생리적인 징후를 초래하는 과도한 운동빈도, 운동강도 및 운동량에 의한 생리적·심리적 상태
> ㉡은 회복하는데 몇 주가 걸리는 수행력 감소상태
> ㉢은 짧은 기간의 수행력의 감소

16. <보기>는 염증반응(inflammatory response) 이후 일어나는 세포의 회복에 대한 설명이다. ㉠, ㉡에 들어갈 용어로 적절한 것은?

> ─〈보기〉─
>
> 형성된 세포는 부하(load)에 의해 (㉠)되고, 고정하게 되면 세포 간 교차결합(collagen cross-link)은 (㉡) 한다.

	㉠	㉡
①	재배열	증가
②	재생	증가
③	재배열	감소
④	재생	감소

> **정답** ①
>
> 재배열은 성숙-재형성 단계에서 콜라겐의 재형성을 의미하며, 교차결합은 콜라겐 조직이 노화됨에 따라 세포수준에서 교차결합을 발전시킨다. 교차결합은 조직을 덜 탄력적으로 만든다.

17. 반복된 마찰(friction)이 주요 원인인 손상은?

① 물집(blister)

② 골절(fracture)

③ 동상(frostbite)

④ 탈구(dislocation)

정답 ①

물집은 장대높이뛰기, 조정, 농구, 축구 등과 같은 종목과 관련이 있다. 이러한 운동은 공통적으로 피부에 마찰성 물집을 생성하는 수평방향으로 분산 집중된 압력을 가하게 된다.

18. <보기>는 손상 후 염증기간 동안 형성되는 부종에 대한 설명이다. 괄호 안에 들어갈 적절한 용어는?

─〈보기〉─

(   )에 형성된 세포 잔해(tissue debris)와 유리단백질(free protein)로 인해 세포 삼투압(tissue oncotic pressure)이 증가한다.

① 림프(lymph)
② 혈관(blood vessel)
③ 세포 내 공간(intracellular space)
④ 세포 사이 공간(intercellular space)

정답 ④

부종(edema)은 사이질에 액체가 축적되는 것으로 국소적·전신적으로 나타날 수 있다. 국소적 부종은 뇌부종, 폐부종, 복수, 눈 주위부종 등 어떤 조직이나 장기에 나타나며, 온 몸에 나타나는 부종은 전신부종이라고 한다.

부종 조직에 축적되는 액체는 삼출액과 누출액으로 나눌 수 있는데 삼출액은 단백질과 혈구가 많이 포함되어 있으며 염증 시 나타나는 부종이 전형적인 예이다.

누출액은 삼출액보다 단백질과 혈구가 적게 포함되어 있고, 혈관 정수압 증가, 혈장 교질삼투압 감소, 림프관 폐쇄, 나트륨 정체로 인한 부종 시 주로 나타난다.

📖 보충학습

부종은 세포간질액이 너무 많이 축적되어 발생한다. 과량의 세포 간질액 때문에 조직은 팽창하게 되는데 이를 부종이라고 한다.

19. <보기>는 척추손상으로 인해 경력이 끝날지도 모르는 선수의 심리상태를 Kubler-Ross(1969)가 제시한 "애도의 단계(stages of grief)"로 표현한 것이다. 그 순서를 바르게 나열한 것은?

─〈보기〉─

㉠ 분노(anger) : "왜 하필 나한테 이런 일이!"
㉡ 수용(acceptance) : "괜찮을거야. 이겨낼 수 있어."
㉢ 부정(denial) : "MRI 사진 판독이 잘못된 것 같은데."
㉣ 타협(bargaining) : "시간을 돌릴 수 있다면 뭐라도 할 텐데."
㉤ 우울(depression) : "운동을 못 하는데 이게 무슨 소용인가..."

① ㉠→㉢→㉣→㉡→㉤
② ㉠→㉢→㉤→㉣→㉡
③ ㉢→㉠→㉡→㉣→㉤
④ ㉢→㉠→㉣→㉤→㉡

정답 ④

이 문제는 손상으로 인하여 선수생명이 끝날 수 있는 심리상태를 제시한 Kubler-Ross의 죽음의 단계이론으로 죽음의 과정에 대한 이해를 높였다는 측면에서 큰 의미가 있지만 연구 대상이 말기 암환자를 대상으로 하고 있어 과연 일반화시킬 수 있을까? 연구 방법상 한계도 드러낼 수 있다. 해가 거듭될수록 수험생들의 공부 범위는 폭이 확장되고 있는 현실이다.

아래 제시한 사이클을 참조하기 바란다.

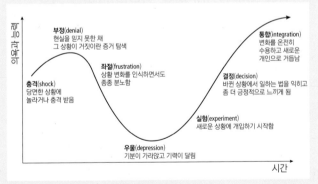

퀴블러-로스 변화 곡선(The Kübler-Ross change curve)

20. 내번발목염좌(inversion ankle sprain)를 예방하기 위한 발목테이핑 과정을 설명한 것으로 옳지 <u>않은</u> 것은?

〈보기〉

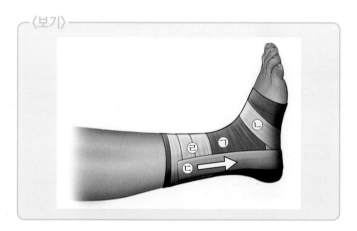

① ㉠은 피부보호를 위한 것이다.

② ㉡보다 원위부(distal)에는 테이프를 더 감지 않는다.

③ ㉢ 테이핑 시 가쪽에서 안쪽으로(화살표 방향) 감아준다.

④ ㉣ 테이프는 이전 테이프의 1/2 정도를 겹치게 감는다.

정답 ③

그림은 닫힌바구니 모양의 발목테이핑으로 ㉡의 이유 등은 강좌를 통해서 가능하며, 내번 염좌의 경우 수직테이프를 하퇴의 내측에서 시작하여 외측으로 당기며 부착한다.

테이핑은 구술/실기에서도 출제될 수 있어 "박승화 체육스포츠"에서 실기준비 기간에 참여하면 직접 체험할 수 있다.

2020

기능해부학

01. <보기>의 힘의 종류와 효과에 대한 설명 중 적절한 것으로만 나열된 것은?

―〈보기〉―

㉠ 양력은 물체의 운동 방향에 대해 반대로 작용하는 힘으로 물체가 공기 중에서 뜨게 하는 역할을 한다.
㉡ 중력은 두 물체가 접촉 시에 발생하는 힘으로 물체를 당기는 힘이다.
㉢ 원운동하고 있는 물체의 원심력은 질량이 크고, 속도가 빠를수록 크다.
㉣ 부력은 중력의 반대 방향(수직 상방)으로 작용하는 힘이다.

① ㉠, ㉢   ② ㉠, ㉣
③ ㉡, ㉢   ④ ㉢, ㉣

정답 ④

이 문제는 힘을 묻는 문제로 다음과 같이 수정하면 된다.

㉠ 양력은 항력의 수직 방향으로 발생하는 힘으로 물체가 공기 중에서 뜨게 하는 역할을 한다.
㉡ 중력은 지구와 신체가 서로 당기는 힘이다.

02. <보기>에서 턱걸이 동작 수행 시 철봉대 위로 턱이 올라갔다가 천천히 시작자세로 내려가는 단계에서 위팔의 「작용근(agonist)–근수축 형태」가 바르게 연결된 것은?

―〈보기〉―

㉠ 위팔두갈래근(상완이두근, biceps brachii)
㉡ 위팔세갈래근(상완삼두근, triceps brachii)
ⓐ 단축성(concentric)
ⓑ 신장성(eccentric)

① ㉠-ⓐ   ② ㉠-ⓑ
③ ㉡-ⓐ   ④ ㉡-ⓑ

정답 ②

쉬운 문제이다. 턱걸이의 주동근은 이두박근이며, 내려가는 단계이므로 신장성에 해당한다.

03. <보기>의 물속에 잠겨 있는 물체에 대한 설명 중 적절한 것으로만 나열된 것은?

―〈보기〉―

㉠ 물체는 중력의 반대 방향으로 힘을 받으며, 그 힘의 크기는 물에 잠긴 물체의 부피만큼의 물의 무게와 같다.
㉡ 물체의 부력중심과 무게중심이 동일 수직선상에 위치할 때 신체의 회전이 멈추게 된다.
㉢ 물체가 물에서 뜨거나 가라앉는 현상은 물체의 비중에 의해 결정된다.
㉣ 수영 시 머리가 물 밖에 있을 때보다 물속에 잠길 경우 부력은 작아진다.

① ㉠, ㉡, ㉢   ② ㉠, ㉡, ㉣
③ ㉠, ㉢, ㉣   ④ ㉡, ㉢, ㉣

정답 ①

㉣ 수영 시 머리가 물 밖에 있을 때보다 물속에 잠길 경우 부력은 커진다.

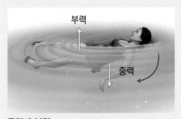

중력과 부력

머리를 들 경우에는 물속에 잠긴 인체의 부피가 작아져서 부력이 감소하기 때문에 곧이어 머리가 물속으로 잠기게 된다.

04. <표>에서 척추뼈의 특징에 대한 설명으로 옳지 **않은** 것을 모두 고른 것은?

종류	목뼈(cervical vertebrae)	등뼈(thoracic vertebrae)	허리뼈(lumbar vertebrae)
가시돌기 (spinous process)	㉠ 돌기 끝부분이 갈라져 있는 뼈 존재		
가로돌기 (transverse process)		㉡ 갈비뼈와 관절하는 관절면이 T1~T12까지 모두 존재	
운동범위	㉢ 등뼈, 허리뼈보다 큰 가쪽굽힘(이마면 운동)이 일어남	㉣ 목뼈, 허리뼈보다 큰 축돌림(수평면 운동)이 일어남	㉤ 등뼈보다 폄(시상면 운동)이 더 크게 일어남

① ㉠, ㉡, ㉣
② ㉠, ㉢, ㉤
③ ㉡, ㉣, ㉤
④ ㉢, ㉣, ㉤

정답 **모두정답**

이 문제에서 답을 없는 것으로 간주한 것은 교재마다 다르지만 바로 ㉤항목에 대한 내용이 같다라고도 할 수 있기 때문이다.
㉡, ㉣은 확실히 틀린 내용이다.
㉡ 갈비뼈가 2번 관절하는 관절면(갈비뼈 결절–등뼈의 가로돌기오목)은 T1~T10까지이며, T10~T12는 갈비뼈머리와 등뼈의 몸통갈비오목만 관절한다.
㉣ 목뼈는 등뼈나 허리뼈보다 큰 가쪽굽힘이나 돌림이 일어난다.
㉤ 등뼈보다 허리뼈는 폄(시상면 운동)이 더 크게 일어나거나 같다.

05. 5번 허리뼈(L5)와 1번 엉치뼈(S1) 사이의 엉치수평각(sacrohorizontal angle)에 대한 설명으로 적절하지 **않은** 것은?

① 골반의 앞기울임(전방경사. anterior tilt)에 의해 엉치수평각은 증가한다.
② 엉치수평각에 의해 체중의 약 64%에 해당하는 앞쪽 전단력(shear force)이 발생한다.
③ 앞쪽 전단력에 저항하는 요인들로는 앞세로인대(전종인대, anterior longitudinal ligament)와 엉덩허리인대(장요인대, iliolumbar ligament) 등이 있다.
④ 척주세움근육들(erector spinae muscle group)의 발현 힘이 강할수록 앞쪽 전단력이 감소한다.

정답 ④

비교적 쉬운 문제이다.

④ 척주세움근육들(erector spinae muscle group)의 발현 힘이 강할수록 앞쪽 전단력이 증가한다.
척추기립근은 엉덩갈비근, 가장긴근, 가시근 및 돌림근, 뭇갈비근, 가로돌기가시근 등이다.

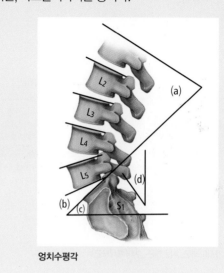

엉치수평각

06. 위팔뼈(상완골, humerus) 돌림(internal/external rotation) 근육에 대한 설명으로 적절하지 **않은** 것은?

① 안쪽돌림(internal rotation) 근육들은 가쪽돌림(external rotation) 근육보다 더 큰 토크(torque)를 생산한다.
② 오버헤드 투구 시, 코킹(cocking)동작 마지막 단계의 바로 직전에서 안쪽돌림근육의 활성이 크게 나타난다.
③ 가쪽돌림근육으로 넓은등근(광배근, latissimus dorsi), 가시아래근(극하근, infraspinatus) 및 작은원근(소원근, teres minor) 등이 있다.
④ 안쪽돌림근육으로 어깨밑근(견갑하근, subscapularis), 큰가슴근(대흉근, pectoralis major) 및 큰원근(대원근, teres major) 등이 있다.

정답 ③

근육의 기능을 묻는 문제로 다음과 같이 수정하면 된다.

③ 가쪽돌림근육으로 뒤어깨세모근(후삼각근, posterior deltoid),
가시아래근 및 작은원근 등이 있다.

넓은등근은 안쪽돌림근육이다.

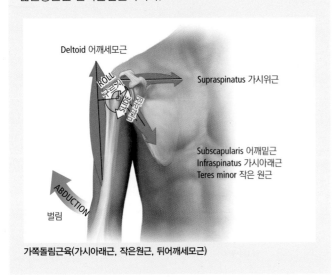

가쪽돌림근육(가시아래근, 작은원근, 뒤어깨세모근)

07. 손목 굽힘·폄 근육에 대한 설명 중 적절하지 <u>않은</u> 것은?

① 손목 폄 근육들은 주로 노신경(radial nerve)의 지배를 받
으며, 노신경의 감각분포는 넷째 손가락의 안쪽 면과 다
섯째 손가락 전체를 포함한다.
② 일차적인 노쪽(radialis) 손목폄근육들은 손목 폄과 더불
어 아래팔의 뒤침(supination) 역할도 수행한다.
③ 손목 굽힘근육들은 손목 폄 근육들보다 더 큰 등척성 토
크를 생산한다.
④ 손목굽힘근으로는 노쪽손목굽힘근(flexor carpi radialis
longus), 자쪽손목굽힘근(flexor carpi ulnaris) 및 긴손바닥
근(palmaris longus) 등이 있다.

정답 ①

기능해부학에 대한 기초지식을 묻는 문제이다.

① 손목 폄 근육들은 주로 노신경(radial nerve)의 지배를 받으며,
자신경의 감각분포는 넷째 손가락의 안쪽 면과 다섯째 손가락
전체를 포함한다.

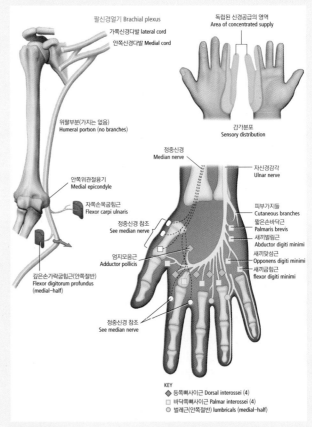

자신경의 경로

08.
<보기>의 노뼈(요골, radius)와 자뼈(척골, ulna) 사이에 위치한 뼈사이막(interosseous membrane)의 중심띠(centralband)와 관련된 설명 중 옳은 것을 모두 고른 것은?

─〈보기〉─

㉠ 노뼈에 전달된 압박력이 몸쪽으로 이동되면서 자뼈쪽으로 전이되어 부하를 분산시키는 역할을 한다.
㉡ 엎침(pronation)일 때 위팔자관절(완척관절, humeroulnar joint)에 더 큰 부하가 전달되어 관절의 퇴행 발생가능성을 높인다.
㉢ 무릎힘줄(patellar tendon)과 유사한 장력을 갖는다.
㉣ 노뼈에서 자뼈의 근위(proximal)쪽을 향해 약 30도 기울어져 뻗어있다.

① ㉠, ㉢   ② ㉠, ㉣
③ ㉡, ㉢   ④ ㉡, ㉣

정답 ①

이 문제는 필자가 강의 시간에 출제될 가능성이 높은 내용으로 강조하였다.

㉡ 엎침(pronation)일 때 위팔자관절(완척관절, humeroulnar joint)에 더 큰 부하가 전달되어 관절의 안정성을 높인다.
아래 그림을 참조하면 뼈사이막 중심띠의 섬유 방향 때문에 이 막을 통해 자뼈로 전달된다. 따라서 압력을 균등하게 공유하여 마모와 찢김을 감소시킬 수 있다.

㉣ 노뼈에서 자뼈의 원위(distal)쪽을 향해 약 20도 기울어져 뻗어있다.

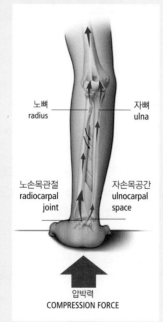

노뼈
radius

자뼈
ulna

노손목관절
radiocarpal
joint

자손목공간
ulnocarpal
space

압박력
COMPRESSION FORCE

뼈사이막의 구조와 기능

09.
걷는 동안 에너지 절약과 효율의 극대화를 위한 전략으로 적절하지 **않은** 것은?

① 수평면(가로면, horizontal plane)으로 골반회전운동(pelvic rotation)을 수행함으로써 신체중심의 아래쪽 이동을 감소시킨다.
② 디딤기(stance phase)에서 무릎을 최대한 폄으로써 신체중심의 아래쪽 이동을 감소시킨다.
③ 이마면(전두면, frontal plane)으로 골반의 가쪽기울임(lateral pelvic tilt)운동을 수행함으로써 신체중심의 위쪽이동을 감소시킨다.
④ 지면으로부터 발꿈치를 들어 올릴 때 발바닥굽힘 (plantar flexion)과 더불어 무릎관절에서의 굽힘 동작을 수행함으로써 신체중심의 위쪽이동을 감소시킨다.

정답 ②

다음과 같이 수정할 수 있다.

② 디딤기(stance phase)에서 무릎을 굽힘으로써 신체중심의 위쪽 이동을 감소시킨다.

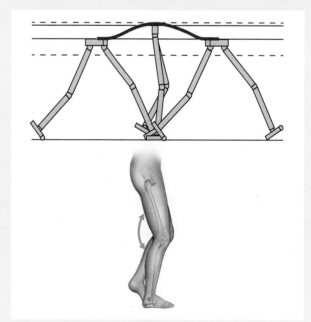

걷기에서 에너지 절약

디딤기 동안 약간의 무릎굽힘이 다리의 기능적 길이를 감소시킴으로써 CoM의 위쪽 이동을 감소시킨다.

2020

10. 골프공 개발업체에서 탄성계수가 0.9인 골프공을 개발하였다. 3 m 높이에서 오른쪽 그림과 같은 기구를 통해 자유낙하운동을 실시하였을 때 바운드되는 골프공의 높이는 얼마인가? (단, 지면은 완전충돌 조건이며, 공기저항은 무시함)

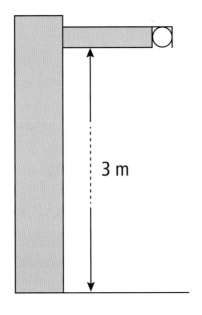

3 m

① 2.12m
② 2.43m
③ 2.51m
④ 2.70m

정답 ②

이 문제는 박승화 체육스포츠 카페[cafe.daum.net/trainerpark]와 강의에서 해결할 수 있다.

11. 가로발목뼈관절(횡족근관절, transverse tarsal joint)을 구성하는 뼈가 <u>아닌</u> 것은?

① 입방뼈(입방골, cuboid)
② 발배뼈(주상골, navicular)
③ 발꿈치뼈(종골, calcaneus)
④ 안쪽쐐기뼈(내측설상골, medial cuneiform)

정답 ④

발의 해부학적 구조를 알면 쉽게 해결할 수 있다.

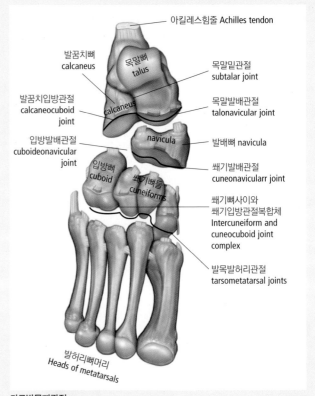

아킬레스힘줄 Achilles tendon
발꿈치뼈 calcaneus
목말뼈 talus
목말밑관절 subtalar joint
발꿈치입방관절 calcaneocuboid joint
calcaneus
목말발배관절 talonavicular joint
입방발배관절 cuboideonavicular joint
navicula
발배뼈 navicula
입방뼈 cuboid
쐐기뼈들 cuneiforms
쐐기발배관절 cuneonavicularr joint
쐐기뼈사이와 쐐기입방관절복합체 Intercuneiform and cuneocuboid joint complex
발목발허리관절 tarsometatarsal joints
발허리뼈머리 Heads of metatarsals

가로발목뼈관절

가로발목뼈관절은 발목뼈중간관절 또는 쇼파르관절이라고도 하며, 해부학적으로 구분이 되는 2개의 관절인 목말발배관절과 발꿈치입방관절로 이루어져 있다.

12. 근분절(myotomes)에 대한 설명 중 척수신경근 손상(spinal nerve root lesion)으로 인한 제한된 움직임을 바르게 짝지은 것은?

척수신경 손상 부위	제한된 움직임
① 목뼈2번(경추2, C2)	목 굽힘 (굴곡, flexion)
② 목뼈4번(경추4, C4)	어깨 벌림(외전, abduction)
③ 허리뼈3번(요추3, L3)	무릎 굽힘(굴곡, flexion)
④ 허리뼈4번(요추4, L4)	발바닥굽힘(저측굴곡, plantarflexion)

정답 ①

정답 외의 나머지 문항들은 다음과 같이 정리할 수 있다.
② 목뼈 4번 : 어깨 올림
③ 허리 뼈3번 : 무릎 신전
④ 허리뼈 4번 : 배측굴곡

13. 척추(spine)의 인대(ligament) 중 황색인대(황인대, ligamentum flavum)에 관한 설명으로 옳은 것은?

① 척추 전체에 걸쳐 위쪽과 아래쪽 분절을 연결하고 있으며 척수(gpinal cord)의 바로 뒤쪽에 있다.
② 가시돌기(극돌기, spinous process)들의 촉진(palpation)을 어렵게 하는 원인이다.
③ 척추에 부착된 인대 중 길이가 가장 길다.
④ 중쇠뼈(축추골, axis)와 엉치뼈(천골, sacrum) 사이에서 척추뼈몸통(척추체, vertebral body) 뒷면 전체에 걸쳐 부착되어 있다.

정답 ①

정답 외의 나머지 문항들은 다음과 같이 정리할 수 있다.
②는 가시끝인대, ③은 앞세로인대, ④는 뒤세로인대에 관련된 내용이다.

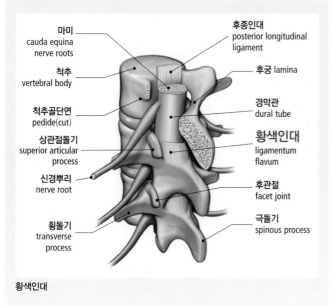

황색인대

14. <보기>는 해부학적 자세에서 어깨관절 복합체(shouldercomplex)의 180도 벌림(외전, abduction) 시 운동형상학적관계인 '어깨위팔리듬(scapulohumeral rhythm)'을 나타내고 있다. <보기>에서 '어깨위팔리듬' 시 움직임(각도, degree[angle])이 큰 순서대로 옳게 나열한 것은?

〈보기〉

ⓐ 복장빗장관절(흉쇄관절, sterno-clavicular)의 뒤당김(retraction)
ⓑ 어깨가슴관절(견흉관절, scapulothoracic) 위쪽돌림 (upward rotation)
ⓒ 오목위팔관절(관절와상완관절, glenohumeral) 벌림(abduction)
ⓓ 오목위팔관절 가쪽돌림 (external rotation)

① ⓑ> ⓒ> ⓐ> ⓓ
② ⓒ> ⓓ> ⓑ> ⓐ
③ ⓒ> ⓑ> ⓓ> ⓐ
④ ⓒ> ⓑ> ⓐ> ⓓ

정답 ③

어깨위팔리듬 역시 기능해부학의 중요한 부분이다. 아래 그림과
☞2019년 운동상해 11번 참고

오목위팔관절 벌림(120도), 어깨가슴관절위쪽돌림(60도), 오목위팔관절 가쪽돌림(35~40도), 복장빗장관절(흉쇄관절의 뒤당김(20도)

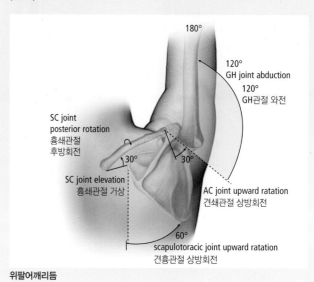

위팔어깨리듬

15. <보기>의 무릎관절 '나사-집 돌림(screw-home rotation)'현상에 관한 설명으로 옳은 것을 모두 고른 것은?

<보기>

㉠ 앞십자인대(전방십자인대, anterior cruciate ligament)의 장력에 영향을 받는다.
㉡ 넙다리네갈래근(대퇴사두근, quadriceps)의 안쪽(medial) 당김(pull)에 의해 추진된다.
㉢ 돌림성 잠김작용(rotary locking action)은 무릎 폄(무릎신전 knee extension)의 마지막 10도에서 시작된다.
㉣ 정강뼈(경골, tibia) 바깥 돌림(외회전, external rotation)과 무릎 폄의 결합은 성인 무릎의 접촉면을 최대화시킨다.

① ㉠, ㉡   ② ㉠, ㉣
③ ㉡, ㉢   ④ ㉢, ㉣

정답 ②

다음과 같이 수정할 수 있다.
☞2016년 기능해부학 14번 참고

㉡ 넙다리네갈래근(대퇴사두근, quadriceps)의 가쪽 당김에 의해 추진된다.
㉢ 돌림성 잠김작용(rotary locking action)은 무릎 폄(무릎신전 knee extension)의 마지막 30도에서 시작된다.

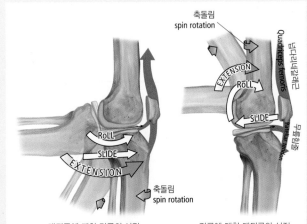

나사집돌림

16. 발목관절(talocrural joint)을 구성하는 뼈로 옳지 <u>않은</u> 것은?

① 정강이뼈(경골, tibia)
② 종아리뼈(비골, fibula)
③ 목말뼈(거골, talus)
④ 발꿈치뼈(종골, calcaneus)

정답 ④

해부학을 공부하는 수험생은 쉽게 해결할 수 있는 기초적인 문제이다.

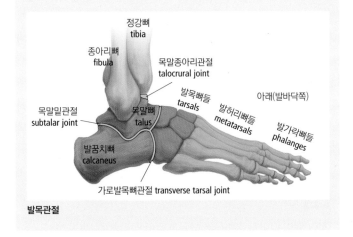

발목관절

17. 다음 중 길이가 가장 긴 근육은?

① 반힘줄모양근(반건양근, semitendinosus)
② 넙다리빗근(봉공근, sartorius)
③ 넙다리곧은근(대퇴직근, rectus femoris)
④ 넙다리두갈래근(대퇴이두근, biceps femoris)

정답 ②

가장 긴뼈를 휘감는 근육을 생각하면 해결되는 쉬운 문제이다.

18. <보기>는 하지의 열린사슬(open kinetic chain)에서 발목관절(talocrural joint)의 발등굽힘(배측굴곡, dorsiflexion) 동작 시 관절면의 움직임(arthrokinematics)에 대한 설명이다. <보기>의 ㉠과 ㉡에 들어갈 용어로 옳은 것은?

〈보기〉

· 움직이는 뼈는 목말뼈(거골, talus)이며, 관절면의 형태는 (㉠)이다.
· 미끄러짐(슬라이딩, sliding)과 굴림(회전, rolling)은 (㉡)방향으로 움직인다.

	㉠	㉡
①	볼록(convex)	반대
②	볼록(convex)	같다
③	오목(concave)	반대
④	오목(concave)	같다

정답 ①

볼록오목법칙에 관련된 문제이다.
☞ 2018년 기능해부학 4번 참고

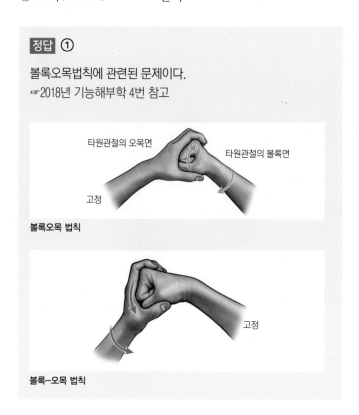

타원관절의 오목면
타원관절의 볼록면
고정
볼록오목 법칙

고정
볼록-오목 법칙

19. Q-각(Q-angle)과 관련된 설명으로 옳은 것을 <보기>에서 모두 고른 것은?

〈보기〉

㉠ Q-각이 클수록, 무릎뼈(슬개골, patellar)에 대한 근육의 가쪽(외측, lateral) 당김도 커진다.
㉡ Q-각의 증가는 무릎다리관절(슬개대퇴관절, patellofemoral joint)에서의 접촉면 증가로 무릎 스트레스 감소에 중요한 역할을 한다.
㉢ 남성이 여성보다 일반적으로 Q-각이 크다.
㉣ Q-각은 무릎뼈에 대한 넙다리네갈래근(대퇴사두근, quadriceps femoris)의 상대적 가쪽 당김을 일반적으로 측정할 수 있는 지표이다.

① ㉠, ㉡ ② ㉠, ㉣
③ ㉡, ㉢ ④ ㉢, ㉣

정답 ②

쉬운 문제이다.

㉡ Q-각의 증가는 무릎다리관절(슬개대퇴관절, patellofemoral joint)에서의 접촉면 증가로 무릎 스트레스 증가에 중요한 역할을 한다.
㉢ 여성이 남성보다 일반적으로 Q-각이 크다.

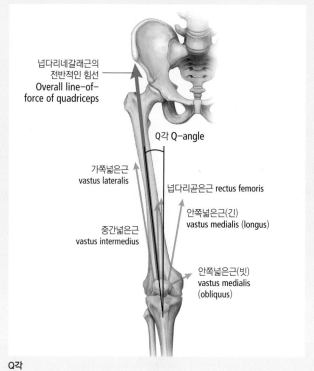

넙다리네갈래근의 전반적인 힘선
Overall line-of-force of quadriceps

Q각 Q-angle

가쪽넓은근
vastus lateralis

넙다리곧은근 rectus femoris

안쪽넓은근(긴)
vastus medialis (longus)

중간넓은근
vastus intermedius

안쪽넓은근(빗)
vastus medialis (obliquus)

Q각

2020

20. 넙다리네갈래근(대퇴사두근, quadriceps femoris)을 구성하는 근육 중 엉덩관절(hip)의 동작(action)에 영향을 미치는 근육은?

① 안쪽넓은근(내측광근, vastus medialis)
② 가쪽넓은근(외측광근, vastus lateralis)
③ 넙다리곧은근(대퇴직근, rectus femoris)
④ 중간넓은근(중간광근, vastus intermedius)

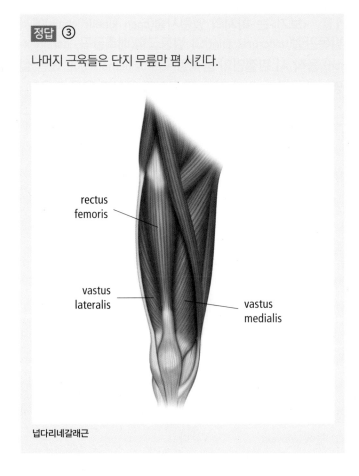

넙다리네갈래근

정답 ③

나머지 근육들은 단지 무릎만 폄 시킨다.

병태생리학

01. <보기>의 괄호 안에 들어갈 적절한 용어는?

─〈보기〉─

염증이 발생하면 혈관 평활근에 (㉠)이 분비되어 발열, 발적의 증상이 나타나고, 조직으로(㉡)이/가 유입되어 혈관 투과성이 항진된다. 섬유아세포는 (㉢)을/를 생성하여 반흔조직을 만든다.

	㉠	㉡	㉢
①	세로토닌 (serotonin)	류코트리엔 (leukotriene)	림프절 (lymph node)
②	히스타민 (histamine)	안지오텐신 (angiotensin)	대식세포 (macrophage)
③	세로토닌 (serotonin)	단핵구 (monocyte)	리소좀 (lysosome)
④	히스타민 (histamine)	백혈구 (leukocyte)	콜라겐 (collagen)

정답 ④

이 문제는 손상에 대한 조직의 치유과정(염증반응 단계→섬유아세포회복 단계→성숙·재형성 단계)을 묻는 문제이다.
즉 염증반응 단계→섬유아세포회복 단계까지의 과정의 화학적 물질에 관련한 내용이다.
염증이란 선천적 면역으로 포식세포가 중요한 역할을 하는 손상조직에 대한 비특이적인 반응으로 다른 면역세포의 지원을 받는다.

📖 보충학습
① 세로토닌 : 혈관확장 및 발적(히스타민과 유사)
② 히스타민 : 염증과 알레르기 반응 동안 국소적인 혈관확장 촉진
③ 류코트리엔 : 혈관과 평활근의 운동 및 백혈구의 동원에 관여
④ 콜라겐 : 결합조직에서 발견되는 강한 섬유성 단백질

02. 악성종양의 특징으로 옳은 것은?

─〈보기〉─

㉠ 미분화된 세포로 구성되어 있다.
㉡ 세포 증식 속도가 느리다.
㉢ 세포자살(apoptosis)을 회피하는 능력이 있다.
㉣ 모양이 일정하고 주변 조직간 경계가 명확하다.
㉤ 혈관신생(angiogenesis)이 특징적이다.

① ㉠, ㉡, ㉣　　　　② ㉠, ㉢, ㉤
③ ㉡, ㉢, ㉣　　　　④ ㉡, ㉢, ㉤

정답 ②

매년 출제되는 빈도가 높은 주제이다. 쉬운 문제이다.

☞ 2015년 병태생리학 15번, 2019년 병태생리학 14번 해설 참고

03. 척추옆굽음증(척추측만증, scoliosis) 환자에 대한 설명으로 옳지 <u>않은</u> 것은?

① 대부분이 특발성(idiopathic) 환자이다.
② 남성보다 여성에서 흔하며 사춘기 직전 급성장하는 시기에도 발생한다.
③ 서 있으면 솟은 어깨쪽의 반대측 골반이 상대적으로 낮다.
④ 척추의 가쪽편위(lateral deviation)와 함께 솟은 어깨뼈와 갈비뼈 변형이 나타난다.

2020

정답 ③

③ 서 있으면 솟은 어깨쪽의 반대측 골반이 상대적으로 높다.

☞ 2015년 병태생리학 10번, 2017년 병태생리학 13번 해설 참고

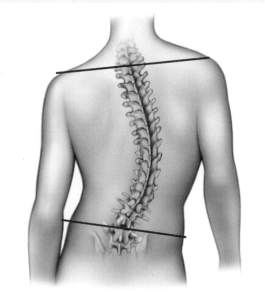

불균형한 어깨높이와
골반높이를 보인다.

척추측만증

04. <보기>의 대사 증후군(metabolic syndrome) 진단항목에 대한 설명으로 옳은 것은? (대한비만학회 진단기준 사용)

<보기>

- 좌업생활자
- 50세 남성
- 복부둘레 : 103cm
- 중성지방 : 180mg/dL
- 혈압 : 수축기 128mmHg, 이완기 83 mmHg
  (※ 현재 칼슘채널차단제, ACE 억제제 복용 중)
- 공복혈당 : 96mg/dL (※ 현재 당뇨약-메트포민 복용 중)
- HDL(고밀도지단백질) 콜레스테롤 : 45 mg/dL

① 진단기준 4가지가 포함되어 운동학적 접근으로 관리가 필요함

② 진단기준에는 부합되지 않으나 약을 복용하기 때문에 관리가 필요함

③ 진단기준 2가지가 포함되어 심혈관질환 위험요인 감소를 위한 생활습관 교정이 필요함

④ 진단기준 3가지를 포함하되, 대사증후군에는 해당되지 않으며 복부관리를 위한 운동처방이 필요함

정답 ①

이 문제는 대한비만학회 진단기준을 몰라도 평소 ACSM 가이드라인만 숙지하고 있어도 4가지가 포함되기 때문에 해결할 수 있는 문제이다.
대한비만학회 혈압진단기준 : 수축기 130mmHg, 이완기 85 mmHg

05. <보기>에서 급성 심근경색 발병 시 손상 근육에서 유리된 혈중 지표로 옳은 것을 모두 고른 것은?

<보기>

㉠ 크레아틴 인산화효소 MB분절(CK-MB isoenzyme M & B)
㉡ C-반응형 단백질(C-reactive protein, CRP)
㉢ 젖산탈수소효소(lactate dehydrogenase, LDH)
㉣ 카탈라제(catalase)
㉤ 심장 트로포닌(cTnT & cTn I)

① ㉠, ㉡, ㉣   ② ㉠, ㉢, ㉤
③ ㉠, ㉢, ㉣   ④ ㉡, ㉢, ㉣, ㉤

정답 ②

㉡은 급성 염증반응 시 나타나는 물질이며, ㉣은 몸속에서 단백질을 분해하고 나면 활성산소가 생기는데 간에서 이 효소를 이용해서 요소로 전환한다.

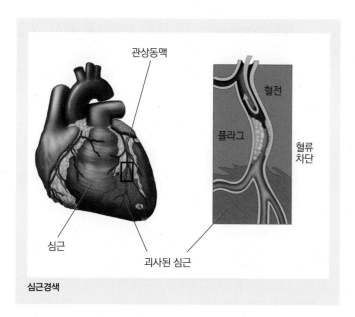

심근경색

06. <보기>의 당뇨병성 케톤산증(diabetic ketoacidosis, DKA)에 대한 설명으로 옳은 것을 모두 고른 것은?

〈보기〉
⊙ 인슐린 사용을 중단할 경우 발생
ⓒ 2형 당뇨병에서 주로 발생
ⓒ 산-염기 불균형 발생
ⓔ 포도당 대사 증가
ⓜ 지방 대사 증가

① ⊙, ⓒ, ⓔ
② ⊙, ⓒ, ⓜ
③ ⓒ, ⓒ, ⓔ
④ ⓒ, ⓔ, ⓜ

정답 ②

당뇨병성 케톤산증은 인슐린의존성 당뇨병과 지방의 대사와 관련이 있다.
☞2014년 병태생리학 06번 참고

07. 일과성 허혈발작(transient ischemic attacks, TIA)의 설명으로 옳은 것은?

① 발병 직후 48~72시간 내 대뇌부종과 경색부위가 나타나며 신경학적 결손이 생긴다.
② 수막종 및 악성림프종 환자에게 발생하며 1/3은 결국 3년 내 심각한 치매로 진행된다.
③ 뇌 일부에 혈액공급이 일시적으로 감소되어 신경세포의 비가역적 변화가 일어날 수 있다.
④ 즉각적인 의료적 처치는 필요하지 않으나, 경미한 뇌졸중이므로 세심한 주의가 필요하다.

정답 ③

① 발병 직후 24시간 내 신경학적 결손이 사라진다.
② 수막종 및 악성림프종은 일과성 허혈발작의 직접적인 원인이 아니며, 뇌와 척수를 덮는 막에 발생하는 암이다.
④ 즉각적인 의료적 처치가 필요하다.

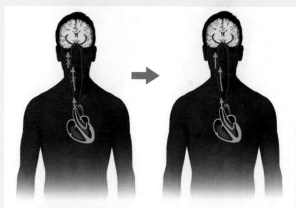

일시적인 뇌혈류 부전으로 허혈성 뇌졸중 증상 발생

24시간 이내에 증상이 완전히 소실됨

일과성허혈발작

일과성대뇌허혈발작은 뇌로 가는 혈액이 일시적으로 부족해서 생기는 뇌졸중 증상이 발생한 지 24시간 이내에 완전히 회복되는 질환을 말한다.

08. 심방세동(atrial fibrillation, AF)에 대한 설명으로 옳지 <u>않은</u> 것은?

① 노인 남성에서 발병빈도가 높다.
② 심전도 검사에서 QRS 복합체를 확인할 수 없다.
③ 심방세동에 의한 뇌졸중을 예방하기 위해 항응고제 치료가 필요하다.
④ 심방의 각 부분이 300회/분 이상의 높은 빈도로 무질서하게 흥분된 상태이다.

정답 ②

심방세동은 임상에서 접하게 되는 가장 흔한 부정맥으로 뚜렷한 P파가 없으며, 완전히 불규칙적 심전도 소견을 갖는다. 심방활동은 연속적이며 무작위로 발생하는 일련의 진동형태로 나타난다. 리듬이 좁은 QRS파는 비교적 정상으로 나타나지만 불규칙적이다.

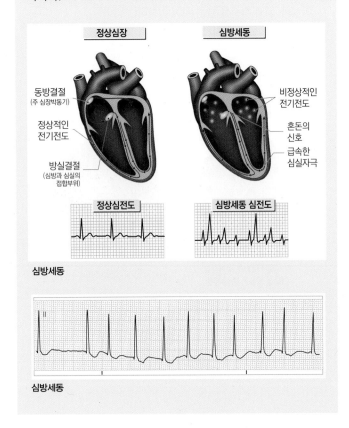

09. 고혈압(hypertension)에 대한 설명으로 옳지 <u>않은</u> 것은?

① 콩팥으로 가는 혈류가 감소하면 사구체 인접세포에서 알도스테론이 분비된다.
② 합병증으로 만성콩팥기능상실이 나타날 수 있다.
③ 쿠싱증후군에 의해 이차성 고혈압이 발생 될 수 있다.
④ 죽종(atheroma) 형성을 가속시켜 동맥벽의 퇴행성 변화를 일으킬 수 있다.

정답 ①

① 콩팥으로 가는 혈류가 감소하면 사구체 인접세포에서 레닌이 분비된다.

📖 보충학습

쿠싱병은 뇌하수체 전엽에서 분비되는 부신피질자극호르몬 증가로 인해 부신 코르티솔 과잉이 나타나는 질환으로 심근증, 고혈압, 복부비만 등 코르티솔 호르몬 과잉에 따른 다양한 증상 및 합병증을 보이는 것이 특징이다.

10. 관절질환에 대한 설명으로 옳지 <u>않은</u> 것은?

① 변형성 엉덩관절염(coxarthrosis)은 패트릭(Patrick) 검사로 통증을 확인할 수 있다.
② 뼈 관절염(osteoarthritis)은 퇴행성 관절염(degenerative arthritis)이라고도 한다.
③ 변형성 엉덩관절염은 구축(contracture)으로 파행(claudication)이 발생하기도 한다.
④ 뼈 관절염은 주로 남성의 무릎과 여성의 엉덩관절(hip joint)에 발생하기 쉽다.

정답 ④

④ 뼈 관절염은 주로 남성은 엉덩관절, 여성은 손 또는 무릎관절에서 발생하기 쉽다.

골관절염은 국소관절에 점진적인 연골 소실 및 퇴행성 변화로 인해 염증과 통증이 발생하는 가장 흔한 관절질환이다. 중년층 이후 발병률이 높아 퇴행성관절염이라고도 한다.

체중부하관절에 주로 발병하며 다리에서는 무릎관절, 엉덩관절에서 발병하며, 척추에서는 허리뼈와 그리고 목뼈에서도 호발한다. 과체중과 비만은 관절염질환의 위험을 증가시키는데 특히 여성은 무릎관절염, 남성의 통풍이 해당된다.

11. <보기>에서 만성기관지염의 병태생리적 특성으로 옳은 것을 모두 고른 것은?

─〈보기〉─
- ㉠ 점액의 과도한 분비
- ㉡ 흡연 및 대기오염이 원인
- ㉢ 허파꽈리(폐포, alveolus) 벽과 허파꽈리중격의 파괴
- ㉣ 비가역적 기관지 변화
- ㉤ 기관지벽의 섬유화

① ㉠, ㉡, ㉣
② ㉡, ㉢, ㉤
③ ㉢, ㉣, ㉤
④ ㉠, ㉡, ㉣, ㉤

정답 ④

만성기관지염의 발생에서 원발성인자 혹은 유발인자는 담배연기(90%) 외에 곡물, 면, 규산염으로부터 나오는 먼지 등의 흡입물질에 의한 장기적인 자극으로 간주된다.

㉢ 허파꽈리(폐포, alveolus) 벽과 허파꽈리중격의 파괴는 폐기종에 해당된다.

📖 보충학습

흡연과 흡입된 오염원은 지속적인 염증세포 침윤의 원인이 되고, elastase와 산화제를 방출하여 폐포벽을 파괴한다.

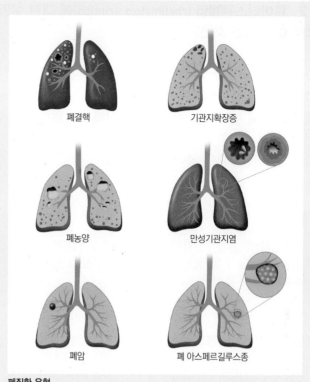

폐질환 유형

폐결핵 · 기관지확장증 · 폐농양 · 만성기관지염 · 폐암 · 폐 아스페르길루스종

정상 기관지
만성 기관지염
만성기관지염

2020

12. 류머티스관절염 (rheumatoid arthritis)에 대한 설명으로 옳지 <u>않은</u> 것은?

① 퓨린(purine)대사 장애로 인한 급성질환이다.
② 손과 발의 작은 관절에서 발생한다.
③ 연골 파괴 및 두꺼운 활액막으로 인해 관절변형이 발생한다.
④ 남성보다는 여성에게 주로 발생한다.

정답 ①

①은 통풍성관절염에 관련된 내용이다. 통풍성관절염은 모든 관절에서 발생할 수 있지만 엄지발가락, 발목관절 등 신장의 요소 배설이 감소될 때 나타난다.

📖 보충학습

통풍은 요산일나트륨이 관절 속과 관절 주위에 결정화됨으로써 발병하는 급성관절염의 일성발작이 특징이다. 통풍에서 염증은 관절속에 요산일나트륨 결정이 침착되어 유발되는데, 이는 백혈구를 유입시키는 사이토카인 분비를 촉진시킨다.

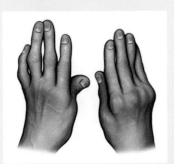

류마티스관절염

13. 뼈괴사(무혈관괴사. osteonecrosis)에 대한 설명으로 옳은 것은?

① 뼈의 물리적인 혈관 손상 후에는 출현하지 않는다.
② 10세 전후의 여자 어린이에게 주로 발생하는 특발성 질환이다.
③ 과도한 코르티코스테로이드(corticosteroids) 치료에 의한 발병과는 무관하다.
④ 상지보다 하지에서 발생빈도가 높으며 주로 넙다리뼈머리(대퇴골두, femoral head)에서 나타난다.

정답 ④

① 뼈의 물리적인 혈관 손상 후에 출현한다.
② 50대가 30%를 차지하는 특발성 질환이다.
③ 장기간 음주와 스테로이드 약물 때문에 발병한다.

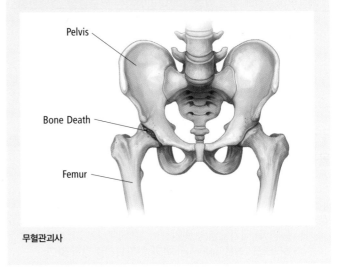

무혈관괴사

14. <보기>에서 천식의 병태생리적 특징으로 옳은 것을 모두 고른 것은?

〈보기〉

㉠ 면역글로불린 E (IgE)-매개성 면역반응
㉡ 세기관지 평활근 수축
㉢ 종말 세기관지 말단 공간 확장
㉣ 속효성 β_2-아드레날린성 효능제인 알부테롤(albuterol) 사용
㉤ 기도 내 점액성 분비물 증가

① ㉠, ㉡, ㉣
② ㉠, ㉢, ㉣, ㉤
③ ㉠, ㉡, ㉣, ㉤
④ ㉡, ㉢, ㉣

정답 ③

천식은 매년 조금씩 옷을 갈아입은 채 출제되고 있다.

㉢ 종말 세기관지 말단 공간 축소로 수정해야 한다.
  종말 세기관지 말단 공간 확장은 폐기종에 해당되는 내용이다. β_2-아드레날린성 효능제인 알부테롤은 기관지 경련 안정제이다.

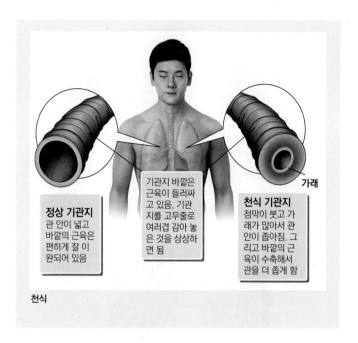

천식

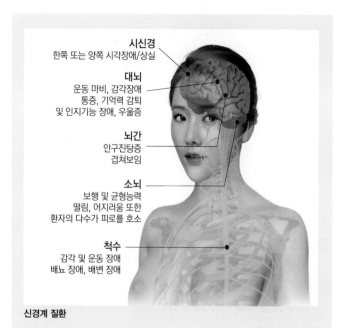

신경계 질환

📖 보충학습

다발성경화증은 젊은 성인에서의 만성적인 탈수초화 질환이다. 면역시스템이 정상세포와 조직들을 공격하여 손상시키는 증상이며, 통증과 함께 신경기능의 장애가 발생하므로 주로 감각에 이상이 생길 수 있다. 진행과정은 개인에 따라 매우 다양하게 나타나므로 예측이 어렵고, 어떤 중추신경계가 영향을 받느냐에 따라 다양한 증상이 나타난다.

15. <보기>에서 자가면역질환(autoimmune disease)을 모두 고른 것은?

─〈보기〉─

ⓐ 근위축성 측삭경화증(amyotrophic lateral sclerosis)
ⓑ 다발성경화증(multiple sclerosis)
ⓒ 척수소뇌운동실조증(spinocerebellar ataxias)
ⓓ 중증근무력증(myasthenia gravis)

① ㉠, ㉡   ② ㉠, ㉢
③ ㉡, ㉣   ④ ㉢, ㉣

정답 ③

병명에 따른 증상을 큰 차원에서 숙지하는 것이 중요하다.
ⓐ 근위축성 측삭경화증 : 뇌에서 근육으로 움직이라는 신호를 전달하는 운동신경세포가 점점 파괴되면서 온몸의 근육이 점점 약해지는 질환
ⓑ 다발성경화증 : 뇌와 척수의 탈수초성으로 근력 약화와 감각 장애를 일으키는 질환
ⓒ 척수소뇌운동실조증 : 운동마비와 운동조절장애 질환
ⓓ 중증근무력증 : 일시적인 근력약화와 피로를 특징으로 하는 가장 대표적인 신경근육접합 질환

16. <보기>의 신경손상 및 마비에 대한 설명으로 옳은 것을 모두 고른 것은?

─〈보기〉─

ⓐ S3~4 신경손상 : 무릎반사(knee jerk reflex) 소실과 관련한다.
ⓑ 급성특발다발신경염(Guillain-Barre Syndrome) : 대식세포의 말초침투와 말이집(미엘린, myelin)탈락과 관련있다.
ⓒ 말초신경병증(peripheral nerve disease) : 원인으로 당뇨병, 알콜 중독, 신부전이 관련한다.
ⓓ 종아리신경(fibular n.) 마비 : 안쪽 종아리 감각상실과 발의 안쪽번짐 (inversion) 능력이 떨어진다.
ⓔ 척수타박상(spinal contusion) : 뇌척수액 압력상승 및 척수의 회백질 이상과 관련한다.

① ㉠, ㉢, ㉤   ② ㉠, ㉡, ㉣
③ ㉡, ㉣, ㉤   ④ ㉡, ㉢, ㉤

이 문제는 신경손상에 대한 문제로서 심도있게 공부해야 풀 수 있다. 다음과 같이 수정할 수 있다.

㉠ L₄ 신경손상 : 무릎반사(knee jerk reflex) 소실과 나타난다.

㉣ 종아리신경(fibular n.) 마비 : 발목관절의 발등굽힘과 발가락 관절의 폄근육들에서 근력약화가 뚜렷하게 나타남

17. 울혈성 심부전(congestive heart failure)에 대한 설명으로 옳은 것은?

① 증상 완화를 위해 디곡신(digoxin)과 이뇨제, 예후 개선을 위해 ACE억제제와 베타차단제를 각각 사용한다.

② 박출률감소 심부전(heart failure with reduced ejection fraction, HFrEF)은 박출률(EF)이 40% 미만이고 이완기말 용적이 감소한다.

③ 박출률감소 심부전(heart failure with reduced ejection fraction, HFpEF)은 박출률(EF)이 40% 이상이고 이완기말 용적이 증가한다.

④ 수축기와 이완기 기능장애와 상관없이 동맥의 총 말초 저항이 감소한다.

② 박출률감소 심부전(heart failure with reduced ejection fraction, HFrEF)은 박출률(EF)이 40% 이하이고 수축기말 용적이 감소한다.

③ 박출률감소 심부전(heart failure with reduced ejection fraction, HFpEF)은 박출률(EF)이 50% 이상이고 이완기말 용적이 증가한다.

④ 수축기와 이완기 기능장애와 상관없이 동맥의 총 말초저항이 증가한다.

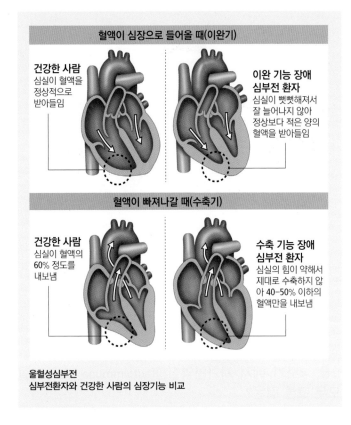

혈액이 심장으로 들어올 때(이완기)

건강한 사람 심실이 혈액을 정상적으로 받아들임

이완 기능 장애 심부전 환자 심실이 뻣뻣해져서 잘 늘어나지 않아 정상보다 적은 양의 혈액을 받아들임

혈액이 빠져나갈 때(수축기)

건강한 사람 심실이 혈액의 60% 정도를 내보냄

수축 기능 장애 심부전 환자 심실의 힘이 약해서 제대로 수축하지 않아 40~50% 이하의 혈액만을 내보냄

울혈성심부전
심부전환자와 건강한 사람의 심장기능 비교

18. 알츠하이머성 치매(Alzheimer's dementia)에 대한 설명으로 옳은 것은?

① 뇌실이 확장되고 대뇌 고랑(sulci)폭이 넓어 보인다.

② 아세틸콜린의 양을 감소시키는 약제가 효과적이다.

③ 타우(tau)단백질의 인산화 감소와 관련하는 질환이다.

④ 해마의 위축은 관찰되지 않으나 소뇌에서의 혈류저하가 나타난다.

② 아세틸콜린의 양을 감소시키지 않는 억제제가 필요하다.

③ 타우(tau)단백질의 인산화 증가와 관련하는 질환이다.

④ 해마의 위축 및 내측 측두엽의 위축이 뚜렷하게 나타난다.

19. 파킨슨 병(Parkinson's disease)의 병태 특성으로 옳은 것은?

① 움직임과 관련된 소뇌의 신경에서 병변이 시작된다.
② 상위신경세포 장애와 근육의 강직(rigidity)이 보인다.
③ 살충제와 제초제의 노출이 발병의 위험성을 증가시킬 수 있다.
④ 루게릭병이라고도 하며, 원인으로는 제3 뇌신경의 손상이 포함된다.

정답 ③

① 움직임과 관련된 뇌기저핵과 추체외로의 신경에서 병변이 시작된다.
④ 루게릭병은 운동신경 세포만 선택적으로 파괴되는 질환이다.

📖 보충학습
파킨슨병은 뇌의 도파민 전달물질의 부족으로 여러 운동기능 장애를 보이는 대표적인 신경퇴행성 질환이다. 주요증상으로는 손떨림(진전), 서동(행동이 느려짐), 경직(근육이 뻣뻣해짐), 자세 불안정(상체가 앞으로 굽음)이다.

20. 세포간질액(interstitial fluids)이 과잉 축적되는 부종(edema)의 병태생리학적 기전과 증상에 대한 설명으로 옳지 <u>않은</u> 것은?

① 악성림프관 폐색의 순환장애에 의해서도 발생된다.
② 심부전증, 신장질환, 임신, 환경성 열 스트레스로 모세혈관압이 증가된다.
③ 부종으로 인한 체액 저류로 혈중 헤마토크리트가 감소한다.
④ 순환장애로 인해 혈청 나트륨이 증가하고 소변량이 줄어든다.

정답 ④

병태생리학 역시 우리의 삶과 밀접하게 관련된 문제들이 출제되고 있다.

순환장애로 인해 혈청 나트륨이 감소하고 소변량이 줄어든다.

스포츠심리학

01. <보기>에서 설명하는 지각은?

〈보기〉

- 영아의 지각 운동발달의 특성
- 시각 절벽(visual cliff) 실험을 통해서 검증
- 이동 거리를 판단하는데 중요한 요소로 작용

① 색채 지각(color perception)
② 깊이 지각(depth perception)
③ 청각 지각(auditory perception)
④ 균형 지각(balance perception)

정답 ②

운동발달에 관련된 문제로서 운동의 발달은 지각 및 인지의 발달을 토대로 이루어진다고 할 수 있다.
① 색채 지각은 물체의 표면에서 반사된 빛을 눈에서 받아들임으로써 우리 눈이 받아들이는 과정을 말한다.

시 · 지각의 주요 요소들과 그 내용

시 지각의 요소	지각 내용
크기 항등성 지각	물체의 위치가 변하더라도 같은 크기의 물체를 같은 크기로 인식하는 것
형태-주변 기각	관찰하려는 물체(형태)를 그 주변(배경)으로부터 구분하는 능력
전체-부분 지각	주어진 시야에서 물체나 모양의 부분과 전체를 구분하는 능력과 부분을 통해 전체를 파악할 수 있는 능력
깊이 지각	우리 몸과 떨어져 있는 물체와의 거리를 판단하고, 물체를 2차원이 아닌 3차원으로 인식하는 능력
공간 지각	공간에서의 물체의 방향이나 위치에 대한 인식
움직임 지각	눈으로 물체를 따라 움직이는 능력, 다른 지각들과 통합하여 다른 사람이나 물체의 움직임과 그 의미를 파악할 수 있음

절벽 쪽   평지 쪽

투명한 플라스틱 표면

깊이지각

02. 스포츠 심리검사에 관한 설명으로 옳은 것은?

① 임상병리 진단 도구를 운동선수에게 사용
② 주변의 연구하기 편리한 팀을 대상으로 검사
③ 검사자는 심리검사에 대한 자신의 한계를 고려해야 함
④ 검사에서 얻은 상관관계를 인과관계로 확대하여 해석

정답 ③

비교적 쉬운 문제로서 ①은 의료검사, ②는 신뢰도 · 타당도 · 객관도 등을 고려해야 한다. ④는 검사의 통계는 확대 해석하지 않도록 한다.

03. 불연속적 기술(discrete skill)로 적절하지 않은 것은?

① 축구 킥
② 공 던지기
③ 다트 던지기
④ 자동차 운전하기

정답 ④

평소 스포츠심리학을 공부한 수험생이면 쉽게 해결할 수 있는 문제이다.

분류 기준	근육의 크기		움직임의 연속성			환경의 변화	
운동 기술	대근 운동 기술	소근 운동 기술	불연속적 운동 기술	계열적 운동 기술	연속적 운동 기술	폐쇄 운동 기술	개방 운동 기술
예	• 달리기 • 걷기 • 던지기 • 차기	• 글쓰기 • 타이핑 • 그리기 • 피아노 치기	• 야구의 투구와 타격 • 농구의 슛 • 골프의 스윙	• 체조의 연 기 동작 • 야구의 수 비 기술	• 걷기 • 달리기 • 수영 • 사이클	• 골프 • 사격 • 양궁 • 볼링	• 농구 • 축구 • 배구 • 야구

04. 스포츠심리학 연구에서 '다양한 방법으로 이론을 검증하여 가장 효과적인 현장 실천 방법을 선택하는 과정'은?

① 증거 기반 실천(evidence-based practice)
② 학습 기반 실천(learning-based practice)
③ 오류 기반 실천(error-based practice)
④ 행동 기반 실천(behavior-based practice)

정답 ①

증거 기반 실천은 축적된 과학적 지식과 현장 경험 지식을 방법으로써 기반(6단계) 실천을 진행하기 때문에 효율이 높다고 할 수 있다.

상세한 내용은 "박승화 체육스포츠" 강의를 통해서 가능하다.

05. <보기>에서 설명하는 운동의 심리적 효과에 대한 가설로 옳은 것은?

〈보기〉

㉠ 규칙적인 운동은 스트레스를 규칙적으로 가하는 것과 유사해서 대처능력이 좋아지고 정서적으로 안정되기 때문에 불안이 줄어든다.
㉡ 규칙적인 운동은 세로토닌(serotonin), 노에피네프린(norepinephrine), 도파민(dopamine)과 같은 신경전달물질의 분비로 우울증을 개선한다.

	㉠	㉡
①	주의효과 가설	엔돌핀 가설
②	사회심리적 가설	모노아민 가설
③	기분전환 가설	엔돌핀 가설
④	생리적 강인함 가설	모노아민 가설

정답 ④

운동과 정서변화의 메커니즘에 관련된 설을 추가적으로 알아두면 향후 문제를 해결하는 데 많은 도움이 될 것이다.

• 엔돌핀 가설 : 운동 중과 후에 분비가 늘어난 베타 엔돌핀으로 인하여 정서가 개선된다는 가설
• 기분전환 가설 : 운동 중에는 운동에 집중하여 일상생활에서의 번잡함을 잊기 때문에 정서적 건강에 도움이 된다는 가설
• 사회적 상호작용 가설 : 운동을 하면서 타인과의 상호작용이 많아지기 때문에 정서적 효과가 발생한다는 가설
• 기분전환 가설 : 운동 중에는 운동에 집중하여 일상생활에서의 번잡함을 잊기 때문에 정서적 건강에 도움이 된다는 가설

06. <보기>의 ㉠, ㉡에 알맞은 용어는?

〈보기〉

수영장에서 자유형을 배우기 시작한 정현이는 양팔 스트로크 동작 수행 시 관절과 근육 간의 상호작용이 잘 이루어지지 않아 (㉠)의 어려움을 보였다. 그렇지만. 많은 연습을 통해서 신체 제어체계를 구성하는 근육과 관절의 (㉡)을/를 잘 활용할 수 있게 되었다.

2020

	㉠	㉡
①	전이(transfer)	파지(retention)
②	학습(learning)	전형적 반응(typical response)
③	어포던스(affordance)	어트랙터(attractor)
④	협응(coordination)	자유도(degree of freedom)

정답 ④

이 문제는 운동학습과 제어를 공부하는 수험생에게는 쉬운 문제이다.
협응은 수행하고자 하는 동작의 목적에 따라서 형성되는 신체와 사지의 상대적인 움직임 형태를 말하며, 자유도란 시스템의 독립적인 구성 요인의 수를 나타내는 것으로, 기하학적인 구속 없이 시스템의 위치를 표현하는 데에 요구되는 최소한의 운동학적 좌표이다.

📖 보충학습

어트랙터는 매우 안정된 상태로, 이는 시스템이 선호하는 협응 상태를 말한다.
어포던스는 유기체·환경·과제의 상호관계 속에서 나타날 수 있는 동작의 가능성을 말한다.

07. <보기>에서 설명하는 정보처리과정 3단계가 바르게 연결된 것은?

―〈보기〉―
㉠ 배구경기에서 리시버는 상대 선수 서브를 오버 핸드로 받기로 결정함
㉡ 배구경기에서 리시버는 상대 선수 서브의 궤적, 방향, 속도 등을 탐색함
㉢ 배구경기에서 리시버는 상대 선수 서브의 특성을 파악하고 어떻게 받을지 생각함

	자극확인 단계	반응선택 단계	운동(반응) 프로그래밍 단계
①	㉠	㉡	㉢
②	㉠	㉢	㉡
③	㉡	㉢	㉠
④	㉢	㉡	㉠

정답 ③

필자가 강의 시간에 감각·지각(탐색)→반응선택(의사결정)→반응실행(계획)의 순서로 많이 강조했던 내용이다. 각 단계에서 특성에 따라 정보를 처리할 수 있는 능력의 차이가 있다.

정보처리 과정과 반응시간의 관계

08. 피츠(Fitts)의 법칙에 관한 설명으로 적절하지 <u>않은</u> 것은?

① 과제 난이도 지수(index of difficulty)의 영향을 받음
② 움직임 거리와 목표 폭에 따라 움직임 시간의 변화가 나타남
③ 자극의 수(자극-반응의 대안 수)가 증가할수록 반응시간이 증가함
④ 움직임의 속도가 증가하면 정확성이 감소하는 속도-정확성 상쇄 현상(speed-accuracy trade-off)이 나타남

정답 ③

Fitts의 법칙을 알고 있어야 쉽게 해결할 수 있는 문제이다.

$$MT = a + b \cdot \log_2 \left(\frac{2D}{W} \right)$$

[MT : 운동시간, D : 움직인 거리, W : 목표물의 크기, a, b: 상수]

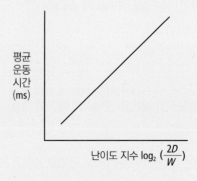

③은 강의시간에 그리면서 설명했던 Hick의 법칙이다. 만약 이 문제에서 Hick의 법칙에 해당하는 것은? 정답③이다.

Fitts의 과제

09. <보기>에서 나이데퍼(Nideffer)의 주의모형 영역과 설명이 바르게 연결된 것은?

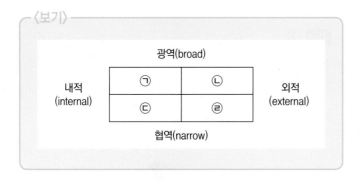

① ㉠-경기 전략 계획 및 정보를 분석
② ㉡-사격, 양궁과 같이 특정한 목표에 집중
③ ㉢-외부 환경 평가를 통해 패스할 동료 선수 파악
④ ㉣-심리적 연습(심상)을 할 때 내면의 생각에 초점

정답 ①

②-㉣, ③-㉡, ④-㉢에 해당한다.
☞2016년 스포츠심리학 06번 참고

10. <보기>의 ㉠, ㉡에 해당하는 스키마 이론(schema theory)의 개념은?

┌─〈보기〉─────────────────────────

테니스 포핸드 스트로크 상황에서 승현이는 (㉠)을 통해 과거의 운동 결과를 근거로 움직임을 계획 및 생성하려고 한다. 포핸드 스트로크 후 (㉡)을 통해 볼이 라켓에 정확히 맞지 못하고 라인을 벗어난 것을 알게 되었다.

└──────────────────────────────

	㉠	㉡
①	회상 도식	재인 도식
②	장기기억	작동/작업기억
③	서술적 지식	절차적 지식
④	이미지 부호화 시스템	언어 부호화 시스템

정답 ①

이 문제의 정답을 고르는 것은 어렵지 않았다. 왜냐하면 스키마 이론과 관련된 항목은 ①번외에 없기 때문이다. 나머지 항목들은 모두 기억과 관계가 있다.

📖 보충학습

회상도식은 과거의 반응명세를 실제 결과에 비교하여 초기 조건에 맞추어 형성한 계획으로 운동 반응의 시작과 실행을 제어하는 역할을 한다.
재인도식은 정확성 참조준거라고도 하며, 이는 과거의 실제결과와 감각결과, 그리고 초기조건 등의 관계를 바탕으로 형성되고 이것은 피드백 정보와 비교하여 오류를 평가한다.

2020

11. <보기>에서 칙센미하이(Csikszentmihalyi, 1990)가 제시한 몰입(flow)의 하위차원에 대한 설명으로 바르게 묶인 것은?

〈보기〉

ㄱ 생각과 동작이 하나로 되면서 자의식이 생겨남
ㄴ 시간이 빠르거나 느리게 느껴지는 감각의 변화
ㄷ 의도적인 통제하에 동작이 제어되는 경험을 함
ㄹ 명확한 목표가 있어 무엇을 해야 하는지를 분명하게 알고 있음
ㅁ 도전해야 할 상황과 자신의 기술이 모두 높은 상태이며 균형을 이룸

① ㄱ, ㄴ, ㄷ
② ㄱ, ㄹ, ㅁ
③ ㄴ, ㄷ, ㅁ
④ ㄴ, ㄹ, ㅁ

정답 ④

몰입은 기술-실력과 도전-과제의 균형을 이루는 상황에서 수행에 완전히 집중할 때 발생한다.

다음과 같이 수정할 수 있다.
ㄱ 생각과 동작이 하나로 되면서 자의식이 사라짐
ㄷ 자발적으로 동작이 제어되는 경험을 함

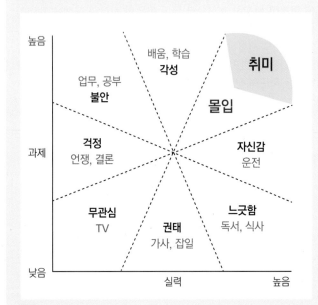

몰입
과제와 실력의 함수관계

몰입은 지각된 과제(도전)와 실력(기술)의 수준이 평균 이상일 때 경험하고, 평균 이하일 때는 무관심을 경험한다.

12. <보기>는 심상 훈련(image training)에 대한 설명이다. 참·거짓을 바르게 나열한 것은?

〈보기〉

ㄱ 연습·시합 직후에 실시하는 심상 훈련은 효과적이지 않다.
ㄴ 시합을 준비하는 과정에서 수행 전 루틴을 떠올려 자신감을 높인다.
ㄷ 심상 훈련은 동기 강화에는 효과가 없지만, 집중력 향상에는 도움이 된다.
ㄹ 심상 훈련 시 뇌와 근육에는 실제로 동작을 할 때와 유사한 전기 자극이 발생한다.

	ㄱ	ㄴ	ㄷ	ㄹ
①	거짓	거짓	참	참
②	참	참	거짓	참
③	거짓	참	거짓	참
④	참	참	참	거짓

정답 ③

쉬운 문제로서 "박승화 체육스포츠[www.peteaccher]"의 강의에서는 심상의 이론과 단계 등의 예상문제를 제시하고 있다.

☞2016년 스포츠심리학 09번 참고

심상 훈련

13. <보기>에서 변화단계이론(stage of change theory: 범이론모형 ; transtheoretical model)의 단계 변화 요인을 모두 고른 것은?

─〈보기〉─

㉠ 운동했을 때 기대되는 혜택과 손실에 대한 평가
㉡ 운동에 대한 태도, 생각, 느낌 등을 바꾸는 과정
㉢ 사회적 환경, 물리적 환경, 정책 변인 등과의 상호작용
㉣ 자신에게 영향을 미치는 중요한 타자(significant others)로부터의 피드백

① ㉠, ㉡　　　　　　② ㉠, ㉡, ㉣
③ ㉢, ㉣　　　　　　④ ㉠, ㉡, ㉢, ㉣

정답 ②

운동실천 이론의 통합이론 중 하나이다.
㉢은 사회생태학 이론에 해당한다.

☞2015년 스포츠심리학 16번 참고

14. <보기>에서 일반화된 운동프로그램 (generalized motor program) 이론의 설명으로 바르게 묶인 것은?

─〈보기〉─

㉠ 움직임의 속도, 크기, 힘, 궤적 등은 가변성의 특성을 지님
㉡ 운동프로그램의 준비, 계획, 실행은 매개변수(parameters)의 영향을 받음
㉢ 움직임은 자기조직화(self-organization)와 비선형적(nonlinear) 특성을 지님
㉣ 움직임의 시간적 구조(동작시간의 비율)를 의미하는 상대적 타이밍은 불변성의 특성을 지님

① ㉠, ㉡, ㉢　　　　② ㉠, ㉡, ㉣
③ ㉠, ㉢, ㉣　　　　④ ㉡, ㉢, ㉣

정답 ②

일반화된 운동프로그램은 폐쇄회로 이론과 개방회로 이론의 장점만을 통합하여 도식 이론을 제안하였다.
㉢은 다이나믹시스템 이론에 해당한다.

15. <보기>는 스미스(Smith, 1980)의 인지적-감정적 스트레스 모형 (cognitive-affective stress model)이다. ㉠과 ㉡에 해당하는 중재기법으로 옳은 것은?

─〈보기〉─

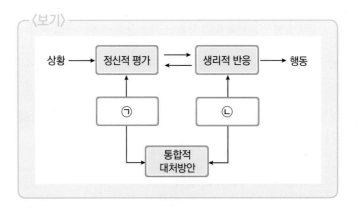

	㉠	㉡
①	주의연합 (attentional association)	주의분리 (attentional dissociation)
②	인지재구성 (cognitive restructuring)	심호흡(deep breathing)
③	문제중심대처 (problem-focused coping)	정서중심대처 (emotion-focused coping)
④	체계적둔감화 (systematic desensitization)	자생훈련 (autogenic training)

정답 ②

Smith는 인지적 전략과 행동적 전략을 모두 포함한 통합된 반응을 보이는 스트레스 관리 프로그램을 개발하였다. 통합된 일련의 기술과 전략을 사용하여 사람들은 대처 반응을 상황에 맞게 그리고 그들의 개인적 선호도에 맞게 조절할 수 있다.
㉡에는 이완기술 훈련을 대신하기도 한다.

16. 주의와 관련된 설명으로 옳지 <u>않은</u> 것은?

① 스트룹(Stroop) 효과를 통해 주의와 간섭의 연관성 제시
② 칵테일 파티(cocktail party) 효과를 통해 선택적 주의의 특징제시
③ 지각협소화(perceptual narrowing)를 통해 주의와 각성수준의 연관성 제시
④ 맥락간섭(contextual-interference) 효과를 통해 주의와 심상수준의 연관성 제시

주의에 대한 문제는 이미 많이 출제되었고 다루었기 때문에 아래 기출문제를 참고하기 바란다.

운동기술을 연습함에 따라 학습된 기술 동작 간에는 간섭 현상이 발생하는데, 이를 맥락간섭 효과라고 한다.

17. 운동 행동에서 자기효능감(self-efficacy)을 향상하기 위한 전략으로 옳지 <u>않은</u> 것은?

① 연습을 통한 직접적인 성취
② 긴장 상태에 대한 긍정적 해석
③ 최소화 전략(minimizing strategy)을 통한 훈련
④ 영상 편집을 통한 자신 모델링(self-modeling)

정답 ③

③은 사회적 태만현상 중 하나의 요인이다.

18. <보기>에서 설명하는 것은?

─〈보기〉─
• 내적 피드백과 구별되어 사용
• 움직임에 대한 역학적 정보 제공
• 움직임 생성과 패턴(특성)에 관한 정보

① 절대오차   ② 수행지식
③ 운동프로그램   ④ 심리적불응기

정답 ②

수행지식에 관련된 내용을 잘 숙지하고 있어야 향후 문제에서도 문제를 쉽게 해결할 수 있다.

	결과지식(KR)	수행지식(KP)
공통점	언어와 시각으로 제공, 움직임 종료 후 제공	
차이점	환경적 목적 관점에서의 결과에 대한 정보	움직임 생성과 움직임 패턴에 관한 정보
	내재적 피드백과 중복되어 사용	내재적 피드백과 구별하여 사용
	실험실 상황에서 유용하게 사용	실제 경기 과제에서 유용하게 사용

19. <보기>에서 하닌(Hanin, 1989)의 적정 기능역모형(zone of optimal functioning model)에 대한 설명으로 바르게 묶인 것은?

─〈보기〉─
㉠ 불안 수준은 한 점이 아닌 범위로 나타난다.
㉡ 최고의 수행을 발휘할 때 자신만의 고유한불안 수준이 존재한다.
㉢ 각성과 정서 사이의 관계는 각성에 대한 개인의 인지적 해석에 달려 있다.
㉣ 인지 불안이 낮을 때와 높을 때 신체적 각성의 증가에 따라 수행이 다르게 나타난다.

① ㉠, ㉡   ② ㉠, ㉣
③ ㉡, ㉢   ④ ㉢, ㉣

정답 ①

불안에 관련된 이론으로서 ㉢은 전환 이론, ㉣은 대격변 이론에 해당한다.

20. <보기>는 스포츠심리기술 훈련의 심리기법에 대한 설명이다. 옳은 것을 모두 고른 것은?

─〈보기〉─
㉠ 긍정적인 생각을 유지하고 적절한 단서에 집중
㉡ 불안상태를 적절한 수준으로 이완시키는 방법 습득
㉢ 시합 전 루틴을 통해 자신이 원하는 동작을 떠올림
㉣ 연습·경기목표를 설정하여 목표달성을 위한 지원책 마련

① ㉠, ㉡   ② ㉠, ㉢, ㉣
③ ㉡, ㉢, ㉣   ④ ㉠, ㉡, ㉢, ㉣

정답 ④

스포츠심리기술은 생각과 감정의 조절을 통해 스포츠 상황에서 겪는 스트레스를 극복하고 경기력을 극대화하는데 필요한 모든 정신적인 전략과 기법이다.

건강운동관리사
기출 바이블

전과목 수록

PART 02

2 0 2 1 년
건강운동관리사
필 기 시 험

건강운동관리사
필기시험
1교시

2021 건강운동관리사

운동생리학

01. 운동생리학 주요 용어의 개념이 옳지 <u>않은</u> 것은?

① 젖산역치 : 일정한 강도 운동 시 젖산 생성이 서서히 증가하는 시점
② 운동단위 : 하나의 운동뉴런과 그 뉴런의 지배를 받는 모든 근섬유
③ 상대적 최대산소섭취량 : 단위 체중당 최대산소섭취량
④ 근육감소증 : 근위축 또는 근섬유 수 감소에 의한 근육량 감소

정답 ①

젖산역치 : 일정한 강도 운동 시 젖산 생성이 갑자기 증가하는 시점으로 유산소성 운동의 지표이다.

☞ 2018년 운동생리학 02번 참고

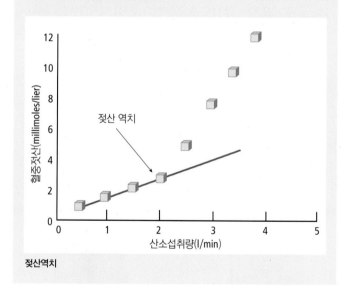

젖산역치

02. 유산소성 ATP 생성을 위한 크랩스회로(Krebs cycle)의 속도조절효소인 이소시트르산 탈수소효소(isocitrate dehydrogenase)의 활성을 높이는 요인에 해당하지 <u>않는</u> 것은?

① P_i 증가
② ADP 증가
③ Ca^{2+} 증가
④ NADH 증가

정답 ④

이 문제는 생체에너지에 관련된 대사적 과정 중 속도조절 효소의 활동에 영향을 미치는 요인으로서 최근에 지속적으로 출제되고 있다.
ATP와 NADH는 억제시키는 물질에 해당된다.
☞ 2019년 운동생리학 13번 해설 틀 참고

03. 운동과 에너지 대사에 관한 설명 중 옳지 <u>않은</u> 것은?

① 무산소 해당과정(glycolysis) 부산물인 피루브산(pyruvic acid)은 산소와 결합하여 젖산으로 전환된다.
② 한 분자의 글루코스를 이용할 때 유산소 시스템은 무산소 해당과정보다 더 많은 양의 에너지를 생성한다.
③ 지방 대사 시 중성지방은 유리지방산과 글리세롤로 분해되며 유리지방산이 주에너지원으로 이용된다.
④ 탄수화물 대사 과정에는 해당과정, 크렙스회로(Krebs cycle), 전자전달계(electron transport chain)가 포함된다.

정답 ①

무산소 해당과정(glycolysis) 부산물인 피루브산(pyruvic acid)은 수소와 결합하여 젖산으로 전환된다.

04. 운동 중 탄수화물 대사 조절과 관련된 호르몬 작용으로 옳지 <u>않은</u> 것은?

① 성장호르몬(growth hormone)에 의한 세포 내 글루코스 흡수 감소
② 카테콜아민(catecholamines)에 의한 유리 지방산 동원 증가
③ 글루카곤(glucagon) 증가를 통한 글리코겐(glycogen) 분해 촉진
④ 코티졸(cortisol)의 유리지방산 동원 억제를 통한 탄수화물 대사 증가

정답 ④

코티졸(cortisol)의 유리지방산 동원 촉진을 통한 지방대사 증가

05. <보기>에서 장기간 지구성 트레이닝 후 최대하 운동 시 혈당 이용률을 낮추는 원인에 관한 설명으로 옳은 것을 모두 고른 것은?

〈보기〉
㉠ 미토콘드리아의 수 증가
㉡ 미토콘드리아로 유리지방산 운반을 증가시키는 효소 증가
㉢ 베타 산화(β oxidation) 효소 증가를 통한 아세틸조효소 A (acetyl Co-A) 생성 증가
㉣ 포스포프록토키나아제(phosphofructokinase, PFK) 활성 증가

① ㉠, ㉡, ㉢   ② ㉠, ㉢, ㉣
③ ㉡, ㉢, ㉣   ④ ㉠, ㉡, ㉢, ㉣

정답 ①

이 문제는 에너지대사의 각 단계마다 관여하는 효소를 공부하면 쉽게 정답을 고를 수 있다.
㉣은 해당과정이다.

06. 다음 〈그림〉은 안정 시 막전위(resting membrane potential) 형성에 관한 기전이다. ㉠~㉣에 해당하는 이온을 바르게 나열한 것은?

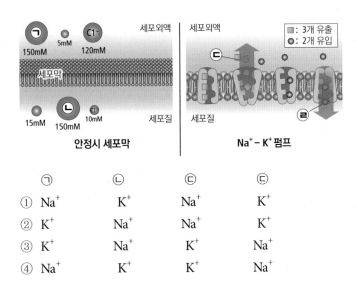

안정시 세포막 | Na⁺ – K⁺ 펌프

	㉠	㉡	㉢	㉣
①	Na^+	K^+	Na^+	K^+
②	K^+	Na^+	Na^+	K^+
③	K^+	Na^+	K^+	Na^+
④	Na^+	K^+	K^+	Na^+

정답 ①

뉴런의 전기적인 활동은 여러 차례에 걸쳐 출제되었다.
소량의 이온들은 세포막을 언제나 벌이 벌집을 드나들 듯 자유롭다. 나트륨은 세포 밖으로 보내고 칼륨을 세포 안으로 들여보냄으로써 세포 내·외 농도를 조절한다. 안정 시 막전위를 유지하는데 필요한 농도를 유지하는 것뿐만 아니라 3개의 나트륨 이온을 2개의 칼륨 이온으로 교환함으로써 전위를 발생시킨다.

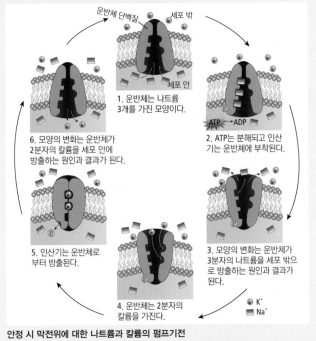

안정 시 막전위에 대한 나트륨과 칼륨의 펌프기전

07. 다음 <표>의 ㈀~㈃에 해당하는 내용을 가장 바르게 나열한 것은?

뇌 영역	운동기능 조절
(㈀)	1차 운동 계획을 담당
(㈁)	동작 설계의 재구성, 느리고 신중한 운동 관장
(㈂)	동작 설계의 재구성, 빠른 운동 동작에 관여
(㈃)	운동계획의 최종 출력 담당

	㈀	㈁	㈂	㈃
①	일차운동겉질 (primary motor cortex)	작은골 (소뇌, cerebellum)	바닥핵 (기저핵, basal ganglia)	운동앞영역 (premotor area)
②	운동앞영역	바닥핵	작은골	뇌줄기 (뇌간, brain stem)
③	일차운동겉질	작은골	바닥핵	뇌줄기
④	운동앞영역	바닥핵	작은골	일차운동겉질

정답 ④

이 문제는 수의적 움직임을 유도하는 구조와 과정으로서 ㈁, ㈂에 관련된 내용은 이미 알고 있기 때문에 정답은 ②나 ④에서 찾을 수 있다. 운동앞영역은 연합피질, 일차운동겉질은 운동피질과 같은 뜻이다. 아래 틀은 2017년도 스포츠심리학 04번에서 제시했지만 편의 상 중복 게재하게 되었다.

☞2018년 운동생리학 08년 참고

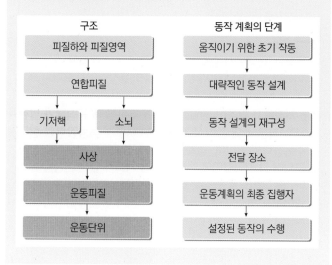

구조	동작 계획의 단계
피질하와 피질영역	움직이기 위한 초기 작동
연합피질	대략적인 동작 설계
기저핵 / 소뇌	동작 설계의 재구성
시상	전달 장소
운동피질	운동계획의 최종 집행자
운동단위	설정된 동작의 수행

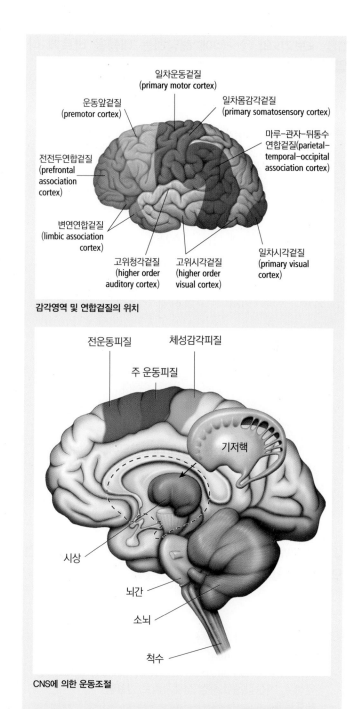

감각영역 및 연합겉질의 위치

일차운동겉질 (primary motor cortex)
운동앞겉질 (premotor cortex)
일차몸감각겉질 (primary somatosensory cortex)
마루-관자-뒤통수 연합겉질(parietal-temporal-occipital association cortex)
전전두연합겉질 (prefrontal association cortex)
변연연합겉질 (limbic association cortex)
고위청각겉질 (higher order auditory cortex)
고위시각겉질 (higher order visual cortex)
일차시각겉질 (primary visual cortex)

전운동피질
체성감각피질
주 운동피질
기저핵
시상
뇌간
소뇌
척수

CNS에 의한 운동조절

2021

08. <보기>의 ㉠~㉢에 해당하는 내용을 바르게 나열한 것은?

〈보기〉
- 근방추(muscle spindle) : 근육의 (㉠) 변화 감지
- 골지힘줄기관(golgi tendon organ, GTO) : 힘줄의 (㉡) 변화 감지, (㉢) 반사 유발

	㉠	㉡	㉢
①	길이	장력	흥분
②	장력	길이	흥분
③	길이	장력	억제
④	장력	길이	억제

정답 ③

고유수용기에 관련된 문제로서 쉬운 문제이다.

📖 보충학습
적응 후 근방추와 골기건은 민감도가 저하되며, 관절수용기는 증가된다.

09. 160W에 해당하는 자전거운동을 <보기>의 조건으로 수행할 때, 순효율은?

〈보기〉
- 체중 50kg, 안정 시 산소섭취량 0.2L/min, 운동 시 산소섭취량 44ml/kg/min으로 가정(단, 1kpm/min = 0.16W, 1 kcal/min = 400kpm/min, 1L O$_2$/min = 5 kcal/min으로 정의하고, 계산값은 소수점 첫째자리로 반올림)
- 순효율(%)
  = (운동량 ÷ 안정 시를 제외한 에너지 소비량) × 100

① 12,5 %
② 22.7 %
③ 25.0%
④ 62.5 %

정답 ②

순효율(%) = (2.5kcal/min ÷ 10kcal/min) × 100 = 25%

상세한 풀이는 "박승화 체육스포츠" 강의를 참고하기 바란다.

10. <보기>는 근섬유 길이에 따른 장력의 변화를 나타내는 그래프와 설명이다. ㉠~㉢의 설명 중 옳은 것을 모두 고른 것은?

〈보기〉

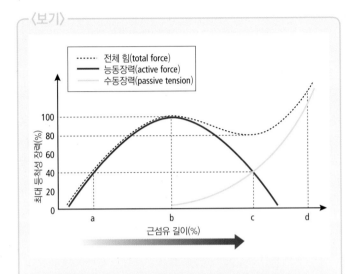

㉠ a 지점에서 모든 힘은 능동장력에 의해 발생된다.
㉡ b 지점은 최대 등척성 능동장력을 발현시키는 근섬유의 최적 길이를 의미한다.
㉢ c 지점에서 강축(tetanus) 자극이 주어질 때 근섬유가 발현하는 힘은 최대 등척성 장력의 40%이다.
㉣ d 지점에서 발현되는 힘은 수동장력에 의해 발생된 힘에 의존한다.

① ㉡, ㉢
② ㉠, ㉡, ㉣
③ ㉠, ㉢, ㉣
④ ㉠, ㉡, ㉢, ㉣

정답 ②

이 문제는 "근육에서 총길이-장력곡선"으로 그래프에 대한 분석력·이해력을 묻는 내용이다. 수험생들의 통찰력이 필요하다.

㉢ c 지점에서 강축(tetanus) 자극이 주어질 때 근섬유가 발현하는 힘은 최대 등척성 장력의 80%이다. 능동장력의 힘과 수동장력의 합이며, 강축은 근섬유가 빠르게 반복적으로 자극되어 각 자극사이에 전혀 이완할 기회가 없는 현상을 말한다. 즉 고빈도로 근섬유를 자극한다면, 수축사이에 이완은 없어지고 개개의 수축들은 중첩이 되어 하나의 강축이라 불리는 수축을 유지한다.

11. 운동 시 체온조절에 관한 설명으로 옳은 것은?

① 운동 중 상승된 심부체온은 해당 운동 시 소비한 에너지의 양과 일치한다.

② 운동 중 심부체온 상승은 운동강도보다 주변 온도변화에 의해 더 큰 영향을 받는다.

③ 저온저습 환경에서 최대하 운동 시 체온조절은 땀의 증발보다는 주로 대류와 복사에 의해 일어난다.

④ 동일 강도의 최대하 운동 중 실내 온도가 상승할 때, 심부체온은 땀 증발량의 증가 및 대류와 복사열 감소에 의해 변화량이 크지 않다.

정답 ④

문장을 아래처럼 잘 이해하는 것이 중요하고 열손실과 열변화에 대한 그래프를 참고하기 바란다.

④ 동일 강도의 최대하 운동 중 실내 온도가 상승할 때, 심부체온의 열손실 방법(증발, 대류, 복사, 전도 등)은 큰 역할을 하지 못한다.

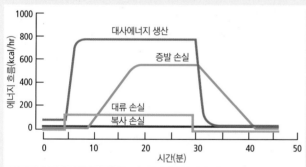

시원한 환경에서 25분간 최대하운동을 하는 동안 열손실의 변화

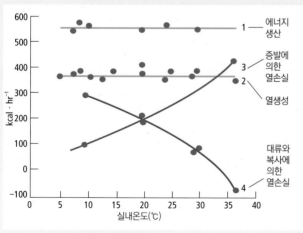

운동 시 실내 온도 변화에 의한 열교환 현상

---

12. <보기>에서 운동과 심혈관계 반응에 관한 설명으로 적절한 것을 모두 고른 것은?

〈보기〉

㉠ 운동 초기의 심박수 증가(대략 분당 100회까지)는 교감신경의 활성보다 부교감신경계의 억제에 의해 더 큰 영향을 받는다.

㉡ 운동 중 운동강도가 증가할수록 심박출량과 수축기 혈압, 평균 동맥혈압은 증가하지만, 이완기혈압은 변화량이 크지 않다.

㉢ 장기간 지구성 트레이닝의 결과, 안정 시 심박출량은 트레이닝 전보다 증가한다.

㉣ 동일 강도의 장시간 운동 중 시간에 따른 심박출량 변화는 크지 않으나, 1회 박출량은 감소한다.

① ㉠, ㉡, ㉢　　　　② ㉠, ㉡, ㉣

③ ㉠, ㉢, ㉣　　　　④ ㉡, ㉢, ㉣

정답 ②

㉢ 장기간 지구성 트레이닝의 결과, 안정 시 심박출량은 트레이닝 전보다 변화가 없거나 감소한다. 그 이유는 1회박출량증가, 심박수 감소 때문으로 볼 수 있다.

2021

13. **<보기>는 지연성근통증(delayed-onset muscle soreness, DOMS)의 발생 과정에 관한 일반적인 가설이다. ㉠~㉢ 에 해당하는 내용을 바르게 나열한 것은?**

---〈보기〉---

격렬한 운동 (㉠) → (㉡) → (㉢) → 염증반응 → 부종과 통증

	㉠	㉡	㉢
①	세포막 손상	단백질분해효소에 의한 단백질 분해	근소포체로부터의 칼슘 누출
②	세포막 손상	근소포체로부터의 칼슘 누출	단백질분해효소에 의한 단백질 분해
③	단백질분해효소에 의한 단백질 분해	근소포체로부터의 칼슘 누출	세포막 손상
④	근소포체로부터의 칼슘 누출	단백질분해효소에 의한 단백질 분해	세포막 손상

정답 ②

필자의 교재에 이미 가설의 틀과 이론을 상세하게 제시한 내용에서 출제된 문제이다.

☞ 2019년 운동상해 08번 보충학습 참고

14. **근육의 힘. 속도, 파워의 관계에 관한 설명으로 옳은 것은?**

① 파워는 움직임 속도에 비례하여 지속적으로 증가한다.
② 지근섬유와 속근섬유의 수축 속도 차이의 주원인은 액틴과 마이오신의 십자교(cross-bridge) 연결 수의 차이이다.
③ 단축성 수축(concentric contraction) 시 움직임 속도가 증가할수록 근육의 힘 생성은 증가한다.
④ 움직임 속도가 같을 때 단축성 수축보다 신장성 수축(eccentric contraction) 시 더 큰 힘이 발생한다.

정답 ④

이 문제는 근섬유 형태의 기능적 특성을 묻는 내용으로서 다음과 같이 수정할 수 있다.

① 파워는 움직임 속도에 비례하여 지속적으로 감소한다.
② 지근섬유와 속근섬유의 수축 속도 차이의 주원인은 지근섬유의 낮은 마이오신 ATP활동 때문이다.
③ 단축성 수축(concentric contraction) 시 움직임 속도가 증가할수록 근육의 힘 생성은 감소한다.

15. **<보기>에서 운동 시 혈류의 분배에 관한 설명으로 적절한 것을 모두 고른 것은?**

---〈보기〉---

㉠ 근육의 산소요구량 증가는 혈류의 내인성 조절(intrinsic control)을 발생시킨다.
㉡ 산화질소(nitric oxide, NO) 증가는 세동맥 혈관 확장을 유도한다.
㉢ 특정 예외를 제외한 대부분의 혈관은 부교감신경 활성에 의한 외인성 조절(extrinsic control)을 통해 확장된다.
㉣ 이산화탄소, 칼륨 이온, 수소 이온 등은 혈류량 증가를 자극할 수 있는 부산물이다.

① ㉠, ㉡, ㉢
② ㉠, ㉡, ㉣
③ ㉠, ㉢, ㉣
④ ㉡, ㉢, ㉣

정답 ②

㉢ 특정 예외를 제외한 대부분의 혈관은 교감신경 활성에 의한 외인성 조절(extrinsic control)을 통해 확장된다.

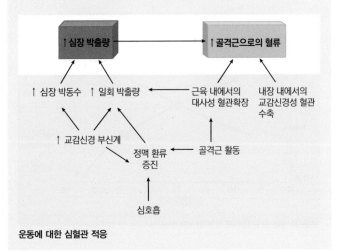

운동에 대한 심혈관 적응

16. 혈장량 조절에 관한 설명으로 옳지 <u>않은</u> 것은?

① 알도스테론(aldosterone)은 수분 재흡수와 혈장량 유지에 기여한다.
② 안지오텐신 전환효소(angiotensin-converting enzyme, ACE)는 안지오텐신 I을 안지오텐신 II로 전환시킨다.
③ 안지오텐신 II는 강한 혈관 확장 인자로 알도스테론 분비를 자극하여, Na^+ 재흡수를 억제한다.
④ 열부하(heat load)가 없는 가벼운 운동 중에는 레닌 활성화와 알도스테론의 분비 변화가 크지 않다.

정답 ③

③ 안지오텐신 II는 강한 혈관 수축 인자로 알도스테론 분비를 자극하여, Na^+ 재흡수를 촉진한다.

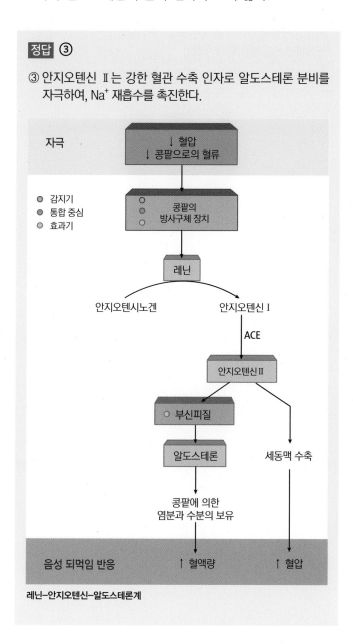

레닌-안지오텐신-알도스테론계

17. <보기>에서 혈액 내 이산화탄소 운반 방법으로 옳은 것을 모두 고른 것은?

〈보기〉

㉠ 혈장 내 용해
㉡ 카바미노헤모글로빈(carbaminohemoglobin) 형성
㉢ 중탄산염 이온(HCO_3^-) 형성
㉣ 알부민(albumin)과 결합

① ㉠, ㉡, ㉢   ② ㉠, ㉡, ㉣
③ ㉠, ㉢, ㉣   ④ ㉡, ㉢, ㉣

정답 ①

㉣은 간에서 만들어지며, 가장 풍부한 혈장 단백질이므로 교질 삼투압에 가장 크게 기여한다. 알부민은 빌리루빈, 담즙산염, 페니실린과 같이 혈장에 잘 용해되지 않는 물질과 비특이적으로 결합하여 운반하는 역할도 한다.

18. <보기>의 ㉠, ㉡에 해당하는 내용을 바르게 나열한 것은?

〈보기〉

• 심박출량(Q) × 동-정맥 산소차(a-$\dot{V}O_2$ diff.) = (㉠)
• 심박수(HR) × 수축기 혈압(SBP) = (㉡)

	㉠	㉡
①	산소섭취량	평균동맥압
②	평균동맥압	심근산소요구량
③	산소섭취량	심근산소요구량
④	산소환기당량	산소섭취량

정답 ③

쉬운 문제이다.

19. 장기간 지구성 트레이닝으로 기대할 수 있는 안정 시 심혈관계 기능의 변화로 옳지 <u>않은</u> 것은?

① 수축기 혈압 감소
② 이완기 혈압 증가
③ 1회 박출량 증가
④ 좌심실 이완기말 용적 증가

정답 ②

장기간 트레이닝 후 이완기 혈압 불변 혹은 감소(고혈압 환자의 경우 약간)로 나타난다.

20. 고온 환경에서의 열순응(heat acclimation) 후 열순응 전에 비해 동일 강도의 운동 시 나타나는 변화로 옳은 것은?

① 직장온도 증가
② 시간당 땀분비율 감소
③ 심박수 감소
④ 운동 지속 가능 시간 감소

정답 ③

쉬운 문제로서 나머지 항목은 모두 반대이다.
☞ 2018년 운동생리학 20번 참고

건강 · 체력평가

01. 저항운동이 건강에 미치는 이점으로 옳지 <u>않은</u> 것은?

① 골관절염 환자의 통증 저하
② 골격근의 모세혈관 밀도 증가
③ 근비대로 인한 안정 시 대사율 감소
④ 당뇨병 환자의 인슐린 민감도 향상

정답 ③

근비대로 인한 안정 시 대사율 증가

저항성 운동(데드리프트)

02. 운동 관련 위험요인에 관한 설명으로 옳은 것은?

① 체력 수준과 근골격 손상은 관계가 없다.
② 운동 중 근골격 손상의 가장 큰 위험요인은 운동빈도이다.
③ 관상동맥질환자는 심혈관 관련사고(events)의 위험성이 높다.
④ 젊은 엘리트 선수는 운동 관련 급성심장사가 나타나지 않는다.

정답 ③

쉬운 문제로서 다음과 같이 수정할 수 있다.

① 체력 수준과 근골격 손상은 관계가 있다.
② 운동 중 근골격 손상의 가장 큰 위험요인은 운동강도이다.
④ 젊은 엘리트 선수는 운동 관련 급성심장사가 나타날 수 있다.

03. 심박수의 일반적인 특성에 관한 설명으로 옳지 <u>않</u>은 것은?

① 서있는 자세에서는 누운 자세보다 심박수가 높다.
② 성인의 안정 시 심박수는 소아의 안정 시 심박수보다 높다.
③ 목동맥 촉진 시 세게 누르면 심박수가 낮게 나타난다.
④ 동일한 운동강도 시 엘리트 선수는 일반인보다 심박수가 낮다.

정답 ②

①은 중력에 대한 자세에 따른 심장의 위치 때문이며, 아동은 성인과 비교하여 절대적 산소흡입량이 낮다. 그러나 대사 시스템과 신체크기는 미성숙한 상태이므로 아동의 상대적 산소흡입량은 어른보다 높다. 또한 아동들은 신체활동이 이루어지는 동안 산소소비가 상대적으로 높으므로 성인보다 덜 경제적이다. 체격의 기하학적 원칙에 따르면 작은 신체기관들은 큰 신체기관들보다 대사율이 더 높은 것으로 나타났다.

2021

04. 건강체력검사 시 고려해야 할 신체적 특성으로 옳지 <u>않은</u> 것은?

① 골밀도가 감소한 피검사자에게는 추가적인 안전 예방 조치를 하는 것이 좋다.
② 림프부종의 위험이 있어 압박복을 착용하는 피검사자는 검사 시 탈의시켜야 한다.
③ 고리중쇠관절 불안정(atlantoaxial instability)이 있을 수 있는 다운증후군은 운동참여 전 의료적 승인이 권고된다.
④ C1에서 T5 사이의 척수 손상으로 사지마비를 가진 피검사자의 경우 자율신경계의 반응 이상이 있으므로 의료적 승인이 권고된다.

정답 ②

② 림프부종의 위험이 있어 압박복을 착용하도록 권장한다. 그 이유는 림프순환을 개선하고 부종을 감소시키는 효과가 있기 때문이다. 따라서 운동 시 키네시오테이핑과 압박스타킹 등을 활용하는 복합적인 방법도 권장된다.

📖 보충학습

림프종의 증세는 다리가 당기는 느낌, 조이는 느낌이 들며, 쑤시는 통증과 무거운 느낌을 준다. 또한 피부가 붉어지고 탱탱하게 부어올라 피부를 눌렀을 때 눌린 자국이 쉽게 없어지지 않는다.

05. <보기>에서 체력검사의 목적으로 옳은 것을 모두 고른 것은?

─〈보기〉─

㉠ 현재 체력 상태 진단
㉡ 성취수준 또는 향상도 평가
㉢ 운동 프로그램에 대한 평가
㉣ 운동에 대한 동기유발

① ㉠, ㉡
② ㉠, ㉡, ㉣
③ ㉡, ㉢, ㉣
④ ㉠, ㉡, ㉢, ㉣

정답 ④

쉬운 문제이기 때문에 해설은 생략한다.
"박승화 체육스포츠" 강의를 통해서 상세한 체력검사 목적 등을 숙지할 수 있다.

06. <보기>의 (   ) 안에 들어갈 용어로 옳은 것은?

─〈보기〉─

(   )은 심장이 심하게 두근거리는 것을 불쾌하게 인지하는 것을 의미하며, 빈맥이나 이소성 박동 등 심장 리듬의 다양한 장애로 유발될 수 있다.

① 심계항진(palpitations)
② 심근경색(myocardial infarction)
③ 심근허혈(myocardial ischemia)
④ 간헐성 파행(intermittent claudication)

정답 ①

심계항진은 심장이 뛰는 것이 느껴져 불쾌한 기분이 드는 증상으로 운동 후나 힘든 일을 한 후에 나타나는 느낌과 달리 불안감이나 긴장감을 유발하게 되며 심할 경우 가슴 부위의 통증과 호흡곤란을 유발하는 일종의 부정맥이다.

07. 일상생활 중의 신체활동량 측정에 관한 설명으로 옳은 것은?

① 질문지법으로는 총 에너지소비량을 추정할 수 없다.
② 질문지법에서 규칙적 운동에 대한 측정은 제외된다.
③ 가속도계(acclerometer)를 이용한 측정으로는 격렬한 신체활동에 대한 에너지소비량을 추정할 수 없다.
④ 보행계수계(pedometer), 가속도계 등은 신체활동 시 나타나는 진동을 측정하는 방식으로 정적 근력운동에 대한 과소추정이 나타난다.

정답 ④

① 질문지법으로는 총 에너지소비량을 추정할 수 있다.
② 질문지법에서 규칙적 운동에 대한 측정이 가능하다.
③ 가속도계(acclerometer)를 이용한 측정으로는 격렬한 신체활동에 대한 에너지소비량을 추정할 수 있다.

08. 다음 <그림>은 A, B 집단의 심폐지구력 검사 결과를 나타내는 산점도(scatter plot)이다. 이에 관한 해석으로 옳지 <u>않은</u> 것은?

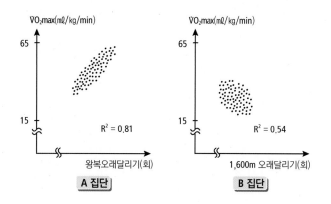

| A 집단 | B 집단 |

① A 집단이 B 집단에 비해 심폐지구력이 우수하다.
② $\dot{V}O_2max$와 1,600 m 오래달리기는 부적 상관을 나타내고 있다.
③ 왕복오래달리기가 1,600 m 오래달리기보다 심폐지구력 검사로써 더 타당하다.
④ $\dot{V}O_2max$ 기록의 경우 A 집단의 구성원이 B 집단의 구성원에 비해 더 동질적이다.

정답 ④

$\dot{V}O_2max$ 기록의 경우 A 집단의 구성원이 B 집단의 구성원에 비해 더 이질적이다.

☞ 2017년 건강체력평가 11번 참고

09. 다음 <표>는 ㉠~㉣ 참여자를 대상으로 실시한 운동참여 전 검사 결과이다. ACSM(제 10판)의 운동참여 전 검사 알고리즘에 따른 의료적 승인이 필요한 참여자를 모두 고른 것은?

구분	㉠	㉡	㉢	㉣
규칙적인 운동참여	아니오	아니오	예	예
알려진 심혈관, 대사 또는 신장 질환	없음	있음	없음	있음
질병의 징후 및 증상	있음	없음	있음	없음
원하는 운동참여 강도	3 METs	3 METs	5 METs	5 METs

① ㉠, ㉢
② ㉡, ㉣
③ ㉠, ㉡, ㉢
④ ㉡, ㉢, ㉣

정답 ③

이 문제는 ACSM의 운동참여 전 검사 알고리즘에 대한 내용으로 틀을 숙지하면 쉽게 해결할 수 있다.

☞ 2018년 건강체력평가 06번 틀, 문제참고

10. <보기>의 ㉠ ~ ㉢에 해당하는 값이 바르게 연결된 것은?

─ <보기> ─

Queens 대학 스텝검사는 남성의 경우, 스텝박스 오르내리기를 (㉠)분 동안 분당 (㉡)스텝으로 수행한다.
종료 시점부터(㉢)초를 기다린 후 15초 동안 심박수를 측정하고 4를 곱한 심박수 수치를 회귀방정식에 대입하여 최대산소섭취량을 추정한다.

	㉠	㉡	㉢
①	3	22	5
②	5	22	10
③	3	24	5
④	5	24	10

2021

Harvard step test, Tecumse step test 등을 평소 숙지하고 있어야 한다.
Queens 대학 스텝검사 높이는 41.25cm이다.
이 문제에 대한 남·녀 최대산소섭취량에 대한 공식 등은 "박승화 체육스포츠" 강의를 통해서 숙지할 수 있다.

11. 다음 <표>는 30대 남성을 대상으로 12주간 운동 처치 전후 체력요인을 측정한 결과 값이다. 동연령대와 비교하여 가장 큰 증진 효과가 나타난 체력요인은?

체력요인	처치 전	처치 후	차이 (처치 후-처치 전)	30대의 차이 평균	30대의 차이 표준편차
근력(kg)	41	44	3	2.5	0.5
근지구력 (회/분)	25	45	20	25.0	5.0
심폐지구력 (ml/kg/min)	35	50	15	12.0	3.0
체지방률(%)	30	20	−10	−6.0	2.0

① 근력   ② 근지구력
③ 심폐지구력   ④ 체지방률

표준점수로 환산하여 우열을 가리면 되는 체육통계문제이다.
{(처치 후-처치 전)-30대의 차이 평균}/표준편차

☞2017년 건강체력평가 13번 해설, 그래프 참고

12. 체력검사 시 실험실검사 대신 현장검사를 선택하는 이유로 옳지 <u>않은</u> 것은?

① 검사비용이 더 저렴하다.
② 실험실검사보다 기준타당도와 재검신뢰도가 높다.
③ 일반적으로 같은 시간에 더 많은 인원에 대한 측정이 가능하다.
④ 체력증진을 위해 실시하는 실제 운동과 유사한 동작으로 검사할 수 있다.

현장검사보다 실험실검사가 기준타당도와 재검신뢰도가 높다.

재검신뢰도 추정방법 등은 "박승화 체육스포츠" 강의를 통해서 상세하게 익힐 수 있다.

13. 다음 <그림>은 A, B 집단 각 200명씩을 대상으로 윗몸일으키기를 측정한 기록 분포도이다. 이에 관한 해석과 결론으로 적절한 것은?

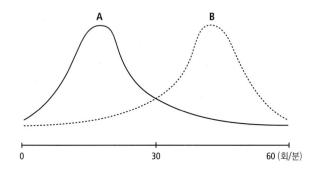

① 검사의 변별력이 A 집단에서 더 낮게 나타났으므로 윗몸일으키기는 A 집단의 근지구력 검사로 적절하지 않다.
② 중강도의 운동프로그램을 적용할 경우 평균으로의 회귀현상 때문에 두 집단의 평균이 30에 가까워지는 변화가 나타난다.
③ 두 집단을 하나의 집단으로 합하면 정규분포가 형성되므로 두 집단을 대상으로 동일한 강도의 근지구력 운동처방을 해야 한다.
④ A 집단과 B 집단에 대한 근지구력 운동프로그램은 다르게 구성하는 것이 효과적이다.

정답 ④

검사에서 A 집단에서는 평균값이 약 15회, B 집단에서는 약 45회 정도로 나타났으므로 프로그램을 서로 다르게 설정하도록 한다.

정답 ③

ACSM에서 제시한 기준 값이다.

14. <보기>에 제시된 남성의 심혈관질환 위험요인 중 옳은 것으로만 묶인 것은?

〈보기〉

ㄱ 부친이 53세에 심근경색 발현, 현재 생존
ㄴ 안정 시 혈압 : 120/84mmHg
ㄷ 저밀도지단백콜레스테롤 : 128mg/dL
ㄹ 고밀도지단백콜레스테롤 : 34mg/dL
ㅁ 당화혈색소 : 7.5%

① ㄱ, ㄴ, ㅁ   ② ㄱ, ㄹ, ㅁ
③ ㄴ, ㄷ, ㄹ   ④ ㄴ, ㄹ, ㅁ

정답 ②

본 문제는 쉽게 해결할 수 있다. 위험요인은 운동부하검사 과목에서 많이 출제되는 내용이다.
ACSM에서 제시한 8가지 죽상경화증 심혈관질환 위험요인을 항상 숙지하고 있어야 한다.

15. <보기>의 ㄱ, ㄴ에 해당하는 내용으로 옳은 것은?

〈보기〉

- 폐쇄성 폐질환은 (ㄱ)/FVC(강제폐활량)의 비율이 예상치의 50% 이하로 감소된 경우이다.
- 제한성 폐질환은 (ㄱ)/FVC이 정상수치를 나타내고, TLC(총 폐용량)가 예상치의(ㄴ)% 아래로 감소된 경우이다.

	ㄱ	ㄴ
①	PEF(최대호기 유량)	50
②	PEF(최대호기유량)	70
③	FEV1.0(초당 강제호기량)	50
④	FEV1.0(초당 강제호기량)	70

16. <보기>에 제시된 피검사자 다리의 상대근력 값은?

〈보기〉

- 신장 : 172cm
- 체중 : 80kg
- 체지방률 : 32%
- BMI : 27kg/m²
- 레그프레스 1 RM : 140kg

① 1.75   ② 2.05
③ 4.37   ④ 5.18

정답 ①

상대근력 값은 1RM/체중이다.

📖 보충학습

- 최대 수축 : 근육이 최대로 수축된 상태를 뜻하며, 주로 정적 근력을 나타낸다.
- 최대 근력 : 근수축에 의해 얻게 되는 최대의 힘을 의미하며, 동적 근력을 나타낸다.
- 상대 근력 : 선수들의 절대적 근력과 체중과의 비
- 절대 근력 : 선수들의 체중에 관계없이 발휘 할 수 있는 근력
- 상대적 부하량(負荷量) : 운동 강도를 최대 능력에 대한 %로 나타낸 부하량
- 파워 : 짧은 시간 동안에 최대의 운동을 할 수 있는 능력

2021

17. 체력검사에 관한 설명으로 옳지 <u>않은</u> 것은?

① 검사 절차의 표준화를 통해 서로 다른 검사자 간에도 일관성 있는 결과를 얻을 수 있다.

② 건강체력검사를 구성하는 세부 검사항목 간 상관관계가 높을수록 검사 전체의 효율성이 높다.

③ 여러 개의 검사항목 간 측정 간격이 짧으면 검사 순서에 따라 체계적인 오차가 발생할 수 있다.

④ 동일한 체력요인을 측정하는 두 검사의 타당도가 동일하다면 검사 시간이 짧고 비용이 저렴한 검사를 선택하는 것이 효율적이다.

정답 ②

건강체력검사를 구성하는 세부 검사항목 간 상관관계가 낮을수록 검사 전체의 효율성이 높다.

18. 다음 <표>는 피부두겹법과 수중체중법으로 100명의 비만도를 평가한 결과이다. 이에 대한 해석으로 옳지 <u>않은</u> 것은?

구분		수중체중법		합
		비만	정상	
피부두겹법	비만	26명(26%)	7명(7%)	33명
	정상	4명(4%)	63명(63%)	67명
합		30명	70명	100명

① 피부두겹법으로는 4%가 정상으로 판정되었다.

② 피부두겹법으로는 33명이 비만으로 판정되었다.

③ 수중체중법으로는 30%가 비만으로 판정되었다.

④ 두 측정방법의 비만과 정상 판정 일치도는 89%이다.

정답 ①

이 문제는 결정타당도 추정을 위해 제시된 유관표를 보고 답을 고를 수 있다.

피부두겹법으로 67%가 정상으로 판정되었다.

"박승화 체육스포츠" 강의를 통해서 명쾌한 체력통계에 대한 해결력을 신장시킬 수 있다.

19. 심폐지구력 측정을 위한 스텝검사에 관한 설명으로 옳지 <u>않은</u> 것은?

① 심박수가 높을수록 최대산소섭취량의 추정은 더 정확해진다.

② 하버드 스텝검사와 Queens 대학 스텝검사의 스텝박스 높이는 다르다.

③ 하버드 스텝검사는 주어진 시간 동안의 수행을 마친 후 일정 시간 후의 심박수를 측정한다.

④ 스텝검사는 같은 강도의 운동을 실행했을 때 심박수 반응이 체력수준에 따라 차이가 나타나기 때문에 타당하다.

정답 ①

① 높은 심박수로 최대산소섭취량의 추정은 불명확하다.

② 하버드 스텝검사(52cm)와 Queens 대학 스텝검사(41.25cm)의 스텝박스 높이는 다르다.

20. 체력검사에 관한 설명 중 옳지 <u>않은</u> 것은?

① BMI는 근육량이 많은 사람의 비만 정도를 과대추정하는 경향이 있다.

② 근지구력의 현장검사는 무게에 대한 저항운동을 반복하는 횟수로 측정하는 것이 일반적이다.

③ 왕복오래달리기검사(PACER)는 신호음이 울렸을 때 반대쪽 라인에 도달하지 못한 최초의 시점에 측정이 종료된다.

④ 동일한 심폐지구력 검사를 노인과 청소년에게 적용하였을 경우 서로 다른 체력요인을 측정하게 되는 결과가 나타날 수 있다.

정답 ③

③ 왕복오래달리기검사(PACER)는 신호음이 울렸을 때 반대쪽 라인에 도달하지 못한 두 번째의 시점에 측정이 종료된다.

2021

운동처방론

01. ACSM(제 10판)에서 권고하는 일반적인 운동처방의 FITT-VP 원리에 포함되지 <u>않은</u> 것은?

① 운동 습관 ② 운동 시간
③ 운동 유형 ④ 운동 강도

> **정답 ①**
>
> 쉬운 문제이다.

02. <보기>의 ㉠~㉢에 해당하는 값을 바르게 나열한 것은?

┌─ 〈보기〉 ─────────────────────

당뇨병 진단기준(대한당뇨병학회, 미국당뇨병협회, 세계보건기구)
• 당화혈색소(HbA1C) : (㉠)% 이상
• 공복혈당(FBG) : (㉡) mg/dL 이상
• 경구혈당부하검사(OGTT) : (㉢) mg/dL 이상

└──────────────────────────────

	㉠	㉡	㉢
①	6.5	126	200
②	5.7	126	200
③	5.7	100	240
④	6.5	126	240

> **정답 ①**
>
> ACSM 가이드라인을 어느 정도 숙지한 수험생이면 쉽게 답안을 찾을 수 있는 문제이다.

03. ACSM(제 10판)에서 권고하는 건강한 성인을 위한 심폐지구력 운동의 중강도 수준에 해당하지 <u>않는</u> 것은?

① 3.0~5.9 METs ② 40~59 %HRR
③ 40~59 %$\dot{V}O_2R$ ④ 40~59 %HRmax

> **정답 ④**
>
> 운동강도의 단위를 묻는 문제로서
> ②와 ③은 단위만 다르지 같은 강도를 의미한다. 필자가 강의 시간에 제시하는 중강도 수준은 아래와 같다.
> RPE는 12~13이며, ④의 심박수는 일정한 수치가 제시되지 않고 "심박수 및 호흡이 눈에 띄는 증가를 일으키는 강도"이다.

04. <보기>의 특성을 나타내는 대상자에게 ACSM(제 10판)이 권고하는 유산소 운동 강도(%HRR)로 적절한 것은?

┌─ 〈보기〉 ─────────────────────

• 나이 : 49세 • 성별 : 남성
• 신장 : 175cm • 체중 : 65kg
• 안정 시 심박수 : 80회/분 • 최대심박수 : 180회/분
• 질환 : 뇌혈관질환 진단

└──────────────────────────────

① 90~120회/분 ② 100~130회/분
③ 120~150회/분 ④ 130~160회/분

> **정답 ③**
>
> 이 문제는 우선 뇌혈관질환 진단을 받은 환자에게 처방하는 운동강도(40~70%)를 알아야 한다.
> <보기>에 제시된 심박수를 카보넨 공식의 목표심박수 공식에 대입하면 답이 나온다.

05. ACSM(제 10판)에서 권고하는 1RM 근력 검사에 관한 설명으로 옳지 <u>않은</u> 것은?

① 매 3~5분 간격으로 4회 이내로 실시한다.
② 상체운동은 5~10%, 하체운동은 10~20%씩 무게를 증가시킨다.
③ 측정 전에 연습세션에 참여하지 않도록 주의해야 한다.
④ 최초 검사 시에는 피험자가 예측하고 있는 무게의 50~70 %부터 시작한다.

정답 ③

측정 전에 피검자가 익숙함 · 연습세션에 참여한 후 검사가 이루어지도록 해야 한다. 즉 최대하 수준으로 몇 차례 반복되는 준비운동을 실시하도록 한다.

06. <보기>에서 ACSM(제 10판)이 권고하는 노인의 운동프로그램 구성 시 고려사항으로 옳은 것을 모두 고른 것은?

〈보기〉
㉠ 인지능력이 감퇴된 노인들은 중강도의 신체활동이 권장된다.
㉡ 근감소증 노인은 유산소 트레이닝을 실시하기 전에 근력증가가 필요하다.
㉢ 만성질환 개선을 위해 최소 권장운동량을 초과하는 신체활동을 실시해야 한다.
㉣ 유산소성 체력의 향상과 관계없이 신체활동 수준을 높이면 건강이 개선된다.
㉤ 유연성 운동은 느린 정적 스트레칭 보다는 빠른 동적 움직임이 더 적절하다.

① ㉠, ㉡
② ㉢, ㉣, ㉤
③ ㉠, ㉡, ㉢, ㉣
④ ㉠, ㉡, ㉢, ㉣, ㉤

정답 ③

쉬운 문제로서 ㉤은 느린 빠른 동적 스트레칭 보다는 정적 움직임이 더 적절하다.

07. 운동검사 전 안정 시 혈압측정에 관한 설명 중 옳지 <u>않은</u> 것은?

① 혈압측정은 선택적 평가 요소이다.
② 눕거나 선 자세에서 측정할 수 있다.
③ 커프(cuff)를 할 경우 위팔의 최소 80% 정도를 감싸야 한다.
④ 수축기 혈압은 처음 코로트코프(korotkoff)음이 들리는 시점이고, 이완기 혈압은 코로트코프음이 끝나는 시점이다.

정답 ①

혈압측정은 선택적 평가 요소가 아닌 필수이다.

08. <보기>에서 ACSM(제 10판)이 권고하는 저항성 운동에 관한 설명으로 옳은 것을 모두 고른 것은?

〈보기〉
㉠ 단일세트 저항운동은 근력 개선의 효과가 없다.
㉡ 일반적으로 단일관절운동이 다관절운동보다 효과적이다.
㉢ 1 RM의 50 %(15~25회 반복)의 운동은 근지구력을 개선시킨다.
㉣ 발살바조작(Valsalva maneuver)이 일어나지 않는 정확한 자세와 방법을 사용해야 한다.
㉤ 관절의 가동범위를 충분히 활용하고 주동근과 길항근 모두를 단련하는 운동을 포함한다.

① ㉠, ㉡
② ㉢, ㉣, ㉤
③ ㉠, ㉡, ㉢, ㉣
④ ㉠, ㉡, ㉢, ㉣, ㉤

정답 ②

㉠ 단일세트 저항운동도 근력 개선의 효과가 있을 수 있다.
㉡ 일반적으로 다관절운동이 단일관절운동보다 효과적이며, 다관절 운동을 먼저 실시하는 것이 원칙이다.

2021

09. <보기>에서 대상자가 일주일 동안 운동으로 소비한 총에너지가 1,470kcal라고 할 때 운동강도는?

---〈보기〉---

- 성별 : 남성
- 체중 : 70kg
- 운동시간 : 1시간
- 운동빈도 : 4일/주
- 운동형태 : 유산소운동
- ※ 산소소비량 1L당 5kcal의 소비를 기준으로 계산

---

① 3 METs   ② 5 METs
③ 7 METs   ④ 9 METs

정답 ②

에너지소비 공식은 다음과 같다.
$METs \times 3.5mL/kg/min \times$ 총운동시간 $\times$ 체중

이 공식에 대입하면 된다.
294,000 = $METs \times 3.5 \times 60 \times 4 \times 70$
= $METs \times 58,800$

10. <보기>에서 ACSM(제 10판)이 권고하는 유연성 운동에 관한 설명으로 옳은 것을 모두 고른 것은?

---〈보기〉---

- ㉠ 고유수용성신경근촉진(PNF)은 최대 수의적 근수축의 20~70% 강도로 유지하다가 보조자의 도움으로 10~30초간 스트레칭할 것을 권장한다.
- ㉡ 고유수용성신경근촉진은 일반적으로 등척성 수축을 수행한 후에 동일근육군을 정적으로 스트레칭하는 방법이다.
- ㉢ 각 동작은 10~30초 동안 약간의 불편한 감이 들도록 유지하는 것이 효과적이다.
- ㉣ 관절주변의 가동범위(ROM)는 유연성 운동을 수행한 후 즉각적으로 개선된다.
- ㉤ 정적 스트레칭운동은 근파워와 근력을 일시적으로 향상시킨다.

---

① ㉠, ㉡   ② ㉢, ㉣, ㉤
③ ㉠, ㉡, ㉢, ㉣   ④ ㉠, ㉡, ㉢, ㉣, ㉤

정답 ③

㉤ 정적 스트레칭운동은 근파워와 근력을 일시적으로 향상시키지 않는다.

그 이유는 근육의 움직임이 없는 상태에서 실시하는 스트레칭 기법이기 때문이다. 다양한 스트레칭 방법 중 가장 널리 알려져 있으며, 운동 전에 실시되는 정적 스트레칭은 관절의 안정성을 저해하여 오히려 경기수행 능력을 저하시키고, 운동 중 상해를 높일 수도 있다는 보고도 있다. 결론적으로 정적 스트레칭은 관절의 가동범위의 증진과 근육의 이완에 효과적인 운동방법이므로 ROM의 향상을 위한 훈련 프로그램 또는 운동 후 정리운동으로 실시하는 것을 권장한다.

11. <보기>에서 ACSM(제 10판)이 권고하는 척수손상환자 운동처방 시 고려사항으로 옳은 것을 모두 고른 것은?

---〈보기〉---

- ㉠ 불완전 마비된 근육을 포함해서 저항운동을 실시한다.
- ㉡ 팔에서 과사용증후군이 없으면 근력 향상 목적으로 5~10 RM의 강도로 증가시킬 수 있다.
- ㉢ 운동 시 자율신경 반사부전증(autonomic dysreflexia)으로 인해 카테콜라민 분비가 증가된다.
- ㉣ 휠체어를 이용하는 환자는 당기는 동작보다 미는 동작(예, 벤치프레스)으로 구성된 상체 저항운동이 추천된다.
- ㉤ 제5~제6가슴신경(T5~T6) 분절 아래쪽의 완전 손상 하지마비 환자는 제6가슴신경(T6) 분절 위쪽의 완전 손상 사지마비 환자보다 더 낮은 강도에서 최대심박수와 최대산소섭취량에 도달한다.

---

① ㉠, ㉡   ② ㉢, ㉣, ㉤
③ ㉠, ㉡, ㉢, ㉣   ④ ㉠, ㉡, ㉢, ㉣, ㉤

정답 ③

ACSM이 제시한 내용을 묻는 문제이다. 다음과 같이 수정할 수 있다.

제5~제6가슴신경(T5~T6) 분절 위쪽의 완전 손상 하지마비 환자는 제6가슴신경(T6) 분절 아래쪽의 완전 손상 사지마비 환자보다 더 낮은 강도에서 최대심박수와 최대산소섭취량에 도달한다.

12. <보기>의 특성을 나타내는 대상자에게 ACSM(10판)이 권고하는 유산소 운동강도와 산소섭취량을 적절하게 나열한 것은?

─〈보기〉─
- 나이 : 48세
- 성별 : 남성
- 신장 : 162cm
- 체중 : 74kg
- 체지방률 : 28 %
- 안정 시 혈압 : 142/96mmHg
- 경구혈당부하검사(OGTT) : 136mg/dL
- 최대산소섭취량 : 32ml/kg/min

운동강도	산소섭취량
① 40~59 %$\dot{V}O_2R$	1.10~1.50 L/min
② 40~59 %$\dot{V}O_2R$	1.31~1.71 L/min
③ 60~79 %$\dot{V}O_2R$	1.10~1.50 L/min
④ 60~79 %$\dot{V}O_2R$	1.31~1.71 L/min

정답 ①

이 문제는 <보기>에 제시된 요인을 보고 위험요인(고혈압)을 먼저 파악한 후 운동강도와 산소섭취량을 묻는 중간정도의 계산 문제이다.
고혈압 환자에게 중강도에 해당하는 운동을 실시해야 하기 때문에 정답은 ①, ②에서 찾되 산소섭취량은 여유산소섭취량 공식을 이용하면 되는데 훈련된 수험생이면 약 1분 내에 풀 수 있는 문제이다.

13. ACSM(제 10판)에서 권고하는 고혈압 환자 운동처방 시 고려사항으로 옳은 것은?

① 알파차단제와 칼슘통로차단제를 복용하는 환자는 운동 실시 후 혈압이 과도하게 상승할 수 있으므로 주의해야 한다.
② 2기 고혈압 환자는 의학적인 평가와 적절한 혈압관리를 받기 전에는 운동검사를 포함한 어떠한 형태의 운동도 참여해서는 안 된다.
③ 운동 시 수축기 혈압은 220mmHg 이하 또는 이완기 혈압은 110mmHg 이하를 유지해야 한다.
④ 베타차단제는 운동검사 시 환자의 최대산소섭취량을 증가시키므로 주의해야 한다.

정답 ②

① 알파차단제와 칼슘통로차단제를 복용하는 환자는 운동 실시 후 혈압이 과도하게 감소할 수 있으므로 주의해야 한다.
③ 운동 시 수축기 혈압은 220mmHg 이하 또는 이완기 혈압은 105mmHg 이하를 유지해야 한다.
④ 베타차단제는 운동검사 시 환자의 최대산소섭취량을 감소시키므로 주의해야 한다.

14. <보기>에서 ACSM(제 10판)이 권고하는 뼈엉성증(골다공증) 환자 운동처방 시 고려사항으로 적절한 것을 모두 고른 것은?

─〈보기〉─
㉠ 정적 스트레칭이 추천된다.
㉡ 높은 충격의 고강도 저항성 운동은 피해야 한다.
㉢ 통증을 유발하거나 악화시키지 않는 중강도의 체중지지 운동이 권고된다.
㉣ 낙상 경험이 있는 환자의 경우 평형성 개선을 위한 운동이 포함되어야 한다.
㉤ 척추 뼈엉성증 환자에게는 심폐지구력 검사를 위해 트레드밀 대신 고정식 자전거 사용이 추천된다.

① ㉠, ㉡
② ㉢, ㉣, ㉤
③ ㉠, ㉡, ㉢, ㉣
④ ㉠, ㉡, ㉢, ㉣, ㉤

정답 ④

골다공증에 대한 내용을 모두 숙지하기 바란다.

15. <보기>의 특성을 나타내는 대상자에게 ACSM(제 10판)이 권고하는 저강도 운동강도로 적절한 것은?

─〈보기〉─
- 나이 : 68세
- 성별 : 남성
- 체중 : 60kg
- 운동경력 : 없음
- 벤치프레스를 30kg으로 최대 10회 반복 수행함
※ 1RM 추정 공식 = WO(들어올린 중량) + W1,
  W1 = WO × 0.025 × R(반복횟수)

① 11~14kg
② 15~18kg
③ 19~22kg
④ 23~26kg

2021

정답 ②

1 RM을 산출하는 공식을 이용하면

W1 = 30 × 0.25 × 10

= 7.5kg + 30kg = 37.5kg

노인의 경우 운동강도가 40~50%이므로 대입하면 된다.

16. <보기>에서 ACSM(제 10판)이 권고하는 당뇨병 환자 운동처방 시 고려사항으로 적절한 것을 모두 고른 것은?

─〈보기〉─

㉠ 운동 전 혈당 수준이 100mg/dL 이하인 경우 탄수화물 섭취가 필요하다.

㉡ 제1형 당뇨병 환자에게 운동 시작 전 고혈당과 케톤증이 나타나면 운동을 연기한다.

㉢ 일회성 운동 시작 전에 혈당 수준이 70mg/dL 미만일 경우 상대적 운동 금기사항에 해당한다.

㉣ 자율신경병증(autonomic neuropathy)을 동반한 경우 운동자각도를 이용하여 운동강도를 평가한다.

㉤ 심혈관질환의 증상이 없거나 낮더라도 중강도 수준의 운동을 하기 위해서는 운동검사가 필수적이다.

① ㉠, ㉡

② ㉢, ㉣, ㉤

③ ㉠, ㉡, ㉢, ㉣

④ ㉠, ㉡, ㉢, ㉣, ㉤

정답 ③

심혈관질환의 증상이 없거나 낮은 경우 저·중강도 수준의 운동을 할 때 운동검사가 필수적이지 않다.

17. ACSM(제 10판)에서 권고하는 어린이와 청소년 운동처방 시 고려사항으로 옳은 것은?

① 성인의 표준 운동검사를 적용할 수 없다.

② 운동 경험이 없더라도 중강도의 신체활동을 적용할 수 있다.

③ 다양한 저강도의 신체활동을 교차 수행하고 긴 휴식시간이 추천된다.

④ 트레드밀보다는 자전거 에르고미터를 이용한 운동검사가 손상의 위험이 크다.

정답 ②

① 성인의 표준 운동검사를 적용할 수 있다.

③ 다양한 중·고강도의 신체활동을 교차 수행하고 짧은 휴식시간이 추천된다.

④ 트레드밀과 자전거 에르고미터 모두 운동검사에 적용할 수 있다.

📖 **보충학습**

트레드밀 검사가 더 높은 최고산소섭취량과 최대심박수의 결과를 얻을 수 있는 특징이 있고, 자전거 에르고미터는 손상의 위험은 적지만 어린이나 청소년들을 위해 높이를 적절하게 조절해야 한다.

어린이와 운동

18. <보기>의 ㉠~㉢에 해당하는 내용이 바르게 나열된 것은?

―〈보기〉―

ACSM(10판)에서는 과체중과 비만 환자를 위한 유산소 운동의 초기 강도는 (㉠), 운동빈도는 주당 (㉡)이상, 운동시간은 30분 이상, 또는 (㉢)간의 간헐적 운동으로 나누어 수행하는 것을 권장한다.

	㉠	㉡	㉢
①	50~69%HRR	3회	10분
②	40~59%HRR	5회	5분
③	50~69%$\dot{V}O_2R$	3회	5분
④	40~59%$\dot{V}O_2R$	5회	10분

정답 ④

과체중과 비만 환자를 위한 유산소 운동 강도로 RPE는 12~13 정도이다.

19. <보기>에서 성인과 비교할 때 운동 시 어린이의 생리적 반응에 관한 설명이 옳은 것으로만 묶인 것은?

―〈보기〉―

㉠ 수축기 혈압과 이완기 혈압이 모두 낮음
㉡ 1회 호흡량, 환기량, 호흡교환율 모두 낮음
㉢ 절대 산소섭취량과 상대 산소섭취량 모두 높음
㉣ 1회 박출량, 심박수, 심박출량 모두 낮음

① ㉠, ㉡   ② ㉠, ㉣
③ ㉡, ㉢   ④ ㉢, ㉣

정답 ①

아래 표는 "박승화 체육스포츠" 강의 시간에 진행하는 내용이다.

성인과 비교할 때 어린이의 격렬한 운동에 따른 생리적 반응	
변인	**변화**
절대산소섭취량(VO₂L · min⁻¹)	낮음
상대산소섭취량(VO₂mL · kg⁻¹ · min⁻¹)	높음
심박수	높음
심박출량	낮음
일회박출량	낮음
수축기혈압	낮음
이완기혈압	낮음
호흡수	높음
일회호흡량	낮음
환기량(VE)	낮음
호흡교환율	낮음

20. 임산부에 대한 절대적 운동 금기사항에 해당하는 것은?

임산부

① 심각한 빈혈(severe anemia)
② 정형외과적 제한(orthopedic limitations)
③ 극단적인 체중미달(extreme underweight)
④ 임신성 고혈압(pregnancy-induced hypertension)

정답 ④

아래 표는 "박승화 체육스포츠" 강의 시간에 진행하는 내용이다.

임신 중 운동을 금지해야 하는 이유

▶ 상대적 금기사항
- 빈혈 또는 증상성 빈혈
- 평가되지 않은 임산부의 심장부정맥
- 만성기관지염, 경증·중등도 호흡기질환 또는 기타 호흡기 장애
- 조절되지 않는 제1형 당뇨병
- 극심한 병적 비만
- 영양실조 또는 극심한 저체중
- 극단적인 좌업생활 과거력
- 자연조산, 조산, 유산 또는 태아성장의 지연 과거력
- 잘 조절되지 않는 발작장애
- 정형외과적 제한
- 평가되지 않은 임신부의 심장부정맥
- 심한 흡연자
- 반복적인 유산
- 섭식장애
- 자궁경부 확장
- 기타 중대한 의학적 상태

▶ 절대적 금기사항
- 혈역학적으로 문제가 있는 심장병
- 억제성 폐질환
- 자궁경부무력증, 자궁경부원형묶음
- 조산의 위험이 있는 다태임신(둘 이상의 태아를 동시에 임신하는 것)
- 지속적인 임신 2~3기의 출혈
- 임신 26~28주 후의 전치태반
- 임신 동안의 태동불안
- 양막 파열
- 전자간증(임심중독증) 또는 임신성 고혈압
- 중증 빈혈
- 조절되지 않는 갑상선 질환
- 조절되지 않는 제1형 당뇨병
- 자궁 내 성장제한
- 기타 심각한 심혈관·호흡기 또는 전신장애
- 현재 임신 중 조산
- 임신 2기 또는 3기 출혈과 같은 설명할 수 없는 지속적인 질 출혈

운동부하검사

01. 운동부하검사의 안전에 관한 설명으로 옳지 <u>않은</u> 것은?

① 훈련된 전문가가 수행하는 것이 안전하다.
② 혈역학적 반응을 제한하는 약물을 복용하면 검사의 민감도가 증가할 수 있다.
③ 검사 동안과 회복기에 협심증이 발생한 시간대, 특성, 정도 등을 기록해야 한다.
④ 허혈성 심장질환자를 검사할 경우 의사가 베타차단제 복용을 중단하도록 할 수 있다.

정답 ②

쉬운 문제이다.
혈역학적 반응을 제한하는 약물을 복용하면 검사의 민감도가 감소할 수 있다.

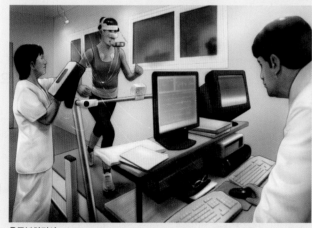

운동부하검사

운동부하검사란 안정 상태에서는 얻을 수 없는 심혈관계 정보를 운동을 하게 하여 심전도와 혈압을 측정하면서 얻는 검사이다.

02. 운동부하검사 참여 시 대상자의 유의사항에 관한 설명으로 옳은 것은?

① 최소 검사 3시간 전부터는 카페인 섭취나 흡연을 해서는 안 된다.
② 측정자에게 복용 약물의 약품명과 복용량을 알려줄 필요는 없다.
③ 진단의 목적이라면 평상시 일정대로 약물 복용을 한다.
④ 운동검사로 피로해질 수 있으므로 당일 입원 수속을 한다.

정답 ①

② 측정자에게 복용 약물의 약품명과 복용량을 알려줄 필요가 있다.
③ 치료의 목적이라면 평상 시 일정대로 약물 복용을 한다.
④ 운동검사로 피로해질 수 있으므로 당일 입원 수속을 한다.

📖 보충학습

IHD의 가능성을 평가하는 검사에서 일부 의사들은 운동 시 혈역학적 반응을 제한하는 베타차단제 같은 약물의 복용을 잠시 중단하도록 요청할 수 있다. 왜냐하면 민감도를 약화시킬 수 있기 때문이다. 그러나 대부분 검사에서 검사 당일에도 약물을 계속 복용하는 것이 일반적이다.

2021

03. 운동부하검사의 측정 변인에 관한 설명으로 옳은 것은?

① 심박수는 매 단계별 시작 시 5~10초 동안 측정하고 기록한다.
② 수축기와 이완기 혈압 수치는 운동검사를 종료하는 기준으로 사용된다.
③ 운동자각도는 주관적인 피로 정도를 측정하기 때문에 신뢰하기 어렵다.
④ 혈압은 트레드밀이나 자전거 에르고미터 손잡이를 가볍게 잡은 상태에서 측정한다.

정답 ②

① 운동검사 중·후 심박수는 매 단계별 마지막 5~15초 동안 측정하고 기록한다.
③ 운동자각도는 주관적인 운동강도를 측정하기 때문에 신뢰할 수 있는 방법에 이라고 할 수 있다.
④ 혈압은 트레드밀이나 자전거 에르고미터 손잡이를 잡지 않은 상태에서 측정한다.

04. ACSM(제 10판)에서 권장하는 최대운동부하검사 시 최대운동수행 종료시점을 판단하는 기준으로 옳지 않은 것은?

① 호흡교환율이 ≥ 1.00 일 때
② 운동량 증가에도 최대산소섭취량이 더 이상 증가하지 않을 때
③ 정맥 젖산 농도가 > 8.0mmol/L 일 때
④ 운동자각도 0~10 척도에서 > 7 일 때

정답 ①

이 문제는 여러 번 출제가 반복되고 있다.

교재마다 약간씩 차이가 있지만 호흡교환율이 ≥1.10 (1.20) 일 때로 수정하면 된다.

05. 만성 질환자를 대상으로 운동부하검사를 실시할 때 옳지 않은 것은?

① 좌업생활을 해온 당뇨병 환자는 심전도 스트레스 검사를 받는 것이 바람직하다.
② 이상지질혈증 환자는 검사 중 심혈관질환이 질 감지되지 않기 때문에 주의해야 한다.
③ 하지 정형외과적 문제가 있는 비만 환자는 상체자전거를 사용할 필요가 있다.
④ 천식 환자는 검사 중 동맥혈산소포화도(SpO_2)가 80% 이하가 되면 대상자의 상태와 상관없이 검사를 중단한다.

정답 ④

천식 환자는 검사 중 동맥혈산소포화도(SpO_2)가 80 % 이하가 되면 대상자의 상태를 감안(고려)하여 검사를 중단한다.

06. 대상별 운동부하검사에 관한 설명으로 옳지 않은 것은?

① 임산부는 의학적으로 필요한 경우를 제외하고 최대운동검사를 시행하면 안 된다.
② 파킨슨병 환자는 증상을 치료하는 약물이 최고의 효과를 보일 때 검사를 수행한다.
③ 말초동맥질환자는 경사도를 고정하고 속도는 점진적으로 높여 가며 검사한다.
④ 운동유발성 기관지 수축 환자에게는 심폐능력의 최적 평가를 위하여 검사 전 흡입성 기관지 확장제를 투여한다.

정답 ③

말초동맥질환자는 느린 속도로 시작하여 점진적으로 경사도를 올리도록 한다.

07. <보기>에서 운동부하검사 동의서에 관한 설명으로 옳은 것을 모두 고른 것은?

〈보기〉

㉠ 충분한 정보가 포함된 서면 동의서로 이루어지며 반드시 구두로 설명한다.
㉡ 검사의 목적과 위험요인에 대하여 잘 알고 이해할 수 있도록 충분한 정보를 제공한다.
㉢ 검사 대상자가 동의서에 서명을 하면 검사 중 피로감이나 불편감을 느끼더라도 스스로 중단할 수 없다.
㉣ 검사 중에 검사 대상자의 느낌을 신속하게 보고해야 하는 의무가 포함되어 있다.

① ㉠, ㉡, ㉢
② ㉠, ㉡, ㉣
③ ㉢, ㉣
④ ㉠, ㉡, ㉢, ㉣

정답 ②

ⓒ 검사 대상자가 동의서에 서명을 하면 검사 중 피로감이나 불편감을 느끼게 되면 스스로 중단할 수 있다.

08. <보기>에서 운동부하검사의 종료 기준으로 옳은 것을 모두 고른 것은?

─〈보기〉─

㉠ 운동실조
ⓛ 수축기 혈압>220mmHg 또는 이완기 혈압>115mmHg
ⓒ 운동강도가 증가하더라도 수축기 혈압이 5mmHg 이상 감소
ⓔ 경미한 두통
ⓜ 불충분한 관류 징후로 인한 냉습한 피부

① ㉠, ⓛ, ⓒ   ② ㉠, ⓔ, ⓜ
③ ㉠, ⓛ, ⓒ, ⓔ   ④ ⓛ, ⓒ, ⓔ, ⓜ

정답 ②

ACSM 가이드라인에 따라야 하는데 이 문제를 해결하기 위해서는 공부를 해야 한다.

ⓛ 수축기 혈압>250mmHg 또는 이완기 혈압 > 115mmHg
ⓒ 운동강도가 증가하더라도 수축기 혈압이 10mmHg 이상 감소

09. 운동부하검사에 관한 설명으로 옳은 것은?

① 말초동맥질환자는 검사 후 누운 자세에서의 회복이 권장된다.
② 심장허혈 평가 이외의 목적이라면 안정 시 심전도 검사를 할 필요가 없다.
③ 허혈성 심장질환 진단에는 유용하지만 예후를 예견하는 데는 유용하지 않다.
④ 심장이식을 고려하는 고위험 만성 심부전증 환자에게는 호흡가스 측정을 포함한 최대운동검사가 적절하다.

정답 ④

비교적 쉬운 문제로서 답안을 쉽게 고를 수 있다.

① 말초동맥질환자는 검사 후 앉은 자세에서의 회복이 권장된다.
② 심장허혈 평가 이외의 목적이라면 안정 시 심전도 검사를 할 필요가 있다.
③ 허혈성 심장질환 진단에도 유용하지만 예후를 예견하는 데에도 유용하다.

10. ACSM(제 10판)에서 권고하는 질환별 운동검사에 관한 권장사항으로 옳은 것은?

	질환	권장사항
①	다발성경화증	운동강도 설정 시 심박수와 혈압 반응을 활용하는 것이 적절하다.
②	관절염	급성 염증단계에서는 운동검사를 위해 수정된 브루스(modified Bruce) 프로토콜 사용을 권장한다.
③	만성폐쇄성 폐질환	경증에서 중등도 질환자는 5~9분의 검사시간이 소요되는 프로토콜 사용을 권장한다.
④	심부전	정상인에 비해 운동능력이 30~40% 정도 낮기 때문에 노튼(Naughton) 프로토콜을 권장한다.

정답 ④

	질환	권장사항
①	다발성경화증	운동강도 설정 시 RPE를 활용하는 것이 적절하다.
②	관절염	급성 염증단계에서는 발적이 사라질 때까지 운동검사를 연기해야 한다.
③	만성폐쇄성 폐질환	만성폐쇄성 경증에서 중등도 질환자는 8~12분의 검사시간이 소요되는 프로토콜 사용을 권장한다.

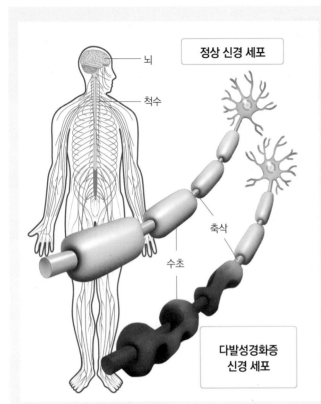

정상 신경 세포

뇌
척수
축삭
수초

다발성경화증
신경 세포

운동부하검사

다발성경화증으로 신경세포가 훼손되면 신호가 제대로 전달되지 않아 운동 저하, 시신경장애, 감각이상 등이 생긴다.

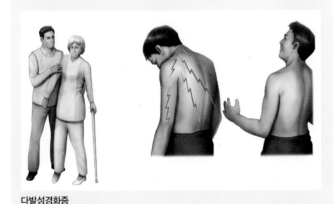

다발성경화증

11. 미국심장협회(AHA)가 제시한 증상 제한 최대운동 검사의 상대적 금기사항과 상대적 종료기준이 옳은 것으로만 묶인 것은?

〈보기〉

	상대적 금기사항	상대적 종료기준
㉠	증상이 불명확한 중증 이상의 심각한 대동맥 협착	2 mm 이상 수평이나 하향 형태의 ST 분절 하강
㉡	심내막염	가슴 통증의 증가
㉢	급성 대동맥 박리	산소포화도 80% 이하
㉣	완전 심장차단	심실빈맥과는 분별하기 어려운 각 차단 발생
㉤	조절되지 않는 빈맥	운동실조 등의 신경계 증상의 증가

① ㉠, ㉡, ㉤   ② ㉠, ㉢, ㉣
③ ㉠, ㉣   ④ ㉡, ㉢, ㉣, ㉤

정답 ③

약방의 감초처럼 매년 출제되는 내용이다.
아래 기출에 상세한 항목을 제시했으니 참조하기 바란다.

☞2015년 운동부하검사 10번, 2016년 운동부하검사 17,
　2017년 운동부하검사 10번, 2019년 운동부하검사 14번 참고

12. 〈보기〉에서 최대하 운동부하검사에 관한 설명으로 옳은 것을 모두 고른 것은?

〈보기〉

㉠ Astrand-Ryhming 자전거 에르고미터 검사는 6분 동안 지속하는 단일단계법이다.
㉡ 다양한 검사방법으로 심박수, 혈압, 심전도, 운동능력 외에 주관적인 지표를 살펴볼 수 있다.
㉢ 자전거 에르고미터를 이용한 최대하 운동부하검사 후 회복기 단계에서는 심박수와 혈압이 운동 전 수준이 될 때까지 검사를 지속해야 한다.
㉣ 자전거 에르고미터 검사 시 최대산소섭취량은 트레드밀 검사보다 낮게 산출되므로 종료 기준을 트레드밀 검사보다 낮게 설정한다.
㉤ 심박수와 운동량의 선형관계를 통해 최대산소섭취량을 예측하면서 부가적인 반응 지표를 구하는 것이 중요하다.

① ㉠, ㉡, ㉢　　　　　　② ㉠, ㉡, ㉤
③ ㉡, ㉢, ㉤　　　　　　④ ㉠, ㉢, ㉣, ㉤

정답 ②

㉢ 자전거 에르고미터를 이용한 최대하 운동부하검사 후 회복기 단계에서는 심박수와 혈압이 안정될 때까지 저강도로 지속하지만 반드시 운동 전 수준까지 실시할 필요는 없다.
㉣ 자전거 에르고미터 검사 시 최대산소섭취량은 트레드밀 검사보다 낮게 산출된다.
대상자의 체력 상태에 따라 부하가 낮은 혹은 높은 프로토콜을 선택할 수 있으며, 전체 운동수행 시간은 8~12분 정도에서 운동이 종료되도록 권장된다.

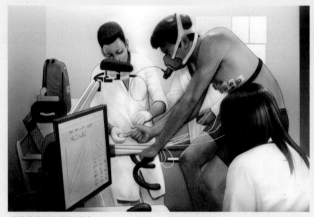

자전거에르고미터 검사

13. 심전도를 이용한 운동부하검사의 민감도가 68%, 특이도가 77%일 때, 총 검사자 1,000명 중 10%가 심장질환자라면 가양성(false positive) 결과는?

① 68명　　　　　　② 77명
③ 207명　　　　　　④ 693명

정답 ③

100명이 심장질환자이며, 민감도는 허혈성 심장질환자가 양성 검사를 얻을 확률을 뜻하기 때문에 68명으로 나타났다. 따라서 900명 중 693명이 진음성으로 나타난 것이다. 따라서 23%가 가양성 결과이다.

14. 운동부하검사의 측정 변인에 관한 설명으로 옳은 것을 모두 고른 것은?

〈보기〉

㉠ 맥박산소포화도는 손가락에서 귓불이나 이마로 변경하여 측정하는 것도 유용하다.
㉡ 폐질환자의 동맥혈산소포화도(SpO_2)가 5% 이상 감소하는 것은 운동 유발성 저산소혈증으로 비정상적인 반응이다.
㉢ 심근산소요구량(RPP)은 운동량보다는 허혈역치를 가늠하는 지표이다.
㉣ 허혈 증상이 동반되면서 수축기 혈압이 10 mmHg 이상 떨어지면 대상자의 상태에 따라 검사 중단을 결정한다.

① ㉠, ㉡, ㉢　　　　　　② ㉠, ㉢, ㉣
③ ㉡, ㉣　　　　　　④ ㉢, ㉣

정답 ①

㉣ 허혈 증상이 없지만 운동강도가 증가함에도 불구하고 수축기 혈압이 10 mmHg 이상 떨어지면 대상자의 상태에 따라 검사 중단을 결정한다.

15. 〈보기〉에서 운동부하검사 직후 회복기에 관한 설명으로 옳은 것을 모두 고른 것은?

〈보기〉

㉠ 운동종료 시점과 비교하여 정맥회귀량의 증가로 혈압이 상승한다.
㉡ 낮은 강도의 활동적 회복은 혈역학적 안정성과 정맥회귀를 돕는다.
㉢ 심박수가 운동 종료 1분 후 22회 이상 감소하지 않으면 허혈성 심장질환자의 사망 위험이 높아질 수 있다.
㉣ 허혈성 심장질환의 진단에 대한 민감도를 극대화하기 위해서는 운동 직후 앉거나 누운 자세를 취해야 한다.

① ㉠, ㉡, ㉢　　　　　　② ㉡, ㉢
③ ㉡, ㉣　　　　　　④ ㉠, ㉡, ㉢, ㉣

정답 ③

㉠ 운동종료 시점과 비교하여 정맥회귀량의 급격한 하락으로 저혈압을 초래할 수 있다.
㉢ 심박수가 운동 종료 2분 후 22회 이상 감소하지 않으면 허혈성 심장질환자의 사망률 증가 위험과 밀접한 관련이 있다.

2021

16. 다음 심전도의 분당 심박수는?

〈보기〉

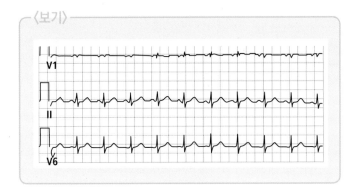

① 100회   ② 90회
③ 80회   ④ 70회

정답 ①

박동수를 계산하는 쉬운 문제이다.

17. 운동부하검사의 방법(mode)에 관한 설명으로 옳지 않은 것은?

① 전동식 트레드밀 장비에 익숙하지 않은 사람은 연습을 통해 장비에 적응할 필요가 있다.
② 필드검사에서는 정해진 시간 또는 거리를 걷거나 달리는 검사를 통해 최대산소섭취량을 산출할 수 있다.
③ 일부 스텝검사는 7~9METs 이상의 에너지가 요구되므로 검사 대상자들의 체력수준을 고려하여 적용한다.
④ 자전거 에르고미터 검사를 위한 최적의 안장 높이는 페달이 최저점일 때 무릎을 약 10° 굽힌 정도이다.

정답 ④

자전거 에르고미터 검사를 위한 최적의 안장 높이는 페달이 최저점일 때 무릎을 약 25° 굽힌 정도이다.

18. 운동부하검사로 측정된 만성질환자의 최고산소섭취량(VO₂peak)에 관한 설명으로 옳지 않은 것은?

① 건강상태를 파악하기 위해 측정된다.
② 최대심박출량과 동·정맥 산소차에 영향을 받는다.
③ 실제로 생리적인 한계에 도달함을 의미한다.
④ 국소 근피로로 최대 수행력이 제한될 때 사용한다.

정답 ③

만성질환자의 생리적인 한계에 도달함을 의미한다.

19. 운동부하검사를 수행하는 과정에 관한 설명으로 옳은 것은?

① 검사 방법(mode) 선정 시 환자의 선호도는 고려하지 않는다.
② 검사 전에 위험한 상황에 대한 설명은 불안정한 심리상태를 유발시킬 수 있으므로 하지 않는 것이 바람직하다.
③ 폐질환을 위한 평가는 추가적으로 핵의학영상과 초음파영상과 같은 부가적인 영상검사가 필수적이다.
④ 운동유발성 심근허혈을 발견하기 위해서 안정 시에 심전도의 재분극 변화를 관찰한다.

정답 ②

① 검사 방법(mode) 선정 시 환자의 선호도도 고려해야 한다.
③ 폐질환을 위한 평가는 추가적으로 핵의학영상과 초음파영상과 같은 부가적인 영상검사가 필수적이라기보다는 선택적이며 주로 GTX로 할 수 있다.
④ 운동유발성 심근허혈을 발견하기 위해서 운동 시에 심전도의 재분극 변화를 관찰한다.

20. 운동부하검사 중 혈압 반응에 관한 설명으로 옳지 <u>않은</u> 것은?

① 트레드밀 최대운동검사 시 남녀 간 수축기와 이완기의 혈압 차이는 없다.
② 운동량이 증가할수록 수축기 혈압은 1MET 당 10 mmHg 정도 올라간다.
③ 수축기 혈압은 운동 후 회복기 6분 이내에 운동 전 수준으로 낮아진다.
④ 이완기 혈압은 운동강도가 증가해도 크게 변화하지 않는다.

정답 ①

트레드밀 최대운동검사 시 남(≥210 mmHg) · 여(≥190 mmHg) 간 수축기의 혈압 차이가 있다.

2021

건강운동관리사
필기시험
2교시

2021

운동상해

01. <보기>에서 손상조직의 치유과정 중 염증반응 단계(inflammatory response phase)의 내용으로 옳은 것을 모두 고른 것은?

─〈보기〉─

㉠ 포식작용(phagocytosis)
㉡ 육아조직(granulation tissue) 생성과 혈관 생성
㉢ 혈관 수축과 혈관 확장
㉣ 섬유아세포(fibroblast)와 상처 크기 감소

① ㉠, ㉡ 　　　　　　② ㉠, ㉢
③ ㉡, ㉣ 　　　　　　④ ㉢, ㉣

정답 ②

이 문제는 손상에 대한 조직의 반응에서 치유과정을 묻는 내용이다.
㉡, ㉣은 섬유모세포 회복단계에 해당한다.

☞2015년 운동상해 07번, 2017년 운동상해 15번 참고

02. 쇼크(shock) 발생 시 주요 증상과 대처 방법에 관한 설명으로 옳지 <u>않은</u> 것은?

① 혈액 상실이 있는 저혈량성 쇼크(hypovolemic shock)가 발생하면 즉시 병원으로 이송해야 한다.
② 갈증을 호소하는 경우 무기질 상실을 막기 위하여 즉시 물을 섭취 하도록 도와준다.
③ 창백한 피부는 불충분한 순환, 출혈 또는 인슐린 쇼크를 의미한다.
④ 쇼크 발생 시 중요한 생체신호로써 맥박, 호흡, 혈압을 체크한다.

정답 ②

갈증을 호소하는 경우 환자에게 먹을 거나 마실 것을 주지 말아야 한다. 그 이유는 위장운동이 저하되어 있으므로 음식물을 섭취하면 토할 수 있기 때문이다.

03. 머리 및 목뼈(cervical vertebra) 손상을 입은 환자에 관한 설명으로 옳지 <u>않은</u> 것은?

① 목뼈 골절(fracture)이 의심되는 환자는 지속적으로 머리와 목을 고정시킨다.
② 맥박저하, 혈압상승 또는 불규칙한 호흡은 머리안(cranial cavity)내 압력이 증가된 것을 의미한다.
③ 안면보호대가 있는 헬맷을 착용하고 있다면, 척추보드로 옮기기 전에 기도평가를 위해 안면보호대를 제거해야 한다.
④ 바빈스키 반사(Babinski's reflex)검사 시 발가락의 굴곡과 내전은 양성반응을 의미한다.

정답 ④

1896년 프랑스의 의사 바빈스키에 의하여 알려진 병적반사이다. 발바닥의 바깥쪽을 바늘이나 해머자루 등으로, 발꿈치에서 발가락쪽 방향으로 문지르면 엄지발가락이 등쪽으로 굽고 다른 발가락은 부챗살처럼 펼쳐지는 현상(fanning을 말한다. 이 현상은 병적 반사 중 가장 기본적 반사로서 추체로(錐體路)장애가 있을 때 나타낸다.

추체로는 대뇌피질에서 시작되는 운동의지를 신속하게 전신근육에 전달하는 중요한 기능을 가지는 피질척수로이다.

신생아의 발바닥을 건드리면 엄지발가락을 등쪽으로 구부리는 반면, 다른 네 발가락은 부챗살처럼 펴는 반사행동이다. A는 정상, B는 양성이다.

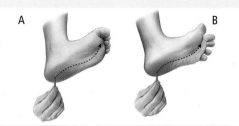

바빈스키반사

04. <보기>에서 설명하고 있는 손상으로 옳은 것은?

─〈보기〉─

긴엄지벌림힘줄(abductor pollicis longus tendon)과 짧은엄지폄힘줄(extensor pollicis brevis tendon)이 마찰되어 손목지지띠와 손목힘줄에 문제가 나타난다.

① 드퀘베인 증후군(de Quervain's syndrome)
② 삼각 섬유연골 복합체 손상(triangular fibro-cartilage complex injury)
③ 박리성 뼈연골염(osteochondritis dissecans)
④ 손목 터널 증후군(carpal tunnel syndrome)

정답 ①

손목건초염은 손목의 내측과 중앙, 외측에 있는 여러 개의 힘줄을 감싸고 있는 막에 생긴 염증을 말하는 것으로 '손목협착성 건막염'이라고도 한다. 또 이 병을 처음 소개한 스위스 의사 이름을 따서 '드퀘르벵 증후군(De-Quervain Syndrome)'이라고 한다. 손목건초염은 주로 손을 과도하게 사용함으로써 손목에서 엄지손가락으로 이어지는 2개의 힘줄(긴엄지벌림근, 짧은엄지폄근)과 이 힘줄을 싸고 있는 막(건초) 사이에 마찰을 유발하고 이로 인해 발생되는 염증성 질환을 일컫는다.

de Quervain's syndrome

05. <보기>에서 신장 운동(stretching exercise)의 금기사항으로 옳은 것을 모두 고른 것은?

─〈보기〉─

㉠ 연부조직의 혈종이 관찰될 경우
㉡ 급성염증이나 감염이 있을 경우
㉢ 과가동성(hyper mobility)이 있을 경우
㉣ 연부조직의 단축이 가동범위를 제한할 경우

① ㉠
② ㉠, ㉡
③ ㉠, ㉡, ㉢
④ ㉠, ㉡, ㉢, ㉣

정답 ③

연부조직의 단축이 가동범위를 제한할 경우에는 이완시키기 위해 스트레칭이 권장된다.

06. PNF(proprioceptive neuromuscular facilitation) 동작 중 엉덩관절(hip joint)의 D2(diagonal 2)패턴 움직임에 해당하는 것은?

① 굽힘(flexion), 모음(adduction), 가쪽돌림(external rotation)
② 굽힘(flexion), 벌림(abduction), 안쪽돌림(internal rotation)
③ 폄(extension), 모음(adduction), 안쪽돌림(internal rotation)
④ 폄(extension), 벌림(abduction), 가쪽돌림(external rotation)

정답 ②

PNF 패턴은 특정 근육작용에 대립되는 총체적인 동작과 관련된다. PNF 기법은 대부분의 스포츠와 일상생활 행위에서 요구되는 운동과 유사한 회전성, 그리고 대각선 운동패턴으로 구성된다. 운동패턴에는 세 가지 동작요소 즉 굴곡-신전, 외전-내전, 외회전-내회전이 있다.

📖 보충학습

인간의 동작은 패턴화되며, 모든 근육은 나선형이며, 대각선 방향으로 배치되어 있어 직선적으로 나타나는 경우는 드물다.

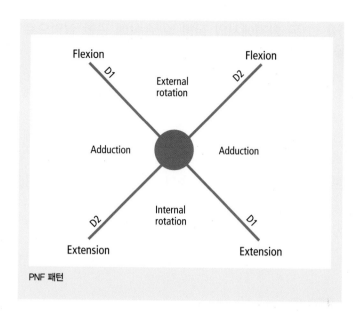

PNF 패턴

① 급성 구획증후군 : 직접적인 외상으로 발생, 응급상황
② 급성 운동성 구획증후군 : 돌발적인 외상없이 나타남
③ 만성 구획증후군 : 활동의 어떤 지점에서 지속적으로 발생하는 활동과 연관

📖 보충학습

만성 구획증후군은 주로 달리는 사람에게 발생하며, 급성 구획증후군은 축구선들에게 발생한다.

07. <보기>에서 구획증후군(compartment syndrome)에 관한 설명으로 옳은 것으로만 묶인 것은?

─〈보기〉─

㉠ 구획증후군은 깊숙한 부위의 통증과 경직, 팽윤 등을 동반한다.
㉡ 만성구획증후군은 직접적 외상없이 주로 운동 후 발생한다.
㉢ 급성구획증후군은 탄력붕대를 이용한 압박이 부종을 조절하는데 효과적이다.
㉣ 급성구획증후군은 황색포도상구균(staphylococcus aureus)의 감염에 의해 나타난다.

① ㉠, ㉡   ② ㉠, ㉢
③ ㉡, ㉣   ④ ㉢, ㉣

정답 ①

㉢ 급성구획증후군은 이미 압력이 증가한 상태이기 때문에 탄력붕대를 이용한 압박이 부종을 조절하는데 효과적이지 못하다. 주로 얼음찜질과 거상이 적용된다.
㉣ 황색포도상구균(staphylococcus aureus)은 식중독을 일으키는 세균으로 문제와 무관하다.

구획증후군은 골막 구획 내의 압력이 증가하여 구획 내의 근육과 신경혈관 구조에 압박이 발생하는 증상이다.

08. <보기>에서 목 신경뿌리(cervical nerve root)의 손상 유무를 알아보는 검사방법으로 옳은 것을 모두 고른 것은?

─〈보기〉─

㉠ 스펄링검사(spurling test)
㉡ 목뼈압박검사(cervical compression test)
㉢ 팔신경얼기검사(brachial plexus test)
㉣ 커니그검사(Kernig's test)

① ㉠   ② ㉠, ㉡
③ ㉠, ㉡, ㉢   ④ ㉠, ㉡, ㉢, ㉣

정답 ③

커니그검사는 추간판 탈출 검사이다.

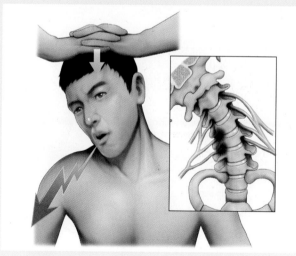

spurling test

Kernig's test

09. 넙다리돌기윤활주머니염(trochanteric bursitis)에 관한 설명으로 옳지 <u>않은</u> 것은?

① Q각의 차이로 인해 여성보다 남성에게서 발병 빈도가 높다.
② 모음근(adductor)과 벌림근(abductor) 사이의 불균형이 원인이다.
③ 넙다리뼈(femur) 큰돌기(greater trochanter)에서 비교적 흔하게 발생 하는 질환이다.
④ 볼기근(gluteal)이 닿는 곳(insertion) 주변 또는 엉덩정강띠(IT-band)가 지나가는 주변에 염증이 발생한다.

정답 ①

Q각의 차이로 인해 남성보다 여성에게서 발병 빈도가 높다.
☞2018년 운동상해 01번 참고

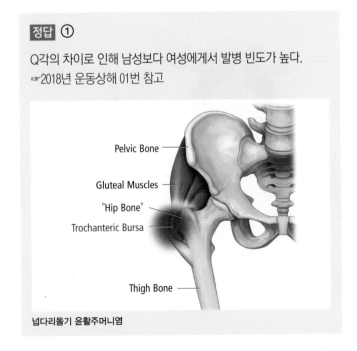

Pelvic Bone
Gluteal Muscles
"Hip Bone"
Trochanteric Bursa
Thigh Bone

넙다리돌기 윤활주머니염

10. 고온 환경에서의 질병 및 손상에 관한 설명으로 옳지 <u>않은</u> 것은?

① 저나트륨혈증(hyponatremia)은 수분의 과다 공급에 의해 발생한다.
② 운동유발 근육경련(muscle cramp)은 운동 중 또는 후에 발생하는 불수의적 근수축이다.
③ 열실신(heat syncope)의 증상 및 징후에는 어지러움, 기절, 체온상승, 정신혼란 등이 있다.
④ 열사병(heat stroke)에서 초기 빈맥과 저혈압은 높은 말초 저항에 의해 발생한다.

정답 ④

열사병(heat stroke)에서 초기 빈맥과 저혈압은 말초혈관의 울혈과 유효 순환혈액부피의 감소로 인해 나타나는 현저한 전신성 혈관확장에 의해 발생한다.

📖 **보충학습**

고전적인 열사병의 정의는 40℃ 이상의 심부체온, 중추신경계 기능 이상, 무한증의 세 가지를 모두 가지고 있어야 하지만, 무한증은 나타나지 않을 수도 있다.

☞2017년 운동상해 02번 참고

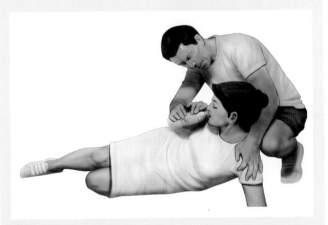

열사병

11. 뼈되기근육염(골화근염, myositis ossificans)에 관한 설명으로 옳은 것은?

① 뼈의 무기질량 감소와 약화를 초래하며 에스트로겐 감소로 인해 가속화된다.
② 성장판 주변의 힘줄 부착 부위의 견열골절로 발생한다.
③ 선천성 뼈 이상으로 두 뼈의 구조물 충돌로 발생한다.
④ 동일 부위의 반복적인 타박상으로 인해 근육에 칼슘 침전물이 생기면서 발생한다.

 정답 ④

반복성 타박상으로 동일한 부위 또는 구체적으로 동일한 근육이 반복적으로 타박상을 당하면 작은 칼슘 침전물이 상해부위에 누적될 수 있다. 이런 칼슘조각이 섬유사이에서 발견되거나 칼슘이 아래에 위치한 뼈로부터 돌출한 골극을 형성할 수도 있다. 이러한 현상을 골화성근염이라고 부른다.
정답을 제외한 나머지 항목들은 다음의 질환에 해당한다.
① 골다공증(일차성)
② Osgood-Schlatter disease
③ 충돌증후군

☞2017년 운동상해 18번 참고

12. 수중재활운동에 관한 설명으로 옳지 <u>않은</u> 것은?

① 비만인은 지방조직에 의해 부력(buoyancy)이 증가한다.
② 부력과 점성(viscosity)은 신체에 직접적인 영향을 준다.
③ 선 자세에서 위앞엉덩뼈가시(anterior superior iliac spine)까지 침수 시 체중의 약 30%가 지지된다.
④ 수압(hydrostatic pressure)은 정맥순환을 촉진하여 1회 박출량을 증가 시킨다.

정답 ③

③ 선 자세에서 위앞엉덩뼈가시(anterior superior iliac spine)까지 침수 시 체중의 약 50%가 지지된다.

☞2018년 운동상해 16번 상세 그림, 해설 참고

수중재활 운동

13. 무릎넙다리 통증증후군(patellofemoral pain syndrome)의 관절과 근육 기능에 관한 설명으로 옳은 것은?

① 증가된 Q각은 무릎관절이 굽힘되었을 때 안쪽 관절면의 압박력을 증가시킨다.
② 무릎뼈 고위(alta)는 무릎뼈 활주를 감소시키고 보상적으로 정강뼈의 안쪽돌림을 일으킨다.
③ 무릎뼈 저위(baja)는 지방패드를 옆으로 노출시켜 시상면에서 보았을 때 두 개의 봉(hump)을 형성한다.
④ 정강뼈의 가쪽돌림은 활차(condyle)안 무릎뼈의 가쪽 압박력을 증가시켜 무릎뼈의 회전을 유발한다.

정답 ④

무릎넙다리 통증증후군의 시진은 Q각의 증가, 무릎뼈의 고·저위, 넙다리뼈 전염, 과도한 정강뼈 회전, 발의 엎침 등이다.

① 증가된 Q각은 무릎관절이 굽힘되었을 때 가쪽 관절면의 압박력을 증가시킨다.
② 무릎뼈 고위(alta)는 무릎뼈 활주를 증가시키고 보상적으로 정강뼈의 가쪽돌림을 일으킨다.
③ 무릎뼈 고위(alta)는 지방패드를 앞으로 노출시켜 관상면에서 보았을 때 두 개의 봉(hump)을 형성한다.

☞2019년 운동상해 15번 참고

2021

14. <보기>에서 설명하는 손상은?

<보기>

ⓐ 아래오목위팔인대(inferior glenohumeral ligament)의 파열은 재발성 어깨불안정과 관련이 있다.
ⓑ 스피드(speed) 검사와 예가슨(Yergason) 검사에서 양성이 나타날 수 있다.
ⓒ 팔 벌림과 가쪽돌림 자세에서 머리 위로 팔을 올렸을 때 통증과 근력 약화가 주된 증상이다.
ⓓ 치료는 파열 유형과 오목위팔관절(glenohumeral joint) 불안정성의 유무에 따라 결정된다.

① 유착성 관절막염(adhesive capsulitis)
② 오목테두리 파열(glenoid labrum tears)
③ 박리성 골연골염(osteochondritis dissecans)
④ 흉곽출구압박 증후군(thoracic outlet compression syndrome)

15. <보기>에서 봉우리빗장관절(acromioclavicular joint) 손상 평가에 관한 설명으로 옳은 것으로만 묶인 것은?

<보기>

ⓐ 식도와 기도의 압박으로 인한 연하곤란 및 호흡저하가 나타날 수 있다.
ⓑ 뒤쪽 탈구 시 환측의 팔, 목과 머리에 정맥 울혈이 나타날 수 있다.
ⓒ 저버리프트오프 검사(Gerber lift off test)는 감각이상을 평가하는 검사이다.
ⓓ 피아노 건반 징후(piano key sign)로 봉우리빗장인대(acromioclavicular ligament) 손상을 의심할 수 있다.

① ⓐ, ⓑ, ⓒ ② ⓐ, ⓒ, ⓓ
③ ⓐ, ⓑ, ⓓ ④ ⓑ, ⓒ, ⓓ

정답 ②

이 문제는 ☞2016년 운동상해 12번 그림, 해설 참고
①은 어깨관절을 이루는 조직 중에서 회전근개 관절 활액막, 상완이두근 및 주위조직을 침범하는 퇴행성 변화의 결과로 심한 운동장애를 일으키는 질환으로서 동결견이라고도 불린다.

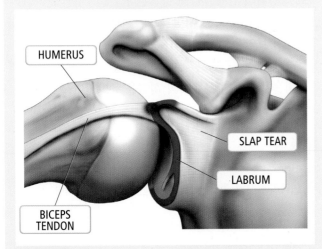

오목테두리 파열

정답 모두 맞음

왜 출제에 오류가 있는지?
관련된 검사법 등은 "박승화 체육스포츠"강의를 통해서 해결할 수 있다.

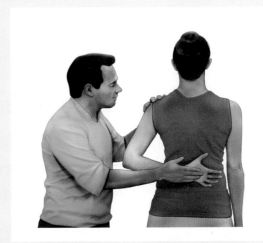

Gerber lift off test

16. 무릎손상의 검사법, 양성반응, 손상 의심부위가 바르게 연결되지 <u>않은</u> 것은?

	검사법	양성반응	손상 의심부위
①	넙다리근 능동검사 (quadriceps active test)	정강뼈의 앞쪽이동 (anterior translation)	뒤 십자인대 손상
②	테살리 검사 (Thessaly test)	관절선 통증 및 잠김 (locking)	안쪽 또는 가쪽 반달연골 손상
③	슬로컴 검사 (Slocum's test)	정강뼈 평면 (tibia plateau)의 가쪽돌림 증가	안쪽곁인대 손상
④	다이얼 검사 (dial test)	정강뼈의 가쪽돌림 증가	뒤 가쪽 구조물 손상

정답 **모두 맞음**

왜 출제에 오류가 있는지?
관련된 검사법 등은 "박승화 체육스포츠"강의를 통해서 해결할 수 있다.

앞 당기기 검사

Thessaly test

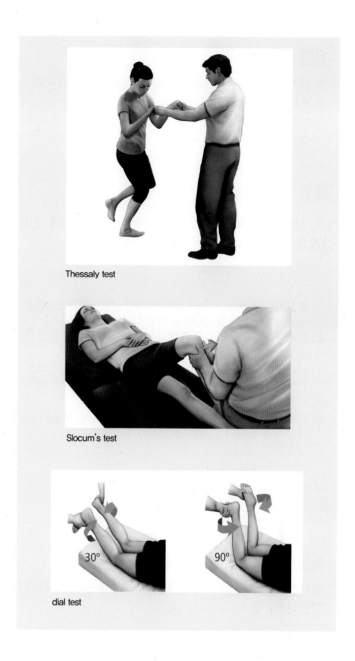

Thessaly test

Slocum's test

dial test

30°　　90°

17. 발목의 통증 위치에 따른 손상으로 옳은 것은?

① 안쪽–뒤정강근(posterior tibialis) 힘줄염
② 가쪽–뒤꿈치뼈(calcaneus) 점액낭염
③ 앞면–짧은 종아리근(peroneus brevis) 힘줄염
④ 뒷면–폄 지지띠(extensor retinaculum) 염좌

18. <보기>에서 병적 보행(pathological gait)에 관한 설명으로 옳은 것을 모두 고른 것은?

〈보기〉

㉠ 중간볼기근(gluteus medius)이 약하면 한발 입각기(stance phase)에 골반이 틀어지며 균형을 잡기 어렵다.
㉡ 발목관절의 가동범위가 제한되면 발가락이 지면에 끌리지 않도록 엉덩관절 굽힘을 증가시킨다.
㉢ 넙다리네갈래근(quadriceps femoris)의 약화 또는 아킬레스건의 경직(stiffness)이 있으면 발뒤꿈치가 땅에서 일찍 떨어지게 된다.
㉣ 넙다리네갈래근의 과활성화는 부하단계(loading response)에서 무릎 굽힘의 억제를 야기한다.

① ㉠
② ㉠, ㉡
③ ㉠, ㉡, ㉢
④ ㉠, ㉡, ㉢, ㉣

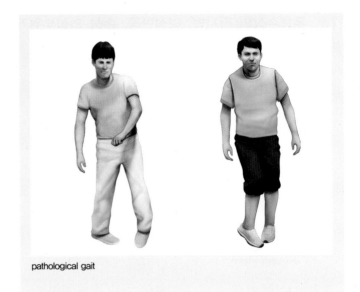

pathological gait

19. 운동 손상 후 상처 관리에 관한 설명으로 옳지 않은 것은?

① 오염된 찰과상의 경우 상처의 오염균을 제거하지 않고 붕대로 감는다.
② 표면 타박상에는 주기적으로 얼음찜질 및 압박을 적용한다.
③ 관절탈구 발생 시 원위맥박, 감각, 그리고 움직임을 평가해야 한다.
④ 혈액 또는 체액이 튀고, 분출할 때 처치자는 안면보호대 및 관련 보호장비를 착용해야 한다.

20. <보기>와 같은 방법으로 측정하는 관절의 움직임은?

| 시작자세 | 평가자세 |

① 무릎관절 안쪽돌림
② 무릎관절 가쪽돌림
③ 엉덩관절 안쪽돌림
④ 엉덩관절 가쪽돌림

정답 ③

이 문제는 필자가 시험 이전 "예상문제 모의고사"에서 다룬 문제이다.

2021

기능해부학

01. 그림과 같이 힘이 작용할 때, 합력(resultant force) C의 크기는?

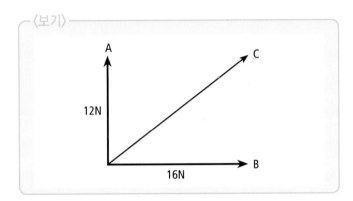

〈보기〉

A

C

12N

B

16N

① 20N   ② 24N

③ 28N   ④ 32N

정답 ①

힘벡터를 묻는 쉬운 문제로서 C = A + B이다.

02. 운동학(kinematics)의 변인(variable)에 해당하지 않는 것은?

① 보폭(step length)

② 관절각도(joint angle)

③ 지면반력(ground reaction force)

④ 관절각속도(joint angular velocity)

정답 ③

운동학과 운동역학에 관련된 변인을 구별하는 문제이다.
③은 운동역학에 관련된 요인이다.

03. 〈보기〉에서 관절의 닫힌 위치(close-packed position)에 관한 설명으로 옳은 것을 모두 고른 것은?

〈보기〉

㉠ 관절을 이루는 두 뼈의 접촉면적은 최소가 된다.
㉡ 무릎관절은 완전 폄(extension) 상태에서 닫힌 위치가 된다.
㉢ 목말종아리관절(talocrural joint)은 완전 발등굽힘(dorsiflexion) 상태에서 닫힌 위치가 된다.

① ㉠, ㉡   ② ㉠, ㉢

③ ㉡, ㉢   ④ ㉠, ㉡, ㉢

정답 ③

㉠ 관절을 이루는 두 뼈의 접촉면적은 최대가 된다.

☞2016년 기능해부학 13번 참고

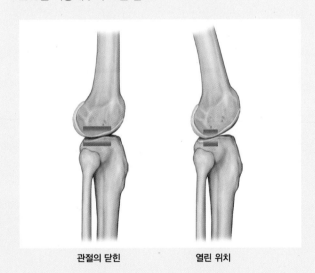

관절의 닫힌   열린 위치

04. <보기>는 일반적인 주행(running) 동작에 관한 그림과 설명이다. ㉠~㉢의 참과 거짓 여부를 바르게 나열한 것은?

<보기>

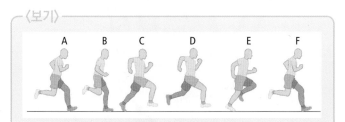

㉠ A~C 구간 : 체중 이상의 지면반력(ground reaction force)이 발생한다.
㉡ A~F 구간 : 보폭(step length)을 나타낸다.
㉢ C~F 구간 : 전체(A~F 구간)의 60% 정도를 차지한다.

	㉠	㉡	㉢
①	참	거짓	참
②	거짓	참	거짓
③	참	거짓	거짓
④	거짓	참	참

정답 ①

㉡ A~F 구간 : 보수(stride)를 나타낸다.

☞2017년 기능해부학 02번 참고

05. <보기>는 근육 모양(muscle shape)에 관한 설명이다. ㉠~㉢에 해당하는 용어를 바르게 나열한 것은?

<보기>

- 넙다리곧은근(rectus femoris)은 (㉠)이다.
- (㉡)의 해부학적 단면적(anatomical cross-sectional area)과 생리학적 단면적(physiological cross-sectional area)은 같다.
- 해부학적 단면적이 같다면 깃근육(penniform muscle)은 방추근육(fusiform muscle)보다 (㉢) 힘을 낸다.

	㉠	㉡	㉢
①	깃근육	깃근육	작은
②	방추근육	방추근육	큰
③	깃근육	방추근육	큰
④	방추근육	깃근육	작은

정답 ③

근섬유의 구조에 대하여 숙지하고 있어야 문제해결에 도움이 된다. 근육은 근섬유가 정렬된 구조적 특징에 따라 세로근과 익상근의 두 가지 형태를 가진다. 세로근과 익상근의 분류는 아래 제시된 기출문제에 탑재되어 있다.

☞2015년 기능해부학 20번 참고

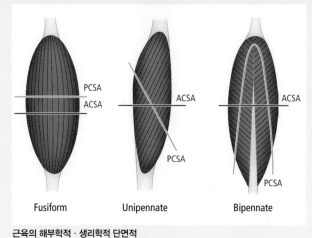

근육의 해부학적 · 생리학적 단면적

06. 먼쪽노자관절(distal radioulnar joint)의 직접적인 안정성(stability)을 지원하는 해부학적 구조에 해당하지 않는 것은?

① 네모엎침근(pronator quadratus)
② 폄근지지띠(extensor retinaculum)
③ 자쪽손목폄근힘줄(extensor carpi ulnaris tendon)
④ 삼각섬유연골복합체(triangular fibrocartilage complex)

2021

이 문제에 대한 해부학적 구조물은 ①, ③, ④외에 뼈사이막의 먼쪽 빗섬유까지 4개를 꼭 기억하자. 해부학적 구조물의 역할과 기능을 숙지하느냐?를 묻는 내용으로 아래 해부학 도해를 잘 학습하기 바란다.

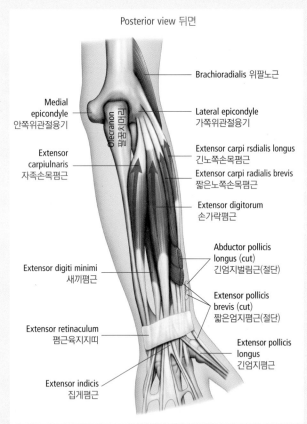

Posterior view 뒤면

- Brachioradialis 위팔노근
- Medial epicondyle 안쪽위관절융기
- Lateral epicondyle 가쪽위관절융기
- Olecranon 팔꿈치머리
- Extensor carpiulnaris 자족손목폄근
- Extensor carpi rsdialis longus 긴노쪽손목폄근
- Extensor carpi radialis brevis 짧은노쪽손목폄근
- Extensor digitorum 손가락폄근
- Abductor pollicis longus (cut) 긴엄지벌림근(절단)
- Extensor digiti minimi 새끼폄근
- Extensor pollicis brevis (cut) 짧은엄지폄근(절단)
- Extensor retinaculum 폄근육지지띠
- Extensor pollicis longus 긴엄지폄근
- Extensor indicis 집게폄근

Posterior view 뒷면

손목의 등쪽면과 등쪽-노쪽면을 지나가는 근육들의 힘줄들은 폄근육지지띠에 의해 제자리에 고정된다. 손가락폄근,집게폄근, 세끼폄근의 힘줄은 폄근육지지띠 내에 위치한 안쪽이 윤활막으로 된 구획을 지나 손목을 가로지른다.

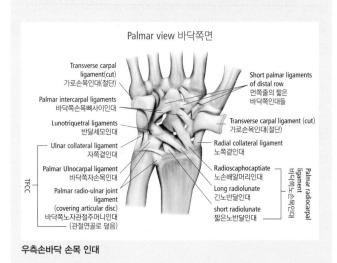

Palmar view 바닥쪽면

- Transverse carpal ligament(cut) 가로손목인대(절단)
- Palmar intercarpal ligaments 바닥쪽손목뼈사이인대
- Lunotriquetral ligaments 반달세모인대
- Ulnar collateral ligament 자쪽곁인대
- Palmar Ulnocarpal ligament 바닥쪽자손목인대
- Palmar radio-ulnar joint ligament (covering articular disc) 바닥쪽노자관절주머니인대 (관절연골로 덮음)
- TFCC
- Short palmar ligaments of distal row 먼쪽의 짧은 바닥쪽인대들
- Transverse carpal ligament (cut) 가로손목인대(절단)
- Radial collateral ligament 노쪽곁인대
- Radioscaphocaptiate 노손배알머리인대
- Long radiolunate 긴노반달인대
- short radiolunate 짧은노반달인대
- Palmar radiocarpal ligament 바닥쪽노손목인대

우측손바닥 손목 인대

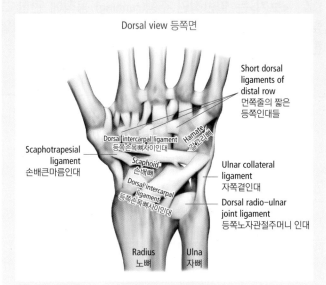

Dorsal view 등쪽면

- Short dorsal ligaments of distal row 먼쪽줄의 짧은 등쪽인대들
- Scaphotrapesial ligament 손배큰마름인대
- Dorsal intercarpal ligament 등쪽손목뼈사이인대
- Hamate 갈고리뼈
- Scaphoid 손배뼈
- Dorsal intercarpal ligament 등쪽손목뼈사이인대
- Ulnar collateral ligament 자쪽곁인대
- Dorsal radio-ulnar joint ligament 등쪽노자관절주머니 인대
- Radius 노뼈
- Ulna 자뼈

우측손등 손목인대

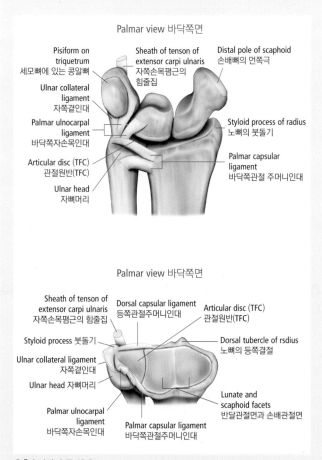

Palmar view 바닥쪽면

- Pisiform on triquetrum 세모뼈에 있는 콩알뼈
- Ulnar collateral ligament 자쪽곁인대
- Palmar ulnocarpal ligament 바닥쪽자손목인대
- Articular disc (TFC) 관절원반(TFC)
- Ulnar head 자뼈머리
- Sheath of tenson of extensor carpi ulnaris 자쪽손목폄근의 힘줄집
- Distal pole of scaphoid 손배뼈의 먼쪽극
- Styloid process of radius 노뼈의 붓돌기
- Palmar capsular ligament 바닥쪽관절 주머니인대

Palmar view 바닥쪽면

- Sheath of tenson of extensor carpi ulnaris 자쪽손목폄근의 힘줄집
- Styloid process 붓돌기
- Ulnar collateral ligament 자쪽곁인대
- Ulnar head 자뼈머리
- Palmar ulnocarpal ligament 바닥쪽자손목인대
- Dorsal capsular ligament 등쪽관절주머니인대
- Articular disc (TFC) 관절원반(TFC)
- Dorsal tubercle of rsdius 노뼈의 등쪽결절
- Lunate and scaphoid facets 반달관절면과 손배관절면
- Palmar capsular ligament 바닥쪽관절주머니인대

우측손바닥 손목 인대

07. 앞십자인대(anterior cruciate ligament)에 관한 설명으로 옳지 <u>않은</u> 것은?

① 뒤십자인대(posterior cruciate ligament)에 비해 길이가 짧다.
② 무릎관절의 고유수용감각(proprioception) 기능에 도움을 준다.
③ 무릎관절의 과신전(hyperextension)에 의해 부상을 입을 수 있다.
④ 무릎관절의 굽힘(flexion) 시 굴림(roll)과 미끄러짐(slide)에 관여한다.

> **정답 ①**
>
> 단 10초만에 정답을 찍을 수 있는 문제이다.
>
> 뒤십자인대에 비해 길이가 길다.

08. <보기>는 축구공을 차는 동작을 구분하여 나타낸 그림과 설명이다. ㉠과 ㉡에 해당하는 용어를 바르게 나열한 것은?

── 〈보기〉 ──

A   B

- 〈그림 A〉에서 〈그림 B〉를 수행하는 동안 오른쪽 무릎관절의 굴림과 미끄러짐은 (㉠) 방향이다.
- 뉴턴의 제2법칙에 따르면, 〈그림 B〉에서 축구공의 가속도는 축구공에 가해진 힘의 크기와 (㉡)관계에 있다.

	㉠	㉡
①	반대	비례
②	같은	반비례
③	같은	비례
④	반대	반비례

> **정답 ③**
>
> ㉠은 볼록오목 법칙에 관련된 내용이며, ㉡은 운동역학에 관련된 융합문제이다.

☞ 2018년 기능해부학 04번, 2021년 기능해부학 18번 참고

📖 **보충학습**

가속도의 법칙(F=ma)은 물체에 힘이 작용하지 않으면 물체의 운동 상태는 변하지 않는다. 그러나 물체에 외부에서 힘을 가하게 되면 물체의 운동 상태가 변하여 가속도 운동을 하게 된다. 이 때 가속도는 물체의 질량이 일정할 때 힘이 가해지는 방향으로 생기고, 그 크기는 힘이 가해지는 크기에 비례한다. 또한, 물체는 관성을 가지기 때문에 운동 속도에 변화를 주기 위한 힘의 크기는 물체의 질량에 반비례한다.

볼링 경기에서 무거운 무게의 공을 사용하는 것은 속도가 일정할 경우 공의 무게가 무거울수록 핀과 충돌할 때의 힘이 더 크기 때문이다. 또한, 멀리뛰기 경기에서 선수가 일정한 거리에서 전력 질주로 달려오는 것은 가속도를 얻어 도약력을 크게 하기 위해서 이다.

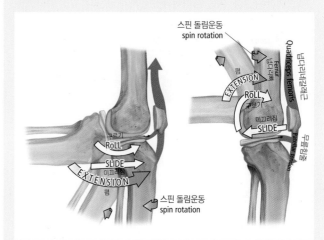

무릎관절의 움직임

2021

09. <보기>에서 겨드랑신경(axillary nerve)의 지배를 받는 근육으로만 묶인 것은?

─〈보기〉─

㉠ 어깨세모근(deltoid)
㉡ 작은원근(teres minor)
㉢ 가시아래근(infraspinatus)
㉣ 어깨올림근(levator scapula)

① ㉠, ㉡
② ㉠, ㉣
③ ㉡, ㉢
④ ㉢, ㉣

정답 ①

필자가 뇌신경(12쌍)과 더불어 강조하는 척수신경(31쌍)을 항상 숙지하고 있어야 한다. 이 문제는 팔신경얼기 중 하나를 묻는 내용이며, 시험 전 모의고사에서 다루었던 똑 같은 문제이다.
㉢은 어깨위신경, ㉣은 등쪽어깨신경에 해당된다.

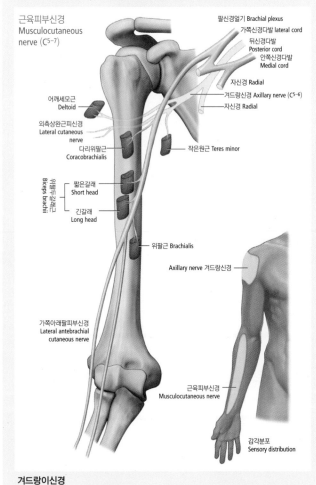

10. <보기>에서 오목위팔관절(glenohumeral joint)의 능동 벌림(abduction) 동안 돌림근띠 근육들(rotator cuff muscle group)의 기능에 관한 설명으로 옳은 것을 모두 고른 것은?

─〈보기〉─

㉠ 가시위근(supraspinatus) : 위팔뼈머리(humeral head)의 위쪽 굴림(superior roll) 유발
㉡ 가시아래근(infraspinatus)과 어깨밑근(subscapularis) : 위팔뼈머리의 안쪽돌림(내회전, internal rotation) 유발
㉢ 작은원근(teres minor) : 위팔뼈머리의 가쪽돌림(external rotation)유발
㉣ 가시아래근, 어깨밑근, 작은원근 : 위팔뼈머리의 위쪽 굴림을 제한하기 위한 내림 힘(downward force) 발휘

① ㉠, ㉡
② ㉢, ㉣
③ ㉠, ㉡, ㉢
④ ㉠, ㉢, ㉣

정답 ④

평소 회전근개에 대한 내용을 묻는 문제로서 다음과 같이 수정할 수 있다.

㉡ 가시아래근(infraspinatus)과 어깨밑근(subscapularis) : 위팔뼈머리의 내림과 가쪽돌림 유발

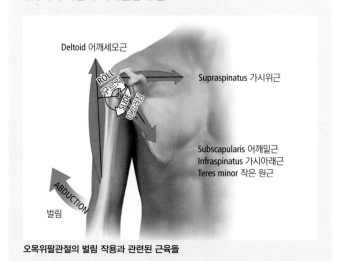

오목위팔관절의 벌림 작용과 관련된 근육들

11. 〈보기〉는 지면반력기 위에서 실시한 반동점프
(countermovement jump)와 착지의 구분동작과 수직지면
반력(vertical ground reaction force, VGRF)을 나타낸 그래
프이다. ㉠ ~ ㉢ 의 설명 중 옳은 것을 모두 고른 것은?

─〈보기〉─

A   B   C   D   E

▲ 엉덩관절   ● 무릎관절

VGF(N)

726 A

0   1.64   2.10   2.65   Time(sec)
      B   C   E

데이터 수집빈도(sampling rate) : 1,000Hz

㉠ 대상자의 질량은 약 74kg이다.
㉡ C~E 구간의 데이터 개수는 55개이다.
㉢ 그래프의 사선 영역은 수직점프를 위한 충격량(impulse)을
   의미 한다.

① ㉠, ㉡   ② ㉡, ㉢
③ ㉠, ㉢   ④ ㉠, ㉡, ㉢

정답 ③

C~E 구간의 데이터 개수는 550개이다.
㉠은 중력가속도 공식에 의해 726 = m × 9.8 m/s, ㉢은 충격력에
작용시간의 곱이다.

---

12. 〈보기〉는 11번 문항의 반동점프 동작에서 시상면
(sagittal plane)의 무릎관절(knee joint) 움직임에 대한 2
차원 좌표와 설명이다. ㉠~㉢ 중 옳은 것을 모두 고른
것은? (단, 조건은 11번 문항과 동일함)

─〈보기〉─

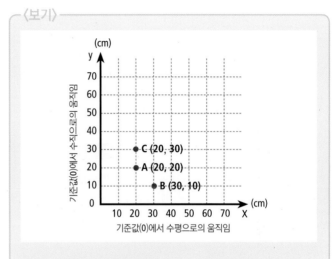

㉠ B~C 구간의 무릎관절 평균 수직 속도(average vertical ve-
   locity)는 약 0.21m/s이다.
㉡ 중력 이외의 외부 요인이 없을 때, C에서 발이 떨어진 직후
   수직 가속도(vertical acceleration)는 −9.8m/s²이다.
㉢ B에서 x값이 증가할 때 발목관절의 발등굽힘(dorsiflexion)이
   커진다.

① ㉠, ㉡   ② ㉠, ㉢
③ ㉡, ㉢   ④ ㉠, ㉡, ㉢

정답 ③

㉠ B~C 구간의 무릎관절 평균 수직 속도(average vertical ve-
   locity)는 약 0.43m/s이다.
이 문제는 상단의 11번 문제와 연결해서 풀어야 하는 운동역학
에 관련된 내용으로서 머리를 좀 써야 풀 수 있다.
먼저 무릎관절의 평균수직속도(y의 변화량/이동시간)를 구하면
0.2m이며, 이동시간(0.46)으로 나누면 약 0.43m/s이다.

"박승화 체육스포츠" 강의를 통해 상세한 풀이가 제공된다.

2021

13. 그림에서 ㉠~㉣ 중 내적 모멘트 암(internal moment arm)이 가장 긴 자세는?(단, 내적 토크(internal torque) = 뒤넙다리근(hamstring muscle)의 내적 힘(internal force)×내적 모멘트 암)

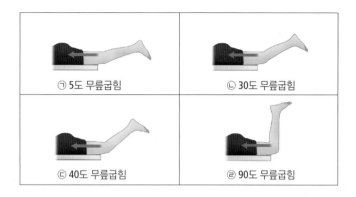

㉠ 5도 무릎굽힘	㉡ 30도 무릎굽힘
㉢ 40도 무릎굽힘	㉣ 90도 무릎굽힘

① ㉠　　　② ㉡　　　③ ㉢　　　④ ㉣

정답 ④

이 문제는 토크를 묻는 내용으로서 필자가 평소에 운동역학을 강의할 때 원을 그려서 설명하는 영역이다. 만약 이 문제에서 토크가 작은 것부터 큰 순서대로 제시하라고 물었다면 ㉠-㉡-㉢-㉣이다.

14. 표의 ㉠~㉣ 중 관절의 움직임을 '불가능'으로 표기할 수 있는 것은?

머리목영역 (craniocervical region)	굽힘(flexion)과 폄(extension)	축돌림 (axial rotation)	가쪽굽힘 (lateral flexion)
고리뒤통수관절 (atlanto-occipital joint)	가능	㉠	㉡
고리중쇠관절복합체 (atlanto-axial joint complex)	㉢	㉣	불가능

① ㉠　　　② ㉡　　　③ ㉢　　　④ ㉣

정답 ①

이 관절의 오목-볼록 구조는 자유도 2, 일차적인 운동은 굽힘과 폄이며, 가쪽굽힘이 제한적으로 가능하며, 축돌림은 완전히 제한되므로 자유도 3으로 고려되지 않는다.

📖 **보충학습**

고리뒤통수관절은 고리뼈의 위쪽 관절면과 뒤통수뼈 관절융기가 만나서 형성된다. 따라서 고리뒤통수관절은 두 개의 가쪽 관절면을 가지게 된다. 고리뼈는 몸통이 없기 때문에 척추관절에 일반적으로 존재하는 가운데 관절원반이 존재하지 않는다.

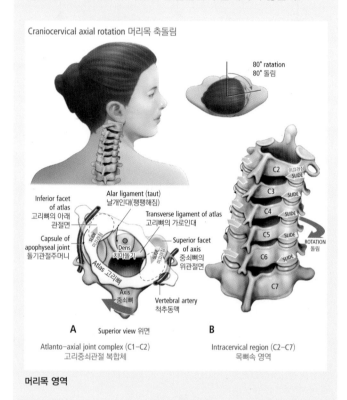

머리목 영역

15. 그림은 근육길이의 변화 속도와 최대 힘의 관계를 나타낸 것이다. ㉠~㉢에 해당하는 근육 수축유형을 바르게 나열한 것은?

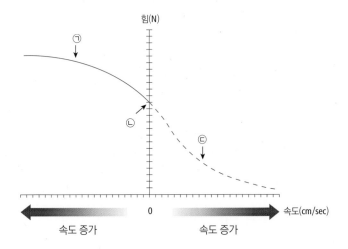

힘(N)

㉠

㉡

㉢

속도(cm/sec)

0

속도 증가 ← → 속도 증가

	㉠	㉡	㉢
①	등척성 (isometric contraction)	단축성 (concentric contraction)	신장성 (eccentric contraction)
②	단축성	신장성	등척성
③	신장성	등척성	단축성
④	등척성	신장성	단축성

정답 ③

이 문제는 운동생리학과 기능해부학에서 심심하면 출제되는 영역이다.

☞ 2018년 운동생리학 12번, 2019년 기능해부학 06번 그림 참고

16. 발목관절에서 엎침(pronation)에 관여하는 근육이 아닌 것은?

① 장딴지빗근(plantaris)
② 긴종아리근(fibularis longus)
③ 앞정강근(tibialis anterior)
④ 긴발가락폄근(extensor digitorum longus)

정답 ①, ③

발의 엎침에 관련된 근육은 옆(2개), 앞(1개)에 위치한 근육이며, 발의 뒤침은 앞(2개), 뒤(3개)의 근육으로 필자가 강의 시간에 출제가 예상되는 문제로 이미 강조했던 부분이다.

①은 발바닥쪽굽힘에 관련된 근육이며, ②, ④는 발목관절 엎침근이며, ③은 발목관절의 뒤침근육에 해당된다.

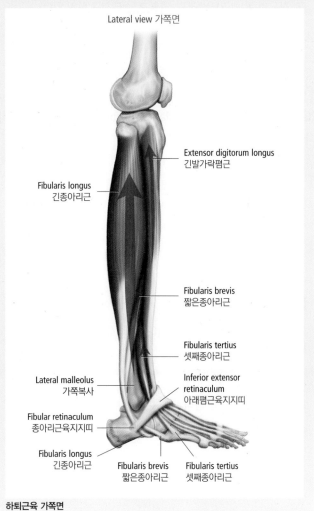

Lateral view 가쪽면

Extensor digitorum longus 긴발가락폄근

Fibularis longus 긴종아리근

Fibularis brevis 짧은종아리근

Fibularis tertius 셋째종아리근

Lateral malleolus 가쪽복사

Inferior extensor retinaculum 아래폄근육지지띠

Fibular retinaculum 종아리근육지지띠

Fibularis longus 긴종아리근

Fibularis brevis 짧은종아리근

Fibularis tertius 셋째종아리근

하퇴근육 가쪽면

2021

17. 목신경 5번(cervical nerve root 5)의 지배를 받지 <u>않는</u> 근육은?

① 가시위근(supraspinatus)
② 작은원근(teres minor)
③ 작은가슴근(pectoralis minor)
④ 위팔근(brachialis)

정답 ③

③은 안쪽가슴신경(C8~T1)의 지배를 받으며, 기능은 어깨뼈의 내림, 앞기울임, 2번째 갈비뼈올림 등이다.

📖 보충학습

목신경 5번 뿌리에 대한 신경지배는 어깨세모근, 마름근, 가시근, 작은원근, 위팔두갈래근, 위팔근, 손뒤침근 등이 있다.

18. 보행의 입각기 단계(stance phase)에서 발목관절(ankle joint)의 발바닥쪽굽힘(plantarflexion)이 가장 크게 나타나는 국면은?

① 초기접지기(initial contact phase)
② 부하반응기(loading response phase)
③ 중간입각기(midstance phase)
④ 전-유각기(pre-swing phase)

정답 ④

①은 약 8%, ④는 약 30~40%이며, ②와 ③은 ④보다 작게 나타난다.

발꿈치닿기 바로 직후에 발목의 발등굽힘근에 의해 편심성으로 조절된 발바닥쪽굽힘 움직임으로 발바닥은 지면에 닿는다.

📖 보충학습

발목관절의 발바닥쪽굽힘근은 걸음주기 동안 아래와 같이 두 가지 역할을 한다.
첫째, 이 근육은 대부분의 디딤기 동안 일어나는 발목관절의 발목굽힘 속도를 늦추기 위해 편심성 수축이 일어난다. 그러나 발은 바닥에 고정되어 있기 때문에 발을 향해 다리가 앞쪽으로 움직이는 역작용 시 속도를 늦추기 위해서 발바닥쪽굽힘을 하는 힘이 필요하다. 발바닥쪽굽힘을 하는 힘을 제외하면 발목관절에서 다리는 앞쪽을 향해 무너지게 될 것이다.
둘째, 이 근육은 디딤기 동안 뒷단계인 발가락떼기에서 강력하게 동심성수축하여 바닥에서 발을 떨어뜨리는 것을 돕는다.
주요근육으로 가자미근과 장딴지근이 있다.

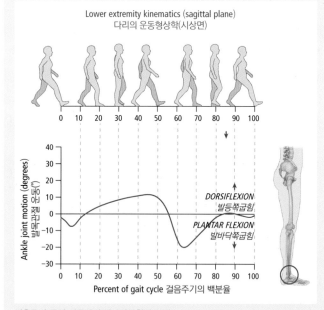

걸음주기 동안 발목관절 발바닥굽힘의 국면

19. 넙다리두갈래근(biceps femoris)의 주된 작용과 닿는 곳(insertion)을 바르게 나열한 것은?

주된 작용	닿는 곳
① 무릎관절 굽힘(knee flexion)	종아리뼈머리(fibular head)
② 무릎관절 굽힘	정강뼈결절(tibial tubercle)
③ 무릎관절 폄(knee extension)	종아리뼈머리
④ 무릎관절 폄	정강뼈결절

정답 ①

기능해부학을 공부하는 수험생이면 쉽게 풀 수 있는 문제이다. ③과 ④는 넙다리네갈래근에 해당하기 때문에 일단 답안에서 제외된다.
넙다리두갈래근은 엉덩관절의 폄, 가쪽돌림, 무릎관절의 굽힘, 가쪽돌림의 주된 작용을 한다.

20. 아래다리(lower leg)의 뒤쪽구획(posterior compartment)에 해당하는 근육이 <u>아닌</u> 것은?

① 장딴지근(gastrocnemius)
② 가자미근(soleus)
③ 긴발가락굽힘근(flexor digitorum longus)
④ 앞정강근(tibialis anterior)

정답 ④

19번에 이어 이 문제 역시 쉬운 내용이다. 아래 그림을 통해서 숙지하기 바란다.

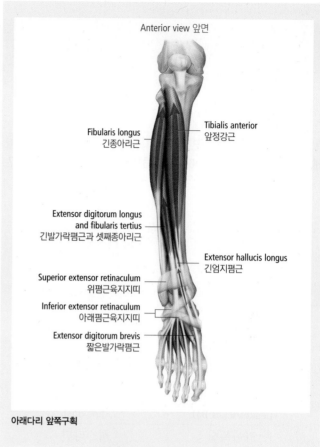

Anterior view 앞면

Fibularis longus 긴종아리근
Tibialis anterior 앞정강근
Extensor digitorum longus and fibularis tertius 긴발가락폄근과 셋째종아리근
Extensor hallucis longus 긴엄지폄근
Superior extensor retinaculum 위폄근육지지띠
Inferior extensor retinaculum 아래폄근육지지띠
Extensor digitorum brevis 짧은발가락폄근

아래다리 앞쪽구획

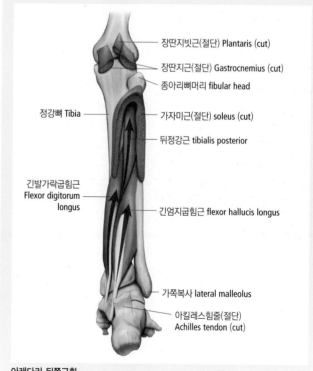

장딴지빗근(절단) Plantaris (cut)
장딴지근(절단) Gastrocnemius (cut)
종아리뼈머리 fibular head
정강뼈 Tibia
가자미근(절단) soleus (cut)
뒤정강근 tibialis posterior
긴발가락굽힘근 Flexor digitorum longus
긴엄지굽힘근 flexor hallucis longus
가쪽복사 lateral malleolus
아킬레스힘줄(절단) Achilles tendon (cut)

아래다리 뒤쪽구획

2021

병태생리학

01. <보기>는 염증반응에 따른 화학적 매개물질을 제시한 것이다. ㉠, ㉡에 해당하는 용어가 옳은 것은?

─ <보기> ─
- 모세혈관 투과성 증가 : (㉠) 및 세로토닌(serotonin)
- 백혈구 모집과 활성 : (㉡) 및 인터루킨-1 (IL-1)

	㉠	㉡
①	히스타민 (histamine)	류코트리엔 B4 (leukotrienes B4)
②	라이폭신 (lipoxins)	류코트리엔 B4 (leukotrienes B4)
③	류코트리엔 B4 (leukotrienes B4)	라이폭신 (lipoxins)
④	라이폭신 (lipoxins)	히스타민 (histamine)

정답 ①

아래 물질들에 대한 기본적인 상식이 필요하다.
㉠ 세로토닌 : 혈소판 응집, 히스타민과 비슷한 효과를 가지며, 혈소판에 존재
㉡ 히스타민 : 혈소판과 비만세포들에 의해 방출된 히스타민은 세정맥 내피세포의 수축을 유발한다. 이 것은 틈을 형성하게 되고, 그로 인해 혈관벽의 투과성을 증가시키고 체액과 혈구들이 간질공간으로 빠져나갈 수 있게 만든다.
㉢ 류코트리엔 B4 : 호중구, 호산구, 단핵구에 대한 고도의 화학 유인제
㉣ 라이폭신 : 항염증 작용을 갖는 아이코사노이드 계열 물질
㉤ 인터루킨-1 (IL-1) : 염증의 가용성 매개자, 사이토카인 활동 활성화

📖 보충학습

히스타민은 혈관작용아민으로서 비만세포에서 유래되는 가장 중요한 아민은 히스타민이다. 민무늬근을 강하게 수축시키고, 혈관투과성을 증가시키며, 코, 기관지, 위샘의 점액분비를 증가시킨다.

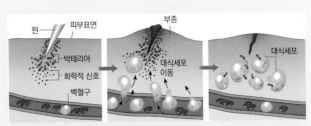

염증반응(몸에 세균과 같은 외부의 적이 침입해 들어오면 혈액을 따라 순시하던 백혈구가 감염부위로 이동하게 된다.

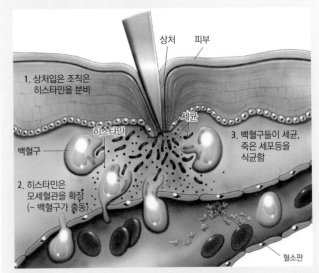

염증반응

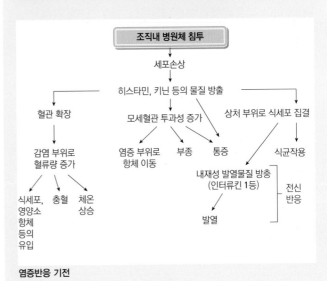

염증반응 기전

02. <보기>에서 바이러스(virus)에 관한 설명으로 옳은 것을 모두 고른 것은?

<보기>

- ㉠ 바이러스는 단세포 생물이며, 생존을 위해 살아있는 조직이 필요하지 않다.
- ㉡ 코로나바이러스(coronavirus)는 사람의 호흡계 등에 감염을 일으키는 RNA 바이러스이다.
- ㉢ DNA 바이러스에 비해 RNA 바이러스에서 돌연변이가 일어날 확률이 높다.
- ㉣ RNA 바이러스에는 에볼라, 에이즈, 구제역, 인플루엔자 바이러스 등이 있으며 '코로나바이러스' 계열인 메르스, 사스도 여기에 속한다.

① ㉠, ㉡   ② ㉡, ㉣
③ ㉠, ㉢, ㉣   ④ ㉡, ㉢, ㉣

정답 ④

㉠ 바이러스는 비세포 구조이며, 생존을 위해 살아있는 조직(숙주)이 필요하다.

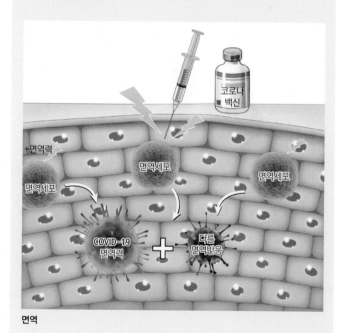

면역

03. <보기>에서 악성 종양에 관한 설명으로 옳은 것을 모두 고른 것은?

<보기>

- ㉠ 여러 종류의 악성 종양 환자에게서 체중감소와 악액질(cachexia)이 나타난다.
- ㉡ 파종(seeding)은 체액이나 피막을 따라 전이되는 것을 의미한다.
- ㉢ 침윤(invasion)은 전신성 전이(metastasis)로 정상세포 파괴를 의미한다.
- ㉣ 2cm 미만 종양이 주위조직 및 근접한 림프절로 확산된 경우 Stage IV (T_4N_3M+)에 해당한다.

① ㉠, ㉡   ② ㉡, ㉢
③ ㉠, ㉢, ㉣   ④ ㉡, ㉢, ㉣

정답 ①

- ㉢ 침윤(invasion)은 국소성 전이(metastasis)로 정상세포 파괴를 의미한다.
- ㉣ 10cm 미만 종양이 주위조직 및 근접한 림프절로 확산된 경우 Stage IV(T_4N_3M+)에 해당한다.

📖 보충학습

2 cm 미만 종양이 주위조직 및 근접한 림프절로 확산된 경우 Stage II에 해당한다.

04. 알츠하이머 질환(Alzheimer's disease)에 관한 설명으로 옳은 것은?

① 베타 아밀로이드(β-amyloid) 단백질과는 관련이 없다.
② 타우(tau) 단백질의 인산화가 저하되어 산화적 스트레스를 유발한다.
③ 노인성 플라크(senile plaque)가 신경세포 주변에 축적되어 퇴행을 야기한다.
④ 치매로 진행되며, 신경조직을 침범하는 변성 단백질인 프리온(prion) 감염과 관련이 있다.

2021

① 베타 아밀로이드(β-amyloid) 단백질과는 관련이 있다.

② 타우(tau) 단백질의 과인산화가 축적되어 산화적 스트레스를 유발한다.

④ 치매로 진행되며, 신경조직을 침범하는 변성 단백질인 크로 이츠펠트-야콥병(Creutzfeldt-Jakob disease, CJD) 감염과 관련이 있다.

05. 부정맥(cardiac dysrhythmia)에 관한 설명으로 옳지 않은 것은?

① 비지속성심실빈맥(non-sustained ventricular tachycardia)은 조기심 실수축(premature ventricular contraction)이 30초 미만으로 연속 3개 이상 발현되는 경우를 의미한다.

② 지속성심실빈맥(sustained ventricular tachycardia)은 조기심 실수축이 30초 이상 지속되는 경우를 의미한다.

③ 심방세동(atrial fibrillation)은 혈전을 생성하여 뇌졸중을 일으킬 수 있다.

④ 심방조기수축(atrial premature contraction)은 동결절(SA node) 외에 심방의 다양한 곳에서 동시 다발적으로 발현 된다.

동안 부정맥에 대한 문제가 여러 번 회자 되었는데 부정맥의 스 펙트럼이 넓은 만큼 다양한 차원의 이해가 필요하다.

④ 심방세동은 동결절(SA node) 외에 심방의 다양한 곳에서 동 시 다발적으로 발현된다.

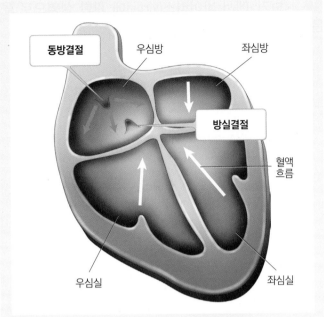

부정맥

부정맥이 생기는 원인 :
심장박동을 만들어 내는 동방결절에 문제가 생기거나 박동이 정상적으로 발생 하더라도 이를 심실로 전달하는 방실결절에 이상이 생기면 부정맥(심장박동이 불규칙하거나 더뎌지거나 빨라지는 현상)이 생긴다.

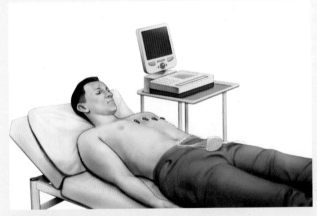

부정맥 진단

06. 협심증(angina pectoris)에 관한 설명 중 옳지 <u>않은</u> 것은?

① 안정형 협심증(stable angina)의 전형적인 증상은 운동 중 심근부담률(rate pressure product)이 증가할 때 나타날 수 있다.

② 불안정형 협심증(unstable angina)은 관상동맥의 플라크 (plaque) 파열로 인해 혈전이 생성되면서 나타난다.

③ 불안정형 협심증은 경색 전 협심증(pre-infarction angina) 으로 불린다.

④ 이형 협심증(variant angina)은 주로 관상동맥의 플라크에 의한 협착으로 발생한다.

정답 ④

④ 불안정 협심증은 주로 관상동맥의 플라크에 의한 협착으로 발생한다.

📖 보충학습

이형 협심증은 죽상경화 병변이 없는 상태임에도 불구하고 국소 적 연축으로 인해 관상동맥의 산소공급이 감소되어 유발되는 질 환이다.

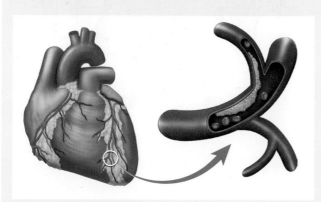

협심증

07. 급성관상동맥증후군(acute coronary syndrome)에 관한 설명으로 옳은 것은?

① 심근허혈의 유무에 대한 운동부하검사가 필요하다.

② 안정형 협심증, 불안정형 협심증, 이형 협심증이 포함된다.

③ 발병초기 약물요법 없이 경피적관상동맥중재술(percuta-neous coronary intervention)을 실시해야 한다.

④ 심장트로포닌 I(cardiac troponin I, cTnI), 심장트로포닌 T(cTnT)는 크레아틴 포스포키나아제 MB(creatine phos-phokinase-MB)보다 특이도와 민감도가 높아 심근경색을 진단하는 지표로 사용된다.

정답 ④

① 심근허혈의 유무에 대한 운동부하검사가 불필요하다. 절대금 기사항이며, 심전도로만으로 가능하다.

② 급성심근경색증과, 불안정형 협심증이 포함된다.

③ 발병초기 경피적관상동맥중재술을 실시하기 보다는 약물을 투여해서 막힌 혈관을 넓혀 산소를 공급받도록 해야 한다.

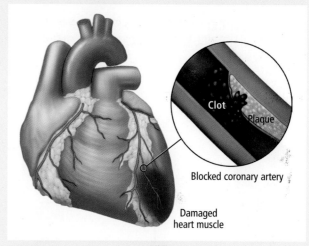

급성심근경색

2021

08. <보기>에서 본태성 고혈압(essential hypertension)의 진행에 따른 병리적 변화로 옳은 것으로만 묶인 것은?

---〈보기〉---

㉠ 레닌(renin), 안지오텐신(angiotensin), 알도스테론(aldosterone) 분비 감소
㉡ 소동맥의 직경 감소에 의한 말초저항의 증가
㉢ 혈관수축의 증가로 인한 신장으로의 혈류 감소
㉣ 전신 혈관용적의 증가와 이완기 혈압이나 후부하(afterload)의 감소

① ㉠, ㉡
② ㉡, ㉢
③ ㉠, ㉢
④ ㉢, ㉣

정답 ②

㉠ 레닌, 안지오텐신, 알도스테론 분비 증가
㉣ 전신 혈관용적의 감소와 이완기 혈압이나 후부하의 증가

📖 **보충학습**

본태성 고혈압이란 특별한 원인 질환 없이 수축기 혈압이 140mmHg 이상이거나 확장기 혈압이 90mmHg 이상인 경우를 말한다.

☞ 2019년 병태생리학 06번 참고

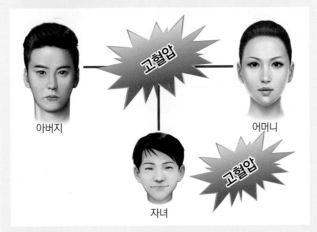

본태성고혈압

원인규명이 안 되는 경우를 본태성고혈압(혈압약 복용자 90%)이라고 하며, 가족력, 고령, 흡연, 음주, 비만, 짜게 먹는 식습관, 이상지질혈증, 스트레스 등이 위험인자이다.

09. 울혈성 심부전(congestive heart failure)에 관한 설명으로 옳지 않은 것은?

① 심부전은 고혈압, 심근경색, 판막질환이 주된 원인이다.
② 좌심실울혈성 심장기능상실은 다리와 목 정맥의 확장을 일으킨다.
③ 우심실울혈성 심장기능상실은 폐모세혈관이 손상되고 폐저항이 증가하는 폐질환으로 인해 발생할 수 있다.
④ 레닌과 알도스테론 분비가 증가하여 혈관이 수축되면서 후부하가 증가하고 심장의 부담을 가중시킨다.

정답 ②

우심실울혈성 심장기능상실은 다리와 목 정맥의 확장을 일으킨다.

☞ 2015년 병태생리학 05번, 2016년 05번 참고

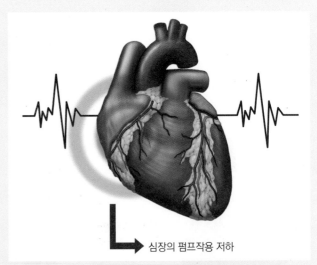

심장의 펌프작용 저하

울혈성심부전

10. 폐공기증(폐기종, emphysema)에 관한 설명으로 옳지 <u>않은</u> 것은?

① 알파1-안티트립신(α1-antitrypsin)이 증가하면 허파꽈리의 구조를 파괴한다.

② 들숨(inspiration)보다 날숨(expiration)에 어려움을 겪는다.

③ 과다환기, 호흡협력근의 사용, 술통형가슴이 특징적으로 나타난다.

④ 증상완화를 위해 기관지확장제, 항생제 및 산소요법 등이 적용된다.

정답 ①

알파1-안티트립신(α1-antitrypsin)이 부족하면 허파꽈리의 구조를 파괴한다.

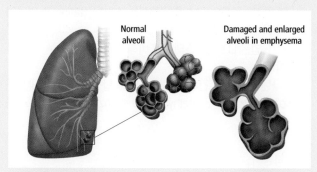

폐기종

폐기종은 폐포가 과도하게 확장되면서 공기의 교환을 저지하는 상태가 지속되다가 외부의 충격이 가해지면서 터지면 기흉으로 발전될 수 있으며, 그대로 고착화되면 폐섬유증으로 발전될 수 있다.

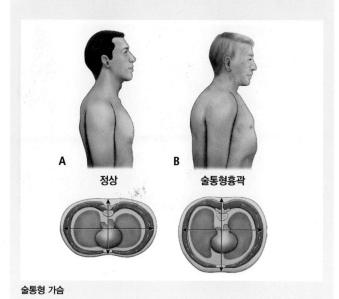

술통형 가슴

11. <보기>에서 천식(asthma)에 관한 설명으로 옳은 것을 모두 고른 것은?

─〈보기〉─

㉠ 만성 천식은 진폐증(pneumoconiosis)과 유사한 제한성(restrictive) 폐질환이다.
㉡ 코르티코스테로이드(corticosteroid) 항염증제는 천식 치료에 보편적 으로 사용된다.
㉢ 자극요인에 의해 활성화된 포식세포, 비만세포, 호산구, 호염기구 등에 의해 발생한다.
㉣ 아토피성(atopic) 천식은 전형적으로 면역글로불린 A(IgA) 매개 과민반응이 나타난다.

① ㉠, ㉡   ② ㉡, ㉢
③ ㉠, ㉢, ㉣   ④ ㉡, ㉢, ㉣

정답 ②

㉠ 만성 천식은 진폐증(pneumoconiosis)과 유사한 폐쇄성 폐질환이다.
㉣ 아토피성(atopic) 천식은 전형적으로 면역글로불린 제 I형 IgE 매개 과민반응이 나타난다.

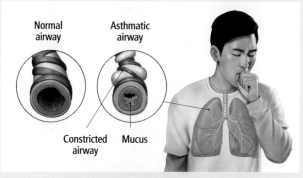

천식

천식은 만성적인 기도 염증으로 발생하는 알러지 질환. 기도 염증으로 인해 기관지가 좁아지면서 호흡곤란, 기침, 거친 숨소리(천명음) 등의 증상이 반복적, 발작적으로 나타난다.
아토피 피부염이나 알러지 비염이 있는 경우 천식이 발생할 확률이 증가한다.
알레르겐에 의해 이미 신체 조직의 과민 반응이 형성되어 있기 때문 → 과거력, 가족력 확인하는 것 필수! 천식 진단에 도움이 된다.

2021

12. <보기>의 증상이 나타나는 질환으로 적절한 것은?

─〈보기〉─

- 주먹을 쥐었다 펴는 동작에 어려움이 있다.
- 보행 장애가 질환의 주요 증상이며 수술이 필요할 수 있다.
- 가장 흔한 초기 증상은 감각이상, 상지 및 하지 근력의 약화이다.
- 대소변장애가 동반될 수 있으며 증상이 저절로 회복되는 경우는 드물다.

① 강직성 척추염(ankylosing spondylitis)
② 허리뼈관 협착증(lumbar spinal stenosis)
③ 목뼈(경추) 척수증(cervical myelopathy)
④ 허리뼈 추간판 탈출증(lumbar herniated intervertebral disc)

정답 ③

나머지 항목에 대한 내용을 알면 정답을 쉽게 고를 수 있다.

강직성 척추염은 관절연골, 특히 엉치엉덩관절과 뼈돌기관절의 파괴와 뼈성 강직을 유발한다. 말 그대로 옮기면 '척추에 염증이 생기고 움직임이 둔해지는 병'이라고 할 수 있다. 강직성 척추염은 류마티스 인자(rheumatoid factor)가 음성인 '혈청음성 척추관절병증'이라는 질환군에서 가장 흔한 질환으로, 엉덩이의 천장관절과 척추관절을 특징적으로 침범하는 만성 염증성 질환이다.

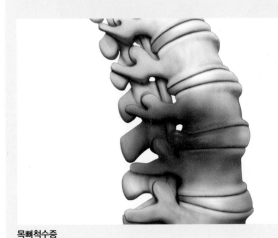

목뼈척수증

13. 이상지질혈증(dyslipidemia)에 관한 설명으로 옳은 것은?

① LDL(low-density lipoprotein)콜레스테롤이 10% 증가하면 관상동맥 질환의 위험도가 20% 정도 증가한다.
② LDL콜레스테롤의 감소를 위해서는 스타틴(statins)계 약물보다 식이요법이 더 효과적이다.
③ 식이요법은 중성지방에 비해 LDL콜레스테롤 감소에 더 효과적이다.
④ 스타틴계 약물은 간에서 콜레스테롤 합성에 중요한 HMG-CoA(3-hydroxy-3-methylgutaryl coenzyme A) 환원효소를 증가시킨다.

정답 ①

② LDL콜레스테롤의 감소를 위해서는 스타틴(statins)계 약물이 식이요법보다 더 효과적이다.
③ 식이요법은 LDL콜레스테롤에 비해 중성지방 감소에 더 효과적이다.
④ 스타틴계 약물은 간에서 콜레스테롤 합성에 중요한 HMG-CoA(3-hydroxy-3-methylgutaryl coenzyme A) 환원효소를 억제시킨다.

📖 보충학습

3-hydroxy-3-methylglutaryl-CoA reductase
HMG-CoA 환원효소(HMG-CoA reductase)는 콜레스테롤 생합성 과정 중 HMG-CoA가 메발론산(mevalonate)으로 변환되는 반응을 촉진하는 효소이다.

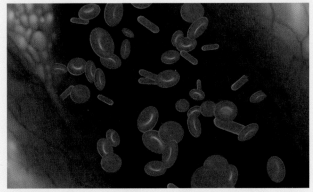

이상지질혈증

이상지질혈증이란 TC 200mg/dL 이하, TG 150mg/dL 이하, LDL 130mg/dL 이하, HDL 50mg/dL (여자, 남자는 40mg/dL) 이상
2회 이상 측정하여 이중 하나라도 이상이 있으면 이상지질혈증이라고 한다.

14. 뼈엉성증(골다공증, osteoporosis)에 관한 설명으로 옳은 것은?

① 뼈엉성증으로 인한 척추골절은 주로 후관절(facet joint) 압박골절로 나타난다.
② 치료제인 비스포스포네이트(bisphosphonates)계 약물은 주로 뼈파괴 세포(osteoclast)의 분화과정을 촉진하여 골밀도를 높인다.
③ 격렬한 신체활동을 하는 식이장애 여성선수의 경우 골밀도가 저하될 수 있다.
④ 골밀도를 높이기 위해 비타민 A와 오메가-3(omega-3)의 복용이 권장된다.

정답 ③

골다공증에 대한 문제는 빼놓지 않고, 거의 매년 조금씩 변형해서 출제되고 있다.

① 뼈엉성증으로 인한 척추골절은 주로 외상으로 발생한다.
② 치료제인 비스포스포네이트(bisphosphonates)계 약물은 주로 뼈파괴 세포(osteoclast)의 분화과정을 억제하여 골밀도를 높인다.
④ 골밀도를 높이기 위해 비타민 D와 오메가-3(omega-3)의 복용이 권장된다.

☞ 2019년 병태생리학 03번 참고

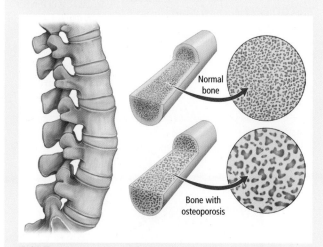

골다공증

15. 류마티스 관절염(rheumatoid arthritis)에 관한 설명으로 옳지 않은 것은?

① 관절이 붓고 열이 나며 가동범위가 제한된다.
② 염증과 조직의 손상이 국소적이며 관절변형이 비대칭적으로 나타난다.
③ 관절에 있는 윤활막에 염증이 증가되는 자가면역질환이다.
④ 염증성 사이토카인이 혈액 내로 분비되어 일부 환자는 피로, 미열, 심낭염이 나타날 수 있다.

정답 ②

염증과 조직의 손상이 전신적이며 관절변형이 대칭적으로 나타난다.

☞ 2019년 병태생리학 17번, 2020년 병태생리학 12번 참고

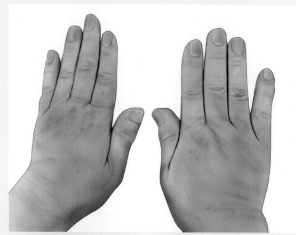

류마티스관절염(8년 경과)

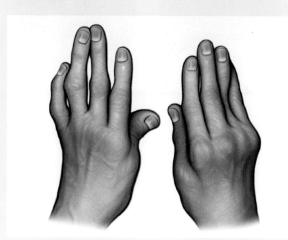

류마티스관절염

2021

16. <보기>에서 당뇨병에 관한 설명으로 옳은 것을 모두 고른 것은?

─〈보기〉─

- ⊙ 당뇨병케톤산증(diabetic ketoacidosis)은 주로 제1형 당뇨병 환자에게 발생한다.
- ⓒ 제2형 당뇨병은 간, 골격근 등에서 인슐린 민감성이 감소되는 특징이 있다.
- ⓒ 당뇨병신경병증(diabetic neuropathy)은 말초 및 자율신경 기능 장애를 초래하고 축삭(axon) 손상 및 족부궤양을 일으킨다.
- ⓔ 고삼투성 고혈당 비케톤혼수(hyperosmolar hyperglycemic nonketonic coma)는 주로 제1형 당뇨병 환자에게 흔하게 나타나며, 단백질 과잉섭취 시 발생한다.

① ⊙, ⓒ   ② ⓒ, ⓔ
③ ⊙, ⓒ, ⓒ   ④ ⓒ, ⓒ, ⓔ

정답 ③

ⓔ 고삼투성 고혈당 비케톤혼수(hyperosmolar hyperglycemic nonketonic coma)는 주로 제1형 당뇨병 환자에게 흔하게 나타나며, 인슐린 부족과 지방 과잉섭취 시 발생한다.

☞ 2016년 병태생리학 15번, 2020년 병태생리학 06번 참고

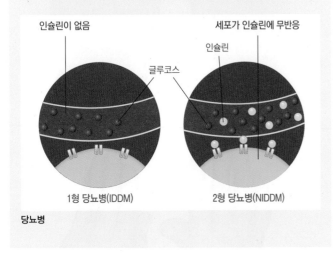

당뇨병

17. <보기>에서 제시된 결과만을 토대로 판단할 수 있는 질환은?

─〈보기〉─

- 공복 혈당 : 125mg/dL
- 당화혈색소(HbA1c) : 6.4 %
- 식후 혈당 : 199mg/dL
- 저밀도지단백 콜레스테롤(LDL-C) : 99mg/dL
- 중성지방 : 149mg/dL
- 혈압 : 138mmHg / 87mmHg

① 이상지질혈증(dyslipidemia)
② 대사증후군(metabolic syndrome)
③ 당뇨병 전단계(pre-diabetes)
④ 고혈압 1기(hypertension stage 1)

정답 ③

아래 표는 필자가 강의 시간에 제시하는 내용이다.

당뇨병의 진단 기준		
정상	당뇨병 전단계	당뇨병
HbA1C < 5.7%	HbA1C = 5.7~6.4%	HbA1C ≥ 6.5%
FBG < 100mg · dL⁻¹ (5.6mmol · L⁻¹)	FBG < 100~125mg · dL⁻¹ (5.6~6.9mmol · L⁻¹)(IFG)	FBG ≥ 126mg · dL⁻¹ (7.0mmol · L⁻¹)
75g OGTT 동안 2-h BG < 140 mg⁻¹	75g OGTT 동안 2-h BG = 140~199mg⁻¹ (7.8~11.0mmol · L⁻¹)(IFG) 사이인 내당능장애(GT)	75g OGTT 동안 2-h BG ≥ 200 mg⁻¹ (11.0mmol · L⁻¹)
		고혈당증이나 전형적인 고혈당 위험 증상을 보이는 환자, 무작위 혈당 ≥ 200 mg⁻¹(11.0mmol · L⁻¹)

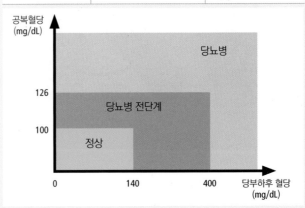

당뇨병 전단계

18. 허리뼈 추간판 탈출증(lumbar herniated intervertebral disc)에 관한 설명으로 옳은 것은?

① 일반적으로 수핵(nucleus pulposus)이 전방으로 탈출되어 신경뿌리(nerve root) 압박증상을 유발한다.
② 허리를 뒤로 젖히면 증상이 더욱 심해지고, 허리를 앞으로 구부리면 증상이 완화된다.
③ 척추뼈구멍(vertebral foramen)통로가 확장되어 신경압박에 의한 근력저하 증상이 나타난다.
④ 주로 4번과 5번 허리뼈 사이(L4–L5) 또는 5번 허리뼈와 엉치뼈 사이(L5–S1) 척추원반 수핵의 탈출이 나타난다.

> 정답 ④
>
> ① 일반적으로 수핵(nucleus pulposus)이 후방으로 탈출되어 신경뿌리(nerve root) 압박증상을 유발한다.
> ② 허리를 앞으로 젖히면 증상이 더욱 심해지고, 허리를 뒤로 구부리면 증상이 완화된다.
> ③ 척추뼈구멍(vertebral foramen)통로가 축소되어 신경압박에 의한 근력저하 증상이 나타난다.
>
> ☞2019년 병태생리학 05번 참고

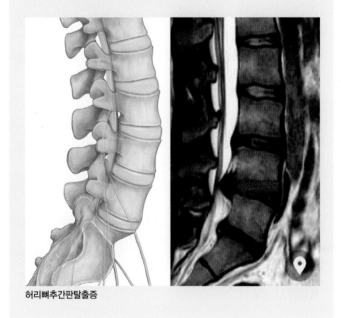

허리뼈추간판탈출증

19. 뇌동맥류(cerebral aneurysm)에 관한 설명으로 옳지 <u>않은</u> 것은?

① 윌리스 동맥환(circle of Willis)의 갈림 부위에 흔히 발생한다.
② 뇌동맥류의 주된 원인은 색전증(embolism)이다.
③ 극심한 두통이나 시각장애가 나타날 경우 의심해 볼 수 있다.
④ 결찰이나 코일삽입으로 치료가 가능하다.

> 정답 ②
>
> 뇌동맥류의 주된 원인은 색전증이 아니고 아직 모른다.
> 뇌동맥의 일부가 약해지거나 저하되어 그 부분이 풍선이나 꽈리처럼 혈관이 부풀어 오르는 질환이다.
>
> 📖 보충학습
>
> 뇌동맥류가 발생하는 정확한 원인은 아직 모른다. 다만 동맥 가지나 근위부에 주로 발생하는 것을 근거로 하여, 혈역학적으로 높은 압력이 가해지는 부위에 후천적으로 혈관벽 내에 균열이 발생하여 동맥류가 발생하고 성장하는 것으로 추정하고 있다. 주로 40대에서 60대 사이에 흔히 발생하며 약 20%에서는 다발성 동맥류가 발견되고 있다.

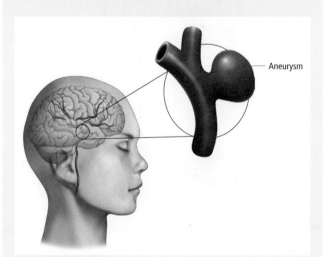

Aneurysm

뇌동맥류

2021

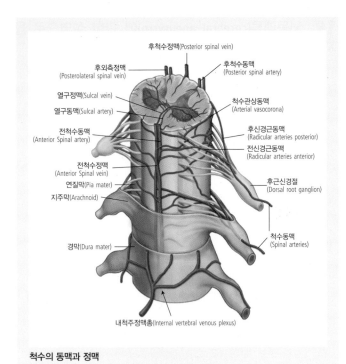

척수의 동맥과 정맥

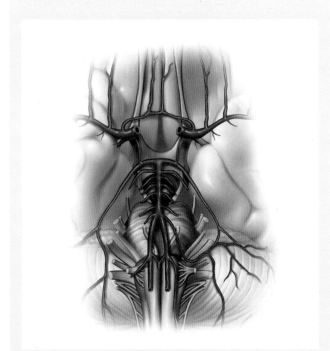

윌리스서클

20. <보기>에서 파킨슨 병(Parkinson's disease)에 관한 설명으로 옳은 것으로만 묶인 것은?

〈보기〉

㉠ 중추신경계의 말이집(myelin)이 선택적으로 손상되는 자가면역 질환의 일종이다.
㉡ 흑색질(substantia nigra)의 도파민 농도 증가로 안정 및 운동 시 떨림(tremor)이 보인다.
㉢ 대뇌피질의 상부운동뉴런(upper motor neuron) 소실과 경련성마비(spastic paralysis)가 특징이다.
㉣ 레보도파(levodopa)가 대표적인 치료 약물이나, 부작용으로 운동 시 서맥(bradycardia)이 발생할 수 있다.
㉤ 추체외로계(extrapyramidal system)의 기능 이상으로 수의운동(voluntary movement)의 지연, 근육 경직, 떨림 등이 나타난다.

① ㉠, ㉡   ② ㉡, ㉤
③ ㉢, ㉣   ④ ㉣, ㉤

정답 ④

이 문제 ㉠은 다발성경화증, ㉢은 루게릭병을 이야기하고 있다.

㉠ 정확한 원인은 규명되지 않았지만, 가장 흔한 신경퇴행성 질환 중의 일종이다.
㉡ 흑색질(substantia nigra)의 도파민 농도 감소로 안정 시 떨림(tremor)이 보인다.
㉢은 루게릭병(근위축성측색경화증, amyotrophic lateral sclerosis, ALS)에 가까운 내용이다.

파킨슨병은 도파민 신경세포의 소실로 인해 발생하는 신경계의 만성 진행성 퇴행성 질환

📖 보충학습

근위축성측색경화증(루게릭병)은 운동신경세포만 선택적으로 사멸하는 질환으로 대뇌 겉질(피질)의 위운동신경세포(upper motor neuron, 상위운동신경세포)와 뇌줄기(뇌간) 및 척수의 아래운동신경세포(lower motor neuron) 모두가 점차적으로 파괴되는 특징을 보인다.

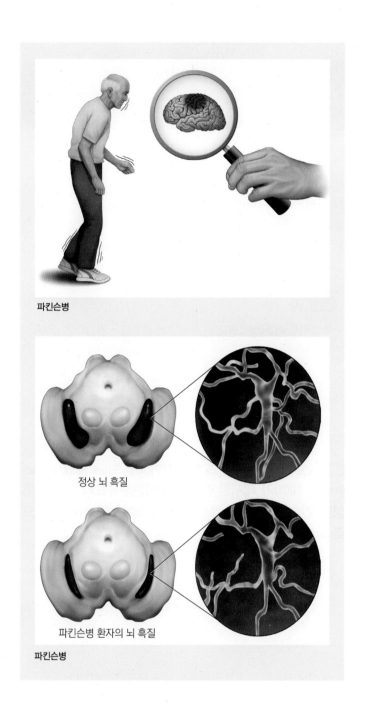

파킨슨병

정상 뇌 흑질

파킨슨병 환자의 뇌 흑질

파킨슨병

스포츠심리학

01. 마슬라흐와 잭슨(C. Maslach & S. E. Jackson, 1986)의 탈진검사지(burnout inventory)의 요인이 <u>아닌</u> 것은?

① 자신감(self-confidence)
② 비인격화(depersonalization)
③ 정서적 고갈(emotional exhaustion)
④ 개인적 성취감 저하(lower personal accomplishment)

정답 ①

마슬라흐와 잭슨의 탈진검사지는 탈진의 강도와 빈도를 측정하는 검사지이다.
따라서 ①은 탈진검사와 무관한 요인이다.

탈진과 소진의 차이는 다음과 같다.

1) 탈진(burnout) : 많은 관점이 탈진이나 소진상태를 같은 의미로 사용하고 있으나 탈진이란 '스포츠 참가를 위한 부정적 감정 및 반응'으로 감성, 태도, 동기와 같은 기대 등을 포함한 개인적 증상으로 정의된다.

2) 소진(staleness) : 과훈련에 의한 부정적인 결과로써 소진이라는 용어를 사용한다. 소진상태란 선수들이 제시된 훈련에 적응할 수 없는 능력에서 비롯되기 때문에 과훈련은 하나의 자극이며 소진은 하나의 반응이다.

02. <보기>에서 설명하는 이론은?

〈보기〉

중요한 득점 상황에서 '실수하면 어쩌지'라고 생각하며 인지적 불안이 높아져 어이없는 실수를 했다. 그 순간 '지면 안 되는데'라는 생각과 함께 시야가 좁아지고 근육이 긴장되는 신체적 불안이 높아지면서 운동 수행이 급격하게 저하되었다.

① 동인이론(drive theory)
② 격변이론(catastrophe theory)
③ 전환(반전)이론(reversal theory)
④ 적정기능지역이론(zone of optimal functioning theory)

정답 ②

책 없이도 가르치는 필자 강의 시간에 강조하는 불안이론 8가지 중 하나이다.

☞2018년 스포츠심리학 11번 참고

03. <보기>는 엘리엇과 맥그리거(A. J. Elliot & H. A. Mc-Gregor, 2001)가 제시한 성취목표 이원분류표와 성향별 특성을 기술한 것이다. ㉠~㉣ 중 A, B에 해당하는 행동으로 바르게 묶인 것은?

〈보기〉

	숙달(과제)성향	수행(자아)성향
유능감 접근	A	
무능감 회피		B

㉠ 경쟁 선수를 이겨서 우승하는 것을 목표로 훈련한다.
㉡ 메달 획득이 어려워지자 부상을 핑계로 시합을 포기한다.
㉢ 테니스 선수가 70 %의 첫 서브 성공률을 달성하기 위해 훈련한다.
㉣ 보디빌딩 선수가 체지방 6%라는 목표를 달성하지 못할 것 같아 시합을 포기하였다.

	A	B
①	㉠	㉡
②	㉠	㉣
③	㉢	㉡
④	㉣	㉢

정답 ③

㉠, ㉡은 수행성향에 해당한다. 아래 표를 익히면 답안 해결에 도움이 될 것이다. 강의 시간에 지도하는 내용이다.

구 분	과제 목표 성향	자기 목표 성향
과제 선택	실현 가능한 과제 약간 어려운 과제	매우 쉬운 과제 달성 불가능한 과제
노력 투입	자유 시간 연습 많음 운동 시 많은 노력	자유 시간 연습 적음 운동 시 노력부족
내적 동기	내적 동기 높음 몰입 체험 많음	내적 동기 낮음 몰입 체험 적음
성공 이유	노력과 협동	자신의 기술과 재능
정서 반응	긴장 및 불안 적음	긴장 및 불안 많음

모의경기

04. <보기>에서 제시하는 심리기술훈련 방법은?

─〈보기〉─

• 보디빌딩 선수가 실제 경기장에서 시합 과정을 미리 경험한다.
• 축구 선수가 관중의 함성, 상대 팬의 야유, 카메라 플래시가 터지는 실제 환경에서 훈련한다.

① 심상 훈련(image training)
② 자생 훈련(autogenic training)
③ 바이오피드백 훈련(biofeedback training)
④ 모의경기경험 시연(rehearsal of simulated competition experiences)

05. 스포츠 팀 응집력(cohension)에 관한 설명으로 적절하지 <u>않은</u> 것은?

① 선수 간 친밀도로만 측정되는 단일차원의 특성을 지닌다.
② 팀 목표 달성을 위한 수단적 역할을 한다.
③ 역동적인 집단의 상호작용에 의해 변화한다.
④ 집단 구성원에 따라 달라질 수 있으며 감정적인 측면을 포함한다.

정답 ④

②와 ③은 불안감소 기법에 해당하며, ④는 조종사 및 2026년 밀라노, 코르티나담페초 동계올림픽 대회에 참가하는 한국의 쇼트트랙선수들의 모의연습 및 하계올림픽에 출전하는 대한민국 양궁국가대표선들의 훈련이 대표적이다. 이 장치는 경제성, 안전성, 전이문제를 고려해야 한다.

정답 ①

선수 간 친밀도로만 측정되는 다차원(사회적, 과제)의 특성을 지닌다.

2021

06. <보기>에서 설명하는 팀 빌딩 중재 모형은?

―〈보기〉――――――

- 선수와 지도자가 다음 시즌의 팀 행동 지침이 되는 신념에 대해 토론한다.
- 신념의 우선순위를 정한다.
- 팀 헌신, 팀 자부심, 존중, 긍정적 태도, 책임감 등을 강조한다.

① 가치중재모형
② 전문상담사 직접모형
③ 건강운동관리사 간접모형
④ 자기공개–상호공유모형

정답 ①

〈보기〉와 관련된 중재 모형은 ①에 해당된다.

📖 보충학습

조직심리학 전문가들은 종종 작업집단을 설계하고 개발하고 향상시키는 방법을 찾기 위해서 집단 역동에 눈길을 돌린다. 팀 구축(team-building)은 실천을 통해 발달하는 협력적인 상호의존으로부터 작업집단의 성공이 초래된다는 가정에서 출발한다.

07. <보기>에서 설명하는 행동관리기법은?

―〈보기〉――――――

- 건강운동관리사가 손상환자에게 하기 싫은 재활 과제를 마치면 자율시간을 갖도록 이야기하였다.
- 상대적으로 낮은 확률로 일어나는 행동의 발생 빈도를 높이기 위해서 높은 확률로 일어나는 행동을 강화물로 활용한다.

① 소거(extinction)
② 프리맥 원리(Premack principle)
③ 용암법(fading)
④ 일시적 중단(time-out)

정답 ②

일어날 확률이 높은 행동은 확률이 낮은 행동에 대해 강화물로 작용한다.
③은 촉진이나 도움을 점차 감소시켜 학생 스스로 문제를 해결하도록 하는 행동중재 방법이다.

08. 하우젠블라스와 시몬스 다운스(H. A. Hausenblas & D. S. Simons Downs, 2002)가 제시한 운동의존성(exercise dependence) 진단기준으로 적절하지 <u>않은</u> 것은?

① 발목이나 팔꿈치가 아픈데도 운동을 계속함
② 운동을 위해 직무활동과 여가활동을 줄이거나 회피함
③ 운동을 중단하면 불안이나 피로 등 부정적인 증상이 나타남
④ 손상 위험을 인식하여 운동을 중단하고 치료를 받음

정답 ④

쉬운 문제로서 ④는 운동의존성과 거리가 있는 정상인에 해당된다.

09. 운동의 심리적 효과에 관한 가설과 설명이 옳지 <u>않은</u> 것은?

① 모노아민 가설 : 운동이 신경전달물질의 분비를 증가시켜 우울증 완화를 돕는다.
② 뇌변화 가설 : 운동이 대뇌피질의 혈관 밀도를 낮춘다.
③ 생리적 강인함 가설 : 규칙적 운동은 스트레스 대처능력을 높여 정서적 안정을 유도한다.
④ 열발생 가설 : 운동으로 인한 체온 상승은 뇌에서 근육으로 이완 명령을 유도하여 불안을 감소시킨다.

이 문제는 운동과 정서변화에 대한 메커니즘을 설명하는 이론으로 제안된 이론들이다.

뇌변화 가설 : 운동이 대뇌피질의 혈관 밀도를 높인다.

이외에도 엔돌핀 가설, 심폐체력 가설, 기분전환 가설, 자신감 가설, 사회적 상호작용 가설 등도 추가로 숙지해야 한다.

10. 운동행동과 관련된 운동심리이론(모형)의 명칭과 설명이 옳은 것은?

① 합리적행동 이론 : 성취경험과 간접 경험이 운동행동에 영향을 준다.
② 계획행동 이론 : 운동 동기와 환경적 요인이 운동행동에 영향을 준다.
③ 건강신념 모형 : 질병의 위험성에 대한 인식이 운동행동에 영향을 준다.
④ 변화단계 이론 : 의사결정 균형, 변화과정, 공공 정책이 운동행동에 영향을 준다.

다음과 같이 수정할 수 있다.

① 자신감 이론 : 성취경험과 간접 경험이 운동행동에 영향을 준다.
② 사회생태학 이론 : 운동 동기와 환경적 요인이 운동행동에 영향을 준다.
④ 변화단계 이론 : 의사결정 균형, 변화과정, 자기효능감이 운동행동에 영향을 준다.

11. <보기>에서 윌스와 쉰너(T. A. Wills & O. Shinar, 2000)의 사회적 지지 유형과 설명이 옳은 것으로만 묶인 것은?

〈보기〉

㉠ 정서적 지지 : 노력에 대해 칭찬하고 어려움을 호소할 때 공감해 주기
㉡ 정보적 지지 : 운동 방법에 대해 조언을 하고 진행 과정에서 피드백 주기
㉢ 동반자 지지 : 운동할 때 보조 역할을 하고 운동 장소까지 태워다 주기
㉣ 도구적 지지 : 타인과의 비교를 통해 자신의 생각과 감정이 정상이라는 것을 확인하기

① ㉠, ㉡   ② ㉠, ㉢
③ ㉡, ㉢   ④ ㉡, ㉣

㉢ 도구적 지지 : 운동할 때 보조 역할을 하고 운동 장소까지 태워다 주기
㉣ 비교확인 지지 : 타인과의 비교를 통해 자신의 생각과 감정이 정상이라는 것을 확인하기

사회적지지

12. <보기>에서 한국스포츠심리학회가 제시한 스포츠심리상담사의 상담윤리에 관한 설명으로 옳은 것으로만 묶인 것은?

―〈보기〉―

㉠ 상담사는 자신의 전문성 영역과 한계 영역을 명확하게 인식한다.
㉡ 협회나 지도자가 선수들의 상담내용을 요구하면 상담사는 제공해야 한다.
㉢ 알고 지내는 사람과 전문적인 상담관계를 진행하지 않도록 한다.
㉣ 내담자의 사생활과 비밀 보호를 위해 상담기록을 남기지 않는다.

① ㉠, ㉡   ② ㉠, ㉢
③ ㉡, ㉢   ④ ㉡, ㉣

정답 ②

㉡ 협회나 지도자가 선수들의 상담내용을 요구할 경우 상담사는 내담자와 상의해야 한다.
㉣ 내담자의 사생활과 비밀 보호를 위해 상담기록을 남기도록 한다.

스포츠심리 상담

13. 광학적 흐름(optic flow)에 반응하여 자세를 조절하는 능력을 연구한 실험은?

① 시각 절벽(visual cliff) 실험
② 눈의 고정(quiet-eye) 실험
③ 움직이는 방(moving room) 실험
④ 무주의 맹시(inattention blindness) 실험

정답 ③

①, ②는 흐름과 무관한 고정된 상황이다.

📖 보충학습
시지각을 강조하는 Gibson은 광학의 유형을 광학적 흐름(optical flow)과 망막의 흐름(retinal flow)으로 구분했다. 그는 광학적 흐름을 관찰자와는 무관하게 발생하는 광학 배열 구조의 일시적인 변화로, 이것은 빛이 눈으로 도달하기 전에 관찰 지점을 둘러싼 빛의 강도 유형을 의미하고, 한편 망막의 흐름은 관찰자의 망막에서 일어나는 빛 유형으로 간주했다.
인간은 움직임에 대한 정보를 두 가지의 흐름을 통하여 얻게 된다는 것이다.
흐름이 발생하면 동적(dynamics) 상태이며, 흐름이 없으면 정적(statics) 상태를 의미한다.
무주의 맹시는 눈은 특정 위치를 향하고 있지만 주의가 다른 곳에 있어서 눈이 향하는 위치의 대상이 지각되지 못하는 현상이나 상태이기 때문에 본 문제에서 정답을 ③번으로 선택할 수 있다.

상세한 추가 개념과 해설은 "박승화 체육스포츠" 강의를 통해서 학습할 수 있다.

14. <보기>에서 습득된 장기기억 체계는?

―〈보기〉―

레이업 슛 기술을 학습한 결과 레이업 슛을 바른 자세로 정확하게 성공시킬 수 있었지만, 말로 그 기술을 제대로 표현할 수는 없었다.

① 감각(sensory) 기억
② 작업(working) 기억
③ 절차적(procedural) 기억
④ 서술적(declarative) 기억

정답 ③

③은 소뇌와 관련 있으며, 의식적 노력 없이 생각해 낼 수 있다. 춤의 경로와 같이 반복되는 훈련을 통해 얻게 된 운동기술을 말한다.
④는 의식적인 상기를 필요로 한다.

15. 운동수행의 신경학적 과정을 이해하기 위한 뇌활동 측정 기법에 관한 설명으로 옳은 것은?

① 뇌전도(EEG) 측정을 위해서는 침습적인 전극 설치를 해야만 한다.
② 격렬한 움직임 중에는 뇌전도를 사용해서 뇌활성도를 측정하기 어렵다.
③ 기능적자기공명영상(fMRI) 측정을 위해서는 체내에 추적물질을 투입해야 한다.
④ 기능적자기공명영상 측정으로 뇌활성도와 움직임 사이의 인과관계를 확인할 수 있다.

정답 ②

① 뇌전도(EEG) 측정을 위해서는 비침습적인 전극 설치를 해야만 한다.
③ 기능적자기공명영상(fMRI) 측정을 위해서는 체내에 추적물질을 투입하지 않는다.
④ 기능적자기공명영상 측정으로 두뇌의 활성화하는 시각화하는 기법이다.

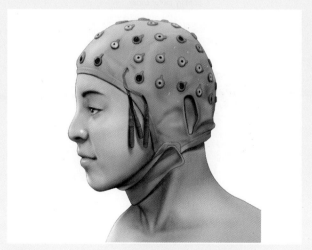

뇌활동 측정

16. 일반화된 운동 프로그램(generalized motor program, GMP)의 관점에서 동작 수행 시 새로운 상황에 맞게 적용해야 하는 가변매개변수(variant parameter)가 <u>아닌</u> 것은?

① 생성되는 힘의 총량(overall force)
② 선택된 근육군(selected muscles)
③ 총 동작지속시간(overall duration)
④ 동작구성요소의 상대적 타이밍(relative timing)

정답 ④

매개변수에 대하여 숙지하고 있어야 한다.
④는 요소의 순서, 시상과 더불어 불변매개변수에 해당됨

📖 **보충학습**

Schmidt는 반응과 단순한 관계를 갖는 운동프로그램의 개념을 보다 융통성이 있는 일반화된 운동프로그램으로 발전시켰다. 일반화된 운동프로그램에서는 두 개의 매개변수에 의하여 운동프로그램이 바뀌게 된다. 여기서 매개변수란 특정한 환경적인 요구에 적응하기 위하여 움직임의 형태를 조절하는 데에 관여하는 것으로, 이는 불변매개변수와 가변매개변수로 구분할 수 있다.

17. <보기>의 구조들을 통해 시각 정보가 대뇌로 전달되는 과정을 순서대로 바르게 나열한 것은?

─ <보기> ─

㉠ 일차시각겉질(primary visual cortex)
㉡ 시각교차(optic chiasm)
㉢ 시각신경(optic nerve, cranial nerve II)
㉣ 시상의 가쪽무릎핵(lateral geniculate nucleus)

① ㉢ → ㉣ → ㉠ → ㉡
② ㉣ → ㉢ → ㉡ → ㉠
③ ㉢ → ㉡ → ㉣ → ㉠
④ ㉣ → ㉠ → ㉢ → ㉡

2021

정답 ③

이 문제는 아래 그림과 내용을 참고하기 바란다.

그림은 야구 캐처가 볼을 캐칭하는 사진으로 운동과 신경의 역할을 살펴보면 다음과 같다.

① 눈으로 공을 본다.
② 공의 속도와 방향신호를 모아서 대뇌에 전달한다.
③ 대뇌에서 공잡을 위치를 판단한다.
④ 대뇌의 명령이 운동 신경을 따라 근육에 전달된다.
⑤ 운동신경의 명령에 따라 손과 발의 근육을 움직여 공을 잡는다.

18. 공간과 움직임에 관한 시지각(visual perception) 처리와 관련이 있는 뇌 영역은?

① 바닥핵(기저핵, basal ganglia)
② 보조운동겉질(supplementary motor cortex)
③ 뒤마루겉질(후두정피질, posterior parietal cortex)
④ 아래관자겉질(측두엽하부, inferior temporal cortex)

정답 ③

수험생들이 어려워하는 운동제어 영역이 점차 추가되고 있는 추세이다. 뇌의 각 영역의 역할을 숙지해야 한다.

①은 앞에서 충분히 설명했기 때문에 생략하고, ②는 움직임의 복잡한 패턴을 프로그래밍하는데 예비적 역할 수행을 하고, ④는 복잡한 지각과정을 수행하는 역할을 한다.

①은 소뇌와 관련된 ☞2017년 스포츠심리학 04번 참고

19. 뇌-컴퓨터 인터페이스(brain-computer interface)의 주요 원리는 인지 처리과정 중에 동작명령(motor command)에 관한 신경신호를 수집해서 컴퓨터로 전송하는 것이다. 이를 위해서 두뇌 한 영역에서만 동작명령을 수집해야 한다면, 어떤 영역이 가장 적절한가?

① 뇌들보(뇌량, corpus callosum)
② 일차운동겉질(primary motor cortex)
③ 시각연합겉질(visual association cortex)
④ 이마앞겉질(전전두피질, prefrontal cortex)

정답 ②

②는 전두엽에 위치한 주운동피질로써 골격근을 조절한다.
나머지 항목도 주역할을 알아 둘 필요가 있다.

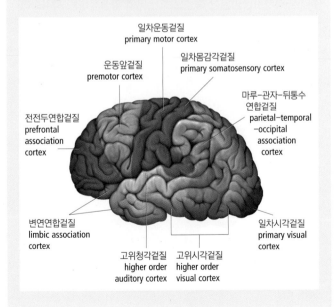

①은 좌우 대뇌반구 사이에 위치해 두 반구를 연결하는 활꼴의 신경다발을 말하며, ③의 기관은 빛의 감지, 단일 영상의 형성, 2차원 형상의 깊이 및 간격 지각, 물체의 파악 및 분류, 신체 동작 인도 등 여러 가지 복잡한 기능을 수행한다. ④는 대뇌 반구에서 운동 영역의 앞쪽 이마엽의 겉질. 특히 사람에게 발달되어 있으며, 다른 부위의 겉질과 광범위하게 연결되어 있어서 과거에 경험한 자료를 받아 차원이 높은 정신 활동에 근거하여 행동을 조절하는 데 관여한다.

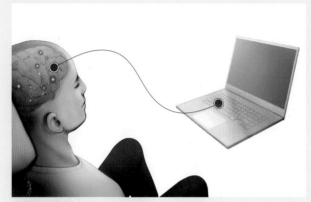

뇌컴퓨터 인터페이스

20. 최근 스포츠 현장에서 실제수행이 위험한 동작을 보다 안전한 환경에서 습득하도록 가상현실 기기를 활용한다. 이는 어떤 운동학습 원리를 적용한 사례인가?

① 보상 학습
② 분습법을 통한 학습
③ 맥락 간섭
④ 학습의 전이

정답 ④

이 문제는 ☞2021년 스포츠심리학 04번 참고

맥락간섭이란 학습해야 하는 자료와 학습시간 중간에 개입된 사건이나 경험사이에 발생하는 갈등으로 인하여 학습이나 기억에 방해를 받는 것을 말한다.

가상현실

건강운동관리사 기출 바이블

전과목 수록

PART 02

2 0 2 2 년
건강운동관리사
필 기 시 험

건강운동관리사 필기시험 1교시

2022 건강운동관리사

운동생리학

01. 가장 많은 에너지를 생성하는 기질(substrate)은?

① 팔미트산(palmitic acid)
② 아데노신 삼인산(adenosine triphosphate)
③ 구아노신 삼인산(guanosine triphosphate)
④ 포스포프록토키나제(phosphofructokinase)

정답 ①

이 문제는 평소 "박승화 체육스포츠" 강의에서 제시하는 평범한 에너지대사 관련 내용으로 쉽게 해결할 수 있는 내용이다.

①의 지방 한 분자는 130 ATP, ②~④는 1~2ATP ③은 크렙스회로의 기질수준에서 생성된 2ATP이다.

02. <보기>에서 대기 물질이 유발하는 생리적 현상(반응)에 관한 설명으로 옳은 것을 모두 고른 것은?

─〈보기〉─

㉠ 아황산가스(SO_2)는 천식 환자의 기관지를 수축시킬 수 있다.
㉡ 미세물질은 산화스트레스를 촉진하여 면역기능을 손상시킬 수 있다.
㉢ 일산화탄소(CO)는 산소에 비해 헤모글로빈과 높은 친화력을 지닌다.
㉣ 고농도 오존(0.75ppm 이상)에 노출은 최대산소섭취량을 감소시킬 수 있다.

① ㉠, ㉡   ② ㉢, ㉣
③ ㉠, ㉢, ㉣   ④ ㉠, ㉡, ㉢, ㉣

정답 ④

최근 대기오염이 심각한 상황에 대한 환경을 고려한 문제처럼 느껴지며, 상식으로 해결할 수 있다고 사료된다.

📖 **보충학습**

기관지확장제와 베타수용체 작용제같은 약물은 아황산가스에 대한 천식성 반응을 일부 차단시켜 준다.
㉢ CO와 헤모글로빈과 높은 결합으로 산소의 수송능력을 감소시킨다.

03. <보기>의 ㉠, ㉡에 해당하는 값을 바르게 나열한 것은?

─〈보기〉─

심장의 확장기말 용량(end-diastolic volume)이 100mL이고, 수축기말 용량(end-systolic volume)은 40mL이며, 심박수가 60회/분일 경우, 박출계수(ejection fraction)는 (㉠)%이며, 심박출량(cardiac output)은 (㉡) L/분이다.

	㉠	㉡
①	40	2.4
②	40	3.6
③	60	2.4
④	60	3.6

정답 ④

박출계수를 산출하는 공식이 "이완기말 용적-수축기말 용적/이완기말 용적"이기 때문에 100-40/100 = 60%이며, 심박수가 60회/분이므로 3.6L/분이다.

2022

04. <보기>에서 호르몬별 내분비샘과 운동강도 증가에 따른 변화의 연결이 옳은 것으로만 묶인 것은?

〈보기〉

	호르몬	내분비샘	변화
㉠	갑상샘자극호르몬(TSH)	뇌하수체 전엽	증가
㉡	항이뇨호르몬	뇌하수체 후엽	감소
㉢	에피네프린	부신피질	증가
㉣	글루카곤	췌장(이자)	증가

① ㉠, ㉡   ② ㉠, ㉣

③ ㉡, ㉢   ④ ㉢, ㉣

정답 ②

평소 필자가 강조한 호르몬의 명칭과 분비되는 장소, 운동 전·중·후 변화에 문제로서 쉽게 해결할 수 있다.

㉡은 증가, ㉢은 부신수질로 수정한다.

05. 헤모글로빈(hemoglobin)에 관한 설명으로 옳은 것은?

① 운동 시 감소한 pH는 헤모글로빈의 산소친화력을 증가시켜 운동하는 근육으로의 산소분리가 증가한다.
② 산소분압 20mmHg에서, 마이오글로빈(myoglobin)에 비해 헤모글로빈의 산소친화력이 높다.
③ 헤모글로빈 농도는 일반적으로 남성에 비해 여성이 높다.
④ 헤모글로빈 1g은 약 1.34mL의 산소와 결합할 수 있다.

정답 ④

①, ②, ③ 모두 반대의 개념으로 제시되어 있다.

②에 대한 내용은 ☞ 2019년 운동생리학 11번 참고

06. 운동 시 체온조절에 영향을 미치는 요인에 관한 설명으로 옳지 <u>않은</u> 것은?

① 실외에서 자외선 차단 의복을 착용하면 태양으로부터 복사(radiation)에 의한 열획득이 감소한다.
② 자전거 주행 시에는 바람을 통해 전도(conduction)에 의한 열손실이 증가한다.
③ 실내(23℃)에서 탈의 시, 복사(radiation)에 의한 열손실이 증가한다.
④ 습도가 높으면 증발(evaporation)에 의한 열손실이 감소한다.

정답 ②

체온조절에 대한 쉬운 문제로서 ②는 대류(convection)로 피부를 스쳐 다량의 공기를 이동하게 하는 선풍기가 대표적인 예이다.

07. 근육의 미세구조별 구성 단백질과 근육의 길이 변화가 옳은 것은?

	근육의 미세구조	구성 단백질 (안정 시)	근육의 길이 (단축성 수축 시)
①	I대(I-band)	액틴(actin)	유지
②	H역(H-zone)	액틴, 마이오신 (myosin)	감소
③	A대(A-band)	액틴, 마이오신	유지
④	근절(sarcomere)	마이오신	유지

정답 ③

☞ 2020년 운동생리학 17번 참고

다음과 같이 수정해야 한다.
①은 감소, ②는 마이오신만, ④는 마이오신과 액틴으로 또한 감소로 수정해야 한다.

08. 지속적인 자극으로 인해 근육수축이 유지되는 현상을 가리키는 용어는?

① 실무율(all-or-none)
② 가중(summation)
③ 단축/연축(twitch)
④ 강축(tetanus)

정답 ④

강축은 경직수축이라고도 한다. 아래 그림을 참조하기 바란다.

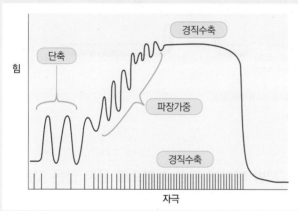

경직수축

📖 보충학습

근섬유가 너무 빠르게 반복적으로 자극되어 각 자극 사이에 전혀 이완할 기회가 없다면 강축이 일어난다. 강축성 수축은 단일 연축보다 보통 3~4배 더 강하다.
활동전위가 짧은 간격으로 즉 고빈도로 근섬유를 자극한다면, 수축사이의 이완은 없어지고 근섬유는 강축이라는 최대수축 상태가 된다.

09. <보기>는 심주기(cardiac cycle) 동안 나타나는 현상을 묘사한 위거도식(Wigger diagram)과 설명이다. ㉠~㉣ 중 옳은 것을 모두 고른 것은?

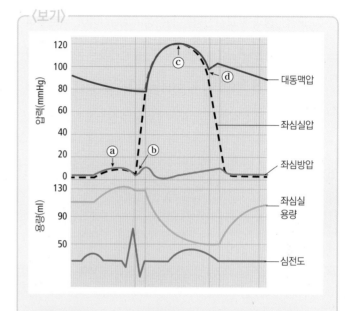

㉠ 좌심방(left atrium) 수축이 일어나고 있는 시점은 ⓐ이다.
㉡ 이첨판(bicuspid valve)이 열리는 시점은 ⓑ이다.
㉢ 이첨판이 닫히는 시점은 ⓒ이다.
㉣ 대동맥판(aortic valve)이 닫히는 시점은 ⓓ이다.

① ㉠, ㉢ ② ㉠, ㉣
③ ㉠, ㉡, ㉣ ④ ㉠, ㉢, ㉣

정답 ②

이 그래프는 심장주기 동안 일어나는 다양한 변화를 나타내는 종합모식도로서 가로선은 각각 심전도, 대동맥, 심실, 심방, 압력, 심실부피, 심음의 변화를 나타내고 있다.

다음과 같이 수정할 수 있다.
㉡ 이첨판(bicuspid valve)이 열리는 시점은 ⓓ이다.
㉢ 이첨판이 닫히는 시점은 ⓑ이다.

☞ 2020년 운동생리학 10번 그림 참고

2022

10. <보기>의 신경(계) 역할에 관한 설명 중 옳은 것을 모두 고른 것은?

〈보기〉

㉠ 교감신경과 부교감신경은 원심성(efferent)이며, 뇌로부터 자극을 받아 내분비샘에 전달한다.
㉡ 운동신경은 구심성(afferent)이며, 골격근에서 뇌로 신호를 보낸다.
㉢ 체성신경은 원심성이며, 뇌로부터 자극을 받아 골격근에 전달한다.
㉣ 감각신경은 원심성이며, 피부에서 뇌로 신호를 보낸다.

① ㉠
② ㉠, ㉢
③ ㉠, ㉡, ㉢
④ ㉠, ㉡, ㉢, ㉣

정답 ②

쉬운 문제로서 ㉡은 원심성, ㉣은 구심성이다.

정답 ①

세포질-간질공간-모세혈관 사이의 수분 분포에 관련된 문제로 운동 시 혈장량의 감소현상은 안쪽 모세혈관벽에 대해 생기는 정수압이 혈장으로부터 조직액을 촉진하는 반면, 사이질의 삼투력은 혈관계로부터 수분을 끌어들인다.

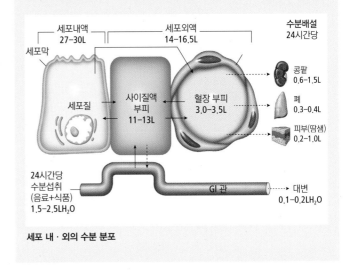

세포 내 · 외의 수분 분포

11. <보기>의 ㉠, ㉡에 해당하는 용어를 바르게 나열한 것은?

〈보기〉

운동 시 혈장량 감소 원인 중 하나는, 모세혈관 내 정수압(hydrostatic pressure)이 (㉠)하고, 모세혈관 밖 간질공간(interstitial space) 삼투압(osmotic pressure)이 (㉡)하여, 혈장이 모세혈관 밖으로 이동하기 때문이다.

	㉠	㉡		㉠	㉡
①	증가	증가	②	증가	감소
③	감소	감소	④	감소	증가

12. 지방 대사에 관한 설명으로 옳지 <u>않은</u> 것은?

① 중성지방의 글리세롤(glycerol)은 아세틸조효소A(acetyl-CoA)로 전환될 수 있다.
② 베타산화(β-oxidation)는 지방산을 아세틸조효소A로 전환시키는 과정으로 미토콘드리아에서 진행된다.
③ 베타산화를 통해 생성된 아세틸조효소A는 구연산/크렙스회로를 통해 아데노신 삼인산(ATP)을 생산한다.
④ 16개의 탄소로 이루어진 활성 지방산이 완전히 분해되려면 총 8회의 산화 과정(주기)을 거쳐야 한다.

정답 ④

에너지대사를 성실하게 공부한 수험생이면 쉽게 해결할 수 있다.
②, ③은 쉬운 내용이며, ①은 글리세롤의 일부가 아세틸조효소A(acetyl-CoA)로 전환될 수 있다는 의미이다.
④의 팔미틱산은 7회의 산화 주기를 거쳐야 한다.

13. 해수면에서, 안정 시와 비교하여 운동 시 폐로부터 혈액으로의 산소 확산능력 증가에 기여하는 요인으로 옳은 것은?

① 증가한 혈압에 의한 폐 윗부분 관류 증가
② 폐포와 모세혈관 사이 호흡막 두께 증가
③ 호흡하는 공기 내 증가한 산소 분압
④ 폐정맥혈 내 증가한 산소 분압

정답 ①

일반적으로 안정 시에는 중력에 의해서 혈액이 허파 아래 부분으로 쏠리는 현상 때문에 허파모세혈관은 닫혀있는 상태이다. 그러나 운동 시 심박출량이 보다 많은 혈액을 허파동맥으로 보내게 되면 안정 시 닫혀있던 대부분의 허파 모세혈관이 혈액으로 채워지기 때문에 폐 윗부분 관류가 증가하게 된다.

14. <보기>는 코리회로(Cori cycle)에 관한 설명이다. ㉠~㉢에 해당하는 용어를 바르게 나열한 것은?

─〈보기〉─

근육에서 대사과정을 통해 생성된 젖산은 혈액을 통해 간으로 이동하고 (㉠)→(㉡)→(㉢)순으로 전환되어 간에서 저장되며 필요 시 다시 근육으로 이동하여 사용된다.

	㉠	㉡	㉢
①	피루브산 (pyruvate)	젖산탈수소효소 (LDH)	글리코겐 (glycogen)
②	글리코겐	글루코스6인산 (glucose 6-phosphate)	피루브산
③	피루브산	글루코스6인산	글리코겐
④	젖산탈수소효소	피루브산	글리코겐

정답 ③

쉬운 내용으로 골격근과 간 사이의 왕복통행을 Cori cycle라고 하며, 이 회로를 통해 결핍된 골격근 글리코겐이 48시간 이내에 회복될 수 있다. 비탄수화물(젖산, 아미노산, 글리세롤 등)이 피루브산을 거쳐 포도당이 되는 과정을 포도당 신생합성이라고 하며, 특히 단식할 경우 나타난다.

15. <보기>에서 설명하는 호르몬은?

─〈보기〉─

- 지방세포에서 분비된다.
- 기초대사율을 높이는 것으로 알려져 있다.
- 포만감을 유발함으로써 칼로리 섭취를 줄이는데 도움이 된다.

① 렙틴(leptin)
② 그렐린(ghrelin)
③ 리파아제(lipase)
④ 안드로겐(androgen)

정답 ①

혈액에서 렙틴의 양은 지방조직에 저장되어 있는 트리글리세라이드 지방의 총량을 알려주는 훌륭한 척도이다. 지방이 많이 저장되어 있을수록 좀 더 많은 렙틴이 혈액으로 분비된다. 90년대 중반에 발견된 혈액에서 나오는 이 신호가 처음으로 확인된 포만감 신호분자이다.

📖 보충학습

렙틴(leptin)은 지방세포로부터 분비된 호르몬으로 시상하부의 수용체에 작용하여 식욕을 억제하고 에너지 소비를 증가시키는 역할을 한다. 그렐린과 함께 식욕을 길항적으로 조절하여 체내 에너지 항상성을 유지시킨다. 그렐린은 위에 의해 분비되는 중요한 공복신호이다.

2022

16. <보기>의 근수축에 따른 힘의 발현에 관한 설명 중 옳은 것으로만 묶인 것은?

〈보기〉

⊙ 근력은 동원된 운동단위의 형태와 수에 의해 결정된다.
ⓒ 근력은 단축성 수축 시 근절의 길이가 짧아질수록 증가한다.
ⓒ 크기원리(size principle)에 따르면 근력 발현 시 큰 운동단위부터 동원되기 시작한다.
ⓔ 단일 신경 자극에 의한 수축 시 자극의 크기보다는 빈도가 힘의 발현에 더 큰 영향을 미친다.

① ㉠, ㉡   ② ㉠, ㉣
③ ㉡, ㉢   ④ ㉢, ㉣

정답 ②

다음과 같이 수정할 수 있다.
ⓒ 근력은 단축성 수축 시 수축의 속도가 느릴수록 증가한다.
ⓒ 크기원리(size principle)에 따르면 근력 발현 시 작은 운동단위부터 동원되기 시작한다.

17. 순환계에 관한 설명으로 옳지 <u>않은</u> 것은?

① 혈류의 분배는 주로 혈관의 수축과 이완을 통해 이루어진다.
② 평균동맥혈압은 심박출량과 총말초혈관저항에 의해 결정된다.
③ 체순환 시 세동맥(arterioles)보다 모세혈관(capillaries)에서 평균동맥 혈압의 감소가 더 크다.
④ 직립 자세에서 안정 시 동맥(artery)보다 정맥(vein)에서 혈액 수용량이 더 크다.

정답 ③

③ 체순환 시 모세혈관보다 세동맥에서 평균동맥 혈압의 감소가 더 크다.

조직에 공급되는 혈액의 양은 근육성 세동맥의 내부 지름에 의해 결정된다. 세동맥은 주요 저항성 혈관이다.

18. <보기>의 근섬유에 관한 설명 중 옳은 것으로만 묶인 것은?

〈보기〉

⊙ 지근(ST)섬유는 속근(FT)섬유 보다 미토콘드리아의 수가 많다.
ⓒ 속근섬유는 지근섬유 보다 최대수축속도(Vmax)가 빠르다.
ⓒ 지근섬유는 속근섬유 보다 ATPase의 활성도가 높다.
ⓔ 속근섬유는 지근섬유 보다 피로에 대한 저항이 높다.

① ㉠, ㉡   ② ㉠, ㉣
③ ㉡, ㉢   ④ ㉢, ㉣

정답 ①

☞ 2014년 운동생리학 16번 근섬유의 특징틀, 2018년 운동생리학 11번 그림 참고

19. 1회박출량(stroke volume)에 관한 설명으로 옳은 것은?

① 교감신경 자극 증가 시 1회박출량 감소
② 전부하(preload) 증가 시 1회박출량 감소
③ 후부하(afterload) 증가 시 1회박출량 감소
④ 직립 자세에 비해 수평 자세에서 1회박출량 감소

정답 ③

심실이 수축하여 반월판을 열 때 심실혈압은 주요 동맥 내 혈압보다 높아야 한다. 이 동맥혈압을 후부하라고 한다. 이는 수축이 시작된 후 심장에 가해지는 일의 하중을 말한다.

20. <보기>의 ㉠, ㉡에 해당하는 내용을 바르게 나열한 것은?

〈보기〉

장기간의 유산소성 트레이닝 후에는 안정 시 심박출량(cardiac output)은 (㉠), 안정 시 1회박출량(stroke volume)은 (㉡).

	㉠	㉡
①	증가하고	증가한다
②	증가하고	변화없거나 다소 감소한다
③	변화없거나 다소 감소하고	증가한다
④	변화없거나 다소 감소하고	변화없거나 다소 감소한다

정답 ③

쉬운 문제로서 이때 심박수는 좌심실의 용적의 크기가 커져 감소한다.

건강 · 체력평가

01. 규칙적인 운동의 이점이 <u>아닌</u> 것은?

① 염증 감소
② 젖산역치 감소
③ 혈소판 응집성 감소
④ 인슐린 요구도 감소

정답 ②

쉬운 문제이다. 젖산역치 증가

02. 뇌성마비 환자의 운동검사에 관한 설명으로 옳지 <u>않은</u> 것은?

① 20초 윙게이트 사이클 검사로 반응시간을 측정한다.
② 10m 휠체어 셔틀 보행검사로 심폐지구력을 측정한다.
③ 근육 긴장도의 증가나 원시반사가 촉진되지 않도록 주의한다.
④ 운동 이상증으로 인해 근력 검사가 불가능하거나 신뢰성이 떨어질 수 있다.

정답 ①

뇌성마비 환자의 운동검사는 무산소 능력검사 3가지, 심폐체력 3가지로 실시한다.

① 20초 윙게이트 사이클 검사로 무산소체력 및 민첩성을 측정한다.

03. 노인체력검사(Senior Fitness Test : SFT)의 항목별 측정 시 주의사항에 관한 설명으로 옳은 것은?

① 6분 걷기(6-min walk) 검사 시, 참가자들이 멈춰서 휴식을 취하지 않도록 한다.
② 30초간 덤벨들기(30-s arm curls) 검사는 상반신의 근력 검사로써, 양팔을 검사한 후 최댓값을 기록한다.
③ 30초간 의자 앉았다 일어서기(30-s chair stand) 검사 시, 의자를 잡고 일어서며 팔은 자연스럽게 내리도록 한다.
④ 2분 제자리 걷기(2-min step) 검사 시, 슬개골과 고관절 간 중간 부위의 높이에 무릎이 도달한 경우를 기록으로 인정한다.

정답 ④

다음과 같이 수정할 수 있다.

① 6분 걷기(6-min walk) 검사 시, 참가자들이 멈춰서 휴식을 취하는 것이 가능하지만 휴식시간도 측정시간에 포함한다.
② 30초간 덤벨들기(30-s arm curls) 검사는 상반신의 근력 검사로서, 들어 올린 팔의 횟수로 기록한다.
③ 30초간 의자 앉았다 일어서기(30-s chair stand) 검사 시, 의자를 잡지 않고 일어서며 양팔은 가슴에 모은다.

04. 신체구성 측정에 관한 설명으로 옳은 것은?

① 피부두겹법으로 측정 시, 캘리퍼로 측정 부위를 잡고 3~4초 후 측정치가 안정되었을 때의 값을 기록한다.
② 수중체중측정법의 체밀도 추정 시, 폐에 남아있는 공기의 양은 무시한다.
③ 이중에너지X선 흡수 계측법(DXA)에서는 신체무기질량과 근횡단 면적을 측정한다.
④ 생체전기저항법은 인체가 하나의 원통임을 가정한다.

정답 ④

다음과 같이 수정할 수 있다.

① 피부두겹법으로 측정 시, 캘리퍼로 측정 부위를 잡고 1~2초 후 측정치가 안정되었을 때의 값을 기록한다.
② 수중체중측정법의 체밀도 추정 시, 폐에 남아있는 공기의 양은 오차를 줄이기 위해 정확하게 측정한다.
③ 이중에너지X선 흡수 계측법(DXA)에서는 체지방조직, 뼈, 신체무기질과 지방을 스캔하는 동안 정확하게 측정한다.

---

05. 암 생존자의 운동 금기 조건으로 적절하지 <u>않은</u> 것은?

① 백혈구 감소증   ② 혈소판 감소증
③ 지방종 감소증   ④ 불안정 협심증

정답 ③

쉬운 문제로서 지방종은 연부조직에 생기는 일종의 양성종양으로 40~60대에서 호발하는 가장 흔한 종양이다. 지방종 감소증은 좋은 현상이다.

📖 **보충학습**

지방종은 성숙한 지방세포로 구성된 양성종양이다. 지방종은 가장 흔한 간질 종양이다. 지방종은 피하조직에서 발견되며 드물게는 내부장기에서도 발견된다. 지방종은 진단 시 별 어려움 없이 보통 발견된다. 지방종은 전형적으로 몸통이나 상지에서 산재된 고무질감의 덩어리로 나타난다. 그것들은 보통 크기가 수 cm이고 수술적 절제나 liposuction(지방흡입술)에 의해 제거될 수 있다.

---

06. <보기>의 특성을 나타내는 피검사자에 대한 상체 상대근력 평가는?(아래 ACSM(10, 11판) 참조)

〈보기〉

- 나이 : 23세   • 성별 : 여성
- 체중 : 60kg   • 제지방량 : 46kg
- 벤치프레스 1RM : 45kg

※ 20대 여성의 상체 근력 평가기준(ACSM(10, 11판))

매우 우수	우수	보통	약함
0.80 이상	0.70~0.79	0.59~0.69	0.51~0.58

① 매우 우수   ② 우수
③ 보통   ④ 약함

정답 ②

1RM을 체중으로 나눈 값이 상대근력이다.
즉, 45kg/60kg = 0.75 이기 때문에 우수에 해당한다.

---

07. <보기>에서 ACSM(10, 11판)이 제시한 체력측정 방법으로 옳은 것을 모두 고른 것은?

〈보기〉

㉠ 유연성 검사 시, 거리 검사보다는 각도 검사를 권장한다.
㉡ 악력은 양손 각각 두 번씩 측정 후 가장 높은 값을 사용한다.
㉢ Queens 대학 스텝테스트는 남성은 분당 24스텝 속도로 3분간 실시한다.
㉣ 피부두겹법 검사 시, 복부 부위는 배꼽 오른쪽 2 cm를 수직으로 측정한다.

① ㉠, ㉡   ② ㉠, ㉢, ㉣
③ ㉡, ㉢, ㉣   ④ ㉠, ㉡, ㉢, ㉣

정답 ③

㉠ 유연성 검사 시, 각도 검사보다는 거리 검사를 권장한다.

08. ACSM(10, 11판)에서 제시한 신체 둘레 측정에 관한 설명으로 옳지 <u>않은</u> 것은?

① 장딴지(calf) 측정 시, 양 발을 20cm 간격으로 바로 선 자세에서 측정
② 중간넙다리(midthigh)는 무릎이 90° 구부러진 상태에서 측정
③ 장딴지는 무릎과 발목 사이의 최대 둘레를 수평으로 측정
④ 두 번 측정한 수치의 차이가 5mm 이내면 최고치를 결과치로 채택

> **정답** ④
>
> 두 번 측정한 수치의 차이가 5mm 이내면 평균치를 결과치로 채택한다.

09. <보기>는 건강 검진 대상자의 특성과 검진 결과이다. 이 대상자에 대한 의료적 허가 여부와 위험요인 개수를 바르게 나열한 것은?

〈보기〉

■ 대상자 특성
• 54세 여성(한국인)
• 주 3회 규칙적으로 운동 실시
• 운동 시 하지의 통증 호소
• 중강도 운동을 희망함
• 간접흡연자(남편흡연)
• 아버지는 암으로 54세 사망, 어머니는 심근경색으로 68세 사망

■ 건강검진 결과
• 신장 : 154cm   • 체중: 60kg
• 공복 시 혈장 글루코스 : 138mg · L⁻¹
• 당화혈색소 : 6.8%
• 혈압 : 118/78mmHg
• 총콜레스테롤 : 187mg · L⁻¹
• 고밀도 지단백 콜레스테롤 : 38mg · L⁻¹

	의료적 허가	위험요인 개수
①	필요	4
②	필요	3
③	필요 없음	4
④	필요 없음	3

> **정답** ①, ②(복수 정답)
>
> 이 문제는 공복혈당 수준, 당화혈색소, HDL 외 간접흡연(남편)으로 위험요소를 3개 혹은 4개로 볼 수 있다.

10. <보기>에서 ACSM(10, 11판)이 제시한 운동검사에 관한 설명으로 옳은 것을 모두 고른 것은?

〈보기〉

㉠ 임신 초기에는 최대 운동부하검사를 실시한다.
㉡ 심막염 환자는 최대 운동부하검사를 실시하지 않는다.
㉢ 2단계 고혈압 환자는 최대 운동부하검사를 실시하지 않는다.
㉣ 비만 환자의 운동부하검사 시, 초기 부하를 낮게 하고 검사 단계별로 2 METs씩 증가시킨다.

① ㉠, ㉣   ② ㉡, ㉢
③ ㉠, ㉡, ㉢   ④ ㉡, ㉢, ㉣

> **정답** ②
>
> 임신 중에는 어떠한 검사도 실시하지 않는 것을 원칙으로 한다.
> ㉣ 비만 환자의 운동부하검사 시, 초기 부하를 낮게 하고 검사 단계별로 0.5 ~ 1METs씩 증가시킨다.

11. 다음 <표>는 성인의 '국민체력100' 체력 검사 결과이다. 이에 관한 해석으로 옳은 것은?

체력요인 / 측정항목	1차 측정			2차 측정		
	T-점수	평균	표준편차	T-점수	평균	표준편차
20m왕복 오래달리기(회)	70	50	5	80	50	2
앉아윗몸앞으로 굽히기(cm)	50	20	5	50	16	2
상대악력(%)	80	55	5	80	60	2

① 심폐지구력 원점수는 1차 측정값이 2차 측정값에 비해 크다.
② 유연성 원점수의 1차와 2차 측정값은 동일하다.
③ 근력 원점수의 1차와 2차 측정값은 동일하다.
④ 근력 원점수의 1차 측정값은 80%이다.

정답 ①

이 문이 문제는 필자가 강의 시간에 항상 강조했던 체육통계에 대한 내용으로 T점수를 통해 원점수를 유추하는 문제이다.

② 유연성 원점수의 1차와 2차 측정값은 1차가 더 우수하다.
③ 근력 원점수의 1차와 2차 측정값은 다르다.
④ 근력 원점수의 1차 측정값은 99%이다.

---

12. 심폐지구력 검사의 신뢰도와 타당도에 관한 설명으로 옳은 것은?

① 20m왕복오래달리기의 검사－재검사 신뢰도 추정은 Spearman의 등위상관계수를 이용한다.
② 20m왕복오래달리기 검사의 준거지향검사 신뢰도 추정은 일치도계수를 이용한다.
③ 하버드스텝 검사와 운동부하검사 결과 간 내용타당도를 추정하기 위하여 상관계수를 이용한다.
④ 하버드스텝 검사를 2차례 실시하여 얻은 결과 간 상관계수를 산출하는 것은 공인타당도를 추정하기 위함이다.

정답 ②

이 문제 역시 필자가 강의 시간에 항상 강조했던 체육통계에 대한 내용이다.

① 20m왕복오래달리기의 검사－재검사 신뢰도 추정은 Karl pearson의 단순적률 상관계수를 이용한다.
② 20m왕복오래달리기 검사의 준거지향검사 신뢰도 추정은 일치도계수를 이용한다.
③ 하버드스텝 검사와 운동부하검사 결과 간 내용타당도를 추정하기 위하여 이원목적분류표를 이용한다.
④ 하버드스텝 검사를 2차례 실시하여 얻은 결과 간 상관계수를 산출하는 것은 검사－재검사의 신뢰도를 추정하기 위함이다.

---

13. '국민체력100'의 연령대 간 동일 체력요인 측정 방법이 바르게 나열된 것은?

	청소년기 (만13~18세)	성인기 (만19~64세)	어르신기 (만65세 이상)
①	스텝검사	20m 왕복오래달리기	2분 제자리걷기
②	반복점프	교차윗몸일으키기	6분 걷기
③	반복옆뛰기	반응시간검사	8자 보행
④	20m 왕복오래달리기	트레드밀 검사	의자에 앉아 3m 표적 돌아오기

정답 ①

쉬운 문제이다. 체력의 특징을 알고 있으면 바로 해결하는 내용인데 ①은 모두 심폐체력 요인들로 구성되어 있으며, 교차윗몸일으키기, 반복점프 등은 근지구력, 의자에 앉아 3m 표적 돌아오기는 민첩성과 동적균형성 평가요소이다.

---

14. <보기>에서 성인의 운동부하검사 시 혈압측정에 관한 설명으로 옳은 것을 모두 고른 것은?

〈보기〉

㉠ 최이완기 혈압이 115mmHg 이상이면 검사를 중단한다.
㉡ 커프의 공기주머니는 위팔의 최소 80%를 둘러싸야 한다.
㉢ 빈혈증상과 함께 수축기 혈압이 10mmHg 감소하면 검사를 중단한다.
㉣ 낙상 방지를 위해 양손으로 손잡이를 잡은 상태로 심장의 높이에서 측정한다.

① ㉠, ㉢   ② ㉠, ㉡, ㉢
③ ㉡, ㉢, ㉣   ④ ㉠, ㉡, ㉢, ㉣

정답 ②

쉬운 문제이다. 다음처럼 수정한다.
㉣ 낙상 방지를 위해 양손으로 손잡이를 잡지 않은 상태로 심장의 높이에서 측정한다.

15. ACSM(10, 11판)에서 제시한 체력검사에 관한 설명으로 옳은 것은?

① 1RM 측정 시, 부하는 상체의 경우 5~10%씩 점진적으로 증가시킨다.

② 윗몸앞으로굽히기 검사 시, 세 차례 측정치의 평균값을 기록값으로 한다.

③ 팔굽혀펴기 검사 시, 팔꿈치를 곧게 펴 몸을 들어올린 자세로 시작한다.

④ 정적 악력 검사 시, 손잡이를 아래팔(forearm)과 일직선으로 하여 허벅지 높이에서 몸에 붙이고 잡는다.

정답 ①

"박승화 체육스포츠"에서 공부한 수험생들은 쉽게 해결한 문제였으며, 아래와 같이 수정할 수 있다.

② 윗몸앞으로굽히기 검사 시, 두 차례 측정치의 좋은 기록값으로 한다.

③ 팔굽혀펴기 검사 시, 양손을 어깨넓이로 넓히고 등을 곧게 편 자세로 시작한다.

④ 정적 악력 검사 시, 손잡이를 아래팔(forearm)과 일직선으로 하여 허벅지 높이에서 몸에 붙이지 않은 상태에서 잡는다.

16. 다음 <그림>은 체중(kg)과 상대악력(%)의 관계를 나타낸 것이다. 이에 관한 해석으로 옳은 것은?

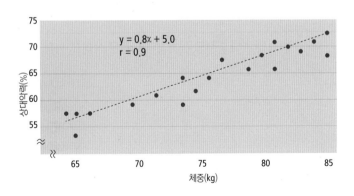

① 체중과 상대악력의 상관계수는 0.80이다.

② 체중과 상대악력 간에는 매우 높은 부적상관이 있다.

③ 체중으로 상대악력 분산의 81% 정도를 설명할 수 있다.

④ 체중이 10kg 증가할 때마다 상대악력은 5.0%씩 증가한다.

정답 ③

① 체중과 상대악력의 상관계수는 0.90이다.

② 체중과 상대악력 간에는 매우 높은 정적상관이 있다.

④ 체중이 10kg 증가할 때마다 상대악력은 10~15.0%씩 증가한다.

17. 검사의 목적별로 제시된 사례가 적절하지 <u>않은</u> 것은?

	목적	사례
①	객관도 추정	평가자1과 평가자2의 물구나무서기 자세 점수 비교
②	준거타당도 추정	피부두겹법과 이중에너지X선 흡수계측법(DXA)의 체지방 추정치 비교
③	검사-재검사 신뢰도 추정	2차례에 걸쳐 실시한 윗몸일으키기 검사 결과 비교
④	구인타당도 추정	Rockport 1.6 km 걷기 검사 2회 실시 후, 검사 간 ACSM 준거 기준의 완수·미완수 인원수 비교

정답 ④

측정평가에 대한 준거지향검사에서 타당도로 유관표 작성(분류의 정확성)하여 준거검사에 의해 준거행동 기준을 설정한다.
따라서 다음과 같이 수정할 수 있다.
④는 결정타당도 추정

18. <보기>에서 ACSM(10, 11판)이 제시한 운동 및 운동검사에 관한 설명으로 옳은 것을 모두 고른 것은?

─〈보기〉─

㉠ 상지 림프부종이 있는 유방암 생존자는 1RM 검사를 실시한다.
㉡ 비운동군 만성신장질환자는 반드시 의료적 허가를 받아야 한다.
㉢ 관절염 환자는 발적이 있는 경우 운동검사를 실시하지 않는다.
㉣ 관절염 환자는 통증과 피로의 원인이 되는 근력운동을 실시하지 않는다.

① ㉠, ㉣   ② ㉡, ㉢
③ ㉠, ㉡, ㉢   ④ ㉡, ㉢, ㉣

정답 ③

㉣ 관절염 환자는 통증과 피로의 원인이 되는 근력운동을 실시하도록 해야 한다.

그 이유는
ⓐ 국부적인 변화(관절력 약화방지, 동적 안정성 증가)
ⓑ 체력향상
ⓒ 전신적 변화(염증감소, 통증감소)

19. <보기>에서 근기능과 검사 방법에 관한 설명으로 옳은 것을 모두 고른 것은?

─〈보기〉─

㉠ 근력은 근육이 한 번에 힘을 발휘할 수 있는 최대 능력을 말한다.
㉡ 근파워는 단위 시간당 힘을 발휘하는 근육의 능력을 말한다.
㉢ 유산소성 준비운동과 바른 자세는 근기능 검사의 기본 조건이다.
㉣ 근기능 검사는 검사가 이루어지는 근육군과 관절, 근육 작용의 유형, 근육 움직임의 속도에 따라 특수성을 갖는다.

① ㉠, ㉢   ② ㉠, ㉡, ㉢
③ ㉡, ㉢, ㉣   ④ ㉠, ㉡, ㉢, ㉣

정답 ④

모두 해당한다.

20. 안정 시 심박수 측정에 관한 설명으로 옳은 것은?

① 목동맥(경동맥) 촉진 시, 세게 누르게 되면 심박수가 빨라진다.
② 최소 1분 간격으로 5회 이상 측정하고, 최댓값을 사용한다.
③ 일반적으로 남성보다 여성이 더 높게 나타난다.
④ 촉진 시, 엄지와 검지 끝을 사용하여 측정한다.

정답 ③

① 목동맥(경동맥) 촉진 시, 세게 누르게 되면 심박수가 감소한다.
② 최소 10분 간격으로 2~3회 반복 측정하고, 평균값을 사용한다.
③ 일반적으로 남성보다 여성이 더 높게 나타난다.
④ 촉진 시, 검지와 중지 끝을 사용하여 측정한다.

2022

운동처방론

01. ACSM(10, 11판)에서 권고하는 유연성 운동에 관한 설명으로 옳지 <u>않은</u> 것은?

① 능동적 정적 스트레칭(active static stretching)은 길항근의 근력을 이용하여 스트레칭 자세를 유지한다.

② 노인은 10~30초 보다 30~60초 정적스트레칭으로 더 많은 이득을 얻을 수 있다.

③ 대근육-건 단위를 각각 이용하는 유연성 운동이 권고된다.

④ 근육이 당기거나 약간 불편한 지점까지 스트레칭을 한다.

> 정답 ①
>
> 능동적 정적 스트레칭(active static stretching)은 주동근의 근력을 이용하여 스트레칭 자세를 유지한다.

02. ACSM(10, 11판)에서 권고하는 제1형 당뇨병 환자 운동처방 시 고려사항으로 옳지 <u>않은</u> 것은?

① 운동 전 혈당 수준이 250mg/dl 이상일 때, 케톤뇨를 확인한다.

② 유산소 운동은 췌장의 인슐린 분비를 증가시켜 혈당을 감소시킬 수 있다.

③ 혈당이 100mg/dl 미만인 경우, 운동 참여 전에 탄수화물을 부가적으로 섭취해야 한다.

④ 복합 운동 시, 유산소 운동 전에 저항운동을 하는 것은 운동 후 저혈당 위험을 낮출 수 있다.

> 정답 ②
>
> 유산소 운동은 인슐린의 민감도를 증가시킨다. 즉, 췌장의 인슐린 분비를 감소시켜 혈당을 효과적으로 조절할 수 있다.

03. ACSM(11판)에서 권고하는 질환자별 운동처방 시 고려사항으로 옳지 <u>않은</u> 것은?

① 이상지질혈증이 있는 노인의 경우, 노인을 위한 운동 지침이 권장된다.

② 급성일 때를 제외한 아급성 및 만성, 재발성 요통 환자에게는 신체활동이 권장된다.

③ 당뇨병 환자의 혈당조절을 위해 유연성 운동이 저항운동을 대신하여 사용될 수 있다.

④ 이상 반응 역치가 확인된 심혈관질환 환자는 허혈역치보다 분당 심박수를 10회 이상 낮게 운동강도를 설정해야 한다.

> 정답 ③
>
> 당뇨병 환자의 혈당조절을 위해 유연성 운동이 저항운동을 대신하여 사용되기 어렵다.

04. <보기>는 ACSM(11판)에서 권고하는 뇌졸중 환자를 위한 유산소 운동에 관한 설명이다. ㉠~㉢에 해당하는 값을 바르게 나열한 것은?

<보기>

뇌졸중 환자를 위한 유산소 운동은 주당 3~5일, 여유심박수의 40~(㉠)%, 심방세동이 있는 경우 운동자각도(Borg's Scale)의 (㉡) 강도로, 하루 20분에서 (㉢)분까지 점진적으로 증가하는 운동프로그램을 권장한다.

	㉠	㉡	㉢
①	60	10~12	50
②	60	11~14	50
③	70	10~12	60
④	70	11~14	60

뇌졸중 환자를 위한 유산소 운동에 관한 ACSM 가이드라인을 숙지해야 한다.

〈보기〉에 해당되는 대상자가 노인이기 때문에 적절한 초기 중량(40~50%, 수준)을 산출하면 된다.
초기중량은 85kg X 0.4 = 34kg이기 때문에 정답을 쉽게 찾을 수 있다.

05. ACSM(11판)에서 권고하는 섬유근육통 환자 운동처방 시 고려사항으로 옳지 <u>않은</u> 것은?

① 저항운동은 최소 48시간의 간격으로 주당 2~3일 실시한다.
② 유산소 운동은 주당 2~3일로 시작해서 4~5일까지 빈도를 증가시킨다.
③ 근력 향상을 위해 1RM의 60~80% 수준까지 운동강도를 점진적으로 증가시킨다.
④ 운동자각도는 저항운동과 유산소 운동에서 운동강도 설정을 위해 사용될 수 있다.

07. ACSM(11판)에서 제시하는 운동처방 구성요소를 모두 포함한 것은?

① 주당 3일 이상, 팽팽하게 당기는 느낌의 지점, 30~60초, 2세트, 정적 유연성
② 주당 2일, 60%1RM, 8~12회 반복, 3세트, 세트간 3분 휴식, 반복횟수의 증가
③ 주당 4일 이상, 60% VO_2R, 하루 총 30분, 자전거 운동, 1,000MET$-$min $\cdot$ k^{-1}, 1,000 kcal $\cdot$ k^{-1}
④ 주당 3일, 30~40% HRR, 하루 총 50분, 트레드밀 운동, 1,000 kcal $\cdot$ k^{-1}, 운동시간의 점진적인 증가

유산소 운동은 주당 1~2일로 시작해서 2~3일까지 점차 빈도를 증가시킨다.

FITT-VP가 모두 포함된 항목을 찾으면 된다.

06. 〈보기〉의 특성을 나타내는 대상자가 ACSM(11판)이 권고하는 저항운동 참여 시 적절한 초기중량의 범위는?

〈보기〉
- 나이 : 68세
- 체질량지수 : 22.7kg/m²
- 1RM : 85kg
- 형태 : 스쿼트(squat)

① 약 25.5~34.0kg
② 약 34.0~42.5kg
③ 약 42.5~51.0kg
④ 약 51.0~56.5kg

08. 〈보기〉의 대상자가 의료적 허가 없이 운동에 참여할 때, 적절한 목표심박수(% HRR)는?

〈보기〉
- 성별 : 여
- 신장 : 165cm
- 체질량지수 : 27.9 kg/m²
- 나이 : 42세
- 체중 : 76kg
- 질병 및 위험요인 : 무증상 제2형 당뇨병, 비만
- 운동경력 : 3개월 간의 규칙적인 운동
- 안정 시 심박수 : 65회/분
- 최대심박수 : 169회/분

① 96~106회/분
② 107~126회/분
③ 127~138회/분
④ 138~145회/분

본 문제는 목표심박수를 산출하는 문제이다.
최대심박수 – 안정 시 심박수 = 104
문제의 조건이 "대상자가 의료적 허가 없이 운동에 참여할 때"
라고 했으니 중강도(40~59%)를 적용하면 ②번에 해당한다.

09. <보기>에서 ACSM(11판)이 권고하는 만성 질환자별 운동처방 시 고려사항으로 옳은 것을 모두 고른 것은?

─〈보기〉─

㉠ 항고혈압제를 복용하는 고혈압 환자는 운동 종료 후 과도한 혈압상승이 유발될 수 있으므로 주의해야 한다.
㉡ 지질강하제(스타틴)를 복용하는 이상지질혈증 환자는 운동 시 근육통이 유발될 수 있으므로 주의해야 한다.
㉢ 심각한 마비 증상이 있는 다발성경화증 환자는 OMNI 척도를 사용한 국소근육 피로도 평가가 권장된다.
㉣ 만성폐쇄성폐질환자에게 산소보충요법은 대기호흡에서 동맥혈 산소분압(PaO_2)이 ≤ 55mmHg인 경우에 사용할 수 있다.

① ㉠, ㉡   ② ㉡, ㉢
③ ㉡, ㉢, ㉣   ④ ㉠, ㉡, ㉢, ㉣

정답 ③

비교적 쉬운 문제이다.

㉠ 항고혈압제를 복용하는 고혈압 환자는 운동 종료 후 과도한 혈압하강이 유발될 수 있으므로 주의해야 한다.

10. ACSM(11판)에서 권고하는 인터벌트레이닝에 관한 설명으로 옳지 <u>않은</u> 것은?

① 총운동량(volume)이 지구성 훈련과 같을 때, 생리적인 적응력은 더 우수하다.
② 고강도 인터벌 트레이닝(HIIT)은 당뇨환자를 위한 고강도운동 형태로 사용될 수 있다.
③ 훈련되지 않는 사람은 중강도가 추천되며, 조깅과 걷기를 번갈아가면서 한다.
④ 유산소와 무산소를 결합한 고강도 인터벌 트레이닝은 제1형 당뇨병 환자의 운동 후 저혈당 위험을 감소시킬 수 있다.

정답 ③

훈련되지 않는 사람은 저강도가 추천되며, 활기차게 걷기를 일정시간 하고, 속도를 감소한 걷기를 교대하면서 실시하는 것을 권장한다.

11. <보기>에서 ACSM(11판)이 권고하는 질환별 운동처방 시 고려사항으로 옳은 것을 모두 고른 것은?

─〈보기〉─

㉠ 제 6가슴신경 분절 이상(above T6)의 척수손상 환자에게는 유산소 운동 시 심박수를 활용한다.
㉡ 경도인지장애가 있는 알츠하이머병 환자는 증상의 정도가 낮은 아침 시간에 운동하는 것을 권장한다.
㉢ 골절 위험이 낮은 경증 골다공증 환자의 경우 체중부하 유산소 운동과 고속 저항운동을 권장할 수 있다.
㉣ 심혈관질환 외래 환자는 운동부하검사 없이 운동자각도를 이용한 유산소 운동과 저항운동에 참여할 수 없다.

① ㉠, ㉡   ② ㉡, ㉢
③ ㉢, ㉣   ④ ㉠, ㉣

정답 ②

㉠ 제 6가슴신경 분절 이상(above T6)의 척수손상 환자에게는 유산소 운동 시 RPE를 활용한다.

㉣ 심혈관질환 외래 환자는 운동부하검사 없이 운동자각도를 이용한 유산소 운동과 저항운동에 참여하는 것이 실용적인 방법이 될 수 있다.

📖 보충학습

제 6가슴신경 분절 이상(above T6)의 척수손상 환자의 경우 내장기관의 자율 척추상 조절 능력 상실로 인하여 최대심박수가 둔화되고, 운동 시 혈압조절 및 혈액재분배가 원활하지 않기 때문이다.

12. <보기>에서 ACSM(11판)이 권고하는 저항운동에 관한 설명으로 옳은 것을 모두 고른 것은?

─〈보기〉─

㉠ 성인 초보자의 근력향상은 1RM의 40~50%, 반복은 15~20회를 권장한다.
㉡ 만성폐쇄성폐질환자는 낙상의 예방을 위해 하지근력의 저항운동이 권장된다.
㉢ 숙련자는 개인별 선호도에 따라 근육군별 주당 횟수를 다양하게 선택할 수 있다.
㉣ 어린이와 청소년은 8~15회 최대하반복(적절한 동작으로 중등도의 피로를 느낄 때까지)을 권장한다.

① ㉠, ㉡   ② ㉢, ㉣
③ ㉠, ㉢, ㉣   ④ ㉡, ㉢, ㉣

정답 ④

성인 초보자의 근력향상은 1RM의 60~70%, 반복은 8~12회를 권장한다.

13. ACSM(11판)에서 권고하는 심부전 환자 운동처방 시 고려사항으로 옳은 것은?

① 저항운동을 할 경우, 초기 운동강도는 하체(1RM의 50%)보다 상체(1RM의 40%)를 더 낮게 설정한다.
② 유산소 운동은 여유심박수(HRR)의 40%에서 시작하여 점진적으로 90%까지 증가시킨다.
③ 최초 운동프로그램은 유산소 운동과 저항운동을 병행하여 설계한다.
④ 운동 전 안정 시 심박수는 누운자세에서 측정한다.

정답 ①

다음과 같이 수정할 수 있다.

② 유산소 운동은 여유심박수(HRR)의 40~50%에서 시작하여 점진적으로 70~80%까지 증가시킨다.
③ 최초 운동프로그램은 최소 4주 동안 유산소 트레이닝에 적응 후 적응이 된 후 저항 트레이닝이 추가될 수 있다.
④ 운동 전 안정 시 심박수는 직립자세에서 측정한다.

14. <보기>의 특성을 나타내는 대상자가 하루 40분, 주 3회의 빈도로 운동했을 때, 운동으로만 사용한 총대사량은?

─〈보기〉─

• 성별 : 남성   • 연령 : 42세
• 신장 : 174cm   • 체중 : 70kg
• 안정 시 혈압 : 120/80mmHg
• 안정시 심박수 : 60회/분
• 최대산소섭취량 : 47.5ml/kg/min
• 운동강도 : 70% $\dot{V}O_2R$

① 1056 MET−min · k^{-1}
② 1140 MET−min · k^{-1}
③ 1176 MET−min · k^{-1}
④ 1212 MET−min · k^{-1}

정답 ③

본 문제의 계산은 먼저 최대산소섭취량을 METs 바꾼 후 안정 시 대사량을 제외하게 되면 순수한 운동으로만 사용한 총대사량이 산출된다. 1분 내에 해결할 수 있는 쉽지 않은 문제라고 사료된다.

단위는 생략한다.
13.57 X 0.7 X 70 X 120 = 79791.6
12.57 X 0.7 X 70 X 120 = 73911.6
5880을 산소 1L 에너지 당량을 적용하면 1176METs-min · k^{-1} 이 산출된다.

15. ACSM(11판)에서 권고하는 말초동맥질환자 운동처방 시 고려사항으로 옳지 <u>않은</u> 것은?

① 유산소 운동 시 파행통증 척도의 4단계 중 3단계 지점까지 실시하거나, 최대보행 속도의 40% 이내를 권장한다.
② 심혈관질환으로 사망할 위험이 높기 때문에 진단받은 모든 심혈관질환 위험요인을 관리할 수 있도록 권장한다.
③ 저항운동은 전신 대근육 운동이 우선으로 하되, 시간제한이 있는 경우 다리에 중점을 두고 실시한다.
④ 간헐적 파행 증상의 악화가 우려되는 추운 환경에서는 더욱 긴 준비 운동이 필요하다.

정답 ①

유산소 운동 시 파행통증 척도의 4단계 중 3단계 지점까지 실시하거나, 최대보행 속도의 50~80%를 권장한다.

16. <보기>에서 ACSM(11판)이 권고하는 심장이식 환자 운동처방 시 고려사항으로 옳은 것으로만 묶인 것은?

〈보기〉

⊙ 유산소 운동강도 설정과 모니터링은 심박수를 활용한다.
⊙ 준비운동과 정리운동 시간을 더 길게 설정하는 것이 권고된다.
ⓒ 예후가 좋은 환자에게 고강도 인터벌 트레이닝이 추천될 수 있다.
ⓔ 저항운동은 면역억제제의 부작용을 유발할 수 있어 유산소 운동이 권장된다.

① ㉠, ㉡   ② ㉡, ㉣
③ ㉡, ㉢   ④ ㉢, ㉣

정답 ③

⊙ 유산소 운동강도 설정과 모니터링은 RPE를 활용한다.
ⓔ 저항운동은 면역억제제의 부작용을 유발할 수 있어 모든 대근육군을 사용하는 저항 운동이 정기적으로 권장된다.

📖 보충학습

질환자에 대한 운동자각도 사용은 운동검사가 있을 때 유 · 무산소 운동처방 시 실용적인 방법이다.

17. 〈보기〉의 특성을 나타내는 대상자에게 의심되는 질환과 ACSM(11판)에서 권고하는 유산소 운동, 저항운동의 강도를 바르게 나열한 것은?

〈보기〉
- 나이 : 51세
- 성별 : 남성
- 신장 : 162cm
- 체중 : 74kg
- 체지방률 : 33%
- 혈압(안정 시) : 145/90mmHg
- 당화혈색소 : 5.7%
- BMD T-점수 : -1.8

	질환	유산소 운동 강도	저항운동 강도
①	비만, 고혈압	40~59% $\dot{V}O_2R$	1RM의 60~70%
②	비만, 고혈압	40~59% $\dot{V}O_2R$	1RM의 40~50%
③	비만, 고혈압, 골다공증	40~59% $\dot{V}O_2R$	1RM의 40~50%
④	당뇨병, 골다공증	60~70% $\dot{V}O_2R$	1RM의 60~70%

정답 ①

체지방률과 혈압을 고려하면 "비만, 고혈압"에 해당되면서 BMD T-점수는 골감소증이기 때문에 저항운동 강도를 고강도로 설정하는 것이 바람직하다.

18. 〈보기〉에서 ACSM(10, 11판)이 권고하는 건강한 임산부 운동처방 시 고려사항으로 옳은 것을 모두 고른 것은?

〈보기〉
- ㉠ 정상 분만을 한 경우 4~6주 이후부터 운동을 시작할 수 있다.
- ㉡ 요통이 있는 경우 지상운동을 대신하여 수중운동을 추천할 수 있다.
- ㉢ 임신 초기 이후(16주) 누운자세(supine)의 신체활동은 피하거나 수정해야 한다.
- ㉣ 출산 후 요실금 예방을 위해 골반저 근육 운동(pelvic floor muscle training)은 매일 하는 것을 권장한다.

① ㉠
② ㉠, ㉡
③ ㉠, ㉡, ㉢
④ ㉠, ㉡, ㉢, ㉣

정답 ④

"박승화 체육스포츠" 강의와 ACSM 가이드라인을 참조하기 바란다.

19. ACSM(11판)에서 권고하는 건강한 노인의 운동처방 시 고려사항으로 옳지 않은 것은?

① 유산소 운동강도는 0~10까지의 운동자각도를 권장한다.
② 건강한 성인에게 권고되는 운동처방 원칙을 적용할 수 있다.
③ 근파워 향상을 위해서는 저중강도 부하를 적용한 느린 속도의 단일 관절운동이 추천된다.
④ 유산소 운동, 저항운동, 평형성 및 유연성 운동이 포함된 복합 운동프로그램이 추천된다.

정답 ③

근파워 향상을 위해서는 저·중강도(1RM의 30~60%) 부하를 적용한 다관절운동이 추천된다.

20. 〈보기〉의 ㉠~㉢에 해당하는 값을 바르게 나열한 것은?

〈보기〉
〈ACSM 11판〉에서 성인의 심혈관질환 발병률을 낮추는 유산소 운동의 운동량은 (㉠) MET-min · k^{-1} 이상, 또는 중강도 신체 활동으로 (㉡) kcal · k^{-1}, (㉢)METs 수준의 운동강도이다.

	㉠	㉡	㉢
①	400~800	700	3~4
②	500~1,000	1,000	3~5
③	1,000~1,500	1,000	5~7
④	1,200~1,800	1,500	6~7

정답 ②

이 문제는 최근 ACSM에서 성인의 심혈관질환 발병률을 낮추는 유산소 운동의 권장사항이다.

운동부하검사

01. 운동부하검사의 목적과 설명이 바르게 연결된 것은?

목적	설명
㉠ 진단	ⓐ 최고(유산소)운동능력 평가
㉡ 예후	ⓑ 질환 또는 비정상적 생리적 반응이 있는 경우
㉢ 생리적 반응	ⓒ 부작용에 대한 위험

① ㉠-ⓐ, ㉡-ⓑ, ㉢-ⓒ
② ㉠-ⓑ, ㉡-ⓒ, ㉢-ⓐ
③ ㉠-ⓒ, ㉡-ⓐ, ㉢-ⓑ
④ ㉠-ⓑ, ㉡-ⓐ, ㉢-ⓒ

정답 ②

용어에 대한 문제로 "박승화 체육스포츠"에서 공부한 수험생들은 쉽게 해결할 수 있다.

02. <보기>의 ㉠~㉢에 해당하는 용어를 바르게 나열한 것은?

〈보기〉
• 허혈성 심혈관질환자의 칼슘채널차단제 복용은 (㉠)를 감소시킨다.
• 관상동맥질환자의 운동부하검사 결과 ST분절의 1mm 수평적 하강은 (㉡)을 의미한다.
• (㉢)는 심혈관질환자의 임상운동검사 결과가 양성으로 나타나는 백분율을 의미한다.

	㉠	㉡	㉢
①	특이도	가음성(FN)	민감도
②	민감도	진양성(TP)	특이도
③	특이도	가음성(FN)	특이도
④	민감도	진양성(TP)	민감도

정답 ④

민감도는 허혈성 심장질환자를 양성이라고 진단할 수 있는 것을 말하며, 가음성은 운동검사에서 별 이상 반응을 보이지 않고 검사를 마쳤으나 실제는 관상동맥질환 환지일 가능성이 높은 경우를 말한다.

03. 운동부하 심전도 검사 결과 ST분절의 하강이 V_1, V_2, V_3, V_4 리드에서 관찰되었다면, 검사 결과를 바탕으로 추정되는 허혈의 위치는?

① 전중격부(anteroseptal wall)
② 측벽부(lateral wall)
③ 하벽부(inferior wall)
④ 후벽부(posterior wall)

정답 ①

아래 그림에 제시된 것처럼 심장의 횡단면 주로 앞부분의 유도이다.

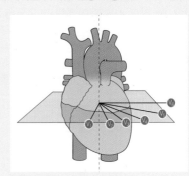

6개의 흉부유도

04. ACSM(11판)에서 제시하는 만성질환자의 운동검사에 관한 설명으로 옳지 <u>않은</u> 것은?

① 관절염 환자는 통증을 최소화하는 검사 방법이 권고된다.
② 신장질환으로 인한 혈액투석 환자는 심박수와 운동자각도가 함께 측정되어야 한다.
③ 뇌성마비(GMFCS*레벨 Ⅰ,Ⅱ) 환자는 비정상적 운동기능을 고려하여 트레드밀을 사용하지 않는다.
④ 만성폐쇄성폐질환자의 운동 전, 중, 후 호흡곤란을 측정하기 위해 수정된 BorgCR10 척도를 사용한다.

* GMFCS(Gross Motor Function Classification System; 대 동작 운동기능 분류 시스템)

정답 ③

뇌성마비환자의 트레드밀 검사는 고기능 보행 환자(GMFCS*레벨 Ⅰ,Ⅱ) 사이에서 심폐체력을 평가하는데 사용할 수 있다. 팔 에르고메트리 검사는 이동 장애가 있는 사람의 심폐체력을 평가하는데 종종 이용된다.

05. 성인 남성이 Monark® 자전거 에르고미터를 이용하여 60rpm, 2kp의 부하로 3분 동안 운동하였을 때, 총 일량은?

① 360kpm
② 720kpm
③ 1080kpm
④ 2160kpm

정답 ④

60rpm X 2kp X 6m X 3분 = 2160kpm

Monark® 자전거 에르고미터 1회전은 6m이다.

06. <보기>의 특성을 나타내는 여성을 대상으로 YMCA 하체 에르고미터 프로토콜을 사용하여 최대하운동부하검사를 실시하였다. 검사 4단계의 운동량과 추정된 산소섭취량으로 옳은 것은?

〈보기〉
- 나이 : 34세
- 신장 : 164cm
- 안정 시 심박수 : 62회/분
- 체중 : 54kg
- 1단계 심박수 : 87회/분

	운동량	섭취량
①	900kgm/min	30ml/kg/min
②	900kgm/min	37ml/kg/min
③	1050kgm/min	35ml/kg/min
④	1050kgm/min	42ml/kg/min

정답 ②

공식을 활용하면 1.8 X 운동부하/체중 + 7을 활용하면 쉽게 구할 수 있다.

07. <보기>의 ㉠, ㉡에 해당하는 내용을 바르게 나열한 것은?

〈보기〉
관상동맥질환의 허혈 정도는 일반적으로 (㉠)에 비례하고, (㉡)에 반비례한다.

	㉠	㉡
①	ST분절 하강 지속 시간	ST분절의 하강 정도
②	ST분절 하강 리드 수	ST분절 하강 지속 시간
③	ST분절 하강 정도와 경사도	ST분절 하강 리드 수
④	ST분절 하강 리드 수와 하강 정도	ST분절 하강의 경사도

2022

정답 ④

ST분절 하강 리드 수와 하강 정도, ST분절 하강의 경사도에 대한 내용으로 수험생들이 혼돈하기 쉬운 문제이다.

정답 ①

ACSM 가이드라인을 숙지해야 하는 문제이다.

08. <보기>의 질환별 운동검사에 관한 설명 중 옳은 것으로만 묶인 것은?

〈보기〉

㉠ 파킨슨병 – 운동검사 전 심혈관 위험을 평가한다.
㉡ 다발성경화증 – 운동강도 평가지표는 심박수와 체온을 사용한다.
㉢ 고혈압 – 이뇨제 복용 환자는 검사 결과 가음성(FN)이 나타날 수 있다.
㉣ 골다공증 – 중증 이상의 척추 골다공증 환자는 하체 자전거 에르고미터를 사용한다.

① ㉠, ㉡
② ㉡, ㉢
③ ㉢, ㉣
④ ㉠, ㉣

정답 ④

㉡ 다발성경화증 – 운동강도 평가지표는 심박수와 RPE를 사용한다.
㉢ 고혈압환자의 경우 이뇨제 복용은 가음성(6개 항목)과 무관한 내용이다.

09. <보기>에서 ACSM(11판)이 제시하는 심전도 판독 단계를 순서대로 바르게 나열한 것은?

〈보기〉

㉠ 심박수 확인 및 심조율 결정
㉡ PR, QRS, QT 간격 측정
㉢ 사지유도에서 평균 QRS 축과 평균 T파 축 결정
㉣ P파, QRS복합체, ST분절, T파, U파의 형태학적 이상 관찰
㉤ 심전도 판독

① ㉠ → ㉡ → ㉢ → ㉣ → ㉤
② ㉠ → ㉢ → ㉣ → ㉡ → ㉤
③ ㉠ → ㉡ → ㉣ → ㉢ → ㉤
④ ㉠ → ㉣ → ㉢ → ㉡ → ㉤

10. <보기>는 건강한 성인에게 나타나는 운동 중 심전도의 일반적 변화이다. 안정 시와 비교하여 ㉠~㉣에 해당하는 변화를 바르게 나열한 것은?

〈보기〉

• 절대적 QT 간격 (㉠)
• QRS파 간격 (㉡)
• 운동초기 T파 진폭 (㉢)
• 중격 Q파의 진폭 (㉣)

	㉠	㉡	㉢	㉣
①	증가	감소	증가	감소
②	감소	감소	감소	증가
③	증가	증가	증가	감소
④	감소	증가	감소	증가

정답 ②

운동 시에는 심방 및 심실의 탈분극과 재분극이 빨라지기 때문에 간격이 대부분 감소한다. 중격 Q파의 진폭에 대한 감소를 몰라도 정답을 고를 수 있는 문제이다.

이 문제의 상세한 해설은 "박승화 체육스포츠"강의를 통해서 해결할 수 있다.

11. 저기능 만성신부전 환자의 운동검사를 대체할 수 있는 <보기>의 검사는?

─〈보기〉─

보행 속도 점수, 평형성 유지 시간 및 의자 앉았다 일어나기 시간 점수를 합산하여 평가하는 검사로써, 점수 범위는 0~12까지이며 점수가 높을수록 기능적으로 우수함을 의미한다.

① 보행속도검사(usual gait speed)
② 노인체력검사(senior fitness test)
③ 단기신체기능검사(short physical performance battery)
④ 연속 척도 신체기능검사(continuous scale physical performance test)

정답 ③

①은 짧은 거리(3~10m) 걷는 검사, ②는 노인들의 7종 검사, ④는 일상생활 과제들의 연속적인 수행으로 구성되어 있는 검사이다.

이 문제에 대한 상세한 해설은 "박승화 체육스포츠"강의를 통해서 해결할 수 있다.

12. <보기>에서 증상–제한 최대운동검사의 절대적 종료기준에 해당하는 것을 모두 고른 것은?

─〈보기〉─

㉠ 어지럼증
㉡ 중증의 협심증
㉢ 다리의 경련, 파행
㉣ 상심실성 빈맥(supraventricular tachycardia)

① ㉠, ㉡   ② ㉠, ㉢
③ ㉡, ㉢, ㉣   ④ ㉠, ㉡, ㉢, ㉣

정답 ①

㉢, ㉣은 상대적 적응증에 해당한다.

13. <보기>에서 증상–제한 최대운동검사의 절대적 금기사항에 해당하는 것을 모두 고른 것은?

─〈보기〉─

㉠ 급성 폐색전증
㉡ 불안정한 협심증
㉢ 3도 방실차단(3° AV block)
㉣ 안전한 검사를 제한하는 신체적 장애

① ㉠, ㉡   ② ㉡, ㉢
③ ㉠, ㉡, ㉣   ④ ㉠, ㉡, ㉢, ㉣

정답 ③

여러 차례 기출이 된 내용으로 상대적 금기사항인 방실차단이 들어가면 안 된다.

14. 최대운동부하검사를 수행할 때, 최대 운동임을 판단할 수 있는 변인으로 적절하지 <u>않은</u> 것은?

① 심박수   ② 운동자각도(RPE)
③ 호흡교환율   ④ ST 분절의 하강

정답 ④

이 문제는 최대산소섭취량에 도달하는 요인들과 관련있는 사항들을 알면 답을 쉽게 고를 수 있다.

15. <보기>에서 만성폐쇄성폐질환자를 대상으로 한 운동검사에 관한 설명 중 옳은 것으로만 묶인 것은?

〈보기〉

㉠ 운동검사 중 동맥혈산소포화도(SaO₂)가 ≤80%이면 종료기준에 해당한다.
㉡ 운동검사가 12분에서 15분 이내에 종료되는 프로토콜을 사용해야 한다.
㉢ 운동 중 호흡곤란을 겪는 환자에게는 상체자전거를 이용한 운동검사가 권장된다.
㉣ 동맥혈산소분압(PaO₂)이나 동맥혈산소포화도(SaO₂)를 주기적으로 측정해야 한다.

① ㉠, ㉡   ② ㉠, ㉣
③ ㉡, ㉢   ④ ㉢, ㉣

정답 ②

㉡ 운동검사가 8~12분(경증-중등도) 이내에 종료되는 프로토콜을 사용해야 한다.
㉢ 운동 중 호흡곤란을 겪는 환자에게는 6분 보행검사를 이용한 운동검사가 권장된다.

16. <보기>에서 임상운동검사 중 의사의 감독이 권장되는 환자를 모두 고른 것은?

〈보기〉

㉠ 비후성 심근증 환자   ㉡ 심잡음이 있는 환자
㉢ 만성폐쇄성폐질환자   ㉣ 중증의 폐동맥고혈압 환자

① ㉠, ㉡   ② ㉡, ㉢
③ ㉠, ㉢, ㉣   ④ ㉠, ㉡, ㉢, ㉣

정답 ④

ACSM 가이드라인을 숙지해야 한다.

17. <보기>는 성인 남성의 Åtrand Ryhming cycle ergometer 검사 결과이다. 제시된 노모그램을 이용하여 추정할 수 있는 최대산소섭취량으로 가장 적절한 것은?

〈보기〉

- 연령 : 25세
- 신장 : 178cm   · 체중 : 70kg
- 안정시 심박수 : 65회/분   · 운동부하 : 150W
- 검사 5분 심박수 : 150회/분   · 검사 6분 심박수 : 158회/분

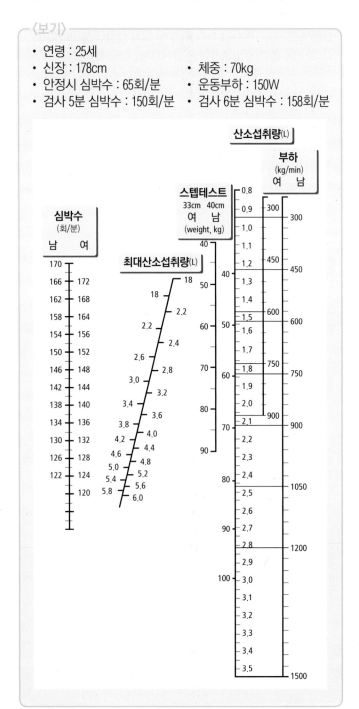

① 35ml/kg/min   ② 37ml/kg/min
③ 40ml/kg/min   ④ 43ml/kg/min

이 문제는 검사 5분과 6분의 심박수의 평균값을 해당하는 운동부하치와 선을 긋고 그 값을 체중으로 나누면 적절한 값이 산출되는데 쉽지 않은 문제이다.

150 + 158 / 2 =154
900kg과 선을 그으면 2.8L가 된다. 따라서 정답은 ③이 된다.

상세한 해설은 "박승화 체육스포츠"강의를 통해서 해결할 수 있다.

18. <그림>의 심전도 파형에 해당하는 것은?

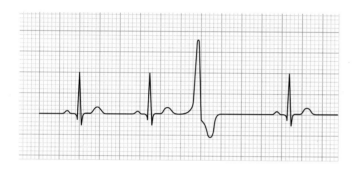

① 심방조기수축(PAC)
② 심실조기수축(PVC)
③ 3도 방실차단(3° AV block)
④ 좌각차단(LBBB)

심전도를 공부하지 않는 수험생은 건강운동관리사 시험을 수월하게 합격할 수 없다.
본 문제 해결도 심전도를 숙지해야 풀 수 있는 문제이다.

심실조기수축에서 몇 가지 특이사항은 아래와 같다.

규칙성	불규칙적
P파	심실조기수축 시엔 없음
P-QRS 비율	P파가 심실조기수축 시엔 없음
PR 간격	없음
QRS 폭	넓음(0.12초), 기괴한 모양
그룹화	일반적으로 나타나지 않음
소실된 QRS군	없음

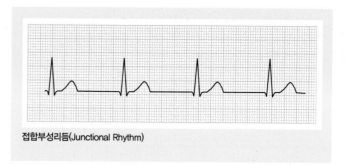

접합부성리듬(Junctional Rhythm)

19. 허혈성 심장질환의 진단을 위한 증상-제한 최대 운동검사 시, 가양성(FP)의 원인에 해당하지 <u>않은</u> 것은?

① 좌심실비대(LVH)
② 측정자 또는 감독관의 오류
③ 허혈성 역치에 도달하지 못한 경우
④ 울프-파킨슨-화이트 증후군(WPW syndrome)

최대운동검사 시 가양성 원인(12가지)를 숙지해야 한다.
③은 가음성 요인이다.

20. 운동부하검사 중 심박수 반응에 관한 설명으로 옳지 <u>않은</u> 것은?

① 베타차단제를 복용하는 경우 최대심박수가 증가한다.
② 운동강도가 1MET 증가할 때마다 심박수는 약 10회/분 정도 증가한다.
③ 허혈성심질환자의 운동 후 회복기에서 느린 심박수 회복은 허혈성심질환의 위험증가와 관련이 있다.
④ 일반적으로 연령을 고려한 최대심박수 예측공식은 분당 10회 이상의 표준편차가 있음을 고려해야 한다.

쉬운 문제이다.
베타차단제를 복용하는 경우 최대심박수가 감소한다.

2022

건강운동관리사 필기시험 2교시

건강운동관리사

운동상해

01. 오스굿–쉴레터병(Osgood–Schlatter disease)에 관한 설명으로 옳은 것은?

① 성인의 무릎 관절에서 흔히 발생한다.
② 고강도 달리기 및 점프 운동은 무릎 통증을 감소시킨다.
③ 누름 통증(tenderness)은 무릎뼈(patella) 앞쪽과 넙다리뼈 중앙에서 발생한다.
④ 정강뼈 끝 결합(골단결합, epiphyseal union)이 발생할 때까지 무릎에 충격을 제한해야 한다.

정답 ④

한참 성장하는 사춘기 및 소년기에 호발하며, 무리하게 사용하지 않고 쉬면서 활동을 복귀하면 회복되기도 한다.

① 미성숙 청소년의 무릎 관절에서 흔히 발생한다.
② 고강도 달리기 및 점프 운동은 무릎 통증을 증가시킨다.
③ 누름 통증(tenderness)은 정강뼈 거친면에서 발생한다.

📖 보충학습

무릎에서 발생하는 서로 혼돈할 수 있는 질환을 정리하면 다음과 같다.

- Osgood-Schlatter disease : 정강뼈의 거친면에 발생
- Larsen Johansson : 무릎뼈 바로 아래 발생
- Jumper's 또는 Kicker's knee : 무릎힘줄 또는 넙다리네갈래근의 힘줄염은 무릎뼈 힘줄에 발생한다.

02. <보기>에서 제시된 골절 중 뼈 골절 분류(bone fracture classification) 특성상 동일한 유형으로 묶인 것은?

〈보기〉
㉠ 청소년기에 완전히 골화되지 않은 뼈의 불완전한 골절
㉡ 골절 부위에 세 개 이상의 뼈 조각이 관찰되는 골절
㉢ 나뭇가지처럼 휘어지면서 발생하는 골절
㉣ 외부로부터의 충격으로 뼈 몸통(bone shaft)에 직각 형태로 부러지는 골절

① ㉠, ㉢   ② ㉠, ㉣
③ ㉡, ㉢   ④ ㉡, ㉣

정답 ①

쉬운 문제로서 ㉠은 생나무골절, ㉡은 분쇄골절, ㉣은 횡단골절에 해당한다.

03. 다음 <그림>과 같이 '발뒤꿈치 걷기' 평가의 동작 수행에 어려움이 있을 때 예측할 수 있는 신경근 손상(spinal nerve root lesion) 부위는?

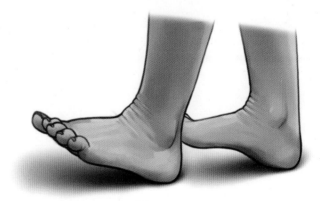

① 등뼈 신경 10-11번(T10-11)
② 허리뼈 신경 1-2번(L1-2)
③ 허리뼈 신경 4-5번(L4-5)
④ 엉치뼈 신경 3-4번(S3-4)

정답 ③

이 문제는 신경을 심도있게 공부해야 해결할 수 있다.

허리뼈 신경 4-5번(L4-5) 신경근 손상은 발과 엄지발가락 등쪽의 통각감퇴 발등굽힘이 잘 되지 않아 본 문제의 해답을 찾을 수 있다.
②는 엉덩관절 굽힘에 어려움을 ④의 신경손상은 안쪽볼기부위, 샅부위에 제한적인 움직임을 초래할 수 있다.

04. <보기>는 재활 운동프로그램 구성요소에 관한 설명이다. ㉠~㉢에 해당하는 용어를 바르게 나열한 것은?

─〈보기〉─
- 2도 발목염좌 손상 후 RICE 요법 적용은 (㉠)을 감소시킨다.
- (㉡) 회복을 위해서는 고유수용성 트레이닝 프로그램이 포함되어야 한다.
- (㉢)은 재활프로그램의 후반부에 적용 가능하고, 근력, 토크 및 일량과 같은 근기능을 객관적으로 점검할 수 있다.

	㉠	㉡	㉢
①	부종	평형성	등장성 운동
②	통증	근지구력	등장성 운동
③	통증	평형성	등속성 운동
④	부종	근지구력	등속성 운동

정답 ③

재활 운동프로그램과 관련된 문제로서 쉽게 해결이 가능하다.

05. <보기>의 특성을 나타내는 손상으로 가장 적절한 것은?

─〈보기〉─
- 어깨 또는 팔꿈관절에서 "딱"하는 소리와 함께 통증을 호소한다.
- 팔꿈관절을 굽히고 아래팔을 뒤침(supination)하는 동작을 어려워한다.
- 단축성(concentric) 수축과 신장성(eccentric) 수축을 강하게 사용하는 사람들에게 흔히 발생한다.
- 손상 직후 환부의 2차 손상을 예방하기 위한 냉찜질이 필요하다.

① 어깨윤활낭염(shoulder bursitis)
② 오목테두리 파열(glenoid labrum tear)
③ 위팔두갈래근 파열(biceps brachii ruptures)
④ 오목위팔관절 탈구(glenohumeral joint dislocation)

정답 ③

아래팔 뒤침근(위팔두갈래근, 뒤침근)에서 정답을 쉽고, 빠르게 찾을 수 있다.

06. <보기>의 특수검사(special test)에 관한 설명 중 옳은 것으로만 묶인 것은?

─〈보기〉─
㉠ 트렌델렌버그 검사(Trendelenburg's test)에서 무릎을 올린 쪽에 골반이 아래로 하강하면 양성이다.
㉡ 다리 길이의 기능학적 불일치(functional discrepancy) 측정은 배꼽(umblicus)에서부터 발목의 안쪽복사(medial malleoli)까지의 길이를 잰다.
㉢ 켄델 검사(Kendall test)는 환자의 허리 만곡 아래에 한 손을 놓고, 한쪽 넙다리는 가슴으로 이동시키며, 척추는 편평하게 만든다.
㉣ 패트릭 검사(Patrick's test)는 무릎의 굽힘(flexion), 엉덩관절의 벌림(abduction)과 안쪽돌림(internal rotation) 상태로 진행된다.

① ㉠, ㉡   ② ㉠, ㉢
③ ㉡, ㉢   ④ ㉡, ㉣

정답 ①

아래와 같이 수정할 수 있다.
ⓒ 켄델 검사(Kendall test)는 환자는 테이블 위에 누워, 한쪽 넙다리는 가슴으로 이동시키며, 척추는 편평하게 만든다.
ⓔ 패트릭 검사(Patrick's test)는 무릎의 굽힘(flexion), 엉덩관절의 벌림과 가쪽돌림 상태로 진행된다.

07. 몰턴 토(Morton's toe)에 관한 설명으로 옳지 않은 것은?

① 두 번째 발가락이 엄지 발가락보다 더 길다.
② 두 번째 발허리뼈(2nd metatarsal) 머리 아랫부분에 굳은 살이 형성된다.
③ 지속적인 달리기 운동은 두 번째 발허리뼈에 피로골절을 유도할 수 있다.
④ 첫째 발허리뼈(1st metatarsal)가 비정상적으로 짧아 더 많은 체중이 첫째 발허리뼈에 전달된다.

정답 ④

첫째 발허리뼈(1st metatarsal)가 비정상적으로 짧아 더 많은 체중이 둘째 발허리뼈에 전달된다.

08. 팔꿉관절의 안쪽(medial) 및 가쪽위관절융기염(lateral epicondylitis)에 관한 설명으로 옳지 않은 것은?

① 가쪽위관절융기염이 있는 테니스 선수는 손목을 과다 폄시켜 백핸드 스트로크 강도를 높이는 훈련에 집중해야 한다.
② 가쪽위관절융기염은 손목 폄근(extensor)의 과사용으로 인한 반복적인 미세 손상이 원인이다.
③ 안쪽위관절융기염은 손목의 강한 굽힘(flexion)과 팔꿈치의 과도한 외반력(valgus torque)에 의해 발생한다.
④ 안쪽위관절융기염이 있는 어린 투수들은 공에 스핀을 주는 과도한 손목 굽힘 동작을 피해야 한다.

정답 ①

가쪽위관절융기염이 있는 테니스 선수는 손목을 과다 폄시켜 한 손 백핸드 스트로크 강도를 높이는 훈련을 자제해야 한다.

09. <보기>는 손상된 말초신경의 치유과정에 관한 설명이다. ㉠~㉣을 치유과정의 순서대로 바르게 나열한 것은?

─ 〈보기〉─
㉠ 축삭(axon)을 둘러싼 말이집(myelin)을 재형성한다.
㉡ 슈완세포(Schwann cell)는 손상지점의 원위부에서 증식(proliferation)이 촉진된다.
㉢ 손상지점의 축삭 말단에서 구상(bulbous) 확대와 축삭 발아(axonal sprouting)가 시작된다.
㉣ 손상된 축삭의 원위부에 있는 슈완세포와 수초는 식작용으로 제거된다.

① ㉡ → ㉠ → ㉣ → ㉢
② ㉡ → ㉣ → ㉠ → ㉢
③ ㉣ → ㉡ → ㉢ → ㉠
④ ㉣ → ㉢ → ㉡ → ㉠

정답 ④

말초신경손상은 요골신경 · 정중신경 · 척골신경 · 좌골신경 · 비골신경에서 발생의 빈도가 높다.

손상신경의 재생
① 축삭 재생속도 : 1~4mm/day
② 회복 순서 : 통각신경>촉각>고유수용기>운동신경
③ 회복 호전 : 연령이 어릴수록 빠름
④ 굵기에 따른 회복 : 가늘고 얇은 막의 신경>굵고 말이집막이 신경
⑤ 신경끝부분과 손상부위 거리가 짧을수록 빠름

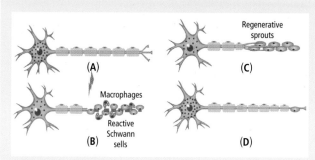

말초신경 손상의 기전

2022

10. <보기>의 관절 가동화와 견인에 관한 설명 중 옳은 것으로만 묶인 것은?

─〈보기〉─

㉠ 관절 가동화 시 오목면이 고정되고 볼록면이 움직이면, 볼록면의 뼈는 움직임과 같은 방향으로 활주한다.
㉡ 긴장/역긴장(strain/counterstrain) 기법은 환자 몸의 '압통점'에 적용하며, 압통점에 팽팽함, 통증, 부종이 있는 것이 특징이다.
㉢ 멀리건(Mulligan) 기법은 통증 없는 범위에서 수동적 보조 관절 동작과 환자의 능동적 움직임을 혼합한 기법이다.
㉣ 그라스톤(Graston) 기법은 신체를 가장 이완시킬 수 있는 자세를 만든 후 통증부위를 90초 동안 압박하는 기법이다.

① ㉠, ㉢   ② ㉡, ㉢
③ ㉢, ㉣   ④ ㉡, ㉣

정답 ②

이 문제의 ㉠, ㉣은 가동성 증진을 위한 도수치료기법에 관련된 내용이다.
㉠ 관절 가동화 시 오목면이 고정되고 볼록면이 움직이면, 볼록면의 뼈는 움직임과 반대 방향으로 활주한다.
㉣ 자세이완 기법은 신체를 가장 이완시킬 수 있는 자세를 만든 후 통증부위를 90초 동안 압박하는 기법이다.

📖 보충학습

그라스톤 기법은 도구를 이용한 연부조직 가동화로 반흔조직과 근막제한을 깨뜨리고 결합조직과 근섬유를 효과적으로 스트레칭하는 기법이다. 이 기법은 6가지 종류의 신체의 윤곽에 맞게 특별히 다양하게 고안된 스테인리스 도구를 사용해 통증을 느끼거나 동작을 제한하는 손상을 입은 조직을 치료한다.

11. 손 및 손가락 손상 유형별 특징이 옳지 <u>않은</u> 것은?

	손상 유형	특징
①	폄근힘줄 파열 (extensor tendon avulsion ; Mallet finger)	• 야구 손가락(baseball finger)이라고도 함 • 날아오는 물체로부터 손가락 끝 (tip of the finger)에 가해지는 타격이 손상 원인
②	단추구멍 변형 (Boutonniere deformity)	• 검지 손가락에 빈번히 발생 • 먼쪽손가락뼈사이관절(DIP) 굽힘(flexion) 불가능
③	뒤피트랑 구축 (Dupuytren's contracture)	• 손바닥널힘줄(palmar aponeurosis) 결절(nodule) • 넷째와 새끼 손가락 굽힘(flexion) 변형(deformity)
④	게임키퍼 엄지 (gamekeeper's thumb)	• 엄지(thumb) 손허리손가락관절 (MCP) 곁인대(collateral ligament) 염좌(sprain) • 스키선수나 미식축구선수에게 흔히 발생

정답 ②

이 문제는 손에서 발생하는 질환들을 묻는 내용이다.

단추구멍 변형은 중지 손가락에서 빈번히 발생한다.
게임키퍼 엄지는 몸쪽손가락뼈의 무리한 벌림 때문이다.

12. <보기>는 투구 시 가속단계(acceleration phase)에 동원되는 주동근(agonist)과 이와 관련된 신경지배(innervation)에 관한 설명이다. ㉠, ㉡에 해당하는 용어를 바르게 나열한 것은?

─〈보기〉─

• (㉠) 통증으로 인해 가속단계에서 어깨 관절 동작이 완벽히 이루어지지 않는다.
• (㉠) 근육과 관련된 신경지배는 (㉡)이다.

	㉠	㉡
①	가시위근(supraspinatus)	어깨위신경 (suprascapular nerve)
②	큰원근(teres major)	겨드랑신경(axillary nerve)
③	어깨밑근(subscapularis)	어깨밑신경 (subscapular nerve)
④	가시아래근(infraspinatus)	어깨위신경

정답 ③

오목위팔관절을 안쪽돌림시키는 근육은 어깨밑근, 큰가슴근, 넓은등근, 큰원근, 앞어깨세모근 등이다. 팔의 30도 올림(벌림 또는 굽힘)의 위치에서 어깨밑근은 안쪽돌림을 위한 가장 큰 모멘트팔을 갖고, 앞어깨세모근은 가장 작은 모멘트팔을 가진다.
따라서 안쪽돌림을 위한 가장 큰 모멘트팔을 갖는 어깨밑근에 통증이 발생하면 볼을 강하게 던지기 어렵다.

②의 큰원근은 어깨밑신경의 지배를 받으며, 겨드랑이신경은 작은원근이나 어깨세모근을 지배한다.

투구동작에 대한 5단계의 그림은
☞2019년 기능해부학 02번 해설 참고

13. 반복된 동작 수행으로 발생하는 손상이 <u>아닌</u> 것은?

① 스트레스 골절(stress fracture)
② 존스 골절(Jones fracture)
③ 안쪽 정강뼈 스트레스 증후군(MTSS)
④ 장딴지근(gastrocnemius) 타박상(contusion)

정답 ④

장딴지근 타박상은 부딪치거나 맞아서 생긴 상처를 말한다.

②는 다섯 번째 발가락의 중족골의 골절로 족궁이 높을수록 체중이 고르게 분산되지 않아서 가쪽에 압력이 가해지게 된다.

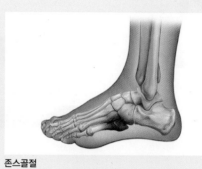

존스골절

14. <보기>는 야구 투수의 어깨 검사 결과이다. 예측되는 손상을 추가 검사하는 가장 적절한 방법으로 묶인 것은?

〈보기〉

- 투구 시 어깨 통증 호소
- 신경학적 이상 없음
- 특수검사 결과 양성 : 니어 검사(Neer's test), 호킨스-케네디 검사(Hawkins-Kennedy test)
- 특수검사 결과 음성 : 오브라이언 검사(O'Brien's test), 클런크 검사(clunk test), 앞뒤당김 검사(anterior and posterior drawer test)

① 드롭암 검사(drop arm test), 예가손 검사(Yergason's test)
② 드롭암 검사, 밀리터리브레이스포지션 검사(military brace position test)
③ 과다벌림증후군 검사(Allen test), 예가손 검사
④ 밀리터리브레이스포지션 검사, 과다벌림증후군 검사

정답 ①

운동상해 검사법을 조금만 공부한 수험생이라면 쉽게 정답 찾을 수 있는 문제이다.
왜냐하면 ②, ③. ④에 제시된 검사 방법 중 드롭암 검사를 제외한 모든 검사법이 가슴문증후군과 관련있기 때문에 정답을 ①로 고를 수 있다.

〈보기〉의 특수검사 결과를 토대로 위팔어깨관절 테두리는 문제가 없으나 위팔두갈래근이나 가시위근에 문제가 있는 것으로 사료된다.

드롭암 검사

예가손 검사

과다벌림증후군 검사

밀리터리브레이스포지션 검사

15. 〈보기〉의 반달연골(meniscus)에 관한 설명 중 옳은 것으로만 묶인 것은?

〈보기〉

ㄱ 가쪽(lateral) 반달연골이 안쪽(medial) 반달연골보다 손상률이 높다.
ㄴ 반달연골의 안쪽 부분은 무릎동맥(genicular arteries)으로부터 직접 혈액을 받는다.
ㄷ 반달연골은 가쪽 부분 손상이 안쪽 부분 손상 보다 치유에 유리하다.
ㄹ 반달연골의 흔한 부상 기전은 넙다리뼈(femur)의 축돌림(axial rotation), 밖굽이 힘(valgus force)과 관련이 있다.

① ㄱ, ㄴ   ② ㄴ, ㄹ
③ ㄷ, ㄹ   ④ ㄴ, ㄷ

정답 ③

ㄱ 안쪽 반달연골이 가쪽 반달연골보다 손상률이 높다.
ㄴ 반달연골의 안쪽 부분은 무릎동맥(genicular arteries)으로부터 간접적으로 혈액을 받는다.

16. 토마스 힐(Thomas heel)에 관한 설명으로 옳지 않은 것은?

① 뒤꿈치뼈(calcaneus) 안쪽면(medial aspect)의 높이를 올려준다.
② 엎침(pronation)을 증가시킨다.
③ 발허리뼈통증(metatarsalgia)을 줄여준다.
④ 안쪽 세로활(medial longitudinal arch)을 지지해준다.

정답 ②

엎침(pronation)을 감소시킨다.

Thomas heel은 질환명이 아니고, 구조물의 명칭이라고 할 수 있다.

토마스힐은 성인용 신발에선 찾아보기 힘든 구조이다. 하지만, 영·유아 소아용 신발에선 종종 쓰인다. 아이들의 발 골격은 성장하고 있기 때문에, 이러한 특수 구조는 아이들의 발이 정상적으로 발달하는 데 도움을 준다. 토마스힐은 아이의 발바닥이 정상적으로 자랄 수 있도록 도와준다. 토마스힐은 하중을 고르게 분산시켜주고 이를 통해 척추에 무리가 가지 않도록 도와준다.

17. 〈보기〉는 스포츠 손상의 기술적 용어에 관한 설명이다. ㉠~㉣에 해당하는 용어를 바르게 나열한 것은?

〈보기〉

• (㉠)은/는 선수의 신체 혹은 기능적 손상이나 질병을 예측하는 것으로 선수가 건강운동관리사 혹은 의사에게 (㉡)으로 설명하는 것이다.
• (㉢)은/는 특수한 상황에 대한 결정적이고 (㉣)인 표시이며 운동선수를 검진할 때 나타난다.

	㉠	㉡	㉢	㉣
①	증상 (symptom)	주관적	징후(sign)	객관적
②	증상	객관적	징후	주관적
③	징후	주관적	증상	객관적
④	징후	객관적	증상	객관적

정답 ①

용어를 묻는 문제로서 쉬운 내용이다.

18. <보기>의 검사 중 앞십자인대(ACL)와 관련된 특수검사로만 묶인 것은?

―〈보기〉―

㉠ 맥머레이 검사(McMurray's test)
㉡ 피봇시프트 검사(pivot-shift test)
㉢ 슬로컴 검사(Slocum's test)
㉣ 테살리 검사(Thessaly test)

① ㉠, ㉡   ② ㉡, ㉢
③ ㉢, ㉣   ④ ㉠, ㉣

정답 ②

㉠, ㉣은 반달연골 검사에 해당한다.

19. 넙다리네갈래근 타박상(contusion)을 입은 환자에 관한 설명으로 옳지 <u>않은</u> 것은?

① 일반적으로 통증이 동반된다.
② 3도 타박상은 다리를 절뚝(limp)거린다.
③ 전형적인 증상으로 근육에 멍(bruise)이 나타날 수 있다.
④ 넙다리네갈래근의 단축(shortening)을 피하기 위해 무릎을 완전히 편(extension) 상태에서 냉찜질을 한다.

정답 ④

넙다리네갈래근의 단축(shortening)을 피하기 위해 무릎을 완전히 구부린 상태에서 냉찜질을 한다.

그 이유는 근육의 단축을 피하고 근육을 늘이기 위해서 무릎을 굽힌 상태에서 즉시 냉찜질을 해야 한다.

20. 평발(pes planus foot)에 관한 설명으로 옳지 <u>않은</u> 것은?

① 꽉 조이는 신발 또는 과체중이 원인이 될 수 있다.
② 일반적으로 발의 과도한 뒤침(supination)에 의해 발생한다.
③ 안쪽 세로활(medial longitudinal arch)의 편평함이 나타난다.
④ 보조기나 테이핑을 안쪽 세로활 지지용으로 사용할 수 있다.

정답 ②

일반적으로 발의 과도한 엎침에 의해 발생한다.

2022

기능해부학

01. 평형과 안정성에 관한 설명으로 옳은 것은?

① 무게중심이 높을수록 안정된 자세를 유지할 수 있다.
② 물체의 무게가 무거울수록 역학적으로 안정성이 높아진다.
③ 마찰력이 적을수록 평형을 유지할 수 있는 능력이 좋아진다.
④ 기저면의 크기는 지지면과 접촉하는 물체의 면적에서 가장 짧은 쪽 길이와 가장 긴 쪽 길이의 합으로 산출한다.

정답 ②

기능해부학(운동역학)을 공부한 수험생에게는 쉬운 문제이다.

02. 노뼈(radius) 머리를 자뼈(ulna)에 고정 및 안정시키는 해부학적 구조가 <u>아닌</u> 것은?

① 갈고리오목(coronoid fossa)
② 네모인대(quadrate ligament)
③ 노패임(radial notch)
④ 머리띠인대(annular ligament)

정답 ①

①은 위팔뼈 안쪽에 위치하며, ②는 자뼈의 노패임 바로 아래에서 기시하여 노뼈목의 안쪽면에 부착하는 가느다란 섬유성 인대로써 몸쪽노자관절을 안정시키며, 움직임 동안 특히 신장되는데 뒤침동작에서 그렇다.
③은 몸쪽 노자관절의 자뼈에 있으며, ④는 노패임의 양편에서 자뼈에 부착하는 두꺼운 원형의 결합조직 띠이다. 노뼈머리 주위를 감싸서 몸쪽 노뼈를 자뼈에 고정시킨다.

📖 보충학습

손은 손목을 통해 노뼈에 견고하게 부착되기 때문에 일반적으로 엎침된 손에 대한 강한 당김은 노뼈머리가 머리띠인대의 먼쪽 끝을 통해 빠져 나가게 된다. 이러한 증상을 당겨진 팔꿈치증후군(pulled elbow syndrome), 보모팔꿈치(nursemaids elbow) 또는 babysitter's elbow라고 불린다. 몸쪽노자관절의 탈구치료는 아탈구된 노뼈머리를 원래의 위치로 정복시키는 도수치료를 실시하게 되는데 어린이의 아래팔을 뒤침하거나 엎침한 상태에서 팔꿈관절을 굽혀 정복하는 방법을 적용하고 있으나 어떤 방법이 효과적인지 알려지지 않았다.

03. 골프채의 무게가 같다고 가정할 때, 샤프트(shaft)의 길이와 강도(stiffness)에 따른 역학적 변화에 관한 설명으로 옳은 것은?

① 샤프트의 길이가 길수록 관성모멘트는 더 커진다.
② 샤프트의 강도가 강할수록(more stiffness) 탄성력은 더 커진다.
③ 샤프트의 길이가 길수록 회전속도는 더 커진다.
④ 샤프트의 강도가 약할수록(more flexible) 정교함(control)은 더 좋아진다.

정답 ①

"박승화 체육스포츠"에서 공부한 수험생들은 쉽게 해결한 문제였으며, 아래와 같이 수정할 수 있다.

② 샤프트의 강도가 유연할수록(more stiffness) 탄성력은 더 커진다.
③ 샤프트의 길이가 짧을수록 회전속도는 더 커진다.
④ 샤프트의 강도가 강할수록(more flexible) 정교함(control)은 더 좋아진다.

04. 운동과 관련된 힘에 관한 설명으로 옳은 것은?

① 토크는 관성모멘트와 반비례 관계이다.
② 부력은 물 표면에 수평으로 작용하는 반작용력이다.
③ 마찰력은 접촉하는 두 개체의 표면에 수평 방향으로 작용하는 힘이다.
④ 볼의 회전(스핀)은 유체에서의 운동 시 양력을 발생시킨다.

정답 ④

여전히 운동역학 문제로 다음과 같이 수정할 수 있다.

① 토크는 관성모멘트와 비례 관계이다.
② 부력은 물 표면에 수직으로 작용하는 반작용력이다.
③ 마찰력은 접촉하는 두 개체의 표면에 수직 방향으로 작용하는 힘이다.

05. <보기>는 오른쪽 다리(넙다리+종아리+발)의 분절별 무게중심 좌표와 무게를 나타낸 그림과 표이다. 오른쪽 다리의 무게중심 좌표는?

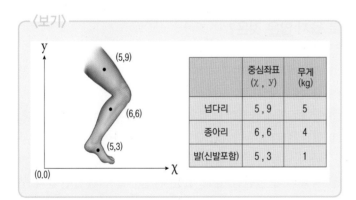

	중심좌표 (χ , y)	무게 (kg)
넙다리	5 , 9	5
종아리	6 , 6	4
발(신발포함)	5 , 3	1

① (5.2 , 6.9) ② (5.2 , 7.2)
③ (5.4 , 6.9) ④ (5.4 , 7.2)

정답 ④

이 문제는 중심좌표(x, y)를 각각 무게와 곱한 수치를 모두 합한 후 무게의 합으로 나누면 된다.
x의 중심좌표는 5 X 5 = 25, 6 X 4 = 24, 5 X 1 = 5

54/10 = 5.4로 산출이 된다. y의 중심좌표 역시 같은 방법으로 계산하면 된다.

06. 종목별 측정요인에 따른 분석 방법으로 옳지 <u>않은</u> 것은?

① 오래달리기 운동 시 근육의 피로도를 분석하기 위하여 근전도(EMG) 분석을 수행한다.
② 사이클 운동 시 근육의 활성도를 분석하기 위하여 근전도 분석을 수행한다.
③ 역도 운동 시 발바닥의 부위별 압력을 분석하기 위하여 지면반력기(force platform)를 이용한 지면반력 분석을 수행한다.
④ 달리기 운동 시 무릎 각도 변화를 분석하기 위하여 영상 분석을 수행한다.

정답 ③

지면반력기는 모든 힘에 대한 합력에 대한 정보를 제공한다. 부위별 면적을 측정하기 위해서는 단위면적의 각 cell로 구분하여 압력센서를 장착하거나 특정부위에 압력센서를 부착해서 측정한다.

07. <보기>는 골프의 스윙 동작을 분석한 그림과 결과이다. 탑 스윙 정점(A지점)에서 임팩트 시점(B 지점)을 지나가는 스윙을 할 때, B지점에서 골프채 헤드의 접선 속도는? (단, 골프채 손잡이 끝을 기준으로 일정한 각속도로 단일 평면상에서 스윙하였다고 가정함.)

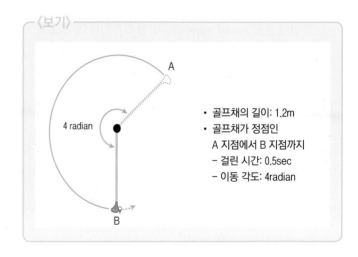

① 2.4 m/sec ② 9.6 m/sec
③ 24 m/sec ④ 96 m/sec

08. 다음 <그림>과 같이 무릎을 펼 때, 무릎의 나사집돌림(screw—home rotation) 동작을 일으키는 주된 원인으로 옳은 것은?

① 넙다리네갈래근(quadriceps femoris)의 안쪽당김 때문이다.
② 뒤십자인대(PCL)에서의 장력이 작용하기 때문이다.
③ 안쪽넙다리뼈관절융기(medial femoral condyle)의 형태 때문이다.
④ 안쪽반달연골(medial meniscus)이 안쪽곁인대와 견고하게 부착되어 있기 때문이다.

09. 인체의 무게중심에 관한 설명으로 옳지 <u>않은</u> 것은?

① 무게가 모든 방향에서 균형을 이루고 있는 한 지점이다.
② 윗몸일으키기 동작에서 팔의 자세에 따라 무게중심의 위치는 달라진다.
③ 높이뛰기 종목에서 배면뛰기 기술은 '무게중심이 신체 밖에도 존재할 수 있다'는 것을 이용한 것이다.
④ 수영 자유형 시, 인체의 무게중심과 부력중심까지의 거리가 커질수록 물의 저항을 덜 받는다.

10. 윤활관절(synovial joint)의 구성요소에 관한 설명으로 옳지 <u>않은</u> 것은?

① 윤활액은 관절연골에 영양 공급 및 관절면 사이의 마찰을 감소시킨다.
② 인대는 윤활관절의 구성요소이며 관절주머니를 덮고 있다.
③ 혈관은 관절주머니와 윤활막을 관통하여 관절연골 내부까지 원활하게 혈액을 공급한다.
④ 뼈끝의 관절면을 덮고 있는 관절연골은 윤활관절의 구성요소이다.

정답 ③

혈관은 관절주머니와 윤활막을 관통하여 관절연골 내부까지 원활하게 혈액을 공급한다.

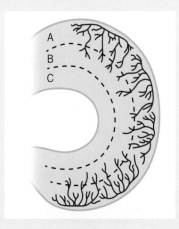

일반적으로 반달의 혈액공급은 빈약하다.

혈액은 안쪽 무릎동맥을 통해 각 반달로 공급된다. 각 반달은 그림처럼 3개의 원주 구역으로 구분된다. A는 붉은 구역(red-red)으로 바깥 1/3부분이며 혈류공급이 가장 잘 되는 부위(red-red)이다. 붉은 하얀 구역 B구역은 혈류공급이 좀 적은 부위(red-white)이다. 하얀구역 C는 내부의 1/3부분이며 혈관이 없는 부위(white-white)이다.

11. 깊은 가슴근육으로, 강제 날숨(expiration)에 작용하는 호흡근육으로만 묶인 것은?

① 갈비올림근(levator costarum), 작은가슴근(pectoralis minor)
② 바깥갈비사이근(external intercostalis), 허리네모근(quadratus lumborum)
③ 가슴가로근(transversus thoracis), 속갈비사이근(internal intercostalis)
④ 위뒤톱니근(serratus posterior superior), 아래뒤톱니근(serratus posterior inferior)

정답 ③

①은 들숨근육, ②는 들숨/강제들숨 ④는 강제들숨근육에 해당한다.

☞2015년 기능해부학 04번 참고

12. 다음 <그림>처럼 발등굽힘(dorsiflexion)을 하는 동안 나타나는 관절 구조에 관한 설명으로 옳지 <u>않은</u> 것은?

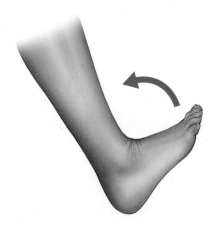

① 앞관절주머니(anterior capsule)는 느슨해진다.
② 미끄러짐(slide)과 구르기(roll)는 같은 방향으로 나타난다.
③ 아킬레스힘줄(Achilles tendon)과 뒤관절주머니(posterior capsule)가 늘어난다.
④ 세모인대(deltoid ligament)의 뒤정강목말섬유(posterior tibiotalar fibers)가 늘어난다.

정답 ②

미끄러짐(slide)과 구르기(roll)는 반대 방향으로 나타난다.

13. <보기>에서 설명하는 특성을 모두 나타내는 가쪽돌림근육은?

<보기>

• 엉덩관절 뒤쪽과 가쪽 영역에 있는 근육이다.
• 엉덩관절 모음근육들과 힘의 방향성이 같다.
• 다른 가쪽돌림근육들과 신경지배가 다르다.

① 큰볼기근(gluteus maximus)
② 궁둥구멍근(piriformis muscle)
③ 위쌍둥이근(gemellus superior)
④ 바깥폐쇄근(obturator externus)

정답 ④

고관절의 6개의 짧은 가쪽돌림근육은 궁둥구멍근 속폐쇄근, 위 · 아래쌍둥이근, 넙다리네모근, 그리고 바깥폐쇄근이다. 전자의 5개 근육은 엉치신경얼기이며, 바깥폐쇄근은 허리신경 얼기의 신경지배를 받는다.

14. 짝힘(couple force)에 관한 설명으로 옳은 것은?

① 골반 앞기울기 시 엉덩관절 굽힘근과 넙다리네갈래근은 짝힘이다.
② 어깨뼈의 앞기울기(anterior tilt) 시 앞톱니근(serratus anterior)과 중간등세모근(middle trapezius)은 짝힘이다.
③ 골반 앞기울기 시 작용하는 배곧은근(rectus abdominal)과 큰볼기근(gluteus maximus)은 짝힘이다.
④ 어깨뼈의 위쪽돌림(scapular upward rotation) 시 위등세모근(upper trapezius)과 앞톱니근은 짝힘이다.

정답 ④

아래와 같이 수정할 수 있다.
① 골반 앞기울기 시 엉덩관절 굽힘근과 넙다리빗근은 짝힘이다.
② 어깨뼈의 위쪽돌림 시 앞톱니근과 중간등세모근은 짝힘이다.
③ 골반 뒤기울기 시 작용하는 배곧은근과 큰볼기근은 짝힘이다.

15. 목갈비근(scalene muscle)에 관한 설명으로 옳은 것은?

① 머리와 목 고정 시 날숨(expiration)에 관여하는 근육이다.
② 중간목갈비근과 뒤목갈비근 사이로 팔신경얼기(brachial plexus)가 통과한다.
③ 앞목갈비근은 목뼈 가로돌기 3–6번(C3–C6)에서 이어서 (origin) 첫째 갈비뼈에 닿는다(insertion).
④ 뒤목갈비근 위쪽 부착점 부위에 온목동맥(common carotid artery)이 있어 마사지 시 주의해야 한다.

정답 ③

아래와 같이 수정할 수 있다.
① 머리와 목 고정 시 들숨(expiration)에 관여하는 근육이다.
② 중간목갈비근과 앞목갈비근 사이로 팔신경얼기가 통과한다.
④ 앞목갈비근 위쪽 부착점 부위에 온목동맥이 있어 마사지 시 주의해야 한다.

16. 손의 쥐는 동작에 관한 설명으로 옳은 것은?

① 손목폄근(wrist extensor muscle)의 장력은 쥐는 힘에 반비례한다.
② 얕은손가락굽힘근(flexor digitorum superficialis muscle)은 손가락끝마디 뼈사이 관절(DIP joint)을 굽힌다.
③ 4, 5번째 손목손허리관절(CMC joint)은 엄지와의 기능적 상호작용을 강화하고 잡기 효율성을 증가시킨다.
④ 열쇠집기는 엄지굽힘근(flexor pollicis)과 두 번째 등쪽뼈 사이근(dorsal interosseus)의 힘을 필요로 한다.

정답 ③

다음과 같이 수정할 수 있다.
① 손목폄근의 장력은 쥐는 힘에 비례한다.
② 깊은손가락굽힘근은 손가락끝마디 뼈사이 관절을 굽힌다.
④ 열쇠집기는 엄지모음근과 두 번째 등쪽뼈사이근의 힘을 필요로 한다.

17. 발목과 발의 신경손상에 따른 변형이 옳지 <u>않은</u> 것은?

① 정강신경(tibial nerve)의 중간부분 손상–발가락뼈사이관절(interphalangeal joint)의 굽힘
② 종아리신경의 깊은 가지(deep fibular branch) 손상–목말종아리관절(talocrural joint)의 발바닥쪽 굽힘
③ 종아리신경의 얕은 가지(superficial fibular branch) 손상–발의 안쪽들림(inversion)
④ 안쪽과 가쪽발바닥신경(medial & lateral plantar nerve) 손상– 발허리발가락관절(metatarsophalangeal joint)의 과다폄

정답 ①

이 문제는 발, 발목, 발가락에서 신경손상 및 그로 인한 변형이나 비정상적인 자세로 나타나는 증상들을 좀 더 섬세하게 접근해야 해결할 수 있는 내용이다.

①은 다음과 같이 수정할 수 있다.

정강신경(tibial nerve)의 중간부분 손상 – 발의 가쪽들림(eversion)

18. 다음 <그림>과 같이 오른발 안쪽면을 이용하여 공을 차는 동작에서 나타나는 근육 작용에 관한 설명으로 옳지 <u>않은</u> 것은?

① 오른쪽 두덩근(pectineus)의 골반에 대한 넙다리뼈 모음
② 왼쪽 중간볼기근(gluteus medius)의 골반에 대한 넙다리뼈 모음
③ 오른쪽 긴모음근(adductor longus)의 골반에 대한 넙다리뼈 모음
④ 왼쪽 큰모음근(adductor magnus)의 넙다리뼈에 대한 골반 모음

정답 ②

엉덩관절의 일차적 모음근육(5개)은 두덩근, 긴·짧은모음근, 두덩정강근, 큰모음근을 공부한 수험생은 쉽게 접근할 수 있다.
중간볼기근은 작은볼기근 및 넙다리근막긴장근과 함께 일차적 벌림근육에 해당한다.

19. <보기>에서 질환별로 전형적으로 나타나는 걸음이 옳은 것으로만 묶인 것은?

─〈보기〉─

㉠ 실조형(ataxia type) 뇌성마비 – 취한걸음(drunken gait)
㉡ 파킨슨병(Parkinson) – 종종걸음(festinating gait)
㉢ 소뇌병변(cerebellar lesions) – 휘돌림걸음(circumduction gait)
㉣ 편마비(hemiplegia) – 흔들걸음(ataxia gait)

① ㉠, ㉡   ② ㉠, ㉣
③ ㉡, ㉢   ④ ㉢, ㉣

정답 ①

다음과 같이 수정할 수 있다.
㉢ 소뇌병변(cerebellar lesions) – 흔들걸음(ataxia gait)
㉣ 편마비(hemiplegia) – 휘돌림걸음(circumduction gait)

2022

20. <보기>는 시계방향으로 나사를 강하게 잠그는 동작을 나타낸 그림과 근육의 종류이다. 이 동작에 관여하는 오른쪽 팔의 근육으로만 묶인 것은?

〈보기〉

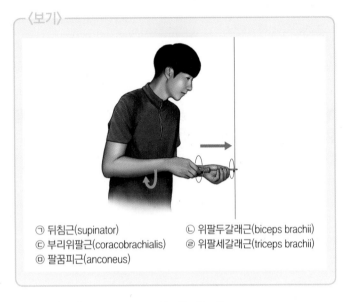

ⓐ 뒤침근(supinator)　　　ⓑ 위팔두갈래근(biceps brachii)
ⓒ 부리위팔근(coracobrachialis)　ⓓ 위팔세갈래근(triceps brachii)
ⓔ 팔꿈피근(anconeus)

① ㉠, ㉡, ㉢　　　　　② ㉠, ㉡, ㉣
③ ㉠, ㉢, ㉣　　　　　④ ㉡, ㉢, ㉤

정답 ①, ②, ③ (복수정답)

본 문제는 차라리 이 동작에 해당하지 않은 근육은?
이라고 했더라면 더 어울렸을 것이다.
팔꿈치근(폄근)을 제외한 모든 근육들이 해당된다.

📖 보충학습
〈보기〉 동작은 일차적으로 위팔두갈래근, 뒤침근, 긴엄지폄근의 강한 수축에 의해 driver를 시계방향으로 회전시켜 조이는 동작이다. 위팔세갈래근은 강력하게 굽히려는 위팔두갈래근 작용에 대해 중화시키는 역할을 한다.

병태생리학

01. 다음 <표>의 ㉠~㉣에 해당하는 용어를 바르게 나열한 것은?

염증 반응	매개체
혈관투과성 증가	㉠
백혈구 모집과 활성	㉡
발열반응	㉢
통증	㉣

	㉠	㉡	㉢	㉣
①	브라디키닌 (bradykinin)	종양괴사인자 (tumor necrosis factor)	인터루킨-1 (interleukin-1)	신경펩티드 (neuropeptide)
②	글루코코르티코이드 (glucocorticoid)	브라디키닌	인터루킨-1	종양괴사인자
③	글루코코르티코이드	인터루킨-1	브라디키닌	신경펩티드
④	인터루킨-1	글루코코르티코이드	브라디키닌	종양괴사인자

정답 ①

염증반응에 대한 순서를 나열한 문제로서 단계마다 반응물질을 알면 쉽게 해결할 수 있다.

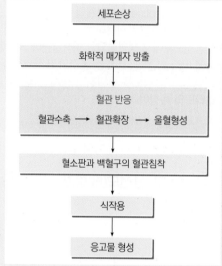

염증반응 진행 순서

염증반응과 화학적 매개체		
염증에서 효과	**화학적 매개체**	**기원 세포**
혈관 확장(발적)	프로스타그란딘	비만세포, 백혈구
	세로토닌	혈소판
	히스타민	비만세포, 호염기구, 혈소판
혈관투과성 증가(종창)	히스타민과 세로토닌	비만세포, 호염기구, 혈소판
	브라디키닌	혈장(섬유소 용해과정 중 활성화)
	류코트리엔 C_4, D_4, E_4	비만세포, 백혈구
화학주성, 백혈구 활성화	사이토카인(TNF)	비만세포, 큰포식세포, 내피세포
	인터루킨-1(IL-1)	비만세포, 큰포식세포, 내피세포
	케모카인	백혈구, 활성화된 큰포식세포
	류코트리엔 B_4	비만세포, 백혈구
발열	IL-1, TNF	비만세포, 큰포식세포, 내피세포
	프로스타그란딘	비만세포, 백혈구
통증	프로스타그란딘	비만세포, 백혈구
	브라디키닌	혈장(섬유소 용해과정 중 활성화)
조직 손상 (기능 상실)	백혈구의 용해소체 효소	백혈구
	자유라디칼(산소, 질소)	백혈구/내피세포, 큰포식세포

2022

📖 보충학습

① 모세혈관 투과성 증가 : histamine(평활근 수축), serotonin, bradykinin

② 백혈구 모집과 활성 : 종양괴사인자, 류코트리엔, 인터루킨-1(IL-1)

③ 발열반응 : 인터루킨-1(interleukin-1)
인터루킨-1(interleukin-1)은 혈구들이 분비하는 사이토카인으로 주로 다른 백혈구에 작용한다. IL-1은 염증반응과 체온상승을 유도한다.

④ 종양괴사인자 : 종양괴사인자(tumor necrosis factor, TNF)는 염증반응과 관련된 세포 신호전달 단백질로서, 급성기 반응을 유도하는 사이토카인이다.

⑤ 신경펩티드(neuropeptide) : 신경계의 간접적인 기능 조절 및 직접적인 신경전달물질로 작용하는 펩티드 물질로서 중추나 말초의 신경세포체에서 생합성되고 축삭말단에 저장된 후 외부의 자극에 따라 방출, 근처 또는 원격의 표적세포의 수용체에 작용하여 필요한 정보를 전달하고 생체의 생리기능을 조절하는 펩티드의 총칭이다.

02. 다음 <그림>의 심전도(ECG)가 나타내는 부정맥은?

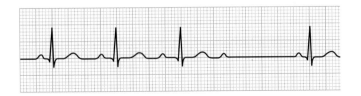

① 부루가다 증후군(brugada syndrome)

② WPW 증후군(wolff-parkinson-white syndrome)

③ 조기심실수축(premature ventricular contraction)

④ 2도 Ⅰ형 방실차단(second-degree type I AV block)

정답 ④

①은 1992년 부르가다에 의해 이 증후군이 학계에 처음 보고된 질환으로 유전에 의한 특히 동남아시아에서 기질적인 심장병이 없는 젊은 환자에서 심장성 급사의 중요한 원인질환이다.심전도 흉부유도 V1~V3 중 두 유도의 이상에서 위를 향해 둥근 형태의 ST분절 상승의 2mm 이상 나타나며, 이어지는 T파 뒤집히는 모양이 전형적이다.

②는 심방과 심실은 가까이 붙어 있지만 서로 절연상태라 전기를 직접 주고받지 못한다. 방실결절을 통해서만 심방의 전기가

아래의 심실로 내려갈 수 있다. 그런데 WPW 증후군환자의 경우 이 정상통로 외에 다른 통로를 하나 더 가지고 태어난다. 이러한 비정상적인 통로를 부전도로(accessory pathway)라고 하는데 처음 발견한 이들의 이름 따라 켄트번들(Kent bundle)이라 부르기도 한다.

③은 가장 흔한 부정맥으로서 예상 심실박동 형성시점(동결절에서 정상적으로 만들어낸 전기가 심실에 도착하는 시점)보다 심실에서 비정상적으로 일찍 전기를 만들어 박동을 일으키는 현상이다.

④는 심방에서 심실로 가는 전기자극의 전도가 점차 지연되다가 한 번씩 차단되는 부정맥을 말한다. 대부분 예후가 양호하여 증상이 없거든 특별한 치료가 없다.

2도 Ⅰ형 방실차단[Mobitz Ⅰ (Wenckebach)] 특징
ⓐ PR간격이 점점 길어지다가 QRS가 탈락
ⓑ RR간격이 짧아짐
ⓒ 정상적인 P파와 QRS
ⓓ 규칙성이 있는 불규칙성

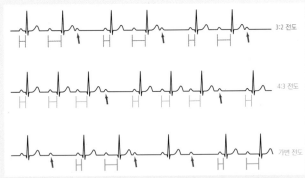

다양한 형태의 Mobitz Ⅰ 2도 방실 차단의 전도비율을 보여준다. P파의 전도 차단이 발생할 때까지 PR 간격은 점진적으로 늘어나는 것을 볼 수 있다(빨간색 화살표).

03. <보기>의 심근경색(myocardial infarction)에 관한 설명 중 옳은 것으로만 묶인 것은?

〈보기〉

㉠ 심각한 허혈이나 손상이 진행될 때 ST분절 상승, 의미 있는 Q파 심근경색이 관찰된다.

㉡ 비가역적으로 괴사된 심근세포에 혈류와 산소가 공급되면 24시간 이내에 정상으로 회복된다.

㉢ 급성심근경색을 진단하는 혈중표지자인 트로포닌(troponin) I와 T는 높은 민감성을 나타낸다.

㉣ MB분절 크레아틴 인산화효소(CK-MB)는 급성심근경색 발생 후 2~4시간부터 상승하여 10일 이상 지속되는 가장 중요한 표지자이다.

① ㉠, ㉡   ② ㉠, ㉢
③ ㉡, ㉣   ④ ㉢, ㉣

정답 ②

㉡ 비가역적으로 괴사된 심근세포에 혈류와 산소가 공급되면 24시간 이내에 정상으로 회복되지 않는다.
㉣ MB분절 크레아틴 인산화효소(CK-MB)는 급성심근경색 발생 후 3~12시간부터 상승하여 약 24시간 후에 최고치에 도달하고, 대략 48~72시간 사이에 정상범위로 회복된다.

04. 불안정형 협심증(unstable angina pectoris) 환자에게 나타나는 임상적인 특징으로 옳은 것은?

① 심전도(ECG)에서 P파의 소실과 깊은 Q파의 출현
② 휴식 중에도 가슴 통증이 발생하고 20분 이상 지속
③ 젖산탈수소효소(LDH)와 백혈구 수치의 급격한 감소
④ 관상동맥 경련에 의해 발생하고 주로 자정부터 아침 8시 사이에 발생

정답 ②

③ 젖산탈수소효소(LDH)와 백혈구 수치의 급격한 증가
④ 관상동맥 경련에 의해 발생하고 주로 아침에 깨어난 후 몇 시간 이내가 가장 흔하다.

📖 보충학습

불안정협심증은 환자가 휴식 중 또는 점점 심해지는 양상의 흉통과 관련된 활발한 국소허혈을 겪고 있는 허혈증후군을 말한다. 불안정협심증의 3가지 하위 유형은 새로 발생, 휴식, 점점 심해지는 것을 포함한다. 불안정협심증은 전형적으로 흉통과 그와 관련된 증상 및 징후(심계항진, 발한, 호흡곤란, 오심, 구토)를 나타내고, 정상적인 심전도나 ST분절 하강 그리고 혹은 T파의 역위를 나타내는 심전도 중 하나를 나타낸다.
CK-MB와 Troponin과 같은 심장 표지자의 상승은 혈액 검사에서 양성 소견이다. 불안정협심증은 영구적인 세포손상으로 진행되지 않는 심각한 허혈상태를 나타낸다.

05. 만성폐쇄성폐질환(COPD)의 병태생리적 특성으로 옳지 않은 것은?

① 들숨(inspiration)보다 날숨(expiration)이 어렵다.
② 폐공기증(emphysema) 환자의 폐기능 검사 시 잔기량(RV)이 증가한다.
③ 1초 노력성 호기량($FEV_{1.0}$)/노력성 폐활량(FVC)의 비율이 감소한다.
④ 특발성 폐섬유증(pulmonary fibrosis)은 대표적인 COPD로 분류된다.

정답 ④

④는 아래와 같이 수정할 수 있다.

만성기관지염이나 폐기종은 대표적인 COPD로 분류된다.

특발성 폐섬유증은 원인 불명의 폐포(허파꽈리) 벽에 만성염증 세포들이 침투하면서 폐를 딱딱하게 하는 여러 변화가 발생하여 폐조직의 심한 구조적 변화를 야기하며 점차 폐기능이 저하되어 사망하게 되는 질환이다.

06. <보기>의 증상이 나타나는 척수신경(spinal nerve)의 손상 위치는?

─〈보기〉─

목의 근육과 가로막(diaphragm) 부위의 기능이 저하되고 통증이 발생함

① 목신경얼기(cervical plexus, C1-C4)
② 팔신경얼기(brachial plexus, C5-C8)
③ 가슴신경(thoracic nerves, T1-T12)
④ 허리신경얼기(lumbar plexus, L1-L4)

정답 ①

<보기>에 해당하는 내용으로 쉽게 정답을 찾을 수 있다.
목신경얼기는 목의 피부와 근육에 분포되어 있으며, 가로막은 가로막신경의 지배를 받는데 가로막신경은 목신경의 분지이다.

2022

07. <보기>의 골다공증(osteoporosis)에 관한 설명 중 옳은 것으로만 묶인 것은?

〈보기〉

㉠ WHO의 T-점수 기준으로 -1~-2.5 사이의 값으로 판단한다.
㉡ 넙다리뼈 골밀도는 다른 부위 골절을 예측하는데 좋은 지표이다.
㉢ 골다공증 위험도를 증가시키는 질환으로 쿠싱증후군, 에디슨병, 비만세포증(mastocytosis) 등이 있다.
㉣ 칼시토닌(calcitonin)은 뼈파괴세포(osteoclast)를 활성시켜 뼈바탕질(bone matrix)에서 Ca^{2+}을 혈류로 방출시켜 골밀도를 낮춘다.

① ㉠, ㉡　　　　　　② ㉡, ㉢
③ ㉡, ㉣　　　　　　④ ㉢, ㉣

정답 ②

이 문제 역시 "박승화 체육스포츠"에서 공부한 수험생들은 쉽게 해결한 문제였으며, 아래와 같이 수정할 수 있다.

㉠은 골감소증, ㉣ 칼시토닌(calcitonin)은 뼈파괴세포(osteo-clast)를 활성시켜 뼈바탕질(bone matrix)에서 Ca^{2+}을 혈류로 감소시켜 골밀도를 낮춘다.

📖 보충학습

혈중 Ca^{2+}농도가 증가하면 뼈의 Ca^{2+}을 감소시킨다.

08. <보기>의 ㉠~㉢에 해당하는 용어를 바르게 나열한 것은?

〈보기〉

당뇨병성 케톤산증은 호흡 시 아세톤 냄새가 나는 특징이 있다. 주로 (㉠)당뇨병에서 발생하며, 치료하지 않으면 사망할 수 있다. (㉡) 고혈당 비케톤 혼수 상태는 주로 (㉢)당뇨병의 합병증이며, 중추신경계 증상과 심한 탈수 증세가 나타나는 특징이 있다.

	㉠	㉡	㉢
①	제1형	고삼투성	제2형
②	제2형	고삼투성	제1형
③	제1형	저삼투성	제2형
④	제2형	저삼투성	제1형

정답 ①

이 문제는 동안 여러 차례 출제된 내용으로 상세한 해설은 ☞2015년 병태생리학 13번 참고

당뇨병성 케톤산증은 당뇨병의 급성 합병증으로, 고혈당, 대사산증, 케톤체 증가를 특징으로 하는 질환이다. 당뇨병성 케톤산증은 췌장 베타세포에서 인슐린 분비가 부족하여 발생한다.

09. <보기>에서 대상자에게 나타난 대사증후군(metabolic syndrome) 기준에 해당하는 위험 요인의 개수는? (보건복지부 · 대한의학회 기준)

〈보기〉

- 성별 : 남성　• 나이 : 45세　• 흡연자
- 키 : 183cm　• 체중 : 93 kg　• 허리둘레 : 93cm
- 안정시 심박수 : 83회/분　• 혈압 : 135/90mmHg
- 일주일에 음주 2회 및 운동 1회
- 총콜레스테롤(Total cholesterol) : 200mg/dL
- 저밀도지단백콜레스테롤(LDL-C) : 98mg/dL
- 고밀도지단백콜레스테롤(HDL-C) : 35mg/dL
- 중성지방(TG) : 160mg/dL
- 공복혈당(FBG) : 98mg/dL
- 현재 경구용 혈당강하제 복용 중
- 아버지는 61세에 심장마비로 돌아가시고 어머니는 81세 암으로 돌아가심.

① 3개　　② 4개　　③ 5개　　④ 6개

정답 ③

대한의학회가 제시한 위험 요인의 개수는 5개로 다음과 같다. 허리둘레, BMI, 혈압, HDL-C, FBG

10. <보기>의 뇌혈관질환(cerebrovascular disease)에 관한 설명 중 옳은 것으로만 묶인 것은?

<보기>
- ㉠ 국소적 뇌경색(cerebral infarction)의 가장 흔한 원인은 혈관 파열이다.
- ㉡ 혈관 파열로 인한 출혈의 대표적인 원인은 고혈압과 동맥류이다.
- ㉢ 뇌출혈은 동맥류 혹은 동정맥기형과 같은 구조적인 혈관 비정상과는 관련이 없다.
- ㉣ 뇌 색전증(embolization)의 발생 원인은 혈전이며 판막질환과 심방세동이 중요한 예후 인자이다.

① ㉠, ㉡   ② ㉡, ㉢   ③ ㉡, ㉣   ④ ㉢, ㉣

정답 ③

아래와 같이 수정할 수 있다.

- ㉠ 국소적 뇌경색(cerebral infarction)의 가장 흔한 원인은 허혈성 뇌졸중이다.
- ㉢ 뇌출혈은 동맥류 혹은 동정맥기형과 같은 구조적인 혈관 비정상과는 관련이 깊다.

11. <보기>의 이상지질혈증에 관한 설명 중 옳지 <u>않은</u> 것으로만 묶인 것은?

<보기>
- ㉠ 동맥경화를 유발하여 심근경색과 같은 심혈관계 질환을 유발한다.
- ㉡ 혈중 호모시스테인 수치가 정상 수준보다 감소된다.
- ㉢ 스타틴계 약물은 콜레스테롤 합성을 억제시킨다.
- ㉣ 콜레스테롤은 수용성 비타민과 스테로이드 호르몬 합성에 관여한다.

① ㉠, ㉡   ② ㉠, ㉢   ③ ㉡, ㉣   ④ ㉢, ㉣

정답 ③

- ㉡ 혈중 호모시스테인 수치가 정상 수준보다 증가된다.
- ㉣ 콜레스테롤은 지용성 비타민과 스테로이드 호르몬 합성에 관여한다.

📖 **보충학습**

호모시스테인(homocystein)은 단백질에 속하지 않는 천연 아미노산이다. 이 수준이 높아지면 혈관질환이 생길 수 있다. 메티오닌(methionine)과 시스테인(cysteine)에서 합성의 대사중간체이다. 메티오닌에서 시스테인(cysteine)이 합성되는 과정에서 문제가 생겨 호모시스테인의 양이 늘어날 시, 고호모시스테인혈증(Hyperhomocysteinemia)이 발병할 수 있다.

12. <보기>는 악성종양의 전이(spread of malignant tumors) 경로에 관한 설명이다. ㉠, ㉡에 해당하는 용어를 바르게 나열한 것은?

<보기>
- (㉠) 은/는 체액이나 피막을 따라 암이 진행되는 것을 의미하며 보통 체강 내에서 일어난다.
- (㉡) 은/는 국소적으로 종양세포가 인접 조직으로 자라면서 정상세포를 파괴하는 것을 말한다.

	㉠	㉡
①	파종(seeding)	침윤(invasion)
②	전이(metastasis)	파종
③	침윤	파종
④	파종	전이

정답 ①

침윤은 염증이나 악성종양 따위가 번져 인접한 조직이나 세포에 침입하는 것을 말한다.

13. 척추옆굽음증(scoliosis)에 관한 설명으로 옳지 **않은** 것은?

① 특발성 질환이며 사춘기에 등 근육의 비대칭적인 발달로 척추 만곡이 진행될 수 있다.
② X-선 검사를 활용한 콥스 각(Cobb's Angle)을 통해 척추가 얼마나 휘었는지를 평가한다.
③ 콥스 각이 20° 미만일 경우 보조기 착용을 원칙으로 하며 30° 이상일 경우 수술해야 한다.
④ 척추옆굽음증과 척추뒤굽음증(kyphosis)이 동시에 발생하는 것을 척추뒤옆굽음증(kyphoscoliosis)이라고 한다.

정답 ③

콥스 각이 25~40° 미만일 경우 보조기 착용을 원칙으로 하며 45(여자 50)° 이상일 경우 수술해야 한다.

14. 면역글로블린(immnoglobulin, Ig)의 종류와 기능에 관한 설명이 옳지 **않은** 것은?

종류	기능
① IgA	흡입되거나 소화된 해로운 물질과 결합하여 작용
② IgG	혈액과 조직에 존재하며 대다수의 감염체에 작용
③ IgM	외부 항원에 처음으로 반응
④ IgD	기생충에 대한 면역이나 알레르기 반응

정답 ④

필자가 강의 시간에 강조하는 내용을 잘 정리하면 쉽게 답을 찾을 수 있다.

면역글로블린	기능
IgA	항체의 일종으로 내장관, 호흡기관 및 비뇨생식관 등에 존재, 침과 모유같은 외분비의 주요 항체, 흡입되거나 소화된 해로운 물질에 결합하여 반응
IgD	항체의 일종으로 기능이 잘 알려져 있지 않음, 예방접종 이전 림프구 표면의 항원 수용체로 작동
IgE	항체의 일종으로 급성형 과민증과 기생충에 대한 저항에 관여하는 항체, 즉시 과민반응에서 알레르기 증상을 유발한다.
IgG	혈장에 가장 많이 존재하는 항체, 혈액순환에서 주요 항체이다. 예방접종 후 생산이 증가하고 2차 면역반응 중 분비된다.
IgM	모든 면역반응 중 가장 먼저 생성되는 항체이다. 외부항원에 처음으로 반응, IgG와 함께 박테리아 및 바이러스에 대한 특이 체액성 면역의 대부분을 담당한다. 예방접종 이전 림프구의 표면의 항원 수용체로 작용한다. 1차 면역반응 중 분비된다.

15. <보기>에서 류마티스성 관절염에 관한 설명으로 옳은 것을 모두 고른 것은?

〈보기〉
㉠ 염증이 관절 연골의 표면으로 확대되어 연골을 파괴시킨다.
㉡ 뼈의 과증식이 나타나고 요산이 축적되어 관절을 손상시킨다.
㉢ 침범된 관절 부위에 비정상적인 면역반응이 일어나 활액막에 염증이 나타난다.
㉣ 남성보다 여성에게 빈번하게 나타나며 손가락과 같은 작은 관절에서도 발생된다.

① ㉠, ㉡　　　　② ㉡, ㉢
③ ㉢, ㉣　　　　④ ㉠, ㉢, ㉣

정답 ④

㉡은 퓨린과 관련된 통풍을 의미한다.

16. <보기>는 레닌–안지오텐신 시스템에 관한 설명이다. ㉠~㉢에 해당하는 용어를 바르게 나열한 것은?

> ─〈보기〉─
>
> - 콩팥에서 레닌이 분비된다.
> - 레닌은 (㉠)에서 분비된 안지오텐시노겐을 안지오텐신-I으로 전환시킨다.
> - 안지오텐신-I은 (㉡)에 존재하는 안지오텐신전환효소(ACE)에 의해 안지오텐신-II로 전환된다.
> - 안지오텐신-II는 말초 동맥을 수축시키고 (㉢)을 자극하여 수분의 재흡수를 증가시킨다.

	㉠	㉡	㉢
①	간	허파	부신겉질
②	간	허파	부신속질
③	허파	간	부신겉질
④	허파	간	부신속질

정답 ①

이 문제는 꾸준히 출제되는 내용이다. 이에 대한 모식도와 상세한 해설은 ☞2019년 병태생리학 06번 참고

17. 천식에 관한 설명으로 옳지 <u>않은</u> 것은?

① 기도 염증과 과민성 기관지 수축이 나타나는 만성호흡기 질환이다.
② 기관지 벽이 얇아지고 점액성 분비물은 감소한다.
③ 쌕쌕거림(천명), 호흡곤란, 가슴답답(chest tightness) 및 기침이 나타난다.
④ 발작이 지속되면 저산소증이 나타나 중추신경계의 활성을 저하시킨다.

정답 ②

기관지 벽이 두꺼워지고 점액성 분비물은 증가한다.

18. 심부전에 관한 설명으로 옳지 <u>않은</u> 것은?

① 심실벽이 두꺼워지면서 심근이 비대해진다.
② 심장이 신체가 요구하는 적당량의 혈액을 박출하지 못한다.
③ 조직으로 공급되는 과도한 혈액량으로 일시적인 어지러움이 발생한다.
④ 감소된 심박출량을 보상하기 위해 교감신경계 반응이 증가된다.

정답 ③

조직으로 공급되는 부족한 혈액량으로 일시적인 어지러움이 발생한다.

19. 알츠하이머질환(Alzheimer's disease, AD)에 관한 설명으로 옳지 <u>않은</u> 것은?

① 베타 아밀로이드(β-amyloid) 단백질이 뇌에 축적된다.
② 뇌의 위축이 나타나며 인지기능과 행동적 장애가 나타난다.
③ 과인산화된 타우(tau) 단백질은 신경섬유원매듭(neurofibrillary tangle)의 주요 성분이다.
④ 산발성 AD(sporadic AD)와 가족성 AD(familial AD)로 구분되며 전체 환자의 90% 이상이 가족성 AD에 해당된다.

정답 ④

산발성 AD(sporadic AD)와 가족성 AD(familial AD)로 구분되며 전체 환자의 90% 이상이 산발성 AD에 해당된다.

2022

20. <보기>의 파킨슨 질환에 관한 설명 중 옳은 것으로만 묶인 것은?

---〈보기〉---

㉠ 도파민을 분비하는 흑색질(substantia nigra)의 신경세포가 파괴된다.
㉡ 안정 시 진전 현상은 움직임을 둔화시켜 에너지소비량을 감소시킨다.
㉢ 루이소체(Lewy body)가 발견된다.
㉣ 진전 현상은 안정 시보다 수의적인 운동 시에 증가한다.

① ㉠, ㉡   ② ㉠, ㉢   ③ ㉡, ㉣   ④ ㉢, ㉣

정답 ②

아래와 같이 수정할 수 있다.

㉡ 안정 시 진전 현상은 움직임을 촉진시켜 에너지소비량을 증가시킨다.
㉣ 진전 현상은 수의적인 운동 시보다 안정 시에 증가한다.

스포츠심리학

01. <보기>에서 설명하는 변화단계이론(stage of change theory:범이론 모형, transtheoretical model)의 구성개념은?

〈보기〉

- 운동했을 때 주어지는 이익과 손실을 비교하여 평가하는 것을 의미한다.
- 운동을 통하여 즐거움, 건강 증진 등을 인식한다면 이익에 해당하고, 시간 투자, 장비구입 부담 등을 인식하는 것은 손실에 해당한다.

① 자기효능감(self-efficacy)
② 의사결정 균형(decisional balance)
③ 체험적 과정(experiential process)
④ 행동적 과정(behavioral process)

정답 ②

변화단계 이론에 의하면 행동을 변화시키는데 세 가지 요인이 영향을 준다고 가정하는데 의사결정 균형, 자기효능감, 변화과정이 그 것이다.
의사결정 균형이란 원하는 행동을 했을 때 기대되는 혜택과 손실을 평가하는 것을 말한다.

02. <보기>는 홀랜더(Hollander, 1967)가 제시한 성격 구조에 관한 설명이다. ⊙, ⓒ에 해당하는 내용을 바르게 나열한 것은?

〈보기〉

- (⊙): 개인이 환경과의 상호작용으로 학습된 통상적인 속성
- (ⓒ):개인이 환경에 반응하는 것으로써, 주위 환경에 민감한 속성

	⊙	ⓒ
①	전형적 반응 (typical response)	역할 행동 (role-related behavior)
②	전형적 반응	수행 성향 (performance orientation)
③	역할 행동	수행 성향
④	역할 행동	전형적 반응

정답 ①

성격의 영역은 처녀 출제된 내용으로 향후에도 종종 출제가 예상된다.

Hollander의 성격 구조

성격은 개인의 의식 구조 내에서 심리적 핵, 전형적 반응, 역할 행동의 3가지 수준으로 구성되어 있다.

⊙ **심리적 핵** : 성격의 핵심 부분을 이루는 개인의 고유한 특성 부분으로, 비교적 환경의 영향을 잘 받지 않는다. 심리적 핵에는 개인의 태도, 가치, 흥미, 동기, 믿음 등이 포함된다. 예를 들어, 자신이 생각하는 가족이나 친구에 대한 중요성 정도 등은 개인의 심리적 핵에 속한다.

ⓒ **전형적 반응** : 개인이 환경에 적응하거나 외부 세계에 반응하는 부분이다. 전형적 반응 부분의 성격은 개인과 상호 작용을 거쳐 형성된 것이다.

ⓒ **역할 행동** : 개인이 사회적 역할에 따라 취하는 일정한 행동으로, 성격의 가장 표면적인 부분이고, 변화할 가능성이 가장 크다.

03. 운동발달에서 영아기 반사(reflex)의 개념 및 역할로 옳지 않은 것은?

① 수의적 반응
② 생존을 돕는 역할
③ 미래의 움직임 예측
④ 신경학적 변이나 병적 이상 유무 진단

정답 ①

반사는 불수의적 반응과 관련이 있다.

04. 운동학습의 연습과 기술에 관한 설명으로 옳은 것은?

① 전습법은 분절화, 단순화, 부분화로 구분하여 연습하는 것이다.
② 기술복잡성(skill complexity)이 높은 경우 정보처리 요구수준은 낮아진다.
③ 기술 구성요소 간 상호 의존성이 낮은 경우 기술구성도(skill organization)는 높아진다.
④ 연습가변성은 기술을 연습하는 동안 수행자가 경험하는 동작 및 상황의 다양성을 의미한다.

정답 ④

아래와 같이 수정할 수 있다.

① 분습법은 분절화, 단순화, 부분화로 구분하여 연습하는 것이다.
② 기술복잡성(skill complexity)이 높은 경우 정보처리 요구수준은 높아진다.
③ 기술 구성요소 간 상호 의존성이 낮은 경우 기술구성도(skill organization)는 낮아진다.

05. <보기>의 ( )안에 들어갈 용어는?

〈보기〉

격변이론(catastrophe theory)에 의하면, 인지불안이 매우 높을 때 신체적 각성이 적정 수준을 넘어서면 수행이 급격하게 추락한다. 이때 수행을 회복하기 위해 신체적 각성을 낮추더라도 수행은 직전의 수준으로 돌아가지 못하고 낮은 수준에 머무르게 되는데 이를 (   )라고 한다.

① 스투룹 효과(Stroop effect)
② 링겔만 효과(Ringelmann effect)
③ 히스테리시스 효과(hysterisis effect)
④ 자기조절 효과(self−regulation effect)

정답 ③

지도자는 스포츠 현장에서 <보기>와 같은 현상이 나타날 수 있기 때문에 최고의 정점을 지나지 않도록 해야 한다.

📖 **보충학습**

Hysteresis(履歷현상, 기억효과) : 이력현상은 파괴된 뒤 결코 다시 회복할 수 없는 현상을 가리키는 용어이다.

06. <보기>에서 ㉠에 해당하는 동기유형과 ㉡에 해당하는 운동심리 가설을 바르게 나열한 것은?

〈보기〉

건강운동관리사 : 운동을 시작한 계기가 있나요?

운 동 참 가 자 : 스트레스가 심해서 그런지 살이 찌더라고요. 그래서 처음에는 ㉠살을 빼려고 운동을 시작했어요. 그런데 운동을 시작했더니 기분도 좋아지더라고요.

건강운동관리사 : 규칙적인 운동은 신체적 건강에도 도움이 되지만, 정신건강에도 도움이 됩니다. 특히 ㉡운동 중에는 일상생활과 일에 대한 스트레스에서 벗어날 수 있어서 정서적으로 도움이 됩니다.

	㉠	㉡
①	확인규제	기분전환 가설
②	외적규제	생리적 강인함 가설
③	확인규제	엔돌핀 가설
④	외적규제	사회적 상호작용 가설

정답 ①

㉠ 확인규제는 본인이 설정한 목표 때문에 행동을 실천하는 것을 말한다.

㉡ 기분전환 가설 : 운동 중에는 운동에 집중하여 일상생활에서의 복잡함을 잊기 때문에 정서적 건강에 도움이 된다는 가설이다. 운동의 신체적·생리적 변화보다는 일상의 걱정으로부터 벗어나 자신만의 중과 휴식 시간을 가지는 기회가 중요하다는 설명이다. 하지만 운동은 독서, 조용한 휴식과 같은 기분 전환 활동에 비해 정서적 효과가 오래 지속되는 특징이 있다(김병준).

07. 운동학습의 파지(retention)에 관한 설명으로 옳지 않은 것은?

① 정보처리 관점에서 파지검사는 부호화된 표상 기억의 입력 과정으로 본다.
② 연습의 양은 파지에 영향을 미친다.
③ 운동기술의 유형은 파지에 영향을 미친다.
④ 운동과제의 복잡성은 파지에 영향을 미친다.

정답 ①

① 정보처리 관점에서 파지검사는 부호화된 표상 기억의 인출 과정으로 본다.

08. 시지각과 운동수행에 관한 설명으로 옳지 않은 것은?

① 중추시(central vision)와 환경시(ambient vision) 시스템은 정보를 탐지할 수 있는 영역과 그 기능이 서로 다르다.
② 환경시는 시각정보를 망막 전체에서 감지한다.
③ 농구 드리블 상황에서 중추시와 환경시는 계열적으로 사용된다.
④ 농구 자유투 시도 상황은 중추시를 통한 정보 활용의 예이다.

정답 ③

③ 농구 드리블 상황에서 중추시와 환경시는 동시에 사용된다.

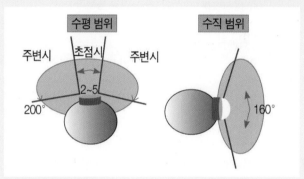

시각체계(초점시, 주변시)

사람의 시각체계는 일반적으로 초점시와 주변시(환경시)로 나뉜다. 초점시는 의식적으로 주의를 기울여 물체를 확인하는데 사용되는 것으로 그 범위는 매우 작은 영역(2~5도)에서 정보를 받아들일 수 있다. 반면 주변시는 초점시가 수용할 수 없는 영역에 위치한 물체의 정보와 함께 신체주변의 공간을 탐지하는데 중요한 역할을 한다(김선진).

09. 하우젠블라스와 사이몬스 다운스(Hausenblas & Symons Downs, 2002)가 제시한 운동 의존성(exercise dependence)의 특징에 관한 설명으로 옳은 것은?

① 통제감(senses of control) : 운동량을 통제하는 데 실패함
② 의도효과(intention effect) : 원래 의도한 것보다 오랫동안 운동을 지속함
③ 내성(tolerance) : 동일한 운동량으로 운동을 계속하면 같은 효과가 유지됨
④ 지속(continuance) : 동작 그 자체에 몰두하고 있어 동작이 저절로 일어남

정답 ②

① 통제감(senses of control) : 운동량을 통제하는 것
③ 내성(tolerance) : 동일한 운동량으로 운동을 계속하면 같은 효과가 감소됨
④ 몰입(flow) : 동작 그 자체에 몰두하고 있어 동작이 저절로 일어남

11. 피츠와 포스너(Fitts & Posner, 1967)가 제시한 운동학습 단계에 관한 설명으로 옳지 <u>않은</u> 것은?

① 인지 처리과정에 중점을 두어 운동학습 단계를 구분하였다.
② 인지 단계에서는 운동기술 수행전략을 개발한다.
③ 연합 단계는 언어–운동 단계라고도 하며, 언어와 인지적 능력이 중요하다.
④ 자동화 단계에서는 환경 정보를 처리하는 속도가 빨라진다.

정답 ③

③ 인지 단계는 언어–운동 단계라고도 하며, 언어와 인지적 능력이 중요하다.

Fitts & Posner의 인지 단계를 Adams는 언어–운동 단계(verbal-motor stage)라고 했으며, 연합 단계를 운동 단계(motor stage)라고 했다.

10. <보기>에서 운동실천 행동수정 전략으로 옳은 것을 모두 고른 것은?

―〈보기〉―
㉠ 목표 설정 전략을 적용할 때 운동일지 작성
㉡ 운동 프로그램 참가자의 출석에 대한 보상 제공
㉢ 모두가 볼 수 있는 게시판에 회원들의 출석부 게시
㉣ 엘리베이터와 계단이 함께 설치된 공공장소에 계단 사용을 권장하는 포스터 설치

① ㉠, ㉡   ② ㉢, ㉣
③ ㉡, ㉢, ㉣   ④ ㉠, ㉡, ㉢, ㉣

정답 ③

㉠은 목표설정 전략에 해당한다.

12. <보기>의 다이내믹시스템이론(Dynamic Systems Theory)에 관한 설명 중 옳은 것을 모두 고른 것은?

―〈보기〉―
㉠ 운동협응의 비선형적 변화를 강조함
㉡ 운동협응의 자기조직의 원리를 강조함
㉢ 운동제어의 기본 단위로써 협응구조를 강조함
㉣ 운동 프로그램과 같은 기억표상의 구조를 강조함

① ㉠, ㉡   ② ㉢, ㉣
③ ㉠, ㉡, ㉢   ④ ㉡, ㉢, ㉣

정답 ③

필자가 강의 때마다 언급한 언급한 내용이다. 협응이나 자유도에 관련된 문제는 다이나믹시스템 이론의 영역이다.

㉣은 정보처리 이론에 해당한다.

13. <보기>에서 ㉠~㉢에 해당하는 용어를 바르게 나열한 것은?

〈보기〉

웨이너(Weiner, 1986)의 귀인모형에서는 인과성의 소재(locus of causality), 안정성(stability), 통제 가능성(controllability)으로 귀인을 분류한다. (㉠)은/는 외적이며, 안정적이고, 통제 불가능하며, (㉡)은/는 내적이며, 안정적이고, 통제 불가능하다. 그리고 (㉢)은 내적이고, 불안정적이고, 통제 가능하다는 특징이 있다.

	㉠	㉡	㉢
①	운	능력	노력
②	과제난이도	운	노력
③	운	과제난이도	능력
④	과제난이도	능력	노력

정답 ④

귀인이론은 사람들이 성공과 실패의 원인이 무엇이라고 생각하는가를 다룬다. Weiner는 세상에서 실제로 수많은 사건의 원인을 기본적인 세 가지 차원으로 규정하였다.

이 문제에 대한 상세한 해설은
☞2016년 스포츠심리학 08번 참고

14. 바스(Bass,1985)의 변혁적 리더십(transformational leadership)의 구성 요인이 아닌 것은?

① 지적 자극(intellectual stimulation)
② 이상적 영향력(idealized influence)
③ 관계적 투명성(relational transparency)
④ 영감적 동기부여(inspirational motivation)

정답 ③

③은 "개별적 배려(mentoring coaching)"로 대체한다.

현대적 리더십은 흔히 거래적 리더십과 변혁적 리더십으로 나뉜다.

📖 보충학습

변혁적 리더십은 베버(Weber, T)가 처음 논의를 한 후에 번즈(J. B. Burns)에 의해 1978년 최초로 제시되었으며 베스(B. M Bass)가 조직상황에 맞추어 구체화함으로써 널리 알려지게 되었다. 이 이론은 다른 모든 리더십이론들이 리더와 하급자간의 교환관계에 기초한 거래적 리더십에 치중해 있다고 비판하는데서 출발한다.

15. 운동학습의 특징에 관한 설명으로 옳은 것은?

① 일시적인 변화이다.
② 직접적으로 관찰할 수 없다.
③ 연습이나 경험의 결과가 아니다.
④ 성공 수행을 위한 주의요구를 증가시킨다.

정답 ②

아래 표를 학습하면 쉽게 해결할 수 있다.

수행과 학습의 차이

수행	학습
직접적 관찰 가능	직접적 관찰 불가능
일시적	비교적 영구적
특정한 목적에 의함	연습과 경험에 의함

16. 운동학습에서 전이에 관한 설명으로 옳은 것은?

① 인지 혼란은 정적전이의 원인이다.
② 연습 상황과 전이 상황이 유사할수록 부적전이가 많이 발생한다.
③ 비대칭적 전이인 경우 어느 쪽 사지를 먼저 연습하든 전이량의 차이는 없다.
④ 맥락간섭을 많이 받은 집단의 전이량은 높게 나타난다.

정답 ④

① 인지 혼란은 부적전이의 원인이다.
② 연습 상황과 전이 상황이 유사할수록 정적전이가 많이 발생한다.
③ 대칭적 전이인 경우 어느 쪽 사지를 먼저 연습하든 전이량의 차이가 없다.

17. <보기>에서 설명하는 모형은?

─〈보기〉─

• 운동선수의 기분상태를 긴장, 우울, 분노, 피로, 활력, 혼동 요인으로 나타낸다.
• 우수선수의 긍정적 정서요인 점수는 평균보다 높게 나타나고, 부정적 요인은 낮게 나타난다.
• 우수선수의 기분상태에 대한 특징적 패턴을 빙산형 프로파일(iceberg profile)이라고 한다.

① 빅5 모형(big five model)
② 정신건강 모형(mental health model)
③ 정서의 원형 모형(circumplex model of affect)
④ 적정기능역 모형(zone of optimal functioning model)

정답 ②

①은 성격 5요인 이론으로 5가지 요인을 운동상황에 적용하는 것이며, ③은 정서를 측정하는 모형이며, ④는 불안 이론이다.

📖 보충학습

운동과 성격에 관한 연구는 크게 두 가지로 구분된다. 첫째는 운동 참가에 영향을 주는 심리적 요인을 찾는 것이다. 어떤 성격이 운동을 실천하는 것과 관련 있는지 밝히는 것이 목적이다. 성격이 운동실천의 영향요인(antecedent)인 경우이다. 둘째는 운동실천이 성격에 어떤 영향을 주는가를 알아보는 쪽이다. 규칙적인 운동에 따른 성격 변화를 알아보는 연구가 여기에 해당한다. 이 때 성격은 결과요인(consequence)이 된다(김병준).

18. <보기>에서 설명하는 불안 감소기법은?

─〈보기〉─

• 1단계: 점진적 이완 기법을 습득한다.
• 2단계: 가장 낮은 불안 유발 상황에서 극도의 불안 유발 상황까지 단계적으로 목록을 작성한다.
• 3단계: 가장 낮은 불안 유발 상황을 떠올리고 점진적 이완 기법을 실시한다.
• 4단계: 낮은 단계에서 불안이 느껴지지 않게 되면, 다음 단계로 이동하여 점진적 이완 기법을 실시한다.
• 5단계: 가장 높은 단계까지 점진적 이완 기법을 반복해서 실시한다.

① 자기암시(self-talk)
② 자생훈련(autogenic training)
③ 인지재구성(cognitive restructuring)
④ 체계적 둔감화(systematic desensitization)

정답 ④

④는 불안이나 스트레스를 유발시키는 자극에 대해 불안반응 대신에 이완반응을 보임으로써 불안이나 스트레스에 대해 점차적으로 둔감해지도록 훈련하는 방법이다.

불안과 각성 감소기법

②는 신체 부위의 따뜻함과 무거움을 느끼게 해주는 일련의 동작으로 구성되어 있다. 자생훈련은 근육에서 대조되는 두 가지 느낌을 느낀다는 점에서 점진이완과 유사하지만 스스로 최면을 유도한다는 점에서 점진이완과는 구별된다.
③은 부정적인 생각을 찾아내서 긍정적인 생각으로 바꾸는데 효과가 있는 인지 기법이다.

19. 운동학습의 피드백에 관한 설명으로 옳은 것은?

① 내재 피드백(intrinsic feedback)은 정보 유형에 따라 결과
　지식과 수행지식으로 나누어진다.
② 보강 피드백(augmented feedback)은 학습자 내부의 감각체
　계에서 제공된다.
③ 내재 피드백은 학습자의 외부에서 제공된다.
④ 보강 피드백은 운동지속 동기를 증가시킨다.

> **정답 ④**
>
> ① 보강 피드백은 정보 유형에 따라 결과지식과 수행지식으로
> 　나누어진다.
> ② 내적 피드백은 학습자 내부의 감각체계에서 제공된다.
> ③ 외재 피드백은 학습자의 외부에서 제공된다.

20. 운동수행의 반응시간(reaction time)에 관한 설명으로 옳은 것은?

① 심리적 불응기는 이중 자극에 대한 반응시간 지연현상
　을 의미한다.
② 자극-반응 대안수가 증가하면 선택반응시간은 감소한다.
③ 자극-반응 적합성이 증가하면 선택반응시간은 증가한다.
④ 단순반응시간은 두 개 이상의 자극에 대한 반응시간을
　측정한 것이다.

> **정답 ④**
>
> ② 자극-반응 대안수가 증가하면 선택반응시간은 증가한다.
> ③ 자극-반응 적합성이 증가하면 선택반응시간은 감소한다.
> ④ 단순반응시간은 하나의 자극 신호에 대하여 하나의 반응만을
> 　요구할 때 측정되는 반응시간을 측정한 것이다.